Robert Crooks
Karla Baur

NOS
SEXUALITÉS

Adaptation
Placide Munger
Université du Québec à Montréal

Traduction
Alain Lalonde
Nathalie Liao
Michèle Morin
ris Therrien

entifique
oline Cyr
Outaouais

e Fortier
François-Xavier-Garneau

Lisa Henry
Université d'Ottawa

Cé

D1501554

MODULO

Nos sexualités est la traduction de la dixième édition de *Our Sexuality* de Robert Crooks et Karla Baur.
© 2008, Nelson Education. Tous droits réservés. Traduit de l'anglais avec la permission de Nelson Education.

Nous reconnaissons l'aide financière du gouvernement du Canada par l'entremise du Programme
d'aide au développement de l'industrie de l'édition (PADIE) pour nos activités d'édition.

**Catalogage avant publication de Bibliothèque et Archives nationales du Québec
et Bibliothèque et Archives Canada**

Crooks, Robert, 1941-

Nos sexualités

2ᵉ éd.

Traduction de la 10ᵉ éd. de: Our sexuality.
Comprend des réf. bibliogr. et un index.

ISBN 978-2-89650-055-0

1. Sexualité.   2. Vie sexuelle.   3. Sexualité (Psychologie).   I. Baur, Karla.   II. Munger,
Placide.   III. Titre.
HQ21.C7614 2009   306.7   C2009-940360-9

Équipe de production
Éditrice : Bianca Lam
Chargée de projet : Renée Théorêt
Révision linguistique : François Therrien
Correction d'épreuves : Monique Tanguay
Montage : Dominique Chabot
Coordination de la mise en pages, maquette et couverture : Marguerite Gouin
Recherche photos : Julie Saindon
Gestion des droits : Gisèle Séguin
Indexage : Dolène Schmidt, Ghislain Morin

MODULO

*Groupe Modulo est membre de
l'Association nationale des éditeurs de livres.*

Nos sexualités
(1ʳᵉ édition, *Psychologie de la sexualité*, 2003)
© Groupe Modulo, 2010
233, avenue Dunbar
Mont-Royal (Québec)
Canada H3P 2H4
Téléphone : 514 738-9818 / 1 888 738-9818
Télécopieur : 514 738-5838 / 1 888 273-5247
Site Internet : www.groupemodulo.com

Dépôt légal - Bibliothèque et Archives nationales du Québec, 2009
Bibliothèque et Archives Canada, 2009
ISBN 978-2-89650-055-0

Imprimé aux États-Unis
1 2 3 4 5   13 12 11 10 09

AVANT-PROPOS

C'est avec un sentiment de nécessité doublé de celui d'une certaine urgence que j'ai accepté la responsabilité d'une traduction, d'une adaptation, et d'une mise à jour de la dixième édition du manuel *Our Sexuality* de Crooks et Baur. Destiné au lectorat francophone au Québec et plus largement au Canada, cet ouvrage s'adresse d'abord aux étudiantes et étudiants de niveaux collégial et universitaire, mais sa lecture saura satisfaire le besoin de connaître et de comprendre de la plupart des gens.

Le titre français *Nos sexualités* souligne d'entrée de jeu la pluralité des parcours de vie, des comportements, des attentes, des expériences impliquant d'une façon ou d'une autre une partie plus ou moins importante de la sexualité humaine prise au sens général. D'ailleurs, c'est délibérément que j'ai choisi de ne pas utiliser l'expression « la sexualité humaine » pour éviter de laisser entendre qu'il y aurait « une » sexualité humaine. Ce « une » est ambigu, il est porteur de sous-entendus sur l'existence d'« une » seule normalité, sur la possibilité de proposer « une » seule compréhension couvrant la totalité des connaissances sur le sujet. Mais chacun sait que sa propre sexualité change avec le temps, que ce qui est « vrai » à un certain moment de sa vie ne l'est plus au fil des changements biologiques, des apprentissages, des changements du contexte socioculturel, des rencontres, des unions et désunions, des expériences vécues, etc., qui sont les siens. C'est dire aussi du même souffle que d'autres changements sont à venir, imprévisibles dans une large mesure. Au final, il est plus juste de dire qu'une personne a rencontré et rencontrera une variété de situations ayant une composante sexuelle et qu'elle y réagira, les comprendra et s'y adaptera différemment de toute autre personne vivant les mêmes situations. Il est plus juste de dire, pour les mêmes raisons, que « la » sexualité d'une personne ne peut être connue qu'à la fin de sa vie, si seulement il était possible d'avoir toute l'information qui permettrait de le faire.

Nous ne sommes pas pour autant condamnés à une totale incertitude, à une absence de référence ou de comparaisons, ou pire, à une obligation de considérer que chaque élément de sexualité équivaut à un autre. Autant il est juste de conserver une certaine humilité intellectuelle devant la multitude et la complexité des sexualités qui existent, autant il faut savoir choisir entre les différentes options si l'on veut s'adapter et se développer. Pour choisir, il est nécessaire d'attribuer une valeur différente à chacune de ces options. Même imparfaites, nos connaissances personnelles sont nos repères et les conceptions des autres peuvent aussi nous guider, en partie du moins. Dans cette optique, la seule prétention de ce manuel est de pouvoir contribuer à asseoir plus solidement les choix en matière de sexualité, *vos* choix. Ils n'en seront alors que plus justifiés et justifiables, personnellement, socialement et éthiquement.

Les lecteurs constateront que le contenu qui leur est proposé provient d'un très grand nombre de spécialistes de différentes disciplines, comme en fait foi la bibliographie. Mais celle-ci ne rend pas compte de l'apport important de quelques autres spécialistes qui, par leur lecture attentive et critique de la première et parfois de la seconde version du texte français, par leurs suggestions pertinentes, par leurs commentaires lors d'échanges plus ou moins formels, ont fait en sorte que la nécessité et l'urgence mentionnées plus haut se sont transformées en un sentiment de fierté. Aucun remerciement ne pourra leur rendre justice, mais que l'on me permette tout de même de les nommer et d'exprimer ma plus profonde gratitude envers Mmes Lisa Henry, Martine Drapeau, Laurie Fortier et Caroline Cyr. Merci également à Bianca Lam, éditeure chez Modulo, et à toute l'équipe de production pour leur excellent travail.

Placide Munger

TABLE DES MATIÈRES

L'étude de la sexualité humaine

REGARD HISTORIQUE ET CULTUREL

LA RECHERCHE EN SEXOLOGIE : BUTS ET MÉTHODES

*D*ans ce chapitre, nous vous proposons d'abord un survol historique de la sexualité dans le monde, puis nous abordons l'univers de la recherche en sexologie afin de présenter les principaux moyens utilisés pour mieux connaître et mieux comprendre ce domaine complexe.

REGARD HISTORIQUE ET CULTUREL

Selon Badeau (1998), la sexualité humaine comporterait six grandes dimensions : cognitive, affective, psychologique, socioculturelle, morale et biologique. Par l'une ou l'autre de ces dimensions, la sexualité agit sur nous tout au long de notre vie. La plupart des étudiants qui suivent un cours sur la sexualité cherchent, du moins partiellement, à mieux se connaître sexuellement et à développer leur capacité à établir des rapports harmonieux avec les autres sur le plan sexuel. La connaissance de sa propre sexualité et la capacité à avoir des rapports sexuels sains avec une

Le Museum of Sex (Mosex) de New York fut inauguré en septembre 2002. Sa première exposition portait sur l'histoire de la sexualité dans cette ville. Le musée a pour mission de présenter l'histoire et la signification culturelle de la sexualité humaine et d'en conserver la mémoire.

autre personne constituent, selon nous, deux caractéristiques essentielles de l'**intelligence sexuelle**. Ces deux qualités nous aident à avoir un comportement sexuel en accord avec nos valeurs personnelles. Selon les normes canadiennes en santé publique, qui s'appuient elles-mêmes sur ce que préconise l'Organisation mondiale de la santé depuis 1975, pour avoir un comportement sexuel sain, il faut, en plus d'être en accord avec nos valeurs personnelles, tenir compte de l'environnement et de la culture ambiante (Agence de santé publique du Canada, 2008a).

L'intelligence sexuelle suppose également une bonne connaissance de la sexualité sur le plan scientifique. La sexualité humaine est un champ d'étude relativement récent. Les recherches menées au cours du dernier siècle ont cependant permis de faire des pas de géant dans la connaissance scientifique de ce phénomène. Par exemple, on comprend mieux ce qui se passe dans notre corps au cours de l'excitation sexuelle et ce qui fait augmenter notre plaisir, on connaît mieux les aspects biologiques de l'orientation sexuelle et on en sait davantage sur les façons de nous protéger et de protéger les autres contre les infections transmissibles sexuellement et par le sang (ITSS).

Enfin, l'intelligence sexuelle demande une bonne compréhension du contexte culturel, politique et juridique dans lequel la sexualité s'inscrit. En matière de sexualité, la formule « le privé est politique » s'avère pertinente, comme le montrent la multitude de lois concernant la sexualité et l'impact qu'exerce sur l'électorat le dévoilement des comportements ou de l'orientation sexuels des politiciens. Pensons au débat qui a entouré, au Canada, l'adoption de la loi rehaussant l'âge requis pour consentir à des contacts sexuels, à celui, toujours en cours, sur la décriminalisation de la prostitution, ou à ceux touchant le remboursement des frais liés au changement de sexe ou la liberté d'expression face à la pornographie, etc. Les différents points de vue historiques, interculturels et intraculturels que nous aborderons dans ce chapitre peuvent nous aider à comprendre la situation unique dans laquelle nous nous trouvons en matière de liberté sexuelle à notre époque. Plus que jamais dans le passé, et plus que dans nombre de cultures non occidentales aujourd'hui, il nous appartient de définir notre sexualité sur la base de nos choix individuels.

LA SEXUALITÉ HUMAINE : DIVERSITÉ ET CONTROVERSE

Peu de sujets suscitent autant d'intérêt et provoquent autant de plaisir et de détresse que ceux touchant l'expression et le contrôle de la sexualité humaine. Dans un groupe assistant à un cours d'introduction à la sexualité (et cela est vrai pour n'importe quel type de groupe, en fait), les attitudes à l'égard de la sexualité vont habituellement de la plus libérale à la plus conservatrice. Les étudiants appartiennent à divers groupes d'âge et viennent de différents milieux ethniques et religieux, et leur expérience de la vie et de la sexualité est tout aussi diverse. Le contexte familial a une grande importance à cet égard (voir l'encadré « Parlons-en »). Certains n'ont eu des rapports sexuels qu'avec une personne, d'autres ont eu plusieurs partenaires. Certains sont mariés ou vivent avec la même personne depuis longtemps, alors que d'autres n'ont jamais partagé l'expérience de la sexualité avec quelqu'un. Certains n'ont eu des relations sexuelles qu'avec des personnes de l'autre sexe, tandis que d'autres ne désirent avoir des contacts sexuels qu'avec des personnes de leur propre sexe ; d'autres encore sont attirés par les deux sexes. Certains choisissent de n'avoir aucune vie sexuelle, alors que d'autres s'en tiendront à la seule autostimulation.

> **Intelligence sexuelle** Les quatre composantes de l'intelligence sexuelle sont la connaissance de sa propre sexualité, l'aptitude à établir des rapports interpersonnels sur le plan sexuel, la connaissance scientifique de la sexualité et la compréhension du contexte culturel où elle s'inscrit.

Parlons-en

Une conversation parent-enfant sur la sexualité

Afin d'avoir une meilleure compréhension de vos attitudes et de vos expériences reliées à la sexualité, vous pourriez interroger vos parents sur leurs opinions et leur vécu en ce domaine.

« QUOI !!! Discuter de sexualité avec mes parents ?!? »

Les idées et suggestions qui suivent peuvent vous aider à rendre cette tâche un peu moins redoutable.

« Mais mes parents ne voudront jamais répondre à mes questions sur la sexualité. »

Vous seriez assez surpris de voir à quel point les parents sont ouverts à ce genre de discussion. Généralement, ils répondent volontiers aux questions que leur posent leurs enfants. Vous pouvez commencer par tâter le terrain : abordez le sujet avec une question plutôt générale et s'ils répondent, explicitement ou non, par la négative, changez de sujet.

La première étape consiste à choisir la personne que vous voulez interroger. Ne choisissez pour mener cette entrevue qu'une personne avec qui vous entretenez une excellente relation. Il est possible que vous vous sentiez plus à l'aise avec un de vos grands-parents ou un membre de votre famille autre que vos parents. Prévoyez un moment où vous aurez assez de temps et trouvez un lieu tranquille. (Vous pouvez aussi correspondre par courriel ou par lettre, ou discuter au téléphone ; peut-être préférerez-vous plusieurs courtes conversations à une longue entrevue). Vous pouvez amorcer la conversation en disant que vous suivez un cours sur la sexualité et que vous vous demandez si votre interlocuteur a eu droit à une forme quelconque d'éducation sexuelle à l'école. Une fois la glace brisée, vous pourrez, si la communication est bonne, préciser vos questions : « Qu'est-ce que vos professeurs vous ont appris au sujet de la sexualité ? Vos amis ? Vos parents ? Qu'avez-vous appris dans les livres ? Qu'est-ce que votre religion vous a enseigné sur la sexualité ? Quelles fausses informations avez-vous reçues ? Qu'auriez-vous aimé savoir à l'époque ? »

Si tout va bien, vous pouvez donner à la conversation une tournure un peu plus personnelle : « Comment vous êtes-vous senti(e) face à la transformation de votre corps à l'adolescence ? Vous êtes-vous développé(e) plus ou moins rapidement que vos camarades de classe ? Qui a été votre premier véritable amour ? Qu'est-ce qui était plus facile ou plus difficile sur le plan sexuel à votre époque que maintenant ? »

Si vous avez pu vous rendre aussi loin dans la conversation, vous avez sûrement acquis une meilleure compréhension de certains aspects importants de la vie de la personne interviewée et, espérons-le, de la vôtre. Alors, maintenant, qui est le suivant ?

Certains recherchent la sexualité, d'autres la redoutent. Certaines expériences sont positives, d'autres sont négatives. En matière de sexualité, rien n'est pareil partout, pour tout le monde, en tout temps.

UNE APPROCHE BIOPSYCHOSOCIALE

Notre approche de la sexualité humaine repose principalement sur l'idée que des facteurs psychologiques (émotions, attitudes, motivations) et sociaux (le processus de conditionnement par lequel nous intériorisons les valeurs et les normes de notre groupe social) ont une grande influence sur nos idées, nos valeurs et nos comportements sexuels. Cette approche n'exclut pas pour autant l'importance des facteurs biologiques dans la sexualité humaine. Pensons, par exemple, au rôle des hormones et du système nerveux, à la dimension biologique de l'orientation sexuelle, aux théories sur l'impact de la sélection génétique qui a marqué l'évolution de l'être humain au cours des millénaires ou à l'influence de certains facteurs génétiques sur l'individu. On appelle **biopsychosociale** l'approche qui intègre ainsi les dimensions psychologique, sociale et biologique d'un phénomène.

UN REGARD INTERCULTUREL

Partout dans le monde, la majorité des gens déclarent accorder une grande importance à la sexualité lorsqu'on les interroge à ce sujet. Mais les réponses varient grandement suivant les pays et les cultures, comme on peut le voir à la figure 1.1. Afin d'illustrer ces différences sur

a) Proportion d'hommes et de femmes qui ont affirmé que le sexe était modérément / très / extrêmement important dans leur vie.

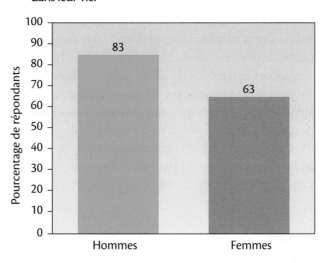

b) Proportion des gens de chaque pays qui ont affirmé que le sexe était modérément / très / extrêmement important à leurs yeux.

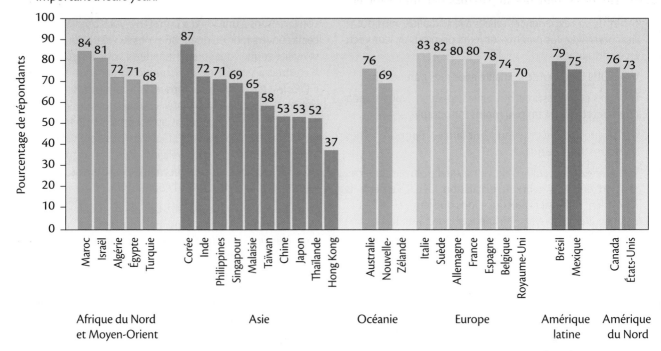

Figure 1.1 Étude mondiale sur les attitudes et les comportements sexuels : « Quelle est l'importance de la sexualité dans votre vie ? » Plus de 27 000 personnes ont été interrogées dans ce sondage mené dans 29 pays.

Source : Adapté de Nicolosi et coll., 2004.

le plan culturel, nous allons examiner la sexualité au Moyen-Orient islamique et en Chine.

Le Moyen-Orient islamique

L'islam est la religion qui connaît actuellement la plus forte croissance mondiale. Ses adeptes sont appelés «musulmans». L'islam prédomine au Moyen-Orient, en Afrique du Nord et en Afrique subsaharienne, bien qu'il soit répandu aussi dans plusieurs autres régions du monde. Les musulmans forment le cinquième de la population mondiale et ils seraient environ 640 000 au Canada (Statistique Canada, 2006).

Les musulmans suivent les enseignements du prophète Mahomet (570-632), consignés dans le Coran (Qur'an). Mahomet s'opposait aux relations sexuelles prémaritales, mais il les encourageait à l'intérieur du mariage. Il les présentait comme la meilleure chose de la vie humaine, tant pour les femmes que pour les hommes, et il conseillait aux maris d'apprécier la lenteur et l'attente dans l'accomplissement de l'acte sexuel (Abbott, 2000). Dans le Coran, les femmes sont considérées comme sexuelles en elles-mêmes. Le gendre de Mahomet disait que «si Dieu avait distribué le désir sexuel en dix parties, neuf iraient aux femmes et une seule aux hommes». Le Coran demande aux hommes et aux femmes de faire preuve de modestie en public et de porter des vêtements amples dissimulant les formes du corps. Une femme vêtue comme l'islam le préconise est censée être «comme une perle dans une coquille» (Jehl, 1998).

Avant l'implantation de l'islam au VIIᵉ siècle, la polygamie (le fait pour un homme d'avoir plusieurs épouses à la fois) était une pratique courante. Selon des analyses d'ADN effectuées au cours de recherches anthropologiques récentes, il semble que c'était aussi le cas chez les humains il y a plus de 70 000 ans (Dupanloup, 2003). Lorsque, par suite d'une guerre, les femmes se trouvaient beaucoup plus nombreuses que les hommes, la polygamie permettait aux veuves d'avoir un mari et aux orphelins d'avoir un père. Le Coran, par conséquent, n'interdit pas la polygamie. Il permet à un homme d'avoir jusqu'à quatre épouses, à condition qu'il se montre équitable envers chacune d'elles. Les femmes qui acceptent la polygamie la justifient en disant que, si une épouse aime vraiment son mari, elle acceptera aussi qu'il marie d'autres femmes.

Plusieurs passages du Coran semblent concilier l'islam avec les droits de la femme, le pluralisme religieux et l'homosexualité. Les musulmans modérés peuvent utiliser ces extraits pour combattre les préjugés des islamistes radicaux (Manji, 2006). Ni l'oppression dont les femmes sont victimes dans les pays islamiques ni les contraintes et les châtiments extrêmes qu'on leur impose sur le plan sexuel ne sont dus à la religion et au Coran, mais plutôt aux traditions culturelles patriarcales du Moyen-Orient et à l'émergence

Biopsychosocial Qui se rapporte à une combinaison de facteurs biologiques, psychologiques et sociaux.

La poupée Fulla a remplacé la poupée Barbie dans les boutiques de jouets du Moyen-Orient. Dans les commerciaux télévisés, on la représente vêtue d'une abaya noire et d'un hijab en train de prier sur son tapis rose tandis que le soleil se lève. Son succès suscite la controverse : est-elle un bon modèle auquel les jeunes filles musulmanes peuvent s'identifier, contrairement à la Barbie blonde diffusée à l'échelle mondiale, ou plutôt le modèle de femme pieuse et vertueuse qu'on cherche de plus en plus à imposer aux femmes depuis le virage entrepris par les gouvernements laïcs du Moyen-Orient et la montée du fondamentalisme islamiste (Cercone, 2006) ?

des sectes fondamentalistes (Ebadi, 2006 ; Hays, 2004). Ainsi, les musulmans fondamentalistes ne suivent pas la doctrine du Coran quand ils réclament la mutilation génitale des fillettes, exigent que les femmes soient entièrement vêtues en public ou approuvent le « crime d'honneur » (meurtre d'une femme qui a « déshonoré » son mari et sa famille parce qu'elle a subi un viol ou eu des rapports sexuels hors du mariage) (Chigbo, 2003 ; Power, 1998a).

L'invasion et l'occupation de l'Irak par l'armée américaine sous l'administration de George W. Bush ont activé la colère des musulmans et nourri l'islamisme radical, lequel condamne l'homosexualité. Sous le règne de Saddam Hussein, les homosexuels faisaient l'objet d'une certaine tolérance, mais après sa chute, les chefs religieux fondamentalistes ont demandé à leurs fidèles de les pourchasser et de les tuer (Ireland, 2006a ; Lisotta, 2006). Plus tard, en 2005, le nouveau président de l'Iran, le pays voisin, fut élu sur la base d'un programme de « purification morale », lequel « est appliqué par la police religieuse qui traque les gais et les lesbiennes, les torture et les exécute en public par pendaison ou lapidation » (Ireland, 2006b).

La Chine

L'histoire de la Chine ancienne est riche en art et en littérature érotiques. Les premiers manuels sexuels connus furent produits en Chine vers 2500 av. J.-C. On y représentait des techniques sexuelles et une grande variété de positions dans les rapports sexuels. Le taoïsme, qui apparut vers le IIe siècle av. J.-C., encourageait l'activité sexuelle (fellation, attouchements sensuels, rapport sexuel) non seulement comme moyen de procréation, mais aussi comme outil de croissance et d'harmonie spirituelles (Brotto et coll., 2005). L'union de l'homme et de la femme au cours de l'acte sexuel était vue comme un moyen de fusionner les énergies opposées du yin (principe féminin) et du yang (principe masculin) et de créer l'équilibre entre les deux principes dans chacun des individus. On incitait les hommes à éjaculer peu souvent pour conserver l'énergie du yang et les femmes à rechercher l'orgasme pour accroître leur énergie yin.

Ce libéralisme sexuel propre au taoïsme fut remplacé par une morale sexuelle beaucoup plus stricte avec la renaissance du confucianisme vers l'an 1000. Depuis la révolution communiste de 1949, ce conservatisme sexuel s'est encore accentué. Le gouvernement chinois a ainsi cherché à éliminer les comportements occidentaux « décadents » que sont la pornographie et la prostitution.

Le régime communiste a banni les gestes romantiques, et le simple fait de se tenir la main en public pouvait valoir des châtiments sévères aux amoureux (Fan, 2006). Les relations sexuelles hors du mariage étaient considérées comme une déviation bourgeoise, et faire l'amour plus d'une fois par semaine, même en étant mariés, comme un détournement d'énergie contre-productif. Ce rigorisme sexuel a néanmoins eu pour effet de permettre à la Chine d'éliminer presque totalement les infections transmissibles sexuellement (Wehrfritz, 1996).

Le gouvernement chinois a progressivement desserré son contrôle sur le mode de vie des gens. À mesure qu'il s'est montré plus permissif, les attitudes et les comportements de la population ont changé en matière de sexualité, notamment en ce qui concerne l'homosexualité, qui est un peu mieux tolérée (Cui, 2006 ; Wong et Tang, 2004). Les rapports sexuels avant le mariage ont augmenté considérablement. En 2005, 70 % des Pékinois affirmaient avoir eu des relations sexuelles avant de se marier, contrairement à 15,5 % en 1989. Dans une étude menée dans sept grandes villes chinoises, les répondants de 14 à 20 ans avaient eu leur première relation sexuelle à 17,4 ans, en moyenne. Par comparaison, ceux de 31 à 40 ans avaient au moins six ans de plus lors de leur première relation sexuelle. Malheureusement, les connaissances quant à la sexualité en général et aux rapports sexuels sans risques n'ont pas évolué au même rythme que la libéralisation du régime. C'est ainsi que l'on observe une augmentation du nombre d'avortements chez les femmes célibataires et une forte croissance du nombre d'infections au VIH, notamment chez les jeunes de 15 à 24 ans (Beech, 2005). Cette augmentation du nombre d'infections au VIH est particulièrement problématique en raison de la stigmatisation très forte qui frappe les sidéens et du manque d'expérience des médecins chinois, qui n'ont été que récemment formés à traiter ce genre de maladie (X. Chen et coll. 2000 ; Liu et Meyer, 2000).

LES RÔLES LIÉS AU SEXE : LE POIDS DE LA TRADITION

Notre bref regard interculturel sur le Moyen-Orient islamique et la Chine nous a permis de constater que le plaisir sexuel y était beaucoup plus valorisé anciennement qu'aujourd'hui, et ce, tant pour les hommes que pour les femmes. En Occident, toutefois, c'est plutôt le contraire qui s'est produit, avec les changements culturels qui sont intervenus tant dans la finalité de l'activité sexuelle que dans les normes sociales face à la sexualité de l'homme et de la femme. Les modèles,

les conflits et les changements ont touché deux valeurs essentielles : la procréation comme seule justification de l'activité sexuelle et la division rigide des rôles sexuels. Analysons ces deux idées l'une après l'autre.

L'ASSOCIATION ENTRE LA SEXUALITÉ ET LA PROCRÉATION

En Europe occidentale et en Amérique du Nord, l'idée selon laquelle la procréation est le seul motif légitime de l'acte sexuel a très longtemps dominé (Francoeur, 2001). Encore aujourd'hui, l'Église catholique romaine et les groupes pro-vie (beaucoup sont composés de chrétiens fondamentalistes) défendent l'idée que la sexualité n'a de valeur morale que si elle s'exerce à l'intérieur du mariage et dans le but de procréer. Le texte « La position de l'Église catholique sur la contraception » débute ainsi :

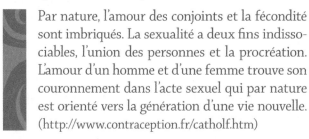

> Par nature, l'amour des conjoints et la fécondité sont imbriqués. La sexualité a deux fins indissociables, l'union des personnes et la procréation. L'amour d'un homme et d'une femme trouve son couronnement dans l'acte sexuel qui par nature est orienté vers la génération d'une vie nouvelle. (http://www.contraception.fr/catholf.htm)

Cette citation montre bien quel est le fondement de la vision catholique de la sexualité : le rejet de tout ce qui ne va pas dans le sens de la procréation. À diverses époques, les pratiques sexuelles qui procurent du plaisir sans risque de procréer, comme la masturbation, la relation buccogénitale, la relation anale ou la relation entre personnes de même sexe, ont été jugées immorales, contraires à la volonté de Dieu, perverses ou illégales (Roffman, 2005). Jusqu'en 1959, par exemple, le Code criminel canadien considérait l'homosexualité et la bestialité comme un même crime. Ce n'est qu'en 1967 qu'une loi sera déposée au Parlement pour décriminaliser l'homosexualité, et qu'en 1969 qu'elle sera finalement adoptée. Il est à noter qu'au Canada les relations anales demeurent le seul comportement sexuel à l'égard duquel on exige que les partenaires soient majeurs ou mariés pour que leur consentement soit jugé légal (Schabas, 1995).

Même si la plupart des Occidentaux ne croient pas aujourd'hui que la sexualité ne sert qu'à procréer, on peut considérer comme un relent de cette croyance le fait que beaucoup de monde associe automatiquement le mot « sexe » à « coït ». Par conséquent, tout acte autre que la pénétration d'un pénis dans un vagin ne sera pas considéré comme du « vrai sexe ». Il suffit de demander aux gens à quel âge ils ont eu leur première relation

Question d'analyse critique

Quel lien y a-t-il entre la notion de « sexe pour la procréation » et le débat actuel sur le mariage gai ?

sexuelle pour voir qu'ils pensent automatiquement à la première fois qu'ils ont eu une relation coïtale (pénétration pénis-vagin).

Le rapport de type pénis-vagin peut représenter pour plusieurs un aspect épanouissant de la relation hétérosexuelle. Toutefois, le fait de trop insister sur ce genre de rapport peut avoir des conséquences néfastes sur la vie sexuelle des gens, comme le montre le cas suivant où un jeune couple a dû suivre une thérapie sexuelle.

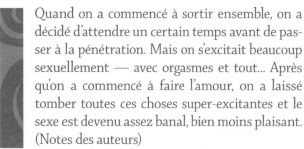

> Quand on a commencé à sortir ensemble, on a décidé d'attendre un certain temps avant de passer à la pénétration. Mais on s'excitait beaucoup sexuellement — avec orgasmes et tout... Après qu'on a commencé à faire l'amour, on a laissé tomber toutes ces choses super-excitantes et le sexe est devenu assez banal, bien moins plaisant. (Notes des auteurs)

Considérer le coït comme le seul « vrai sexe » perpétue l'idée que le pénis de l'homme est la principale source de satisfaction sexuelle de sa partenaire et que la réponse sexuelle et l'orgasme de celle-ci sont censés se produire durant la pénétration. Une vue aussi étroite met énormément de pression sur la performance sexuelle tant de l'homme que de la femme et crée des attentes irréalistes quant à la satisfaction à tirer du coït lui-même. Elle a aussi pour effet de dévaloriser les rapports intimes autres que le coït et de les ravaler au statut de « préliminaires » (gestes habituellement considérés comme préparatoires au coït), ce qui laisse entendre que ces gestes intimes n'ont aucune importance en eux-mêmes et n'ont de sens que s'ils sont suivis du « vrai sexe », c'est-à-dire du coït. En outre, l'activité sexuelle pratiquée par des couples de même sexe ne respecte pas le modèle voulant que la sexualité soit liée à la procréation. Sachant que les relations homosexuelles ne sont pas du type pénis-vagin, plusieurs se posent en effet la question : « Que font-ils durant un rapport sexuel ? »

LA DIVISION DES RÔLES DE L'HOMME ET DE LA FEMME EN MATIÈRE DE SEXUALITÉ

La seconde idée importante héritée de notre culture occidentale a trait à la division rigide des rôles sexuels

Question d'analyse critique

Si vous entendez quelqu'un dire « J'ai couché avec telle personne hier », à quelle activité sexuelle précise fait-il allusion, selon vous ?

de l'homme et de la femme. Cette division des rôles repose sur des perceptions qui vont bien au-delà des différences physiologiques entre les sexes. Des chercheurs ont établi que les différences physiologiques entre l'homme et la femme déterminent pour chaque sexe des caractéristiques et des tendances. Cependant, la socialisation a pour effet de façonner et de limiter ou d'accentuer ces tendances biologiques. Un conditionnement social strict quant au rôle de chaque sexe peut limiter le potentiel de chaque individu et brimer sa sexualité. Par exemple, des normes sociales définissant un comportement sexuel « approprié » à chaque sexe renforceront l'idée que l'homme doit toujours avoir l'initiative de l'activité sexuelle et que la femme devra ou bien en fixer les limites ou bien se soumettre aux désirs de l'homme. Ce modèle peut avoir pour conséquence de mettre beaucoup de pression sur l'homme et de limiter considérablement les chances que la femme découvre ses propres besoins (Berman et Berman, 2001).

Dans la majorité des cultures, il y a davantage de restrictions et de sanctions envers les femmes qu'envers les hommes en ce qui a trait aux comportements sexuels (Murphy, 2003a). Par exemple, le mot *salope* est un terme très utilisé pour stigmatiser les femmes qui ont une vie sexuelle et n'a pas d'équivalent masculin. Une fille qui change souvent de partenaire sexuel sera jugée négativement, ce qui ne sera généralement pas le cas pour un homme qui fait la même chose.

Pour bien comprendre le poids des croyances sociales actuelles sur la sexualité dans les pays occidentaux, nous devons analyser les racines historiques de ces croyances, notamment celles qui portent sur le lien entre la sexualité et la procréation et sur la division rigide des rôles sexuels. D'où viennent ces idées ? Comment nous touchent-elles encore aujourd'hui ?

LA SEXUALITÉ EN OCCIDENT : UN REGARD HISTORIQUE

La sexualité à l'intérieur du mariage n'a pas toujours été considérée comme un simple besoin de procréer. Tant la tradition que l'Ancien Testament conviennent

que « connaître » l'autre sexuellement, dans les liens du mariage, est une expérience intense sur les plans physique et affectif (Haffner, 2004). D'ailleurs, le Cantique des cantiques de la Bible (aussi appelé Cantique de Salomon) est un poème rempli de sensualité. Dans ce court extrait parle un amoureux :

> Comme ton amour me ravit, petite sœur, ma promise !
> Je le trouve plus enivrant que le vin
> Et ton huile parfumée m'enchante plus que tous les baumes odorants.
> Ma promise, sur tes lèvres mon baiser recueille un suc de fleur et ta langue cache un lait parfumé de miel (Ct 4, 10-11)

Sa promise dira plus loin :

> Je suis à mon bien-aimé et c'est moi qu'il désire.
> Viens, mon amour; sortons, allons passer la nuit parmi les fleurs de henné [...]
> Et là je te donnerai mon amour (Ct 7, 11-13)

La joie qui transparaît à travers ces lignes consacrées à la sexualité faisait partie intégrante de la tradition juive. Cette façon de voir les choses fut éclipsée par les enseignements de l'Église chrétienne. Pour comprendre comment cela a pu se produire, il faut se rappeler que la chrétienté est apparue à l'époque du déclin de l'Empire romain, dans une période de grande instabilité durant laquelle on importa de Grèce, de Perse et d'autres parties de l'Empire des cultes exotiques dont le but était de procurer distraction et divertissement sexuel. Les premiers chrétiens se dissocièrent de ces pratiques en associant la sexualité au péché.

On ne connaît que très peu de choses sur les opinions professées par Jésus en matière de sexualité, mais on sait que l'amour et la tolérance étaient les principes de base de son enseignement. Paul de Tarse, cependant, exerça une influence cruciale sur la jeune Église (il mourut en l'an 66 et un grand nombre de ses écrits furent incorporés au Nouveau Testament). En réaction aux mœurs qui prévalaient à l'époque, Paul mit l'accent sur l'importance de vaincre le « désir de la chair » pour atteindre le royaume de Dieu. Il fallait, selon lui, non seulement renoncer à la colère, à l'égoïsme et à la haine, mais aussi à la sexualité hors des liens du mariage. Il associa la spiritualité à la chasteté et fit du célibat un état supérieur au mariage, car cet état excluait les relations sexuelles. Dans son esprit, le rapport sexuel, essentiel à la reproduction, était un acte nécessaire, mais peu recommandable sur le plan religieux.

LE PÉCHÉ DE LA CHAIR

Plus tard, les pères de l'Église renchérirent sur le lien entre la sexualité et le péché. Augustin (354-430) déclara que la luxure était le péché originel d'Adam et Ève. Ses écrits sanctionnèrent l'idée selon laquelle les relations sexuelles ne pouvaient avoir lieu qu'à l'intérieur des liens du mariage et que dans un but de procréation. Augustin croyait aussi à l'infériorité naturelle de la femme, et seule la position où l'homme était couché sur la femme lui semblait « naturelle » (Wiesner-Hanks, 2000).

La croyance que la sexualité était un péché perdura durant tout le Moyen Âge (la période s'étendant de la chute de l'Empire romain, en l'an 476, jusqu'au début de la Renaissance, dans les années 1400. Thomas d'Aquin (1225-1274) affina cette idée dans une courte section de sa *Summa Theologica*. Il y affirmait que les organes sexuels de l'être humain avaient été faits pour la procréation et que toute autre pratique (relations

L'interprétation de la conduite d'Ève dans le jardin d'Éden a fortement influencé la perception de la femme dans le monde occidental.

homosexuelles, relations buccogénitales, sodomie, zoophilie) était un acte contre la volonté de Dieu, une hérésie et un « crime contre nature ». Lors de la confession, les prêtres s'en remettaient à des pénitentiels, sortes de recueils où étaient consignés tous les péchés et les pénitences qui y correspondaient. Le retrait du pénis pour éviter la grossesse y était considéré comme le péché le plus grave et pouvait entraîner comme pénitence un jeûne de plusieurs années au pain sec et à l'eau. Des « actes contre nature » tels que les relations buccogénitales ou la sodomie étaient aussi considérés comme extrêmement graves et entraînaient des pénitences plus importantes que celles infligées pour un meurtre (Fox, 1995). Les relations homosexuelles, qui empêchent toute possibilité de reproduction, représentaient à elles seules la somme de plusieurs « actes contre nature ». À partir de l'époque de Thomas d'Aquin, les homosexuels n'allaient plus trouver ni tolérance ni refuge dans aucun pays occidental (Boswell, 1980).

Durant le Moyen Âge, deux images contradictoires de la femme se développèrent de façon parallèle : celle de Marie, la vierge, et celle d'Ève, la tentatrice. Le culte de la Vierge fut rapporté en Occident par les croisés revenant de Constantinople. Auparavant considérée par l'Église d'Occident comme une figure de second plan, Marie se vit transformée en une protectrice pleine de grâce et de compassion, et devint l'objet d'une dévotion religieuse exaltée. L'amour courtois, qui apparut à peu près à cette époque, reprit cette image de la femme pure à la conduite irréprochable. L'idéal de tout jeune chevalier était de tomber amoureux d'une femme de souche plus noble que lui, mais mariée. Après une cour assidue, il pouvait gagner ses faveurs, mais leur amour demeurait platonique parce que les vœux de mariage de la dame ne pouvaient être rompus. Ce paradigme des relations amoureuses s'empara des esprits, et les troubadours s'inspirèrent de l'amour courtois pour composer des ballades qu'ils jouèrent dans toutes les cours d'Europe.

Célibat   Dans le passé, état d'une personne qui demeurait non mariée ; aujourd'hui, état d'une personne qui n'a pas d'activité sexuelle avec une autre.

C'est en opposition à l'image de la Madone à la fois inaccessible et bienveillante que se développa l'autre image de la femme : Ève, la tentatrice du jardin d'Éden. En propageant cette image de la femme, l'Église mettait en évidence le péché d'Ève et suscitait l'antagonisme entre les hommes et les femmes. Cet antagonisme atteindra son paroxysme avec la chasse aux sorcières que l'Église catholique fera en Europe continentale et dans les îles Britanniques de la fin du XVe siècle, en pleine Renaissance, et pendant près de deux siècles (Morgan, 2006). On associait la sorcellerie à la luxure, et la plupart des femmes dénoncées comme « sorcières » furent accusées de s'être livrées à des orgies sexuelles avec le démon (Wiesner-Hanks, 2000). Ironiquement, alors que la reine Elizabeth I (1533-1603) menait l'Angleterre vers de nouveaux sommets, près de 50 000 femmes ont été condamnées pour sorcellerie et exécutées en Europe (Barstow, 1994).

UNE VISION POSITIVE DU SEXE

L'idée voulant que l'activité sexuelle soit un péché lorsqu'elle n'a pas pour but de procréer connut une certaine évolution sous les réformateurs protestants du XVIe siècle. Martin Luther (1483-1546) et Jean Calvin (1509-1564) reconnurent tous deux la valeur de la sexualité dans le mariage (Berman et Berman, 2001). Selon Calvin, la sexualité à l'intérieur du mariage était acceptable si elle naissait du désir d'avoir des enfants, d'éviter la fornication, d'alléger et d'adoucir les préoccupations et les peines du ménage, ou encore de se rendre chers l'un à l'autre (Taylor, 1971, p. 62). Les Puritains, souvent dénigrés pour l'étroitesse de leurs vues sur la sexualité, reconnaissaient eux aussi la valeur de l'expérience sexuelle à l'intérieur du mariage (D'Emilio et Freedman, 1988 ; Wiesner-Hanks, 2000). On rapporte qu'un homme fut chassé de Boston pour avoir, entre autres délits, refusé de s'acquitter de ses devoirs conjugaux durant une période de deux ans (Morgan, 1978, p. 364).

LE SIÈCLE DES LUMIÈRES

Au XVIIIe siècle se développa un nouveau rationalisme scientifique : on examinait désormais les idées à la lumière des faits observables de façon objective et non plus uniquement sur la base de croyances subjectives. Les femmes gagnèrent en estime, du moins pendant une courte période. Certaines d'entre elles, telle l'auteure Mary Wollstonecraft en Angleterre, étaient réputées pour leur intelligence et leur esprit. Dans *Revendication*

des droits de la femme (1792), Wollstonecraft combattait le confinement des femmes à certains rôles et s'en prenait à la coutume de donner aux petites filles des poupées plutôt que des manuels scolaires. Elle affirmait également que la satisfaction sexuelle était aussi importante pour la femme que pour l'homme et que les relations sexuelles, tant préconjugales qu'extraconjugales, ne constituaient pas un péché.

L'ÈRE VICTORIENNE

Malheureusement, ces vues progressistes ne durèrent qu'un moment. La reine Victoria, qui accéda au trône en 1837 et régna sur la Grande-Bretagne plus de soixante ans, prêta son nom à une époque devenue synonyme d'austérité et de rigorisme quant aux rôles de l'un et l'autre sexe, alors rigoureusement définis. La sexualité des femmes était vue à travers les images de la Madone et d'Ève (qui ont évolué vers la dichotomie « vierge-putain », en langage vulgaire). En Europe et en Amérique du Nord, les femmes des classes dominantes étaient appréciées pour leur délicatesse et leurs bonnes manières. Prisonnières de corsets, de crinolines et de bustiers qui les empêchaient de bouger librement, considérées comme fragiles et confinées à des rôles limités, les femmes étaient à la fois idéalisées et marginalisées (Glick et Fisk, 2001 ; Real, 2002). La formule du réputé médecin William Acton résume bien l'idée que l'on se faisait de la sexualité féminine : « La plupart des femmes ne sont guère troublées par une quelconque sensation d'ordre sexuel » (Degler, 1980, p. 250). L'épouse devait veiller aux besoins spirituels de la famille et voir à ce que le foyer soit le refuge accueillant auquel l'homme était en droit de s'attendre après avoir vaqué à ses affaires durant la journée. Leur monde étant clairement séparé de celui des hommes, les femmes nouèrent entre elles des amitiés fortes, voire intenses, dans lesquelles elles trouvèrent la compréhension qui leur faisait si cruellement défaut au sein de leur mariage.

La retenue était de mise dans tous les aspects de la vie, et les hommes victoriens devaient respecter strictement les convenances de leur époque. Toutefois, ils mettaient souvent cette moralité de côté lorsqu'ils désiraient entretenir des liens sexuels, de sorte que la prostitution connut un grand essor à cette époque. La séparation des rôles sexuels entre le monde des maris et celui des épouses créait une distance sexuelle et affective dans de nombreux mariages victoriens. Les hommes pouvaient fumer, boire, s'amuser et se trouver des partenaires sexuels parmi les femmes qui se prostituaient, tandis que leurs

Durant l'époque victorienne, la femme en âge de se marier était aussi étroitement enfermée dans sa morale que dans son corset. Le règne de Victoria vit par ailleurs fleurir la prostitution.

femmes vivaient sous le joug des convenances et subissaient la répression sexuelle. Chaque nuit, des cohortes de mâles préservaient de la souillure leur épouse et leur bien-aimée en déposant dans les «filles de rues» le produit de leur éjaculation (Brecher, 1969).

En dépit de l'idée largement répandue voulant que la femme victorienne soit asexuée, Clelia Duel Mosher, une femme médecin née en 1863, dirigea la seule recherche connue à ce jour sur la sexualité des femmes de cette époque. Au cours d'une période s'étalant sur trois décennies, 47 femmes mariées répondirent à son questionnaire. L'information recueillie permit de tracer un portrait de la sexualité des femmes bien différent de celui proposé (ou imposé) par les «experts» de l'époque. Mosher découvrit que la plupart des femmes éprouvaient du désir sexuel, aimaient pratiquer le coït et que 34 d'entre elles avaient connu l'orgasme (Ellison, 2000).

Les faits historiques présentés dans les sections précédentes et les analyses que nous en avons faites nous montrent que l'association sexualité / procréation et la division des rôles sexuels sont des notions héritées des bibles juive et chrétienne, des écrits d'Augustin et de Thomas d'Aquin ainsi que de l'idéologie victorienne.

Question d'analyse critique

Comment la dichotomie « vierge-putain » influe-t-elle sur votre vie sexuelle actuelle ?

Ces conceptions de la sexualité demeurent dans la vie occidentale contemporaine, et on les retrouve dans les conflits opposant des valeurs telles que le plaisir personnel, le pragmatisme et la tradition (Jakobsen et Pellegrini, 2003).

LE XXᵉ SIÈCLE[1]

Avec *L'interprétation des rêves* (1900), Sigmund Freud (1856-1939) compte parmi les pionniers de la psychologie au XXᵉ siècle. Son œuvre permit de dépasser les concepts victoriens de la sexualité; il émit l'idée, particulièrement importante à l'époque, que la sexualité était innée tant chez la femme que chez l'homme. Quant à Havelock Ellis (1859-1939), il lança en 1921 *On Life and Sex: Essays of Love and Virtue*, où il insistait sur les «droits des femmes en amour». Dans ses *Études de psychologie sexuelle*, parues en sept volumes, il considérait toutes les pratiques sexuelles (y compris la masturbation et l'homosexualité, naguère vues comme des «perversions») comme saines dans la mesure où elles ne nuisaient à personne. Enfin, Theodore Van de Velde (1873-1937) souligna dans ses manuels sur le mariage l'importance du plaisir sexuel.

Le mouvement pour le vote des femmes apparut à la fin du XIXᵉ siècle, au moment où les idées quant au «véritable» rôle des femmes sur le plan sexuel étaient en train de changer. L'objectif du suffrage féminin allait dans le même sens que d'autres revendications sociales, comme l'abolition de l'esclavage et la lutte pour l'accès des femmes à l'université et à la propriété.

Les «Flapper Girls» des années 1920 (jeunes femmes urbaines et célibataires de la classe moyenne) rejetèrent l'idéal victorien de pudeur en portant des robes courtes et moulantes pour danser avec exubérance au son de la musique des Années folles. Des pratiques sexuelles impensables à l'époque victorienne devinrent populaires chez les jeunes gens non mariés, notamment le baiser et le pelotage (caresses sensuelles n'allant pas jusqu'au coït). Les jeunes femmes, par contre, cherchaient

---

1. Les principales données de cette partie sont tirées de Czuczka (2000) et de Glennon (1999).

à éviter le plus possible les relations sexuelles avant le mariage par crainte de devenir enceintes et de compromettre leur réputation (Radar, 2001).

C'est par ailleurs au cours de la Première Guerre mondiale, plus précisément en 1918, que le Parlement canadien accorda le droit de vote aux femmes aux élections fédérales (les femmes du Québec obtinrent le droit de vote aux élections provinciales en 1940). L'obtention de ce droit contribua à créer un environnement social propice à une plus grande égalité entre les sexes et à une répartition moins stricte des rôles de chacun. Lorsque les soldats revinrent du front, au lendemain de la Première Guerre mondiale, les automobiles sorties des chaînes de montage de Henry Ford leur donnèrent une indépendance inespérée en même temps que l'intimité nécessaire pour se livrer à l'exploration de leur sexualité. Puis, l'avènement du cinéma, ce divertissement populaire préfigurant la société des loisirs, fit émerger un nouveau romantisme : celui proposé par les stars devenues des sexe-symboles.

Avant la commercialisation de la pénicilline dans les années 1940, il n'existait aucun traitement efficace contre les infections transmissibles sexuellement. Avec cette découverte, le cauchemar qu'elles représentaient s'estompa quelque peu. Au cours de la Seconde Guerre mondiale, surtout dans les zones urbaines, les femmes durent encore une fois sortir du foyer et aller occuper les emplois laissés par les hommes partis combattre outre-mer. La guerre allait mettre ces derniers en contact avec les mœurs sexuelles plus ouvertes des Européens.

À cette époque, le Québec francophone vivait sous la férule de l'Église catholique romaine avec la complicité du gouvernement provincial. Le mot d'ordre était la famille à tout prix. Il était courant d'avoir plus de dix enfants, dans les milieux ruraux notamment. Une morale antisexuelle stricte était enseignée par l'Église. Devenir enceinte sans être mariée ou commettre l'adultère entraînait l'exclusion sociale. L'avortement était interdit, peu importe la situation de la femme, ce qui poussait nombre d'entre elles à recourir à des méthodes dangereuses pour avorter ou à s'adresser à des charlatans qui n'hésitaient pas à mettre la santé et même la vie de la mère en danger. Lorsque la mère célibataire menait sa grossesse à terme, le bébé illégitime était souvent placé dans une « crèche » sous la responsabilité de religieuses, avec ou sans l'autorisation de la mère.

L'APRÈS-GUERRE

Après la Seconde Guerre mondiale, la famille nord-américaine de classe moyenne aspirait à habiter un bungalow en banlieue. Il appartenait au père, seul soutien de la famille, de financer ce rêve. Les femmes délaissèrent à nouveau le marché du travail pour se consacrer aux tâches domestiques, à leur époux et à leurs enfants. Les ouvrages de psychologie populaire de l'époque prétendaient que les femmes qui préféraient travailler hors du foyer souffraient de la névrose de l'« envie du pénis ». L'industrie de la mode « reféminisa » l'idéal féminin. La femme modèle portait désormais une jupe ample qui mettait en valeur la finesse de sa taille et le galbe de sa poitrine (Radar, 2001). À cette époque de retour aux rôles sexuels traditionnels, le biologiste Alfred Kinsey fit paraître deux importantes études : *Le comportement sexuel de l'homme* (1948) et *Le comportement sexuel de la femme* (1953). Ces deux ouvrages devinrent des *best-sellers* en dépit (si ce n'est à cause) des dénonciations dont ils firent l'objet de la part des professionnels de la santé, du clergé, des politiciens et de la presse (Brown et Fee, 2003). Le milieu de la santé et le public furent scandalisés par les données de Kinsey démontrant que les femmes réagissaient aux choses sexuelles et y attachaient un grand intérêt. Plusieurs comportements sexuels jadis réprouvés furent de plus en plus acceptés par suite des statistiques surprenantes que Kinsey fournit sur les relations homosexuelles, la masturbation ou d'autres pratiques originales auxquelles les Américains se livraient en privé.

Au cours des années 1950, alors que la télévision faisait son entrée dans les foyers américains et y diffusait des images conformistes de couples mariés dormant dans des lits séparés, le magazine *Playboy* paraissait et montrait le sexe sous un jour divertissant. Ensemble, ces deux médias illustraient une dichotomie qui perdura à travers toute la décennie.

UN VENT DE CHANGEMENT

Du début des années 1960 au milieu des années 1970, le féminisme et la « révolution sexuelle » remirent en question les normes des décennies précédentes. L'introduction de la pilule contraceptive dans les années 1960 et le développement des moyens de contraception (stérilet, pilule du lendemain, produits spermicides) dans les décennies suivantes allaient procurer plus de sécurité et plus de liberté à la femme en matière sexuelle (Ofman, 2000). Le monde aussi changeait, et on s'est mis à calculer combien il en coûtait d'avoir des enfants, préoccupation qui n'existait pas dans la société préindustrielle.

Dans *La réponse sexuelle humaine* et *Les mésententes sexuelles et leur traitement* (parus en 1966 et en 1970), Masters et Johnson mirent en lumière la capacité des femmes à avoir un orgasme et placèrent la thérapie sexuelle au rang des préoccupations légitimes. Les livres de croissance personnelle axés sur la sexualité firent ensuite leur apparition sur le marché; pensons, par exemple, à *Notre corps, nous-mêmes* (Boston Women's Health Collective, 1971) et à *For Yourself: The Fulfillment of Female Sexuality* (Barbach, 1975). De tels ouvrages incitaient les femmes à prendre conscience de leur corps sur le plan sexuel, tandis que *Les joies du sexe* (Comfort, 1972) montrait aux couples comment diversifier leurs expériences sexuelles.

Les médias, pour leur part — et la télévision en particulier —, reflétèrent l'évolution des attitudes à l'égard de l'homosexualité. Au milieu des années 1990, les gais et les lesbiennes ont été intégrés dans les émissions de la télévision américaine, par suite de pressions exercées par le mouvement gai. Des personnages de gais et de lesbiennes existaient désormais dans les téléromans populaires tels que *ER*, *Sexe à New York*, *Roseanne* et *Friends*. Au Québec, deux auteurs avaient cependant ouvert la voie bien plus tôt : Janette Bertrand avec une série de cinq émissions sur l'homosexualité en 1980 et, avant elle, Guy Fournier qui, à la fin des années 1970, mettait en scène un homosexuel non caricatural travaillant comme homme de ménage dans la télésérie *Jamais deux sans toi* présentée à une heure de grande écoute. Depuis ce temps, de plus en plus d'artistes se sont affichés ouvertement comme homosexuels. Au milieu des années 2000, *Tout le monde en parle*, l'émission francophone la plus regardée de la télévision d'État, est coanimée par un gai. L'évolution de l'image de l'homosexualité véhiculée par les médias montre à quel point ces derniers peuvent à la fois refléter et influencer les connaissances, les attitudes et les comportements en matière sexuelle (Gross, 2001).

LES MÉDIAS ET LA SEXUALITÉ

Les médias sont à la fois des témoins et des acteurs de la culture. Leur influence est grande, particulièrement auprès des adolescents et des jeunes adultes. Quelle image donnent-ils de la sexualité ?

LA TÉLÉVISION

Si ce n'est déjà fait, l'impact d'Internet sur la sexualité des gens pourrait bientôt dépasser celui de la télévision. Jusqu'à maintenant, toutefois, celle-ci a eu une influence beaucoup plus grande qu'Internet sur les attitudes et les comportements sexuels en raison du temps que les gens passent à la regarder. À l'âge de 18 ans, chacun d'entre nous a déjà passé au moins 20 000 heures devant l'écran de télévision, ce qui est sûrement suffisant pour influencer d'une quelconque façon notre point de vue sur la sexualité (Folb, 2000). Le nombre de scènes à contenu sexuel a presque doublé depuis 1998 dans les émissions des grandes chaînes de télévision. Par contre, le nombre de scènes à caractère sexuel impliquant des jeunes a diminué : en 2006, un rapport sexuel sur dix impliquait des adolescents et des jeunes adultes, comparativement à un sur quatre en 1998. Parmi les 20 émissions les plus regardées par les adolescents, 70 % ont un contenu sexuel (conversation, allusions) et 45 % montrent un comportement sexuel (Kaiser Family Foundation, 2006). Plusieurs critiques ont été formulées à l'égard de ce genre d'émissions. On craint le plus souvent qu'une manière aussi désinvolte d'aborder le sexe n'incite les jeunes à être trop précoces, bien que la plupart des études sur le sujet aient été peu concluantes (Escobar-Chaves et coll., 2005). Par ailleurs, une étude récente a établi un indice de « consommation sexuelle médiatique » chez les jeunes en mesurant la quantité d'images sexuelles dans les émissions de télévision, les films, les vidéoclips et les magazines que les jeunes consomment régulièrement et en comparant cette quantité avec le temps que les jeunes consacrent à chacun de ces quatre médias. L'étude a conclu que les adolescents blancs dont l'indice se situait dans les premiers 20 % avaient 2,2 fois plus de chances d'avoir leur premier rapport sexuel avant l'âge de 16 ans que ceux dont l'indice se situait dans les derniers 20 % (Brown et coll., 2006).

Il arrive parfois que la manière dont on traite des questions sexuelles à la télévision ait des effets bénéfiques sur la société en matière d'information, de tolérance et d'évolution des mentalités.

Les émissions de télévision comportent de plus en plus d'informations sur les risques que le sexe représente pour la santé physique et affective. Ainsi, en 2005, les risques et responsabilités liés au sexe ont été évoqués dans 27 % des émissions où l'on discutait ou représentait un rapport sexuel, soit une proportion deux fois plus élevée qu'en 1998. En outre, les émissions les plus populaires auprès des adolescents insistent de plus en plus sur l'importance d'avoir des rapports sexuels protégés (Kaiser Family Foundation, 2006).

Les médias peuvent jouer un grand rôle d'éducation dans les pays où la sexualité a longtemps été un sujet tabou. En Égypte et en Chine, par exemple, au cours des dernières années, les autorités publiques ont permis que des émissions d'information sexuelle soient diffusées sur des chaînes publiques. En 2006, une émission d'éducation sexuelle animée par une sexothérapeute a été présentée pour la première fois en Égypte. Intitulée *Kalim Kibir* (Paroles de grands), l'émission visait à contrer l'ignorance, les préjugés et les fausses informations qui sévissent dans les sociétés arabes en cette matière et abordait la sexualité dans une perspective musulmane et moderne (El-Noshakaty, 2006).

En Chine, la répression sexuelle accompagnant la Révolution culturelle avait laissé la population dans la plus grande ignorance des choses sexuelles. Entretemps, les jeunes Chinois sont devenus de plus en plus actifs sexuellement, mais leurs connaissances sexuelles sont restées très limitées. En 1998, la télévision chinoise présenta une nouvelle émission d'information sexuelle en vue de corriger cette lacune. Les invités en studio répondaient aux questions que les téléspectateurs leur envoyaient par courriel ou par message textuel. Nombre de ces questions démontraient un manque flagrant de connaissances élémentaires en matière sexuelle (Fan, 2006).

Il reste que les médias donnent souvent une image réductrice de la sexualité et créent parfois des attentes irréalistes en ce qui concerne les expériences sexuelles. Les téléromans de jour, avec leurs intrigues sexuelles à base d'infidélité conjugale, de vengeance ou d'exploitation, furent les premières émissions à mettre l'accent sur un contenu ouvertement sexuel (Greenberg et Woods, 1999). Des émissions telles que *Beautés désespérées*, *Everwood* et *The OC* nous montrent toutes les combinaisons possibles d'expériences sexuelles, comme une femme qui couche avec son jardinier adolescent, une autre qui commet l'adultère avec son ancien amoureux (Streisand, 2005). Les chaînes spécialisées diffusent généralement des émissions beaucoup plus explicites sexuellement que celles des chaînes traditionnelles. Pensons à *Sexe à New York*, où l'on voit quatre New-Yorkaises causer entre elles de simulation d'orgasme,

de petit pénis ou d'éjaculation précoce, de «foutre puant» (sperme nauséabond) et de pénis incirconcis. La téléréalité, quant à elle, carbure au sexe. En outre, les consommateurs peuvent louer une grande variété de films à contenu sexuel et les regarder dans l'intimité de leur foyer. Enfin, environ la moitié des vidéoclips (selon le genre de musique) ont un contenu sexuel; certains vont même jusqu'à montrer des scènes de contrainte sexuelle. De plus en plus, les vidéoclips passeront par le téléphone cellulaire, probablement au détriment de la télévision.

On peut se demander comment ce genre de contenu peut aider les jeunes à développer des relations saines sur le plan sexuel (Brown, 2002).

LA PUBLICITÉ

La publicité existe dans tous les types de médias ou de façon indépendante, comme en fait foi l'omniprésence des panneaux publicitaires. Les images sexuelles qu'elle nous offre, tantôt provocantes, tantôt subtiles, sont conçues pour capter l'attention des consommateurs et les inciter à acheter des produits. Et la pub la plus séduisante sur le plan sexuel deviendra un outil de marketing puissant. Par exemple, les ventes de jeans Calvin Klein ont doublé après la diffusion dans les années 1980 d'une pub dans laquelle Brooke Shields assurait que rien ne pouvait s'interposer entre elle et son jeans Calvin Klein (Kuriansky, 1996).

Le rôle de la publicité est de faire croire au consommateur qu'il obtiendra l'amour ou le sexe en achetant tel produit de beauté, telle marque de boisson, tel vêtement griffé, telle chaîne stéréo ou telle marque d'automobile. En règle générale, la publicité banalise le sexe et cherche à nous montrer que seuls les jeunes hommes et les jeunes femmes d'allure athlétique sont dignes d'intérêt; évidemment, ce modèle ne s'applique pas à la publicité destinée à l'importante clientèle des baby-boomers vieillissants. À l'occasion, la publicité peut aider à briser certains tabous; par exemple, les pubs télévisées d'un ex-joueur vedette de hockey ont permis de soulever un débat sur la question de la dysfonction érectile.

LES MAGAZINES

On trouve toutes sortes d'articles à contenu sexuel dans les magazines populaires. Certains fournissent d'excellentes informations sur la prise en charge personnelle ou les compétences relationnelles en matière sexuelle, alors que d'autres ne font que véhiculer les

Question d'analyse critique

Connaissez-vous une publicité qui a contribué à modifier les stéréotypes sexuels? Comment a-t-elle réussi cela?

Par sa façon de représenter le corps et les relations humaines, la publicité banalise la sexualité et favorise l'hypersexualisation chez les jeunes.

stéréotypes sur les rôles sexuels, exploiter l'insécurité des femmes face à leur image corporelle ou montrer comment manipuler l'autre dans une relation. Près de la caisse des magasins, les tabloïdes cherchent à nous affrioler avec des manchettes comme «Sexe et politique : la sécurité nationale en danger». Les magazines pour jeunes hommes traitent principalement deux sujets : ce que veulent les femmes sur le plan sexuel et comment développer des pratiques sexuelles originales avec ses partenaires (Taylor, 2005).

Question d'analyse critique

Croyez-vous que la majorité des jeunes femmes recherchent les pratiques sexuelles « kinky » (hors norme sans être malsaines, sauf lorsqu'elles deviennent nécessaires à chaque fois) quand elles ont des relations sexuelles ?

Les magazines féminins contiennent d'excellents articles sur l'autonomie sexuelle. Le numéro de juin 2008 de *Psychologies magazine*, par exemple, présentait un article intitulé «Êtes-vous sexuellement libéré?» qui répondait à de nombreuses questions que se posent les femmes à ce sujet. Les articles sur l'interaction sexuelle peuvent réellement aider les gens à explorer leur sexualité et à affirmer leur personnalité sexuelle. Ainsi, un article du *Magazine OH!* encourageait ses lectrices à stimuler leur clitoris durant le coït pour favoriser son érection et les aider à atteindre l'orgasme. À l'inverse, des articles du genre «Comment envoûter un homme» ne peuvent que contribuer à renforcer les stéréotypes sur les rôles sexuels et à mettre encore plus de pression sur la performance sexuelle. Enfin, l'omniprésence d'articles où l'on explique aux lecteurs ce qu'ils doivent faire pour être plus beaux, plus minces et plus sexy tend à entretenir l'insécurité des gens quant à leur image corporelle.

INTERNET

En 2008, il y avait plus d'un milliard et demi d'internautes à travers le monde. On estimait alors à 23,5 % de la population mondiale le taux d'utilisation d'Internet, ce qui laissait un énorme potentiel de croissance au réseau (Internet World Stats, 2008).

Le nombre de sites de réseautage personnel, qui permettent d'échanger avec un grand nombre de personnes, a augmenté de façon extraordinaire ces dernières années. Lancé en 2003, MySpace, un des sites favoris des jeunes, comptait quelque 70 millions d'utilisateurs en 2006 (Romano, 2006). Près du quart des Québécois sont sur Facebook (sondage Ipsos/Branchez-vous, 2008), un autre site du même genre. L'impact de cette révolution des communications sur les attitudes et les comportements sexuels est incommensurable. Désormais, des gens appartenant aux groupes sociaux les plus divers — en matière d'âge, de race, de religion, d'ethnie, de milieu socioéconomique, etc. — peuvent communiquer entre eux plus facilement que jamais.

La distance et la différence culturelle seront de moins en moins des obstacles à la communication, ce qui ouvre la voie à toutes les sortes de progrès que l'esprit humain peut réaliser lorsque des idées sont échangées (Shernoff, 2006, p. 20). Inversement, les individus dont les tendances sexuelles sont minoritaires et réprouvées par la société chercheront à communiquer avec leurs semblables, le cyberespace étant devenu le lieu où toutes les formes de sexualité se font connaître (Ross, 2005). Internet a révolutionné particulièrement le milieu allosexuel ou GLBT (des Gais, Lesbiennes, Bisexuels et Transgenres). Les échanges en ligne entre personnes autres qu'hétérosexuelles se sont considérablement accrus durant la dernière décennie, et les forums de clavardage ont remplacé les bars comme lieux d'échanges interpersonnels (Umstead, 2005).

Internet permet d'accéder rapidement à toutes sortes d'informations utiles sur la sexualité. On y trouve des sites qui répondent en ligne aux questions des internautes sur le sexe. Au Québec, le plus connu et le plus utilisé est le site Élysa. Il faut aussi mentionner celui de Tel-Jeunes et celui de la Société des gynécologues et obstétriciens (Munger, 2008).

Beaucoup d'internautes recherchent autre chose que de l'information sexuelle sur Internet. Chaque mois, une centaine de millions de Nord-Américains visitent des sites « pour adultes » et alimentent ainsi ce supermarché interactif de consommation sexuelle qu'est devenu Internet. Certains utilisent aussi les forums de clavardage pour échanger leurs plus folles fantaisies ou pour participer à des jeux sexuels interactifs où ils peuvent changer de personnage et de sexe (Ross, 2005). D'autres conversent par écrit en temps réel et interagissent à l'aide d'écouteurs et d'une webcam. Certains recherchent des images sexuelles provocantes ou des strip-teases transmis par webcam pour augmenter leur excitation pendant qu'ils se masturbent. Les techniques de communication sexuelle en ligne, appelées « cybersexe » ou « télésexe », permettent une stimulation sexuelle interactive plutôt que solitaire. Une personne peut ainsi contrôler en ligne le gadget érotique utilisé par une autre personne : à l'aide d'un pupitre de commande, elle peut stimuler à distance le clitoris de cette personne en contrôlant les mouvements d'un vibrateur ou d'un godemiché. La majorité des nouvelles techniques de communication développées sur Internet l'ont été par l'industrie du sexe. La diffusion de contenus « pour adultes » demeure une source importante de revenus pour les nouveaux médias électroniques tels que le téléphone cellulaire, le baladeur

Certains font appel au cybersexe pour une stimulation sexuelle interactive.

à disque dur (version érotique), l'ordinateur de poche (PDA), les consoles de jeu portables (comme la PSP) et les plateformes vidéos à large bande (Alexander, 2006). Les spécialistes s'attendent à de nouvelles avancées technologiques en matière d'interaction sexuelle à distance (Crowe, 2005 ; Summers, 2005 ; Umstead, 2005). Le dessin animé électronique à contenu sexuel est un secteur où la technologie évolue rapidement.

Internet est aussi devenu un immense moyen de rencontres, un lieu où chacun peut se faire connaître et converser virtuellement avec des inconnus avant de décider s'il y a lieu ou non de se rencontrer en personne. Malgré les risques qu'elles comportent, les cyberrencontres permettent aux interlocuteurs d'exprimer clairement ce qu'ils recherchent dans leur rencontre, que soit un partenaire sexuel occasionnel ou l'âme sœur avec qui ils voudraient partager leur vie. Dans certains cas, la rencontre virtuelle, avec toutes les confidences qu'elle permet, créera plus d'intimité entre les personnes avant leur rencontre physique que ne le ferait un rendez-vous conventionnel non précédé de liens virtuels. Selon une étude, la majorité des gens qui visitent des sites pour adultes y voient une façon inoffensive de se divertir. Par ailleurs, 9 % des personnes interrogées passaient au moins onze heures par semaine sur de tels sites ; cette dépendance envers le sexe virtuel avait des conséquences néfastes sur leur vie sexuelle réelle et leur vie en général (Cooper et coll., 1999). Encore plus problématique est la cyberprédation, où des adultes utilisent Internet dans un but d'exploitation sexuelle ; à cet égard, un site tel que MySpace est idéal pour attirer ce genre de personnes (Romano, 2006). La grande facilité avec laquelle les jeunes peuvent accéder aux images sexuelles les plus extrêmes sur Internet ne les aide pas vraiment dans leur développement personnel. Toutefois, il s'agit là d'un problème assez difficile à régler. La créativité de la cybersexualité est illimitée, à l'image de la nature humaine, et elle peut s'avérer positive comme négative. Le contenu sexuel d'Internet revêt une très grande importance, car 73,1 % des Nord-Américains ont accès au cyberespace (Internet World Stats, 2008). Nous y reviendrons à divers endroits dans cet ouvrage.

L'HYPERSEXUALISATION

Les médias en tant que « modélisateurs » de la sexualité suscitent des comportements sexuels inappropriés chez certaines catégories de la population. Cette influence, qui s'exerce surtout sur les adolescents et les préadolescents, serait responsable d'une dérive sociale que l'on a appelée « hypersexualisation ». Ce terme sert à décrire des attitudes et des comportements exagérément sexualisés chez les 12-14 ans et moins.

Selon plusieurs auteurs (dont Francine Duquet (2002), professeure au département de sexologie de l'Université du Québec à Montréal), il y a hypersexualisation lorsque des filles, pour ne pas dire des fillettes, portent des vêtements très courts et provocateurs, à l'image des jeunes stars aux allures de poupées que leur propose la publicité. Certaines jeunes filles vont jusqu'à faire des fellations en public et vivent des situations d'angoisse de performance que ne traversaient guère que les adultes auparavant. Très jeunes, elles sont incitées à devenir des objets de désir et se voient manipulées par des intérêts extérieurs à leur monde. Les dommages psychologiques consécutifs à cette sexualisation précoce préoccupent un nombre grandissant d'intervenants auprès des jeunes. Des projets ont été mis en place pour tenter de corriger cette situation, comme le projet « Outiller les jeunes face à l'hypersexualisation » lancé en 2007 par l'Université du Québec à Montréal et le Y des femmes de Montréal.

LA RECHERCHE EN SEXOLOGIE : BUTS ET MÉTHODES

La **sexologie**, c'est-à-dire l'étude scientifique du phénomène sexuel, étudie tout ce qui est lié à la sexualité. Elle analyse scientifiquement certaines idées reçues, telles que : l'alcool rend plus sensuel, l'orgasme vaginal est plus « complet » ou « meilleur » que l'orgasme clitoridien, les agresseurs sexuels sont de grands consommateurs de pornographie, etc. Elle étudie les croyances pour en cerner les fondements et documente les relations sous-jacentes qu'elles révèlent, le cas échéant. Ce n'est pas une mince tâche. Même s'il intéresse la plupart d'entre nous, le comportement sexuel demeure, par sa nature même, difficile à étudier, car les gens se sentent souvent mal à l'aise à l'idée de révéler à quelqu'un les détails de leur vie sexuelle, surtout si cette personne est un chercheur qu'ils ne connaissent pas (Turner, 1999). À ce malaise s'ajoute le fait que la sexualité est l'objet de mythes de toutes sortes et que le discours qui l'entoure est truffé d'exagérations, de secrets et de jugements de valeur, bien souvent dus à l'ignorance. Par ailleurs, une partie de l'expérience sexuelle échappe à toute description objective et demeure difficile à communiquer : quelle différence y a-t-il entre avoir un orgasme par stimulation pénienne et en avoir un par stimulation clitoridienne ? Cela a-t-il de l'importance pour comprendre la différence entre la sexualité masculine et la sexualité féminine ? Comment dire à quelqu'un qui n'a jamais eu de plaisir sexuel ce qu'on ressent lorsqu'on en a ? Comment étudier la sexualité des enfants par l'observation sans risquer d'enfreindre l'éthique ou de nuire à leur développement, etc. ?

En dépit de ces obstacles, les chercheurs ont accumulé un grand nombre de données sur les comportements sexuels et les attitudes liées à la sexualité. Dans les pages qui suivent, nous allons décrire les méthodes employées

> **Sexologie**   Champ d'études interdisciplinaire qui analyse les phénomènes de la différenciation sexuelle et de la fonction érotique sous quatre axes de développement : bio-sexologique, psycho-sexologique, socio-sexologique et sexologie appliquée.

pour étudier la sexualité humaine et présenter les avantages et les inconvénients de chacune d'elles. Nous aborderons aussi la question de l'évaluation des recherches publiées. Mais voyons d'abord le rôle de pionnière que l'Université du Québec à Montréal a joué.

LA SEXOLOGIE AU QUÉBEC

Au Québec, la sexologie est née du besoin d'interdisciplinarité qu'ont ressenti ceux et celles qui voulaient comprendre le phénomène sexuel. Les fondateurs de la sexologie universitaire au Québec, Jean-Yves Desjardins et Claude Crépault, souhaitaient créer une discipline qui pourrait faire la synthèse des multiples connaissances issues de la biologie, de la psychologie, de la sociologie, de l'anthropologie, de la philosophie, de la criminologie, des sciences de l'éducation, des sciences politiques, de la santé publique et de la religion. Leur but était de former des professionnels de la sexologie qui mettraient en pratique cette approche interdisciplinaire. La demande de création d'un département portait sur l'enseignement d'une « sexologie intégrative possédant sa propre méthodologie et ses propres modèles scientifiques de compréhension et d'explication des phénomènes sexuels » en vue de former des professionnels « dont l'objet sera le service à la population sous l'angle de la santé et de l'équilibre sexuel » (Larouche, 1991). Cette visée a amené la création d'un département universitaire autonome à l'Université du Québec à Montréal en 1972 (Larouche, 1991).

Le Québec est ainsi devenu le seul endroit au monde à offrir une formation universitaire de premier cycle, puis de deuxième cycle en sexologie, ce dernier recevant ses premiers étudiants en 1980. L'Université du Québec à Montréal (UQÀM) a fait preuve d'une grande ouverture d'esprit en permettant la création de ce département. Il est vrai que l'émergence de la sexologie au Québec coïncidait avec l'entrée de cette province dans la modernité, entrée qui s'est manifestée par une transformation des valeurs et des aspirations des Québécois (Dupras, 1989). Ce mouvement de modernisation s'accompagnait d'un vaste processus de transformation de la société comprenant l'industrialisation, l'urbanisation, la sécularisation, la démocratisation de l'enseignement, le développement des moyens de communication de masse et la mobilisation pour une action politique (McRoberts et Posgate, 1983).

Avec la constitution de la sexologie comme science, la définition de la sexualité a été élargie. Nous considérons désormais que cette définition doit tenir compte des dimensions psychologique, affective, cognitive, biologique, morale et socioculturelle de la sexualité. Cette définition élargie a d'ailleurs été retenue par le ministère de l'Éducation du Québec lorsqu'il a instauré le programme de formation personnelle et sociale qui contenait le volet « Éducation à la sexualité ».

La dimension psychologique de la sexualité comprend l'ensemble des aspects liés à l'identité sexuelle, à l'estime de soi, à l'élaboration de l'image corporelle et à la mise

Les fondateurs du département de sexologie de l'UQÀM. De gauche à droite l'équipe de 1976 : André Bergeron, Jules Bureau, Robert Gemme, Joseph Josy Lévy, Claude Crépault, Jean-Pierre Trempe, Henri Gratton, Jean-Marc Samson, Jean-Yves Desjardins, Muazzam Husain et Édouard Beltrami.

en place de la fonction érotique. La dimension affective inclut la perception des sensations et l'expression des sentiments et des émotions de l'être sexué et sexuel. La dimension cognitive renvoie à notre façon humaine de concevoir notre sexualité et d'agir en ce sens. La dimension biologique touche les caractères sexuels génétiquement programmés, la réponse sexuelle, la reproduction et la santé sexuelle. La dimension morale englobe les règles de conduite que toutes les sociétés humaines se donnent en matière de sexualité ainsi que les valeurs, les croyances et les aspects légaux qui traduisent cette dimension morale. La dimension socioculturelle comporte les rôles sexuels, les stéréotypes, les règles sociales, les comportements et les représentations culturelles. On le voit bien, la sexualité ne peut se réduire à un seul aspect, que ce soit la reproduction ou les rôles sexuels.

LES BUTS DE LA SEXOLOGIE

Les personnes qui étudient la sexualité ont certains buts en commun avec tous les scientifiques: comprendre et prédire les faits relatifs à leur objet d'étude et proposer des moyens d'intervention. Tenus de respecter les règles éthiques qui gouvernent la recherche, les sexologues doivent aussi se soucier du bien-être, de la dignité, des droits et de la sécurité de ceux qui participent à leurs études.

Les deux premiers buts, soit la compréhension et la prédiction des comportements, se conçoivent aisément. Par exemple, un sexologue ou un psychologue qui connaît les effets des hypotenseurs pourra rassurer le client qui éprouve des difficultés érectiles depuis qu'il prend un médicament de cette famille. De même, les professionnels sensibles à l'influence qu'exercent certains modèles comportementaux sur les relations de couple seront en mesure d'aider des conjoints à évaluer leurs chances de vivre une relation enrichissante.

Le troisième but, soit l'élaboration de moyens d'intervention par l'utilisation des connaissances scientifiques, est en quelque sorte le passage obligé entre le savoir et l'application; c'est ce qui permet au spécialiste de contribuer au mieux-être individuel et collectif.

LES MÉTHODES DE RECHERCHE NON EXPÉRIMENTALES

On peut se demander s'il est vrai que l'alcool peut améliorer la réponse sexuelle ou que l'orgasme vaginal est plus «mature» chez l'adulte que l'orgasme clitoridien. Comment les chercheurs enquêtent-ils sur

de telles questions? Ils peuvent utiliser l'une des trois méthodes non expérimentales — l'étude de cas, l'enquête et l'observation directe — que nous présentons ci-après, ou encore la recherche expérimentale, que nous aborderons plus loin. Le tableau 1.1 présente les caractéristiques de ces quatre grandes méthodes de recherche.

L'ÉTUDE DE CAS

L'étude de cas permet d'observer systématiquement un sujet ou un nombre restreint de sujets. Les données sont recueillies en utilisant un éventail de moyens pouvant inclure l'observation directe, des questionnaires, des tests et même l'expérimentation. Cette méthode, qui demeure très utilisée, est à l'origine des premières classifications cliniques contemporaines contenues dans l'ouvrage *Psychopathia Sexualis*, de Krafft-Ebing, publié pour la première fois en 1886, puis réédité de façon continue jusqu'à 1960 environ (Brecher, 1969).

Une grande partie de l'information dont nous disposons sur les difficultés liées à la réponse sexuelle (problèmes d'érection chez l'homme ou absence d'orgasme chez la femme, par exemple) vient d'études de cas d'individus ayant consulté un thérapeute pour régler leur problème. Une part importante de ce que nous savons sur les délinquants sexuels, les transsexuels, les victimes d'inceste, etc., vient également d'études de cas.

Il n'est pas surprenant qu'un certain nombre d'études de cas aient exploré la relation existant entre le contenu sexuellement violent de certains médias et le viol. Dans plusieurs de ces études, les violeurs font état de hauts niveaux d'exposition à la violence sexuelle à travers les films, les magazines et les livres qu'ils consomment (Marshall, 1988). Cependant, on ne sait pas si les attitudes violentes envers les femmes et les comportements comme le viol sont le résultat direct de l'exposition des individus à la violence sexuelle des médias. Le seul fait que les violeurs paraissent plus enclins que les non-violeurs à consommer de la pornographie ne constitue pas à lui seul un lien de causalité. Il existe peut-être des explications plus plausibles. Par exemple, le type d'environnement où les hommes apprennent à être violents envers les femmes est peut-être caractérisé par un accès facile à la pornographie. Inversement, les hommes qui

Étude de cas   Méthode d'analyse consistant à observer un sujet ou un nombre restreint de sujets et à en faire un examen approfondi.

ont tendance à maltraiter les femmes ont peut-être un penchant pour la pornographie comportant de la violence sexuelle, et ce penchant expliquerait qu'ils en regardent plus que les autres hommes. Ainsi, même si la méthode de l'étude de cas nous enseigne que l'exposition à la pornographie violente est souvent associée au viol, elle ne peut pas nous indiquer la nature exacte de ce lien.

On a également eu recours à cette méthode pour vérifier si l'alcool augmente l'intensité du désir et du plaisir sexuels. En fait, les conclusions de ces études suggèrent exactement le contraire, du moins chez les alcooliques chroniques. Ce résultat s'explique peut-être par l'état de détérioration physique générale qu'engendre à long terme la consommation excessive d'alcool, mais l'étude de cas ne peut nous le confirmer.

L'étude de cas offre certains avantages aux chercheurs, notamment une certaine flexibilité dans la façon de recueillir l'information. Bien qu'elle ne permette qu'un contrôle de validité limité, la forme très ouverte de l'étude de cas donne la possibilité d'étudier certains comportements précis. La collecte d'informations très personnelles sur ce que les gens pensent ou ressentent à propos de leur comportement représente un progrès important par rapport au simple recensement des activités.

Question d'analyse critique

Plusieurs études ont établi un lien entre le niveau anormalement bas de testostérone et la diminution du désir sexuel chez les deux sexes. Peut-on, à l'aide d'une étude de cas, démontrer qu'il s'agit d'une relation de cause à effet ? Si oui, comment ? Sinon, pourquoi ?

Cette méthode a cependant ses limites. D'abord, comme elle ne s'intéresse habituellement qu'à des individus ou à des échantillons restreints de cas intéressants ou atypiques, il est souvent difficile de généraliser ses résultats et de les appliquer à des populations plus grandes. Ensuite, le fait que le passé d'une personne, et particulièrement ses années d'enfance et d'adolescence, ne devient un sujet d'étude que plus tard, à l'âge adulte, lorsque cette personne manifeste un comportement inhabituel, est aussi problématique. La mémoire humaine est toujours une reconstruction du passé : est-il possible pour un chercheur de reconstituer de façon fidèle la vie passée d'un sujet à partir des informations que ce dernier lui a fournies ? Même

Tableau 1.1 | Les différentes méthodes de recherche.

MÉTHODE	DESCRIPTION	AVANTAGES	DÉSAVANTAGES
Étude de cas	Étudie en profondeur un sujet ou un nombre restreint de sujets.	• Flexibilité dans la collecte des données. • Exploration en profondeur de comportements, de pensées et de sentiments.	• Généralisation limitée des résultats. • Exactitude des données limitée par le caractère faillible de la mémoire humaine. • Non adaptée à tous les genres de sujets de recherche.
Enquête	Recueille, au moyen de questionnaires ou d'entrevues, des données sur les attitudes et les comportements sexuels auprès de populations relativement nombreuses.	• Permet de recueillir rapidement et à faible coût de grandes quantités de données. • Permet de recueillir des données auprès de plus de personnes qu'avec l'étude en laboratoire ou l'étude de cas.	Problèmes de : – non-réponse – biais démographique – information inexacte
Observation directe	Observe et enregistre les réactions des participants.	• Élimine presque toute possibilité de falsification des données. • Permet de filmer les comportements observés et de les conserver sur un support électronique.	Le comportement des sujets peut être influencé par la présence de l'observateur ou par la nature artificielle du lieu d'observation.
Méthode expérimentale	Soumet des sujets à des stimuli dans des conditions contrôlées permettant de mesurer leurs réactions de façon fiable.	• Fournit un environnement permettant le contrôle des variables pertinentes. • Propice à la découverte de relations causales entre des variables.	Le côté artificiel de l'environnement de laboratoire peut biaiser ou influencer de façon négative les réactions des sujets.

si on interroge les membres de la famille ou les amis de cette personne, la justesse de cette reconstitution n'est pas garantie parce qu'il est difficile de se rappeler de façon exacte des événements qui ont eu lieu des années auparavant. Il y a aussi le phénomène de la fausse mémoire où les personnes sont intimement persuadées d'avoir vécu des événements qui n'ont jamais existé. Dans certains cas, c'est la thérapie elle-même qui implante de faux souvenirs d'inceste et de rites sataniques (Lambert et Lilienfeld, 2008). Un même événement sera perçu et raconté différemment par la même personne selon le moment et les circonstances où elle se le rappelle (Schacter, 2003). De plus, des témoins peuvent taire ou déformer certains faits, comme le montre le classique *Douze hommes en colère* de Sydney Lumet. Finalement, cette méthode ne convient pas à toutes les recherches. Par exemple, l'étude de cas n'est peut-être pas la meilleure façon de vérifier la prétendue supériorité de l'orgasme vaginal sur l'orgasme clitoridien. En effet, trop de facteurs — les émotions, les valeurs personnelles et l'imprécision des souvenirs — peuvent influer sur les témoignages personnels pour que ceux-ci soient considérés comme valables et l'étude comme fiable. Comme nous le verrons plus loin, l'observation directe est une méthode mieux adaptée à ce type de problème de recherche.

L'ENQUÊTE

La plupart des informations dont nous disposons sur la sexualité ont été recueillies en réalisant une **enquête**. Cette deuxième méthode de recherche consiste à interroger les sujets sur leurs attitudes et leurs expériences sexuelles. L'enquête permet aux chercheurs de recueillir des données auprès d'un grand nombre de personnes, généralement plus qu'en clinique ou en laboratoire. L'enquête peut être effectuée au moyen d'entrevues, en tête à tête ou par téléphone, ou au moyen d'un questionnaire papier. De plus en plus, des enquêtes automatisées se font par l'intermédiaire d'Internet.

Même si les méthodes employées pour l'enquête orale et l'enquête écrite sont différentes, leur but est le même. À partir des données obtenues auprès d'un groupe relativement restreint (appelé *échantillon*), chacune tente de tirer des inférences statistiques ou des conclusions, qu'on peut généraliser pour les appliquer à un groupe beaucoup plus large (appelé *population cible* ou *population de référence*). Les adultes mariés et les adolescents sont des exemples de populations cibles.

La sélection de l'échantillon

Les questions des chercheurs visent souvent des populations trop vastes pour être étudiées dans leur totalité. Par exemple, si l'on voulait obtenir des informations sur les pratiques sexuelles des couples mariés âgés au Canada, la population cible comprendrait tous les couples mariés âgés du pays. Il est évidemment impossible de questionner toutes les personnes appartenant à ce groupe. Les chercheurs résolvent donc ce problème en recueillant des données auprès d'un échantillon de la population cible. La fiabilité de la généralisation des données dépend de la technique utilisée pour sélectionner l'échantillon.

En général, pour obtenir un **échantillon représentatif** d'une population cible, les chercheurs constituent un **échantillon stratifié**, c'est-à-dire un échantillon dans lequel les différents sous-groupes de cette population sont représentés de façon proportionnelle. Ces sous-groupes peuvent être formés suivant des critères comme l'âge, le statut économique, la situation géographique, la religion, etc. On tente ainsi de s'assurer que chaque individu faisant partie de la population cible est représenté dans l'échantillon.

Si cette méthode est correctement appliquée et que l'échantillon constitué est assez vaste, il est probable que les résultats de l'enquête pourront être généralisés et appliqués à la population cible (tous les couples mariés âgés du Canada dans l'exemple ci-dessus).

L'**échantillon aléatoire** est un autre type d'échantillon constitué celui-ci au moyen de techniques mettant le hasard à contribution. Dans la mesure où la population cible est relativement homogène, l'échantillon aléatoire peut en être plus ou moins représentatif. Par exemple, vous désirez mener une enquête sur le phénomène des « aventures d'une nuit » chez les étudiants québécois. Comme il est commode de prendre vos sujets parmi la population étudiante de votre école, vous sélectionnez votre échantillon au hasard parmi une liste de tous les étudiants qui y sont inscrits. Vous prenez soin de bien formuler vos questions et de préserver l'anonymat des

Enquête Méthode de recherche qui consiste à interroger des individus constituant un échantillon de la population sur leurs comportements ou leurs habitudes.

Échantillon représentatif Échantillon permettant la représentation la plus fidèle possible d'une population cible.

Échantillon aléatoire Échantillon constitué au moyen de techniques mettant le hasard à contribution.

répondants, et vous obtenez un taux de réponses très élevé. Pouvez-vous espérer que les résultats décrivent bien la réalité du phénomène chez les étudiants en général ? Certainement pas. Explication : dans cet exemple, les étudiants de votre école sont reconnus pour leurs idées sociales plus ouvertes, ce qui risque d'influer sur les probabilités qu'ils aient des « aventures d'une nuit ». Cette caractéristique est suffisante pour les rendre non représentatifs de l'ensemble de la population étudiante, car votre échantillon ne tient pas compte de certaines écoles où les étudiants sont réputés plus conservateurs.

Les questionnaires et les entrevues

Lorsque les sujets sont sélectionnés, ils peuvent être interrogés au moyen d'un questionnaire écrit ou d'une entrevue. Chacune de ces techniques exige que les participants répondent à un ensemble de questions dont le nombre peut varier de quelques-unes à plus d'un millier. Elles peuvent être ouvertes, à choix multiples ou de type vrai ou faux. Les sujets peuvent y répondre dans l'intimité de leur foyer ou en présence d'un chercheur.

Chaque méthode d'enquête présente à la fois des avantages et des inconvénients. Faire remplir un questionnaire est plus rapide et moins coûteux que réaliser une entrevue. En outre, parce qu'ils conservent davantage leur anonymat en remplissant un questionnaire qu'en faisant face à une personne, les sujets ont tendance à répondre en toute sincérité et à moins déformer les faits. Le comportement sexuel est très personnel et, en entrevue, les sujets peuvent être tentés de décrire leur propre comportement sous un jour plus favorable. Enfin, comme les questionnaires écrits peuvent être évalués de façon objective, le chercheur risque moins d'en biaiser les données que dans le cas d'une entrevue.

L'entrevue présente cependant certains avantages par rapport au questionnaire. En premier lieu, la forme même de l'entrevue se prête à une plus grande flexibilité. Si le sujet éprouve de la difficulté à saisir le sens d'une question, le chercheur peut la clarifier. Ce dernier peut changer l'ordre des questions si cela lui semble opportun. Enfin, un chercheur habile peut établir d'excellents rapports avec le sujet, et le sentiment de confiance ainsi créé peut susciter des réponses qui ne pourraient pas être obtenues au moyen d'un questionnaire. Certains chercheurs ont découvert que la combinaison entrevue directe et questionnaire constitue une méthode d'en-

quête particulièrement efficace parce qu'elle permet à la fois d'établir un bon rapport avec le sujet et de recueillir des informations délicates (Laumann et coll., 1994 ; Siegel et coll., 1994).

Les problèmes d'une enquête sur la sexualité

Il y a quatre écueils à éviter dans l'enquête sexologique : la non-réponse, l'autosélection, le biais démographique et l'inexactitude des réponses.

1. Quelle que soit la méthode d'enquête choisie, il est très difficile de sélectionner un échantillon représentatif parce que bon nombre de personnes ne veulent pas participer à une enquête sur la sexualité. La **non-réponse** est un problème auquel les chercheurs sont constamment confrontés (Turner, 1999).

   Aucune enquête n'a jamais été menée à laquelle 100 % des sujets choisis aient accepté de participer. En fait, certains chercheurs recueillent leurs données auprès d'une faible proportion des sujets de l'échantillon prévu, ce qui soulève une question non négligeable : les personnes qui acceptent de participer à une enquête sur la sexualité sont-elles différentes de celles qui refusent de le faire ?

   Il est possible que les personnes qui acceptent de participer à ce type de recherche constituent un échantillon représentatif de la population cible, mais aucune base théorique ni statistique ne peut l'affirmer. En fait, le contraire pourrait tout aussi bien être vrai.

2. Les résultats des recherches suggèrent que l'**autosélection** serait un problème important pour les chercheurs en sexologie (Plaud et coll., 1999 ; Wiederman, 2001). Certaines recherches tendent en effet à démontrer que les personnes qui acceptent de participer à des enquêtes sur la sexualité sont en général plus expérimentées sexuellement et ont des attitudes plus positives à l'égard de la sexualité que celles qui refusent d'y participer (Boynton, 2003 ; Plaud et coll., 1999 ; Wiederman, 1999). Les femmes seraient moins disposées que les hommes à participer à ce type d'enquête (Boynton, 2003 ; Plaud et coll., 1999), ce qui suppose que les échantillons féminins relèveraient d'une sélection beaucoup plus pointue que les échantillons masculins dans le cas des enquêtes sur la sexualité.

3. Le **biais démographique** est un autre problème affectant les enquêtes en sexologie. La majeure partie des données recueillies sur la sexualité l'ont été

auprès d'échantillons composés majoritairement de Blancs appartenant à la classe moyenne. Les étudiants et les professionnels y sont généralement surreprésentés. À l'inverse, les minorités ethniques et raciales et les personnes les moins instruites sont sous-représentées.

Comment le refus de répondre et le biais démographique influent-ils sur les résultats d'une enquête ? Il est difficile de le dire, mais tant que certains sous-groupes de la société, comme les personnes à faible revenu ou les membres des divers groupes ethniques et raciaux, seront sous-représentés dans les études, il faudra faire preuve de prudence dans la généralisation des résultats des enquêtes.

4. Enfin, l'enquête sexologique peut aussi souffrir de l'inexactitude des réponses fournies par les sujets. La plupart des données sur les comportements sexuels viennent du récit qu'en font les participants eux-mêmes. Or, on peut à juste titre se demander jusqu'à quel point ces comptes rendus subjectifs reflètent la réalité.

Comme nous l'avons vu pour les études de cas, le comportement d'une personne peut être bien différent du récit qu'elle en fait (Catania, 1999 ; Ochs et Binik, 1999). Dans une enquête, la fiabilité de la mémoire constitue un obstacle potentiel (Catania et coll., 1990). Combien de personnes se souviennent de la première fois où elles se sont masturbées et de la fréquence à laquelle elles le faisaient, ou encore de l'âge qu'elles avaient lorsqu'elles ont connu l'orgasme pour la première fois ? Des personnes peuvent déformer les faits ou faire un faux témoignage pour projeter une certaine image d'elles-mêmes ou encore l'améliorer (Catania, 1999). Cette tendance à la *désirabilité sociale* peut pousser certaines personnes, consciemment ou non, à cacher des faits relatifs à leur vie sexuelle parce qu'elles les considèrent comme anormaux ou ridicules, ou parce qu'elles en gardent un souvenir douloureux. Ainsi, elles peuvent se sentir obligées de nier ou de minimiser leur expérience de l'inceste, de l'homosexualité ou de la masturbation parce que des tabous s'y rattachent. D'autres personnes peuvent exagérer certains faits pour paraître plus ouvertes ou plus expérimentées qu'elles ne le sont en réalité.

L'enquête de Kinsey

L'enquête d'Alfred Kinsey est sans nul doute la mieux connue et la plus citée de toutes. Avec ses collaborateurs, Kinsey publia deux ouvrages dans la décennie suivant

Alfred Kinsey.

la fin de la Seconde Guerre mondiale : *Le comportement sexuel de l'homme,* paru en 1948, et *Le comportement sexuel de la femme,* paru en 1953. Ces ouvrages présentent les résultats d'entrevues approfondies faites pour étudier les modèles de comportement sexuel chez les Américaines et les Américains.

L'échantillon de Kinsey comptait 5300 hommes blancs et 5940 femmes blanches d'âges divers, habitant en milieu rural ou urbain. Sa composition était diversifiée quant à la situation de famille, à la confession religieuse et à la scolarité des participants. Toutefois, les protestants possédant un niveau de scolarité supérieur à la moyenne et habitant en milieu urbain y étaient

Non-réponse Refus de participer à une enquête.

Autosélection Biais dans les résultats d'une étude causé par la volonté des participants de répondre ou non.

Biais démographique Erreur d'échantillonnage ayant pour résultat la surreprésentation de certains segments de la population dans une étude (par exemple, la surreprésentation des professionnels blancs de la classe moyenne).

surreprésentés, tandis que les personnes âgées, les habitants de la campagne et les gens moins instruits y étaient sous-représentés. Les Afro-Américains et les membres des autres minorités ethniques en étaient absents. Enfin, tous les sujets étaient des participants volontaires. L'échantillon de Kinsey ne pouvait donc en aucune manière être considéré comme représentatif de la population américaine.

Même si l'étude fut publiée il y a plus de cinquante ans, nombre des données qui y figurent sont pertinentes encore aujourd'hui (Reinisch et Beasley, 1990). Certaines données n'ont pas été invalidées par le passage des années, comme le fait que le comportement sexuel est influencé par le niveau de scolarité ou encore que l'orientation sexuelle n'est peut-être pas aussi polarisée qu'on voulait bien le croire auparavant. D'autres données, comme celles sur la fréquence des relations sexuelles chez les personnes qui ne sont pas mariées, sont très influencées par l'évolution des normes sociales et donc moins susceptibles de refléter les comportements de nos contemporains. Elles demeurent tout de même utiles en ce qu'elles fournissent une base permettant d'évaluer la rapidité de certains changements comportementaux à travers le temps.

Une enquête exemplaire

À la fin des années 1980, le ministère national de la Santé et des Services sociaux demanda à un groupe de chercheurs de l'Université de Chicago de faire une enquête exhaustive sur la sexualité des Américains. Malgré l'hostilité du gouvernement américain et des milieux conservateurs, Edward Laumann et ses collègues John Gagnon, Robert Michael et Stuart Michaels purent finalement interroger 3432 adultes américains sur leur vie sexuelle. Cette enquête à la méthodologie exemplaire, et qui n'a pas d'équivalent ici, porte le nom de National Health and Social Life Survey (ou Enquête NHSLS, en français). Publiée en 1994, c'est l'étude la plus complète de la sexualité des Américains depuis les enquêtes de Kinsey. Le tableau 1.2 en présente quelques résultats importants.

Il ressort de cette enquête que les Américains auraient été plus satisfaits de leur vie sexuelle, moins actifs sexuellement et aussi plus conservateurs que l'image populaire ne le véhiculait.

L'OBSERVATION DIRECTE

Une troisième méthode permettant d'étudier le comportement sexuel chez l'être humain est l'**observation directe**, qui consiste à observer et à enregistrer les réactions des sujets. Bien que l'observation directe soit fréquemment utilisée dans des sciences sociales comme l'anthropologie, la sociologie et la psychologie, très peu de recherches de cette nature se font en sexologie en raison du caractère éminemment personnel et privé de l'expérience sexuelle chez les êtres humains.

La recherche de William Masters et Virginia Johnson sur la réponse sexuelle chez l'être humain est le plus célèbre exemple d'observation directe et sans doute, avec l'enquête de Kinsey, l'étude sur la sexualité la plus citée. Aussi en sera-t-il souvent question dans cet ouvrage. Masters et Johnson observèrent directement les changements physiologiques qui se passent durant la phase

Tableau 1.2 | **Les pratiques sexuelles et l'appartenance ethnique aux États-Unis.**

PRATIQUES SEXUELLES	AMÉRICAINS BLANCS		AFRO-AMÉRICAINS		HISPANO-AMÉRICAINS	
	Hommes	Femmes	Hommes	Femmes	Hommes	Femmes
A donné du sexe oral (%)	81,4	75,3	50,5	34,4	70,7	59,7
A reçu du sexe oral (%)	81,4	78,9	66,3	48,9	73,2	63,7
A expérimenté le sexe anal (%)	25,8	23,2	23,4	9,6	34,0	7,0
Ne s'est pas masturbé(e) durant la dernière année (%)	33,4	55,7	60,3	67,8	33,3	65,5
S'est masturbé(e) au moins une fois par semaine durant la dernière année (%)	28,3	7,3	16,9	10,7	24,4	4,7
Femme ayant déjà été sexuellement forcée par un homme (%)		23,0		19,0		14,0

Source : Laumann et coll. (1994).

d'excitation sexuelle. Intitulée *Human Sexual Response* dans sa version originale (1966) puis *Les Réactions sexuelles* dans sa traduction (1968), leur étude se basait sur l'observation en laboratoire de 10 000 cycles complets de réponse sexuelle. Leur échantillon était composé de volontaires qui pouvaient facilement avoir des orgasmes; il comprenait 382 femmes et 312 hommes d'intelligence et de niveau socioéconomique supérieurs à la moyenne, issus en grande partie de la communauté universitaire. Cet échantillon n'était sûrement pas représentatif de l'ensemble de la société américaine. Il a tout de même permis aux chercheurs de constater que les signes physiques de l'excitation sexuelle, qui constituaient l'objet de l'étude, semblaient les mêmes pour toutes les personnes, indépendamment de leur milieu d'origine.

Pour enregistrer les réponses sexuelles sur le plan physiologique, Masters et Johnson utilisèrent un certain nombre de techniques, dont la photographie et d'ingénieux instruments mesurant et enregistrant les changements musculaires et vasculaires des organes sexuels. Ils enregistrèrent les réactions des participants dans un éventail de situations : masturbation, coït avec partenaire, coït artificiel et stimulation des seins seulement. Après chaque observation, le participant était longuement interrogé.

L'approche de Masters et Johnson permit de recueillir une foule de données sur la façon dont les hommes et les femmes réagissent physiologiquement à la stimulation sexuelle. Ils constatèrent notamment qu'il n'y avait chez la femme aucune différence physiologique entre l'orgasme vaginal et l'orgasme clitoridien.

Lorsqu'elle est bien utilisée, comme ce fut le cas avec Masters et Johnson, l'observation directe présente des avantages évidents. Il est plus facile, pour étudier les modèles de réponse sexuelle, de se fier à l'observation qu'à des récits subjectifs d'expériences passées. L'observation directe permet d'éliminer presque toute possibilité de falsification des données résultant d'une défaillance de la mémoire, de l'exagération ou de l'autocensure causée par la culpabilité. De plus, les réactions des sujets peuvent être enregistrées et conservées sur vidéocassettes ou sur films.

Cette approche a cependant des inconvénients. Une question demeure toujours sans réponse : jusqu'à quel point le comportement du sujet est-il influencé par la présence d'un observateur, aussi discret soit-il? Les

Virginia Johnson et William Masters.

chercheurs tentent d'atténuer ce problème en demeurant en retrait, en observant le sujet à travers une glace sans tain ou en utilisant une caméra vidéo contrôlée à distance. Toutefois, malgré toutes ces précautions, le sujet sait toujours qu'il est observé.

Même si ces critiques à l'égard de l'observation directe sont fondées, l'étude de Masters et Johnson a passé avec succès l'épreuve du temps. Ses résultats sont encore utilisés dans des domaines aussi variés que le traitement de l'infertilité, la planification familiale, les thérapies sexologiques et l'éducation sexuelle.

LA MÉTHODE EXPÉRIMENTALE

Une quatrième méthode, la **recherche expérimentale**, est de plus en plus utilisée pour étudier le comportement sexuel humain, parce qu'elle se pratique en laboratoire et qu'elle fournit un environnement contrôlé permettant d'éliminer tout ce qui pourrait influencer le comportement du sujet, hormis les facteurs que l'on veut étudier. Un chercheur employant cette méthode manipule un ensemble de facteurs appelés *variables* et observe l'impact de cette manipulation sur le comportement du sujet. La méthode expérimentale est particulièrement adaptée à la recherche de relations de cause à effet entre des variables.

Observation directe   Méthode de recherche dans laquelle les sujets sont observés pendant qu'ils se livrent à certaines activités.

Recherche expérimentale   Recherche menée dans des conditions de laboratoire rigoureusement contrôlées afin que les réactions des sujets puissent être mesurées de façon fiable.

Question d'analyse critique

Parmi les quatre méthodes de recherche étudiées (l'étude de cas, l'enquête, l'observation directe et la recherche expérimentale), laquelle vous semblerait la plus appropriée pour étudier l'impact de la douleur chronique sur la sexualité ? Expliquez pourquoi.

Dans toute recherche expérimentale, il y a deux types de variables, c'est-à-dire des comportements ou des caractéristiques auxquels peuvent être attachées différentes valeurs : les **variables indépendantes** et les **variables dépendantes**. Une variable indépendante est une caractéristique de l'expérience se trouvant sous le contrôle du chercheur, qui la manipule ou en détermine la valeur. Une variable dépendante est un résultat ou un comportement que le chercheur observe et enregistre sans pouvoir le contrôler.

En ayant ce court résumé de la méthode expérimentale à l'esprit, regardons comment on peut utiliser cette technique pour clarifier le lien entre la violence véhiculée par les médias et les attitudes et comportements face au viol. Plusieurs recherches ont montré que la violence véhiculée dans les médias peut entraîner une plus grande tolérance envers la violence sexuelle et conduire certains individus à commettre un viol. Nous présentons ici trois expériences menées à ce sujet.

La première étude a porté sur 271 étudiants masculins répartis en deux groupes. Le premier groupe a visionné des films comportant des scènes sexuelles sans violence, et le second, des films réservés aux adultes (18 ans et plus) dans lesquels des hommes abusaient sexuellement des femmes et où celles-ci se transformaient éventuellement en partenaires consentantes. Quelques jours plus tard, tous les participants ont rempli un questionnaire sur leurs attitudes face aux comportements observés. D'après les résultats, les hommes qui avaient visionné des films sexuellement violents toléraient plus la violence sexuelle envers les femmes que ceux qui avaient regardé des films montrant des relations sexuelles non violentes entre partenaires consentants (Malamuth et Check, 1981).

Deux autres études expérimentales comportant des protocoles de recherche semblables ont été menées auprès de deux groupes appariés, l'un composé de violeurs et l'autre de non-violeurs. Il s'agissait de mesurer la réponse érectile (variable dépendante) des sujets à la description d'activités sexuelles (variable indépendante) enregistrées sur cassettes audio, l'une relatant un viol et l'autre une relation sexuelle entre partenaires consentants (Abel et coll., 1977 ; Barbaree et coll., 1979). La tumescence pénienne (engorgement sanguin du pénis) était mesurée à l'aide d'un extensiomètre pénien (voir la figure 1.2). Dans ces deux études, les violeurs ont eu une érection en écoutant la description du viol, alors que les non-violeurs n'en ont pas eu. Par contre, la description de la relation sexuelle entre personnes consentantes a provoqué le même niveau d'excitation chez les deux groupes d'hommes. Ces résultats suggèrent que l'exposition à la violence sexuelle des médias non seulement favorise la violence sexuelle contre les femmes, mais incite également certains hommes à les violer pour « sexualiser » leur violence.

La méthode expérimentale a aussi été employée pour étudier le lien entre la consommation d'alcool et la réponse sexuelle (mais elle n'a pas été utilisée pour étudier l'orgasme vaginal). Ainsi, dans une étude auprès de 48 collégiens masculins, on a mesuré avec un extensiomètre pénien l'érection des jeunes hommes tandis qu'ils regardaient un film à contenu sexuel explicite. Une première mesure a été faite alors qu'ils n'avaient pas pris d'alcool, puis une seconde quelques jours plus tard après qu'on leur eut donné une quantité d'alcool contrôlée. Les résultats ont montré que le niveau d'excitation sexuelle des sujets diminuait au fur et à mesure que leur consommation d'alcool augmentait (Briddell et Wilson, 1976). Une expérience semblable auprès de sujets féminins a donné des résultats similaires (Wilson et Lawson, 1976).

Le principal avantage de la méthode expérimentale est qu'elle permet d'établir des relations de cause à effet comme aucune autre méthode ne saurait le faire. Cependant, cette méthode a aussi ses inconvénients. Le plus important est l'environnement artificiel du laboratoire, lequel peut influer sur les sujets et orienter leurs réponses. Comme dans l'observation directe, le fait que les sujets sont conscients de participer à une recherche peut en effet les inciter à fournir des réponses qu'ils ne donneraient pas dans un autre contexte.

Variable indépendante Dans une recherche expérimentale, situation ou composante sous le contrôle de l'expérimentateur, qui peut la manipuler ou en déterminer la valeur.

Variable dépendante Dans une recherche expérimentale, résultat ou comportement que l'observateur note et enregistre sans toutefois pouvoir le contrôler.

Autre inconvénient majeur, il demeure difficile d'établir un lien définitif entre ce type de mesure et le comportement. Ainsi, l'excitation physiologique n'est pas synonyme d'intérêt sexuel, selon Chivers et ses collaborateurs (2005). Ces chercheurs ont montré qu'en regardant des scènes de relations hétérosexuelles, homosexuelles, ou même parfois de contacts sexuels avec des animaux, certains sujets ont une réaction d'excitation génitale dont ils n'ont pas conscience. Ces personnes ne sont pas pour autant intéressées par ce qu'elles voient et leur comportement sexuel réel n'a souvent aucun lien avec leur excitation physiologique devant ces vidéos. Ainsi, des femmes hétérosexuelles ont réagi à des scènes homosexuelles entre femmes et parfois même à des scènes homosexuelles entre hommes, sans rapporter être excitées lorsqu'on leur demandait. Par contre, chez les hommes hétérosexuels, les scènes entre hommes n'ont provoqué aucune réaction physiologique ou très peu, contrairement aux scènes homosexuelles féminines qui les faisaient réagir. Quant aux gais, ils n'ont eu aucune réaction ou très peu devant les scènes, qu'elles soient hétérosexuelles, entre hommes ou entre femmes. Il n'y a donc pas de lien systématique entre les préférences réelles, les comportements sexuels réels, les fantasmes d'une personne et ce qui peut provoquer le début d'une érection ou une lubrification vaginale.

LES NOUVELLES TECHNOLOGIES ET LA RECHERCHE EN SEXOLOGIE

Les chercheurs en sexologie disposent de trois principales technologies pour recueillir des données : les instruments de mesure électronique de l'excitation sexuelle (voir la figure 1.2), le questionnaire assisté par ordinateur et l'enquête sur Internet. Les instruments de mesure électronique existent depuis plusieurs décennies, alors que les deux autres technologies sont relativement récentes.

L'extensiomètre pénien, le photopléthysmographe vaginal, le myographe vaginal et le myographe rectal sont des appareils utilisés pour mesurer de façon électrique la réponse sexuelle chez l'être humain.

Le questionnaire autoadministré par ordinateur est de plus en plus utilisé pour recueillir des données sur la vie sexuelle de diverses catégories de la population. Ici, le sujet répond à des questions en appuyant sur les touches du clavier de son ordinateur. Il peut lire les questions à l'écran ou les entendre à l'aide d'écouteurs. Seul devant son ordinateur, il est plus enclin à dévoiler des informations personnelles sur son comportement que lorsqu'il fait face à un interviewer. Par exemple, une étude a montré que les adolescents mâles ont plus tendance à déclarer des comportements sexuels à risques lorsqu'ils utilisent le questionnaire assisté par ordinateur que lorsqu'ils sont interrogés en personne (Potkar et Koenig, 2005). En outre, le questionnaire étant informatisé, l'obstacle de la langue s'en trouve considérablement réduit.

LA RECHERCHE SUR LA SEXUALITÉ DANS LE CYBERESPACE

L'accès à Internet étant de plus en plus répandu, il est normal que les sexologues y aient vu de nouvelles opportunités de recherche (Mustanski, 2001 ; Parks et coll., 2006 ; Rhodes et coll., 2003). Au départ, les scientifiques ont utilisé Internet pour diffuser les résultats de leurs

Myographe vaginal et myographe rectal

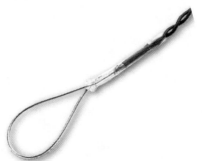

Extensiomètre pénien

Photopléthysmographe vaginal

Figure 1.2 | Des instruments de mesure électronique de l'excitation sexuelle.

recherches plutôt que pour faire la collecte de données. Aujourd'hui, les internautes forment une population de plus en plus nombreuse et diversifiée, ce qui offre aux chercheurs d'immenses possibilités.

N'importe quel questionnaire en tout point semblable aux questionnaires conventionnels peut être affiché dans le Web (Rhodes et coll., 2003). Alors, quels avantages ce média offre-t-il par rapport aux méthodes d'enquête traditionnelles ? En éliminant les coûts d'impression et en diminuant les coûts de main-d'œuvre, le questionnaire affiché dans le Web permet d'économiser de 20 % à 80 % des coûts (Parks et coll., 2006 ; Rhodes et coll., 2003). Des études montrent également que les personnes qui répondent à un questionnaire sur Internet se préoccupent moins de savoir si leurs réponses plaisent ou non et ont tendance à donner des informations qu'elles ne fourniraient pas dans une interview en personne ou sur un questionnaire papier. Peut-être trouvent-elles cette méthode plus sécurisante quant à la confidentialité de leurs réponses (Bowen, 2005 ; Parks et coll., 2006).

L'enquête par Internet permet aussi une collecte et une gestion plus efficaces des données. Par exemple, les données recueillies par formulaire électronique peuvent être envoyées automatiquement par courriel à une banque de données pour y être stockées. En outre,

le questionnaire électronique permet au chercheur de résoudre les problèmes de compréhension qui peuvent surgir en cours de route (Rhodes et coll., 2003). Ainsi pourra-t-il non seulement remanier certaines questions, mais aussi en ajouter de nouvelles, s'il le désire, après avoir fait une première analyse des données.

Chaque jour, des centaines de millions de personnes naviguent sur Internet. Le cyberespace représente donc, par-delà les frontières géographiques et culturelles, une source à peu près illimitée de répondants potentiels pour les chercheurs (Rhodes et coll., 2003, p. 68). Aussi, ceux qui désirent mener une enquête sur la sexualité trouveront dans Internet une occasion de faire participer des gens qui vivent dans des régions isolées ou des catégories de personnes qu'ils auraient de la difficulté à recruter localement (Bowen, 2005).

Enfin, un autre avantage de la recherche par Internet tient au fait que les données ainsi recueillies s'avèrent souvent plus utiles ou plus précises que celles obtenues à l'aide d'autres méthodes (Rhodes et coll., 2003). On attribue cela au fait que le questionnaire électronique permet de réduire les erreurs de deux façons. Premièrement, le répondant reçoit un soutien continu tout au long du questionnaire (messages-guides, menus, explications, etc.), ce qui l'aide à répondre adéquatement à toutes les questions. Dans le cas d'un

Les adolescents sont plus portés à donner des informations délicates sur leur comportement sexuel lorsqu'ils répondent aux questions par l'intermédiaire de leur ordinateur.

questionnaire papier, il arrive souvent que le répondant ne réponde pas à des questions ou qu'il fournisse plusieurs réponses là où il devrait n'en donner qu'une. Dans une enquête menée par Internet, on peut exiger que le répondant réponde à toutes les questions pour que son questionnaire soit accepté, mais aussi éliminer les réponses multiples en affichant les messages-guides appropriés. Deuxièmement le questionnaire électronique permet de normaliser les interactions du répondant avec le document (fichier) de l'enquête, ce qui, comparativement à l'enquête traditionnelle, a pour effet d'éliminer les erreurs liées à l'entrée de données, à la façon dont le test est administré ou à l'interprétation que les interviewers font des réponses qui leur ont été données (Rhodes et coll., 2003).

L'enquête sur la sexualité par Internet comporte toutefois un inconvénient majeur : le biais important de l'échantillonnage (Wallis et coll., 2003). Un « fossé numérique » (accès inégal à l'informatique) existe présentement au sein de la population, ce qui signifie que les utilisateurs actuels d'Internet ne sont pas représentatifs de la population en général (en matière d'âge, de sexe, de scolarité, de niveau de vie, etc.), et ce, partout dans le monde. Toutefois, la popularité grandissante d'Internet aura tôt fait de diversifier la population d'internautes, lesquels deviendront de plus en plus représentatifs de la population dans son ensemble, comme le montre la dernière grande enquête de Statistique Canada (McKeown et Underhill, 2007).

La difficulté à déterminer le taux de réponses est un autre inconvénient de l'enquête par Internet. Les compteurs de visiteurs, qui permettent aux chercheurs de consigner le nombre de personnes ayant consulté un site Internet, ne peuvent pas distinguer les répondants des non-répondants. Ainsi, les biais de non-réponse ou d'autosélection que connaissent toutes les recherches sur la sexualité affectent tout autant les enquêtes par Internet. Le phénomène des personnes qui répondent plusieurs fois à un questionnaire sur Internet n'est pas encore considéré comme un problème majeur (Rhodes et coll., 2003), mais son potentiel de nuisance demeure une source de préoccupation. Pour contrer cette pratique, les chercheurs qui utilisent Internet ont développé une série de moyens. Par exemple, on demande certaines informations permettant d'identifier la personne (code postal, date de naissance, etc.) de façon à pouvoir repérer celles qui ont rempli le questionnaires plusieurs fois, ou encore on insère une question demandant à la personne si elle y a déjà répondu (Rhodes et coll., 2001a, 2001b).

L'ÉTHIQUE EN MATIÈRE DE RECHERCHE SEXOLOGIQUE

Tout chercheur, en sexologie comme en d'autres disciplines, doit voir à ce que le bien-être, la dignité, les droits et la sécurité des personnes qui participent à sa recherche soient respectés. En ce sens, au cours des vingt dernières années, de nombreuses organisations professionnelles ont adopté des codes d'éthique. Au Québec, ce fut le cas, entre autres, pour la Corporation professionnelle des psychologues du Québec, l'Association des sexologues du Québec (ASQ) et le Regroupement professionnel des sexologues du Québec (RPSQ). Toute recherche universitaire sur des êtres humains ou des animaux doit, en outre, être approuvée par un comité d'éthique institutionnel.

Ces codes d'éthique indiquent notamment qu'aucune pression ni coercition ne doit être employée envers une personne pour qu'elle participe à une recherche et qu'aucun tort physique ni psychologique ne doit être fait aux participants. Le chercheur doit obtenir le consentement éclairé des sujets avant de procéder à une expérience. Il doit leur expliquer le but général de l'étude à laquelle ils vont participer et les informer de leurs droits ; il doit également les aviser du caractère volontaire de leur participation et leur indiquer les coûts et les bénéfices potentiels de cette participation (Seal et coll., 2000). Le chercheur doit aussi respecter le refus d'une personne de participer à une recherche, et ce, à n'importe quelle étape de celle-ci. De plus, il doit prendre les moyens requis pour assurer la confidentialité des données et l'anonymat des participants, à moins que ceux-ci ne consentent à être identifiés (Margolis, 2000).

L'obligation d'informer les sujets du but de la recherche est controversée. Les résultats de certaines études seraient affectés si les participants étaient informés à l'avance de leur but exact. L'éthique suggère que si un participant doit être trompé, une rencontre doit alors être organisée après la recherche afin de lui expliquer pourquoi. Le participant peut alors demander le retrait et la destruction des données le concernant.

Il est parfois difficile pour le chercheur de déterminer de façon objective les avantages et les inconvénients qu'une étude peut avoir pour un sujet. Pour contrer cette difficulté, la plupart des institutions de recherche et des organismes subventionnaires dans le monde ont mis sur pied des comités d'éthique qui étudient toutes les propositions de recherche. Si les membres du comité jugent que le bien-être des sujets n'est pas suffisamment garanti, la proposition doit être modifiée, faute de quoi la recherche devra être abandonnée.

L'ÉVALUATION D'UNE RECHERCHE : QUELQUES QUESTIONS À SE POSER

La matière présentée dans cet ouvrage devrait vous permettre de faire la différence entre une enquête sexologique scientifique et un sondage superficiel comme on en trouve si souvent dans les médias. Mais, même en prenant connaissance d'une enquête sérieuse, il est bon de garder un œil critique face à ses résultats et d'éviter de les tenir pour vrais pour la seule raison qu'ils sont présentés comme « scientifiques ». Voici donc quelques questions que vous pourriez vous poser pour évaluer si une recherche est rigoureuse ou non.

1. Quels sont les titres professionnels des chercheurs ? Quelle est leur expérience dans le domaine ? Sont-ils affiliés à des institutions reconnues (centre de recherche, université, etc.) ? Sont-ils associés de quelque manière que ce soit à un groupe d'intérêt pouvant tirer profit de certains résultats ou de certaines conclusions de la recherche, comme l'industrie pharmaceutique ?

2. Dans quel type de médias les résultats ont-ils été publiés : revue scientifique, recueil de textes, magazine, journal, Internet ?

3. Quelle approche ou méthode de recherche a-t-on utilisée ? Les protocoles de recherche sont-ils bien décrits et ont-ils été suivis ?

4. Le nombre de participants était-il suffisant ? La sélection de l'échantillon a-t-elle été biaisée ?

5. Peut-on raisonnablement appliquer les résultats de la recherche à un segment plus large de la population ? Jusqu'à quel point peut-on les généraliser ?

6. La méthodologie employée pour la recherche peut-elle avoir influé sur les résultats ? (Par exemple, la présence d'un interviewer incitait-elle les sujets à donner des réponses inexactes ? La présence de caméras pouvait-elle avoir une influence sur leurs réponses ?)

7. Y a-t-il d'autres recherches dont les résultats appuient ou contredisent l'étude en question ?

RÉSUMÉ

REGARD HISTORIQUE ET CULTUREL

✳ Une idée largement répandue en Occident veut que la sexualité n'ait d'autre finalité que la reproduction. Cette idée a sa source dans les religions juive et chrétienne.

✳ Les anciens Hébreux accordaient une grande importance à la grossesse et reconnaissaient les bienfaits de la sexualité au sein du mariage. Les rôles sexuels étaient déjà très spécialisés.

✳ Des penseurs chrétiens comme saint Paul, saint Augustin et saint Thomas d'Aquin ont contribué à enraciner l'idée que la sexualité était associée au péché, qu'elle n'était acceptable que dans le cadre du mariage et dans un but de procréation. Le christianisme réaffirma les rôles sexuels. Certains écrits mirent l'accent sur l'infériorité de la femme.

✳ Durant le Moyen Âge, deux images contradictoires de la femme s'enracinèrent : celle de la femme pure et inaccessible, présente dans le culte de la Vierge et l'amour courtois, et celle de la tentatrice, personnifiée par Ève.

✳ Au XVIᵉ siècle, les penseurs de la Réforme reconnurent que l'expérience sexuelle était un élément important du mariage. Le lien entre la sexualité non reproductrice et le péché se relâcha quelque peu.

✳ Pendant l'ère victorienne, les femmes étaient vues comme des êtres asexués et, chez les gens « bien », il y avait une séparation nette entre la vie des hommes et celle des femmes. De nombreux hommes fréquentaient les prostituées.

✳ Au cours du XXᵉ siècle, les théories de Freud, les résultats de différentes recherches, les événements historiques et les progrès scientifiques ont suscité de grandes transformations sociales, dont la révolution sexuelle.

✳ Les médias (radio, cinéma, télévision, Internet) ont une très grande influence sur la société en général et sur la sexualité en particulier. Ils proposent une vaste gamme d'informations, plus ou moins crédibles, qui ont toutefois le mérite de mettre en relief la diversité de l'expérience sexuelle humaine.

LA RECHERCHE EN SEXOLOGIE : BUTS ET MÉTHODES

* La sexualité humaine comprend des dimensions psychologique, affective, cognitive, biologique, morale et socioculturelle. Les buts de la sexologie sont la compréhension et la prédiction des comportements sexuels ainsi que la recherche de moyens d'intervention.

* Les méthodes de recherche non expérimentales comprennent l'étude de cas, l'enquête et l'observation directe.

* L'étude de cas fournit généralement beaucoup d'informations sur un ou quelques individus. Cette méthode présente deux avantages : elle est flexible et elle permet d'explorer en profondeur des comportements ou des sentiments particuliers.

* La plupart des informations dont nous disposons sur la sexualité ont été recueillies au moyen de questionnaires ou d'entrevues. Le questionnaire a l'avantage d'être anonyme et peu coûteux comparativement à l'entrevue. Les entrevues offrent toutefois plus de souplesse et permettent d'établir de meilleurs rapports entre le chercheur et le sujet.

* L'enquête de Kinsey est une vaste étude du comportement sexuel dont les résultats furent néanmoins limités par un échantillon où étaient surreprésentés les protestants citadins ayant un niveau de scolarité supérieur à la moyenne.

* Lorsque l'observation directe est possible, elle réduit de beaucoup le risque de falsification des données. Cependant, le comportement des sujets peut être influencé par la présence d'un observateur. Compte tenu du caractère très intime de l'expérience sexuelle, il se fait très peu d'observation directe en recherche sur la sexualité.

* Le but de la méthode expérimentale est de découvrir des relations de cause à effet entre des variables indépendantes et des variables dépendantes.

* La recherche expérimentale a deux avantages : le contrôle de certaines variables et l'analyse directe des causes possibles. Cependant, le caractère artificiel de l'environnement de laboratoire peut influer sur les réactions du sujet.

* Lors de l'évaluation d'une recherche sur le comportement sexuel, il est important de tenir compte de la notoriété des chercheurs, des méthodes employées et des techniques d'échantillonnage utilisées, et de comparer ses résultats avec ceux d'autres études reconnues.

L'anatomie et la physiologie sexuelles

ans ce chapitre, nous présentons successivement l'anatomie (structure et configuration) et la physiologie (fonctions) des organes génitaux de la femme et de l'homme.

L'ANATOMIE ET LA PHYSIOLOGIE SEXUELLES DE LA FEMME

C'est à 45 ans, après avoir mis au monde trois enfants, que j'ai vraiment examiné mes organes génitaux pour la première fois. J'ai été étonnée par leurs formes et leurs couleurs délicates. Je regrette d'avoir attendu si longtemps avant de le faire, car je me connais beaucoup mieux maintenant et je me sens beaucoup plus sûre de moi. (Notes des auteurs)

Beaucoup de femmes sont aussi ignorantes de leur anatomie que cette femme. Or, le fait de connaître et de comprendre son corps peut influer grandement sur la santé sexuelle, le bien-être sexuel et l'intelligence sexuelle de la femme (voir l'encadré *L'autoexamen des parties génitales féminines*). Nous ferons ici une description détaillée des structures externes et internes des organes sexuels féminins.

LA VULVE

La **vulve** désigne l'ensemble des structures génitales externes de la femme. Elle comprend le mont de Vénus (ou mont du pubis), les grandes lèvres et les petites lèvres, le clitoris, le vestibule, l'orifice urétral et l'entrée vaginale,

le périnée et les glandes de Bartholin. Certaines personnes confondent souvent la vulve et le vagin, même si ce dernier est un organe interne dont seule l'entrée communique avec la vulve (voir la figure 2.1).

En raison de son **apparence, qui varie d'une femme à l'autre**, la vulve a été comparée à certaines fleurs, à des coquillages et à d'autres formes qu'on trouve dans la nature. Différentes évocations de la vulve ont été exploitées en art. L'œuvre intitulée « The Dinner Party », de Judy Chicago, en est un exemple célèbre. L'artiste a utilisé différentes formes rappelant la vulve pour façonner une œuvre composée de 39 assiettes en céramique représentant des femmes qui ont marqué l'histoire.

LE MONT DE VÉNUS

Le **mont de Vénus** est la région qui recouvre l'os pubien. On l'appelle ainsi en l'honneur de la déesse romaine de l'amour et de la beauté. Cette région en

Vulve   Ensemble des organes génitaux externes de la femme.

Mont de Vénus (ou mont du pubis)   Saillie triangulaire recouvrant l'os pubien dans la partie supérieure de la vulve.

a)

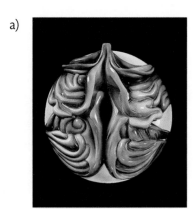

b)

Des formes évoquant la vulve en art et dans la nature. En a), l'assiette Georgia O'Keeffe, une des pièces du « Dinner Party », de Judy Chicago ; en b), une orchidée.

Votre santé sexuelle

L'autoexamen des parties génitales féminines

La curiosité envers notre corps est innée. Ainsi, la prise de conscience et l'exploration de son propre corps constituent des étapes importantes du développement de l'enfant. Malheureusement, on inculque souvent aux femmes une image négative de leurs organes génitaux. Dès la petite enfance, on les leur présente comme des « parties intimes » ou « basses », qu'elles ne doivent ni regarder, ni toucher, et dont elles ne peuvent tirer aucun plaisir. Il est donc normal que les femmes se sentent souvent mal à l'aise à l'idée d'examiner elles-mêmes leurs organes génitaux.

L'autoexamen décrit ci-dessous est un bon moyen d'apprendre à mieux connaître votre corps et vos sensations. Vous pouvez simplement en lire la description et décider de ne pas le faire, ou encore le faire en partie ou au complet, comme bon vous semble.

À l'aide d'un miroir de poche, et peut-être aussi d'un miroir mural, observez d'abord votre vulve sous divers angles et dans différentes positions (debout, assise, couchée). Vous pouvez, si vous le désirez, en dessiner les parties et les

identifier (voir la figure 2.1). Les organes génitaux externes sont les mêmes pour toutes les femmes, mais leur couleur, leur forme et leur texture varient d'une femme à l'autre. Tout en vous regardant dans le miroir, essayez d'analyser vos sensations. Celles-ci sont très différentes d'une personne à l'autre.

> Je ne trouve pas cette partie de mon corps particulièrement attirante, mais je n'irais pas jusqu'à dire qu'elle est laide. Je crois que j'aurais moins de difficulté à l'apprécier si je n'avais pas appris à la cacher et à la trouver sale. Je n'ai jamais compris pourquoi les hommes sont si fascinés par la vulve. (Notes des auteurs)

> Je trouve mes parties génitales très sensuelles; leur chair est molle et délicate. (Notes des auteurs)

> Un de mes ex-partenaires a vanté la beauté de ma vulve. Son compliment m'a aidée à me sentir bien dans mon corps. (Notes des auteurs)

Tout en vous observant dans le miroir, explorez toute la surface de vos parties génitales avec vos doigts. Prêtez attention aux sensations que vous procurent vos différentes manières de toucher. Notez quelles régions sont les plus sensibles et comment le niveau de stimulation varie selon l'endroit. Rappelez-vous que le principal but de cet exercice est d'explorer votre corps et non de vous exciter sexuellement. Toutefois, si cette exploration vous procure de l'excitation, vous devriez être capable de sentir comment la sensibilité de certaines régions évolue durant cette excitation.

En plus de vous aider à vous sentir plus à l'aise avec votre corps et votre sexualité, l'autoexamen mensuel de vos organes génitaux peut vous aider à mieux prendre soin de votre santé. En étant plus familière avec le fonctionnement normal de votre corps, vous serez plus apte à détecter n'importe quel changement, si petit soit-il. Les problèmes sont généralement plus faciles à résoudre lorsqu'ils sont décelés très tôt. Si vous constatez un changement quelconque relativement à votre appareil génital, consultez votre médecin sans tarder. En cas de problème, il vous enverra consulter un médecin spécialisé en **gynécologie**.

Gynécologie   Spécialité médicale consacrée à l'étude de l'organisme de la femme et de son appareil génital.

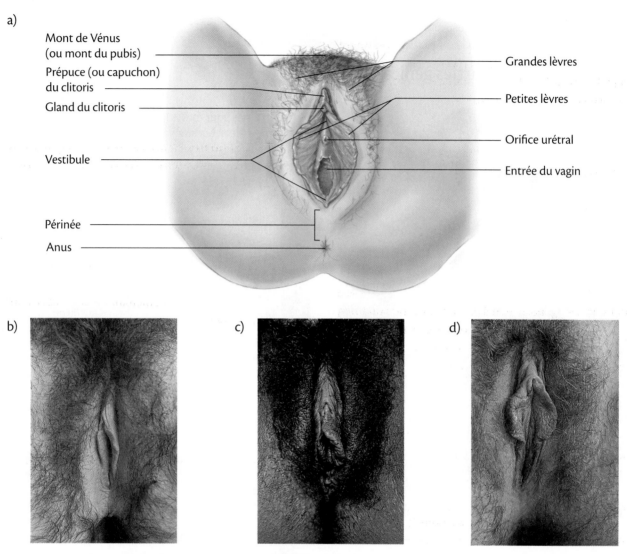

a)

Mont de Vénus
(ou mont du pubis)

Prépuce (ou capuchon)
du clitoris

Gland du clitoris

Vestibule

Périnée

Anus

Grandes lèvres

Petites lèvres

Orifice urétral

Entrée du vagin

b)   c)   d)

Figure 2.1 Structures externes de la vulve et diverses formes de vulve: a) structures externes; b) à d) vulves de couleurs et de formes diverses. L'apparence de la vulve peut varier considérablement d'une femme à l'autre.

saillie est constituée de couches de tissus adipeux. Les nombreuses terminaisons nerveuses qui s'y trouvent rendent le mont de Vénus très sensible aux caresses.

À la puberté, le mont de Vénus se couvre de poils. La couleur, la texture et l'épaisseur de ces poils varient d'une femme à l'autre. Durant l'excitation sexuelle, les poils pubiens féminins retiennent l'odeur des sécrétions vaginales, ce qui contribue parfois à augmenter le plaisir des sens. En outre, ils forment une sorte de tampon qui aide à réduire le frottement des corps au cours de l'acte sexuel. La plupart des femmes, de même que leurs partenaires, apprécient la sensualité très charnelle de leur toison pubienne.

Le rasage et l'épilation vulvaires seraient devenus à la mode depuis une quinzaine d'années en Occident.

Ces pratiques auraient pris naissance chez les actrices et acteurs pornos et chez les danseuses et danseurs nus. Plusieurs femmes enlèvent leurs poils pubiens en les coupant, en les rasant ou en les épilant avec de la cire ou une crème. D'autres les suppriment à l'aide d'un traitement au laser. Certaines femmes les taillent en forme de cœur ou d'éclair, par exemple, dans un but esthétique (Speer, 2005). D'autres les taillent pour qu'ils ne dépassent pas d'un slip ou d'un maillot de bain très petit (Singer, 2005). D'autres encore ne conservent qu'un triangle ou une mince bande, ou laissent la peau complètement nue (Merkin, 2006). Au XVe siècle, en Europe, il n'y avait que les filles de joie qui se laissaient pousser les poils pubiens; la plupart des femmes se les rasaient ou les gardaient courts comme chez les musulmans (Henry, 2000).

LES GRANDES LÈVRES

Les **grandes lèvres**, ou lèvres extérieures, prennent naissance au bas du mont de Vénus et se prolongent de part et d'autre de la vulve. Elles bordent les petites lèvres et les orifices urétral et vaginal. La partie des grandes lèvres située du côté des cuisses est couverte de poils, alors que leur partie interne, qui donne sur les petites lèvres, en est dépourvue. Leur peau est habituellement plus foncée que celle des cuisses, sauf chez les femmes à la peau génétiquement noire. Les terminaisons nerveuses et le tissu adipeux qui les composent sont similaires à ceux du mont de Vénus.

LES PETITES LÈVRES

Les **petites lèvres**, ou lèvres intérieures, sont situées à l'intérieur des grandes lèvres et sont souvent saillantes. Ces replis cutanés sans poils se joignent au **prépuce** (ou capuchon) du clitoris et s'étendent vers le bas au-delà des orifices urétral et vaginal. Elles contiennent des glandes sébacées et sudoripares, un réseau étendu de vaisseaux sanguins et des terminaisons nerveuses. Comme le montre la figure 2.1, leur taille, leur forme, leur longueur et leur couleur varient d'une femme à l'autre. Au cours de la grossesse, elles deviennent plus foncées.

Même s'il n'y a pas vraiment de standard universel quant à l'apparence des petites lèvres, plusieurs femmes ont recours à la chirurgie plastique pour les rendre plus symétriques, plus petites ou plus charnues. Par contraste, chez les Hottentots d'Afrique, les lèvres pendantes sont considérées comme un signe de beauté. Dès l'enfance, les femmes les étirent pour qu'elles deviennent plus longues.

La diffusion accrue d'images de vulves par des sites Internet, des magazines et des films pornographiques contribue à faire croire aux femmes que la leur devrait être différente de ce qu'elle est naturellement (Kobrin, 2006 ; Navarro, 2004). Selon les plasticiens qui pratiquent des chirurgies des petites lèvres, ce sont les femmes elles-mêmes qui désirent ce genre d'opération, et non pas leur partenaire masculin. Lorsqu'un homme convainc sa partenaire de subir une telle opération, c'est habituellement parce qu'il veut qu'elle ait une vulve semblable à celle qu'il voit dans la pornographie (Douglas et coll., 2005). La chirurgie labiale comporte plusieurs risques. Elle peut, entre autres, laisser des cicatrices douloureuses ou endommager des nerfs sensitifs, ce qui cause une hypersensibilité ou une perte de sensibilité qui affectera le plaisir sexuel.

Le perçage est une autre façon de modifier l'apparence de la vulve. Avant les années 1990, en Occident, le perçage corporel était considéré comme une pratique exotique, propre aux peuplades lointaines. Mais maintenant les hommes comme les femmes des pays occidentaux ont adopté cette forme d'« art corporel » et l'ont étendue aux organes génitaux. Chez les femmes, le perçage des parties génitales porte principalement sur le corps ou le prépuce du clitoris et sur les petites et les grandes lèvres dans lesquelles on introduit différents bijoux, comme des anneaux ou de « petits haltères » (*barbells*).

Le perçage des parties du corps les plus visibles a habituellement pour but d'exprimer une individualité ou l'appartenance à une sous-culture ; le perçage des parties génitales vise principalement à plaire à un partenaire sexuel. On ignore si les ornements ajoutés contribuent vraiment à stimuler le plaisir sexuel. Le perçage des parties génitales comporte cependant de nombreux risques pour la santé, notamment celui de contracter des maladies graves telles que le sida, l'hépatite B et des infections bactériennes. Il peut également entraîner des infections locales ou systémiques, la formation d'abcès, des réactions allergiques, des déchirures de la chair et de vilaines cicatrices. Les anneaux et les petits haltères peuvent aussi endommager les organes sexuels du partenaire (Kreahling, 2005 ; Meltzer, 2005).

LE CLITORIS

Le **clitoris** est une petite structure saillante et érectile, homologue du pénis de l'homme. Il est situé dans la partie antérieure de la vulve, sous le mont de Vénus. La partie externe du clitoris est formée de la **hampe** et du **gland**, et sa partie interne est composée de la tige (ou corps). Le corps du clitoris est invisible, sauf son extrémité supérieure, le gland. Le clitoris est protégé par un repli cutané, le prépuce, situé à l'avant des petites lèvres.

Grandes lèvres   Lèvres extérieures de la vulve.

Petites lèvres   Lèvres intérieures de la vulve situées de part et d'autre de l'entrée du vagin.

Prépuce   Repli cutané qui recouvre le clitoris.

Clitoris   Structure très sensible de la vulve dont la seule fonction est de procurer du plaisir sexuel.

Hampe du clitoris   Partie allongée formant le corps du clitoris entre le gland et les piliers.

Gland du clitoris   Extrémité supérieure du clitoris, formée de muqueuse et très richement innervée.

Le **smegma** est une substance formée de sécrétions vaginales, de cellules épidermiques mortes et de bactéries. Cette substance s'accumule parfois sous le prépuce et forme des dépôts qui peuvent rendre les rapports sexuels douloureux. Il est possible de prévenir l'accumulation de smegma en dégageant le prépuce lorsqu'on se lave la vulve. Si le smegma est déjà trop abondant, un médecin pourra le retirer.

En examinant la figure 2.2, qui montre un clitoris non recouvert de son prépuce, vous remarquerez que la hampe soutient le gland. La hampe elle-même n'est pas visible, mais on peut en sentir la forme à travers le prépuce. La hampe renferme deux petites structures spongieuses appelées **corps caverneux** qui se gorgent de sang pendant l'excitation sexuelle (Hamilton, 2002). À l'endroit où ils se rattachent à l'os pubien, dans la cavité pelvienne, ces corps caverneux s'étendent pour former deux branches appelées **piliers du clitoris**. Il arrive souvent que le gland soit caché par le prépuce. Dans ce cas, il suffit d'écarter doucement les petites lèvres et de relever le prépuce pour l'apercevoir. Le gland a une apparence lisse, arrondie et légèrement transparente. La taille, la forme et la position du clitoris varient d'une femme à l'autre. Ces différences, tout à fait normales, ne semblent avoir aucune incidence sur le plaisir et le fonctionnement sexuels.

A priori, il est plus facile pour une femme de découvrir son clitoris par le toucher que par la vue en raison de l'extrême sensibilité de ses terminaisons nerveuses. Le gland du clitoris, bien qu'il soit minuscule, possède à peu près le même nombre de terminaisons nerveuses que le gland du pénis. Il est si sensible que les femmes le stimulent généralement à travers le prépuce, la stimulation directe s'avérant trop intense. Les recherches montrent d'ailleurs que c'est en stimulant leur clitoris, et non en introduisant quelque chose dans leur vagin, que les femmes jouissent le plus et atteignent le plus souvent l'orgasme lorsqu'elles se masturbent.

Outre leur fonction sexuelle, tous les organes génitaux féminins et masculins jouent un rôle dans la reproduc-

---

Smegma   Substance blanchâtre de consistance molle composée de sécrétions glandulaires et de cellules épidermiques mortes qui s'accumulent parfois sous le prépuce du clitoris.

Corps caverneux   Structures situées à l'intérieur de la hampe du clitoris, lesquelles se gorgent de sang durant l'excitation sexuelle.

Piliers du clitoris   Extrémités les plus internes des corps caverneux qui sont rattachées aux os pubiens.

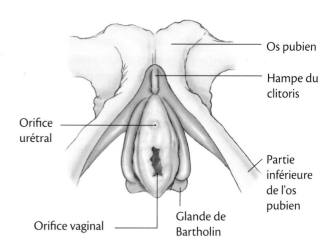

Figure 2.2 | Structures sous-cutanées de la vulve.

tion de l'espèce ou l'élimination des déchets du corps humain. Tous, sauf le clitoris qui est le seul organe dont l'unique fonction est de procurer du plaisir sexuel. La culture véhicule parfois l'idée que les femmes sont moins sexuelles que les hommes. Or, le clitoris et son unique fonction sèment la confusion, car la femme est censée être moins portée sur la sexualité que l'homme. Dans certaines régions du monde, le rôle sexuel du clitoris trouble tant que les femmes subissent une chirurgie au cours de laquelle on leur enlève le clitoris (voir l'encadré intitulé *Les mutilations et les modifications génitales féminines: torture ou tradition ?*).

Le rôle du clitoris dans l'excitation sexuelle et l'atteinte de l'orgasme suscite une grande controverse. Sur le plan scientifique, on sait depuis longtemps que le clitoris possède un grand nombre de terminaisons nerveuses. Malgré cela, on persiste à croire à tort que seule la stimulation vaginale peut ou devrait provoquer l'excitation sexuelle et l'orgasme. Pourtant, le clitoris est beaucoup plus sensible au toucher que le vagin. L'intérieur du vagin comporte lui aussi des terminaisons nerveuses, mais qui ne peuvent pas réagir à un léger contact (Pauls et coll., 2006). (C'est ce qui explique que les femmes ne sentent pas un tampon hygiénique ou un diaphragme s'il est placé correctement). Néanmoins, beaucoup de femmes ressentent une pression et un étirement à l'intérieur du vagin lors d'une stimulation manuelle ou d'un rapport

---

Question d'analyse critique

Quelles informations les parents devraient-ils donner à leur fille au sujet du clitoris ?

Les uns et les autres

Les mutilations et les modifications génitales féminines : torture ou tradition ?

Différentes formes de mutilation et de modification génitales féminines ont eu cours dans l'histoire dans plusieurs parties du monde, y compris aux États-Unis et au Canada où l'on a utilisé ce genre de pratique entre 1890 et 1930 pour « guérir » de la masturbation (Hamilton, 2002). La chirurgie génitale se pratique encore aux États-Unis dans les cas où une fille naît avec un clitoris de taille jugée « anormale »; cette intervention est d'ailleurs de plus en plus controversée (Coventry, 2000). Chaque année, environ deux millions de jeunes filles et de femmes vivant dans plus de 40 pays d'Afrique, du Moyen-Orient et d'Asie subissent une forme de mutilation génitale. La plupart du temps, l'intervention s'inscrit dans une tradition visant à préparer la jeune fille à l'âge adulte et au mariage (Leye et coll., 2006). Habituellement, c'est la sage-femme du village ou une infirmière qui procède à l'opération, avec la complicité de la mère de la jeune fille (Mwai, 2006; Prince-Gibson, 2000). L'intervention la plus simple, la circoncision, consiste à enlever le capuchon du clitoris. Il est aussi assez répandu de procéder à l'ablation partielle ou totale du clitoris, ou clitoridectomie.

La forme la plus extrême de mutilation est l'infibulation. On coupe d'abord le clitoris et les petites lèvres (et parfois aussi les grandes). Ensuite, on gratte à vif les deux côtés de la vulve et on les coud ensemble (parfois avec des épines) pendant que la fillette est tenue fermement. Pour couper les tissus, on utilise des objets tranchants, comme des rasoirs ou des morceaux de verre. Toute l'intervention se fait sans anesthésie, en n'utilisant ni désinfectant ni instruments stériles (Rosenthal, 2006). Après l'opération, on attache les jambes de la jeune fille au niveau des chevilles et des cuisses, et on la laisse ainsi pendant environ une semaine (Nour, 2000). Les tissus de la peau se refont et se joignent les uns aux autres, ce qui ferme l'entrée du vagin et ne laisse qu'une petite ouverture pour le passage de l'urine et du flux menstruel.

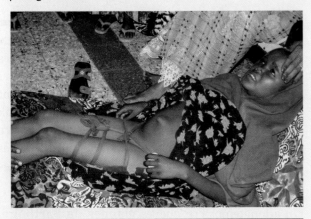

Une fillette est sur le point d'être excisée en Éthiopie, où tant les musulmans que les chrétiens perpétuent cette pratique bien qu'elle soit interdite par la Constitution.

L'infibulation entraîne souvent de sérieuses complications gynécologiques et obstétriques. Parmi les conséquences physiques les plus graves, notons : une hémorragie et des douleurs aiguës provoquant un état de choc et la mort, des saignements prolongés qui créent de l'anémie, une infection qui retarde la cicatrisation, le tétanos et la gangrène. À long terme, les femmes dont les lèvres ont été enlevées connaissent de graves problèmes urinaires et menstruels, et ont un taux d'infertilité beaucoup plus élevé que les autres (Ball, 2005). Les nombreuses scarifications vaginales laissées par la chirurgie peuvent entraîner de sérieuses difficultés durant l'accouchement; d'ailleurs, le risque de mortalité maternelle (et périnatale) est 50 % plus élevé chez les femmes mutilées génitalement que chez celles qui ne le sont pas (Eke et Nkanginieme, 2006).

Aujourd'hui, on estime à environ 130 millions le nombre de femmes et de jeunes filles qui ont subi une mutilation génitale dans le monde. En Égypte, 96 % des femmes mariées auraient été circoncises (El-Zanaty et Way, 2006; Nour, 2006). Le but premier de ces pratiques est de préserver la virginité de la jeune fille avant le mariage. Près de 60 % des femmes égyptiennes croient que les maris préfèrent une femme qui est circoncise (El-Zanaty et Way, 2006). La femme non circoncise fera l'objet d'une forte réprobation. Au Soudan, par exemple, une des pires insultes qu'on peut faire à un homme est de le traiter de « fils de mère non circoncise » (Al-Krenawi et Wiesel-Lev, 1999).

« Halte à l'excision », le symbole du Comité national de lutte contre la pratique de l'excision au Burkina Faso.

Les protestations de plus en plus nombreuses contre les mutilations génitales féminines ont incité l'ONU à abandonner sa politique de non-intervention dans les pratiques culturelles des pays indépendants. En 1990, l'Organisation de l'unité africaine condamnait les pratiques traditionnelles préjudiciables à la santé des enfants. En 1995, La Quatrième Conférence mondiale de l'ONU sur les femmes a aussi condamné les « mutilations sexuelles féminines ». Malheureusement, le poids des traditions est difficile à contrer et même là où ces pratiques sont illégales, la loi reste difficile à appliquer (Nour, 2006). Ce problème soulève des questions complexes sur les plans juridique et éthique (Shapiro, 1998). Le Canada a été le premier pays à reconnaître les mutilations sexuelles comme motif de demande du statut de réfugié. Cette pratique est considérée comme une voie de fait en droit criminel et entraîne une peine de prison maximale de 14 ans.

sexuel particulièrement agréable. Certaines ont une plus grande excitation sexuelle par stimulation vaginale que par stimulation clitoridienne et leur jouissance est particulièrement intense quand les tissus de leur vagin sont totalement gorgés de sang. Grâce à l'imagerie encéphalique, on a pu établir que des femmes (avec ou sans lésion de la moelle épinière) peuvent atteindre l'orgasme par autostimulation cervicale (Whipple et Komisaruk, 2006). En fait, plus on mène d'études scientifiques sur le sujet, plus on constate une grande diversité dans les réactions sexuelles de la femme (Ellison, 2000).

LE VESTIBULE

Le **vestibule** désigne la région comprise à l'intérieur des petites lèvres. Il est riche en vaisseaux sanguins et en terminaisons nerveuses. Ses tissus sont sensibles au toucher. (En architecture, le vestibule est la pièce d'entrée d'un édifice.) Les orifices urétral et vaginal sont situés dans le vestibule.

L'ORIFICE URÉTRAL

L'orifice urétral (ou méat urinaire) se trouve entre le clitoris et l'entrée du vagin. C'est l'orifice externe de l'urètre, ce petit conduit qui achemine vers l'extérieur l'urine contenue dans la vessie.

L'ENTRÉE DU VAGIN ET L'HYMEN

L'**entrée du vagin** se trouve entre l'orifice urétral et l'anus. Une fine membrane appelée **hymen** l'obstrue partiellement. L'hymen est présent à la naissance et il se déchire habituellement lors du premier coït. Il est normalement assez perforé pour permettre le passage du sang menstruel et l'insertion d'un tampon hygiénique (Pokorny, 1997). Il arrive que l'hymen soit trop épais pour se rompre lors d'un rapport sexuel. Il arrive aussi, plus rarement, que l'hymen ne soit pas du tout perforé et obstrue complètement l'entrée vaginale, ce qui empêche le sang menstruel de sortir du vagin. Dans les deux cas, le problème devrait se résoudre par une petite intervention chirurgicale au cours de laquelle on pratique une légère incision dans l'hymen.

L'hymen sert à protéger les tissus vaginaux au début de la vie. Néanmoins, on lui accorde beaucoup d'importance dans de nombreuses sociétés, y compris la nôtre, qui considère sa présence comme le signe tangible de la virginité d'une femme. Ainsi, on a longtemps cru que la douleur et les saignements provoqués par la première pénétration étaient synonymes de rupture de l'hymen,

Question d'analyse critique

Jusqu'où peut-on comparer le perçage génital pratiqué par certaines femmes dans les pays occidentaux avec les modifications génitales pratiquées sur les femmes dans certains pays d'Afrique, du Moyen-Orient et d'Asie ?

ou de « défloration ». À différentes époques, et dans diverses cultures, les draps maculés de sang au lendemain de la nuit de noces étaient la preuve de la consommation du mariage et de la virginité de l'épouse avant le mariage. Aujourd'hui encore, certaines femmes, surtout au Japon et au Moyen-Orient, se font faire une hyménoplastie (reconstruction de l'hymen) pour dissimuler la perte de leur virginité (Alexander, 2005).

LE PÉRINÉE

Le **périnée** est la région lisse comprise entre l'entrée du vagin et l'anus (le sphincter par lequel les selles sont évacuées). Le tissu du périnée est très innervé, d'où sa sensibilité.

LES STRUCTURES SOUS-JACENTES

Si on dégageait la vulve des poils, de la peau et du tissu adipeux qui la recouvrent, plusieurs structures seraient visibles (voir la figure 2.2, p. 38). La hampe du clitoris ne serait plus dissimulée sous le prépuce, et l'on pourrait aussi observer les corps caverneux et leurs piliers. Ces structures font partie du vaste réseau de bulbes et de vaisseaux qui se gorgent de sang durant l'excitation sexuelle.

Les **bulbes du vestibule**, situés de part et d'autre du vagin, se remplissent de sang durant l'excitation sexuelle, ce qui allonge le vagin et dilate la vulve. Ces bulbes sont homologues en structure et en fonction au tissu spongieux du pénis qui se gorge de sang durant la stimulation sexuelle et produit l'érection (Bartlik et Goldberg, 2000). La pression que le pénis exerce sur ces bulbes durant la pénétration engendre des sensations que certaines femmes trouvent agréables (Ellison, 2000).

On a longtemps cru que les **glandes de Bartholin**, qui se trouvent elles aussi de chaque côté de l'entrée du vagin (voir la figure 2.2, p. 38), étaient responsables de la lubrification vaginale durant le rapport sexuel.

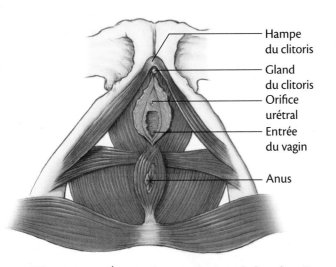

- Hampe du clitoris
- Gland du clitoris
- Orifice urétral
- Entrée du vagin
- Anus

Figure 2.3 | Muscles sous-jacents de la vulve. Ces muscles peuvent être renforcés grâce aux exercices de Kegel décrits dans l'encadré, à la page 43.

À l'état de repos, le vagin a une profondeur d'environ 10 cm. Ses parois forment un canal aplati. On le compare souvent à un gant pour illustrer son élasticité. Ses parois peuvent se dilater suffisamment pour assurer le passage du bébé pendant l'accouchement. En outre, sa taille et sa forme se modifient pendant l'excitation sexuelle, comme nous le verrons au chapitre 3.

Le vagin est formé de trois couches de tissus richement vascularisés : la **muqueuse**, la musculeuse et le tissu conjonctif. La muqueuse est la couche de tissus que l'on sent lorsqu'on insère un doigt dans le vagin. Au toucher, les plis du vagin sont doux, humides et chauds. Leur texture ressemble à celle de l'intérieur de la bouche. Il s'y trouve généralement des sécrétions qui favorisent le maintien de l'équilibre chimique du vagin. Durant l'excitation sexuelle, la muqueuse produit une substance lubrifiante, que certains appellent poétiquement la « cyprine ».

La majeure partie de la deuxième couche, qui est composée de muscles lisses, donc non contrôlés par la volonté, se concentre autour de l'entrée du vagin.

Vu le grand nombre de muscles situés dans son tiers antérieur et la capacité de dilatation de ses deux tiers postérieurs, il peut arriver que le vagin expulse de l'air en produisant un bruit semblable à un pet ; cela peut être drôle ou embarrassant, selon le contexte. Ce phénomène est plus fréquent dans des positions sexuelles ou des postures de yoga (par exemple, celle du poirier) où le pubis se projette vers le haut.

Or, elles ne sécrètent en réalité qu'une goutte ou deux de mucus juste avant l'orgasme. Règle générale, on ne prête pas attention à ces glandes. Cependant, leur canal excréteur peut s'obstruer et provoquer un gonflement. Si ce gonflement persiste durant plusieurs jours, il est recommandé de le faire examiner par un médecin.

Outre des glandes et un réseau de vaisseaux sanguins, la région génitale recèle une musculature complexe (voir la figure 2.3). Les muscles du plancher pelvien peuvent s'étirer dans plusieurs directions, ce qui permet au vagin de se dilater considérablement lors d'un accouchement, puis de se rétracter par la suite.

LES STRUCTURES INTERNES

Les organes génitaux internes de la femme comprennent le vagin, le col de l'utérus, l'utérus, les trompes de Fallope et les ovaires. La figure 2.4 montre une vue sagittale et une vue frontale du système génital féminin.

LE VAGIN

Le **vagin** est un canal dont l'orifice externe est bordé des petites lèvres. Il s'oriente vers le haut et vers l'arrière et s'étend jusqu'au col utérin. La première fois qu'elles tentent d'insérer un tampon hygiénique dans leur vagin, certaines femmes non familières avec leur anatomie peuvent éprouver de la difficulté parce qu'elles poussent le tampon directement vers le haut plutôt que dans un angle d'environ 45 degrés.

Vestibule   Région de la vulve située à l'intérieur des petites lèvres.

Urètre   Canal qui achemine vers l'extérieur l'urine contenue dans la vessie.

Entrée du vagin   Orifice extérieur du vagin.

Hymen   Membrane qui obstrue partiellement l'entrée du vagin.

Périnée   Région comprise entre l'entrée du vagin et l'anus chez la femme, et entre le scrotum et l'anus chez l'homme.

Bulbes du vestibule   Situés de chaque côté de l'entrée du vagin, ces deux organes se gonflent de sang pendant l'excitation sexuelle.

Glandes de Bartholin   Situées de part et d'autre de l'entrée du vagin, ces deux petites glandes sécrètent quelques gouttes d'un liquide lubrifiant pendant l'excitation sexuelle.

Vagin   Canal musculo-membraneux extensible qui s'étend de la vulve (orifice externe) au col utérin.

Muqueuse   Terme général définissant les membranes muqueuses, c'est-à-dire les tissus humides qui tapissent certaines régions comme l'urètre du pénis, le vagin et la bouche.

a) **Vue sagittale**

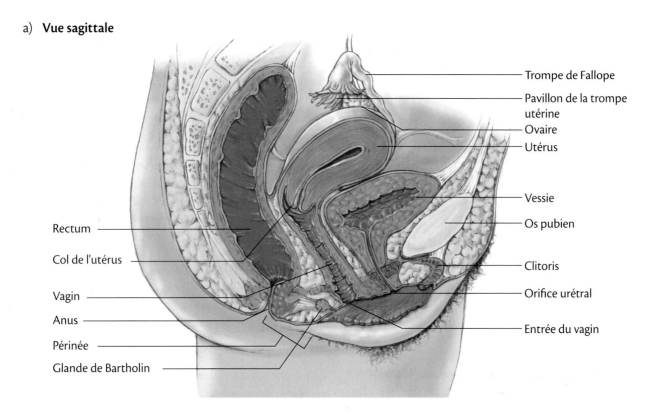

Trompe de Fallope

Pavillon de la trompe utérine

Ovaire

Utérus

Vessie

Os pubien

Clitoris

Orifice urétral

Entrée du vagin

Rectum

Col de l'utérus

Vagin

Anus

Périnée

Glande de Bartholin

b) **Vue frontale**

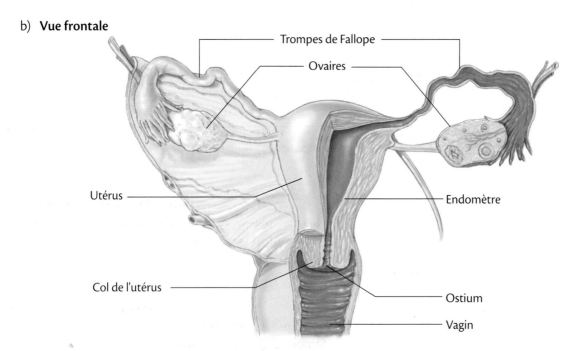

Trompes de Fallope

Ovaires

Utérus

Endomètre

Col de l'utérus

Ostium

Vagin

Figure 2.4 | Anatomie sexuelle interne de la femme : a) vue sagittale ; b) vue frontale. Certaines parties des ovaires, de l'utérus et du vagin sont montrées en coupe transversale.

La musculeuse est entourée de la couche vaginale la plus interne qui est composée de tissu conjonctif. Cette couche contribue à la contraction et à la dilatation du vagin et ancre l'organe à des structures de la cavité pelvienne.

Les **exercices de Kegel** visent directement cette couche musculaire (voir l'encadré « Votre santé sexuelle »). Ils sont souvent recommandés après un accouchement ou comme outil thérapeutique.

Votre santé sexuelle

Les exercices de Kegel

Les muscles du plancher pelvien se contractent invo-lontairement pendant l'orgasme. Cependant, on peut s'exercer à les contracter volontairement à l'aide des exercices élaborés par Arnold Kegel en 1952 à l'intention des femmes ayant un problème d'incontinence à la suite d'un accouchement. Il n'est pas rare qu'une femme ayant récemment enfanté urine accidentellement lorsqu'elle tousse ou éternue. Ce malencontreux phénomène est dû à un déchirement des muscles périnéaux durant l'accou-chement.

L'amélioration du tonus musculaire n'est pas le seul effet bénéfique de ces exercices. Après environ six semaines d'exercices réguliers, beaucoup de femmes déclarent avoir des sensations plus intenses durant leurs relations sexuelles et font état d'une augmentation généralisée de la sensibilité de leurs organes génitaux. Ces effets sem-blent liés à une plus grande conscience de leurs organes sexuels et à un meilleur tonus musculaire, ce qui favorise la réponse physiologique à l'excitation sexuelle.

Les exercices de Kegel en 6 étapes

1. Localisez les muscles qui bordent le vagin. Vous pou-vez sentir ces muscles se contracter lorsque vous arrê-tez volontairement d'uriner. Une façon encore plus efficace de contracter les muscles du plancher pelvien est de contracter le sphincter anal comme si vous ten-tiez de retenir une flatuosité.

2. Insérez un doigt dans l'entrée du vagin et contractez les muscles que vous avez localisés à l'étape 1. Ces muscles devraient enserrer vos doigts.

3. Maintenez la contraction pendant 10 secondes. Détendez les muscles. Répétez 10 fois.

4. Contractez les muscles et relâchez la contraction aussi vite que possible de 10 à 25 fois. Répétez cette opération.

5. Imaginez que vous essayez d'aspirer un objet dans votre vagin. Retenez la contraction pendant 3 secondes.

6. Faites ces exercices 3 fois par jour (Ono, 1994).

Les sécrétions vaginales et l'équilibre chimique du vagin

Les parois du vagin et le col de l'utérus libèrent des sécrétions blanchâtres ou jaunâtres. Ces sécrétions sont naturelles et sont un signe de santé. Leur apparence variable est liée aux fluctuations hormonales ayant cours pendant le cycle menstruel. (Le suivi de ces varia-tions peut servir de méthode de contraception, comme nous le verrons au chapitre 13). Le goût et l'odeur des sécrétions vaginales varient également selon le cycle menstruel et le degré d'excitation.

L'équilibre chimique et bactérien du vagin favorise une muqueuse saine. Le pH vaginal est habituellement acide (pH de 4,5, soit le même que celui du vin rouge) (Angier, 1999). De nombreux facteurs peuvent modifier cet équi-libre et entraîner des problèmes vaginaux. Parmi eux, on trouve les **douches vaginales** et les déodorants vagi-naux. La publicité tire substantiellement profit de notre vision négative des organes sexuels féminins lorsqu'elle nous vend des produits qui enrayent les sécrétions et les odeurs naturelles. Les douches vaginales sont inuti-les dans le cadre d'une hygiène normale. Elles augmen-tent les risques d'infections, même si plusieurs femmes croient à tort qu'elles sont bonnes pour la santé (Ness et coll., 2003). Selon plusieurs études, les douches vagi-nales augmentent les risques d'inflammation du pelvis,

d'endométriose, de transmission du VIH, de grossesse ectopique, et diminuent la fertilité. Plus encore, les dou-ches vaginales prises pendant la grossesse augmentent les risques de naissances prématurées (Cottrell, 2003). Les déodorants vaginaux peuvent irriter, causer des allergies, des brûlures, des dermatites des cuisses et bien d'autres affections. Pire encore, il semble y avoir un lien entre l'usage de déodorants vaginaux en aérosol et de poudres corporelles et le cancer ovarien (Cook et coll., 1997). Se laver régulièrement à l'aide d'un savon doux, particulièrement dans les replis de la vulve, constitue une mesure d'hygiène suffisante.

LE COL DE L'UTÉRUS

Le **col de l'utérus** se trouve à l'extrémité postérieure du vagin et s'ouvre sur l'utérus (voir la figure 2.5). Il renferme des glandes sécrétrices de mucus. Pour se

Exercices de Kegel   Série d'exercices ayant pour but de raf-fermir les muscles situés sous les organes génitaux féminins et masculins.

Douche vaginale   Rinçage du vagin avec de l'eau ou d'autres solutions. Est habituellement inutile. Des douches trop fréquentes peuvent causer une irritation du vagin.

Col de l'utérus   Partie inférieure de l'utérus située au fond du vagin.

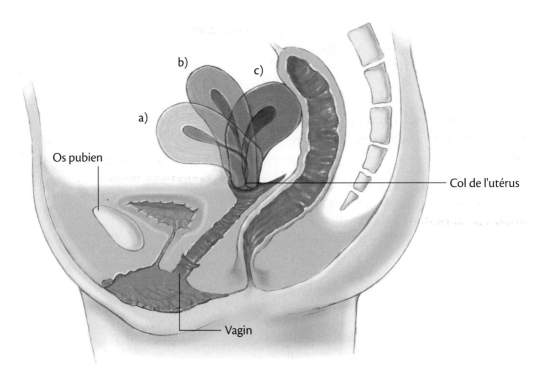

Os pubien

Col de l'utérus

Vagin

Figure 2.5 | Positions variées de l'utérus dans la cavité pelvienne : a) antéflexion ; b) position médiane ; et c) rétroflexion.

déplacer du vagin vers l'utérus, le sperme traverse l'**ostium**, qui est l'ouverture située au centre du col.

Une femme peut observer son col utérin si elle insère un **spéculum** dans son vagin. Pendant son examen gynécologique, elle peut également voir son col dans un miroir si elle en fait la demande à son médecin. En insérant un ou deux doigts dans le vagin, elle peut se rendre à l'extrémité de celui-ci et toucher le col. (Parfois, la position accroupie ou une pression exercée vers le bas peut rapprocher le col utérin de l'entrée du vagin.) À la palpation, le col utérin ressemble à une narine ; il est ferme et rond, à la différence des parois vaginales qui sont molles.

L'UTÉRUS

L'**utérus**, parfois aussi appelé *matrice*, est un organe creux en forme de poire et aux parois épaisses, particulièrement dans la région connue sous le nom de *fundus*, au fond de l'utérus. Chez une femme qui n'a jamais enfanté, il mesure environ 8 cm de long sur 5 cm de large. (Il s'agrandit après la grossesse.) Des ligaments le retiennent dans la cavité pelvienne. D'une personne à l'autre, l'utérus peut prendre différentes positions qui vont de l'antéflexion (incliné vers l'abdomen) à la rétroflexion (orienté vers la colonne vertébrale), comme le montre la figure 2.5.

Les parois de l'utérus sont constituées de trois couches de tissu. La couche externe est une membrane mince appelée **périmétrium**. La couche moyenne, le **myomètre**, se compose de fibres musculaires circulaires tressées à la manière d'un panier d'osier. Cette structure permet à l'utérus de s'étirer pendant la grossesse et de se contracter pendant l'accouchement et l'orgasme. La couche de tissu la plus interne de l'utérus est l'**endomètre**, aussi appelé *muqueuse utérine*. Très vascularisé, l'endomètre nourrit le zygote (ovule fécondé par le spermatozoïde) qui, des trompes de Fallope, descend vers l'utérus après la fécondation. Pour se préparer à recevoir le zygote, l'endomètre s'épaissit. Si aucun zygote ne vient s'y nicher, l'endomètre s'étiole en réponse aux changements hormonaux du cycle menstruel. Nous nous pencherons sur ce sujet un peu plus loin dans le chapitre. L'endomètre sécrète aussi des hormones.

LES TROMPES DE FALLOPE

Situées à droite et à gauche de la cavité pelvienne, les deux **trompes de Fallope** s'étendent de l'utérus vers les ovaires. Elles mesurent 10 cm. L'extrémité de chaque trompe, appelée *pavillon*, ressemble à un entonnoir bordé de franges suspendues au-dessus de l'ovaire. Ce sont ces franges qui aspirent l'ovule dans la trompe lorsqu'il quitte l'ovaire.

Une fois à l'intérieur de la trompe, l'ovule se déplace à raison de 2,5 cm par 24 heures grâce à de minuscules cils et à des contractions de la paroi. Il est susceptible d'être fécondé dans les 24 à 48 heures. Par conséquent, la fécondation survient alors que l'ovule est encore à proximité de l'ovaire. Après la fécondation, le zygote se développe à mesure qu'il se déplace le long de la trompe en direction de l'utérus.

Lorsque l'ovule fécondé s'implante hors de l'utérus, le plus souvent dans une trompe de Fallope, on parle de **grossesse ectopique** (Ramakrishnan et Scheid, 2006). Si la trompe se rompt et provoque une hémorragie, une intervention médicale est requise de toute urgence. Les symptômes les plus courants d'une grossesse ectopique sont une douleur abdominale et des pertes sanguines de six à huit semaines après les dernières règles. Certains tests diagnostiques permettent de déceler une grossesse ectopique. Pour traiter cette affection, des interventions médicales et chirurgicales sont nécessaires (Scott, 2006).

LES OVAIRES

Les deux **ovaires**, dont la taille et la forme rappellent celles de l'amande, se trouvent chacun à l'extrémité d'une des trompes de Fallope. Des ligaments les rattachent à l'utérus et à la paroi de la cavité pelvienne. Les ovaires sont des glandes endocrines qui sécrètent trois types d'hormones sexuelles : les œstrogènes, la progestérone et la testostérone. Comme nous le verrons au chapitre 3, les œstrogènes influent sur le développement des caractères sexuels féminins et concourent à la régularité du cycle menstruel. La progestérone, pour sa part, favorise également la régularité du cycle menstruel et assure la maturation de la muqueuse utérine en prévision d'une grossesse. Quant à la testostérone, enfin, les ovaires en produisent environ la moitié (Lemonick, 2004). Vers le début de la puberté, les hormones sexuelles féminines jouent un rôle crucial dans la maturation de l'utérus, des ovaires et du vagin et dans le développement des caractères sexuels secondaires tels que les poils pubiens et les seins.

À la naissance, plus d'un million d'ovules immatures sont présents dans les deux ovaires réunis, et ce nombre est de 400 000 à 500 000 à la ménarche (Federman, 2006). Règle générale, entre la puberté et la ménopause, un des deux ovaires libère un ovule par cycle menstruel. Pendant les années de fécondité, seuls 400 ovules parviendront à maturité (Macklon et Fauser, 1999).

L'ovulation, étape qui comprend la maturation de l'ovule et sa libération, résulte d'une séquence complexe d'événements connue sous le nom de cycle menstruel.

LA MENSTRUATION

La **menstruation** correspond à la chute de la muqueuse utérine lorsque aucun ovule n'a été fécondé et indique un fonctionnement normal de l'organisme. Pourtant, les attitudes négatives vis-à-vis de ce phénomène persistent aujourd'hui bien que les jeunes femmes aient généralement une attitude plus positive à l'égard des menstruations que les femmes plus âgées (Marvan et coll., 2005).

LES ATTITUDES VIS-À-VIS DES MENSTRUATIONS

Le folklore nord-américain véhicule plusieurs mythes sur les menstruations et soulève la question de l'impact que les croyances négatives peuvent exercer en ce domaine sur le rôle et le statut inférieurs des femmes (Forbes et coll., 2003).

Par exemple, on croyait qu'un petit bouquet porté par une femme en période menstruelle pouvait faner rapidement et qu'une dent plombée durant les menstruations risquait plus de tomber (Milow, 1983).

Ostium   Orifice du col utérin qui s'ouvre sur l'utérus.

Spéculum   Instrument qui sert à écarter les parois vaginales en vue de procéder à l'examen du vagin.

Utérus   Organe en forme de poire logé dans la cavité pelvienne et à l'intérieur duquel le fœtus se développe.

Périmétrium   Mince membrane formant la couche externe de la paroi utérine.

Myomètre   Couche moyenne de la paroi utérine formée de muscles lisses et entrelacés.

Endomètre   Couche de muqueuse qui tapisse la partie la plus interne de la paroi utérine.

Trompes de Fallope   Conduits qui se trouvent de part et d'autre de l'utérus et dans lesquels l'ovule et le spermatozoïde se déplacent.

Grossesse ectopique   Implantation d'un ovule fécondé hors de l'utérus, le plus souvent dans une trompe de Fallope.

Ovaires   Gonades femelles qui libèrent l'ovule et sécrètent des hormones sexuelles.

Ovulation   Libération d'un ovule mature par l'ovaire.

Menstruation   Écoulement sanguin cyclique dû à la chute de la muqueuse utérine lorsque aucun ovule n'a été fécondé.

Question d'analyse critique
La publicité sur les serviettes et les tampons hygiéniques incite-t-elle à être plus à l'aise ou moins à l'aise face aux menstruations ?

En dépit de toutes les croyances et attitudes négatives à l'égard des menstruations, la majorité des femmes associent le cycle menstruel régulier à un fonctionnement normal de l'organisme et à la féminité. De plus, selon plusieurs recherches, les femmes qui ont une attitude positive et qui se sentent à l'aise face à leurs menstruations ont moins de comportements sexuels à risque, apprécient davantage leur corps et s'affirment mieux sexuellement que celles qui ont une image négative des menstruations (Schooler et coll., 2005). Dans certaines sociétés, on voit les menstruations de façon plus positive que jadis. Par exemple, la famille peut célébrer la première menstruation d'une jeune fille en lui offrant un cadeau (Kissling, 2002). Dans certaines familles hindoues et musulmanes, on organise une cérémonie pour souligner l'événement (Marvan et coll., 2006). Pour d'autres, enfin, les menstruations sont le «symbole d'un pouvoir féminin ancien» (Ehrenreich, 1999). Le caractère cyclique du phénomène, qui rappelle de nombreux phénomènes naturels, est l'un de ses aspects considérés comme positifs.

LES PREMIÈRES MENSTRUATIONS (MÉNARCHE)

Le cycle menstruel débute habituellement au début de l'adolescence, entre 11 et 15 ans, bien qu'il existe des exceptions. Au Canada, l'âge moyen auquel les jeunes filles ont leur première menstruation est de 12,8 ans.

Le moment de la première menstruation (ou ménarche) dépendrait de l'hérédité, de l'état de santé général de la personne et de l'altitude (à basse altitude, elle est plus précoce). Elle apparaît en même temps que d'autres changements touchant la taille et le développement de la jeune fille (Forbes, 1992). Il semble aussi que les filles grandissant sans présence masculine apparentée (absence du père biologique, par exemple) aient leur première menstruation plus tôt (Matchok et Susman, 2006). Le cycle menstruel arrête à la ménopause, laquelle se produit généralement entre 45 et 55 ans. L'apparition de la première menstruation peut être une source d'anxiété pour les jeunes filles, surtout si elle se produit plus tard que l'âge moyen.

LA PHYSIOLOGIE DES MENSTRUATIONS

Pendant un cycle menstruel, la muqueuse utérine se prépare à l'implantation de l'ovule fécondé. En l'absence de fécondation, la muqueuse chute et est évacuée sous la forme du flux menstruel. La durée du cycle menstruel est généralement mesurée du premier jour des menstruations courantes au premier jour des menstruations suivantes. La période menstruelle elle-même dure habituellement de 2 à 6 jours. Il est normal que le volume de sang menstruel varie (entre 180 et 250 ml), de même que la durée du cycle, qui est de 24 à 42 jours (Belsey et Pinol, 1997). Une étude montre que les femmes qui ont un cycle de 30-31 jours sont plus fécondes que celles qui ont un cycle plus court ou plus long (Small et coll., 2006). Les différences dans la durée du cycle menstruel sont occasionnées par une variation dans la durée de la phase préovulatoire. L'intervalle entre l'ovulation et le début des menstruations est de 14 jours, plus ou moins 2 jours, peu importe la durée du cycle. Les changements inattendus et le stress peuvent aussi modifier la durée du cycle. Si une femme voit son cycle varier soudainement, il serait préférable qu'elle consulte un médecin.

LA SYNCHRONIE DES MENSTRUATIONS

Un phénomène intéressant connu sous le nom de *menstruations synchroniques* survient lorsque des femmes vivent très rapprochées et ont de nombreux contacts ensemble. Elles développent alors une synchronisation de leurs cycles menstruels (Cutler, 1999). Il semble que ce soit par les «odeurs» que cela se produise. Pour vérifier cette hypothèse, les chercheurs ont imbibé des tampons soit avec la sueur de femmes durant leur menstruation, soit avec de l'alcool pur (groupe contrôle) et les ont fait respirer à d'autres femmes. En moins de trois cycles menstruels, 80 % des sujets qui ont respiré l'odeur de transpiration d'une autre femme ont synchronisé leur cycle avec elle. Dans le groupe contrôle, aucun changement de cycle menstruel n'a été observé (Cutler et coll., 1986).

LE CYCLE MENSTRUEL

Le cycle menstruel est régi par des interactions complexes entre l'hypothalamus et plusieurs glandes endocrines, dont l'hypophyse (logée dans le cerveau), les glandes surrénales, les ovaires et l'utérus (voir la figure 2.6). Au cours du cycle, l'hypothalamus régule les taux hormonaux sanguins et libère des signaux chimiques. Sous l'effet de ces signaux, l'hypophyse

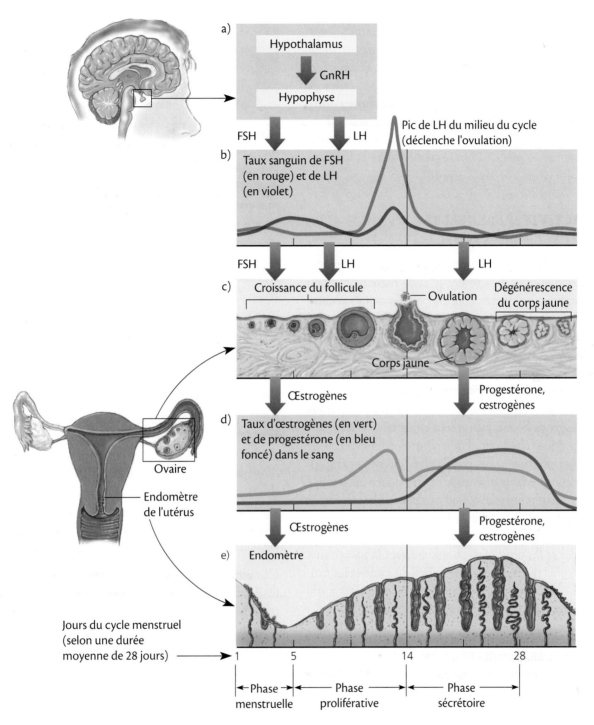

a) Hypothalamus

GnRH

Hypophyse

FSH   LH

b) Taux sanguin de FSH (en rouge) et de LH (en violet)

Pic de LH du milieu du cycle (déclenche l'ovulation)

FSH   LH   LH

c) Croissance du follicule   Ovulation   Dégénérescence du corps jaune

Corps jaune

Œstrogènes   Progestérone, œstrogènes

d) Taux d'œstrogènes (en vert) et de progestérone (en bleu foncé) dans le sang

Œstrogènes   Progestérone, œstrogènes

e) Endomètre

Ovaire

Endomètre de l'utérus

Jours du cycle menstruel (selon une durée moyenne de 28 jours)

1   5   14   28

Phase menstruelle   Phase proliférative   Phase sécrétoire

Figure 2.6 | Corrélation entre les modifications subies par l'ovaire et l'utérus, et les variations hormonales pendant un cycle menstruel. Les flèches bleues indiquent les hormones dominantes de la première phase du cycle (celle de la maturation des follicules) et de la deuxième phase (celle de la formation du corps jaune). La FSH et la LH modifient la structure et la fonction des ovaires (a et b). La progestérone et les œstrogènes ovariens (c et d) modifient l'endomètre (e).

produit deux hormones qui agissent sur les ovaires : l'hormone folliculostimulante (FSH) et l'hormone lutéinisante (LH). La FSH pousse les ovaires à sécréter des œstrogènes et provoque la maturation des ovules situés dans les follicules ovariens (petits sacs). La LH entraîne la libération de l'ovule mature par l'ovaire. Cette hormone stimule aussi le développement du corps jaune (le résidu folliculaire engendré par la libération de l'ovule mature) qui, à son tour, produit la progestérone.

Le cycle menstruel est un processus dynamique qui s'autorégule. Tant que l'organe ciblé n'est pas stimulé, l'hormone est sécrétée. L'organe stimulé libère alors une substance qui commande à la glande sécrétrice de réduire son activité hormonale. Ce mécanisme d'inhibition rétroactive permet de régir les fluctuations hormonales qui ont cours durant les trois phases du cycle : la phase menstruelle, la phase proliférative et la phase sécrétoire (voir la figure 2.6, p. 47).

LES ACTIVITÉS SEXUELLES ET LE CYCLE MENSTRUEL

Beaucoup d'études ont tenté d'établir si le comportement sexuel était affecté par le cycle menstruel et en sont arrivées à diverses conclusions. Certaines recherches montrent peu de variation dans l'appétit sexuel aux différents moments du cycle menstruel. D'autres indiquent que le désir sexuel augmente et les sensations s'amplifient durant l'ovulation, pendant les règles et les quelques jours qui les précèdent. L'impact varie donc grandement d'une femme à l'autre. C'est pourquoi nous encourageons les femmes et leur partenaire à examiner leurs propres réactions. Pour contrôler l'incidence de variables externes telles que l'utilisation de contraceptifs, la crainte d'une grossesse et l'influence masculine, un groupe de recherche a analysé chez des lesbiennes la relation entre la phase du cycle menstruel et l'activité et la réponse sexuelles. Dans cet échantillon, les activités sexuelles et les orgasmes, en solo ou avec la partenaire, ont été plus fréquents vers le milieu du cycle et les fantasmes ont connu un pic dans les trois premiers jours des menstruations (Matteo et Rissman, 1984).

Les couples évitent souvent les activités et les relations sexuelles durant les menstruations (Barnhart et coll., 1995), même si aucune raison médicale ne le justifie (sauf en cas de saignements excessifs ou d'autres problèmes physiques). Différentes raisons sont invoquées à ce sujet. Les symptômes physiques incommodants, la sensation d'une moins grande propreté ou la sensibilité excessive des seins peuvent atténuer le désir ou le plaisir. Les croyances religieuses peuvent aussi être en cause, ou encore la honte culturelle qu'inspire tout rapport sexuel durant cette période. Si, pour diverses raisons, certaines personnes préfèrent éviter le coït durant les menstruations, d'autres activités sexuelles demeurent tout de même possibles.

Lorsque j'ai mes menstruations, je laisse le tampon à l'intérieur et y mets aussi le cordon. Mon époux et moi pratiquons le sexe oral et la stimulation manuelle, avec beaucoup de bon temps ! (Notes des auteurs)

Notons enfin que Rempel et Baumgartner (2003) ont montré qu'il y avait une corrélation positive entre le fait d'être ouvert aux relations sexuelles pendant les menstruations et une attitude plus libre envers ce qui est considéré comme une sexualité conventionnelle[1]. Quelques femmes mettent un diaphragme ou une cape cervicale pour contenir le flux menstruel durant l'acte sexuel. L'orgasme par différents types de stimulation peut être bénéfique pour la femme menstruée. Les contractions utérines réduisent souvent les maux de dos, la sensation d'engorgement pelvien et les crampes.

LES PROBLÈMES OCCASIONNÉS PAR LE CYCLE MENSTRUEL

Pendant le cycle menstruel, l'humeur et l'anatomie de la majorité des femmes se modifient. Dans beaucoup de cas, ces changements sont mineurs, mais dans d'autres, les symptômes affectent la vie quotidienne (Nelson, 2006). Il arrive aussi que certaines femmes voient au contraire leur humeur s'améliorer grandement pendant l'ovulation ou les menstruations (McFarlane et coll., 1988).

La culture populaire reflétée par les médias tend à insister sur les effets négatifs du cycle menstruel, surtout en ce qui a trait au syndrome prémenstruel (SPM). Une analyse de 78 articles de magazines montre qu'on y perpétue le stéréotype de la mésadaptation sociale féminine en faisant état de 131 différents symptômes associés au SPM (Chrisler et Levy, 1990).

La plupart des recherches sur les menstruations se sont concentrées sur leurs effets négatifs. Une étude a par contre comparé les réponses au Menstrual Joy Questionnaire (MJQ) avec celles obtenues à l'aide d'un outil très utilisé, le Menstrual Distress Questionnaire. Les questions du MJQ axées sur des aspects positifs tels que la hausse du désir sexuel, les sentiments d'attachement, la confiance en soi, ont résulté en une perception plus positive des femmes à l'égard des menstruations. Les chercheurs en ont conclu que l'image des

---

1. Cette référence vient d'une suggestion de Mme Lisa Henry, sexologue et enseignante universitaire.

menstruations véhiculée par la recherche et la culture populaire affectait l'idée que les femmes se faisaient de leur cycle menstruel (Chrisler et coll., 1994).

Le syndrome prémenstruel

Le **syndrome prémenstruel (SPM)** est un terme fourre-tout pour décrire l'éventail de symptômes physiques et psychologiques qui précèdent chaque période menstruelle. Quelque 200 symptômes prémenstruels ont été répertoriés dans la documentation médicale et scientifique (O'Brien et coll., 2000). Les symptômes courants comprennent l'enflure, un gonflement des seins et de la douleur. Le tissu adipeux de la taille et des cuisses prend légèrement de l'expansion avant les menstruations, d'où la «période des jeans serrés» qui leur est associée (Pearson, 2000).

De 80 % à 95 % des femmes éprouvent un léger malaise prémenstruel. Seulement 5 % n'ont aucun symptôme et 5 % souffrent de symptômes dont la force affecte le fonctionnement quotidien. Cette affection appelée **dysphorie prémenstruelle** nécessite un diagnostic médical (Steiner et coll., 2006).

Les causes du SPM et de la dysphorie prémenstruelle ne sont pas connues (Girman et coll., 2003). Des essais comparatifs avec placebo ont démontré que les antidépresseurs appelés «inhibiteurs sélectifs de la recapture de la sérotonine (ISRS)» atténuent les symptômes physiques et psychologiques prémenstruels et améliorent la qualité de vie et le fonctionnement général de la personne (Steiner et coll., 2006). Les contraceptifs oraux peuvent aussi aider certaines femmes (Donehy, 2006).

La dysménorrhée et l'endométriose

Les menstruations douloureuses sont appelées **dysménorrhée**. La dysménorrhée primaire survient pendant les règles et est habituellement causée par une surproduction de **prostaglandines**, les substances chimiques qui stimulent la contraction des muscles utérins. C'est à l'adolescence, au début des menstruations, qu'elle apparaît habituellement. Généralement, les symptômes, notamment les crampes et les douleurs abdominales, se manifestent au cours des premiers jours de la période menstruelle. Certaines femmes ont aussi des nausées, des vomissements, des diarrhées, des maux de tête, des étourdissements, sont fatiguées, irritables et plus nerveuses (Namnoum et Hatcher, 1998).

La dysménorrhée secondaire a lieu avant ou pendant les menstruations et se caractérise par des douleurs constantes dans le bas-ventre, souvent accompagnées de spasmes, qui s'étendent habituellement jusqu'au dos et aux cuisses. L'**endométriose** est parfois responsable de ces symptômes. Cette maladie qui affecte plus de 15 % des femmes préménopausées, et même des adolescentes, est caractérisée par la présence, dans la cavité abdominale, de tissus s'apparentant à l'endomètre. Ces tissus adhèrent à d'autres tissus de la cavité pelvienne, ce qui réduit la mobilité des structures internes. Durant leur phase proliférative, ces tissus se gonflent de sang. Ces adhérences tissulaires peuvent provoquer des menstruations douloureuses, des maux dans le bas du dos et des rapports sexuels douloureux. Une fois la cause de la dysménorrhée secondaire identifiée, on peut traiter adéquatement la patiente (Propst et Laufer, 1999).

L'aménorrhée

L'**aménorrhée** est un autre problème menstruel assez courant. L'aménorrhée qualifie l'absence de règles. Il existe deux types d'aménorrhée : primaire et secondaire. À la puberté, si les menstruations ne surviennent pas, on parle d'aménorrhée primaire. Les causes en sont multiples : anomalies des organes reproducteurs, déséquilibre hormonal, mauvaise santé ou encore hymen non perforé. Dans l'aménorrhée secondaire, le cycle menstruel est établi, mais il y a absence de menstruations pendant plus de trois mois. Ce phénomène est naturel pendant la grossesse et l'allaitement, chez les jeunes femmes qui viennent d'avoir leurs premières menstruations et chez celles qui s'approchent de la ménopause. L'arrêt des contraceptifs oraux peut aussi causer une aménorrhée secondaire, mais qui se résorbe habituellement d'elle-même.

Les athlètes féminines souffrent plus d'aménorrhée que les autres femmes de la population en général

---

Syndrome prémenstruel (SPM)   Ensemble des symptômes marqués par des inconforts physiques et de l'irritabilité survenant de 2 à 12 jours avant les menstruations.

Dysphorie prémenstruelle   Affection caractérisée par des symptômes prémenstruels très forts qui affectent le fonctionnement quotidien de la personne.

Dysménorrhée   Douleur ou malaise qui précède ou accompagne les menstruations.

Prostaglandines   Hormones qui provoquent les contractions utérines.

Endométriose   Affection qui se caractérise par la croissance de tissus utérins dans plusieurs régions de la cavité abdominale.

Aménorrhée   État caractérisé par l'absence de règles.

(Colino, 2006). Des recherches indiquent un faible taux d'œstrogènes chez les femmes athlètes aménorrhéiques. Une faible quantité d'œstrogènes peut susciter le développement de problèmes de santé graves, notamment une diminution de la densité osseuse, ce qui accroît les risques de fracture et d'atrophie des tissus génitaux. L'aménorrhée des athlètes peut être traitée en améliorant l'alimentation, en augmentant le poids corporel et en diminuant l'intensité des exercices (Epp, 1997). Les stéroïdes anabolisants utilisés pour augmenter les performances athlétiques causent aussi l'aménorrhée, en plus d'avoir d'autres effets secondaires dangereux (Kuipers, 1988).

L'aménorrhée peut aussi venir de problèmes de santé et de déséquilibres hormonaux (Hagan et Knott, 1998; Stener-Victorin et coll., 2000). Vu leur maigreur et les changements hormonaux qu'elle entraîne, les femmes souffrant d'anorexie mentale, un désordre alimentaire qui provoque une perte considérable de poids, n'ont souvent plus de règles (Ghizzani et Montomoli, 2000).

Il peut arriver que l'on souhaite planifier une absence de règles. Par exemple, la majorité des femmes souhaiteraient ne pas être menstruées pendant leur lune de miel, en camping ou lors d'une compétition de natation. Elles ne prennent alors que 21 comprimés de leur plaquette de pilules contraceptives, puis en commencent immédiatement une autre (Miller, 2001). Depuis 2003, un contraceptif oral du nom de Seasonale, conçu pour limiter le nombre de menstruations à quatre par année, est disponible sur le marché (Kalb, 2003a).

LES MOYENS PERSONNELS D'ATTÉNUER LES PROBLÈMES MENSTRUELS

Les femmes peuvent par elles-mêmes soulager certains des symptômes désagréables qui accompagnent les menstruations. L'exercice modéré et régulier pendant tout le mois et une bonne alimentation contribuent en effet à diminuer ces malaises (Stearns, 2001). Par exemple, boire plus d'eau et manger plus de fibres aide à diminuer la constipation qui précède ou

accompagne les règles. Éviter le sel et les aliments riches en sel (vinaigrettes, croustilles, bacon, marinades, etc.) permet de réduire le gonflement associé à la rétention d'eau. Les compléments alimentaires tels que le calcium, le magnésium et la vitamine B ainsi que 200IU de vitamine E deux fois par jour peuvent aussi réduire les crampes et l'enflure (Gaby, 2005; Girman et coll., 2003). De façon générale, les contraceptifs oraux aident à diminuer les crampes et le flux menstruel; d'ailleurs, certaines femmes en prennent pour cette seule raison (Nelson, 2006).

Les femmes qui éprouvent des douleurs menstruelles auraient peut-être avantage à tenir un journal de leurs symptômes, du stress qu'elles subissent et de leurs habitudes de vie (exercices, alimentation, heures de sommeil, etc.). Ainsi, elles pourraient établir un lien entre les symptômes et leurs habitudes de vie, et modifier celles-ci en conséquence. Cette information peut aussi servir à poser un diagnostic médical. Si une femme note un changement dans son cycle qui dure depuis plus de trois mois, elle devrait consulter son médecin (Colino, 2006).

LE SYNDROME DU CHOC TOXIQUE

En mai 1980, le Center for Disease Control (CDC) aux États-Unis a publié le premier rapport sur le **syndrome du choc toxique** touchant les femmes en période menstruelle. Ce syndrome est provoqué par une toxine sécrétée par la bactérie *Staphylococcus aureus*. Parmi les symptômes de ce syndrome, on compte la fièvre, le mal de gorge, les nausées, les vomissements, les diarrhées, les rougeurs épidermiques, les étourdissements et une chute de la tension artérielle (Hanrahan, 1994). À cause de la progression rapide et du caractère mortel de cette infection, il est recommandé de consulter immédiatement un médecin à l'apparition de plusieurs de ces symptômes.

Ce syndrome est rare et le nombre de cas rapportés a notablement chuté depuis le pic de 1980. Cette baisse est imputable au retrait du marché des tampons à haut degré d'absorption (Petitti et Reingold, 1988). Certaines consignes permettent d'éviter cette infection. On suggère de porter des serviettes hygiéniques au lieu de tampons. Aux femmes qui préfèrent les tampons, on recommande d'employer ceux qui ont un degré d'absorption régulier, de les changer de trois à quatre fois par jour et d'alterner avec des serviettes hygiéniques une fois par 24 heures. Pour obtenir une mise à jour des moyens de prévention et de détection du syndrome, consultez votre médecin.

Syndrome du choc toxique Infection bactérienne imputable à l'utilisation de tampons durant la période menstruelle.

Caractères sexuels secondaires Caractères physiques autres que les organes génitaux qui indiquent la maturité sexuelle et différencient les deux sexes : les seins, la pilosité et le timbre de la voix, par exemple.

Glandes mammaires Glandes lactifères situées dans le sein.

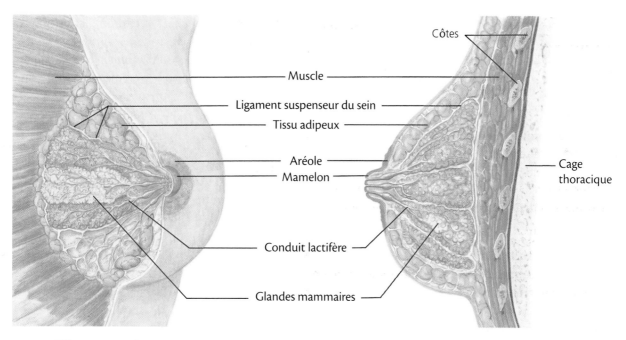

Figure 2.7 | Coupe transversale et vue sagittale d'un sein.

LES SEINS

Les seins ne font pas partie des organes génitaux féminins. Ce sont des **caractères sexuels secondaires**, c'est-à-dire des attributs physiques autres que les parties génitales qui distinguent les sexes. Chez une femme dont la croissance est terminée, les seins sont constitués de tissu adipeux et de **glandes mammaires** (voir la figure 2.7). La quantité de tissu glandulaire dans le sein varie peu d'une femme à l'autre, même si la taille du sein peut varier beaucoup. C'est la raison pour laquelle la quantité de lait produite après l'accouchement n'est pas liée à la grosseur des seins. La différence de taille vient principalement de la quantité de tissus adipeux distribués autour des glandes. Il est normal et courant qu'un sein soit légèrement plus gros que l'autre.

Dans notre société, la taille des seins préoccupe beaucoup d'hommes et de femmes. La popularité des chirurgies d'augmentation ou de diminution mammaires reflète bien l'insatisfaction des femmes dont les seins ne répondent pas aux critères culturels ambiants. Selon Springen (2003), plus de 200 000 femmes recourent aux chirurgies mammaires cosmétiques chaque année aux États-Unis. À notre échelle, cela indiquerait que plus de 5000 Québécoises feraient de même chaque année.

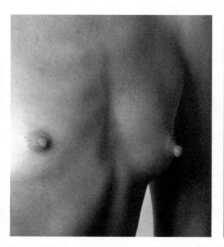 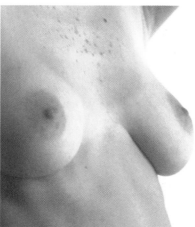 

La taille et la forme des seins varient d'une femme à l'autre.

Le tissu glandulaire des seins réagit aux hormones sexuelles. Pendant l'adolescence, les tissus adipeux et glandulaires se développent de façon marquée. La taille des seins varie au cours du cycle menstruel et durant la grossesse, l'allaitement ou la prise de contraceptifs oraux.

Le **mamelon** est situé au centre de l'**aréole**, la région plus foncée du sein. L'aréole contient des glandes sébacées qui lubrifient les mamelons durant l'allaitement. Les glandes mammaires débouchent sur le mamelon. Certains mamelons font saillie, d'autres sont au même niveau que le sein et d'autres sont rentrés dans le sein. De petits muscles situés sous le sein réagissent au toucher, à une stimulation sexuelle ou au froid par une contraction qui fait saillir le mamelon.

Pour beaucoup de femmes, la stimulation des seins et des mamelons est une importante source de plaisir et d'excitation durant la masturbation ou la relation sexuelle. Chez certaines, cette stimulation amplifie l'excitation qui mène à l'orgasme. D'autres l'apprécient, sans plus. Enfin, d'autres sont insensibles à la palpation du sein ou du mamelon, ou la trouvent même désagréable.

LA PRÉVENTION DU CANCER DU SEIN

Le ministère de la Santé et des Services sociaux du Québec ne recommande plus l'autoexamen des seins comme moyen de dépistage depuis 2006. Il est cependant nécessaire de consulter sans tarder un médecin dans les trois cas suivants :

* si vous ressentez une masse ou un épaississement à l'intérieur d'un sein ;

* si vous observez un écoulement ou une inversion récente d'un mamelon ;

* si vous notez une rougeur, de l'eczéma ou un changement sur la peau d'un sein.

Les femmes de 50 à 69 ans sont invitées à participer au Programme québécois de dépistage du cancer du sein, qui offre une **mammographie** de dépistage tous les deux ans. L'encadré *Le cancer du sein* présente notamment les recommandations de Santé Canada pour ce qui est de la prévention de ce cancer.

Votre santé sexuelle

Le cancer du sein

Depuis les années 1960, le nombre de cas de cancer du sein a progressé lentement mais est resté sensiblement stable depuis 1993. Au Canada, une femme sur neuf aura un cancer du sein au cours de sa vie. Selon les statistiques canadiennes sur le cancer (2008), environ 22 400 Canadiennes auront un cancer du sein et de ce nombre, 5300 en mourront en 2008.

Risques de développer un cancer du sein

Des chercheurs ont découvert certains facteurs qui accroissent le risque de cancer chez la femme. Le fait d'avoir des implants mammaires pour changer la taille ou la forme des seins ou pour reconstruire un sein après une intervention chirurgicale ne s'est pas révélé être un facteur de risque de cancer du sein.

Facteurs constants associés à une augmentation du risque

* Surpoids ou obésité (seulement après la ménopause), d'après l'indice de masse corporelle ;

* Traitement hormonal substitutif ;
* Exposition du sein à de hauts rayonnements d'ionisation (par exemple, les rayons X) ou d'intensité plus faible avant l'âge de 2 ans, en particulier en bas âge ;
* Premier enfant après l'âge de 30 ans ou n'ayant jamais eu d'enfants ;
* Aucun antécédent d'allaitement ;
* Parente(s) proche(s) atteinte(s) d'un cancer du sein ;
* Sexe : plus de 99 % des cancers du sein se produisent chez les femmes ;
* Âge : le risque augmente avec l'âge ;
* Menstruations précoces (avant l'âge de 12 ans) ; et
* Ménopause tardive (après l'âge de 55 ans).

Facteurs moins constants associés à une augmentation du risque de cancer du sein

* Boire de l'alcool ;
* Être physiquement inactive ;

- Fumer ; et
- Utiliser la pilule contraceptive. Noter que bien que les pilules contraceptives semblent légèrement accroître le risque de cancer du sein, elles diminuent le risque de cancer de l'ovaire.

Mammographie de dépistage

Les femmes de 50 à 69 ans doivent subir une mammographie de dépistage (radiographie pour le dépistage du cancer du sein) au moins une fois tous les deux ans, selon leurs facteurs de risque personnels et suivant la recommandation de leur professionnel de la santé.

Depuis quelques années, les programmes de dépistage et de meilleurs traitements ont contribué à réduire le nombre de décès dus au cancer du sein chez les femmes. Consultez votre médecin au sujet des programmes de dépistage du cancer du sein qui sont offerts dans votre province ou territoire.

Réduire les risques

Il existe des facteurs de risque du cancer du sein sur lesquels vous n'avez aucun contrôle, comme votre âge, vos antécédents familiaux ou vos antécédents de reproduction. Vous pouvez toutefois réduire les risques en modifiant votre style de vie.

- Perdez le poids que vous avez en trop. Même un léger excédent de poids (5 kg ou 11 lbs ou plus) est associé à une augmentation du risque de cancer du sein, en particulier après la ménopause.
- Faites de l'exercice physique. Des études démontrent que même des activités physiques modérées peuvent réduire de 30 % à 40 % le risque. Faites un exercice ou une activité qui réchauffe vos muscles et qui accélère votre respiration (comme la marche rapide) durant une période d'au moins 30 minutes, cinq jours par semaine ou plus.
- Limitez votre consommation d'alcool. Les femmes qui consomment de l'alcool augmentent légèrement le risque d'être atteintes d'un cancer. Plus la consommation est élevée, plus le risque est grand. Limitez votre consommation à au plus un verre par jour, soit 12 onces (340 ml) de bière, 5 onces (140 ml) de vin ou 1,5 once (42 ml) de spiritueux.

- Allaitez votre enfant. L'allaitement semble offrir une protection contre le cancer du sein chez certaines femmes et il est bon pour votre enfant. Allaitez au moins durant une période de quatre mois.
- Cessez de fumer. La cigarette et la fumée secondaire ont été associées au cancer du sein dans certaines études. La fumée de tabac est à l'origine de 30 % de tous les décès causés par le cancer.
- Parlez à votre médecin des risques et des avantages d'un traitement hormonal substitutif. Ce type de traitement peut soulager certains symptômes de la ménopause et réduit le risque d'ostéoporose et de cancer du côlon. Elle accroît cependant le risque de cancer du sein et de maladies du cœur.
- Bien qu'on ne dispose pas de preuves contraignantes indiquant que l'exposition aux pesticides et à d'autres produits chimiques potentiellement nocifs est associée à un risque de cancer du sein, il serait néanmoins prudent de réduire votre exposition à ces agents. Suivez les mises en garde et les procédures de manutention présentées dans les fiches signalétiques disponibles pour la plupart des produits chimiques. Collaborez avec votre employeur pour vous assurer que la qualité de l'air dans votre milieu de travail est bonne et que les produits chimiques sont manipulés de façon appropriée.

Rôle de Santé Canada

En 1993, Santé Canada a contribué au lancement de l'initiative canadienne sur le cancer du sein (ICCS) de concert avec les gouvernements provinciaux et territoriaux, des professionnels de la santé, des scientifiques, des personnes qui ont survécu à un cancer du sein et des groupes de soutien. Cette initiative établit des priorités et des directives pour la recherche, la prévention, le dépistage, la surveillance et le contrôle, les traitements, les capacités communautaires et l'éducation du public et des professionnels. Un engagement renouvelé de l'ICCS en 1998 a assuré la continuité et la stabilité du financement.

Source : Santé Canada (2006). « Cancer du sein », *Votre santé et vous*. © Reproduit avec la permission du Ministre des Travaux publics et Services gouvernementaux Canada, 2008.

La Société canadienne du cancer offre un service de soutien aux femmes aux prises avec un cancer du sein. Des volontaires, ayant toutes elles-mêmes subi au moins une **mastectomie**, rencontrent les femmes récemment opérées et leur offrent un soutien et du réconfort. Elles servent également d'exemples puisqu'elles ont surmonté les séquelles de cette ablation.

Mamelon   Région pigmentée située au centre du sein et qui contient plusieurs terminaisons nerveuses et conduits lactifères.

Aréole   Région circulaire et pigmentée qui entoure le mamelon.

Mammographie   Technique de dépistage des maladies du sein (radiographie, échographie, résonance magnétique).

Mastectomie   Ablation chirurgicale d'un sein.

L'ANATOMIE ET LA PHYSIOLOGIE SEXUELLES DE L'HOMME

Qui a besoin d'un cours sur l'anatomie masculine ? Certainement pas les gars de la classe. Ça nous pend entre les jambes toute notre vie. Nous le touchons chaque fois que nous allons pisser ou que nous nous lavons. Qu'y a-t-il donc de si mystérieux ? Le corps des filles, ça c'est autre chose. Voilà pourquoi j'ai pris ce cours. Apprenons donc quelque chose de nouveau ! (Notes des auteurs)

Cette citation d'un étudiant illustre deux croyances assez répandues. La première est que l'anatomie sexuelle masculine est simple. La seconde est que les structures génitales des femmes sont beaucoup plus complexes et mystérieuses que celles des hommes. Ces affirmations nécessitent un examen pour deux raisons. D'abord, l'anatomie sexuelle de l'homme est aussi complexe que celle de la femme et, dans un cas comme dans l'autre, elle varie beaucoup d'un individu à l'autre. Ensuite, sans être une garantie de satisfaction sexuelle, une meilleure connaissance de leurs anatomie et physiologie sexuelles peut aider les hommes à communiquer plus efficacement avec leur partenaire et à conserver une bonne santé sexuelle.

Plus d'un professeur de sexualité humaine a noté que les étudiants prétendent tout connaître de leur anatomie... jusqu'au premier examen. C'est la raison pour laquelle nous commencerons cette section par un test. Connaissez-vous les réponses à ces questions ?

✳ Que contient le sperme et où est-il produit ?

✳ L'orgasme masculin et l'éjaculation font-ils partie d'un seul et même processus ?

✳ Les hommes circoncis ont-ils moins de sensations érotiques que les hommes non circoncis ?

✳ Pourquoi les testicules bougent-ils à l'intérieur du scrotum ?

Pénis Organe sexuel masculin composé d'une racine, d'une hampe et d'un gland.

Racine Partie du pénis qui se prolonge à l'intérieur de la cavité pelvienne.

Hampe Partie du pénis comprise entre le gland et la racine.

Gland Tête du pénis, richement innervée.

Corps caverneux Structures situées à l'intérieur du pénis, lesquelles se gorgent de sang pendant l'excitation sexuelle.

Corps spongieux Masse cylindrique qui forme un bulbe à la base du pénis, s'étend le long de la hampe et forme le gland.

Prépuce Repli de peau qui recouvre le gland du pénis.

LES STRUCTURES EXTERNES

Les organes génitaux externes de l'homme comprennent le pénis et le scrotum.

LE PÉNIS

Le **pénis** est composé de nerfs, de vaisseaux sanguins, de tissu fibreux et de trois cylindres parallèles de tissus spongieux. Contrairement à la croyance de certains, il ne contient ni os ni fibres musculaires en abondance. Cependant, certaines de ses parties internes sont tapissées de muscles lisses (donc hors du contrôle volontaire), et la base du pénis présente un réseau étendu de muscles qui facilitent l'éjaculation et l'élimination de l'urine à travers l'urètre.

Une partie du pénis s'étend à l'intérieur de la cavité pelvienne. Cette portion, qui se rattache aux os pubiens, s'appelle la **racine**. Un homme en érection peut sentir ce prolongement interne s'il appuie du bout du doigt sur la région située entre l'anus et le scrotum. La partie externe et pendante du pénis, sans sa tête, est connue sous le nom de **hampe** (ou corps du pénis). La tête lisse en forme de gland de chêne est le **gland**.

Le pénis est parcouru en longueur par trois masses ou corps cylindriques. Les deux plus grandes, les corps caverneux (*corpora cavernosa*), reposent côte à côte au-dessus d'un troisième cylindre, plus petit, le corps spongieux (*corpus spongiosum*). À la base du pénis, les extrémités internes des **corps caverneux**, appelés piliers du pénis, sont reliées aux os pubiens. À la tête du pénis, le **corps spongieux** se prolonge pour former le gland. Ces structures sont illustrées à la figure 2.8.

La structure de ces trois masses est similaire. Comme l'indiquent les termes *caverneux* et *spongieux*, elles sont formées de cavités et d'une substance irrégulièrement poreuse semblable aux éponges. De nombreux vaisseaux sanguins irriguent chacune d'elles. Lors de l'excitation sexuelle, ces cavités se gorgent de sang, ce qui provoque l'érection. Au cours de cet état, le corps spongieux forme parfois un sillon le long de la partie ventrale du pénis.

La peau qui recouvre la hampe du pénis est habituellement dénuée de poils et assez lâche, ce qui permet au pénis de prendre de l'expansion lors de l'érection. Rattaché à la hampe au niveau du frein (portion située

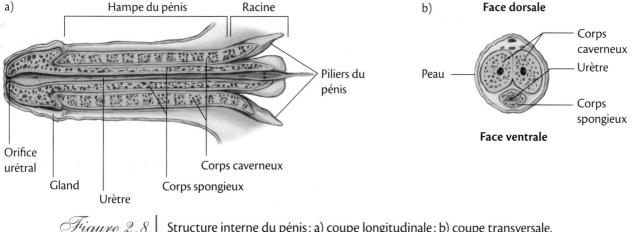

Figure 2.8 | Structure interne du pénis : a) coupe longitudinale ; b) coupe transversale.

juste derrière le gland), un repli de peau, appelé **prépuce**, recouvre le gland et forme un capuchon. Chez certains, il recouvre tout le gland ; chez d'autres, une partie seulement. En général, le prépuce se rétracte assez facilement.

La circoncision consiste à éliminer le prépuce chirurgicalement, totalement ou partiellement. Dans certaines sociétés, on procède à l'ablation systématique du prépuce (voir l'encadré « Les uns et les autres »).

Les uns et les autres

Les mutilations et les modifications génitales masculines : pratiques et croyances culturelles

Partout dans le monde, les hommes ont toujours été convaincus de l'importance de modifier leurs organes génitaux et conscients de la signification des différentes interventions pratiquées sur ceux-ci. Les rites et coutumes en ce domaine ont été transmis à travers l'histoire.

La modification génitale la plus courante est la circoncision, soit l'ablation du prépuce. Dans de nombreuses sociétés, elle est pratiquée pour des raisons religieuses, rituelles ou hygiéniques. C'est une pratique très ancienne. L'observation de momies égyptiennes a révélé qu'elle était pratiquée aussi tôt que 6000 ans av. J.-C. et des artéfacts vieux de 5000 ans montrent des hommes circoncis. Les aborigènes australiens, les musulmans et plusieurs tribus africaines utilisent aussi la circoncision comme rite de passage ou pour exprimer un engagement envers Dieu (Melby, 2002b).

Pendant des milliers d'années, les juifs ont pratiqué la circoncision à titre de rite religieux comme le prescrivent les Saintes Écritures (Gn 17, 9-27). Cette cérémonie, appelée *bris*, a lieu le huitième jour suivant la naissance. Une longue tradition de circoncision existe aussi chez les musulmans. Bien qu'elle soit répandue au Moyen-Orient et en Afrique, la circoncision est encore relativement peu courante en Europe.

Une variation de la circoncision, appelée *superincision* (le prépuce est séparé en deux et replié), est pratiquée dans certaines cultures du Pacifique-Sud comme rite de passage ou initiation rituelle à la maturité sexuelle (Gregersen, 1996). Aux îles Marquises et de Mangaia, cette intervention a lieu à l'adolescence (Marshall, 1971 ; Suggs, 1962).

La castration, appelée aussi émasculation ou orchidectomie, qui consiste en l'ablation des testicules, est une mutilation génitale plus extrême qui plonge aussi ses racines dans l'Antiquité. Diverses raisons la justifiaient : empêcher les relations sexuelles entre les gardiens et leurs protégées, rendre les prisonniers de guerre dociles, préserver la voix de soprano des enfants de chœur au Moyen-Âge, en Europe, ou encore faire une offrande aux dieux lors de cérémonies religieuses (dans l'Égypte ancienne, des centaines de garçons étaient castrés au cours d'une même cérémonie).

De nos jours, la castration se pratique surtout dans un cadre légal, comme méthode de sélection eugénique (par exemple, pour empêcher un « malade mental » de procréer) ou de dissuasion à l'égard des délinquants sexuels. Ces fondements éthiques font l'objet de nombreuses critiques. Enfin, la castration sert parfois à traiter des maladies comme le cancer de la prostate et la tuberculose génitale (Albertsen et coll., 1997 ; Pickett et coll., 2000).

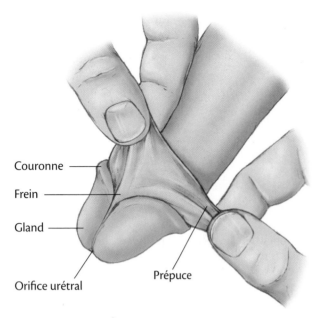

Couronne

Frein

Gland

Orifice urétral

Prépuce

Figure 2.9 | Cette vue ventrale du pénis montre la couronne et le frein, deux régions richement innervées.

Tout le pénis est sensible au toucher, mais la plus grande concentration de terminaisons nerveuses se trouve dans le gland. Bien que tout le gland soit très sensible à la stimulation, deux régions le sont plus particulièrement : la **couronne**, c'est-à-dire la bordure qui sépare le gland de la hampe, et le **frein**, la mince bande de peau qui rattache le gland à la hampe du côté ventral. Ces deux structures sont présentées à la figure 2.9.

LE SCROTUM

Le **scrotum** ou sac scrotal est une poche de peau lâche située hors de la paroi abdominale, au niveau de l'aine, et suspendue à la racine du pénis (voir la figure 2.10). Habituellement, le scrotum pend librement à l'extérieur de la cavité abdominale, mais il peut se rapprocher du corps sous l'effet d'une température froide, d'une émotion forte (peur, agressivité) ou d'une stimulation sexuelle.

Le scrotum se compose de deux couches de tissus. La couche externe est une peau mince de couleur plus foncée que celle du reste du corps. À l'adolescence, elle se couvre normalement de quelques poils. La seconde couche, connue sous le nom de *dartos*, est constituée de fibres musculaires lisses et de fibres de tissu conjonctif.

Le scrotum se divise en deux compartiments distincts, chacun contenant un **testicule**. (Pour une illustration des testicules sans le scrotum, voir la figure 2.11). Chaque testicule est suspendu dans son compartiment

à l'aide du **cordon spermatique**. Ce dernier contient le canal déférent, c'est-à-dire le conduit qui transporte le sperme, des vaisseaux sanguins, des nerfs et le crémaster, muscle qui influe sur la position du testicule dans le scrotum. La contraction volontaire de ce muscle élève les testicules. Avec de l'entraînement, la majorité des hommes réussissent à produire cet effet. Cet exercice permet entre autres de se familiariser avec son corps. Comme le montre la figure 2.10, vous pouvez repérer le cordon spermatique en palpant le scrotum avec le pouce et l'index juste au-dessus du testicule. Ce canal ferme et caoutchouteux est généralement saillant.

Le scrotum est très sensible aux variations de température. C'est pourquoi de nombreux récepteurs sensitifs épidermiques empêchent les testicules de trop garder de chaleur ou de trop se refroidir. Lorsque le scrotum se refroidit, le dartos se contracte, sa peau se ride et les testicules se rapprochent du corps pour se réchauffer. Cette réaction involontaire provoque parfois des réactions amusantes :

> Lorsque je suivais des cours de natation au secondaire, le retour au vestiaire était toujours quelque peu traumatisant. Après avoir ôté mon maillot de bain, j'avais toujours besoin de chercher mes couilles. Les autres gars semblaient avoir le même problème, puisqu'ils s'empressaient de tirer frénétiquement sur leur scrotum pour remettre le tout à sa place. (Notes des auteurs)

L'excitation sexuelle est un autre type de stimulation qui amène le scrotum à se rapprocher du corps. Un des signes les plus évidents de l'imminence de l'orgasme

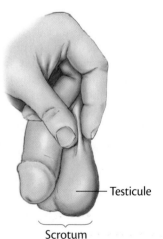

Testicule

Scrotum

Figure 2.10 | Le scrotum et les testicules. Le cordon spermatique se localise en palpant le scrotum juste au-dessus du testicule avec le pouce et l'index.

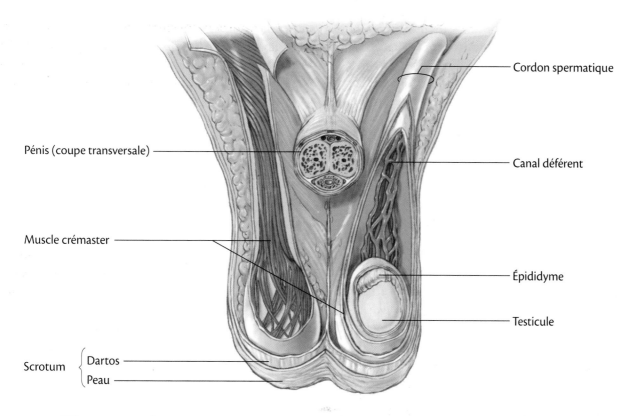

Pénis (coupe transversale)

Muscle crémaster

Scrotum { Dartos
          Peau

Cordon spermatique

Canal déférent

Épididyme

Testicule

Figure 2.11 | Structures sous-jacentes du scrotum. Certaines parties du scrotum ont été éliminées du schéma pour montrer le muscle crémaster, le cordon spermatique, le canal déférent et un testicule du scrotum.

est l'élévation maximale des testicules. Le principal muscle du scrotum qui intervient dans cette réaction est le crémaster. Une peur soudaine peut également amener ce muscle à se contracter fortement. Enfin, il est aussi possible de le contracter en serrant les cuisses. Cette réponse est appelée *réflexe crémastérien*. Grâce au perpétuel cycle de contraction et de relaxation du muscle crémaster, les testicules ont l'étonnante propriété d'être constamment en mouvement.

LES STRUCTURES INTERNES

Les organes génitaux internes de l'homme sont les testicules, le canal déférent, les vésicules séminales, la prostate et les glandes de Cowper.

LES TESTICULES

Les testicules jouent deux rôles majeurs : sécréter les hormones sexuelles mâles et produire le sperme. Au stade fœtal, ces organes se développent dans la cavité abdominale, puis ils migrent vers le scrotum par le canal inguinal dans les derniers mois de la grossesse (Ferrer et McKenna, 2000).

À la naissance, les testicules sont habituellement dans le scrotum. Cependant, dans certains cas, l'un d'eux (ou même les deux) n'en descend pas. Cette anomalie, appelée **cryptorchidie** (qui signifie « testicule caché ») affecte de 3 % à 5 % des bébés mâles (Kollin et coll., 2006). Souvent, les testicules qui ne sont pas descendus vont se placer spontanément peu après la naissance. Toutefois, passé l'âge de 6 mois, leur descente spontanée est peu probable (Kelsberg et coll., 2006).

Les parents devraient surveiller de près la descente des testicules, surtout si l'anomalie touche les deux testicules.

Couronne Bordure du gland du pénis.

Frein Mince bande de peau très sensible qui relie le gland à la hampe du côté ventral.

Scrotum Poche de peau qui contient les testicules.

Testicules Gonades mâles situées à l'intérieur du scrotum, qui produisent le sperme et les hormones sexuelles.

Cordon spermatique Structure allongée et rattachée au testicule, comprenant le canal déférent, des vaisseaux sanguins, des nerfs et le muscle crémaster.

Cryptorchidie Anomalie où un testicule (ou les deux) ne descend pas dans le scrotum et demeure dans la cavité abdominale.

La température affecte la production de sperme. La température moyenne du scrotum est de cinq degrés inférieure à la température corporelle. Si, après la puberté, les testicules demeurent à l'intérieur du corps, cela peut causer l'infertilité, car cette température trop élevée nuit à la production du sperme (Kelsberg et coll., 2006 ; Kollin et coll., 2006). Cette affection peut nécessiter une chirurgie ou un traitement hormonal (Kollin et coll., 2006 ; Vinardi et coll., 2001).

Chez la plupart des hommes, les testicules sont asymétriques, l'un est plus bas que l'autre. Ce phénomène s'observe régulièrement chez la gent masculine puisque le cordon spermatique gauche est généralement plus long que le droit. Cette différence a souvent été attribuée à tort à une masturbation excessive. En fait, cette différence est aussi commune que la grosseur inégale des seins de la femme. Notre corps n'est tout simplement pas parfaitement symétrique.

Les hommes devraient se familiariser avec leurs testicules et les examiner régulièrement. Les testicules peuvent être le siège de plusieurs maladies comme le cancer, les infections transmissibles sexuellement et certaines maladies infectieuses. La plupart de ces maladies se manifestent par des symptômes observables et leur détection précoce en permet un traitement rapide. On peut ainsi éviter les complications graves.

Malheureusement, la majorité des hommes n'examinent pas régulièrement leurs testicules. Des études indiquent que, chez les élèves du secondaire, le pourcentage de jeunes hommes pratiquant régulièrement un tel examen est extrêmement faible, peut-être moins de 2 %. Chez les étudiants de niveau supérieur, ce pourcentage est aussi très faible, probablement inférieur à 10 % (Adelman et Joffe, 2000 ; Best et Davis, 1997). Selon une étude, les élèves du secondaire ont peu d'information sur l'autoexamen des testicules (Wohl et Kane, 1997). Pourtant, cet examen simple et indolore ne prend que quelques minutes et peut sauver des vies, car c'est un excellent moyen de déceler les premiers signes d'une maladie. Cet examen est décrit dans l'encadré intitulé *L'autoexamen des parties génitales masculines*.

Les tubules séminifères

À l'intérieur des testicules se trouvent deux régions ou structures qui interviennent dans la production et le stockage des spermatozoïdes. Les **tubules séminifères** (petits tubes transportant les spermatozoïdes) sont de minces conduits très pelotonnés qui forment les quelque 250 lobules qui constituent l'intérieur de chaque

testicule (voir les figures 2.12 et 2.13). Habituellement, peu après la puberté, ils assurent la production des spermatozoïdes. Les hommes continuent à produire un sperme viable jusqu'à un âge avancé, parfois même jus-

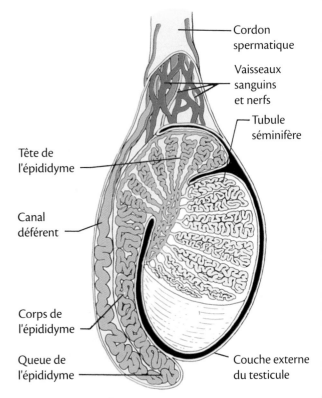

Cordon spermatique

Vaisseaux sanguins et nerfs

Tubule séminifère

Tête de l'épididyme

Canal déférent

Corps de l'épididyme

Queue de l'épididyme

Couche externe du testicule

Figure 2.12 | Structures internes du testicule. Le sperme est produit dans les tubules séminifères, puis se rend dans l'épididyme où il est stocké.

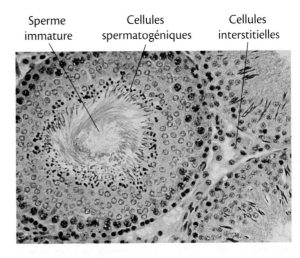

Sperme immature

Cellules spermatogéniques

Cellules interstitielles

Figure 2.13 | Cette coupe transversale des tubules séminifères montre les cellules spermatogéniques (productrices de sperme) et les cellules interstitielles.

L'autoexamen des parties génitales masculines

L'autoexamen des parties génitales masculines peut se faire debout, adossé contre un mur ou assis. Il est préférable de le faire après une douche ou un bain chaud, car la chaleur détend la peau du scrotum, ce qui fait descendre les testicules et facilite leur palpation. On est alors à même de déceler toute anomalie.

Dans un premier temps, prêtez attention au cycle crémastérien de contraction et de relaxation, et exercez-vous à l'enclencher. Puis, explorez les testicules un à la fois. Avec le pouce de chaque main sur le dessus d'un testicule et l'index et le majeur en dessous, appliquez une petite pression sur le testicule et faites-le rouler entre vos doigts. Le testicule devrait être ferme au toucher et sa surface, assez lisse. Le contour et la texture du testicule peuvent varier selon l'individu, c'est pourquoi il est important que vous vous familiarisiez avec votre propre anatomie. Tout changement sera ainsi plus facile à déceler. Comparez les deux testicules et cherchez toute anomalie (notez qu'il est normal que leur taille varie légèrement). La présence d'une infection peut se manifester par une enflure ou une douleur. L'épididyme, qui s'étend sur le bord postérieur de chacun des testicules, s'infecte parfois. La surface devient alors irrégulière et sensible au toucher. Soyez à l'affût de toute masse dure, irrégulière ou douloureuse sous la peau du testicule. Cette masse, qui peut être aussi petite qu'un pois ou que le plomb d'une carabine à air comprimé, peut indiquer un stade précoce de cancer des testicules. Bien qu'il soit relativement rare, ce cancer peut progresser rapidement. C'est pourquoi la détection précoce et le traitement rapide sont des conditions essentielles à sa guérison.

Pendant que vous examinez vos parties génitales, prêtez aussi attention à votre pénis. Une douleur ou une excroissance située à sa surface peuvent être le symptôme d'une infection, d'une maladie transmissible sexuellement ou,

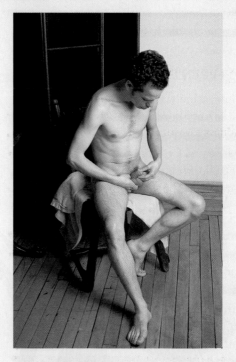

dans de rares cas, d'un cancer du pénis. Quoiqu'il soit l'un des plus rares, ce cancer est l'un des plus traumatisants et, à moins d'un diagnostic précoce et d'un traitement rapide, il peut être mortel (Gordon et coll., 1997). Le cancer du pénis débute habituellement par une petite lésion indolore sur le gland ou, dans le cas des hommes non circoncis, sur le prépuce. La lésion peut demeurer identique pendant des semaines, des mois, voire des années, avant d'évoluer en une masse enflammée et douloureuse semblable à un chou-fleur. Consulter immédiatement un médecin après avoir décelé une lésion augmente considérablement les chances de guérison.

---

qu'à la mort, bien que la vitesse de production diminue avec l'âge. Principale source d'androgènes, les **cellules interstitielles** ou *cellules de Leydig* sont situées entre les tubules séminifères et à proximité des vaisseaux sanguins, ce qui leur permet de sécréter directement leurs hormones dans le sang.

L'épididyme

La deuxième structure qui participe à l'élaboration du sperme est l'**épididyme** (mot qui signifie littéralement « sur les testicules »). Le sperme fabriqué dans les tubules séminifères se déplace dans un labyrinthe de conduits minuscules jusqu'à l'épididyme, une structure en forme de C située à l'arrière et au sommet de chacun des testicules (voir la figure 2.12).

Il semble que l'épididyme soit surtout un lieu de stockage dans lequel les spermatozoïdes continueraient leur

---

Tubules séminifères   Structures minces et très pelotonnées du testicule qui assurent la production des spermatozoïdes.

Cellules interstitielles   Cellules localisées entre les tubules séminifères et qui constituent la principale source d'androgènes chez les hommes.

Épididyme   Organe situé à l'arrière et au sommet de chaque testicule et dans lequel se fait la maturation des spermatozoïdes.

maturation pendant quelques semaines. Pendant cette période, ils seraient complètement inactifs. Certains chercheurs émettent l'hypothèse que cet organe serait aussi le siège d'une sélection au cours de laquelle les spermatozoïdes anormaux seraient rejetés par le mécanisme d'élimination des déchets de l'organisme.

LE CANAL DÉFÉRENT

Le sperme emmagasiné dans l'épididyme est finalement acheminé le long du **canal déférent**, un conduit long et mince situé à l'intérieur du cordon spermatique qui traverse le scrotum. Ce canal se trouve à la surface du scrotum. Cette localisation facilite la **vasectomie**, l'opération courante qui a pour but de stériliser les hommes.

Le cordon spermatique quitte le scrotum en traversant le canal inguinal et débouche dans la cavité abdominale. De là, il continue sa montée vers la face postérieure de la vessie et forme une boucle autour de l'urètre, comme le montre la figure 2.14. (C'est le trajet inverse de celui du testicule vers le scrotum avant la naissance.) Ensuite, il descend jusqu'à la base de la vessie où il se joint au conduit sécréteur de la vésicule séminale pour former le **conduit éjaculatoire**. Les deux conduits éjaculatoires sont très courts et traversent la prostate (un de chaque côté). Ils débouchent sur la portion prostatique

de l'**urètre**, le conduit par lequel l'urine est évacuée de la vessie.

LES VÉSICULES SÉMINALES

Les **vésicules séminales** sont au nombre de deux. Ces petites glandes sont situées près de l'extrémité du canal déférent (voir la figure 2.14). Le rôle qu'elles jouent dans la physiologie de la sexualité est encore obscur. On a déjà présumé qu'elles servaient principalement à entreposer le sperme. On sait toutefois que le fluide alcalin qu'elles sécrètent est très riche en fructose. Le liquide séminal se compose de ce fluide sucré dans une proportion qui peut atteindre 70 %, et cette sécrétion semble nourrir les spermatozoïdes et favoriser leur mobilité (Spring-Mills et Hafez, 1980). Du testicule jusqu'à la vésicule séminale, les spermatozoïdes se déplacent dans un réseau élaboré de conduits grâce aux battements des cils qui tapissent la paroi de ces derniers. Une fois nourris des sécrétions énergétiques des vésicules, ils peuvent se propulser eux-mêmes, animés par le mouvement de leur flagelle.

LA PROSTATE

Située sous la vessie, la **prostate** est une glande de la forme et de la taille d'un marron constituée de fibres musculaires lisses et de tissu glandulaire (voir la

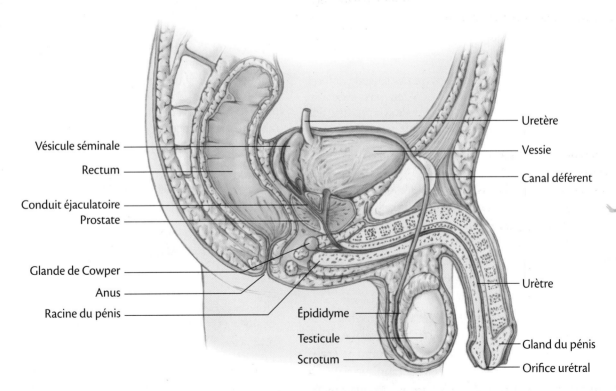

Figure 2.14 | Anatomie sexuelle masculine : vue sagittale des organes de reproduction masculins.

figure 2.14). Elle sécrète environ 30 % du liquide séminal libéré durant l'éjaculation.

L'activité de la prostate est continue, mais s'accélère pendant l'excitation sexuelle. Les sécrétions prostatiques s'écoulent dans l'urètre par un système de conduits collecteurs, et s'y mélangent au sperme et aux sécrétions des vésicules séminales pour former le liquide séminal. Le fluide prostatique est liquide, laiteux et alcalin. Cette basicité neutralise l'acidité de l'urètre masculin et du vagin, ce qui favorise la viabilité et la mobilité des spermatozoïdes.

LES GLANDES DE COWPER

Les **glandes de Cowper** ou glandes bulbo-urétrales sont deux petits organes de la taille d'un pois situés de part et d'autre de l'urètre, un peu en bas de l'endroit où il émerge de la prostate (voir la figure 2.14), et directement reliés à lui par de petits conduits. Lors de l'excitation sexuelle, ces glandes sécrètent souvent une substance visqueuse semblable à un mucus qui apparaît sur le bout du pénis sous la forme de gouttelettes. Comme le liquide prostatique, ce liquide est alcalin et aide à réduire l'acidité de l'urètre. On pense aussi qu'il sert de lubrifiant pour faciliter le passage du liquide séminal dans l'urètre.

Le liquide des glandes de Cowper ne doit pas être confondu avec le sperme, mais il contient parfois des spermatozoïdes actifs et sains. C'est la raison pour laquelle le coït interrompu n'est pas très efficace comme moyen de contraception.

LE SPERME

Comme nous l'avons vu, le **sperme**, ou **liquide séminal**, qui est expulsé du pénis provient de plusieurs sources. Les différents fluides qui le composent sont produits par les vésicules séminales, la prostate et les glandes de Cowper, les vésicules séminales en fournissant la plus grande part (Eliasson et Lindholmer, 1976 ; Spring-Mills et Hafez, 1980). La quantité de liquide séminal éjaculée, environ une cuillère à thé, dépend de plusieurs facteurs, dont le temps écoulé depuis la dernière éjaculation, la durée de l'excitation qui précède l'éjaculation et l'âge (la quantité diminue avec l'âge) de l'homme. Le sperme d'une éjaculation contient habituellement de 200 à 500 millions de spermatozoïdes, lesquels ne comptent que pour environ 1 % du volume total du liquide éjecté. Sur le plan chimique, le sperme est une combinaison complexe d'acides ascorbique et citrique, d'eau, d'enzymes, de fructose, de bases (phosphate et bicarbonate) et d'autres substan-

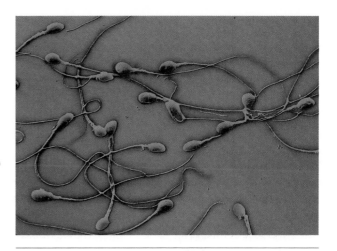

Des spermatozoïdes agrandis au microscope.

ces. Aucune de ces substances n'est dangereuse pour la santé si le sperme est ingéré par voie orale. Cependant, le sperme d'un individu infecté par le VIH peut transmettre la maladie si le virus pénètre l'organisme par des plaies ouvertes ou des lésions gingivales.

LES FONCTIONS SEXUELLES MASCULINES

Jusqu'ici, nous avons décrit les organes sexuels de l'homme sans analyser leur fonctionnement. Nous allons maintenant étudier deux fonctions sexuelles masculines : l'érection et l'éjaculation. Ensuite, nous

Canal déférent Canal conducteur des spermatozoïdes s'étendant du testicule à l'urètre.

Vasectomie Mode de stérilisation de l'homme qui consiste à enlever une section de chacun des canaux déférents.

Conduits éjaculatoires Courts conduits qui traversent la prostate.

Urètre Conduit par lequel l'urine et le liquide séminal sont acheminés hors du corps.

Vésicules séminales Petites glandes situées à l'extrémité du canal déférent, qui sécrètent un liquide alcalin très riche en fructose. Cette sécrétion est le composant principal du liquide séminal et contribue à la mobilité des spermatozoïdes.

Prostate Glande localisée sous la vessie et qui produit environ 30 % du liquide séminal libéré lors de l'éjaculation.

Glandes de Cowper Petites glandes situées de chaque côté de l'urètre qui sécrètent un liquide alcalin pendant l'excitation sexuelle.

Sperme ou liquide séminal Liquide visqueux éjaculé par le pénis et composé de spermatozoïdes et de différents fluides produits par la prostate, les vésicules séminales et les glandes de Cowper.

traiterons de deux sujets qui préoccupent les hommes quant à leurs fonctions sexuelles : la taille du pénis et la circoncision.

L'ÉRECTION

Comme nous le verrons dans le prochain chapitre, l'**érection** est une réaction régie par le système nerveux autonome (Manecke et Mulhall, 1999). Quand un homme est excité sexuellement, son système nerveux envoie des messages qui provoquent une dilatation des artères contenues dans les trois masses cylindriques érectiles du pénis. Le sang afflue de plus en plus rapidement dans ces masses parallèles. Parce que le flux sanguin évacué du pénis par les veines est moins important que celui qui y afflue, le sang s'accumule dans les tissus spongieux des trois masses érectiles. Il en résulte une érection (tumescence). Quand le système nerveux interrompt l'envoi des messages et que l'afflux sanguin dans le pénis revient à la normale, l'érection cesse. Cela se produit notamment après l'éjaculation. Dans le prochain chapitre, nous aborderons cette question.

Logiquement, on s'attend à ce que l'érection ne se produise qu'en réponse à un stimulus sexuel. Ce n'est toutefois pas toujours le cas, et l'érection spontanée peut être embarrassante, fâcheuse, amusante ou angoissante. Presque tous les hommes se souviennent d'avoir eu une érection non désirée à l'école durant leur adolescence et d'en avoir ressenti un grand embarras. Qui ne se rappelle pas avoir déambulé dans un corridor avec son cartable ou un classeur à reliures placé à l'endroit stratégique ou avoir attendu que la situation se calme avant de sortir de la piscine ?

Le pénis peut aussi entrer en érection dans des situations non sexuelles, comme monter à bicyclette, lever une charge lourde ou forcer pour expulser des matières fécales (en particulier chez les jeunes garçons).

L'ÉJACULATION

L'autre fonction sexuelle de base chez l'homme est l'éjaculation, le processus d'expulsion du sperme hors du corps. De nombreuses personnes confondent orgasme et éjaculation. Masters et Johnson, par exemple, les considéraient comme équivalents dans leurs mesures du comportement sexuel. Pourtant, ces deux processus peuvent survenir séparément l'un de l'autre. Avant la puberté, un garçon peut avoir ressenti des centaines d'orgasmes « secs », c'est-à-dire sans éjaculation. Chez l'adulte, il arrive à l'occasion qu'un homme ait plus d'un orgasme pendant une relation sexuelle, le deuxième ou le troisième orgasme ne s'accompagnant que de peu ou d'aucun éjaculat.

L'érection et l'éjaculation sont des réflexes déclenchés dans la moelle épinière (Truitt et Coolen, 2002). Ils sont cependant dépendants de deux régions distinctes. Ainsi, il arrive que des hommes dont la moelle épinière est atteinte aient des érections par stimulation manuelle sans que cela déclenche d'éjaculation ou, à l'inverse, que l'on puisse déclencher une éjaculation sans érection par stimulation électrique des nerfs appropriés. Chez les hommes atteints de certaines maladies courantes, comme le diabète à l'état avancé, l'érection et l'éjaculation peuvent aussi être dissociées.

L'éjaculation suit deux phases (voir la figure 2.15). Pendant la première, appelée **phase d'émission**, la prostate, les vésicules séminales et l'ampoule (la partie supérieure du canal déférent) se contractent. Ces contractions envoient différentes sécrétions dans les conduits éjaculatoires et dans l'urètre prostatique. Au même moment, les sphincters urétraux interne et externe (deux muscles situés l'un à la jonction de l'urètre et de la vessie et l'autre en dessous de la prostate) se referment pour emprisonner le liquide séminal dans le bulbe urétral (la partie prostatique de l'urètre située entre les deux sphincters). Le bulbe urétral se dilate alors comme un ballon. À ce moment, l'homme a l'impression que l'orgasme devient imparable, qu'il a atteint le « point de non-retour » ou du « déclenchement inévitable de l'éjaculation », sensation qui joue un rôle central dans la modulation de l'excitation pour contrôler l'éjaculation.

Pendant la deuxième phase, dite **phase d'expulsion**, le liquide séminal est expulsé (il s'appelle alors « éjaculat ») sous l'effet des contractions fortes et rythmiques des muscles entourant le bulbe urétral et la racine du pénis. D'autres contractions se produisent également tout le long de l'urètre. Le sphincter urétral externe se relâche pour laisser passer le sperme, tandis que le sphincter interne demeure contracté afin d'éviter l'écoulement d'urine. Les deux ou trois premières contractions des

---

Érection Processus par lequel le pénis (chez la femme, le clitoris) se gorge de sang et augmente de taille.

Phase d'émission Première phase de l'éjaculation, pendant laquelle le liquide séminal s'accumule dans le bulbe urétral.

Phase d'expulsion Seconde phase de l'éjaculation, pendant laquelle le liquide séminal est expulsé du pénis sous l'effet de contractions musculaires.

a) **Phase d'émission**

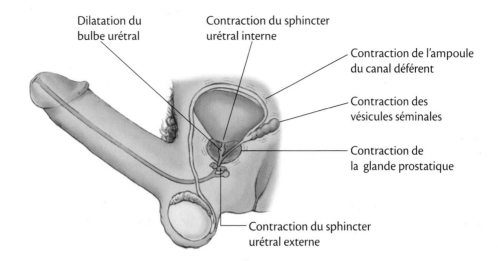

b) **Phase d'expulsion**

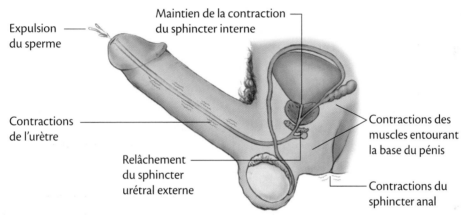

Figure 2.15 | Organes génitaux masculins pendant l'éjaculation : a) phase d'émission ; b) phase d'expulsion.

muscles situés à la base du pénis sont très fortes et très rapprochées. La plus grande partie du sperme est alors expulsée sous forme de jets. Pendant les 3 à 10 secondes que dure la phase d'expulsion, plusieurs autres muscles interviennent, et les contractions diminuent progressivement et le temps entre chacune s'allonge.

Chez certains hommes se produit ce qu'on appelle une « éjaculation rétrograde ». Dans ce cas, le sperme est envoyé dans la vessie au lieu d'être expulsé du pénis. Ce trouble est dû à une inversion du travail des sphincters : le sphincter interne se relâche au lieu de se contracter, et le sphincter externe se contracte au lieu de se détendre. Ce type de problème survient notamment chez les hommes qui ont subi une opération de la prostate (Kassabian, 2003). Il peut aussi être dû à une maladie, à une affection congénitale ou à l'usage de certaines drogues et de certains médicaments, généralement

des tranquillisants. L'éjaculation rétrograde n'est pas dangereuse en soi, le liquide séminal étant expulsé ultérieurement avec l'urine. Mais un homme ayant régulièrement ce trouble d'éjaculation a tout intérêt à consulter un médecin, non seulement parce que cela l'empêche de procréer, mais aussi parce que cela peut être le symptôme d'une maladie.

Il est possible d'avoir un orgasme sans stimulation génitale. L'exemple le plus connu est celui des éjaculations nocturnes. On ne connaît pas très bien le mécanisme qui produit ces orgasmes (d'ailleurs, les femmes ont aussi ce genre d'orgasme au cours du sommeil). La probabilité qu'un homme atteigne ainsi l'orgasme en recourant uniquement à son imaginaire érotique, sans aucune autre forme de stimulation, est extrêmement faible et aucune source de première main n'a jamais confirmé ce phénomène. Kinsey et son équipe (1948) n'ont cité que trois ou quatre cas de ce genre parmi les quelque 5000 hommes de leur échantillon. Par contre, dans leur échantillon féminin, un nombre beaucoup plus grand de femmes (environ 2 %) ont dit avoir eu des orgasmes par la seule action des fantasmes (Kinsey et coll., 1953). Enfin, il arrive que des hommes aient une éjaculation et un orgasme lors de certains jeux sexuels comportant des baisers intenses ou une stimulation orale ou manuelle, mais sans aucune stimulation pénienne.

QUELQUES PRÉOCCUPATIONS LIÉES AUX FONCTIONS SEXUELLES MASCULINES

Nous traiterons ici de deux sujets qui semblent soulever beaucoup d'interrogations quant à leur impact sur la vie sexuelle de l'homme, soit la taille du pénis et la circoncision.

La taille du pénis

Dans plusieurs cultures et formes artistiques, il est évident que la taille du pénis est préoccupante.

> Toute ma vie, la taille de mon pénis m'a inquiété. J'ai toujours évité les endroits comme les douches où je risquais d'être exposé au regard d'autrui. Lorsque mon pénis est rigide, il mesure environ 12 cm. Mais quand il est au repos, sa longueur dépasse rarement 3 ou 4 cm et son diamètre est lui aussi petit. Je n'aime pas me dénuder devant les filles avec qui je fais l'amour. Ce malaise a souvent des répercussions négatives sur ma sexualité. (Notes des auteurs)

Cet homme n'est pas seul dans son cas. Sa détresse rejoint celle d'un nombre incalculable d'hommes.

Il est facile de comprendre pourquoi la taille du pénis semble si importante. Dans notre société, nous avons tendance à être impressionnés par la taille et la quantité de toute chose. On pense que les grosses voitures sont meilleures que les voitures compactes, que plus une maison est grande, plus elle est belle. Donc, implicitement, on croit que les gros pénis procurent plus de plaisir que les petits. En outre, les arts, que ce soit la littérature, la peinture, la sculpture ou le cinéma, perpétuent l'obsession du gros pénis.

Le monde occidental moderne n'est pas le seul à se préoccuper de la taille du pénis. Même les manuels de sexualité indiens, l'*Ananga Ranga* et le *Kâma Sûtra* classent les hommes en trois catégories selon la taille de leur pénis : l'homme-lièvre (membre long de 6 largeurs de doigt), l'homme-taureau (9 largeurs de doigt) et l'homme-cheval (12 largeurs de doigt et plus). Dans la mythologie grecque, l'accent sur la taille du pénis trouve son apogée chez Priape. Fils de la déesse Aphrodite et du dieu Dionysos, il est habituellement représenté comme un petit homme grimaçant muni d'un pénis surdimensionné.

Cette attention accordée à la taille du pénis amène de nombreux hommes à considérer celle-ci comme un critère important de leur masculinité ou de leur valeur comme amant. Une telle conception de la virilité peut conduire à une mauvaise estime de soi. En outre, si l'un des deux partenaires trouve le pénis trop petit, la satisfaction sexuelle peut s'en trouver diminuée chez l'un comme chez l'autre, et ce, non pas à cause d'une lacune réelle, mais par simple confirmation d'un préjugé. Nous parlons ici surtout de la relation hétérosexuelle de type pénis-vagin, parce que l'inquiétude au sujet de la taille du pénis touche généralement cette activité sexuelle.

Rappelons d'abord que c'est le clitoris qui est la partie la plus sensible de l'anatomie sexuelle féminine. La plupart des femmes atteignent l'orgasme par la stimulation clitoridienne plutôt que vaginale. Comme nous l'avons vu, la partie la plus sensible du vagin est située à son entrée. Même si certaines femmes apprécient la pénétration profonde en raison de la pression qui s'exerce alors sur les récepteurs profonds de leur vagin (Desjardins, 2007), cette sensation n'est pas essentielle à leur satisfaction sexuelle. En fait, plusieurs femmes trouvent même une telle pénétration douloureuse, surtout lorsqu'elle est faite avec beaucoup de vigueur.

> Vous m'avez demandé si la taille du pénis influençait mon plaisir. Oui, mais pas de la façon que vous pourriez le penser. Si un homme a un long membre, je crains qu'il me fasse mal. En fait, je préfère un pénis moyen ou même petit. (Notes des auteurs)

La douleur ou le malaise que certaines femmes ressentent lors d'une pénétration profonde peut s'expliquer sur le plan physiologique. Étant donné que les ovaires et les testicules proviennent des mêmes tissus embryonnaires, ils ont la même sensibilité. Si le pénis heurte le col utérin et que l'utérus et l'ovaire se déplacent légèrement, la femme éprouve les mêmes sensations que celles d'un homme qui a reçu un coup sur les testicules. L'étirement violent des ligaments utérins sous l'effet d'une pénétration profonde peut également être douloureux, bien que certaines femmes l'apprécient lorsqu'il est lent.

Ces observations indiquent à quel point il est important d'être attentif et respectueux des préférences de chacun lors des rapports sexuels. Si l'un des partenaires ou les deux désirent un mouvement de va-et-vient plus profond et plus énergique, ils peuvent graduellement modifier leurs mouvements en conséquence. Ils pourraient aussi décider de prendre une position autre que celle du missionnaire afin que la femme ait plus de contrôle sur la profondeur et la vigueur de la pénétration.

La circoncision

La **circoncision** est une opération chirurgicale qui consiste à enlever partiellement ou totalement le prépuce. La circoncision est l'une des interventions les plus pratiquées sur les personnes de sexe masculin. En 1970, on estimait que de 69 % à 97 % de tous les garçons et les hommes étaient circoncis aux États-Unis, comparativement à 70 % en Australie, 48 % au Canada et 24 % au Royaume-Uni (Société canadienne de pédiatrie, 1996). Cette modification génitale est pratiquée dans plusieurs pays pour des raisons religieuses, par tradition ou tout simplement pour des questions d'hygiène. Aussi répandue soit-elle, cette pratique demeure très controversée.

Les partisans de la circoncision soutiennent qu'elle est bénéfique pour la santé. Un manque d'hygiène régulière dans la région sous-préputiale peut en effet favoriser le développement de plusieurs types d'infections. Des études nombreuses montrent que la circoncision diminue l'incidence des infections urinaires chez les enfants

Question d'analyse critique

Y a-t-il, selon vous, un lien entre la taille du pénis et le plaisir sexuel éprouvé par la femme lors du coït ? Sur quelles données reposent vos arguments ?

(Kinkade et coll., 2005) et du cancer du pénis chez les adultes (Kinkade et coll., 2005 ; Loughlin, 2005). Il est de plus clairement établi que la circoncision accroît la protection contre le VIH, le virus responsable du sida (Auvert et coll., 2005 ; Baeten et coll., 2005 ; Reynolds et coll., 2004).

Les opposants à la circoncision, de leur côté, ne manquent pas d'arguments à l'encontre de cette pratique. D'abord, le prépuce pourrait avoir une fonction importante qui demeure actuellement inconnue. Ensuite, la fonction sexuelle pourrait, selon certains chercheurs, être affectée par l'ablation du prépuce. Enfin, selon des professionnels de la santé, cette opération crée un traumatisme inutile chez le nouveau-né, en plus de comporter un risque de complications.

En dépit des recommandations des associations professionnelles de pédiatres et d'anesthésiologistes, moins de la moitié des enfants circoncis reçoivent un analgésique pour calmer la douleur au cours de l'opération (Boschert, 2004 ; Horton, 2005). Or les enfants qui n'en reçoivent pas ressentent de la douleur et réagissent

Circoncision Ablation chirurgicale, partielle ou totale, du prépuce.

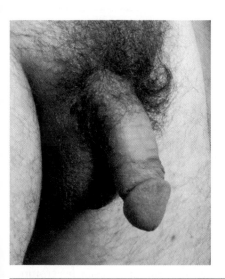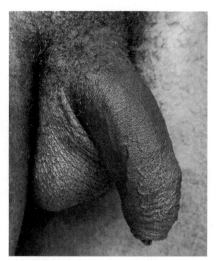

La taille et la forme des parties génitales masculines varient d'un individu à l'autre.

face à elle (Boschert, 2004 ; Howard et coll., 1998), et l'association douleur-circoncision peut avoir des effets à long terme sur le comportement de l'enfant (Taddio et coll., 1997b). La circoncision comporte également des risques pour la santé de l'enfant, notamment des risques d'hémorragie, d'infection, de mutilation, de choc et de traumatisme psychologiques (Fauntleroy, 2005 ; Meldrum et Rink, 2005).

Face à une telle controverse, il n'est pas étonnant que les professionnels de la santé aient de la difficulté à se prononcer clairement sur la question. Le débat n'est pas clos, et il risque de se poursuivre encore longtemps.

Par ailleurs, la question de l'incidence de la circoncision sur le plaisir sexuel masculin demeure entière. Les hommes circoncis sont-ils avantagés sur le plan érotique par rapport aux hommes non circoncis ?

Selon certains, les hommes circoncis réagiraient plus rapidement lors de la pénétration parce que leur gland est complètement dégagé. Toutefois, sauf en cas de **phimosis** (étroitesse anormale du prépuce), il ne semble y avoir aucune différence sur ce plan entre les circoncis et les non circoncis. Le prépuce d'un homme non circoncis se rétracte de toute façon durant la pénétration, et son gland est donc exposé de la même manière. En revanche, on peut se demander si, à long terme, le gland d'un homme circoncis ne devient pas moins sensible à cause du frottement constant qu'il subit.

Masters et Johnson (1966) ont étudié ces deux questions et n'ont trouvé aucune différence entre circoncis

Phimosis Étroitesse anormale du prépuce.

Question d'analyse critique

Parmi les méthodes de recherche décrites au chapitre 1, laquelle utiliseriez-vous pour mesurer l'impact de la circoncision sur la réaction et la satisfaction sexuelles de l'homme ? Pour mener une telle étude, comment concevriez-vous votre plan de recherche ?

et non circoncis en ce qui a trait à la réponse sexuelle. Toutefois, il manque une donnée essentielle à leur enquête : l'évaluation subjective d'hommes qui ont vécu les deux états après avoir atteint la maturité sexuelle. La documentation médicale rapporte quelques cas d'hommes dont la satisfaction sexuelle a diminué après avoir subi une circoncision à l'âge adulte (Gange, 1999 ; Task Force on Circumcision, 1999). Une étude relève au contraire une amélioration de la satisfaction sexuelle chez des hommes qui ont été traités chirurgicalement pour des problèmes comme le phimosis (Carson, 2003). En somme, le lien entre la circoncision et l'excitation sexuelle masculine demeure encore obscur et « il n'existe pas de consensus quant au rôle du prépuce dans la performance et la satisfaction sexuelle » (Laumann et coll., 1997, p. 1052).

Question d'analyse critique

Si vous aviez un bébé garçon, le feriez-vous circoncire ou non ? Pourquoi ?

RÉSUMÉ

L'ANATOMIE ET LA PHYSIOLOGIE SEXUELLES DE LA FEMME

* Les organes génitaux externes de la femme, que l'on regroupe sous le terme de vulve, se composent du mont de Vénus, des grandes lèvres, des petites lèvres, du clitoris, du vestibule et des orifices urétral et vaginal.

* Le clitoris comprend la hampe et le corps. Une grande concentration de terminaisons nerveuses innervent

le clitoris, dont la seule fonction est de procurer du plaisir sexuel.

* Beaucoup de cultures accordent une grande importance à l'hymen, gage de virginité. L'hymen varie en taille, en forme et en épaisseur.

* Les organes génitaux internes de la femme comprennent le vagin, le col de l'utérus, l'utérus, les trompes de Fallope et les ovaires.

* Le vagin, avec ses trois couches de tissus, s'étend sur une longueur de 10 cm à l'intérieur de la cavité pelvienne. Sa capacité de dilatation est très grande et sa taille augmente sous l'effet de l'excitation sexuelle, durant la pénétration et lors de l'accouchement.

* Les parois vaginales et le col utérin produisent naturellement des sécrétions.

* La lubrification vaginale se produit durant la phase d'excitation sexuelle. Un fluide alcalin traverse alors les parois du vagin et lubrifie la muqueuse. La lubrification vaginale augmente la longévité et la mobilité des spermatozoïdes ainsi que le plaisir et le confort lors d'une relation sexuelle.

* C'est à l'intérieur de l'utérus que se développe le fœtus lors d'une grossesse.

* Les trompes de Fallope sont des conduits situés de part et d'autre de l'utérus et dans lesquels l'ovule et le spermatozoïde se déplacent et, éventuellement, se rencontrent lors d'une fécondation.

* Les ovaires sont les gonades femelles qui libèrent l'ovule et sécrètent des hormones sexuelles.

* Le cycle menstruel est le fruit d'interactions hormonales complexes.

* Il n'y a habituellement pas de contre-indication aux relations sexuelles durant les menstruations.

* Certaines femmes souffrent du syndrome prémenstruel, de dysphorie prémenstruelle et de dysménorrhée primaire ou secondaire. Les facteurs physiologiques qui causent ces affections sont de mieux en mieux connus. Certaines de ces affections peuvent être traitées.

* L'aménorrhée durant la grossesse, pendant la période de l'allaitement et après la ménopause est normale. Elle peut aussi être causée par des problèmes de santé.

* Le syndrome du choc toxique est une infection bactérienne rare qui survient lors de l'utilisation d'un tampon hygiénique à haut degré d'absorption.

* Les seins se composent de tissu adipeux et de glandes lactifères.

L'ANATOMIE ET LA PHYSIOLOGIE SEXUELLES DE L'HOMME

* Les organes génitaux externes de l'homme sont le pénis et le scrotum.

* Le pénis est formé d'une racine, d'une partie externe pendante appelée hampe et d'une tête lisse appelée gland. Trois masses cylindriques de tissus érectiles parcourent le pénis dans toute sa longueur. Ces tissus se gorgent de sang sous l'effet de l'excitation sexuelle.

* Le scrotum contient deux testicules, chacun étant suspendu dans son compartiment respectif par le cordon spermatique.

* Les organes génitaux internes de l'homme sont les testicules, le canal déférent, les vésicules séminales, la prostate et les glandes de Cowper.

* Les testicules de l'homme jouent principalement deux rôles : produire des spermatozoïdes et sécréter des hormones sexuelles.

* La production des spermatozoïdes dans le testicule requiert une température légèrement inférieure à celle du corps.

* À l'intérieur de chaque testicule se trouvent un grand nombre de cavités qui contiennent des tubes séminifères minces et très pelotonnés. Ces tubes produisent les spermatozoïdes.

* À l'arrière et au sommet de chaque testicule repose une structure en forme de C, l'épididyme, dans laquelle les spermatozoïdes parviennent à maturité.

* À partir de l'épididyme de chaque testicule, les spermatozoïdes et sécrétions diverses traversent le canal déférent, qui aboutit à la base de la vessie où il se joint au conduit éjaculatoire de la vésicule séminale.

* Les vésicules séminales sécrètent un liquide alcalin nutritif qui compte pour environ 70 % du volume de l'éjaculat et semble stimuler les spermatozoïdes.

* La prostate est localisée sous la vessie et traversée par l'urètre. Cette glande sécrète environ 30 % du volume de l'éjaculat.

✳ Les glandes de Cowper sont reliées à l'urètre par deux conduits minuscules situés en dessous de la prostate. Sous l'effet de l'excitation sexuelle, elles produisent souvent de petites gouttelettes de liquide visqueux et alcalin qui apparaissent à l'extrémité du pénis.

✳ L'autoexamen des organes génitaux peut se révéler utile pour mieux se connaître et déceler une anomalie.

✳ L'érection est un phénomène involontaire qui résulte d'une stimulation sexuelle adéquate de nature physiologique, psychologique, ou les deux.

✳ L'éjaculation comprend deux phases : la phase d'émission et la phase d'expulsion. Lors d'une éjaculation rétrograde, l'éjaculat est déversé dans la vessie.

✳ L'éjaculat contient des spermatozoïdes et des sécrétions venant de la prostate, des vésicules séminales et des glandes de Cowper. Les spermatozoïdes ne comptent que pour une infime partie du liquide total qui est éjaculé.

✳ La taille du pénis n'est pas un facteur déterminant dans la capacité à donner du plaisir ou à jouir pendant la pénétration.

CHAPITRE 3

Les réactions sexuelles : le cerveau, le corps

L'EXCITATION SEXUELLE

* Le rôle des hormones dans l'excitation sexuelle
* Le cerveau et l'excitation sexuelle
* Les sens et l'excitation sexuelle
* Les aphrodisiaques et les anaphrodisiaques

LA RÉPONSE SEXUELLE

* Le modèle à quatre phases de Masters et Johnson
* Le modèle à trois phases de Kaplan
* Le point de Gräfenberg
* L'avancée en âge et le cycle de la réponse sexuelle
* Quelques différences dans la réponse sexuelle selon le sexe

*L'*excitation et la réponse sexuelles chez les humains sont influencées par de nombreux facteurs : les hormones, la capacité de notre cerveau à créer des images ou à fantasmer, les émotions, divers processus sensoriels, le degré d'intimité entre les partenaires, etc. Nous présenterons d'abord les principaux facteurs biologiques qui agissent sur l'excitation sexuelle. Puis, nous nous pencherons sur la façon dont notre corps répond à la stimulation sexuelle. En nous concentrant ainsi sur les aspects biologiques de l'excitation et de la réponse sexuelles, nous ne voulons aucunement sous-estimer l'importance des facteurs psychologiques et culturels en ce domaine. Toutefois, il est très difficile, sinon impossible, de déterminer avec précision le rôle respectif des facteurs biologiques et psychosociaux dans la sexualité humaine, tellement ces facteurs sont interdépendants. Pour le comprendre, faisons une analogie avec le langage. Le corps biologique constitue la base matérielle pour produire des sons et les rendre audibles, mais c'est l'apprentissage qui modèle le corps (ici principalement le cerveau) de façon que les sons deviennent des mots et des phrases. Cela fait de nous des êtres capables de communiquer et d'interagir. Ainsi, comment peut-on séparer les multiples influences psychosociales qui conditionnent notre comportement de l'endroit physique où elles ont pu s'exercer et où elles ont été emmagasinées, soit le système nerveux ? En réalité, l'expression de notre sexualité est le résultat de l'interaction complexe de facteurs sociaux, affectifs et cognitifs, d'hormones, de neurones cérébraux et de réflexes déclenchés par des nerfs dans la moelle épinière. Mieux comprendre les différents facteurs qui déterminent nos comportements sexuels ne peut que nous aider à développer notre intelligence sexuelle.

L'EXCITATION SEXUELLE

Jamais il n'y a eu de chaleur ou de passion durant les cinq années de ma relation avec Éric. C'était un homme bien, mais je n'arrivais pas à combler le fossé entre nous, surtout à cause de son manque d'intérêt ou de son incapacité à exprimer ses sentiments et à montrer sa vulnérabilité. Nos relations sexuelles étaient comme cela aussi, mécaniques en quelque sorte, comme s'il était là physiquement mais non émotionnellement. Il était rare que je ne ressente aucun désir sexuel pour Éric, mais parfois mon corps réagissait à peine pendant que nous faisions l'amour. Quelle différence avec Mathieu, mon partenaire actuel, et pour la vie, du moins je l'espère ! Dès le début, notre relation a été très forte et très intime. La première fois que nous avons fait l'amour, je me sentais comme en feu. C'était comme si nous n'étions qu'un, physiquement et émotionnellement. Le seul son de sa voix ou un simple effleurement suffisent parfois à m'exciter profondément. (Notes des auteurs)

Voyons d'abord le rôle que les hormones, le cerveau et les sens jouent dans l'excitation sexuelle.

LE RÔLE DES HORMONES DANS L'EXCITATION SEXUELLE

La science n'a pas fini d'étudier le rôle que jouent les hormones dans l'excitation et le comportement sexuels humains. Il est très difficile de distinguer les effets liés à des processus physiologiques, tels que la production d'hormones, de ceux attribuables à des processus psychosociaux comme la socialisation dès la naissance, l'apprentissage auprès des pairs et le développement affectif. De plus, jusqu'à tout récemment, la majorité des données portant sur le rapport entre les hormones et la sexualité provenaient d'études peu rigoureuses menées sur de petits échantillons de population. Toutefois, au cours des dernières années, plusieurs recherches sérieuses nous ont permis de mieux comprendre les liens complexes qui existent entre les hormones et l'activité sexuelle.

Chez les humains, la sexualité, la sensualité et l'attirance physique entre les personnes sont influencées par un certain nombre d'hormones. Les œstrogènes et les androgènes, communément appelées *hormones sexuelles*, sont parmi celles dont on discute le plus. Appartenant à la classe générale des hormones **stéroïdes**, elles sont produites par les gonades (testicules et ovaires) et les glandes surrénales.

Vous avez sûrement déjà entendu parler des « hormones sexuelles masculines » et des « hormones sexuelles féminines ». Comme nous le verrons plus loin, il est erroné d'associer des hormones à un sexe en particulier, car les deux sexes produisent à la fois des hormones masculines et des hormones féminines. Rappelons-nous que le mot *androgènes* est le terme générique utilisé pour désigner les hormones sexuelles masculines. Chez l'homme, les testicules sécrètent environ 95 % de tous les androgènes. La couche externe des glandes surrénales (appelée *cortex surrénalien*) produit presque la totalité des 5 % résiduels. Chez la femme, les ovaires et les glandes surrénales produisent tous deux des androgènes, mais en quantités à peu près égales (Davis, 1999 ; Rako, 1996). La testostérone est l'hormone androgène la plus sécrétée tant chez l'homme que chez la femme. L'homme produit habituellement de 20 à 40 fois plus de testostérone que la femme (Rako, 1999 ; Worthman, 1999). Chez la femme, les œstrogènes, c'est-à-dire les hormones sexuelles féminines, sont surtout produites par les ovaires. Chez l'homme, les testicules sécrètent également des œstrogènes, mais beaucoup moins que chez la femme.

Chez l'être humain, l'excitation, l'attraction et la réponse sexuelles sont également influencées par les **neurhormones** (aussi appelées *neuropeptides*), des hormones sécrétées par le cerveau. L'ocytocine, une des plus importantes neurhormones, est parfois surnommée « l'hormone de l'amour », car elle jouerait un rôle dans l'attirance érotique et affective que l'on a pour quelqu'un. Nous verrons plus loin que certaines recherches ont établi un lien entre l'ocytocine et certains aspects de la sexualité humaine. Mais voyons d'abord celui qui existe entre la testostérone et la sexualité masculine et le rôle que les œstrogènes et la testostérone jouent dans la sexualité féminine.

LA TESTOSTÉRONE ET LE COMPORTEMENT SEXUEL MASCULIN

Plusieurs recherches ont établi un lien entre la testostérone et la sexualité masculine (Dabbs, 2000 ; Freeman et coll., 2001 ; McNicholas et coll., 2003). Une étude indique que, généralement, cette hormone influe davantage sur le désir sexuel masculin (libido) que sur le fonctionnement sexuel (Crenshaw, 1996). Ainsi, un homme ayant un faible taux de testostérone peut manifester peu d'intérêt pour les activités sexuelles mais être capable d'avoir une érection et des orgasmes. Par ailleurs, la testostérone ayant aussi des effets sur la sensibilité des organes génitaux, une déficience en testostérone peut entraîner une diminution du plaisir sexuel (Crenshaw, 1996 ; Rako, 1996). Certains hommes ont même des difficultés érectiles à cause de cette insuffisance hormonale.

L'observation d'hommes ayant subi une **castration** (ou orchidectomie), c'est-à-dire l'ablation des testicules, nous aide à mieux comprendre le rôle de la testostérone dans les fonctions sexuelles masculines (Parker et Dearnaley, 2003 ; Pickett et coll., 2000). La castration est pratiquée pour traiter des maladies telles que la tuberculose génitale et le cancer de la prostate. Selon deux études européennes, les hommes qui ont subi une castration chirurgicale ont moins d'intérêt pour la sexualité et réduisent leurs activités sexuelles au cours de l'année qui suit l'opération (Bremer, 1959 ; Heim, 1981). Par contre, d'autres études rapportent des cas où des hommes ont maintenu leur désir et leurs activités sexuels aussi longtemps que trente ans après leur castration, sans prendre de supplément de testostérone (Ford et Beach, 1951 ; Greenstein et coll., 1995).

Stéroïdes   Hormones sécrétées par les glandes sexuelles et surrénales.

Neurhormones   Substances chimiques sécrétées par le cerveau et qui influencent, entre autres, le comportement sexuel.

Ocytocine   Neurhormone sécrétée par l'hypothalamus et qui influence la réponse sexuelle et l'attirance envers les autres.

Castration (ou orchidectomie)   Ablation chirurgicale des testicules.

Toutefois, même lorsque la vie sexuelle demeure active après la castration, l'intérêt pour la sexualité décline et les activités sexuelles diminuent généralement, souvent de façon marquée (Bradford, 1998 ; Rosler et Witztum, 1998). La fréquence de cette baisse indique que la testostérone est un facteur biologique très important du désir sexuel.

Les études consacrées aux médicaments bloquant l'action des androgènes ont elles aussi permis d'établir un lien entre la testostérone et les fonctions sexuelles masculines. Au cours des dernières années, une classe de médicaments connus sous le nom d'*antiandrogènes* a servi, en Europe et en Amérique du Nord, à traiter des prédateurs sexuels et des hommes atteints du cancer de la prostate (Bradford, 1998 ; Waxman et Mazhar, 2003). Les antiandrogènes réduisent considérablement le taux de testostérone dans le sang (Waxman et Mazhar, 2003) ou son action. Plusieurs études ont montré que les antiandrogènes, dont l'acétate de médroxy-progestérone (AMPR, commercialisé sous l'appellation Depo Provera), ont pour effet de réduire le désir sexuel ainsi que les activités sexuelles des hommes et des femmes (Crenshaw, 1996 ; Crenshaw et Goldberg, 1996). Cependant, abaisser le taux de testostérone ne s'avère pas toujours efficace dans le cas des prédateurs sexuels, notamment lorsque le crime sexuel repose sur des motifs non sexuels comme la colère, le sentiment de puissance ou le besoin de dominer une autre personne.

Enfin, la recherche sur l'**hypogonadisme** a elle aussi montré le rôle de la testostérone dans le désir sexuel masculin. L'hypogonadisme est une déficience en testostérone causée par un désordre du système endocrinien. Elle est aussi associée au processus de vieillissement chez certains hommes âgés. L'apparition de cette affection avant la puberté retarde le développement des caractères sexuels primaires et secondaires, et l'individu risque alors de ne jamais avoir d'intérêt pour la sexualité. Les effets varient beaucoup plus si la déficience en testostérone survient à l'âge adulte. Les nombreuses études menées auprès d'hommes souffrant d'hypogonadisme confirment l'importance du rôle de la testostérone dans le désir sexuel masculin (McNicholas et coll., 2003 ; Nusbaum et coll., 2005 ; Yassin et coll., 2005). Par exemple, certains d'entre eux ont retrouvé un intérêt pour la sexualité et un niveau

Hypogonadisme   Production anormalement faible de testostérone par les testicules.

d'activité sexuelle normal après avoir subi des traitements de remplacement de la testostérone (TRT) (McNicholas et coll., 2003 ; Nusbaum et coll., 2005).

LES HORMONES ET LE COMPORTEMENT SEXUEL FÉMININ

Les œstrogènes concourent à un sentiment général de bien-être, aident à conserver l'épaisseur et l'élasticité de la muqueuse vaginale et participent à la lubrification vaginale (Kingsberg, 2002 ; Traish et coll., 2002a). Cependant, leur rôle dans le comportement sexuel féminin demeure assez flou. Des études ont été réalisées auprès de femmes ménopausées (la ménopause est associée à une baisse marquée de la production d'œstrogènes) et de femmes ayant subi une ablation des ovaires pour des raisons médicales. Après leur avoir administré un traitement hormonal substitutif aux œstrogènes, on a constaté que non seulement leur paroi vaginale se lubrifiait davantage, mais aussi que leur désir sexuel, leur plaisir et leur capacité orgasmique augmentaient sensiblement (Dow et coll., 1983 ; Kingsberg, 2002). Les bienfaits sexuels de ce traitement découleraient des effets positifs des œstrogènes sur l'humeur générale de la femme, qui la rendraient plus réceptive à l'activité sexuelle (Crenshaw, 1996 ; Wilson, 2003).

Les œstrogènes jouent en outre un rôle plus subtil qui favorise néanmoins l'excitation sexuelle, car leurs effets féminisants sur les seins, la peau et les organes génitaux peuvent augmenter la confiance en soi et, indirectement, accroître le désir sexuel (Bartlik et coll., 1999b, p. 51).

D'autres études ont toutefois montré que le traitement substitutif aux œstrogènes n'influe pas de manière perceptible sur le désir sexuel et qu'une dose relativement élevée de ces hormones peut même réduire la libido (Levin, 2002 ; Redmond, 1999). À la lumière de ces résultats contradictoires, force est de constater que le rôle des œstrogènes dans le désir et les fonctions sexuelles féminines demeure indéterminé.

Le rôle de la testostérone dans la sexualité féminine est beaucoup moins ambigu. Nous ne doutons plus qu'elle est l'hormone principale de la libido chez la femme (Apperloo et coll., 2003 ; Levin, 2002 ; Tucker, 2004). De nombreuses expériences visant à mesurer les effets de la testostérone sur la sexualité féminine ont clairement établi une relation de cause à effet entre le taux de testostérone dans le sang et le désir sexuel, la sensibilité des organes génitaux et la fréquence des activités sexuelles. Par exemple, beaucoup d'études ont démontré que le traitement substitutif à la testostérone augmente le désir et l'excitation sexuels des femmes ménopausées (Apperloo et coll., 2003; Gelfand, 2000). Des recherches particulièrement intéressantes réalisées par la Clinique de la ménopause de l'Université McGill indiquent que le traitement substitutif à la testostérone et aux œstrogènes (les deux combinés) accroît l'intérêt pour la sexualité, le désir sexuel, la vitalité et la sensation de bien-être des femmes ménopausées (Gelfand, 2000).

D'autres études ont rapporté que les femmes qui suivent un traitement substitutif à la testostérone et aux œstrogènes après avoir subi une ablation des ovaires (ovariectomie) voient leur désir, leur excitation et leurs fantasmes sexuels s'amplifier énormément comparativement à celles qui ne prennent que des suppléments d'œstrogènes ou qui ne suivent aucun traitement substitutif (Apperloo et coll., 2003; Nusbaum et coll., 2005; Shifen et coll., 2000; Tucker, 2004).

Ce sont surtout les études menées auprès de femmes ayant un faible taux de testostérone (consécutif à une ovariectomie, à une ablation des glandes surrénales ou encore à la ménopause) qui ont permis de démontrer l'importance de cette hormone dans les fonctions sexuelles féminines. Par ailleurs, une étude récente, d'un intérêt considérable, a tenté de déterminer les effets physiologiques et subjectifs des suppléments de testostérone sur l'excitation sexuelle; l'échantillon comprenait des femmes sexuellement fonctionnelles et possédant des taux hormonaux normaux. Les chercheurs ont découvert que la testostérone administrée par voie sublinguale (sous la langue) augmente significativement la sensibilité des organes génitaux dans les quelques heures qui suivent son absorption. Les résultats montrent une forte corrélation entre cette augmentation de l'excitation des parties génitales et la description subjective que font les femmes de leur «sensibilité des parties génitales» et de leur «désir sexuel» (Tuiten et coll., 2000).

D'autres études montrent également qu'administrer de la testostérone à des femmes sexuellement inhibées et ayant une faible libido a pour effet d'accroître leurs fantasmes sexuels, les épisodes de masturbation et l'interaction sexuelle avec leur partenaire (S. Davis, 2000; Shifen et coll., 2000). De plus, lorsque les chercheurs comparent le taux de testostérone de femmes sexuellement actives et en bonne santé avec celui de femmes ayant une faible libido, ils constatent un lien indéniable entre un faible taux de testostérone et une faible libido (Riley et Riley, 2000).

Une fois que l'on a démontré le rôle crucial de la testostérone dans le maintien du désir sexuel chez les deux sexes, il y a lieu de se demander quel taux de testostérone assure une excitation sexuelle normale. La réponse à cette question est complexe et fait intervenir plusieurs facteurs.

LE TAUX DE TESTOSTÉRONE REQUIS POUR UN FONCTIONNEMENT SEXUEL NORMAL

Dans l'organisme, peu importe le sexe, la testostérone se retrouve sous deux formes: liée et libre. Chez l'homme, 5 % de la testostérone qui circule dans le sang est libre. C'est sous cette forme qu'elle joue un rôle actif dans le métabolisme et qu'elle influe sur la libido (Crenshaw, 1996; Donnelly et White, 2000). Chez la femme, les chiffres sont similaires: les molécules libres responsables des effets observés dans les tissus représentent de 1 % à 3 % de la testostérone qui circule dans le sang (Rako, 1996). Pour les deux sexes, la somme de la testostérone libre et de celle liée donne la quantité de testostérone totale. Pour un homme, la quantité normale de testostérone totale est de 300 à 1200 ng/dl (nanogramme par décilitre). Pour les femmes, elle est de 20 à 50 ng/dl (Rako, 1996; Winters, 1999). Il est important de noter que la quantité de testostérone essentielle au bon fonctionnement de l'organisme, c'est-à-dire sa «masse critique», varie d'une personne à l'autre chez les deux sexes (Crenshaw, 1996; Rako, 1996).

Le fait que les femmes produisent moins de testostérone que les hommes ne signifie pas que leur désir sexuel soit plus faible. Il semble plutôt que les cellules de leur organisme soient plus sensibles à cette hormone et que la libido des femmes ait besoin de très peu de testostérone pour être stimulée (Crenshaw, 1996).

Un taux de testostérone trop élevé peut engendrer de graves effets secondaires chez les deux sexes (Redmond, 1999). Un homme qui prend trop de suppléments de testostérone peut éprouver divers troubles, dont une perturbation des cycles hormonaux naturels, une rétention de sel, une rétention des fluides et une perte de cheveux. De plus, bien que le lien entre la testostérone et le cancer de la prostate ne soit pas clairement établi, l'excès de cette hormone peut néanmoins stimuler la croissance d'une tumeur déjà existante dans cet organe (Bain, 2001; Nusbaum et coll., 2005). Chez la femme, un excès de testostérone peut stimuler de façon significative la pousse des poils, au visage notamment, augmenter la masse musculaire, réduire la taille des seins et augmenter celle du clitoris (Kingsberg, 2002). Cependant, seules de fortes doses de testostérone administrées durant une longue période peuvent avoir des effets secondaires graves (Rako, 1999).

Chez les deux sexes, le désir sexuel peut être faible malgré un taux normal de testostérone totale, car le composé hormonal clé de la libido, le taux de testostérone libre, peut être faible en dépit d'un taux normal de testostérone totale. Par conséquent, si vous croyez avoir une déficience en testostérone, il est important de demander que l'on mesure votre taux de testostérone libre en plus de votre taux de testostérone totale. Jusqu'à récemment, la plupart des médecins ne faisaient mesurer que le taux de testostérone totale.

Enfin, le rythme auquel la production de testostérone décline avec l'âge varie considérablement selon le sexe. Chez la femme, lorsque les ovaires diminuent peu à peu leur activité à la ménopause, il arrive souvent que le taux de testostérone totale chute rapidement en quelques mois. Chez certaines femmes, cependant, cette diminution se fait plus graduellement et s'échelonne sur plusieurs années (Gelfand, 2000 ; Kingsberg, 2002). Lorsque les ovaires ne sécrètent plus les quantités normales de testostérone, la production totale de testostérone diminue, même si les glandes surrénales continuent d'en sécréter (Rako, 1999).

En revanche, chez les hommes, le taux de testostérone totale décline beaucoup plus lentement, et cette baisse s'étend habituellement sur plusieurs années (McNicholas et coll., 2003 ; Sadovsky, 2005). Ce phénomène vient probablement de ce que les testicules, contrairement aux ovaires, n'arrêtent pas leur activité au milieu de la vie.

LA THÉRAPIE SUBSTITUTIVE À LA TESTOSTÉRONE

Si vous avez certains des symptômes apparaissant dans le tableau 3.1, il serait peut-être approprié de consulter un médecin pour qu'il vous prescrive une thérapie substitutive à la testostérone (TST). Présentement, les hommes consultent plus leur médecin que les femmes pour ce genre de traitement, notamment pour combattre certaines difficultés sexuelles. D'ailleurs, la communauté médicale se montre souvent réticente à prescrire une TST aux femmes qui ont une insuffisance de testostérone. Toutefois, les spécialistes en gynécologie et en ménopause cherchent de plus en plus à sensibiliser les médecins généralistes et les femmes aux bénéfices de ce genre de thérapie (Gelfand, 2000 ; Johnson, 2002).

Vu les grandes différences individuelles dans les réactions des hommes et des femmes aux hormones, il n'est pas facile de déterminer ce qu'est une bonne ou une mauvaise approche en matière de thérapie substitutive à la testostérone (TST). Ainsi, il n'est pas nécessaire de recourir à une TST chaque fois qu'une personne a un taux de testostérone inférieur à la normale. Idéalement, chacun devrait demander conseil à son médecin pour déterminer s'il y a lieu ou non de recourir à une TST et, si oui, choisir ensemble la méthode et le dosage appropriés.

Autant chez l'homme que chez la femme, les suppléments de testostérone s'administrent en comprimés que l'on avale ou que l'on place sous la langue, par injection, par implant ou par timbre cutané (McNicholas et coll., 2003 ; Morales, 2003). Chez la femme, la testostérone peut aussi être absorbée sous forme de crème vaginale ou de gel. Les spécialistes de ce type de traitement substitutif nous mettent en garde contre un excès de testostérone. Prendre une dose excessive de testostérone pour

Tableau 3.1 | **Les principaux symptômes d'une déficience en testostérone.**

• Une baisse du désir sexuel.
• Une moins grande sensibilité des parties génitales et des seins à la stimulation sexuelle.
• Une baisse générale de l'excitabilité sexuelle, parfois accompagnée d'une moins grande capacité orgasmique.
• Une baisse de la vitalité et parfois une dépression.
• Une augmentation de la masse adipeuse.
• Une diminution de la densité osseuse qui peut conduire à l'ostéoporose chez les deux sexes.
• Une perte de cheveux et de poils.
• Une diminution de la force physique et de la masse musculaire.

Sources : Bain (2001), Kingsberg (2002), McNicholas et coll. (2003), Nusbaum et coll. (2005) et Sadovsky (2005).

éliminer les effets d'une déficience hormonale n'augmentera probablement pas la libido et la vitalité, mais entraînera plutôt des effets secondaires négatifs. Enfin, selon des données récentes, les femmes qui suivent une thérapie substitutive à la testostérone risqueraient plus d'avoir un cancer du sein (Tamini et coll., 2006).

LE RÔLE DE L'OCYTOCINE DANS LE COMPORTEMENT SEXUEL

La neurohormone ocytocine, sécrétée par l'hypothalamus, exerce une influence significative sur la réponse sexuelle, la sensualité et l'attirance érotique interpersonnelle (Blaicher et coll., 1999 ; Love, 2001 ; Wilson, 2003). Elle a aussi pour fonction biologique de favoriser la lactation (Wilson, 2003). Pour certains, cela renforcerait les liens affectifs entre la mère et l'enfant durant l'allaitement (Love, 2001). La production d'ocytocine pendant l'excitation sexuelle pourrait avoir un effet similaire sur les partenaires.

L'ocytocine est sécrétée pendant les contacts physiques et intimes, et le toucher est particulièrement efficace pour en déclencher la production. Une plus grande quantité d'ocytocine en circulation stimulerait l'activité sexuelle chez plusieurs espèces animales, dont les humains (Anderson-Hunt et Dennerstein, 1994 ; Wilson, 2003). C'est une hormone qui augmente la sensibilité de la peau, et donc qui favorise les comportements affectueux (Love, 2001 ; McEwen, 1997). Chez l'humain, le niveau d'ocytocine augmente progressivement pendant tout le cycle de la réponse sexuelle, depuis l'excitation initiale jusqu'à l'orgasme ; chez les deux sexes, l'atteinte de l'orgasme s'accompagne d'un taux élevé d'ocytocine (Anderson-Hunt et Dennerstein, 1994 ; Wilson, 2003). L'ocytocine stimule également les contractions de la paroi utérine lors de l'orgasme (Wilson, 2003) et de l'accouchement.

La libération croissante d'ocytocine jusqu'au moment de l'orgasme et son maintien à un niveau élevé dans le sang dans les moments qui suivent favorisent les liens affectifs et le rapprochement des partenaires (Love, 2001 ; Pedersen, 1992). Les recherches menées auprès des humains indiquent que l'ocytocine joue un rôle important dans le développement des liens sociaux et du sentiment amoureux (Carter, 1998 ; Wilson, 2003). Les enfants autistes, chez qui l'on observe une carence dans la capacité à établir des liens sociaux et à exprimer de l'amour, ont souvent un faible taux d'ocytocine (Green et coll., 2001). Et l'injection d'ocytocine améliore

la « mémoire sociale » des adultes autistes (Hollander et coll., 2006). Ces résultats ne font que confirmer le lien entre le taux d'ocytocine et la capacité à nouer des liens affectifs et amoureux.

LE CERVEAU ET L'EXCITATION SEXUELLE

Nous savons que notre cerveau joue un rôle important dans la sexualité. Les mécanismes complexes de cet organe participent à l'élaboration de nos pensées, de nos émotions et de nos souvenirs. L'excitation sexuelle peut survenir sans aucune stimulation sensorielle ; elle peut être déclenchée par un fantasme, par exemple l'évocation d'images érotiques ou de scènes sexuelles. Certains individus peuvent même atteindre l'orgasme au cours d'un fantasme sexuel, sans stimulation physique d'aucune sorte (Whipple et Komisaruk, 1999).

Des événements particuliers déclenchent l'excitation sexuelle, c'est bien connu. Toutefois, notre expérience individuelle et notre milieu culturel y jouent aussi un rôle, moins apparent, qui passe par le cerveau. Il est clair que nous ne répondons pas tous de la même manière aux mêmes stimuli. Certaines personnes sont très excitées lorsque leur partenaire utilise un langage sexuellement explicite, alors que d'autres sont effarouchées ou refroidies par un tel langage. L'influence culturelle joue aussi un rôle fondamental en ce domaine, comme le montre l'encadré intitulé *Les différences culturelles quant à l'excitation sexuelle*. Ainsi, les Européens peuvent trouver l'odeur des sécrétions génitales plus excitante que les Nord-Américains qui sont très portés sur les déodorants.

LES STRUCTURES DU CERVEAU

Le cerveau emmagasine nos souvenirs et nos valeurs culturelles. Par conséquent, son influence sur notre capacité d'excitation est majeure. Les processus mentaux particuliers comme les fantasmes sont issus du **cortex cérébral**, le « siège de la pensée », qui régit des fonctions telles que le raisonnement, le langage et la créativité. Or, le cortex cérébral n'est qu'un des organes par lesquels le cerveau influence l'excitation et la réponse sexuelles. Le **système limbique**, situé sous

Cortex cérébral   Mince couche extérieure du cerveau contrôlant les processus mentaux supérieurs.

Système limbique   Centre cérébral sous-cortical composé de plusieurs structures reliées entre elles et influant sur le comportement sexuel.

Les uns et les autres

Les différences culturelles quant à l'excitation sexuelle

En dépit de l'universalité des mécanismes biologiques sous-jacents à l'excitation sexuelle humaine, les stimuli ou comportements sexuels considérés comme excitants sont très influencés par le conditionnement culturel. Par exemple, dans les sociétés occidentales, le point culminant d'une activité sexuelle est l'atteinte de l'orgasme, et les activités centrées sur les organes génitaux sont fréquemment considérées comme les plus excitantes.

À l'inverse, dans certaines sociétés asiatiques marquées par l'hindouisme, le bouddhisme et le taoïsme, les pratiques sexuelles sont associées à la spiritualité et l'orgasme n'est pas le principal but visé par les activités sexuelles (Stubbs, 1992). Les adeptes des traditions tantriques orientales (dans laquelle sexualité se confond avec spiritualité) atteignent souvent le paroxysme du plaisir en mettant l'accent sur la sensualité et la spiritualité d'une intimité partagée plutôt que sur l'atteinte de l'orgasme (Devi, 1977 ; Richard, 2002).

Dans plusieurs sociétés non occidentales, l'orgasme féminin est rare ou complètement inconnu (Ecker, 1993). De plus, dans quelques-unes de ces sociétés, on perçoit très négativement la lubrification vaginale et, lorsque cela se présente, les hommes s'en plaignent auprès de leur partenaire féminine (Ecker, 1993). À l'inverse, elle est appréciée dans certaines sociétés du Pacifique-Sud.

Aux États-Unis, l'origine ethnique a une incidence sur la réponse sexuelle. Cette influence apparaît clairement dans les résultats de la « National Health and Social Life Survey » : 38 % des Afro-Américaines disent avoir toujours un orgasme lorsqu'elles ont des rapports sexuels avec leur partenaire principal, alors que ce chiffre est de 26 % pour les Américaines blanches et de 34 % chez les femmes hispaniques (Laumann et coll.,1994).

Dans de nombreuses parties du monde, le baiser sur la bouche, considéré comme excitant en Occident, est rare ou absent. Chez les Inuits d'Amérique du Nord et les habi-tants des îles Trobriand (en Papouasie–Nouvelle-Guinée), on se frotte plutôt le nez mutuellement. Chez les Thongas d'Afrique du Sud, le baiser suscite le dégoût. Les hindous de l'Inde évitent de s'embrasser, car ils croient que ce contact symbolique contamine la relation sexuelle. Dans leur étude menée auprès de 190 sociétés, Clellan Ford et Frank Beach (1951) ont découvert que le baiser sur la bouche n'était pratiqué que dans 21 sociétés et qu'il faisait partie des préliminaires amoureux ou accompagnait le coït dans seulement 13 sociétés.

Les relations buccogénitales constituent une source d'excitation sexuelle dans les îles du Pacifique-Sud, dans les pays industrialisés asiatiques et dans la majorité des pays occidentaux. Par contre, en Afrique (sauf dans le nord du continent), de telles pratiques sont généralement considérées comme contre nature ou répugnantes.

Les préliminaires amoureux, que ce soit les rapports buccogénitaux, les caresses sensuelles ou les baisers passionnés, varient beaucoup d'une culture à l'autre. Dans certaines sociétés, surtout celles de tradition orientale, les couples s'efforcent de prolonger leur état d'excitation sexuelle pendant des heures (Devi, 1977). Dans la culture occidentale, malgré leur diversité, les préliminaires sont souvent brefs et la relation chemine vers « le point de mire » que représente le coït. Dans d'autres sociétés, les préliminaires sont très courts, voire absents. Par exemple, chez les Lepchas du sud-est de l'Himalaya, les fermiers limitent leurs préliminaires à une caresse des seins de la femme. Chez les Irlandais de l'île d'Inis Beag, l'activité qui précède l'acte sexuel se résume à des baisers sur la bouche et à des caresses grossières des parties génitales de la femme (Messenger, 1971).

Même si les attributs physiques exercent une grande influence sur l'excitation sexuelle humaine dans presque toutes les cultures, les critères relatifs aux attraits sexuels sont très différents d'une culture à l'autre. Ce qui est

Les attraits physiques sont très différents d'une culture à l'autre, comme le montrent ces photos d'hommes et de femmes considérés comme attirants dans leur culture respective.

considéré comme attirant ou excitant dans une culture peut être jugé étrange ou repoussant dans une autre. Par exemple, certaines sociétés insulaires attribuent une valeur érotique à la forme et à la texture des parties génitales féminines, contrairement à la plupart des sociétés occidentales. Mentionnons enfin que, dans de nombreuses sociétés, les seins nus n'ont pas la valeur érotique qu'ils ont généralement en Amérique du Nord. En fait, à l'exception des signes de bonne santé (peau, cheveux, dents, etc.), il n'existe pas de consensus entre les cultures quant aux critères qui rendent un partenaire potentiel attirant du point de vue sexuel (Gray et Wolfe, 1992).

Par contre, de nombreuses études font état d'un certain nombre de critères qui seraient transculturels, c'est-à-dire indépendants des modes et des modèles proposés localement. Par exemple, les femmes auraient tendance à préférer un partenaire plus grand et plus âgé qu'elles; selon les évolutionnistes, cela se vérifie dans toutes les cultures (Buss, 2003). Elles seraient aussi plus attirées par les hommes qui ont une silhouette en V, une mâchoire carrée, des sourcils épais, une certaine pilosité

et une voix grave (Collins et Missing, 2003). Cette préférence pour certains traits « typiquement » masculins serait reliée au cycle menstruel et plus marquée au moment de l'ovulation (Cornwell et coll., 2004). Cela se reflète d'ailleurs dans les statistiques démographiques qui montrent que les hommes plus grands ont plus d'enfants que les hommes plus petits (Nettle, 2002). Les préférences des hommes sont complémentaires à celles des femmes: ils seraient plus attirés par des femmes plus jeunes — 2,5 ans de moins, en moyenne (Buss, 2003) — ou d'allure jeune, ayant une silhouette typique des nullipares (Fischer et Voracek, 2006), des lèvres pleines, une peau de pêche, un teint clair, des yeux clairs, des cheveux lustrés et un bon tonus musculaire (Buss, 2003).

Tous ces critères transculturels semblent minimiser l'importance des différences interculturelles, mais ce n'est pas le cas. On peut voir sur les photos que ces différences correspondent à des modifications d'identité personnelle et sociale, comme la coiffure, le perçage et les ornements.

le cortex, semble aussi jouer un rôle important dans le comportement sexuel des humains et des autres mammifères.

La figure 3.1 illustre quelques structures importantes du système limbique. Ces structures comprennent le gyrus cingulaire, le corps amygdaloïde, l'hippocampe et une partie de l'hypothalamus, lequel joue un rôle de régulation (Arnow et coll., 2002; Stark, 2005). Des chercheurs qui ont eu recours à l'imagerie par résonance magnétique ont pu montrer la participation du système limbique dans la réponse sexuelle. Des études attestent que la stimulation électrique de l'hypothalamus chez l'humain déclenche l'excitation sexuelle, parfois jusqu'à l'orgasme (Sem-Jacobsen, 1968). On a aussi observé des cas où la stimulation électrique et chimique du cerveau à des fins thérapeutiques produisait les mêmes effets sur le cerveau.

Le médecin et chercheur Robert Heath (1972) a stimulé le système limbique de patients atteints de divers troubles. Selon sa théorie, le plaisir déclenché par une stimulation électrique pouvait avoir une valeur thérapeutique. Un homme souffrant de troubles affectifs, à qui l'on avait fourni un appareil d'autostimulation du système limbique, l'a utilisé jusqu'à 1500 fois par heure et protestait lorsqu'on le lui retirait. Il affirmait que cette stimulation lui procurait un plaisir sexuel intense. Une femme épileptique a ressenti un plaisir sexuel intense

et eu des orgasmes multiples par suite de la stimulation de son cerveau.

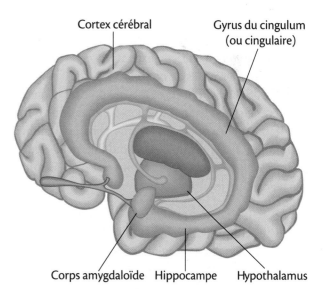

Cortex cérébral   Gyrus du cingulum (ou cingulaire)

Corps amygdaloïde   Hippocampe   Hypothalamus

Figure 3.1 | Le système limbique, une région du cerveau associée aux émotions et à la motivation, joue un rôle important dans la sexualité humaine. Les structures principales, qui sont colorées, comprennent le gyrus du cingulum (ou cingulaire), certaines parties de l'hypothalamus, le corps amygdaloïde et l'hippocampe.

Plusieurs études ont montré une corrélation entre l'hypothalamus et le comportement sexuel. Par exemple, des scientifiques ont observé une augmentation de l'activité sexuelle (notamment des érections et des éjaculations) des rats dont on avait stimulé les régions antérieures et postérieures de l'hypothalamus (Paredes et Baum, 1997). Détruire chirurgicalement certaines parties de l'hypothalamus provoque une baisse considérable de l'activité sexuelle, tant des mâles que des femelles, chez plusieurs espèces animales (Hitt et coll., 1970 ; Paredes et Baum, 1997). La région interne de l'aire préoptique de l'hypothalamus (RIAP) est impliquée dans l'excitation et le comportement sexuels. Lorsque cette région est stimulée électriquement, il y a augmentation de l'activité sexuelle ; si elle est endommagée, il y a diminution ou cessation de l'activité sexuelle chez les mâles d'une grande variété d'espèces (Stark, 2005 ; Wilson, 2003). Les drogues opiacées, telles que l'héroïne et la morphine, suppriment l'action de la RIAP et ont des effets inhibiteurs sur la performance sexuelle (Argiolas, 1999).

Certaines substances chimiques naturellement présentes dans le cerveau, les neurotransmetteurs (appelés ainsi parce qu'ils transmettent les influx nerveux entre les neurones), ont aussi des effets connus sur l'excitation et la réponse sexuelles par l'action qu'elles exercent sur la RIAP. Un de ces neurotransmetteurs, la **dopamine**, active la RIAP et favorise l'excitation et la réponse sexuelles chez les mâles de plusieurs espèces (Giargiari et coll., 2005 ; Wilson, 2003). On a aussi observé que la testostérone stimule la production de dopamine dans la RIAP tant chez les hommes que chez les femmes (Wilson, 2003). Ce résultat nous indique peut-être le mécanisme par lequel la testostérone parvient à stimuler la libido chez les deux sexes.

Par opposition à l'effet facilitateur de la dopamine, un autre neurotransmetteur, la **sérotonine**, semble inhiber l'activité sexuelle. L'éjaculation masculine provoque la sécrétion de sérotonine dans la RIAP et l'aire latérale de l'hypothalamus, une région située de chaque côté de celui-ci. Cette sécrétion atténue temporairement la libido et diminue l'excitation sexuelle en bloquant la production de dopamine (Hull et coll., 1999). La sérotonine bloque aussi l'effet de l'ocytocine (Wilson, 2003). Les gens qui souffrent de dépression sont souvent traités à l'aide d'antidépresseurs appelés « inhibiteurs sélectifs de la recapture de la sérotonine ». Ces médicaments affectent souvent la libido et la réponse sexuelle parce qu'ils augmentent le taux de sérotonine dans le cerveau. Par ailleurs, ils réduisent la sensibilité génitale et la capacité orgastique chez les deux sexes (Michelson et coll., 2002 ; Wilson, 2003).

Ces données tendent à prouver que la dopamine favorise l'excitation et l'activité sexuelles chez les deux sexes, et que la sérotonine agit inversement.

Il est peu probable que les chercheurs parviennent un jour à trouver un véritable « centre de la sexualité » dans le cerveau. Néanmoins, il est clair que le cortex cérébral et le système limbique jouent des rôles cruciaux dans l'amorce, la coordination et la régulation de l'excitation et de la réponse sexuelles. Sans compter que le cerveau interprète une multitude de signaux sensoriels qui exercent souvent une très grande influence sur l'excitation sexuelle. La prochaine section portera sur ce sujet.

LES SENS ET L'EXCITATION SEXUELLE

On dit que le cerveau est l'organe sensoriel le plus important pour ce qui est de l'excitation sexuelle chez les humains. Cela signifie que tout événement sensoriel peut devenir un véritable stimulus sexuel pour autant que le cerveau l'ait interprété ainsi. Il en résulte une grande diversité des sources possibles de stimulation érotique, d'où l'extrême complexité de la sexualité humaine.

De tous les sens le toucher semble être celui qui contribue le plus à l'excitation sexuelle, même si chacun de nos sens peut être appelé à y jouer un rôle à un moment ou l'autre. Il n'y a pas de modèle unique en matière de stimulation sensorielle. Nous sommes tous uniques et nous avons chacun notre propre perception de ce qui est excitant sur le plan sexuel.

LE TOUCHER

La peau est le plus vaste des organes du corps. Sa formation chez l'embryon part des mêmes cellules souches que pour les cellules nerveuses. Plus que tout autre stimulus sensoriel, la stimulation tactile est probablement la plus importante source d'excitation sexuelle. Le lien entre le toucher et l'excitation sexuelle est très étroit. Pensons, par exemple, aux personnes qui reçoivent un massage de relaxation : sans même qu'on touche à leurs organes sexuels, certaines d'entre elles ont tendance à réagir sexuellement, chez les hommes comme chez les femmes. Les terminaisons nerveuses qui réagissent au

Le toucher est une des formes de stimulation érotique les plus fréquentes.

toucher sont distribuées de façon inégale sur la surface du corps, ce qui explique pourquoi certaines zones sont plus sensibles que d'autres. Les zones les plus sensibles au plaisir tactile sont couramment appelées **zones érogènes**.

On distingue souvent les zones érogènes primaires des zones érogènes secondaires. Les premières sont celles où les terminaisons nerveuses se concentrent en plus grand nombre, alors que les secondes sont d'autres parties du corps dont la valeur érotique est liée à un contexte sexuel particulier.

Parmi les **zones érogènes primaires**, on trouve généralement les organes génitaux, les fesses, l'anus, le périnée, les seins (en particulier les mamelons), l'intérieur des cuisses, les aisselles, le nombril, le cou, les oreilles (plus spécifiquement le lobe) et la bouche (les lèvres, la langue et la cavité orale). Toutefois, rappelez-vous que la stimulation d'une région qualifiée de zone érogène primaire ne provoque pas nécessairement une excitation sexuelle. Ce qui est très excitant pour une personne peut ne déclencher aucune réaction chez une autre, ou même l'irriter.

Les **zones érogènes secondaires** comprennent pratiquement toutes les autres parties du corps. Ces régions deviennent érogènes au toucher dans un contexte d'intimité sexuelle. Un homme et une femme décrivent ainsi comment le toucher agrémente leurs rapports sexuels :

> J'adore me faire toucher partout sur le corps, surtout dans le dos. Chaque caresse m'aide à développer confiance et sécurité. (Notes des auteurs)

> Les caresses douces, pas nécessairement génitales, m'excitent le plus. Lorsque mon partenaire promène ses doigts le long de ma nuque et de mon dos, je deviens très sensible et tout mon corps vibre avec excitation. (Notes des auteurs)

Question d'analyse critique

On dit que les femmes préfèrent les étreintes et le toucher sensuel à la sexualité génitale, et que les hommes n'ont que peu d'intérêt pour les préliminaires et préfèrent « passer au plus vite aux choses sérieuses ». Croyez-vous que cette affirmation reflète une véritable différence entre le deux sexes ? Si tel est le cas, est-ce un comportement acquis ou inné ?

LA VUE

Dans notre société, les stimuli visuels semblent avoir une grande importance. Pour s'en convaincre, on n'a qu'à penser à toute l'attention que l'on prête à notre apparence physique : allure soignée, vêtements seyants, utilisation abondante de produits cosmétiques. Par conséquent, il n'est pas surprenant que la vue vienne tout de suite après le toucher dans l'échelle des stimuli considérés comme excitants sexuellement. En outre, le processus de séduction s'accompagne d'une attention plus marquée pour l'apparence. Une certaine forme de mimétisme sexuel guiderait aussi la femme dans sa façon courante de se maquiller : le rouge appliqué sur les lèvres de son visage évoque en effet la rougeur génitale visible chez les singes femelles en rut, mais que la femme en état de désir ne peut pas montrer à cause de la position verticale de notre espèce (Morris, 1967).

Dans notre société, la popularité des magazines sexuellement explicites pour hommes laisse croire que l'homme serait plus sensible aux stimuli visuels que la femme. Les premières études sur le sujet semblaient appuyer cette hypothèse (Kinsey et coll., 1948, 1953). Ces résultats, cependant, ne faisaient que refléter certaines réalités sociales de l'époque, notamment les plus grandes inhibitions culturelles des femmes envers ce

Dopamine   Neurotransmetteur qui favorise l'excitation et l'activité sexuelles.

Sérotonine   Neurotransmetteur qui inhibe l'excitation et l'activité sexuelles.

Zones érogènes   Parties du corps particulièrement sensibles à la stimulation sexuelle.

Zones érogènes primaires   Régions du corps où les terminaisons nerveuses se concentrent en plus grand nombre.

Zones érogènes secondaires   Régions du corps qui sont sensibles du point de vue érotique dans un contexte sexuel particulier.

type de stimuli et la plus grande possibilité pour les hommes d'en développer le goût. Les films et vidéos pornos de cette époque étaient conçus pour exciter les hommes. Beaucoup de femmes les trouvaient choquants et grossiers, et ne voyaient pas comment ils pouvaient devenir pour elles une source d'excitation sexuelle avouable (Striar et Bartlink, 2000).

Cette interprétation des résultats obtenus à l'époque s'appuie sur des études ultérieures dans lesquelles on a utilisé des appareils enregistrant les réactions physiologiques (voir le chapitre 2) et mesurant le degré d'excitation sexuelle dans des conditions de laboratoire. Ces études ont montré de fortes similarités entre les réponses physiques des hommes et des femmes à une stimulation visuelle (Murnen et Stockton, 1997 ; Rubinsky et coll., 1987). La plupart des femmes qui disent ne rien ressentir à la vue de films érotiques ont des réactions physiologiques indiquant le contraire (Laan et Everaerd, 1996). De récentes études où l'excitation sexuelle a été mesurée par autoévaluation plutôt que par un appareil ont révélé que les femmes sont moins portées que les hommes à se déclarer excitées par un stimulus visuel (Koukounas et McCabe, 1997 ; Mosher et MacIan, 1994). Cela illustre peut-être qu'encore aujourd'hui, pour des raisons culturelles, les femmes sont réticentes à admettre qu'elles sont excitées par un érotisme visuel, ou encore que les femmes éprouvent plus de difficulté que les hommes à reconnaître, sur leur propre corps, les signes d'excitation sexuelle.

L'ODORAT

Les antécédents sexuels d'une personne et son conditionnement culturel contribuent souvent à déterminer quelles odeurs elle trouve excitantes. C'est par expérience que nous attribuons à certaines odeurs un caractère érotique et à d'autres un aspect repoussant. Dans cette perspective, l'odeur génitale n'a en elle-même rien d'agréable ni de répulsif. Nous pourrions même soutenir que l'odeur des sécrétions génitales érotise les rapports entre les individus qui n'ont pas été conditionnés à la considérer comme répugnante. En effet, certaines sociétés reconnaissent ouvertement le caractère érotisant des odeurs génitales.

Ainsi, dans certaines régions européennes où l'industrie du déodorant s'impose moins, certaines femmes utilisent l'odeur naturelle de leurs sécrétions génitales, en en imprégnant stratégiquement l'arrière de leurs oreilles ou leur nuque, pour exciter leur partenaire sexuel.

Deux personnes décrivent les effets de l'odorat sur leur sexualité :

> Parfois ma partenaire dégage une odeur de sexe qui me stimule instantanément. (Notes des auteurs)

> L'odeur d'une femme est vraiment stimulante. J'aime l'odeur et le goût de la peau de la femme. (Notes des auteurs)

La quasi-obsession de plusieurs à masquer le plus possible les odeurs corporelles naturelles rend difficile l'étude de leurs effets sur l'excitation sexuelle. Toute odeur susceptible de déclencher une excitation sexuelle sera étouffée par des bains fréquents, des parfums et des déodorants. Malgré tout, les expériences personnelles de chacun permettent d'attribuer une valeur érotique à certaines odeurs, comme le montre le témoignage ci-contre :

Pour bien des gens, l'odorat joue un rôle important dans la sexualité, et les marchands de parfums l'ont bien compris.

J'adore les odeurs après l'amour. Elles évoquent des souvenirs érotiques et m'aident souvent à maintenir mon excitation à un niveau élevé, au point de vouloir d'autres activités sexuelles. (Notes des auteurs)

Dans une société trop souvent préoccupée par les odeurs naturelles, il est bon de constater que certaines personnes apprécient les odeurs associées à l'intimité sexuelle et celles du corps de leur partenaire.

Chez beaucoup d'espèces, les femelles sécrètent certaines substances invisibles appelées **phéromones** durant leur période de reproduction (Rako et Friebely, 2004 ; Wyatt, 2003). Une étude publiée en 2007 par Miller, Tybur et Jordan a conclu à l'existence probable d'un effet de type phéromone chez l'être humain : les danseuses pratiquant le *lap dancing* reçoivent en moyenne 30 $ de l'heure de plus lorsqu'elles sont en période d'ovulation que lorsqu'elles sont menstruées, mais cette différence disparaît chez celles qui prennent un anovulant.

Deux zones distinctes du nez humain peuvent être considérées comme des récepteurs de phéromones : l'organe voméronasal (OVN) et l'épithélium olfactif, qui transmettent tous deux des messages au cerveau. Quelques études indiquent que ces zones peuvent réagir aux phéromones (McCoy et Pitino, 2002 ; Rako et Friebely, 2004 ; Savic et coll., 2005). Dans une étude récente, des chercheurs suédois ont identifié deux substances pouvant être des phéromones humaines : l'estratetraenol (EST), une substance chimique proche des œstrogènes et présente dans l'urine des femmes, et l'androstadienone (AND), un dérivé de la testostérone présent dans la sueur des hommes. Recourant à l'IRM et à la TEP (tomographie par émission de positrons), ces scientifiques ont constaté que l'exposition à l'EST active l'hypothalamus des hommes hétérosexuels, mais pas celui des femmes hétérosexuelles, tandis que sentir de l'AND active les structures cérébrales des femmes, mais pas celles des hommes. Autre donnée intéressante de cette étude : l'hypothalamus des hommes gais réagit à l'AND et à l'EST de la même façon que celui des femmes hétérosexuelles (Savic et coll., 2005).

Quoique ces résultats suggèrent que les humains sécrètent des phéromones, ils ne permettent pas de conclure que ces substances agissent comme attraits sexuels. Nombre de compagnies américaines et internationales n'en ont pas moins lancé des campagnes publicitaires pour vendre des eaux de Cologne et des parfums ayant supposément les propriétés des phéromones humaines

Question d'analyse critique

Selon vous, lequel des cinq sens agit le plus sur l'excitation et l'activité sexuelles ? Pourquoi ? Les hommes et les femmes accordent-ils la même importance à chacun des sens pendant leurs activités sexuelles intimes ?

(Cutler, 1999 ; Kohl, 2002 ; Small, 1999). Mais rien ne prouve que ces produits contiennent vraiment des phéromones sexuelles. Contrairement à ce que les spécialistes du marketing voudraient bien nous faire croire, Alan Hirsch, chercheur à la Smell and Taste Treatment and Research Foundation à Chicago, a observé récemment que les odeurs les plus excitantes pour les deux sexes n'étaient pas des eaux de Cologne ni des parfums. En mesurant la tumescence pénienne et l'engorgement sanguin vaginal comme critères de l'excitation sexuelle, il a en effet noté que les odeurs qui ont suscité le plus d'excitation sont celles de la réglisse, du concombre et du pain aux bananes chez les femmes, et celles de la lavande, de la tarte à la citrouille et des beignes chez les hommes. Bien qu'aucune des odeurs testées n'ait inhibé l'excitation des hommes, certaines ont inhibé l'engorgement sanguin du vagin chez les femmes, notamment les odeurs de viande cuite au barbecue, de cerise et d'eau de Cologne masculine (Adamson, 2003).

LE GOÛT

Le goût, bien moins étudié que les autres sens, semble avoir assez peu d'influence sur l'excitation sexuelle humaine. Cela vient sans doute des publicités prônant une haleine fraîche et des douches vaginales parfumées. En plus de rendre les individus très attentifs à ce que leur corps goûte ou sent, ces produits commerciaux masquent les saveurs naturelles rattachées à la sexualité. Néanmoins, certaines personnes sont encore capables de détecter et d'apprécier certaines saveurs comme celles des sécrétions vaginales ou du sperme qu'elles apprennent à associer à l'intimité sexuelle.

Lorsque je suce mon homme, je peux goûter les petites gouttes salées qui coulent de son pénis juste avant qu'il éjacule. Je deviens très excitée, car je sais qu'il est sur le point de prendre le chemin du plaisir. (Notes des auteurs)

Phéromones Substances chimiques produites par le corps, transmises par voie aérienne et associées aux fonctions reproductrices.

L'OUÏE

Durant l'activité sexuelle, l'émission de sons est aussi variable que la réponse sexuelle du partenaire. Certaines personnes trouvent les mots, la conversation érotique, les gémissements et les cris émis pendant l'orgasme très excitants ; d'autres préfèrent que leur partenaire garde le silence durant les jeux amoureux. D'autres encore, par peur ou par pudeur, font de conscients efforts pour éliminer les bruits spontanés émis durant la relation sexuelle. Prisonniers de l'image silencieuse et stoïque qui leur a été inculquée, les hommes peuvent éprouver une difficulté particulière à parler, crier ou gémir lorsqu'ils sont excités sexuellement. Pourtant, selon une étude, de nombreuses femmes affirment que le silence de leur partenaire inhibe leur propre excitation sexuelle (DeMartino, 1970). La réticence des femmes à émettre des sons durant les jeux sexuels peut être reliée à l'idée que les femmes « convenables » ne sont pas censées être passionnées au point de faire du bruit.

En plus de stimuler l'excitation sexuelle, converser durant un intermède amoureux peut informer et aider son partenaire (« j'aime quand tu me touches de cette façon », « un peu plus doucement », etc.). Si vous aimez émettre des sons et parler durant l'amour, votre partenaire pourrait en faire autant si vous prenez la peine d'en discuter ouvertement avant de commencer l'activité.

Un homme et une femme décrivent le rôle des sons dans leurs rapports sexuels.

> J'ai beaucoup de plaisir à être avec une femme qui gémit sans retenue. J'apprécie être avec une personne qui s'ouvre et qui me laisse savoir qu'elle a du plaisir. Si ma partenaire ne communique pas assez vocalement durant l'amour, je n'embarque pas. (Notes des auteurs)

> J'aime entendre nos deux corps qui se heurtent lorsque nous faisons l'amour et j'aime l'entendre gémir et en redemander. J'aime aussi l'entendre dire mon nom comme j'aime prononcer le sien. (Notes des auteurs)

LES APHRODISIAQUES ET LES ANAPHRODISIAQUES

Jusqu'à maintenant, nous avons examiné l'effet des hormones, des processus du cerveau et des stimuli sensoriels sur l'excitation sexuelle. Plusieurs autres facteurs agissent sur l'excitabilité d'une personne dans une situation donnée. Certains ont des effets directs sur la physiologie de l'excitation alors que d'autres reposent sur la conviction.

LES APHRODISIAQUES

Un **aphrodisiaque** (qui tire son nom d'Aphrodite, déesse grecque de l'amour et de la beauté) est une substance qui est supposée stimuler le désir sexuel ou augmenter la capacité d'une personne dans ses activités sexuelles. Depuis presque toujours, l'homme a cherché à raviver son désir sexuel ou à exécuter des prouesses sexuelles dignes d'un champion olympique au moyen d'agents ou de potions magiques. Le témoignage de nombreuses personnes quant à l'effet bénéfique de ces substances atteste une fois de plus le rôle crucial de la pensée sur l'activité sexuelle humaine.

Presque tous les aliments en forme de pénis ont été jugés aphrodisiaques à un moment ou un autre (Eskeland et coll., 1997 ; Foley, 2006). Beaucoup d'entre nous ont déjà entendu des blagues sur l'effet particulier des huîtres. Pourtant, pour ceux qui croient aux propriétés spéciales de ce mollusque, il n'y a pas lieu de plaisanter. Les autres aliments parfois considérés comme aphrodisiaques sont notamment la banane, le céleri, le concombre, la tomate, le ginseng et la pomme de terre (Castleman, 1997). Dans les pays asiatiques plus particulièrement, une croyance bien ancrée veut que la corne broyée d'animaux tels que le rhinocéros et le renne soit un stimulant sexuel puissant (Foley, 2006). Malheureusement, à cause de cette fausse croyance, le rhinocéros d'Afrique est en voie d'extinction (Tudge, 1991).

Plusieurs produits sont aussi censés avoir des propriétés aphrodisiaques. Celui qui a fait couler le plus d'encre est probablement l'alcool. Pourtant, loin d'être un stimulant, l'alcool a un effet dépresseur sur les centres supérieurs du cerveau, ce qui diminue les inhibitions touchant la peur et la culpabilité. Or, ces émotions commandées par le cortex entravent souvent l'expression de la sexualité (Cocores et Gold, 1989 ; McKay, 2005). L'alcool peut aussi affecter la capacité à évaluer l'information (par exemple, la nature et les conséquences d'un comportement) et enlever les inhibitions relatives aux impulsions sexuelles (MacDonald et coll., 2000). Il peut en outre influer sur l'activité sexuelle en servant de justification à un comportement qui entre normalement en conflit avec les valeurs d'une personne (« je n'ai pas pu m'en empêcher : j'avais le cerveau embrumé par l'alcool »). D'autres substances, comme la marijuana et la cocaïne, peuvent aussi entraîner des comportements sexuels à risque.

La consommation de quantités importantes d'alcool peut affecter sérieusement le fonctionnement sexuel (MacKay, 2005). Des études ont montré qu'elle entraîne une diminution de l'excitation sexuelle (sur le plan physiologique), du plaisir et de l'intensité orgasmique, ainsi qu'une difficulté croissante à atteindre l'orgasme. Ces effets ont été mesurés chez les deux sexes et s'intensifient avec le degré d'intoxication alcoolique (MacKay, 2005 ; Rosen et Ashton, 1993). Une consommation excessive d'alcool peut aussi entraîner une détérioration physique généralisée, ce qui réduit habituellement l'intérêt pour la sexualité et la capacité à accomplir des activités sexuelles.

Lorsqu'il accompagne une activité sexuelle, l'alcool peut même avoir des conséquences dangereuses. Des études ont établi une forte corrélation entre la consommation d'alcool et la propension à s'engager dans des activités sexuelles où le risque de contracter des maladies mortelles comme le sida est élevé (Dittman, 2003 ; MacDonald et coll., 2000).

Hormis l'alcool, on a imputé des propriétés aphrodisiaques à plusieurs autres agents (voir à ce sujet le tableau 3.2 et l'encadré « Au-delà des frontières »), tels que le méthylène-dioxyméthamphétamine (ou MDMA, mieux connu sous le nom d'*ecstasy*), la

L'alcool diminue les inhibitions touchant la peur, la culpabilité et les impulsions sexuelles, ce qui peut amener des personnes à avoir des comportements en conflit avec leurs valeurs.

Aphrodisiaque   Substance qui, prétendument, stimule le désir sexuel et augmente les capacités pour accomplir une activité sexuelle.

Au-delà des frontières

Un premier aphrodisiaque féminin sur le marché pharmaceutique

Une nouvelle substance susceptible d'être utilisée pour augmenter ou restaurer le désir sexuel féminin est en phase d'essai clinique (sur les humains). Cette substance, la flibansérine, serait commercialisée dès l'automne 2009 aux États-Unis sous le nom de Ectris. La flibansérine peut devenir le premier véritable aphrodisiaque qui augmenterait directement le désir sexuel depuis que le fabricant du PT-141, dont le nom générique est la brémélanotide, a abandonné sa mise en marché à la suite du refus d'homologation par la Drug and Food Administration aux États-Unis.

Il s'agit d'une découverte tout à fait fortuite. Cette molécule était étudiée pour ses effets antidépresseurs et portait le nom de BIMT-17. Les patientes qui étaient sous traitement ont rapporté une hausse de leur désir sexuel comme effet secondaire au bout de quelques semaines. La compagnie pharmaceutique Boehringer Ingelheim a alors décidé d'entreprendre de nouvelles études impliquant environ 5000 femmes pour, cette fois, évaluer le potentiel de cette molécule comme agent stimulant leur désir sexuel. Aucun effet secondaire contraire n'a été recensé. Il se pourrait même que la flibansérine aide également à traiter l'obésité, certaines douleurs chroniques, la toxicomanie et l'incontinence urinaire... Voilà un dossier à suivre.

Tableau 3.2 | **Quelques supposés aphrodisiaques et leurs effets.**

SUBSTANCE	EFFETS SUPPOSÉS	EFFETS RÉELS
Alcool	Augmente l'excitation; stimule l'activité sexuelle.	Peut réduire les inhibitions et diminuer le stress vis-à-vis du comportement sexuel à adopter. C'est en fait un agent dépresseur qui, consommé en grande quantité, peut causer une dysfonction érectile, réduire l'excitation sexuelle et l'intensité de l'orgasme.
Amphétamines (*speed, pep pills*) **et métamphétamines** (*ecstasy, ice, tina* et certains dérivés comme le *crystal meth*)	Améliorent l'humeur; augmentent les sensations et la capacité sexuelle.	Stimulent le système nerveux central, réduisent les inhibitions. Une dose élevée ou une consommation à long terme peut engendrer des troubles érectiles, retarder l'éjaculation, empêcher l'orgasme chez les deux sexes et réduire la lubrification vaginale.
Nitrate d'amyle (*poppers, snappers*)	Intensifie l'orgasme et l'excitation.	Dilate les artères qui mènent au cerveau et aux parties génitales; altère la notion du temps et produit de la chaleur dans la région pelvienne. Peut atténuer l'excitation sexuelle, diminuer ou bloquer l'érection, retarder l'orgasme et provoquer des étourdissements, des maux de tête et un évanouissement.
Barbituriques (*barbs, downers*)	Accentuent l'excitation; stimulent l'activité sexuelle.	Réduisent les inhibitions à la manière de l'alcool et peuvent atténuer le désir sexuel, affaiblir l'érection et empêcher l'éjaculation. Créent une dépendance. Une surdose peut déclencher une sévère dépression et même entraîner la mort à la suite d'une défaillance respiratoire.
Cantharidine (*spanish fly*)	Stimule les parties génitales; provoque l'envie du coït.	N'est pas un stimulant sexuel efficace. Est un irritant puissant qui enflamme les muqueuses de la vessie et de l'urètre; peut entraîner un dommage tissulaire permanent et même la mort.
Cocaïne (*coke, blow, rocks*)	Augmente la fréquence et l'intensité de l'orgasme; amplifie l'excitation.	Stimule le système nerveux central; réduit les inhibitions et augmente la sensation de bien-être; peut engendrer des troubles érectiles, causer une éjaculation spontanée, retarder l'éjaculation. Une consommation régulière peut provoquer une dépression et causer de l'anxiété. L'aspiration régulière peut produire des lésions et une perforation des voies nasales.
LSD et autres agents psychédéliques (dont la mescaline et la psilocybine)	Augmentent la réponse sexuelle.	N'ont pas d'effet physiologique direct sur la réponse sexuelle. Peuvent modifier la perception d'une activité sexuelle; sont souvent associés à des relations sexuelles insatisfaisantes.
L-dopa	Redonne de la vigueur sexuelle aux hommes plus âgés.	Aucun bienfait sur la capacité sexuelle n'a été documenté. Produit parfois un trouble douloureux appelé priapisme (érection pathologique de longue durée).
Marijuana	Améliore l'humeur et amplifie l'excitation; augmente l'activité sexuelle.	Améliore l'humeur et réduit les inhibitions d'une manière similaire à l'alcool. Altère la notion du temps, ce qui donne l'illusion d'une excitation et d'un orgasme prolongés. La consommation régulière peut entraîner une baisse du désir sexuel et une latence relativement à l'orgasme.
Yohimbine	Amplifie l'excitation sexuelle et améliore la performance sexuelle.	Semble avoir un véritable effet aphrodisiaque sur les rats. Des résultats récents indiquent qu'elle peut augmenter le désir ou accroître la performance chez certains individus.

Sources: Crenshaw (1996); Crenshaw et Goldberg (1996); Eisner et coll. (1990); Finger et coll. (1997); Rosen et Ashton (1993); Rowland et coll. (1997a); Yates et Wolman (1991); Segraves et Balon (2003); Johnson et coll. (2004).

méthamphétamine (ou *crystal meth*), les barbituriques, la cantharidine (aussi connue sous le nom de *spanish fly*), la cocaïne, le LSD et autres drogues psychédéliques ; la marijuana, le nitrate d'amyle (un médicament contre l'angine de poitrine, aussi appelé *poppers*) et la L-dopa (un médicament contre la maladie de Parkinson). Cependant, aucun de ces agents n'a les qualités d'un stimulant sexuel réel.

Un certain nombre de chercheurs mettent à l'essai différentes substances pour vérifier leur potentiel aphrodisiaque. Depuis 1920, on teste un extrait de plante, la yohimbine, un alcaloïde cristallin tiré de la sève d'un arbre d'Afrique de l'Ouest. Les expériences de chercheurs de l'Université Stanford sur des rats mâles ont montré que l'injection de yohimbine provoquait chez ces animaux une excitation et des performances sexuelles intenses (Clark et coll., 1984). Les données indiquent que la yohimbine serait un véritable aphrodisiaque et que, prise sous forme d'injection, elle pourrait aider les hommes ayant des dysfonctions érectiles (Ernst et Pittler, 1998 ; Vermani et coll., 2005 ; Rowland et coll., 1997a). D'autres études montrent également que la yohimbine augmente l'excitation physiologique chez les femmes postménopausées ayant moins de désir sexuel que la normale (Meston et Worcel, 2002).

Trois médicaments vendus sous ordonnance et utilisés pour traiter les dysfonctions érectiles masculines — le Viagra, le Levitra et le Cialis — peuvent techniquement être classés comme des aphrodisiaques parce qu'ils augmentent la capacité à avoir des activités sexuelles en favorisant la vasocongestion génitale et l'érection. Aucun de ces médicaments n'augmente le désir sexuel.

Vu la tendance universelle des humains à rechercher des substances aphrodisiaques et les avancées rapides de la médecine sexuelle, il est probable que de véritables aphrodisiaques seront mis en marché prochainement. Pour l'instant, les gens continuent d'utiliser les diverses substances décrites ci-haut malgré l'absence de preuves quant à leurs propriétés. Pourquoi tant de personnes à travers le monde ne jurent-elles que par les effets de la poudre de corne de rhinocéros, d'une salade spéciale composée d'huîtres et de bananes, ou de la marijuana avant une soirée de flirt ? La réponse réside dans la conviction et l'autosuggestion, souvent en cause lorsqu'on prétend qu'un produit est aphrodisiaque. Si une personne est convaincue qu'une substance améliorera sa vie sexuelle, cette croyance se traduira souvent par une augmentation de son plaisir sexuel. Dans cette perspective, n'importe quelle

Question d'analyse critique

Supposons que l'on découvre une substance ayant un véritable effet aphrodisiaque. Quels seraient les bienfaits qu'entraînerait la consommation de cette substance ? Quels seraient les abus possibles ? Est-ce que vous envisagez d'utiliser un aphrodisiaque à un moment donné ? Dans l'affirmative, à quelles conditions ?

substance pourrait être un stimulant sexuel potentiel. Theresa Crenshaw (1996) a fait une observation très pertinente à ce propos : « L'amour, peu importe comment on le définit, semble être le meilleur des aphrodisiaques. »

LES ANAPHRODISIAQUES

On connaît plusieurs agents qui inhibent le comportement sexuel. Ces substances sont appelées **anaphrodisiaques** et comptent notamment de nombreux médicaments tels que les antiandrogènes (dont nous avons vu le rôle précédemment), les opiacés, les antihypertenseurs (pour réduire la tension artérielle), les antidépresseurs, les médicaments contre les ulcères d'estomac, les coupe-faim, les stéroïdes, les anticonvulsivants (pour traiter l'épilepsie), les médicaments pour traiter les maladies cardiovasculaires, les médicaments qui diminuent le taux de cholestérol sanguin, les anti-allergiques causant de la somnolence, les médicaments contre le cancer, les diurétiques et les antifongiques (Crenshaw et Goldberg, 1996 ; DeLamater et Sill, 2005 ; Finger et coll., 1997).

De nombreux indices montrent que la consommation régulière d'opiacés, tels que l'héroïne, la morphine et la méthadone, engendre souvent une baisse notable, voire majeure, de l'intérêt pour la sexualité et une diminution de l'activité sexuelle chez les deux sexes (Ackerman et coll., 1994 ; Finger et coll., 1997), provoque des dysfonctions érectiles, empêche l'éjaculation et, plus spécifiquement chez les femmes, diminue la capacité à atteindre l'orgasme.

Il a été démontré que les tranquillisants couramment utilisés pour traiter une variété de troubles affectifs

Anaphrodisiaque Substance qui atténue le désir sexuel et inhibe le comportement sexuel.

diminuent parfois la motivation sexuelle, causent des troubles érectiles et retardent ou empêchent l'orgasme chez l'homme comme chez la femme (Crenshaw et Goldberg, 1996 ; Olivera, 1994).

Il a été prouvé expérimentalement que plusieurs antihypertenseurs empêchent réellement l'érection et l'éjaculation, et diminuent l'intensité de l'orgasme masculin ainsi que le désir sexuel chez les deux sexes (DeLamater et Sill, 2005 ; Finger et coll., 1997).

De même, presque tous les antidépresseurs (exception faite du Bupropion) ont des effets négatifs sur la réponse sexuelle : ils diminuent le désir, retardent ou empêchent l'orgasme chez les deux sexes et causent des difficultés érectiles (Gregorian et coll., 2002 ; Michelson et coll., 2002).

Les antipsychotiques ont eux aussi tendance à entraver la réponse sexuelle. Leurs effets secondaires comprennent des difficultés érectiles et une éjaculation retardée chez les hommes, et des difficultés à atteindre l'orgasme et une panne de désir chez les deux sexes (Finger et coll., 1997).

Beaucoup de gens sont étonnés d'apprendre que le contraceptif oral est aussi souvent associé à une dimi-nution du désir. Une étude récente sur les effets de quatre contraceptifs oraux (les implants sont probablement en cause aussi) sur les hormones sexuelles a montré qu'ils provoquent tous une réduction du taux de testostérone libre dans le sang (Wiegratz et coll., 2003). Comme nous l'avons vu précédemment, la testostérone libre influence la libido féminine et masculine. Une autre étude a montré que l'excitation sexuelle (mesurée par photopléthysmographie) produite par des vidéos érotiques était inhibée par l'utilisation de contraceptifs oraux chez des jeunes femmes (Seal et coll., 2005).

L'anaphrodisiaque le plus courant et le moins connu est la nicotine. Il existe des preuves que fumer peut altérer le désir et les fonctions sexuelles parce que cela provoque la contraction des vaisseaux sanguins (ce qui retarde la vasocongestion engendrée par la stimulation sexuelle) et peut réduire le taux de testostérone sanguin (McKay, 2005 ; Mannino et coll., 1994). Toutefois, le lien entre la nicotine et la réduction de la testostérone libre dans le sang n'est pas encore établi avec certitude (Kapoor et Jones, 2005). Par contre, la nicotine est associée aux difficultés érectiles de façon marquée, 40 % des hommes souffrant de ce trouble étant des fumeurs (Sighinolfi MC et coll., 2007).

LA RÉPONSE SEXUELLE

La réponse sexuelle humaine est un processus physique, affectif et mental très différent d'une personne à l'autre. Néanmoins, certains changements physiologiques communs à de nombreuses personnes nous permettent d'esquisser les grandes lignes du cycle de la réponse sexuelle. Masters et Johnson (1966) et Helen Kaplan (1979), auteurs et sexologues célèbres, ont décrit différents modèles de réponse sexuelle.

LE MODÈLE À QUATRE PHASES DE MASTERS ET JOHNSON

Masters et Johnson ont observé quatre phases dans le mode de réponse sexuelle chez les deux sexes : l'excitation, le plateau, l'orgasme et la résolution. Leur modèle se caractérise par une très grande similitude entre la réponse sexuelle masculine et la réponse sexuelle féminine (voir les figures 3.2 et 3.3). Il y a cependant une différence significative entre les deux : la présence d'une période réfractaire (période pendant laquelle les stimulations ne produisent plus de réactions) dans la phase de résolution masculine.

Le caractère simplifié des diagrammes des figures 3.2 et 3.3 peut facilement masquer la richesse des situations individuelles. Masters et Johnson n'ont modélisé que la réponse physiologique aux stimuli sexuels. L'enchaînement des réactions biologiques est relativement prévisible, mais la diversité des réactions individuelles à l'excitation sexuelle est considérable. Nous y reviendrons plus loin dans ce chapitre.

Chez l'homme et la femme, deux réponses physiologiques fondamentales surviennent après une stimulation sexuelle efficace : la vasocongestion et la myotonie. Presque toutes les réponses biologiques en jeu durant l'excitation sexuelle reposent sur ces deux réactions fondamentales.

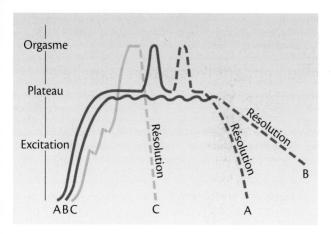

Figure 3.2 | **Le cycle de la réponse sexuelle féminine.** Masters et Johnson ont identifié trois modes fondamentaux de réponse sexuelle féminine. La courbe A ressemble le plus au mode de réponse masculine, hormis le fait que la femme peut avoir un ou plusieurs orgasmes avant de chuter du plateau correspondant à l'excitation sexuelle maximale. Les variantes de cette réponse comprennent un plateau prolongé sans orgasme (courbe B) et une montée rapide vers l'orgasme sans plateau, suivie d'une résolution très rapide (courbe C). (*Source :* Masters et Johnson, 1966.)

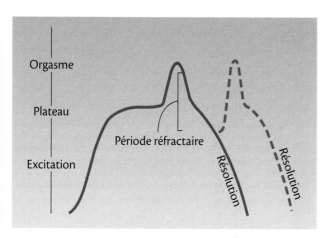

Figure 3.3 | **Le cycle de la réponse sexuelle masculine.** Masters et Johnson n'ont identifié qu'un seul mode de réponse sexuelle masculine. Cependant, les hommes ont démontré des différences considérables dans ce mode de réponse. Remarquez la présence de la période réfractaire : chez les hommes, le premier orgasme n'est jamais immédiatement suivi d'un deuxième. (*Source :* Masters et Johnson, 1966.)

LA VASOCONGESTION ET LA MYOTONIE

La **vasocongestion** est le phénomène par lequel les tissus se gorgent de sang en réponse à une excitation sexuelle. Habituellement, l'afflux de sang dans les artères des organes et des tissus est contrebalancé par le volume sanguin évacué par les veines. Or, durant l'excitation sexuelle, les artères se dilatent, ce qui augmente l'afflux au-delà de la capacité des veines à évacuer le sang. Il s'ensuit une vasocongestion généralisée des tissus superficiels et profonds. Les parties congestionnées apparentes peuvent alors être enflammées, rouges et chaudes à cause du surplus de sang. Les manifestations les plus visibles de ce phénomène sont l'érection du pénis et la lubrification du vagin. D'autres parties du corps peuvent se gorger de sang : les lèvres de la vulve, les testicules, le clitoris, les mamelons, les aréoles et même le lobe des oreilles.

Comme nous l'avons vu au chapitre 2, Masters et Johnson ainsi que d'autres chercheurs ont utilisé des appareils tels que le photopléthysmograghe vaginal et l'extensiomètre pénien pour mesurer électroniquement la vasocongestion durant l'excitation sexuelle. Les chercheurs ont aussi commencé à explorer les bénéfices que l'imagerie par résonance magnétique (IMR) pourrait apporter à l'étude de la réponse sexuelle. Cette nouvelle méthode d'analyse de la physiologie de la réponse sexuelle est décrite dans l'encadré « Pleins feux sur la recherche ».

La seconde réponse physiologique fondamentale à la stimulation sexuelle est la **myotonie**, c'est-à-dire la tension musculaire qui s'accentue dans tout le corps pendant l'excitation sexuelle. À la fois des contractions volontaires et involontaires participent à la myotonie. Ses effets les plus perceptibles sont les contractions du visage, les spasmes des mains et des pieds, et les spasmes musculaires caractéristiques de l'orgasme.

Peu importe la méthode de stimulation, les phases du cycle de la réponse sexuelle suivent une même séquence. La masturbation, la stimulation manuelle par son partenaire, le plaisir oral, la pénétration, les fantasmes, les rêves et, chez certaines femmes, la stimulation des seins, font tous partie du cycle de réponse. Souvent, l'intensité et la rapidité d'une réponse varient selon le type de stimulation.

Vasocongestion Phénomène par lequel les vaisseaux se gorgent de sang, plus particulièrement dans les parties du corps qui répondent à la stimulation sexuelle.

Myotonie Tension musculaire (laquelle augmente durant l'excitation sexuelle).

Pleins feux sur la recherche

L'observation du fonctionnement du cerveau pendant l'excitation sexuelle au moyen de l'imagerie par résonance magnétique

La recherche de pointe montre les avantages de l'imagerie par résonance magnétique (IRM). Cette technologie basée sur l'utilisation des champs et des ondes électromagnétiques procure des images en trois dimensions très détaillées et précises du cerveau et d'autres parties du corps. Elle permet d'observer les changements qui surviennent dans les tissus mous et les flux sanguins. Les chercheurs ont démontré que l'IRM peut être utile pour enregistrer ce qui se passe dans le cerveau pendant l'excitation sexuelle ou une autre activité sexuelle (Arnow et coll., 2002; Holstege et coll., 2003; Karama et coll., 2002; Whipple et Komisaruk, 2005).

Dans une étude, des sujets des deux sexes regardaient des vidéoclips érotiques pendant qu'ils étaient observés au moyen de l'IRM (Karama et coll., 2002). Une zone du système limbique s'est activée, particulièrement le corps amygdaloïde et le gyrus cingulaire (Arnow et coll., 2002). Une autre étude a enregistré l'activité cérébrale pendant les orgasmes féminins. De hauts taux d'activité ont été observés dans plusieurs régions du système limbique, dont l'hypothalamus, le corps amygdaloïde, l'hippocampe et le gyrus cingulaire (Whipple et Komisaruk, 2005).

Les résultats d'autres études du même type ont prouvé que l'IRM est un excellent outil pour observer ce qui se passe dans le cerveau pendant l'excitation et la réponse sexuelles. Cette technique promet de grandes avancées dans la compréhension du rôle du cerveau dans nos sexualités.

Dans les pages qui suivent, nous dresserons la liste des réactions courantes chez les deux sexes et de celles propres à chacun. Remarquez la forte similitude entre la réponse sexuelle des hommes et celle des femmes (voir le tableau 3.3). Dans la dernière partie du chapitre, nous examinerons en détail quelques différences importantes entre les deux modèles de réponse.

L'EXCITATION

La première phase du cycle de la réponse sexuelle, la **phase d'excitation**, est caractérisée par plusieurs réactions communes aux hommes et aux femmes, notamment la tension musculaire et une augmentation du rythme cardiaque et de la pression artérielle. Des **rougeurs sexuelles** peuvent se manifester, plus souvent chez les femmes que chez les hommes. La durée de la phase d'excitation peut varier en temps (de moins d'une minute à quelques heures) et en intensité (passant de faible à forte avec des modulations).

Bien que les réactions physiologiques décrites dans les figures expriment des tendances générales, les individus perçoivent différemment ces changements. Les deux témoignages suivants, l'un féminin et l'autre masculin, illustrent bien que la subjectivité colore les réactions à la stimulation sexuelle.

> Lorsque je suis excitée, je ressens de la chaleur partout sur le corps. J'aime me faire étreindre et me faire masser des parties autres que mes parties génitales. Cependant, après un moment, je préfère les caresses plus directes afin d'atteindre l'orgasme. (Notes des auteurs)

> Quand je suis excité, mon corps en entier est rempli d'énergie. Parfois, ma bouche s'assèche et ma tête est légère. Je désire que tout mon corps soit touché et caressé, pas uniquement mes parties génitales. J'aime particulièrement la sensation du moment précédant l'orgasme. Je sais qu'il m'attend et qu'il m'incite à poursuivre plus loin. Un orgasme rapide peut être plaisant, mais habituellement, je préfère que la période d'excitation dure tant que je peux résister, jusqu'à ce que mon pénis demande grâce et se meure pour les caresses qui l'amèneront à l'extase. (Notes des auteurs)

Phase d'excitation   Expression employée par Masters et Johnson pour décrire la première phase du cycle de la réponse sexuelle, au cours de laquelle les organes sexuels se gorgent de sang, et la tension musculaire, le rythme cardiaque et la tension artérielle augmentent.

Rougeur sexuelle   Éruption rosée ou rouge qui peut apparaître sur la poitrine ou les seins durant l'excitation sexuelle.

Phase de plateau   Expression inventée par Masters et Johnson pour identifier la deuxième phase du cycle de la réponse sexuelle, dans laquelle la tension musculaire, le rythme cardiaque, la pression artérielle et la vasocongestion s'accentuent.

Tableau 3.3 | **Les principaux changements physiologiques liés aux quatre phases de la réponse sexuelle.**

PHASE	RÉACTIONS COMMUNES AUX DEUX SEXES	CHEZ LA FEMME	CHEZ L'HOMME
Excitation	• Augmentation de la myotonie, du rythme cardiaque et de la pression artérielle. • Rougeurs sexuelles (surtout chez la femme).	• Augmentation de la taille du clitoris. • Écartement des grandes lèvres de l'ouverture du vagin. • Accentuation de la couleur et augmentation de la taille des petites lèvres. • Début de la lubrification. • Élévation de l'utérus. • Augmentation du volume des seins.	• Début de l'érection du pénis. • Élévation et engorgement des testicules. • Épaississement et tension de la peau scrotale.
Plateau	• Forte myotonie et parfois contractions involontaires des mains et des pieds. • Augmentation des rythmes cardiaque et respiratoire et de la pression artérielle.	• Rétraction du clitoris sous le prépuce. • Élévation maximale de l'utérus. • Établissement de la plateforme orgasmique (engorgement du tiers externe du vagin). • Gonflement des aréoles.	• Sécrétion possible des glandes de Cowper. • Engorgement et élévation plus prononcés des testicules.
Orgasme	• Spasmes musculaires involontaires de tout le corps. • Pression artérielle, rythmes respiratoire et cardiaque à leur maximum. • Contractions involontaires du sphincter rectal.	• Maintien de la rétraction du clitoris sous le prépuce. • De 3 à 15 contractions rythmiques de la plateforme orgasmique. • Contractions de l'utérus. • Pas de changement dans le volume des seins et des mamelons.	• Phase d'émission. • Contraction des structures internes qui provoque l'accumulation du liquide séminal dans le bulbe urétral. • Contraction du sphincter urétral externe. • Phase d'expulsion. • Expulsion du liquide séminal par la contraction des muscles entourant la base du pénis.
Résolution	• Relâchement de la myotonie ; retour à la normale de la pression artérielle, des rythmes respiratoire et cardiaque tout de suite après l'orgasme. • Disparition rapide des rougeurs sexuelles. • Atténuation progressive de l'érection des mamelons.	• Descente du clitoris et lent retour à l'état de repos. • Détumescence des grandes et petites lèvres et retour à la couleur originale. • Retour de l'utérus à sa position habituelle. • En l'absence d'orgasme après une période d'intense excitation, ralentissement considérable de la phase de résolution.	• Maintient de l'érection durant encore quelques minutes ; diminution rapide de la grosseur du pénis, puis lent retour à sa taille normale. • Descente des testicules et retour à leur taille normale. • Relâchement de la peau du scrotum qui retrouve son apparence plissée. • Résolution assez rapide chez la plupart des hommes. • Phase réfractaire • Absence de réaction génitale même aux stimulations. • Quelques minutes chez le jeune adolescent, mais jusqu'à une ou deux journées chez l'homme âgé.

LE PLATEAU

Appeler cette phase « plateau » est un choix de terme malheureux : en science du comportement, le mot *plateau* s'utilise habituellement pour décrire un niveau pendant lequel aucun changement comportemental ne peut être détecté. Par exemple, il peut désigner une zone à plat d'une courbe du comportement où rien ne change pendant un certain temps. La **phase de plateau** chez l'homme est schématisée dans la figure 3.3 et chez la femme dans la figure 3.2 (courbe A). La phase de plateau implique une importante montée de la tension sexuelle chez les deux sexes (c'est-à-dire une augmentation de la pression artérielle et du rythme respiratoire) qui continue d'augmenter jusqu'au point culminant qui mène à l'orgasme.

La phase de plateau est souvent très courte et ne dure, en général, que quelques secondes ou quelques minutes. Cependant, beaucoup d'individus affirment que le maintien de la tension sexuelle à cette étape engendre une plus grande excitation et, ultérieurement, un orgasme plus intense.

L'ORGASME

Une stimulation efficace et continue conduit beaucoup d'individus de la phase de plateau à l'**orgasme**. Cela est vrai surtout pour les hommes qui atteignent presque toujours l'orgasme après la phase de plateau. Les femmes peuvent, contrairement aux hommes, atteindre et maintenir un certain degré d'excitation sans nécessairement parvenir à l'orgasme. C'est souvent le cas chez les couples hétérosexuels lorsque l'homme jouit le premier lors de la pénétration ou qu'il remplace une stimulation buccogénitale ou manuelle efficace par une pénétration au moment où la femme est sur le point d'atteindre l'orgasme. L'orgasme est la phase la plus courte du cycle de la réponse sexuelle et ne dure habituellement que quelques secondes.

Chez les deux sexes, l'orgasme peut se traduire par une combinaison de sensations extrêmement agréables et intenses. Cependant, la question de savoir si les sensations diffèrent selon le sexe fait toujours l'objet d'un grand débat. Deux analyses distinctes de descriptions d'orgasmes fournies par des étudiants ont permis d'approfondir la question (Wiest, 1977; Wiest et coll., 1995). Une comparaison effectuée à l'aide d'une échelle d'évaluation psychologique classique a démontré que les descriptions subjectives d'orgasmes ne permettent pas de faire une distinction entre les sexes, dans les deux analyses. Une étude précédente, dans laquelle 70 spécialistes ont tenté d'établir le sexe des personnes à partir de la description de leurs sensations orgasmiques, a donné des résultats similaires (Proctor et coll., 1974). Une enquête plus récente a montré que lorsque les hommes et les femmes sont invités à décrire leur expérience subjective de l'orgasme, les termes qu'ils emploient sont plus souvent semblables que différents (Mah et Binik, 2002).

Par-delà la question de la différence de sensations selon le sexe, il apparaît clairement que la perception de l'orgasme varie notablement d'une personne à l'autre (voir l'encadré «Les uns et les autres»).

Bien qu'on ait aujourd'hui une bonne connaissance de la physiologie de la réponse orgasmique féminine, de fausses informations continuent de courir à ce sujet dans notre culture. Sigmund Freud (1905) a proposé une théorie opposant l'orgasme vaginal à l'orgasme clitoridien, théorie qui a faussé l'opinion populaire concernant la réponse sexuelle féminine. Les disciples de Freud considéraient l'orgasme vaginal comme plus «mature» en tant que comportement que l'orgasme clitoridien, donc préférable. De cette présomption on a conclu que les sensations érotiques, l'excitation et l'orgasme liés à la stimulation directe du clitoris sont l'expression d'une sexualité «masculine» plutôt que «féminine» (Sherfey, 1972). Cette théorie reposait sur l'idée que le clitoris serait une sorte de pénis réduit, ce qui n'est pas le cas (voir le chapitre 2).

LA RÉSOLUTION

Pendant la phase finale du cycle de la réponse sexuelle, la **phase de résolution**, le système sexuel retourne à son état antérieur à l'excitation. Si aucune nouvelle excitation ne se produit, cette phase débute immédiatement après l'orgasme. La rapidité du retour à l'état de non-excitation varie selon les individus. Les deux témoignages suivants, l'un masculin et l'autre féminin, donnent un aperçu de la façon dont des personnes se sentent après l'orgasme.

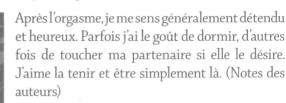

> Après l'orgasme, je me sens généralement détendu et heureux. Parfois j'ai le goût de dormir, d'autres fois de toucher ma partenaire si elle le désire. J'aime la tenir et être simplement là. (Notes des auteurs)

> Après l'orgasme, je me sens très détendue. Mon humeur varie: des fois, je suis prête à recommencer, d'autres fois, je me lève et j'aime m'occuper, alors que d'autres fois, je désire dormir. (Notes des auteurs)

L'expérience subjective de ces personnes se ressemble. Pourtant, il y a une différence importante entre les réactions masculines et féminines durant cette phase: la disposition physiologique à une autre stimulation sexuelle. Après l'orgasme, l'homme entre

Les uns et les autres

La diversité des descriptions subjectives de l'orgasme

Les témoignages personnels suivants, provenant des notes des auteurs, font état de la diversité des descriptions de l'orgasme. Le premier témoignage est celui d'une femme et le deuxième, celui d'un homme. Les trois derniers — , comme nous le voyons dans identifiés A, B et C — ne donnent aucune indication sur le sexe de la personne. Peut-être aimeriez-vous savoir s'ils viennent d'un homme ou d'une femme ? Les informations sont données à la fin du chapitre, après le résumé.

Une femme : Quand je suis sur le point d'avoir un orgasme, mon visage devient très chaud. Je ferme les yeux et j'ouvre ma bouche. Cela part de mon clitoris et c'est comme des courants électriques qui irradient jusqu'à ma poitrine et redescendent dans mes jambes jusqu'aux pieds. Parfois, je sens comme le besoin d'uriner. Mon vagin se contracte de partout 5 à 12 fois. Toute ma vulve est comme gonflée et lourde. Aucune autre sensation ne ressemble à cela, c'est fantastique.

Un homme : Chez moi l'orgasme draine toute mon énergie vers le centre de mon corps. Puis, soudainement, toute cette énergie passe à travers mon pénis. Mon corps devient chaud et engourdi avant l'orgasme ; après, je me détends graduellement et me sens extrêmement serein.

Témoignage A : C'est comme un Almond Joy (friandise à l'amande), «indescriptible»! La sensation part du dessus de ma tête et va jusqu'au bout de mes orteils comme une puissante charge de plaisir. Cela m'amène au-delà de mon moi physique, dans un autre niveau de conscience, et là, la sensation semble purement physique. C'est vraiment paradoxal! C'est tout mélangé, l'intérieur et l'extérieur. J'aime cela simplement parce que c'est à moi et à moi seulement.

Témoignage B : Un orgasme, pour moi, c'est comme le paradis. Toutes mes préoccupations et mes anxiétés sont évacuées. Vous êtes au point de non-retour et c'est un désir incontrôlable que tout se produise. Je crois que le sexe et l'orgasme sont l'une des choses les plus grandioses que nous ayons. C'est une grande expérience de partage selon moi.

Témoignage C : L'orgasme est le plus grand moment que j'ai pour moi-même. Je n'exclus pas mon partenaire, mais c'est comme si je n'entendais plus rien et tout ce que je ressens est une merveilleuse détente avec plus de plaisir que n'importe quoi d'autre pourrait me procurer.

habituellement dans la **période réfractaire**, une période pendant laquelle une nouvelle montée de l'excitation physiologique ne peut pas se produire, peu importe la stimulation. La durée de cette période peut varier de quelques minutes à plusieurs jours et dépend de facteurs tels que l'âge, le moment de la précédente activité sexuelle, le degré d'intimité entre les partenaires et le désir de l'un envers l'autre. À la différence des hommes, les femmes n'ont généralement pas de période réfractaire comparable : elles sont physiologiquement aptes à atteindre à nouveau un pic orgasmique à n'importe quel moment de la phase de résolution. Une femme peut alors désirer ou non poursuivre une activité sexuelle : cela pourrait dépendre du type de stimulation en cause (Desjardins, 2007).

LE MODÈLE À TROIS PHASES DE KAPLAN

La psychiatre Helen Kaplan a critiqué la quatrième phase du modèle de Masters et Johnson, la phase de résolution, pour sa non-pertinence au niveau clinique. De plus, Kaplan a estimé que Masters et Johnson

Orgasme Série de contractions musculaires du plancher pelvien au point culminant de l'excitation sexuelle.

Phase de résolution Quatrième phase du cycle de la réponse sexuelle décrit par Masters et Johnson, dans laquelle le système sexuel retourne au repos.

Période réfractaire Période de temps qui suit l'orgasme masculin durant laquelle l'homme ne peut pas atteindre un autre orgasme.

ne rendaient pas compte d'un élément très impliqué dans le fonctionnement sexuel : le désir. Elle a donc proposé, sur la base de sa vaste expérience de sexologue, un modèle qui comprend trois phases : le désir, l'excitation et l'orgasme (voir la figure 3.4). Kaplan suggère que les troubles sexuels touchent nécessairement l'une ou l'autre de ces trois phases et qu'une personne peut éprouver des problèmes dans une des phases, mais fonctionner normalement dans les deux autres.

Une des caractéristiques du modèle de Kaplan est que le désir y est considéré comme une phase à part entière du cycle de la réponse sexuelle. Beaucoup d'auteurs, dont Masters et Johnson, ne s'attardent pas aux aspects de la réponse sexuelle autres que les modifications génitales. Le modèle de Kaplan a d'abord été accueilli avec enthousiasme, car il corrigeait une lacune dans le modèle de Masters et Johnson. Mais il est admis aujourd'hui que le simple fait d'ajouter une phase de désir ne fournit par pour autant un modèle complet du cycle de la réponse sexuelle. Le problème, avec cette insertion du désir dans le modèle, vient de ce qu'au moins 30 % des femmes sexuellement expérimentées et atteignant l'orgasme n'ont jamais eu ou que rarement de désir sexuel spontané (Levin, 2002). Cela rejoint les résultats de l'étude de Basson (2000) montrant qu'avec les années, surtout chez les femmes, les relations sexuelles sont souvent motivées par des sentiments comme l'amitié. Par exemple, dans l'enquête National Health Social Life, 33 % des femmes ont déclaré ne pas avoir d'intérêt pour le sexe, comparativement à 16,5 % des hommes (Laumann et coll., 1994).

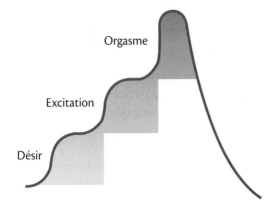

Figure 3.4 | **La réponse sexuelle en trois phases selon Kaplan.** Ce modèle se distingue des autres par la présence du désir, une phase qui amorce la réponse sexuelle. (*Source* : Kaplan, 1979.)

En clair, l'expression de la sexualité n'est pas obligatoirement précédée du désir. Par exemple, un couple peut s'engager dans une activité sexuelle même si les deux partenaires ne ressentent pas nécessairement l'envie de faire l'amour. En dépit de leur manque de désir, il est fréquent que leurs corps se mettent à répondre sexuellement à l'activité amorcée.

LE POINT DE GRÄFENBERG

Contrairement à Freud, Masters et Johnson et Kaplan suggèrent qu'il n'y aurait qu'une sorte d'orgasme féminin, peu importe la méthode utilisée pour le déclencher. La plupart des femmes atteignent l'orgasme par la stimulation directe ou indirecte du clitoris. Cependant, comme nous l'avons déjà écrit, des femmes peuvent avoir des orgasmes par la seule présence de fantasmes pendant le sommeil (orgasmes nocturnes) ou par la stimulation d'autres régions du corps, comme les mamelons ou le point de Gräfenberg (point G).

Plusieurs études ont indiqué que certaines femmes sont capables de parvenir à l'orgasme et même d'éjaculer grâce à la stimulation vigoureuse de la portion antérieure de leur vagin (Levin, 2003 ; Komisaruk et Whipple, 1999). Cette région érotiquement sensible a été appelée *point de Gräfenberg*, ou *point G*, du nom d'Ernest Gräfenberg (1950), gynécologue qui en a noté pour la première fois l'importance érotique, il y a environ soixante ans de cela. Le point de Gräfenberg ne serait pas un endroit précis que l'on peut toucher avec un doigt, mais plutôt une région assez grande englobant une partie de la paroi antérieure du vagin, de la portion urétrale située au-dessus de ce dernier et des glandes environnantes (glandes de Skene) (Heath, 1984).

On peut localiser le point de Gräfenberg par une palpation systématique de la paroi antérieure du vagin, la région située entre la face postérieure de l'os pubien et le col de l'utérus. Deux doigts sont habituellement nécessaires. Il faut appuyer fermement sur le tissu si l'on veut toucher le point en question (Perry et Whipple, 1981). La femme peut faire cette exploration par elle-même ou avec l'aide de son partenaire (voir la figure 3.5). La documentation sexologique fait aussi état du déclenchement possible d'une « expulsion orgasmique » à la suite d'une stimulation manuelle ou orale du clitoris ou de pressions péniennes sur le col de l'utérus (Marcotte et Crépault, 1988, cités dans Paradis et Lafond, 1990).

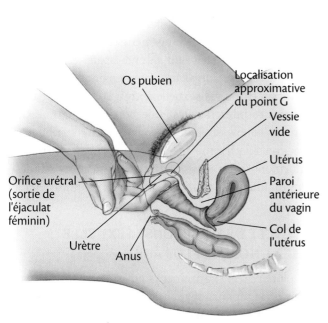

Figure 3.5 | **À la recherche du point G.** Habituellement, la stimulation se fait à deux doigts. Il est souvent nécessaire d'exercer une forte pression sur la paroi antérieure du vagin pour y accéder.

Le phénomène le plus étonnant associé aux orgasmes produits par la stimulation du point G est l'émission d'un liquide par l'ouverture urétrale (Schubach, 1996 ; Whipple, 2000). Selon certaines recherches, ce fluide viendrait des glandes de Skene, dont les conduits se déversent directement dans l'urètre. Les tissus du point G et ceux de la prostate masculine étant très similaires, il est possible que la composition de cet éjaculat féminin soit proche de celle du liquide séminal masculin (Zaviacic et Whipple, 1993). Cette hypothèse repose sur une analyse du liquide féminin montrant qu'il contient une grande quantité d'un enzyme caractéristique du liquide séminal masculin, la phosphatase acide de la prostate (PAP) (Addiego et coll., 1981 ; Belzer et coll., 1984). Certaines femmes ont d'ailleurs affirmé que l'odeur de ce fluide s'apparentait à celle du sperme, quoique moins prononcée. Cependant, d'autres recherches ont établi que la composition chimique de cet éjaculat le rapprochait davantage de l'urine que du sperme (Alzate, 1990 ; Schubach, 1996). Un élément intéressant à noter à ce sujet est que l'analyse biochimique des tissus glandulaires de la « prostate féminine » a révélé la présence de l'antigène spécifique de la prostate, une substance sécrétée par la prostate masculine (Zaviacic et coll., 2000).

Les orgasmes issus de la stimulation du point G et parfois accompagnés d'une éjaculation sont relativement bien documentés. Toutefois, ce phénomène est encore bien mal compris. Quelle est, par exemple, la fréquence de ces éjaculations ? Lors d'une enquête auprès de professionnelles canadiennes et américaines (1289 femmes ont répondu au questionnaire sur les 2350 l'ayant reçu), 40 % des répondantes ont déclaré avoir eu quelques fois une éjaculation lors d'un orgasme, et 66 % ont affirmé que la stimulation d'une zone sensitive particulière leur procurait du plaisir (Darling et coll., 1990). Le point (ou la région) de Gräfenberg correspond-il véritablement à la prostate chez l'homme ? Il est clair que d'autres recherches seront nécessaires pour pouvoir répondre à cette question (Mah et Binik, 2001 ; Levin, 2003).

L'AVANCÉE EN ÂGE ET LE CYCLE DE LA RÉPONSE SEXUELLE

Avec le vieillissement, les personnes se rendent compte de certains changements dans l'excitation et la réponse sexuelles. Dans cette section, nous allons présenter quelques-unes des modifications les plus courantes qui se produisent avec l'âge dans le cycle de la réponse sexuelle chez les hommes et les femmes.

LE CYCLE DE LA RÉPONSE SEXUELLE CHEZ LA FEMME PLUS ÂGÉE

Généralement, chez les femmes plus âgées, toutes les phases de la réponse sexuelle se maintiennent, mais avec une intensité moindre (Masters et Johnson, 1966 ; Segraves et Segraves, 1995).

L'excitation

À la première phase de la réponse sexuelle, la lubrification vaginale, survient généralement plus lentement chez la femme plus âgée. Au lieu de prendre de dix à trente secondes, cela peut demander plusieurs minutes. Dans la plupart des cas, la lubrification est aussi moindre (Kingsberg, 2002 ; Nusbaum et coll., 2005). Les observations par photopléthysmographe indiquent que l'augmentation du volume sanguin du vagin pendant l'excitation est moins forte après la ménopause. Ce qui n'empêche pas la femme ménopausée d'avoir des niveaux d'activité et de satisfaction sexuelles semblables à ceux de la femme non ménopausée. Cela pourrait indiquer que la vasocongestion demeure dans les limites requises pour un fonctionnement normal de l'activité sexuelle (Morrell et coll., 1984). Une autre étude montre que les femmes qui ont des relations sexuelles une ou deux fois par semaine ont une meilleure lubrification vaginale que celle qui ont des relations sexuelles épisodiques (Brackett et coll., 1994). Lorsque la lubrification et l'extension du vagin pendant la réponse sexuelle sont très diminuées, les femmes peuvent ressentir de l'inconfort ou de la douleur (Mansfield et coll., 1995). Certaines font état d'une diminution de leur désir sexuel et de la sensibilité de leur clitoris, diminution qui nuit à l'excitation sexuelle. L'hormonothérapie, une crème vaginale avec œstrogènes ou l'emploi d'un lubrifiant peuvent aider à combattre ces symptômes (Kingsberg, 2002).

Le plateau

Pendant la phase de plateau, il y a une augmentation de la plateforme orgasmique et une élévation de l'utérus. Chez la femme ménopausée, ces deux réactions sont moins prononcées qu'avant la ménopause (Masters et Johnson, 1966).

L'orgasme

Les contractions de la plateforme orgasmique et de l'utérus continuent de se produire chez la femme âgée, mais généralement en moins grand nombre. La femme âgée peut encore avoir des orgasmes multiples et elle en a (Nusbaum et coll., 2005). Cependant, plusieurs ont besoin d'une plus longue période de stimulation pour atteindre l'orgasme et quelques-unes ont plus de difficulté à l'atteindre (Nusbaum et coll., 2005 ; Sarrel, 1988).

L'orgasme semble être un aspect important de l'activité sexuelle chez la femme âgée. Lors d'une enquête, 69 % des femmes de 60 à 91 ans ont répondu « l'orgasme » à la question « Que considérez-vous comme une bonne expérience sexuelle ? » (Starr et Weiner, 1981). Seulement 17 % ont donné « le coït » comme réponse. De plus, « l'orgasme » a aussi été la réponse la plus fréquente à la question : « Qu'est-ce qui est le plus important pour vous dans la relation sexuelle ? » Pour 65 % des répondantes, la fréquence des orgasmes était la même que lorsqu'elles étaient plus jeunes.

La résolution

La phase de résolution est plus courte chez la femme ménopausée (Nusbaum et coll., 2005). La plateforme orgasmique courte disparaît rapidement. Le vagin et le clitoris reviennent plus rapidement à l'état de repos. Cela est dû à une moins grande vasocongestion pelvienne pendant l'excitation.

En résumé, les effets du vieillissement sur la sexualité féminine sont divers. La plupart des femmes ne connaissent que des changements mineurs, alors que quelques-unes voient leur intérêt sexuel et leur capacité à atteindre l'orgasme sérieusement diminués. Le maintien d'une vie sexuelle active, la présence d'un(e) partenaire intéressé(e) et une bonne communication dans le couple sont des éléments qui contribuent à procurer à la femme âgée une vie sexuelle gratifiante. L'hormonothérapie peut s'avérer utile à celles qui désirent maintenir la qualité de leur réponse sexuelle.

LE CYCLE DE LA RÉPONSE SEXUELLE CHEZ L'HOMME PLUS ÂGÉ

La plupart des changements qui surviennent dans le cycle de la réponse sexuelle des hommes plus âgés ont trait à l'intensité et à la durée de la réponse (Masters et Johnson, 1966 ; Segraves et Segraves, 1995).

L'excitation

Lorsqu'ils sont jeunes, bien des hommes peuvent avoir une érection en quelques secondes. Cette capacité diminue généralement avec le vieillissement. Au lieu de huit à dix secondes, un homme d'un certain âge peut avoir besoin de plusieurs minutes de stimulation efficace pour avoir une érection. Un homme âgé pourra également avoir des érections moins prononcées que celles qu'il avait lorsqu'il était plus jeune. Il se peut qu'il ait besoin de stimulations plus directes comme la fellation ou la masturbation pour parvenir à une érection. La plus grande lenteur de la réponse érectile peut entraîner une crainte de l'impuissance chez plusieurs hommes.

> Je crois que c'est l'accumulation de changements qui m'a fait réaliser que cela prenait plus de temps qu'avant pour que je devienne dur — le fait que je pouvais me retrouver au lit avec une femme extrêmement désirable et demeurer flasque, que les baisers et les étreintes ne suffisaient plus à me mettre en marche. Au début, j'étais secoué par cette découverte, je pensais que je devenais peut-être impuissant. Mais j'ai eu de bons conseils de mon médecin qui m'a assuré que même si c'était un peu moins rapide, ça continuerait à être fonctionnel. (Notes des auteurs)

Heureusement cet homme a été bien conseillé. La plupart des hommes conservent leur capacité érectile toute leur vie. Lorsqu'un homme et sa ou son partenaire comprennent que cette moins grande réactivité est normale, cela n'a que peu ou pas d'effets négatifs sur leur sexualité, qui demeure alors aussi bonne qu'auparavant.

Le plateau

Chez les hommes plus âgés, la tension musculaire est moindre pendant la phase de plateau. L'érection ne devient souvent complète que tardivement au cours de cette phase, juste avant l'orgasme. Cela a pour conséquence que les hommes plus âgés peuvent maintenir la phase de plateau plus longtemps que lorsqu'ils étaient plus jeunes, ce qui leur permet d'augmenter sensiblement leur plaisir. Bien des hommes, ainsi que leur partenaire, apprécient de pouvoir profiter d'autres sensations de plaisir avant le déclenchement de l'éjaculation. Lorsqu'un homme entreprend une relation, sa ou son partenaire peut aussi apprécier son plus grand contrôle sur son éjaculation.

L'orgasme

La plupart des hommes âgés continuent d'avoir beaucoup de plaisir grâce à l'orgasme. En fait, selon une enquête, 73 % des hommes âgés ont dit que l'orgasme était « très important » dans leurs expériences sexuelles (Starr et Weiner, 1981). Cependant, ils ont noté que leurs orgasmes avaient moins d'intensité et qu'ils avaient moins souvent la sensation d'atteindre un « point de non-retour » pendant la phase d'émission.

Enfin, le nombre de contractions musculaires et la force de l'éjaculation diminuent (Nusbaum et coll., 2005).

La résolution

La phase de résolution est habituellement plus rapide chez les hommes âgés (Nusbaum et coll., 2005), comme la fin de l'érection. Certains hommes peuvent s'apercevoir de ces changements dès l'âge de 30 ou 40 ans. Souvent, dans la soixantaine, la période réfractaire dure plusieurs heures, même plusieurs jours dans certains cas.

Le tableau 3.4 résume les données sur les changements les plus courants de la réponse sexuelle chez les femmes et les hommes plus âgés.

QUELQUES DIFFÉRENCES DANS LA RÉPONSE SEXUELLE SELON LE SEXE

De plus en plus d'auteurs mettent l'accent sur les similitudes entre la réponse sexuelle des hommes et celle des femmes. Cette tendance, que nous considérons comme positive, s'oppose à la croyance autrefois populaire selon laquelle de grandes disparités séparent les sexes en ce domaine. Sans nul doute, cette théorie a concouru à ouvrir un marché aux nombreux livres sur la sexualité dévoilant les mystères et la complexité de l'autre sexe. À l'heure actuelle, nous savons qu'il est possible d'en apprendre plus sur nos partenaires

Tableau 3.4 | **Les changements liés au vieillissement dans le cycle de la réponse sexuelle chez la femme et l'homme.**

PHASE	CHANGEMENTS CHEZ LA FEMME	CHANGEMENTS CHEZ L'HOMME
Excitation	• La lubrification vaginale prend plus de temps et est moins abondante. • La paroi vaginale s'amincit et l'élasticité du vagin diminue.	• L'érection prend plus de temps à survenir et peut être moins ferme.
Plateau	• La plateforme orgasmique est moins prononcée. • L'élévation de l'utérus est moindre.	• La tension musculaire est moins grande. • Les testicules remontent moins. • La phase dure souvent plus longtemps.
Orgasme	• Le nombre de contractions diminue lors de l'orgasme. • Les contractions utérines peuvent être douloureuses à l'occasion.	• Le nombre de contractions musculaires diminue et l'éjaculation est moins forte. • La sensation que l'éjaculation devient inévitable peut disparaître.
Résolution	• La plateforme orgasmique disparaît plus rapidement. • Le vagin et le clitoris reviennent plus rapidement à l'état de repos.	• L'érection disparaît plus rapidement. • La période réfractaire dure de plus en plus longtemps.

en observant soigneusement nos propres réactions sexuelles. Néanmoins, certaines différences fondamentales demeurent. Dans les pages qui suivent, nous nous pencherons sur certaines d'entre elles.

UNE PLUS GRANDE DIVERSITÉ DE LA RÉPONSE FÉMININE

Une des principales différences entre les sexes repose sur l'ampleur de la diversité dans le cycle de la réponse sexuelle. Bien que les figures 3.2 et 3.3 (p. 87) ne reflètent pas les différences entre les individus, elles montrent une plus grande variété de réponses féminines. Trois courbes illustrent la réponse féminine tandis qu'une seule représente celle des hommes.

Dans le schéma de la réponse féminine, la réponse illustrée par la courbe A ressemble beaucoup à la réponse masculine. Elle se distingue cependant de celle-ci par le fait qu'elle peut comprendre d'autres orgasmes sans quitter le niveau de plateau. La courbe B représente une réponse féminine très différente : une élévation douce vers le niveau de plateau où la femme peut rester un temps sans nécessairement connaître l'orgasme. La phase de résolution qui s'ensuit est plus longue. La courbe C décrit une excitation rapide, suivie d'un orgasme intense et d'une brève résolution.

Bien que la réponse sexuelle féminine soit plus variable que celle des hommes, cela ne sous-entend pas que la réponse masculine est exactement la même pour tous les hommes. Les hommes ont révélé d'importantes différences par rapport au modèle de Masters et Johnson, dont des petits orgasmes suivis d'une éjaculation, des contractions pelviennes prolongées après l'expulsion du sperme et une longue période d'excitation intense avant l'éjaculation semblable à un orgasme prolongé (Zilbergeld, 1978). Bref, plusieurs modes de réponse sexuelle existent aussi chez les hommes. Il n'existe pas de « façon de réagir » supérieure à une autre. Tous les modes de réponse physiologiques et leurs variantes, notamment les diverses réactions d'un individu à la stimulation sexuelle selon le moment ou le contexte, sont normaux.

LA PÉRIODE RÉFRACTAIRE MASCULINE

L'existence d'une période réfractaire dans le cycle masculin est sans doute l'une des différences majeures entre

Orgasmes multiples   Plus d'un orgasme durant un court intervalle de temps.

les réponses sexuelles des deux sexes. Contrairement aux femmes, les hommes ont généralement besoin d'une certaine période de temps après un orgasme avant de pouvoir en atteindre un autre.

De nombreuses théories ont tenté d'expliquer ce phénomène. Selon certaines d'entre elles, un mécanisme inhibiteur neurologique se déclencherait après l'éjaculation et agirait pendant un certain temps. Cette idée s'appuie sur des recherches fascinantes de scientifiques britanniques (Barfield et coll., 1975) qui pointent des circuits d'échanges chimiques entre l'hypothalamus et le cerveau moyen — circuits déjà connus pour agir dans la régulation du sommeil. Pour tester cette hypothèse, ces chercheurs ont détruit dans un groupe de rats une zone précise de ce circuit, le lemniscus ventral médian, et dans un autre groupe, pour fins de comparaison, d'autres régions du cerveau moyen et de l'hypothalamus. Chez les rats du premier groupe, la période réfractaire a été réduite de moitié.

Certains croient que la période réfractaire serait d'une certaine façon liée à la perte du liquide séminal durant l'orgasme. Ce qui laisse la plupart des chercheurs sceptiques parce qu'il n'y a dans le sperme expulsé aucune substance connue pour drainer de l'énergie, faire diminuer les hormones ou jouer un quelconque rôle biochimique. Il reste une autre explication qui suggère que la prolactine, une hormone hypophysaire abondamment sécrétée chez les deux sexes après l'orgasme, pourrait jouer le rôle d'un interrupteur bloquant la possibilité d'avoir d'autres orgasmes pendant un certain temps (Kruger et coll., 2002 ; Levin, 2003). Cette interprétation, quoique intéressante, ne tient pas compte de l'absence de période réfractaire chez la femme. Mais peu importe pourquoi elle existe, il reste que la période réfractaire s'observe aussi chez les mâles de presque toutes les autres espèces étudiées, les rats, les chiens et les chimpanzés y compris.

LES ORGASMES MULTIPLES

La réponse sexuelle chez les deux sexes diffère également sur un troisième point : la capacité d'avoir des **orgasmes multiples**. Bien que les chercheurs ne s'accordent pas sur le sens de cette expression, pour nos besoins, nous la définirons comme suit : plus d'un orgasme pendant un court intervalle de temps. Cette définition ne tient cependant pas compte d'une différence entre les hommes et les femmes sur ce plan. Il n'est pas rare, en effet, que la femme ait plusieurs orgasmes à des intervalles très brefs, parfois de l'ordre

Question d'analyse critique

Les femmes semblent capables de parvenir à l'orgasme à partir d'une plus grande variété de stimuli que les hommes, mais éprouvent plus de difficulté que ceux-ci à l'atteindre. Selon vous, quels facteurs pourraient expliquer ces différences ?

de quelques secondes, alors que chez l'homme l'intervalle entre deux orgasmes est généralement plus long. Combien de femmes connaissent des orgasmes multiples ? Kinsey (1953) a noté qu'environ 14 % des femmes de son échantillon avaient régulièrement des orgasmes multiples. En 1970, un sondage effectué par *Psychology Today* auprès de ses lectrices a révélé un pourcentage de 16 % (Athanasiou et coll., 1970).

A priori, il semble donc que seule une minorité de femmes puisse avoir des orgasmes multiples. Cependant, les recherches de Masters et Johnson ont démontré le contraire :

Si une femme apte à parvenir à l'orgasme est stimulée adéquatement peu après son premier orgasme, elle sera souvent capable d'en atteindre un deuxième, un troisième, un quatrième et même un cinquième avant d'être comblée. Contrairement aux hommes, qui ne peuvent pas connaître plus d'un orgasme au cours d'une courte période, de nombreuses femmes, plus particulièrement avec l'aide d'une stimulation clitoridienne, vont régulièrement obtenir cinq ou six orgasmes complets dans un intervalle de quelques minutes (1961, p. 792).

Ainsi, la majorité des femmes ont la capacité d'avoir des orgasmes multiples, mais apparemment seule une petite portion de la population féminine y parvient. Pourquoi un tel fossé existe-t-il entre la capacité et la réalité ? La réponse à cette question se trouve dans la source de la stimulation. Le rapport Kinsey et le sondage de *Psychology Today* portaient sur les orgasmes durant le coït. Pour plusieurs raisons, dont la tendance de l'homme à mettre fin au rapport sexuel après avoir eu son orgasme, les femmes ne cherchent pas à poursuivre la relation après leur premier orgasme. Par opposition, plusieurs recherches ont montré que les femmes qui se masturbent et celles qui ont une femme comme partenaire ont beaucoup plus de chances d'at-

teindre l'orgasme, puis d'en connaître plusieurs autres (Athanasiou et coll., 1970 ; Masters et Johnson, 1966).

Nous ne sous-entendons pas ici que toutes les femmes devraient avoir des orgasmes multiples. Au contraire, beaucoup de femmes préfèrent avoir un seul orgasme, ou ne pas en avoir du tout, lorsqu'elles ont des rapports sexuels. Les données sur la capacité des femmes à avoir des orgasmes multiples ne devraient pas ouvrir la voie à une nouvelle norme sexuelle arbitraire. La citation suivante illustre la tendance à établir de tels standards.

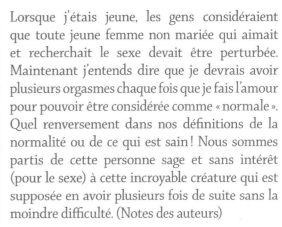

Lorsque j'étais jeune, les gens considéraient que toute jeune femme non mariée qui aimait et recherchait le sexe devait être perturbée. Maintenant j'entends dire que je devrais avoir plusieurs orgasmes chaque fois que je fais l'amour pour pouvoir être considérée comme « normale ». Quel renversement dans nos définitions de la normalité ou de ce qui est sain ! Nous sommes partis de cette personne sage et sans intérêt (pour le sexe) à cette incroyable créature qui est supposée en avoir plusieurs fois de suite sans la moindre difficulté. (Notes des auteurs)

Comme nous l'avons dit précédemment, les orgasmes multiples sont beaucoup moins courants chez les hommes. Le plus souvent, ceux qui en ont sont de très jeunes hommes et ils en ont moins avec l'âge. Même chez les 15-20 ans, il est rare de rencontrer des hommes capables d'avoir plus d'un orgasme au cours du même rapport sexuel. Cependant, nous sommes du même avis qu'Alex Comfort (1972), qui affirme que la plupart des hommes sous-estiment probablement leur capacité d'avoir des orgasmes multiples. Beaucoup ont été conditionnés pendant des années à atteindre l'orgasme en se masturbant le plus rapidement possible de peur d'être pris sur le fait. Pour les adolescents, ces circonstances sont loin d'être propices à une exploration plus poussée de leurs capacités orgasmiques. Toutefois, par l'expérimentation, beaucoup d'hommes découvrent sur le tard ce que décrit cet homme d'âge moyen :

Je n'ai jamais pensé que je pourrais continuer à faire l'amour après avoir atteint l'orgasme. Pendant trente ans, l'orgasme a toujours constitué un signal d'arrêt pour moi. Je suppose que j'agissais ainsi pour les raisons que vous avez mentionnées en classe et pour quelques autres dont vous n'avez pas parlé. Ma femme était avec moi le soir où vous avez fait un exposé sur la période réfractaire. Nous en avons discuté

> pendant notre retour à la maison et, le jour suivant, nous avons décidé de faire un essai. Je m'en veux d'avoir raté quelque chose d'aussi bon durant toutes ces années. J'ai découvert que je pouvais parvenir à plus d'un orgasme au cours d'un même rapport. Même si je dois attendre un certain temps avant de pouvoir jouir à nouveau, le chemin qui y mène est très agréable. Ma femme aussi apprécie ! (Notes des auteurs)

Des études semblent indiquer que certains hommes peuvent connaître une série d'orgasmes échelonnés sur une très courte période de temps. Marian Dunn et Jan Trost ont interrogé 21 hommes âgés de 25 à 69 ans. Ces hommes auraient tous affirmé avoir en temps normal, mais pas toujours, des orgasmes multiples. Pour les besoins de leur étude, ces chercheurs ont défini les orgasmes multiples comme deux orgasmes ou plus avec ou sans éjaculation, et sans perte d'érection (sinon très peu) au cours d'un même rapport sexuel (1989, p. 379). L'expérience sexuelle variait : certains éjaculaient lors du premier orgasme et avaient d'autres orgasmes « secs » ; d'autres obtenaient plusieurs orgasmes sans éjaculation suivis d'un dernier orgasme au moment de l'éjaculation ; d'autres encore vivaient des variantes de ces deux expériences.

Il n'est pas toujours nécessaire qu'une relation sexuelle aboutisse à l'éjaculation. Beaucoup d'hommes trouvent très agréable de poursuivre le rapport après l'orgasme.

> Continuer à faire l'amour peu de temps après le premier orgasme est, selon moi, une des meilleures choses que la sexualité puisse offrir. J'arrive assez facilement à obtenir une nouvelle érection, mais je parviens rarement à un autre orgasme au cours du même rapport. Après l'orgasme, je peux me concentrer totalement sur les réactions de ma partenaire sans être distrait par la montée de mon excitation. L'atmosphère est généralement douce et détendue. C'est psychologiquement très agréable. (Notes des auteurs)

Ainsi, les orgasmes multiples ne devraient pas être considérés comme un but à atteindre à tout prix, mais comme un aspect de la sexualité à explorer. C'est en adoptant une approche souple et détendue que les hommes et les femmes intéressés par cette expérience y trouveront une occasion de développer leur potentiel sexuel.

RÉSUMÉ

L'EXCITATION SEXUELLE

* Les hommes et les femmes produisent ce qu'on appelle des hormones sexuelles masculines et féminines. Chez l'homme, les testicules sécrètent environ 95 % de tous les androgènes et quelques œstrogènes. Chez la femme, les ovaires et les glandes surrénales fabriquent des androgènes en quantités à peu près égales, alors que les œstrogènes proviennent principalement des ovaires.

* Chez l'homme et chez la femme, la principale hormone androgène est la testostérone. L'homme produit habituellement de 20 à 40 fois plus de testostérone que la femme. Toutefois, les cellules de la femme sont beaucoup plus sensibles à cette hormone.

* Bien qu'il soit difficile de distinguer le rôle des hormones de celui de la psychologie dans l'excitation sexuelle, les recherches soulignent clairement que la testostérone joue un rôle clé dans le maintien du désir sexuel chez les deux sexes.

* Chez les deux sexes, le principal symptôme d'une déficience en testostérone est la diminution du désir. Cette déficience peut être compensée par une thérapie hormonale substitutive. En revanche, un taux de testostérone plus élevé que la normale peut entraîner des effets secondaires chez les deux sexes.

* L'ocytocine, une neurohormone produite par l'hypothalamus, influence de façon significative la réponse sexuelle, la sensualité et l'attirance érotique interpersonnelle.

* Par son action de liaison entre nos pensées, nos émotions, nos souvenirs et nos fantasmes, le cerveau joue un rôle crucial dans l'excitation sexuelle.

* Certaines parties du cerveau sont associées à l'excitation sexuelle des animaux, les humains y compris.

* Le système limbique, en particulier l'hypothalamus, joue un rôle important dans les fonctions sexuelles.

* Certains neurotransmetteurs sont connus pour leur capacité d'action sur l'excitation et la réponse sexuelles. La dopamine favorise l'excitation et l'activité sexuelles chez les deux sexes, alors que la sérotonine les inhibe chez les deux sexes aussi.

* Des cinq sens, c'est le toucher qui a la plus grande capacité érogène. Les régions corporelles qui répondent de manière très sensible au toucher sont appelées *zones érogènes*. Les zones érogènes primaires sont des régions caractérisées par une grande concentration de terminaisons nerveuses. Les zones érogènes secondaires sont des régions qui acquièrent leur pouvoir érogène par l'apprentissage.

* Après le toucher, c'est la vue qui est le sens le plus à même de provoquer une excitation sexuelle. Des données récentes laissent entendre que les femmes répondraient autant aux stimuli visuels que les hommes.

* La recherche n'a pas encore démontré de façon incontestable si l'odorat et le goût jouent un rôle biologique déterminant dans l'excitation sexuelle humaine. Cependant, chacun peut déduire de ses propres expériences sexuelles que certaines odeurs et certains goûts peuvent avoir une valeur érotique.

* Grâce à la recherche sur les animaux (hormis l'homme), on a pu identifier une gamme de phéromones (odeurs sexuelles). Ces odeurs sexuelles sont très associées aux activités sexuelles relatives à la reproduction.

* De récentes études ont tenté de déterminer si les humains pouvaient eux aussi produire des phéromones pour attirer le sexe opposé. Les résultats n'ont toutefois pas été concluants.

* Certaines personnes sont très excitées par les sons durant l'amour, alors que d'autres préfèrent des relations silencieuses. En plus d'être stimulante pour certains, la communication durant les activités sexuelles peut contribuer à informer les partenaires.

* Jusqu'à maintenant, il n'y a aucune preuve de l'existence d'une substance aux propriétés aphrodisiaques que l'on pourrait manger, boire ou s'injecter. Le succès apparent des substances supposées aphrodisiaques repose sur la conviction et la suggestion.

* Certaines substances sont connues pour exercer un effet inhibiteur sur le comportement sexuel. Ces anaphrodisiaques comprennent des agents tels que les opiacés, les anxiolytiques, les antihypertenseurs, les antidépresseurs, les antipsychotiques, la nicotine, la pilule et les sédatifs.

LA RÉPONSE SEXUELLE

* Le modèle du cycle de la réponse sexuelle de Kaplan comprend trois phases: le désir, l'excitation et l'orgasme. Ce modèle se distingue des autres car le désir y est une phase à part entière, indépendante des modifications génitales.

* Masters et Johnson ont identifié quatre phases dans le cycle de la réponse sexuelle des hommes et des femmes: l'excitation, le plateau, l'orgasme et la résolution.

* Durant la stimulation, la myotonie (tension musculaire), le rythme cardiaque et la pression artérielle augmentent chez les deux sexes. Des rougeurs sexuelles et un durcissement des mamelons peuvent apparaître, surtout chez la femme. La réponse féminine inclut l'engorgement du clitoris, des lèvres et du vagin (qui se lubrifie), la remontée et la dilation de l'utérus et une augmentation du volume des seins. Chez l'homme, le pénis entre en érection, les testicules grossissent et se rapprochent de l'abdomen et, parfois, les glandes de Cowper sécrètent un liquide.

* La phase de plateau se caractérise par une augmentation de la myotonie, des rythmes cardiaque et respiratoire et de la pression artérielle. Chez la femme, le clitoris se rétracte sous le prépuce, les petites lèvres deviennent plus foncées, la plateforme orgasmique se développe, l'utérus demeure complètement remonté et les aréoles enflent. Chez l'homme, la couronne se gorge complètement, les testicules continuent à remonter et à se dilater et les glandes de Cowper s'activent.

* L'orgasme se caractérise par des spasmes musculaires involontaires qui parcourent le corps. La pression artérielle, les rythmes cardiaque et respiratoire sont à leur maximum. L'orgasme féminin est légèrement plus long. Chez l'homme, il se divise en deux étapes: l'émission et l'expulsion. Il est difficile de distinguer un orgasme masculin d'un orgasme féminin d'après sa simple description.

* Masters et Johnson croient qu'il n'existe qu'un seul type d'orgasme physiologique chez la femme, peu importe la méthode de stimulation.

✳ Certaines femmes sont capables de parvenir à l'orgasme et parfois même d'éjaculer par stimulation intense du point de Gräfenberg (point G). Cette région est située dans la paroi antérieure du vagin.

✳ Pendant la résolution, les systèmes sexuels retournent au repos. Ce processus peut durer plusieurs heures et dépend de plusieurs facteurs. La fin de l'érection se produit en deux étapes, une première très rapide et une autre, plus longue.

✳ Avec l'avancée en âge, les femmes et les hommes constatent des changements dans leur excitation et leurs réactions corporelles. Habituellement, chez les deux sexes, toutes les phases de la réponse sexuelle continuent de se produire, mais avec une intensité allant en diminuant.

✳ La lubrification vaginale demande plus de temps chez la femme âgée. La dilatation de la paroi vaginale et l'intensité des orgasmes diminuent, et la phase de résolution est plus rapide.

✳ Chez la femme, il peut y avoir une diminution du désir, de la sensibilité clitoridienne et de la capacité d'atteindre l'orgasme.

✳ L'homme âgé prend généralement plus de temps à avoir une érection et à atteindre l'orgasme. En exerçant un meilleur contrôle sur son éjaculation, il peut augmenter son plaisir sexuel comme celui de sa ou son partenaire.

✳ La réponse sexuelle de l'homme âgé se caractérise également par une moins forte myotonie, une diminution de l'intensité de l'orgasme, une résolution plus rapide et une période réfractaire allongée.

✳ Dans beaucoup d'ouvrages, on met maintenant l'accent sur les similarités entre les réponses sexuelles féminine et masculine. Il y a néanmoins des différences importantes entre les deux sexes.

✳ En général, la réponse sexuelle varie plus chez les femmes que chez les hommes.

✳ L'existence d'une période réfractaire chez l'homme est l'une des différences les plus grandes entre les réponses sexuelles des deux sexes. La cause de ce phénomène n'a pas encore été trouvée, mais certaines données suggèrent que l'éjaculation activerait un mécanisme neurologique d'inhibition.

✳ Les deux sexes peuvent avoir des orgasmes multiples.

✳ Les femmes ont des orgasmes multiples plus fréquemment que les hommes. Plus que le coït, la masturbation favorise les orgasmes multiples chez la femme. Des résultats récents laissent croire que certains hommes seraient eux aussi capables d'avoir plusieurs orgasmes dans un court laps de temps.

Témoignages présentés dans l'encadré « Les uns et les autres » en page 91.

La description A = orgasme masculin; B = orgasme féminin; C = orgasme féminin

Qu'est-ce qui constitue la masculinité et la féminité ? Comment les rôles revenant à l'un et l'autre sexes peuvent-ils tant varier d'une société à l'autre ? Si certains comportements sexuels sont le résultat d'un apprentissage, en existe-t-il alors qui reposent sur une base biologique ou génétique ? Comment les attentes liées aux rôles sexuels influent-elles sur la sexualité ? Ce sont là les questions que nous allons aborder dans ce chapitre.

HOMME ET FEMME, MASCULIN ET FÉMININ

Très tôt, j'ai fait l'apprentissage qu'il y avait des comportements «convenant» à mon sexe. Je me souviens d'avoir pensé à quel point il était injuste que m'incombent toutes les corvées ménagères alors que mon frère n'avait que la poubelle à sortir. Quand j'en avais demandé la raison à ma mère, elle m'avait répondu: «C'est parce qu'il est un garçon et que c'est là une tâche pour les hommes; toi, tu es une fille et tu as une tâche que les femmes accomplissent.» (Notes des auteurs)

Une telle conscience des comportements spécifiques à chaque sexe ne semble pas exister chez les habitants d'une petite île de Papouasie–Nouvelle-Guinée. Selon une étude de l'anthropologue Maria Lepowsky (1994), les habitants de l'île de Vanatinai (la «mère patrie», dans la langue locale) ne connaissent pas la division des rôles sociaux selon le sexe. Dans cette société, les hommes et les femmes sont considérés comme des êtres égaux et il n'existe pas d'idéologie basée sur le masculin et le féminin. Les fonctions de pouvoir et de prestige sont ainsi accessibles aux deux sexes. Les hommes et les femmes participent aux décisions importantes de la collectivité et semblent jouir de la même liberté sur le plan sexuel. En outre, dans la langue du pays, les pronoms n'ont pas de genre. Cette égalité des rôles de l'homme et de la femme contraste avec la conception des rôles sexuels qui prédomine dans la culture nord-américaine comme

dans la quasi-totalité des autres. Une différence aussi marquée soulève des questions fondamentales sur ce qui fait le masculin et le féminin, sur la part du biologique et du social dans cette construction. Nos attentes envers chaque sexe sont-elles apprises et, si oui, comment influent-elles sur nos relations sexuelles ?

L'IDENTITÉ BIOLOGIQUE ET LE SENTIMENT D'APPARTENANCE À UN SEXE

De nombreux auteurs utilisent indifféremment les mots *sexe* et *genre* même si chacun a son sens propre. Le mot **sexe** renvoie au sexe biologique, qui comportent deux aspects : le **sexe chromosomique** (aussi appelé *sexe génétique*), déterminé par nos chromosomes sexuels, et le **sexe anatomique**, qui concerne les différences physiques apparentes entre le masculin et le féminin (comme lorsqu'on parle du sexe d'un bébé). Le mot *genre* (*gender*, en anglais) fait référence au sentiment qu'a un individu d'être un homme ou une femme ; dans ce chapitre, nous utiliserons plutôt la locution **sentiment d'appartenance à un sexe**, pour réduire les risques de confusion (voir l'encadré intitulé *Problème terminologique et solution retenue*).

Dès les premières années de vie, nous nous identifions à un sexe, masculin ou féminin. Pris dans ce sens, le mot *genre* englobe les différentes significations psychosociales qui se greffent au sexe féminin ou au sexe masculin. Ainsi, tandis que le sexe biologique est relié aux différents attributs physiques (chromosomes, pénis, vulve, etc.), le genre fait référence aux caractéristiques psychosociales et socioculturelles associées à un sexe; en d'autres termes, à la féminité ou à la masculinité. Cependant, rien ne garantit que le sentiment d'appartenance à un sexe que développe une personne sera congruent à son sexe biologique; de fait, la recherche de sa propre masculinitude ou féminité engendre chez

Question d'analyse critique

Croyez-vous que les notions de masculinité et de féminité ont évolué dans votre milieu et que les gens ont tendance à accepter de moins en moins la conception traditionnelle des rôles sexuels ? Si oui, dans quels domaines observez-vous de tels changements ?

Problème terminologique et solution retenue

Lorsqu'on discute de ce qui fait qu'une personne sera vue ou se verra comme ayant des caractéristiques distinctes selon le sens donné à ce qui est féminin ou à ce qui est masculin, le lecteur doit savoir qu'aucune définition de ces termes n'est acceptée par tous les auteurs.

L'adaptation de ce manuel pour les lecteurs québécois, malgré le soin apporté à chaque phrase pour éviter la confusion, n'a pu aller plus loin que le texte original. Il subsiste donc des ambiguïtés. Ce n'est pas tout : s'ajoute aussi à l'imprécision de l'édition originale l'absence d'équivalence entre l'anglais et le français pour des mots très fréquemment utilisés, comme *sexe* et *genre* qui n'ont pas la même signification dans les deux langues. Par exemple, dans ce chapitre, le mot *sexe* renvoie le plus souvent à la dimension biologique, ce qui pourrait laisser croire que l'expression *identité sexuelle* désigne ce qui différencie biologiquement les deux sexes. Or, il n'en est rien ; cette expression est souvent utilisée en français pour parler du sentiment d'appartenir à un sexe ou à l'autre.

Enfin, dans la documentation scientifique clinique, même en français, on emprunte au mot *genre* une par-

tie de son sens anglais pour des fins de diagnostic et de traitement. Par exemple, des expressions comme *dysphorie de genre* ou *trouble de la genralité* (Crépault, 2005) se rencontrent de plus en plus et désignent une difficulté profonde à faire coïncider harmonieusement le sentiment d'appartenir à un sexe et le sexe biologique. Encore là, une recherche sur Internet montre que d'autres auteurs utiliseront l'expression *trouble de l'identité sexuelle* (Bureau, 1998) pour désigner la même réalité. Desjardins (2007), de son côté, parle du *sentiment d'appartenance à un sexe*. Nous retenons ici cette dernière locution, car elle nous apparaît plus neutre que les deux autres appellations.

Cela ne résout pas totalement l'ambiguïté et les risques de confusion. Au-delà des mots utilisés, il faut donc se demander si l'auteur parle de l'aspect biologique (chromosomes, hormones, anatomie et physiologie, etc.), de l'aspect intérieur ou la conscience de la personne (perceptions personnelles, sentiments, etc.) ou de l'aspect social et culturel (définitions du féminin et du masculin, attentes différentes selon le sexe anatomique, etc.).

---

certaines personnes un grand malaise. Cette question sera abordée lorsque nous expliquerons le développement du sentiment d'appartenance à un sexe.

Dans ce chapitre, nous utilisons les qualificatifs *masculin* et *féminin* pour caractériser les comportements traditionnellement attribués aux hommes et aux femmes. Un des aspects négatifs de cet étiquetage est qu'il peut limiter la palette de comportements d'une personne. Par exemple, un homme peut hésiter à se dévouer aux autres par crainte d'être perçu comme féminin, tandis qu'une femme peut éprouver des réticences à agir de façon autoritaire par crainte d'être perçue comme masculine. Il n'est pas dans notre intention de perpétuer les stéréotypes rattachés à ces étiquettes. Nous croyons nécessaire cependant d'utiliser ces termes lorsqu'il est question des différences entre les sexes.

LE RÔLE ATTRIBUÉ À UN SEXE

Lorsque nous rencontrons des gens pour la première fois, nous leur attribuons spontanément un sexe et, à partir de cette perception, nous anticipons leur comportement : c'est ce qu'on appelle un **scénario de genre**. Pour la plupart des gens, les scénarios de genre font partie des inter-

actions sociales courantes. Puisque nous identifions les gens comme appartenant à notre sexe ou à l'autre, l'interaction avec une personne dont le sexe est ambigu peut s'avérer difficile et engendrer un sentiment de malaise.

Le **rôle attribué à un sexe** (aussi appelé *rôle sexuel*) englobe une série d'attitudes et de comportements considérés comme appropriés à un sexe dans une culture donnée. Les rôles liés aux sexes établissent des attentes comportementales pour chacun d'eux. Le comportement considéré comme approprié à un homme sera dit masculin, et celui considéré comme approprié à une femme sera qualifié de féminin. Lorsque nous utilisons les termes *masculin* et *féminin* dans ce livre, nous faisons référence à ces notions apprises par socialisation.

Sexe   Renvoie au sexe biologique dont les deux aspects sont le sexe chromosomique et le sexe anatomique.

Sentiment d'appartenance à un sexe   Sentiment d'appartenir ou non à son sexe biologique (masculin ou féminin). Souvent appelé *identité de genre* ou *identité sexuelle*, selon les auteurs.

Scénario de genre   Attentes quant aux attitudes et aux comportements d'une personne selon son sexe biologique.

Rôle attribué à un sexe (ou *rôle sexuel*)   Ensemble d'attitudes et de comportements considérés comme normaux et appropriés à un sexe dans une culture donnée.

Les attentes liées au rôle attribué à un sexe sont définies par une culture, et elles varient de l'une à l'autre. Par exemple, un baiser sur la joue est considéré comme féminin et donc inapproprié entre hommes dans la société nord-américaine alors que ce même comportement est tout à fait acceptable dans nombre de sociétés méditerranéennes et moyen-orientales.

LE DÉVELOPPEMENT DU SENTIMENT D'APPARTENANCE À UN SEXE

Comme la couleur des yeux ou des cheveux, le sexe est un aspect de l'identité que la plupart des gens tiennent pour acquis. Il est vrai que le sentiment d'appartenance à un sexe correspond le plus souvent aux caractéristiques biologiques qui y sont généralement associées. Mais ce sentiment tient à beaucoup plus que le simple fait d'avoir l'apparence d'un homme ou d'une femme. Comme nous allons le voir, le sentiment d'appartenance à un sexe repose sur deux facteurs. Le premier concerne les processus biologiques liés au sexe, lesquels sont mis en branle peu de temps après la conception et complétés avant la naissance. Le second facteur, tout aussi important, concerne l'apprentissage social, c'est-à-dire les influences culturelles qui sont à l'œuvre au cours des premières années de vie. Nous allons en premier lieu explorer les processus biologiques.

LES PROCESSUS BIOLOGIQUES : DIFFÉRENCIATION PRÉNATALE TYPIQUE

Dès le moment de la conception, de nombreux processus biologiques contribuent à la différenciation des sexes. Dans les lignes qui suivent, nous allons voir comment la différenciation du sexe biologique s'effectue au cours du développement prénatal selon une séquence chronologique : la conception et les différences chromosomiques entre l'homme et la femme, le développement des gonades, la production des hormones, le développement des organes génitaux internes et externes, et la différenciation sexuelle au niveau cérébral. Le tableau 4.1 résume ces processus.

LE SEXE CHROMOSOMIQUE

Notre sexe biologique est déterminé dès la fusion de l'**ovule** et du **spermatozoïde**. Chaque cellule de notre corps, à l'exception des cellules reproductrices, contient 46 chromosomes, qui forment 22 paires d'**autosomes** (paires de chromosomes communes à l'homme et à la femme) et une paire de **chromosomes sexuels** (paire dont la structure varie selon le sexe). Cette paire de chromosomes sexuels se différencie selon que l'embryon est mâle (XY) ou femelle (XX). Sans entrer dans le processus complexe de la division cellulaire liée à la production des cellules sexuelles, processus appelé *méiose*, précisons que l'ovule contient normalement 22 autosomes et 1 chromosome X, tandis que le spermatozoïde contient 22 autosomes et soit 1 chromosome Y, soit 1 chromosome X (voir la figure 4.1). Le sexe

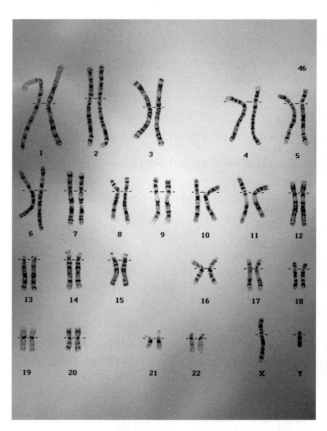

Figure 4.1 | Les cellules humaines contiennent 22 paires d'autosomes qui se retrouvent chez les deux sexes et 1 paire de chromosomes sexuels. Chez la femme, cette paire est formée de deux chromosomes X et, chez l'homme, d'un chromosome X et d'un chromosome Y.

Tableau 4.1 | **Les processus biologiques liés à la différenciation sexuelle — Différenciation prénatale typique.**

ÉTAPE	FEMME	HOMME
Sexe chromosomique	XX	XY
Sexe gonadique	Ovaires	Testicules
Sexe hormonal	• Œstrogènes • Hormones progestatives	Androgènes
Structures génitales internes	• Trompes de Fallope • Utérus • Tunique interne du vagin	• Canaux déférents • Vésicules séminales • Conduits éjaculatoires
Organes génitaux externes	• Clitoris • Petites lèvres de la vulve • Grandes lèvres de la vulve	• Pénis • Scrotum
Différenciation sexuelle du cerveau	• L'hypothalamus devient sensible aux œstrogènes, entraînant la production cyclique d'hormones. • Deux régions de l'hypothalamus plus petites que chez l'homme • Cortex cérébral de l'hémisphère droit plus mince que chez l'homme • Corps calleux plus épais que chez l'homme • Moins de latéralisation des fonctions que chez l'homme	• L'hypothalamus insensible aux œstrogènes commande une production régulière d'hormones. • Deux régions de l'hypothalamus plus grandes que chez la femme • Cortex cérébral de l'hémisphère droit plus épais que chez la femme • Corps calleux plus mince que chez la femme • Plus de latéralisation des fonctions que chez la femme

de l'enfant sera donc déterminé par le spermatozoïde qui fécondera l'ovule : une fille si c'est un porteur de X, un garçon si c'est un porteur de Y (Harley et coll., 1992 ; Page et coll., 1987).

Des chercheurs ont trouvé un gène sur le bras court du chromosome humain Y qui jouerait un rôle important dans la séquence du développement des gonades mâles, c'est-à-dire les **testicules**. Ce gène de l'anatomie masculine est appelé *SRY* (Bancroft, 2002a ; Jegalian et Lahn, 2001b).

Selon les résultats d'une recherche menée par des scientifiques italiens et américains, il existerait aussi un ou des gènes déterminant l'anatomie féminine. Ces spécialistes ont analysé le cas de quatre personnes de sexe chromosomique mâle, mais dont les organes génitaux externes étaient féminins. Les quatre sujets possédaient pourtant une paire de chromosomes XY ainsi qu'un gène SRY fonctionnel. Trois d'entre eux possédaient sans conteste les organes génitaux externes d'une femme, tandis que le quatrième était ambigu sur ce plan. Si le rôle du gène SRY est prédominant dans la détermination du sexe biologique, l'appareil géni-

tal externe de ces personnes aurait dû se développer conformément au modèle masculin. Qu'est-ce qui a provoqué cette variation dans la séquence de développement attendue ? Un examen approfondi de l'ADN de ces individus a permis de distinguer sur le bras court du chromosome X des traces de matériel génétique dupliqué, soit une double dose d'un gène appelé *DSS*. Cette duplication a donc entraîné la féminisation du fœtus mâle bien que le chromosome ait été normalement constitué (Bardoni et coll., 1994). Ces recherches suggèrent ainsi qu'un gène (ou des gènes) du chromosome X mène les gonades indifférenciées dans une direction femelle de la même manière que le gène SRY aide au

Ovule Cellule reproductive femelle.

Spermatozoïde Cellule reproductive mâle.

Autosomes Désigne les 22 paires de chromosomes n'influençant pas de façon marquée la différenciation sexuelle.

Chromosomes sexuels Paire de chromosomes (23e) responsables de la différenciation sexuelle.

Testicules Gonades mâles situées à l'intérieur du scrotum et responsables de la production des spermatozoïdes ainsi que des hormones sexuelles.

développement des structures sexuelles mâles; cela contredit donc la vieille croyance voulant que le fœtus humain est d'abord femelle et que, contrairement à ce qui se passe lors de la différenciation prénatale masculine, aucun gène n'entraîne la différenciation féminine.

LE SEXE GONADIQUE

Les structures qui deviendront les gonades, c'est-à-dire les ovaires ou les testicules, apparaissent quelques semaines à peine après la conception, mais elles en sont encore au stade indifférencié (voir la figure 4.2a). La différenciation ne débute qu'à la sixième semaine après la conception. Ce sont les gènes qui déterminent si l'amas de tissus sexuels indifférenciés se développera en gonades mâles ou femelles. À ce moment, un produit (ou des produits) du gène SRY d'un fœtus mâle stimule la transformation des gonades embryonnaires en testicules. En l'absence de gène SRY, et sous l'influence du gène DSS ou d'autres gènes femelles, les tissus gonadiques indifférenciés se développent pour former les ovaires (voir la figure 4.2b).

Lorsque les ovaires ou les testicules commencent leur développement, ils se mettent à produire leurs propres hormones sexuelles. Celles-ci joueront un rôle crucial dans le processus de différenciation sexuelle.

LE SEXE HORMONAL

Comme toutes les autres glandes du système endocrinien, les **gonades** produisent des hormones qu'elles libèrent directement dans le système sanguin. Les **ovaires** produisent deux types d'hormones: les **œstrogènes** et les **composés progestatifs**. Les œstrogènes, dont le plus important est l'œstradiol, influent sur le développement des caractères sexuels secondaires de la femme et régularisent le cycle menstruel. La progestérone joue un rôle déterminant sur le plan physiologique: elle intervient dans la régulation du cycle menstruel et le développement des cellules de l'endomètre en prévision d'une grossesse. Les testicules produisent des androgènes. La plus importante hormone du groupe est la testostérone, qui influe à la fois sur le développement des caractères sexuels secondaires de l'homme et sur son désir sexuel. Chez les deux sexes, les glandes surrénales produisent également des hormones sexuelles, dont une petite quantité d'œstrogènes et une quantité plus importante d'**androgènes**.

Gonades Glandes sexuelles masculines et féminines: les testicules et les ovaires.

Ovaires Glandes sexuelles féminines produisant les ovules et les hormones sexuelles.

Œstrogènes Ensemble d'hormones qui détermine les caractères sexuels secondaires de la femme et régularise le cycle menstruel.

Composés progestatifs Ensemble d'hormones, dont la progestérone, que produisent les ovaires.

Androgènes Ensemble d'hormones qui favorise le développement des organes génitaux et des caractères sexuels secondaires chez l'homme et qui influe sur le désir sexuel chez les deux sexes. Ces hormones sont produites par les glandes surrénales chez les deux sexes et par les testicules chez l'homme.

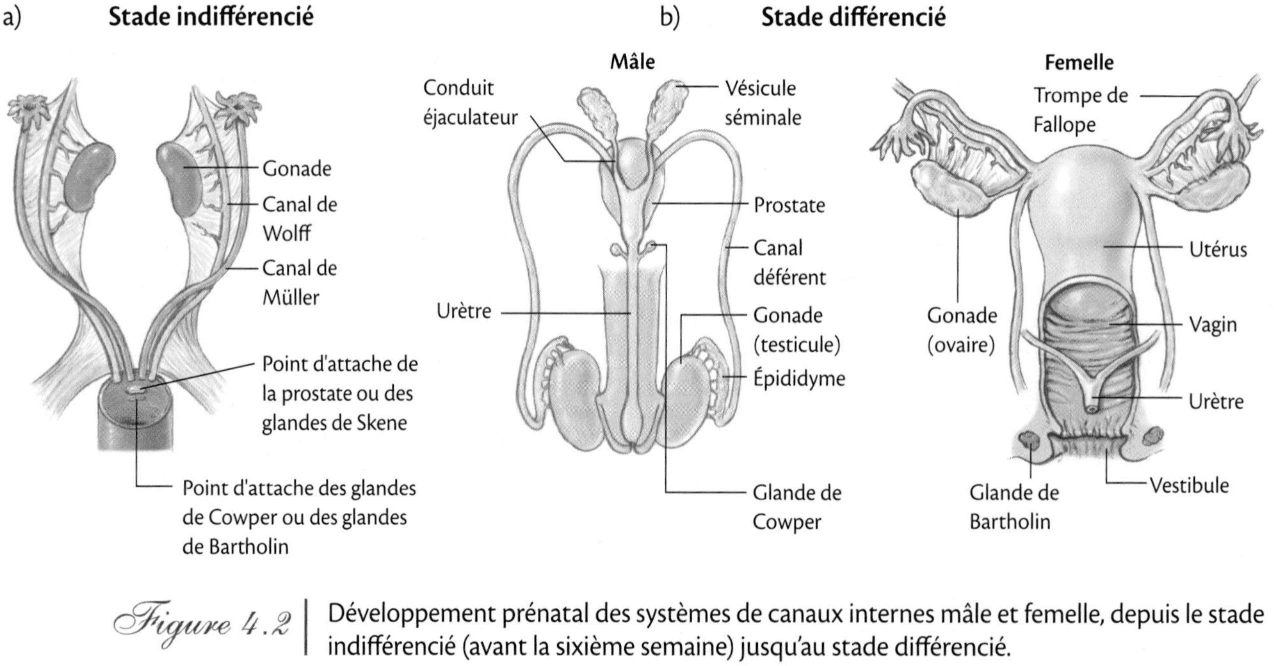

---

a) **Stade indifférencié**

Gonade
Canal de Wolff
Canal de Müller
Point d'attache de la prostate ou des glandes de Skene
Point d'attache des glandes de Cowper ou des glandes de Bartholin

b) **Stade différencié**

Mâle

Conduit éjaculateur
Vésicule séminale
Prostate
Canal déférent
Urètre
Gonade (testicule)
Épididyme
Glande de Cowper

Femelle

Trompe de Fallope
Utérus
Gonade (ovaire)
Vagin
Urètre
Vestibule
Glande de Bartholin

Figure 4.2 | Développement prénatal des systèmes de canaux internes mâle et femelle, depuis le stade indifférencié (avant la sixième semaine) jusqu'au stade différencié.

LE DÉVELOPPEMENT DES STRUCTURES INTERNES DE REPRODUCTION

Environ huit semaines après la conception, les hormones sexuelles commencent leur œuvre de différenciation sexuelle des organes internes (voir la figure 4.3). Chez l'embryon mâle, les androgènes sécrétés par les testicules stimulent les canaux de Wolff, qui se développent alors en canaux déférents, en vésicules séminales et en canaux éjaculateurs. Les testicules sécrètent aussi la substance inhibitrice de Müller (SIM) qui provoque la désintégration des canaux de Müller (Bancroft, 2002a ; Lee et coll., 1997). En l'absence d'androgènes, le fœtus développe des structures féminines (Clarnette et coll., 1997). Les canaux de Müller deviennent les trompes de Fallope, l'utérus et le tiers interne du vagin tandis que le système des canaux de Wolff se résorbe.

Stade non différencié, avant la sixième semaine

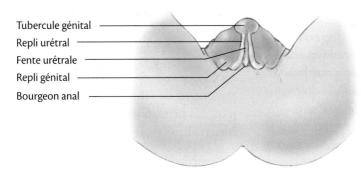

Tubercule génital
Repli urétral
Fente urétrale
Repli génital
Bourgeon anal

Entre la septième et la huitième semaine

Appareil masculin   Appareil féminin

Gland
Région où se forme le prépuce
Repli urétral
Fente urogénitale
Repli génital (devient la hampe pénienne ou les petites lèvres)
Bourrelet génital (devient le scrotum ou les grandes lèvres)
Anus

Vers la douzième semaine : développement complété

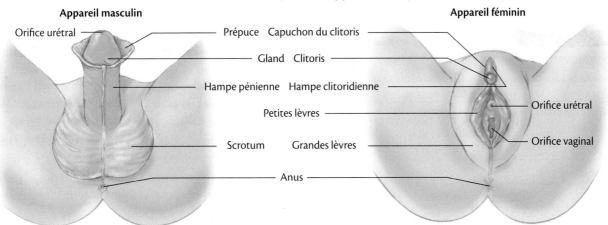

Appareil masculin   Appareil féminin

Orifice urétral   Prépuce   Capuchon du clitoris
                         Gland   Clitoris
                         Hampe pénienne Hampe clitoridienne
                         Petites lèvres   Orifice urétral
            Scrotum   Grandes lèvres   Orifice vaginal
                         Anus

Figure 4.3 | Développement prénatal des organes génitaux externes masculins et féminins, du stade de la non-différenciation à celui de la différenciation accomplie.

LE DÉVELOPPEMENT DES ORGANES GÉNITAUX EXTERNES

Les organes génitaux externes se développent selon un mode similaire en transformant des structures indifférenciées en structures mâles ou femelles (voir la figure 4.3), selon qu'elles reçoivent ou non un composé issu de la testostérone, la *dihydrotestostérone* (DHT). Par exemple, sous l'action de la DHT, le bourrelet génital devient le scrotum tandis que le tubercule génital et le repli génital deviennent respectivement le gland et la hampe du pénis. En l'absence de testostérone (et fort probablement sous l'influence d'une ou de plusieurs substances mises en action par le DSS ou le gène de la féminité), le tubercule génital devient le clitoris et le repli génital, les petites lèvres, tandis que le bourrelet génital devient les grandes lèvres. À la douzième semaine, le processus de différenciation est complété : le pénis et le scrotum peuvent être reconnus chez le fœtus mâle, et la vulve et le clitoris sont visibles chez le fœtus femelle. Comme les structures des organes génitaux mâles et femelles proviennent toutes de cellules embryonnaires indifférenciées au départ, les organes génitaux des deux sexes ont certaines similitudes (voir le tableau 4.2).

LA DIFFÉRENCIATION SEXUELLE DU CERVEAU

D'importantes différences structurelles et fonctionnelles entre le cerveau de l'homme et celui de la femme proviennent en partie du processus de différenciation sexuelle qui a lieu avant la naissance (Dennis, 2004 ; Hines, 2004 ; Wisniewski et coll., 2005). Durant la phase prénatale, en effet, les hormones en circulation (œstrogènes et testostérone) exercent une grande influence

sur plusieurs régions du cerveau, ce qui entraîne un développement cérébral distinct selon le sexe (Arnold, 2003, 2004 ; Dennis, 2004 ; Hines, 2004). Les œstrogènes provoquent, entre autres, des différences dans le développement des organes sensoriels chez l'ensemble des animaux vertébrés (Egan, 2008). De façon générale, il existe une différence importante entre les sexes en ce qui a trait à la taille du cerveau. À l'âge de six ans, lorsque le cerveau humain atteint sa taille adulte, le cerveau de l'homme est environ 15 % plus grand que celui de la femme (Gibbons, 1991). Selon les chercheurs, cette différence serait due à l'action particulière des androgènes, lesquels accéléreraient le développement du cerveau des garçons (Wilson, 2003).

Au moins trois régions importantes du cerveau humain présentent des différences selon le sexe : l'hypothalamus, les hémisphères cérébraux droit et gauche et le corps calleux (voir la figure 4.4).

Des recherches indiquent d'importantes différences entre l'**hypothalamus** de l'homme et celui de la femme qui découleraient de la présence ou de l'absence de testostérone dans le sang au cours de la différenciation prénatale (McEwen, 2001 ; Reiner, 1997a, 1997b). En son absence, l'hypothalamus produirait des cellules sensibles à la présence d'œstrogènes dans le sang. Cette différenciation prénatale, dont l'effet ne se fera sentir que beaucoup plus tard, est cruciale. En effet, durant la puberté, l'hypothalamus, sensible aux œstrogènes, ordonne à l'hypophyse de libérer des hormones de façon cyclique et déclenche, ce faisant, le cycle menstruel. Chez les garçons, l'hypothalamus, resté insensible aux œstrogènes sous l'effet de la testostérone, commence une production relativement régulière d'hormones sexuelles.

Les scientifiques ont fait plusieurs découvertes étonnantes concernant les différences sexuelles en étudiant une minuscule région de l'hypothalamus appelée le *noyau du lit de la strie terminale* (NLST) (Chung et coll., 2002 ; Gu et coll., 2003). Le NLST contient des récepteurs d'œstrogènes et d'androgènes, et il jouerait un rôle essentiel dans la différenciation sexuelle et le fonctionnement sexuel chez l'être humain. Une région située au centre de ce noyau est beaucoup plus grande chez l'homme que chez la femme (Zhou et coll., 1995), et une autre région située à l'arrière de ce noyau est au moins deux fois plus grande chez l'homme que chez la femme (Allen et Gorski, 1990).

Les chercheurs ont aussi décelé des différences selon le sexe dans la région antérieure de l'hypothalamus

Tableau 4.2 | **Équivalence des organes génitaux.**

FEMELLE	MÂLE
Clitoris	Gland du pénis
Prépuce (ou capuchon) du clitoris	Prépuce du pénis
Petites lèvres	Hampe du pénis
Grandes lèvres	Scrotum
Ovaires	Testicules
Glandes de Skene	Prostate
Glandes de Bartholin	Glandes de Cowper

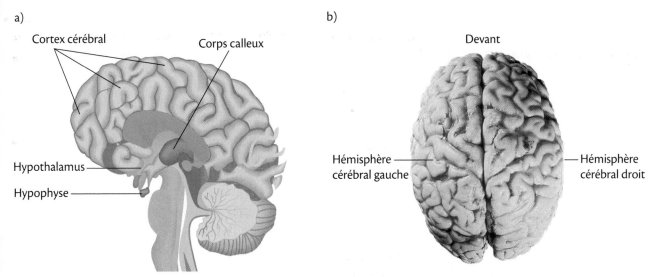

Figure 4.4 | Les régions du cerveau : a) vue sagittale du cortex cérébral, de l'hypothalamus, de l'hypophyse et du corps calleux ; b) vue de dessus des hémisphères cérébraux gauche et droit.

appelée *aire préoptique* (APO). Une zone précise de l'APO est sensiblement plus grande chez l'homme que chez la femme à l'âge adulte (Allen et coll., 1989 ; Swaab et coll., 1995). Ces découvertes, et d'autres semblables, ont conduit certains théoriciens à émettre l'hypothèse que la différenciation sexuelle des comportements, tant chez l'enfant que chez l'adulte, serait partiellement due au rôle exercé par les hormones sexuelles sur le développement du cerveau au cours de la période prénatale (Bancroft, 2002 ; Cohen-Kettenis, 2005 ; Lerman et coll., 2000).

Des recherches ont aussi démontré qu'il existe des différences importantes entre le **cerveau** de l'homme et celui de la femme en ce qui concerne la structure et les fonctions des **hémisphères cérébraux** et du corps calleux. Le cerveau, qui est composé de deux hémisphères et de la ligne qui les relie, forme la partie la plus importante de l'encéphale. Les deux hémisphères, bien qu'ils ne soient pas tout à fait identiques, sont presque des reflets l'un de l'autre (voir la figure 4.4b). Ils sont tous deux recouverts d'une couche superficielle appelée **cortex cérébral**, une structure de l'encéphale qui commande les fonctions intellectuelles supérieures telles que la mémoire, la perception et la pensée. Sans cortex cérébral, l'être humain perdrait son individualité et son fonctionnement propre.

Comme le montre la figure 4.4, les deux hémisphères cérébraux sont quasi symétriques, les régions du côté gauche correspondant à peu près aux régions du côté droit. La parole, l'audition, la vision, la motricité sont des fonctions qui relèvent de la surface des hémisphères cérébraux. Chaque hémisphère a tendance à se spécialiser dans certaines fonctions. Par exemple, les capacités liées au langage, comme la prononciation et la compréhension des mots, sont localisées dans l'hémisphère gauche chez la plupart des gens. L'hémisphère droit, par contre, semble être le siège de la perception spatiale, notamment de la capacité à reconnaître les objets et les formes et à interpréter les relations qui existent entre eux.

La latéralisation est un concept qui sert à décrire le degré de contrôle exercé par un hémisphère cérébral sur une fonction particulière. Par exemple, si les habiletés liées à la perception spatiale sont exclusivement régies par l'hémisphère cérébral droit d'une personne, on dira que cette fonction est fortement latéralisée chez elle. Si, au contraire, sa perception spatiale relève autant de son hémisphère gauche que de son hémisphère droit, on dira que cette fonction est bilatérale chez cette personne.

Hypothalamus   Petite structure située dans la région centrale du cerveau qui régit l'hypophyse et commande bon nombre de nos pulsions et émotions.

Cerveau   Principale structure de l'encéphale ; il est divisé en deux hémisphères.

Hémisphères cérébraux   Chacun des côtés (droit et gauche) du cerveau.

Cortex cérébral   Couche externe recouvrant chaque hémisphère cérébral et commandant les fonctions intellectuelles supérieures.

Même si chacun des hémisphères cérébraux a tendance à se spécialiser dans certaines fonctions, ce ne sont pas des systèmes complètement séparés. Notre cerveau fonctionne comme un tout intégré. Une épaisse lame de fibres nerveuses appelée **corps calleux** relie les deux hémisphères et les met en communication l'un avec l'autre (Smith et coll., 2005) (voir la figure 4.4a). Chez la plupart des gens, une fonction aussi complexe que le langage relève principalement de régions situées dans l'hémisphère cérébral gauche, mais ce contrôle s'exerce en interaction et en communication avec l'hémisphère droit. En outre, si un hémisphère spécialisé dans une fonction subit des lésions, l'hémisphère demeuré intact peut assumer cette fonction à sa place (Ogden, 1989).

Tout en gardant à l'esprit ce phénomène de latéralisation des fonctions cérébrales, soulignons que des différences structurelles importantes ont été observées entre les cerveaux de mâles et ceux de femelles. Premièrement, certaines études menées sur des fœtus humains et des rats ont établi que le cortex cérébral de l'hémisphère droit a tendance à être plus épais chez le mâle (de Lacoste et coll., 1990 ; Diamond, 1991b).

Deuxièmement, ce qui peut être plus significatif, d'autres études ont révélé que le volume du corps calleux présentait des différences selon le sexe chez certaines espèces animales, dont l'être humain (Coe et coll., 2002). Il a ainsi été démontré que cette structure du cerveau est sensiblement plus épaisse chez la femme que chez l'homme (Smith et coll., 2005). En étant plus épais, le corps calleux assure une meilleure communication entre les hémisphères, ce qui pourrait expliquer pourquoi la latéralisation des fonctions est moins grande chez la femme que chez l'homme (Kimura, 1992 ; Wilson, 2003).

La recherche a aussi clairement établi que le degré de spécialisation des hémisphères du cerveau varie selon le sexe en ce qui a trait aux fonctions liées au langage et à la perception spatiale. Chez la femme, ces fonctions sont généralement assumées par les deux hémisphères, alors que chez l'homme elles ont tendance à se concentrer dans un seul (asymétrie des fonctions) (Lambe, 1999 ; Wisniewski et coll., 2005). La communication entre les deux moitiés du cerveau étant plus grande

Corps calleux Épaisse lame de fibres nerveuses reliant les deux hémisphères cérébraux et assurant la communication entre eux.

Intersexué Terme maintenant employé à la place de « hermaphrodite » pour désigner une personne qui possède les caractères biologiques des deux sexes.

chez la femme, cela pourrait expliquer pourquoi le cerveau féminin subit moins de pertes fonctionnelles que celui de l'homme lorsqu'un trouble neurologique affecte un des hémisphères (Majewska, 1996).

Les chercheurs et les théoriciens se demandent si ces différences structurelles du cerveau peuvent expliquer certaines disparités observées entre les deux sexes en ce qui a trait aux processus cognitifs. Par exemple, les femmes réussissent généralement mieux que les hommes les tests d'habileté verbale, alors que c'est le contraire pour les tests d'habileté spatiale (Beller et Gafni, 2000 ; Gron et coll., 2000 ; Halpern et LaMay, 2000). Pour certains chercheurs, les différences structurelles des hémisphères cérébraux et du corps calleux constituent peut-être le fondement biologique des différences constatées dans les processus cognitifs (Geer et Manguno-Mire, 1997 ; Gur et coll., 1995 ; Leibenluft, 1996). Plusieurs théoriciens, cependant, soutiennent que ces différences d'habiletés cognitives entre les sexes sont dues à des facteurs psychosociaux (Fausto-Sterling, 2000 ; Green et coll., 1999). Ils citent à cet égard quantité de faits démontrant que de telles différences se sont beaucoup atténuées durant les dernières années (Carter, 2000 ; Fausto-Sterling, 2000 ; Hyde, 2004). Enfin, pour éclairer ce débat, disons que nous faisons nôtre l'opinion de l'éminente psychologue Carol Tavris (2005, p. 12) qui affirmait qu'en ce qui concerne les comportements et les aptitudes, les similitudes entre les sexes l'emportent très largement sur les différences.

LA DIFFÉRENCIATION PRÉNATALE ATYPIQUE

Jusqu'ici nous n'avons considéré que la différenciation prénatale typique. Mais une grande partie de ce qu'on sait concernant l'impact de la différenciation sexuelle sur le développement du sentiment d'appartenance à un sexe provient des études faites sur la différenciation atypique.

Nous avons vu que la différenciation des structures sexuelles internes et externes est influencée par des signaux biologiques. Lorsque ces signaux ne suivent pas le cours normal, ils entraînent le développement de caractères sexuels ambigus ou contradictoires. Les personnes présentant de tels caractères sont parfois appelées *hermaphrodites*, du nom de ce dieu grec doté des attributs des deux sexes. Aujourd'hui, on utilise aussi le terme **intersexué** pour désigner ces personnes (Morris, 2003).

On distingue l'hermaphrodisme vrai du pseudo-hermaphrodisme. Dans le premier cas, extrêmement rare, la personne possède à la fois des ovaires et des testicules (Blackless et coll., 2000 ; Parker, 1998). Souvent, les organes génitaux externes sont un mélange de structures mâles et femelles. Le pseudo-hermaphrodisme, par contre, est plus fréquent : il touche environ une personne sur 2000 (Colapinto, 2000 ; Diamond, 2004). Dans ce cas, les organes génitaux externes et internes sont morphologiquement ambigus, mais les gonades ne renferment pas des tissus féminins et des tissus masculins comme dans l'hermaphrodisme. Les études portant sur le pseudo-hermaphrodisme ont aidé à mieux cerner les rôles respectifs de la biologie et de l'apprentissage social dans le développement du sentiment d'appartenance à un sexe. L'intersexualité pourrait être le résultat d'une combinaison atypique des chromosomes sexuels ou de sécrétions hormonales prénatales anormales. Nous présentons maintenant les données relatives à cinq types de pseudo-hermaphrodisme, lesquelles sont résumées dans le tableau 4.3.

Les anomalies des chromosomes sexuels

Des anomalies se produisent parfois au cours de la première phase de détermination du sexe biologique, l'individu naissant avec un ou plusieurs chromosomes sexuels en trop ou un chromosome sexuel en moins. Plus de 70 affections atypiques des chromosomes sexuels ont

Tableau 4.3 | Principaux syndromes de différenciation sexuelle prénatale atypique.

SYNDROME	SEXE CHROMO-SOMIQUE	SEXE GONADIQUE	ORGANES GÉNITAUX INTERNES	ORGANES GÉNITAUX EXTERNES	FERTILITÉ	CARACTÈRES SEXUELS SECONDAIRES	SENTIMENT D'APPARTENANCE À UN SEXE
Syndrome de Turner	45, XO	Tissu ovarien de stries fibreuses	Utérus et trompes de Fallope	Féminins normaux	Stérile	Sous-développés ; absence de seins	Féminin
Syndrome de Klinefelter	47, XXY	Petits testicules	Masculins normaux	Pénis et testicules sous-développés	Stérile	Certaine féminisation ; l'individu peut avoir des seins et des rondeurs	Souvent masculin, bien qu'il y ait une incidence plus forte que la normale de désordres dans ce sentiment
Syndrome de l'insensibilité aux androgènes (SIA)	46, XY	Testicules non descendus	Absence d'organes normaux, masculins ou féminins	Féminins normaux et vagin peu profond	Stérile	À la puberté, développement des seins et apparition des signes normaux de maturation sexuelle, mais absence de menstruations	Féminin
Syndrome d'androgénisation du fœtus femelle	46, XX	Ovaires	Féminins normaux	Ambigus (souvent plus masculins que féminins)	Fertile	Féminins normaux (les individus souffrant d'un mauvais fonctionnement des glandes surrénales doivent suivre un traitement à la cortisone afin d'éviter la masculinisation)	Féminin, mais niveau élevé d'insatisfaction par rapport à ce sentiment ; orientation marquée vers les activités traditionnellement masculines
Déficience du fœtus mâle en DHT (dihydrotesto-stérone)	46, XY	Testicules non descendus à la naissance ; descente des testicules à la puberté	Présence de canaux déférents, de vésicules séminales et de canaux éjaculateurs, mais absence de prostate ; vagin partiellement formé	Ambigus à la naissance (plus féminins que masculins) ; masculinisation des organes génitaux à la puberté	Stérile	Féminins avant la puberté ; masculinisés à la puberté	Féminin jusqu'à la puberté, et généralement masculin par la suite

été identifiées (Nielson et Wohlert, 1991). Ces irrégularités peuvent avoir des conséquences sur l'anatomie, la santé et le comportement. Nous allons nous pencher sur deux de ces affections les plus étudiées : le syndrome de Turner et le syndrome de Klinefelter.

On estime que le **syndrome de Turner** touche une personne sur 1700 à 2500 bébés féminins (Intersex Society of North America, 2006). Dans un tel cas, l'œuf fécondé possède 45 chromosomes au lieu des 46 habituels ; l'absence d'un chromosome sexuel donne alors une combinaison de type XO. Les personnes atteintes de ce syndrome ont les organes génitaux externes d'une femme, mais leurs organes internes ne sont pas complètement développés. Leurs seins ne se développent pas à la puberté (à moins qu'elles ne suivent un traitement hormonal substitutif), elles ne sont pas menstruées et elles demeurent stériles. À l'âge adulte, ces femmes ont tendance à être beaucoup plus petites que la moyenne (Gravholt et coll., 1998).

Bien que les gonades soient inexistantes ou sous-développées dans le cas du syndrome de Turner — ce qui entraîne une déficience hormonale —, un sentiment d'appartenance à un sexe peut se développer, malgré l'absence des influences hormonales et gonadiques (les deuxième et troisième niveaux de différenciation sexuelle biologique). Les individus ayant le syndrome de Turner s'identifient comme femmes et ont les mêmes intérêts et les mêmes comportements que les femmes dont le développement biologique a été normal (Kagan-Krieger, 1998). Cette donnée suggère donc qu'un sentiment d'appartenance au sexe féminin peut se développer même en l'absence des ovaires et des hormones qu'ils produisent.

Le **syndrome de Klinefelter** est une anomalie plus commune puisqu'elle touche un fœtus mâle sur 1000 (Intersex Society of North America, 2006). Un tel cas se présente lorsqu'un spermatozoïde porteur d'un chromosome Y féconde un ovule contenant deux chromosomes X au lieu d'un seul, ce qui donne une combinaison XXY. Les garçons atteints de ce syndrome sont anatomiquement des hommes, mais la présence d'un second chromosome féminin fait en sorte que deux courants structuraux se développent simultanément. Le chromosome Y déclenche la formation des structures masculines, mais le second chromosome féminin freine leur développement, ce qui entraîne la stérilité et le sous-développement du pénis et des testicules. Ces personnes manifesteront donc peu d'intérêt pour l'activité sexuelle, probablement en raison de leur très faible taux de testostérone produit (Money, 1968 ; Rabock et coll., 1979). Les hommes atteints de ce syndrome sont généralement grands et présentent certaines caractéristiques physiques féminines telles qu'une gynécomastie (poitrine féminisée) et des rondeurs aux hanches. Bien que ces hommes s'identifient surtout au sexe masculin, il n'est pas rare qu'ils manifestent une certaine confusion dans leur sentiment d'appartenance à leur sexe (Mandoki et coll., 1991).

Les désordres dans le processus hormonal prénatal

Le **syndrome de l'insensibilité aux androgènes** (SIA) est un désordre génétique rare : les cellules du fœtus mâle, lequel est normal sur le plan chromosomique, se montrent résistantes aux androgènes (Mazur, 2005). Il en résulte une féminisation du développement prénatal, et le bébé naît avec des organes génitaux féminins d'apparence normale et un vagin peu profond. Évidemment, cet enfant sera élevé comme une fille, et ce n'est qu'à l'adolescence, lorsque les menstruations tarderont à venir, que l'anomalie sera découverte. Plusieurs études récentes sur le SIA montrent que les personnes atteintes de ce syndrome développent un sentiment d'appartenance clairement féminin et se comportent comme telles (Mazur, 2005). Dans une de ces études, les chercheurs ont comparé à l'aide de variables psychologiques un groupe de 22 femmes atteintes du SIA avec un groupe-témoin de 22 femmes

---

Syndrome de Turner Affection rare due à la présence d'un seul chromosome sexuel, un X, ce qui donne une combinaison de type XO. Chez ces personnes, les organes génitaux externes sont des organes féminins normaux, mais les organes reproducteurs internes ne se développent pas complètement.

Syndrome de Klinefelter Présence d'un chromosome Y, mais aussi de deux chromosomes X, donnant une combinaison XXY ; il en résulte des organes génitaux externes masculins, mais insuffisamment développés.

Syndrome de l'insensibilité aux androgènes Désordre dû à un défaut génétique où un fœtus mâle chromosomiquement normal demeure insensible à l'action de la testostérone, ce qui entraîne le développement d'organes génitaux externes féminins d'apparence normale.

Syndrome d'androgénisation du fœtus femelle Désordre entraînant chez un fœtus femelle chromosomiquement normal le développement d'organes génitaux externes d'apparence masculine à la suite d'une exposition excessive aux androgènes pendant la période de différenciation prénatale.

Déficience du fœtus mâle en DHT Désordre entraînant chez un fœtus mâle chromosiquement normal (XY) le développement d'organes génitaux externes d'apparence féminine en raison d'un défaut génétique empêchant la transformation de la testostérone en dihydrotestostérone (DHT).

non atteintes du syndrome. Aucune différence significative n'a été relevée entre les deux groupes pour tous les critères psychologiques retenus, notamment le sentiment d'appartenance à un sexe, l'orientation sexuelle, les rôles sexuels et la qualité de vie en général (Hines et coll., 2003). À première vue, ces résultats semblent confirmer le caractère déterminant de l'apprentissage social dans le développement du sentiment d'appartenance à un sexe. Par ailleurs, ils peuvent également servir à démontrer la grande influence des facteurs biologiques sur le développement de ce sentiment. Ainsi, chez les personnes atteintes du SIA, la faible sensibilité aux androgènes pourrait empêcher la masculinisation des structures du cerveau et, conséquemment, le développement d'un sentiment d'appartenance au sexe masculin, tout comme elle entraverait le développement d'organes génitaux masculins.

Le **syndrome d'androgénisation du fœtus femelle** est un deuxième type de dérèglement plutôt rare où les cellules du fœtus femelle, lequel est normal sur le plan chromosomique, sont exposées à des quantités importantes d'androgènes ; cet excès d'androgènes est habituellement lié à un dysfonctionnement congénital des glandes surrénales (syndrome adrénogénital) (Dessens et coll., 2005 ; Hines et coll., 2004). Il en résulte le développement d'organes génitaux externes d'apparence masculine. Ainsi, le clitoris sera tellement gros qu'il pourra être pris pour un pénis et la soudure partielle des grandes lèvres pourra laisser croire à la présence d'un petit scrotum.

Les enfants nés avec ce syndrome sont habituellement élevés comme des filles et traités chirurgicalement afin de redonner une apparence féminine à leurs organes génitaux. Plusieurs études ont établi que la grande majorité des personnes atteintes du syndrome d'androgénisation du fœtus femelle développent un sentiment d'appartenance au sexe féminin ; toutefois, bon nombre d'entre elles se livrent à des activités traditionnellement masculines et rejettent les rôles habituellement attribués aux femmes (Dessens et coll., 2005 ; Hines et coll., 2004). Une minorité d'entre elles, par contre, ressentent une telle gêne face à leur statut féminin qu'elles chercheront à développer une identification masculine et adopteront les rôles les plus masculins possible (Meyer-Bahlburg et coll., 1996 ; Slijper et coll., 1998). Ces études sur l'androgénisation du fœtus femelle semblent confirmer le rôle important que jouent les facteurs biologiques dans la formation du sentiment d'appartenance à un sexe.

La déficience du fœtus mâle en DHT

La **déficience du fœtus mâle en DHT**, un troisième type de dérèglement hormonal, est causée par une déficience génétique qui empêche la transformation de la testostérone en dihydrotestostérone (DHT), laquelle est nécessaire à la masculinisation des organes génitaux externes. Ici, les testicules du fœtus mâle ne descendent pas avant la naissance. Le pénis et le scrotum ne se développent pas normalement, offrant l'apparence d'un clitoris et des grandes lèvres, et un vagin peu profond se développe partiellement.

Les bébés nés ainsi sont généralement identifiés comme des filles et élevés comme telles. Toutefois, puisque les testicules sont fonctionnels, la production de testostérone s'accroît à la puberté, renversant la déficience en DHT. Un changement stupéfiant se produit alors : les testicules qui n'étaient pas descendus le font subitement et le pénis augmente de taille, modifiant l'apparence des organes génitaux externes. D'après les recherches, la majorité des personnes atteintes de ce syndrome ont un sentiment d'appartenance au sexe féminin durant leur enfance, puis au sexe masculin entre l'adolescence et l'âge adulte (Cohen-Kettenis, 2005 ; Imperato-McGinley et coll., 1979). De telles constatations remettent en question la croyance très répandue que le sentiment d'appartenance développé au cours des toutes premières années de l'enfance ne peut être changé par la suite.

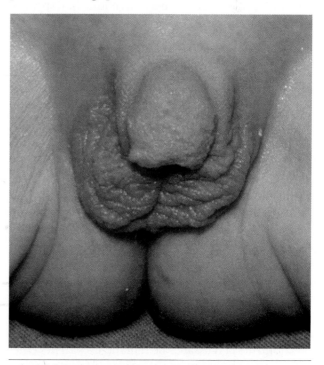

Organes externes féminins masculinisés par une surexposition aux androgènes pendant le développement fœtal.

Selon certaines données, les androgènes prénataux influent sur la différenciation cérébrale tout autant que sur la différenciation des structures génitales. Ainsi, dans le syndrome de l'insensibilité aux androgènes, le défaut génétique empêcherait non seulement la masculinisation des organes génitaux mais aussi celle du cerveau, ce qui pourrait expliquer le confort psychologique de ces petits garçons face à l'identité féminine qu'on leur a attribuée. De la même manière, l'androgénisation du fœtus femelle affecterait aussi le développement du cerveau, ce qui expliquerait que les jeunes filles atteintes de ce syndrome ont le sentiment d'appartenir au monde masculin. L'énigme que représente la déficience du fœtus mâle en DHT peut, pour sa part, s'expliquer par un fonctionnement hormonal masculin normal, sauf en ce qui a trait au développement des organes génitaux externes, d'où le passage aisé d'un sentiment d'appartenance féminin à un sentiment d'appartenance masculin à l'adolescence.

Ces études fascinantes soulignent la complexité du développement sexuel. En effet, la différenciation sexuelle suit de nombreuses étapes, et une erreur peut se produire à n'importe quelle d'entre elles et avoir des conséquences importantes sur le développement des structures sexuelles et cérébrales. Tout cela nous conduit à une question fondamentale : Qu'est-ce qui fait de nous un mâle ou une femelle ? Pour mieux comprendre cette délicate question, examinons maintenant le rôle des apprentissages sociaux dans le développement du sentiment d'appartenance à un sexe après la naissance.

L'INFLUENCE DE L'APPRENTISSAGE SOCIAL SUR LE SENTIMENT D'APPARTENANCE À UN SEXE

Jusqu'à maintenant, nous avons tenu compte des facteurs biologiques impliqués dans la détermination du sentiment d'appartenance à un sexe. Cependant, la conscience que nous avons d'être homme ou femme ne repose pas uniquement sur de tels facteurs. Selon la théorie de l'apprentissage social, notre sentiment d'appartenance, que ce soit au sexe masculin ou au sexe féminin, ou encore à une combinaison des deux (androgynie), est avant tout le résultat des influences sociales et culturelles auxquelles nous avons été exposés en bas âge (Lips, 1997 ; Lorber, 1995).

Avant même la naissance de l'enfant, les parents et les membres de leur entourage ont des idées préconçues sur la façon dont les garçons et les filles diffèrent les uns des autres et, à travers une multitude de moyens, (certains subtils, d'autres moins), ils communiquent ces idées à leur enfant (Witt, 1997). Leurs attentes influent sur l'environnement dans lequel l'enfant est élevé, depuis la couleur des murs de sa chambre à coucher jusqu'au choix de ses jouets. Elles se manifestent également dans la façon dont les parents voient leur enfant. Ainsi, au cours d'une étude, des parents étaient invités à décrire leur nouveau-né. Les parents de garçons qualifiaient leur enfant de « fort », d'« actif » et de « robuste », alors que les parents de filles utilisaient des termes comme « douce » et « délicate » pour les décrire, et ce, même si les bébés étaient tous comparables, tant du point de vue de la taille que du tonus musculaire (Rubin et coll., 1974). Il n'est pas surprenant alors de constater que les attentes en matière de rôles sexuels influencent la façon dont les parents réagissent envers leurs enfants. Ainsi, on encouragera un garçon à ravaler ses pleurs s'il se blesse et à manifester d'autres qualités « viriles », telles que l'autonomie et l'agressivité, alors que les filles seront encouragées à être tendres, dévouées et coopératives (Hyde, 2004 ; Mosher et Tomkins, 1988).

Vers l'âge de trois ans, la plupart des enfants ont déjà acquis un solide sentiment d'appartenance à un sexe (DeLamater et Friedrich, 2002). À partir de ce moment, cette identité se renforce d'elle-même, car la plupart des enfants cherchent à adopter le comportement qu'on leur a appris à considérer comme le plus approprié à leur sexe (DeLamater et Friedrich, 2002). Il n'est pas rare de voir des petites filles insister pour porter de belles robes ou faire la cuisine, parfois au grand désarroi de leur mère qui a adopté une façon plus pratique de se vêtir et abandonné les fourneaux pour mener une carrière. De la même manière, les jeunes garçons peuvent être fascinés par les super héros, les policiers et autres modèles culturels qu'ils s'efforceront d'imiter.

Les études anthropologiques menées dans d'autres cultures tendent à confirmer le rôle de l'apprentissage social dans la formation du sentiment d'appartenance à un sexe. Dans plusieurs cultures, les différences que nous tenons souvent pour acquises entre les hommes et les femmes ne vont tout simplement pas de soi. L'ouvrage de Margaret Mead, *Mœurs et sexualité en Océanie* (1969), a révélé que d'autres sociétés peuvent avoir des conceptions très différentes de ce qui est féminin ou masculin. Dans ce compte rendu souvent cité de son travail sur le terrain en Nouvelle-Guinée, Mead étudie deux sociétés qui réduisent au minimum les différences entre les sexes. Elle note que chez les Mundugumors, les personnes des deux sexes font

Bien que les parents soient davantage sensibilisés au choix des jouets destinés à leurs enfants, plusieurs continuent de donner des jouets différents aux filles et aux garçons.

preuve d'agressivité, d'insensibilité, d'un manque de tendresse et de dévouement, autant de comportements qui seraient considérés comme masculins d'après nos normes. À l'opposé, chez les Arapeshs, les hommes et les femmes font preuve de douceur, de sensibilité, de coopération, de dévouement et de non-agressivité, ce qui, dans nos sociétés, serait considéré comme des comportements typiquement féminins. Dans une troisième société étudiée par Mead, soit les Tchambulis, les rôles masculins et féminins sont à l'opposé de ce qui constitue la norme en Amérique du Nord. Comme il n'existe pas de preuves de différences biologiques entre ces peuples et ceux de l'Amérique du Nord, l'interprétation radicalement différente qu'ils font de ce qui est masculin et féminin semble être le résultat de processus d'apprentissage social particuliers.

Enfin, les tenants de la théorie de l'apprentissage social s'appuient sur des études qui se sont intéressées à des enfants nés avec des organes génitaux ambigus, auxquels on a attribué un sexe et qu'on a élevés en conséquence. Les premiers travaux dans ce domaine ont été réalisés en grande partie par une équipe de l'Université Johns Hopkins, dirigée par John Money. Au départ, Money et ses collègues croyaient qu'une personne est neutre ou indifférenciée du point de vue psychosexuel au moment de sa naissance et que ce sont ses expériences

d'apprentissage social qui déterminent son sentiment d'appartenance à un sexe et les comportements qui en découlent (Money, 1961, 1963 ; Money et Erhardt, 1972). C'est pour cette raison qu'on prêtait peu attention au pairage des organes sexuels externes et des chromosomes sexuels. Comme le but de l'intervention chirurgicale était de donner une apparence finale aux organes sexuels, on attribuait à la plupart de ces enfants le sexe féminin parce qu'il était plus simple, autant du point de vue chirurgical qu'esthétique, et plus fonctionnel de transformer des organes génitaux ambigus en organes féminins que de construire un pénis (Diamond, 2004 ; Diamond et Sigmundson, 1997 ; Nussbaum, 2000).

Money et ses collègues suivirent pendant des années les enfants ayant subi cette intervention chirurgicale et découvrirent que, dans la plupart des cas, les enfants auxquels on avait attribué un sexe différent de leur sexe chromosomique développaient un sentiment d'appartenance au sexe dans lequel ils avaient été élevés (Money, 1965 ; Money et Erhardt, 1972). D'autres résultats allant dans le même sens ont récemment été publiés. Les chercheurs ont interrogé 39 adultes qui avaient subi une intervention chirurgicale à Johns Hopkins alors qu'ils étaient bébés. Tous ces sujets étaient de sexe chromosomique mâle à la naissance et possédaient un micro-pénis avec un orifice urétral situé dessous. Certains ont été traités pour devenir des femmes du point de vue anatomique et d'autres pour devenir des hommes, et chacun s'est vu attribuer le sexe correspondant. La plupart des répondants (78 % des hommes et 76 % des femmes) ont déclaré être satisfaits du sexe qu'on leur avait attribué, de leur image corporelle, de leur fonctionnement sexuel et de leur orientation sexuelle. Sur les 39 personnes, cependant, deux avaient changé de sexe à l'âge adulte (Migeon et coll., 2002).

Des recherches menées au cours des dernières années montrent cependant que certains enfants intersexués peuvent ne pas être aussi neutres du point de vue psychosexuel qu'on l'avait d'abord cru. Le suivi à long terme de plusieurs enfants intersexués traités selon le protocole en vigueur à Johns Hopkins a révélé que certains d'entre eux éprouvaient de sérieux problèmes d'adaptation au sexe qui leur avait été attribué (Diamond, 1997 ; Diamond et Sigmundson, 1997).

Un cas particulièrement révélateur concerne deux garçons, jumeaux identiques. Un des jumeaux avait eu le tissu pénien pratiquement détruit lors de sa circoncision en raison d'une défectuosité de l'appareil à cautériser. Comme il était impossible de reconstruire le pénis par chirurgie plastique, il fut recommandé d'élever l'enfant comme une fille et de procéder à une intervention chirurgicale visant à changer son sexe. Quelques mois plus tard, les parents commencèrent à l'élever comme une fille. On décida d'attendre que l'enfant soit plus âgé pour lui faire construire un vagin. Le suivi de ces jumeaux durant leurs années d'enfance révéla que, en dépit du fait qu'ils possédaient le même matériel génétique, ils avaient réagi à leur expérience distincte d'apprentissage social en développant chacun un sentiment d'appartenance à un sexe différent. Plus encore, l'enfant auquel on avait attribué le sexe féminin fut décrit comme une petite fille se développant normalement.

Si l'histoire de ces jumeaux s'arrêtait là, nous nous trouverions en présence de preuves convaincantes du rôle déterminant de l'apprentissage social dans le développement du sentiment d'appartenance à un sexe. Cependant, en 1979, le psychiatre qui s'occupait de ce cas révéla que le jumeau à qui on avait attribué le sexe féminin éprouvait de sérieuses difficultés d'adaptation à sa vie de femme (Williams et Smith, 1979). Un suivi plus récent (Diamond et Sigmundson, 1997) indique qu'à partir de l'âge de 14 ans, sans savoir qu'il possédait une paire de chromosomes XY et contre l'avis de ses parents et des médecins traitants, le jumeau en

question décida de ne plus vivre comme une femme. Ce refus sans équivoque, de pair avec une amélioration marquée de son état émotionnel lorsqu'il se mit à vivre comme un individu de sexe masculin, convainquit les thérapeutes de la pertinence d'un autre changement de sexe. Sa réadaptation à la suite de la chirurgie fut excellente et, grâce à des traitements à base de testostérone, le jumeau se transforma en un beau jeune homme qui, à l'âge de 25 ans, se maria avec une femme dont il adopta les enfants et remplit avec aisance son rôle de père et de mari. Cette histoire remarquable est racontée par John Colapinto dans son ouvrage *As Nature Made Him : The Boy Who Was Raised as a Girl* (2000).

Ce cas illustre l'importance des études longitudinales à long terme sur les enfants auxquels on a attribué un nouveau sexe. Le suivi dont cet enfant avait fait l'objet en bas âge avait été largement diffusé dans la presse et les milieux tant universitaires que médicaux. Le cas avait été décrit comme la preuve évidente que le sentiment d'appartenance à un sexe était neutre au moment de la naissance et qu'il n'était pas encore influencé par les expériences liées à l'apprentissage social. Après avoir prévalu pendant de nombreuses années, cette interprétation est aujourd'hui considérée comme fausse. Même John Money, qui fut pourtant l'un des plus ardents défenseurs de cette théorie, atténua sa position vers la fin de sa carrière (voir Money, 1994b).

Pour faire suite à ce cas célèbre qui soulève des questions quant à l'application du protocole de Johns Hopkins, mentionnons un autre cas, dont on a peu parlé, qui a connu une tout autre issue. Il concerne un garçon dont le pénis avait été brûlé durant une circoncision. L'enfant, élevé comme une fille, fut interrogé par des psychologues à l'âge de 16 ans et à l'âge de 26 ans. Bien qu'il ait eu des manières garçonnières étant jeune et qu'il soit devenu bisexuel à l'âge adulte, il conserva toujours un sentiment d'appartenance au sexe féminin, contrairement à ce jumeau qui adopta un sentiment d'appartenance au sexe masculin lorsqu'il devint adulte (Bradley et coll., 1998).

Une autre étude récente soulève des questions sur le fait d'attribuer, par une intervention chirurgicale, un sexe à un enfant dont les organes sexuels sont ambigus. Cette recherche portait sur 27 enfants nés sans pénis (une affection connue sous le nom d'*exstrophie cloacale*) mais pourvus de testicules, de chromosomes et d'hormones normaux. Peu après leur naissance, on attribua un nouveau sexe à 25 d'entre eux, en procédant par castration, et ils furent élevés comme des filles. L'étude révèle que

Question d'analyse critique

Imaginez que vous êtes responsable d'une équipe de professionnels de la santé qui doit décider de la meilleure façon de traiter un enfant intersexué. Attribueriez-vous un sexe à cet enfant et lui feriez-vous subir une intervention chirurgicale ou suivre une hormonothérapie permettant d'assurer la correspondance avec ce sexe ? Dans l'affirmative, quel sexe choisiriez-vous ? Pourquoi ? Si vous choisissiez de ne pas lui attribuer un sexe, quel suivi ou quelle stratégie proposeriez-vous pour la période couvrant les années de développement de l'enfant ?

ces 25 personnes, de 5 à 16 ans, ont affiché des comportements typiquement masculins dans leurs jeux et que 14 d'entre elles ont déclaré être des garçons. Les deux garçons à qui on n'avait pas attribué un nouveau sexe, et qui ont donc été élevés comme des garçons, ont semblé mieux adaptés. Ces résultats ont amené William Reiner (2000, p. 1), le chercheur principal de cette étude, à conclure qu'avec le temps et l'âge, il est possible que les enfants sachent à quel sexe ils appartiennent, même si l'information qu'ils reçoivent et la façon dont ils sont élevés leur affirment le contraire.

Certains chercheurs réputés affirment maintenant que les idées dominantes sur la neutralité de l'identité sexuelle à la naissance et l'efficacité du changement de sexe des enfants sont probablement fausses. En fait, on réalise de plus en plus que, en dépit du grand soin que l'on met à élever en filles des enfants de sexe chromosomique masculin, certains d'entre eux, sinon plusieurs, manifestent de fortes tendances masculines au cours de leur développement et peuvent même, à la puberté, changer le sexe qui leur a été attribué (Colapinto, 2000 ; Diamond et Sigmundson, 1997 ; Reiner, 1997, 2000). Les prétendus bienfaits et le caractère éthique des traitements classiques auxquels on soumet les individus intersexués alimentent un débat passionné tant parmi les personnes intersexuées que parmi les chercheurs et les praticiens, comme le montre l'encadré « Au-delà des frontières ».

LE MODÈLE INTERACTIONNEL

Pendant des dizaines d'années, les scientifiques ont débattu de l'influence relative de l'inné (c'est-à-dire des déterminants biologiques) et de l'acquis (l'apprentissage

Au-delà des frontières

Stratégies de traitement pour les personnes intersexuées : débat et controverse

Nous vivons dans un monde qui souscrit très fortement à un modèle de la condition humaine dans lequel il n'existe que deux sexes. Dans cette optique, les personnes nées avec des organes sexuels ambigus sont souvent vues comme des accidents biologiques qu'il est nécessaire de « réparer ». John Money et ses collègues de Johns Hopkins furent les premiers à élaborer un protocole de traitement pour les personnes intersexuées ; celui-ci est devenu pratique courante au début des années 1960. Selon ce protocole, une équipe de professionnels, aidée des parents, « choisit » le sexe à attribuer à l'enfant intersexué. Afin de réduire le risque de problèmes futurs reliés à l'adaptation ou à l'appartenance sexuelle, on a généralement recours à la chirurgie, à l'hormonothérapie, ou à une combinaison des deux. Money et ses collègues ont affirmé que la plupart des individus traités selon ce protocole s'adaptaient relativement bien et s'identifiaient au sexe dans lequel ils avaient été élevés (Money, 1965 ; Money et Ehrhardt, 1972).

Au cours des dernières années, de sérieux doutes ont été soulevés quant aux bénéfices à long terme et au caractère éthique de ce protocole de traitement (Dreger, 2003 ; Fausto-Sterling, 2000 ; Kessler, 1998). Milton Diamond, un fervent opposant à la stratégie de traitement de John Money, a mené des études à long terme sur un certain nombre d'individus intersexués qui avaient été traités selon ce protocole thérapeutique. Ses études révèlent que certaines de ces personnes connaissent d'importants problèmes d'adaptation qu'elles attribuent à la façon dont a été traitée leur intersexualité (Diamond, 1997, 2004 ; Diamond et Sigmundson, 1997 ; Vilain, 2001).

Les recherches de Diamond et le témoignage des personnes ayant subi le protocole de traitement standard ont déclenché un vif débat parmi les personnes intersexuées, les chercheurs et les professionnels de la santé quant au traitement qui serait le plus approprié aux nouveau-nés intersexués. Certains spécialistes font encore confiance au protocole de Money et affirment qu'on devrait attribuer le plus tôt possible un sexe défini à l'enfant intersexué, de préférence avant qu'il ne développe un sentiment d'appartenance à un sexe, habituellement au cours de sa deuxième année. Les tenants de cette position croient que l'intervention chirurgicale et l'hormonothérapie s'avèrent nécessaires afin de réduire le plus possible le désarroi de l'enfant face à son sexe. Diamond et d'autres chercheurs proposent une approche différente en trois volets. Premièrement, les professionnels de la santé devraient essayer de « prévoir » du mieux qu'ils le peuvent le sexe auquel l'enfant intersexué s'identifiera et recommander aux parents de l'élever en conséquence. Deuxièmement, on devrait éviter la chirurgie des organes génitaux (qui doit souvent être refaite en sens inverse des années plus tard) au cours des premières années du développement de l'enfant. Troisièmement, l'enfant et les parents devraient bénéficier de conseils éclairés et disposer d'informations justes et pertinentes pendant la période de développement de l'enfant afin que celui-ci puisse faire un choix éclairé lorsque se posera la question de la chirurgie ou de l'hormonothérapie. Un groupe d'éminents chercheurs en intersexualité recommande fortement de ne faire aucune intervention médicale tant que l'enfant n'aura pas développé un sentiment d'appartenance à un sexe déterminé (Caldwell, 2005).

La stratégie de Diamond et le protocole standard de traitement soulèvent d'importantes questions. La chirurgie pratiquée sur les organes génitaux d'enfants en bas âge viole-t-elle leur droit à un consentement éclairé ? Les enfants qu'on laisserait avec des organes génitaux ambigus éprouveraient-ils des difficultés à l'école ou ailleurs si leur état venait à être connu ? La société peut-elle évoluer au-delà d'un modèle où seuls coexistent deux sexes et reconnaître un état d'intersexualité situé entre le masculin et le féminin ?

Certaines études relatent plusieurs cas de personnes non traitées qui se sont très bien adaptées à leur condition d'intersexualité (Fausto-Sterling, 2000 ; Laurent, 1995). Qui plus est, certaines personnes intersexuées qui ont été traitées selon le protocole standard ont, au cours des dernières années, exprimé un profond ressentiment envers les traitements médicaux auxquels elles ont été soumises au cours de leur enfance (Goodrum, 2000 ; Looy et Bouma, 2005 ; Morris, 2003). En fait, de nombreuses personnes intersexuées, maintenant adultes, demandent que l'on arrête de considérer les enfants intersexués comme des « biens endommagés » qu'il faut remettre en état (Goodrum, 2000, p. 2).

Les militants intersexuels, qui ont fondé une organisation appelée Intersex Society of North America (ISNA), allèguent que les personnes intersexuées représentent des cas non pas d'anormalité génitale mais de diversité génitale. L'ISNA prône une approche non interventionniste où l'enfant intersexué ne serait pas soumis à la chirurgie visant à transformer ses organes génitaux ; il ou elle pourrait recourir à ce choix plus tard (Caldwell, 2005 ; Melby, 2002a ; Nussbaum, 2000). Qui plus est, l'ISNA estime qu'il y a violation de l'éthique médicale lorsque : 1) des enfants en bas âge sont soumis à un traitement chirurgical alors qu'ils ne sont pas en mesure de donner un consentement éclairé ; 2) on nie aux personnes intersexuées le droit de demeurer des personnes intersexuées avec leur identité propre ; et 3) on incite les parents à cacher à leur enfant des informations sur son état d'intersexualité.

Les militants intersexuels dénoncent également avec vigueur un aspect du traitement de l'intersexualité auquel on a très peu prêté attention auparavant : la modification chirurgicale des organes génitaux affecte la capacité de l'individu à connaître le plaisir sexuel (Chase, 2003 ; Creighton et Liao 2004 ; Morris, 2003). Par exemple, la réduction chirurgicale du clitoris d'une fille atteinte du syndrome de masculinisation fœtale peut entraîner une diminution des sensations érotiques et ainsi nuire au plaisir sexuel et à la capacité de cette personne d'avoir un orgasme (Minto, 2003 ; Morris, 2003).

Il y a présentement plus de questions que de réponses en ce qui concerne la meilleure stratégie d'intervention à adopter envers les enfants intersexués. Cette incertitude vient en grande partie du manque d'études à long terme portant sur les personnes intersexuées (Meyer-Bahlburg, 2005). Espérons que le temps et la recherche permettront de résoudre ce problème.

social et l'environnement) sur le développement de l'être humain. Il semble clair aujourd'hui que le sentiment d'appartenance à un sexe est le produit à la fois de facteurs biologiques et de l'apprentissage social. Il existe maintenant trop de preuves à l'encontre de l'idée que les bébés normaux seraient, du point de vue psychosexuel, neutres à la naissance. Nous avons vu que les enfants en bas âge possèdent un substrat biologique complexe encore mal connu qui les prédispose à interagir avec leur environnement social sur un mode masculin ou féminin. Cependant, peu de chercheurs contemporains croient que le sentiment d'appartenance à un sexe repose sur des bases exclusivement biologiques. De nombreuses preuves viennent confirmer le rôle important que jouent les expériences de vie dans la construction de l'image de soi, non seulement en tant qu'individu de sexe masculin ou féminin, mais dans tous les aspects de nos relations avec les gens qui nous entourent. La plupart des théoriciens endossent donc un *modèle interactionnel*, qui intègre à la fois le rôle de la biologie et de l'expérience individuelle, pour expliquer le développement du sentiment d'appartenance à un sexe (Golombok et Fivush, 1995 ; Looy et Bouma, 2005 ; Ridley, 2003).

LE TRANSSEXUALISME ET LE TRANSGENRISME

Nous avons vu que le développement du sentiment d'appartenance à un sexe est un processus très complexe influencé par un grand nombre de facteurs et que la congruence entre le sexe biologique et ce sentiment d'appartenance n'est aucunement assurée. Au cours des dernières années, nous avons acquis une plus grande conscience de la diversité des sentiments d'appartenance et des rôles attribués à un sexe. Un grand nombre de personnes se situent dans un éventail de sentiments d'appartenance qui s'éloignent plus ou moins de la norme. La communauté des personnes dont la sexualité est non conformiste, composée d'individus *transsexuels* et *transgenres*, fait de plus en plus parler d'elle, tant dans les publications médicales que dans les médias.

Un **transsexuel** est une personne dont le sentiment d'appartenance ne correspond pas à son sexe biologique (Cole et coll., 1997). Elle se sent piégée dans un corps qui est du « mauvais » sexe, un état connu sous le nom de **dysphorie de genre**. Ainsi, un transsexuel qui est un homme sur le plan anatomique sent qu'elle est une femme que le sort a pourvue d'organes génitaux masculins, et elle désire être reconnue comme une femme par la société. Un grand nombre de transsexuels se soumettent à un protocole de changement de sexe qui comprend des interrogatoires approfondis, un traitement hormonal ainsi qu'une modification chirurgicale des organes génitaux. Cependant, toutes les personnes souffrant de dysphorie de genre ne désirent pas nécessairement changer de sexe. Certaines peuvent vouloir simplement l'apparence physique, l'identité sociosexuelle ou la sexualité de l'autre sexe. Bien que de nombreux individus souffrant de dysphorie de genre veuillent atteindre ces trois objectifs, comme c'est le cas de la plupart des transsexuels, d'autres s'accommodent de quelques caractéristiques liées à l'autre sexe (Carroll, 1999).

Le terme **transgenre** s'applique généralement aux individus dont l'apparence et le comportement ne sont pas conformes aux normes de la société en matière de rôles sexuels. En d'autres termes, les individus transgenres « transgressent » à divers degrés les normes culturelles ambiantes en regard de ce qu'un homme ou une femme « devrait être » (Goodrum, 2000, p. 1). Ces « transgressions » peuvent comprendre le fait de s'habiller, occasionnellement ou de façon permanente, comme une personne appartenant à l'autre sexe.

Contrairement aux transsexuels, certaines personnes transgenres manifestant des comportements associés à des rôles sexuels non conformistes n'expérimentent que peu ou pas de dysphorie.

Jusqu'à récemment, les personnes non transsexuelles s'habillant comme des individus de l'autre sexe étaient appelées *travestis*. Maintenant, ce terme est surtout réservé aux personnes qui s'habillent comme l'autre sexe pour obtenir une excitation sexuelle (voir la sous-section sur le trasvestisme fétichiste au chapitre 9, p. 269). Les personnes transgenres qui s'habillent comme les individus de l'autre sexe le font généralement pour obtenir une gratification d'ordre psychosocial plutôt que sexuel.

Certaines personnes intersexuées, c'est-à-dire nées avec un mélange d'organes génitaux externes mâles et femelles, se considèrent aussi comme des transgenres. Il peut s'agir de personnes ayant subi des interventions chirurgicales ou ayant suivi une hormonothérapie dans le but d'établir une congruence entre leur anatomie et leur sentiment d'appartenance à un sexe (Goodrum, 2000).

Il est clair que quiconque ne se conforme pas totalement aux rôles sexuels définis par la société ne fait pas pour autant partie de la communauté des transgenres. Aujourd'hui, de nombreuses personnes adoptent un mode de vie androgyne, intégrant à leur personnalité et à leur comportement des aspects masculins et féminins. Certains auteurs placent les androgynes dans la lignée du transgenrisme. D'autres cependant, dont nous faisons partie, éprouvent une certaine réticence à établir un lien d'équivalence entre androgynie et transgenrisme. (Nous abordons le sujet de l'androgynie à la fin de ce chapitre.)

La différence fondamentale entre un transsexuel et un transgenre est que ce dernier ne désire pas transformer son corps pour mieux se conformer à ses attentes ou à celles de la société. Les transsexuels subissent

Transsexuel   Personne qui s'identifie à un sexe autre que son sexe biologique.

Dysphorie de genre   Insatisfaction vécue par une personne par rapport à son sexe biologique ou au rôle sexuel que lui attribue la société.

Transgenre   Personne dont l'apparence physique et le comportement ne sont pas conformes aux rôles sexuels traditionnels.

parfois des interventions chirurgicales majeures dans le but de rendre leur corps congruent à leur sentiment d'appartenance à un sexe donné. La plupart des transgenres, quant à eux, ne veulent pas modifier leur corps mais s'habillent, occasionnellement ou fréquemment, comme des personnes de l'autre sexe et adoptent leurs manières. Certains transgenres adoptent de façon permanente des comportements contraires à ceux que la société attribue à leur sexe biologique (Bolin, 1997).

LE SENTIMENT D'APPARTENANCE NON CONFORMISTE ET L'ORIENTATION SEXUELLE

Un grand nombre de personnes ne font pas la différence entre l'identité subjective de genre (spécialement si elle est non conformiste) et l'orientation sexuelle. Pour simplifier, on pourrait dire que l'identité subjective de genre est le sentiment d'appartenir à un sexe, le sentiment d'être un homme, une femme, ou une combinaison des deux. L'orientation sexuelle, elle, a plus à voir avec l'attirance émotionnelle ou sexuelle que l'on peut éprouver envers l'un ou l'autre sexe (voir le chapitre 5). Ainsi, les gais ont autant le sentiment d'appartenir au sexe masculin que les hommes hétérosexuels, et les lesbiennes ont autant le sentiment d'appartenir au sexe féminin que les femmes hétérosexuelles.

Avant de changer de sexe, la plupart des transsexuels sont attirés par des personnes qui les complètent du point de vue anatomique mais non du point de vue de leur sentiment d'appartenance à un sexe. Ainsi, il y a des chances qu'une personne transsexuelle qui s'identifie au sexe féminin, se sentant prisonnière d'un corps d'homme (et probablement considérée comme un homme par la société), soit attirée par les hommes. En d'autres mots, cette personne, s'identifiant à une femme, aura une orientation hétérosexuelle. Si elle agit conformément à cette attirance avant de subir une opération pour changer de sexe, elle sera peut-être cataloguée à tort comme homosexuelle. Après le changement de sexe, la quasi-totalité des personnes transsexuelles devenues hommes désirent avoir des femmes pour partenaires sexuels, tandis que les personnes transsexuelles devenues femmes peuvent être

Désordre lié au sentiment d'appartenance à un sexe Désordre caractérisé par l'identification à l'autre sexe et provoquant un malaise persistant face à son propre sexe ainsi que la modification du comportement.

Question d'analyse critique

Le transsexualisme et le transgenrisme sont-ils des **désordres liés au sentiment d'appartenance à un sexe** ?

attirées par l'un ou l'autre sexe, la plupart préférant les partenaires masculins (Zhou et coll., 1995). Il est important de signaler que la plupart des transsexuels qui décident de changer de sexe le font surtout pour résoudre un problème relatif à leur sentiment d'appartenance et non pour devenir plus attirants sexuellement auprès de partenaires potentiels (Bockting, 2005).

Tandis que les transsexuels sont en majorité hétérosexuels, la communauté transgenre, elle, a une composition plus variée, englobant gais, lesbiennes, bisexuels et hétérosexuels (Goodrum, 2000).

LE TRANSSEXUALISME

Au cours des années 1960 et 1970, lorsque furent développées aux États-Unis les techniques médicales permettant de changer de sexe, les trois quarts des personnes désirant subir cette intervention étaient des individus de sexe biologique masculin qui voulaient devenir des femmes (Green, 1974). Même si la plupart des professionnels de la santé estiment que les hommes sont toujours plus nombreux que les femmes à vouloir changer de sexe, l'écart s'est considérablement rétréci au cours des dernières années (Landen et coll., 1998; Olsson et Moller, 2003).

Une vaste documentation clinique s'est constituée sur les caractéristiques, les causes (étiologie) et le traitement du transsexualisme. Certains facteurs sont bien connus. Nous savons que la plupart des transsexuels sont des individus normaux du point de vue biologique, dont les organes sexuels internes et externes sont sains et dont l'agencement des chromosomes XX ou XY est normal (Meyer-Bahlburg, 2005). En outre, le transsexualisme est généralement un état isolé et n'est pas lié à une psychopathologie comme la schizophrénie ou la dépression profonde (Cohen-Kettenis et Gooren, 1999). Ce qu'on comprend moins cependant, c'est pourquoi ces individus rejettent leur anatomie.

Nombre de transsexuels se sentent mal à l'aise face à leur anatomie dès leur plus tendre enfance : certains se souviennent de s'être identifiés à l'autre sexe dès l'âge de cinq, six ou sept ans. Dans certains cas, les enfants peuvent réduire l'ampleur de ce malaise en s'imaginant appartenir à l'autre sexe, mais plusieurs vont au-delà de la seule imagination et s'habillent comme les personnes de l'autre sexe. De façon moins courante, l'identification prononcée à l'autre sexe peut n'apparaître qu'à l'adolescence ou à l'âge adulte.

Il existe une grande controverse à propos de la meilleure stratégie clinique à adopter dans le cas du transsexualisme. De plus, il est très important de communiquer correctement avec une personne transsexuelle ou transgenre sans lui manquer de respect (voir l'encadré « Parlons-en »). Tout en gardant ces données à l'esprit, nous allons résumer le peu de connaissances que nous possédons sur cette forme très peu courante et non conformiste de sentiment d'appartenance à un sexe.

L'ÉTIOLOGIE DU TRANSSEXUALISME

On ne comprend pas vraiment l'étiologie du transsexualisme. Plusieurs théories ont tenté de l'expliquer, mais aucune preuve n'a permis de trancher la question (Cole et coll., 2000 ; Money, 1994b). Certains auteurs maintiennent que des facteurs biologiques peuvent jouer un rôle important dans l'apparition du phénomène. Une théorie avance que l'exposition avant la naissance à une quantité inappropriée d'hormones de l'autre sexe pourrait entraîner chez certains individus des problèmes de différenciation cérébrale (Dessens et coll., 1999 ; Zhou et coll., 1995). Certains évoquent une discordance entre la différenciation sexuelle du cerveau et celle des organes génitaux (Krujiver et coll., 2000 ; Meyer-Bahlburg, 2005). Il a aussi été suggéré que le transsexualisme pourrait découler d'un taux anormal d'hormones sexuelles à l'âge adulte. Cette explication est cependant contredite par de nombreuses données indiquant des niveaux d'hormones sexuelles normaux chez les transsexuels adultes (Meyer et coll., 1986 ; Zhou et coll., 1995).

Selon une autre théorie, en partie corroborée par des faits, les expériences vécues par l'enfant durant son apprentissage social pourraient jouer un rôle déterminant dans le développement du transsexualisme. Par exemple, l'enfant peut être élevé dans un contexte qui l'incite à adopter des comportements traditionnellement associés à l'autre sexe (Bradley et Zucker, 1997 ; Cohen-Kettenis et Gooren, 1999). Ces comportements seraient si encouragés et récompensés qu'il deviendrait difficile, voire impossible, pour l'individu de développer un sentiment d'appartenance sexuelle adéquat.

Communiquer correctement avec la personne transsexuelle ou transgenre

Alexandre John Goodrum (2000) a écrit un article très instructif sur le transsexualisme et le transgenrisme, dans lequel il explique comment on devrait agir et communiquer avec les personnes ayant un sentiment d'appartenance à un sexe ou des comportements atypiques selon les standards des rôles attribués à un sexe. En résumé, selon l'auteur, il importe de se montrer respectueux envers la personne transsexuelle ou transgenre. Ainsi, si elle s'identifie à un homme, parlez-lui ou parlez de lui comme tel ; si elle s'identifie à une femme, parlez-lui ou parlez d'elle comme telle. Si vous n'êtes pas sûr, vous pouvez lui demander ce qu'elle préfère. Lorsque cette personne vous a exprimé son choix, conformez-vous à sa demande. Si de temps à autre vous l'oubliez et la désignez avec le mauvais pronom, reprenez-vous. La plupart des personnes transsexuelles ou transgenres comprendront votre bévue et apprécieront vos efforts.

Ne vous permettez jamais de dire à d'autres que tel individu est transsexuel ou transgenre. En outre, ne supposez pas que les autres connaissent le sentiment d'appartenance à un sexe de cette personne. Beaucoup de transgenres et de transsexuels vivent sans se faire remarquer ; la seule manière de faire connaître leur réalité aux autres est de leur dire. Seule la personne elle-même peut prendre la décision de communiquer son statut de genre. Le faire à sa place serait très irrespectueux.

Le bon sens et le bon goût exigent que nous ne demandions jamais à un individu transsexuel ou transgenre des questions sur son anatomie génitale ou sa sexualité.

En conclusion, ne faites aucune insinuation sur l'orientation homosexuelle, bisexuelle ou hétérosexuelle d'une personne. Celle qui estime nécessaire ou approprié de vous informer de son orientation sexuelle pourra choisir de le faire.

LES CHOIX QUI S'OFFRENT
AUX TRANSSEXUELS

Le milieu de la santé mentale ne proposait traditionnellement que deux solutions pour surmonter la dysphorie de genre : intervenir au niveau des perceptions ou modifier le corps pour qu'il soit congruent au sentiment d'appartenance (Carroll, 1999). Cependant, d'autres possibilités existent. Des observations cliniques ont permis de découvrir que certains transsexuels vivaient très bien psychologiquement simplement en se travestissant, sans avoir recours à un changement chirurgical de sexe (Carroll, 1999). Toutefois, dans la plupart des cas, la psychothérapie ne peut à elle seule permettre aux transsexuels d'ajuster leur corps à leur sentiment d'appartenance à l'autre sexe. Pour ces personnes, la meilleure chose à faire peut être de modifier leur corps afin qu'il soit congruent à leur sentiment d'appartenance. Cela est possible grâce à une intervention chirurgicale et à des traitements hormonaux. Une telle solution n'est toutefois pas simple, étant à la fois longue et coûteuse.

LES PROCÉDURES DE CHANGEMENT
DE SEXE (RÉASSIGNATION SEXUELLE)

La première étape dans le processus de changement de sexe consiste à évaluer soigneusement les motivations de la personne qui en fait la demande. Les personnes qui connaissent des troubles de l'identité de genre ou qui sont confuses dans leur sentiment d'appartenance à un sexe sont d'emblée exclues de tout changement chirurgical de sexe. Les individus qui semblent vivre un conflit véritable entre leur sentiment d'appartenance à un sexe et leur sexe biologique sont encouragés à adopter un style de vie conforme au sexe auquel ils s'identifient (cela inclut les comportements et le style vestimentaire). Généralement si, après environ une année, l'individu s'est bien adapté à ce nouveau style de vie, il pourra entreprendre une hormonothérapie afin d'accentuer chez lui les caractères du sexe désiré.

L'homme qui veut devenir femme obtiendra les médicaments pour empêcher la production de testostérone et les doses d'œstrogènes qui induisent la croissance des seins, adoucissent la peau, réduisent la pilosité du visage et du corps, et arrondissent celui-ci en lui donnant une allure plus féminine. La force musculaire diminue, de même que l'intérêt sexuel, mais il n'y a aucun changement dans la voix. Les femmes qui veulent devenir des hommes sont traitées avec de la testostérone, ce qui supprime les menstruations, augmente la masse corpo-

relle et fait apparaître la barbe. La voix devient un peu plus grave et les seins subissent une légère réduction. Les professionnels exigent que le sujet vive comme une personne de l'autre sexe pendant au moins un an tout en poursuivant l'hormonothérapie avant de procéder à une chirurgie. La procédure comporte donc deux ans d'attente avant la chirurgie : un an sans hormone plus une autre année avec hormonothérapie. À tout moment, au cours de cette période, le processus peut être renversé. Par contre, peu de transsexuels font ce choix.

L'étape finale du protocole de changement de sexe est la chirurgie. Au Canada, le changement chirurgical de sexe est habituellement payé par les provinces, notamment celles de Terre-Neuve, Québec, Manitoba, Saskatchewan, Alberta et Colombie-Britannique. Pour ce qui est de l'Ontario, les frais de l'opération ont été payés de 1969 à 1998, année des compressions budgétaires du gouvernement conservateur (Rathus et coll., 2007). Les paiements ont été rétablis en 2008 par le gouvernement libéral de la province.

Les procédés ou techniques opératoires sont plus efficaces dans le cas des hommes qui veulent devenir des femmes. Le scrotum et le pénis sont enlevés, et un vagin est créé par la reconstruction du tissu pelvien (voir la figure 4.5a). Pendant cette intervention, on prend soin de conserver les nerfs sensoriels de la peau du pénis, laquelle sera replacée à l'intérieur du vagin nouvellement formé. Les rapports sexuels avec pénétration seront possibles, bien que l'utilisation d'un lubrifiant puisse être nécessaire. Plusieurs transsexuels d'homme à femme déclarent ressentir de l'excitation sexuelle et des orgasmes à la suite de l'intervention (Lawrence, 2005). L'hormonothérapie permet parfois un développement suffisant des seins, mais certains individus reçoivent également des implants. Bien que la pilosité ait été réduite par les traitements hormonaux, l'électrolyse est parfois nécessaire. Enfin, ceux qui le désirent pourront subir une opération additionnelle en vue de hausser le timbre de leur voix (Brown et coll., 2000).

Généralement, une femme biologique qui désire devenir un homme se fait enlever chirurgicalement les seins, l'utérus et les ovaires, et son vagin est cousu. La construction d'un pénis est beaucoup plus difficile que celle d'un vagin. Habituellement, le pénis est façonné à partir d'un prélèvement de la peau abdominale ou du tissu des grandes lèvres et du périnée (voir la figure 4.5b). Ce nouveau pénis ne pourra pas avoir d'érection naturelle en réponse à une excitation sexuelle. Toutefois, il est

a)

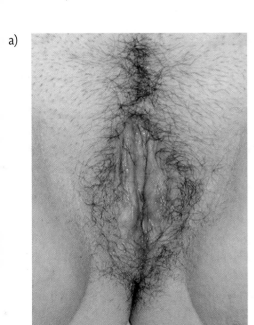

b)

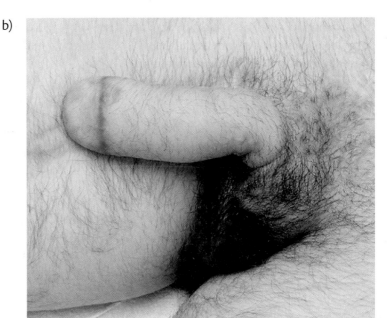

Figure 4.5 | Résultat d'un changement chirurgical de sexe. Le changement d'homme à femme (a) est généralement plus convaincant que le changement de femme à homme (b).

possible de fournir à cette construction pénienne une rigidité suffisante pour permettre le coït. Par exemple, on peut façonner, sur la face antérieure du corps du pénis, un petit tube creux formé de peau dans lequel une tige rigide de silicone peut être insérée. On peut aussi avoir recours à un implant gonflable. Si le tissu érotiquement sensible du clitoris est laissé à la base du pénis chirurgicalement construit, les sensations érotiques et l'orgasme sont parfois possibles (Leif et Hubschman, 1993).

Les résultats du changement de sexe

Les nombreuses études sur l'évolution de l'identité de genre à la suite d'une réassignation de sexe nous permettent d'être optimistes quant au succès de ce type d'intervention. En effet, ces recherches concluent pour la plupart que la majorité des personnes qui ont subi cette intervention ont amélioré de façon significative leur qualité de vie (Campo et coll., 2003 ; De Cuypere et coll., 2005 ; Lawrence, 2003).

LES RÔLES SEXUELS

Nous avons vu qu'au cours de la petite enfance l'apprentissage social exerce une profonde influence sur le développement du sentiment d'appartenance, de sorte que, vers l'âge de deux ou trois ans, la plupart des enfants ne doutent aucunement de leur appartenance sexuelle. Cette influence continue à s'exercer tout au long de la vie, puisque nous sommes influencés par les rôles liés au sexe (ou rôles sexuels), c'est-à-dire les comportements qui, dans une société, sont jugés convenables et appropriés à un homme ou à une femme.

Il va sans dire que l'attribution de rôles liés au sexe conduit à des idées toutes faites sur la façon dont les hommes et les femmes devraient se comporter. Par

exemple, en Amérique du Nord, les rôles traditionnels veulent que les hommes soient autonomes et agressifs et que les femmes soient dépendantes et soumises. Une fois que ces idées sont largement acceptées au sein d'une population, elles deviennent des stéréotypes.

De nombreux **stéréotypes sexuels** sont largement répandus parmi les membres de notre société. Les idées reçues sur les hommes les décrivent comme agressifs (ou à tout le moins autoritaires), logiques, froids, autonomes,

Stéréotype sexuel   Opinion préconçue sur la nature d'une personne et sur les comportements estimés « normaux » de celle-ci en raison de son appartenance à un sexe.

dominateurs, compétitifs, objectifs, sportifs, actifs et, surtout, «capables». De la même manière, les femmes sont souvent considérées comme non autoritaires, illogiques, émotives, inférieures, chaleureuses et dévouées.

Tout le monde, cependant, n'avalise pas ces stéréotypes quant aux rôles appropriés à chaque sexe; au cours des dernières années, on a noté une certaine diminution des comportements basés sur de tels stéréotypes, plus particulièrement chez les jeunes (Ben-David et Schneider, 2005; Menvielle, 2004). Selon certaines recherches, les femmes seraient moins imprégnées de stéréotypes sexistes que les hommes et auraient tendance à avoir des opinions plus égalitaires que ceux-ci en matière de rôles sexuels (Ben-David et Schneider, 2005). Malgré cette évolution observée dans la culture américaine, les stéréotypes sexuels y sont encore répandus (Hyde, 2004; Rider, 2000). En fait, de nombreuses personnes sont satisfaites de leurs rôles sexuels traditionnels, et nous ne voulons pas ici dévaloriser ou remettre en question leur mode de vie. Nous voulons plutôt comprendre pourquoi les stéréotypes sexuels sont si répandus dans la société. C'est cette question que nous allons maintenant aborder.

L'APPRENTISSAGE DES STÉRÉOTYPES SEXUELS

Nous avons tous déjà entendu l'argument selon lequel les différences de comportement entre l'homme et la femme sont déterminées, du moins en partie, par des facteurs biologiques. Les hommes ne peuvent porter ou allaiter des enfants. De la même manière, les différences biologiques relatives aux hormones, à la masse musculaire ainsi qu'à la structure et au fonctionnement du cerveau peuvent influer sur certains aspects du comportement. Cependant, la majorité des théoriciens considèrent que les rôles sexuels sont pour une bonne part dus à la **socialisation**, c'est-à-dire le processus par lequel les individus apprennent à répondre aux attentes de la société en matière de comportement. Comment la société transmet-elle ces attentes? Dans les paragraphes qui suivent, nous étudierons cinq agents de socialisation: les parents, les pairs, l'école, la télévision et la religion.

LES PARENTS

De nombreux spécialistes des sciences sociales considèrent les parents comme d'importants agents de socia-

lisation des rôles attribués à chaque sexe (Iervolino et coll., 2005; Kane, 2006; Leaper et coll., 1998). Le premier contact qu'a l'enfant avec ce que signifie être un homme ou une femme passe en général par les parents (Witt, 1997). Comme nous l'avons vu plus haut lorsque nous avons abordé le sujet du développement du sentiment d'appartenance à un sexe, les parents ont souvent des attentes différentes en ce qui concerne les garçons et les filles, et ils manifestent ces attentes à travers leurs interactions. En général, les parents affichent un comportement plus protecteur et plus strict envers les bébés de sexe féminin alors qu'ils interviennent moins auprès des garçons et leur laissent plus de liberté (Skolnick, 1992). L'influence des parents dans la socialisation des rôles liés au sexe est démontrée par les résultats des recherches qui indiquent que les garçons sont en général plus encouragés que les filles à s'affirmer et à réprimer leurs émotions, alors que les filles sont davantage encouragées à adopter un comportement axé sur la vie sociale (Block, 1983; Leaper et coll., 1998).

De plus en plus de parents sont conscients de l'importance des jeux dans l'apprentissage des rôles sexuels. Toutefois, beaucoup donnent encore à leurs enfants des jeux qui leur inculquent des stéréotypes sexuels. Par exemple, on achète à sa fille une poupée, un service à thé ou une cuisinière miniature. On offre à son garçon un camion, une auto, une balle ou des armes jouets. Souvent, on réprimande un enfant parce qu'il veut jouer à un jeu que l'on pense plus approprié à l'autre sexe. Les enfants étant très sensibles à ce genre de reproche, ils en viennent à préférer les jeux qui correspondent aux attentes de leurs parents en matière de rôles sexuels.

Que les enfants aient une préférence marquée pour certains jouets ou jeux, généralement à partir de deux ou trois ans, cela demeure bien établi par la recherche, et les sociologues en conviennent à peu près tous (Iervolino et coll., 2005; Tavris, 2005). Par contre, les opinions varient quant aux causes de ces préférences. Selon plusieurs auteurs, les choix ludiques des enfants dépendent principalement de l'apprentissage social. La psychologie évolutionniste, à cet égard, apporte un point de vue intéressant. Selon cette nouvelle approche en psychologie, plusieurs de nos comportements, même ceux qui semblent provenir de notre environnement social, sont le résultat d'un long processus d'évolution de l'espèce humaine. Au cours de cette évolution, l'être humain aurait sélectionné les gènes qui le prédisposaient à adopter certains comportements spécifiques selon le sexe, assurant ainsi la reproduction de son espèce et sa survie (Bjorklund et Pellegrini, 2000).

Socialisation Processus par lequel la société transmet aux individus ses attentes en matière de comportement.

Gerianne Alexander (2003) a tenté d'expliquer les préférences ludiques des garçons et des filles à l'aide de l'approche évolutionniste. En gros, son argumentation est la suivante : le fait que les garçons préfèrent les jouets dits «masculins», tels que les camions et les balles qui demandent qu'ils soient actifs physiquement et qu'ils les observent bouger dans l'espace, reflète l'importance, en termes d'adaptation du groupe au milieu environnant, de développer les habiletés spatiales requises pour chasser et tuer le gibier sauvage, tâches essentielles à la survie du groupe. De la même façon, le fait que les filles préfèrent les jouets dits «féminins» tels que les poupées exprimerait la nécessité, du point de vue de l'adaptation et de la survie de l'espèce, de développer les comportements sexuellement spécifiques requis pour élever les enfants et en prendre soin. Selon cette approche évolutionniste, le lien entre les préférences ludiques des enfants et les rôles sexuels proviendrait de la division sexuelle des rôles sociaux qui existait chez les premiers humains, et les préférences manifestées à l'égard d'objets tels que les jouets exprimeraient une prédisposition biologique à un rôle sexuel dit «masculin» ou «féminin» (G. Alexander, 2003, p. 7).

Même si un nombre grandissant de parents tentent de ne pas inculquer à leurs enfants des stéréotypes sexuels, nombreux sont ceux qui les poussent encore vers des jeux et des tâches stéréotypés (Lytton et Romney, 1991 ; Menvielle, 2004). Et même lorsque les parents déploient des efforts afin de ne pas élever leurs enfants selon la répartition traditionnelle des rôles sexuels, certains comportements semblent tellement «naturels» qu'ils se manifestent de façon inconsciente. Ainsi, un père invitera son fils à jouer au ballon, à faire la vidange d'huile de la voiture familiale ou à couper le gazon, alors qu'on rappellera plus souvent à sa fille de garder sa chambre rangée ou d'aider à la cuisine. Ce traitement différent selon le sexe a pour effet d'aiguiller les enfants vers des rôles adultes spécifiques et différents (Fisher-Thompson, 1990).

LES PAIRS

Les pairs constituent une deuxième source d'influence importante en ce qui a trait à l'apprentissage des rôles sexuels. La ségrégation volontaire des sexes constitue une manifestation de l'influence des pairs qui apparaît tôt dans la vie (Maccoby, 1988, 1990, 1998 ; Powlishta et coll., 1993). Cette ségrégation commence dès le préscolaire et, en première année du primaire, les enfants choisissent dans une proportion de 95 % des compagnons de jeu du même sexe que le leur (Maccoby, 1998 ;

L'acquisition des stéréotypes sexuels passe souvent par l'imitation du parent de même sexe.

Maccoby et Jacklin, 1987). La ségrégation des sexes, qui continue tout au long des années passées à l'école, contribue à caractériser les jeux selon le sexe et à préparer ainsi les enfants à la division des rôles sexuels de l'âge adulte (Moller et coll., 1992). Les filles jouent souvent entre elles à la poupée ou avec un service à thé tandis que les garçons font fréquemment entre eux des compétitions sportives et jouent à la guerre. C'est par les pairs que les femmes apprennent à être dévouées et soumises et que les hommes apprennent à être compétitifs et volontaires.

À la fin de l'enfance et au début de l'adolescence, l'influence des pairs devient encore plus marquée (Doyle et Paludi, 1991 ; Hyde, 2004). Les jeunes accordent alors

Les enfants ont tendance à choisir des compagnons de jeu du même sexe que le leur, perpétuant ainsi la division traditionnelle des rôles sexuels.

beaucoup d'importance au conformisme et l'adhésion aux rôles sexuels traditionnels renforce leur acceptation par les pairs (Absi-Semaan et coll., 1993 ; Moller et coll., 1992). La plupart des individus qui ne se comportent pas selon le modèle traditionnel des rôles sexuels sont victimes d'ostracisme ou sont ridiculisés.

L'ÉCOLE ET LES MANUELS SCOLAIRES

Des études montrent que les garçons et les filles ne sont pas traités de la même façon dans la salle de classe, ce qui contribue fortement à une socialisation différente selon le sexe (AAUW, 1992 ; Duffy et coll., 2001 ; Eccles et coll., 1999 ; Kantrowitz, 1992 ; Keller, 2002 ; Sadker et Sadker, 1994). Ces études ont révélé entre autres les éléments suivants.

* Les enseignants choisissent plus souvent les garçons pour répondre à des questions et prodiguent plus d'encouragements aux garçons qu'aux filles.

* Contrairement aux filles, les garçons qui répondent aux questions sans y avoir été invités ne sont en général pas punis.

* À l'école primaire, les enseignants tolèrent davantage les mauvais comportements chez les garçons que chez les filles.

* Les garçons reçoivent plus d'attention, d'aide corrective et de compliments de la part de leurs enseignants.

* Les enseignants accordent plus d'attention aux filles qui agissent de façon dépendante et aux garçons qui se comportent de façon autonome ou agressive.

* Dès la fin du primaire, les filles perdent souvent confiance en leurs capacités en mathématiques et en sciences.

Heureusement, certains signes montrent qu'on cherche à entraver la perpétuation des rôles sexuels stéréotypés en milieu scolaire. L'arrivée de jeunes enseignants qui sont eux-mêmes le produit d'une plus grande sensibilisation à la question des rôles sexuels contribue à la transformation graduelle de l'environnement scolaire. Une des manifestations les plus frappantes de ce changement est illustrée par l'effort concerté des écoles américaines en vue d'assurer des chances égales aux élèves des deux sexes en mathématiques et en sciences, et de créer un environnement éducationnel où filles et garçons sont encouragés à s'investir dans ces matières.

Les manuels scolaires ont eux aussi contribué à perpétuer les stéréotypes sexuels. Au début des années 1970, deux études importantes sur les manuels scolaires destinés aux enfants révélèrent que les filles y étaient généralement représentées comme dépendantes, malhabiles, dénuées d'ambition et ne réussissant pas très bien, alors que les garçons y étaient décrits de façon exactement contraire (Saario et coll., 1973 ; Women on Words and Images, 1972). Au début des années 1980, les rôles importants étaient tenus par des personnages masculins dans les deux tiers des histoires proposées dans les manuels scolaires, alors que cette proportion était de quatre cinquièmes au début des années 1970 (Britton et Lumpkin, 1984). Au cours des années 1990 et au début des années 2000, les éditeurs de manuels scolaires ont fait des efforts remarquables pour éviter les stéréotypes sexuels dans leurs ouvrages. Au Québec, une réglementation serrée encadre la publication des manuels scolaires qui sont expurgés de toute forme de sexisme.

LA TÉLÉVISION

La télévision constitue un autre agent important de transmission des stéréotypes sexuels. Les hommes et les femmes y sont souvent représentés de façon outrageusement stéréotypée. Les hommes y apparaissent généralement plus actifs, plus intelligents et plus audacieux que les femmes et y jouent davantage le rôle de meneurs. Toutefois, la télévision présente de plus en plus de séries dramatiques qui brisent ces stéréotypes et mettent en vedette des personnages féminins plus complexes et plus talentueux. Quoi qu'il en soit, aux heures de grande écoute, la télévision demeure un média où les hommes prédominent. Aux nouvelles et aux émissions d'information politique, les personnes-ressources consultées sur la plupart des sujets sont beaucoup plus souvent des hommes que des femmes.

Les réseaux québécois se démarquent toutefois avec un plus grand nombre de présentatrices et d'animatrices de talk-shows.

La publicité télévisée a elle aussi tendance à propager les stéréotypes sexuels. Les commerciaux destinés aux jeunes présentent généralement les garçons et les filles dans des rôles sexuels stéréotypés (Pike et Jennings, 2005). Les publicités de bière et d'automobile en sont des exemples courants. Lorsque les commerciaux visent les adultes et portent sur des objets autres que les produits ménagers, l'homme apparaît plus souvent comme l'autorité la plus compétente en la matière (Furnham et Mak, 1999). Toutefois, dans les publicités de produits ménagers, il semble qu'une nouvelle tendance se dessine. En effet, l'homme y est présenté comme un être maladroit et incapable (Berkowitz, 2006). D'ailleurs, ce type d'homme maladroit est pratiquement devenu la norme dans les comédies télévisées, où le père est beaucoup plus susceptible d'être représenté sous des traits négatifs que la mère (Tierney, 2005). Cette présence de plus en plus fréquente d'un père empoté dans les comédies télévisées pourrait s'expliquer par le fait que quatre téléspectateurs de comédies de situation sur cinq sont des femmes et qu'elles semblent apprécier qu'on leur montre « une maman plus dégourdie que le papa » (Tierney, 2005, p. 1).

Considérant que la majorité des jeunes regardent la télé plusieurs heures par jour, il n'est pas exagéré de dire que les stéréotypes sexuels qu'elle véhicule jouent un rôle important sur le plan de la socialisation. Heureusement, les télédiffuseurs présentent de moins en moins d'émissions à contenu sexiste, sans doute à cause des pressions incessantes dont ils ont fait l'objet de la part des groupes de pression voués à la promotion de l'égalité des sexes dans les médias.

LA RELIGION

Les religions organisées jouent un rôle important dans la vie d'un grand nombre de personnes. En dépit de leurs différences doctrinales, la plupart des religions semblent partager les mêmes points de vue en ce qui concerne les rôles sexuels (Eitzen et Zinn, 2000; Dawkins, 2006). Tout enfant qui reçoit une instruction religieuse est susceptible d'apprendre à accepter certains stéréotypes sexuels, et les croyants ont tendance à les accepter davantage (Basow, 1992; Robinson et coll., 2004). Dans les traditions juive, chrétienne et musulmane, ces stéréotypes consacrent la suprématie de l'homme sur la femme, Dieu y étant décrit avec des termes comme « Père », « Lui » ou « Roi » (Dawkins, 2006). L'idée selon laquelle Ève fut créée à partir d'une côte d'Adam est une adhésion claire à l'idée que la femme est inférieure à l'homme.

Il existe en ce moment un mouvement visant à changer la structure traditionnellement patriarcale de la religion dans certains pays. En 2006, Katherine Jefferts Schori a été élue archevêque de l'Église épiscopale anglicane, une première dans l'histoire de la communauté épiscopale mondiale (Banerjee, 2006). Geneviève Beney, une femme mariée de 56 ans, a été ordonnée prêtre à Lyon (France). Les femmes sont de plus en plus présentes dans les séminaires et les facultés de théologie, et leur nombre a plus que doublé parmi les pasteurs protestants. Le nombre de femmes rabbins a également connu une croissance importante dans le judaïsme (Eitzen et Zinn, 1994; Renzetti et Curran, 1992; Ribadeneira, 1998). Les Églises cherchent de plus en plus à éliminer les propos sexistes dans leurs discours comme dans leurs écrits (Gorski, 2002).

Nous voyons donc que la famille, les amis, l'école et les manuels scolaires, la religion et la télévision (ainsi que les autres médias, que ce soit le cinéma, les magazines ou la musique populaire) contribuent souvent à transmettre et à renforcer les stéréotypes sexuels. Nous sommes tous à divers degrés conditionnés à adopter certains rôles sexuels et nous pourrions discuter longuement de la façon dont ce processus freine le développement optimal de chaque personne. Cependant, comme cet ouvrage traite de sexualité, nous allons plutôt, dans les lignes qui suivent, aborder la question de l'impact du conditionnement aux stéréotypes sexuels sur notre vie sexuelle.

L'IMPACT DES ATTENTES LIÉES AUX RÔLES SEXUELS

Les attentes liées aux rôles sexuels exercent une profonde influence sur notre sexualité. Notre conception de l'homme et de la femme ainsi que nos croyances quant aux comportements appropriés à chaque sexe peuvent influer sur plusieurs aspects de notre vie sexuelle. Le regard que nous portons sur nous en tant qu'êtres sexués, les attentes que nous avons en ce qui a trait aux relations intimes, la perception que nous avons de la qualité de telles expériences ainsi que la réponse des autres à notre sexualité peuvent être influencés de façon appréciable par notre identification en tant qu'homme ou femme.

Dans les pages qui suivent, nous analyserons quelques stéréotypes de rôles sexuels et leurs effets potentiels sur les relations entre les sexes. Nous ne prétendons pas que seuls les couples hétérosexuels sont affectés par ces idées reçues. Les stéréotypes sexuels peuvent avoir une influence sur tous et chacun, peu importe l'orientation sexuelle, bien que les couples homosexuels puissent en être affectés de façon différente.

LES BESOINS SEXUELS DE L'HOMME SONT SURÉVALUÉS ET CEUX DE LA FEMME SOUS-ÉVALUÉS

Dans les sociétés occidentales, on a longtemps cru, à tort, que la femme a par nature moins de désir sexuel que l'homme. Même si ce stéréotype a tendance à disparaître peu à peu, il exerce toujours une influence sur un grand nombre de femmes. Comment une femme peut-elle se montrer attirée sexuellement ou rechercher son plaisir de façon active si elle croit qu'elle n'est pas censée avoir de besoins sexuels? Certaines femmes, croyant qu'elles ne devraient pas être facilement excitées sexuellement, ont tendance à bloquer ou à dissimuler des réactions tout à fait normales. Les personnes qui partagent ces idées croient qu'une femme qui manifeste ouvertement son désir sexuel ou qui répond à une sollicitation sexuelle est «facile», qu'elle est une «putain». Cependant, les hommes qui manifestent de tels comportements peuvent être considérés comme des «étalons», des «don Juan» ou des «playboys», des termes qui ont sur la personnalité un effet plus flatteur que dévastateur.

Le stéréotype de l'hypersexualité masculine peut nuire à l'homme. Celui qui n'est pas immédiatement excité par une personne qu'il perçoit comme attirante ou disponible peut se sentir médiocre. Après tout, ne devrait-il pas être prêt lorsque se présente l'occasion d'avoir une relation sexuelle? Un tel stéréotype est dévalorisant pour l'homme et le réduit à une pure machine réagissant instantanément lorsqu'on appuie sur un bouton. Les hommes expriment fréquemment leur frustration et leur perplexité à ce sujet, comme le montre le témoignage suivant.

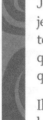 Quand je sors avec une femme pour la première fois, je ne sais plus trop comment aborder la question du sexe. Je me sens poussé à poser des gestes, même si je n'ai pas nécessairement le goût de le faire. N'est-ce pas ce à quoi s'attend une femme? Si je n'essaie rien, elle croira peut-être qu'il y a quelque chose qui cloche. Je me sens presque tenu de fournir des explications si je ne

 suis pas intéressé à faire l'amour. En général, il est plus simple de poser un geste et de la laisser décider. (Notes des auteurs)

De toute évidence, cet homme se sent obligé de rechercher une relation sexuelle. Cette idée stéréotypée qui veut que l'homme fasse les premiers pas pour avoir une relation sexuelle peut être angoissante à la fois pour l'homme et pour la femme, comme nous allons le voir dans les lignes qui suivent.

L'HOMME PREND L'INITIATIVE, LA FEMME RÉPOND

Selon la division traditionnelle des rôles sexuels dans nos sociétés, il appartient à l'homme de prendre l'initiative en matière de relations intimes (que ce soit pour inviter l'autre à une première sortie ou pour poser les premiers gestes de nature sexuelle) et à la femme d'y répondre en acceptant ou en repoussant ses avances. Comme le révèle le commentaire qui suit, cela peut représenter un fardeau pour l'homme et exercer sur lui une pression indue.

 Les femmes devraient faire l'expérience de l'angoisse que cela provoque. Je suis fatigué d'être celui qui fait la proposition, étant donné qu'il existe toujours la possibilité d'un refus. (Notes des auteurs)

Une femme qui se sent obligée d'accepter le rôle passif peut éprouver de la difficulté à prendre l'initiative d'une rencontre sexuelle. Il peut être encore plus difficile pour elle d'assumer un rôle actif au cours de l'activité sexuelle. De nombreuses femmes éprouvent de la frustration, du regret et, de façon compréhensible, de la colère du fait que de tels stéréotypes sont si profondément ancrés dans notre société. Les commentaires suivants, recueillis au cours d'une conversation entre femmes, le reflètent bien.

J'aime demander à un homme de sortir avec moi et je l'ai souvent fait. Mais il est frustrant de constater que plusieurs d'entre eux tiennent pour acquis que, parce que je prends l'initiative, je ne pense qu'à aller au lit avec eux. (Notes des auteurs)

Il est difficile pour moi de laisser savoir à mon homme ce que je voudrais qu'il me fasse quand nous faisons l'amour. Après tout, il est censé savoir, n'est-ce pas? Si je le lui dis, c'est comme si j'usurpais son rôle de «celui qui sait tout». (Notes des auteurs)

L'HOMME AGIT, LA FEMME CONTRÔLE

De nombreuses femmes grandissent avec l'idée que les hommes ne pensent qu'au sexe. Il devient alors tout à fait logique pour elles de contrôler ce qui se passe au cours de la relation sexuelle. Il ne s'agit pas ici de prendre l'initiative de certaines activités, ce qu'elles considèrent comme la prérogative de l'homme. La femme se sent plutôt dans l'obligation de freiner les ardeurs de son partenaire et de voir à ce que celui-ci ne l'entraîne pas dans des activités répréhensibles. Ainsi, au lieu de jouir du fait qu'il lui caresse les seins, elle se concentrera sur la façon de l'empêcher de lui toucher le sexe. Cette préoccupation pour le contrôle peut être très présente chez les adolescentes qui sortent avec des garçons. Il n'est donc pas surprenant qu'une femme qui passe une bonne partie de son temps à contrôler l'activité sexuelle puisse éprouver de la difficulté à sentir ses besoins lorsqu'elle consent finalement à abandonner ce rôle.

Les hommes, quant à eux, sont souvent conditionnés à considérer les femmes comme des défis sexuels et cherchent à aller aussi loin qu'ils le peuvent lors d'une relation sexuelle. Eux aussi peuvent éprouver de la difficulté à apprécier la joie d'être près d'une personne, de la toucher, préoccupés qu'ils sont par ce qu'ils vont faire ensuite. Les hommes qui ne font que répéter ce modèle de relation auront du mal à abandonner leur rôle actif et à se montrer plus réceptifs au cours d'une relation sexuelle. Ils peuvent se sentir déstabilisés par une femme qui délaisse le contrôle et prend plus d'initiatives.

L'HOMME EST FORT ET NE SE LAISSE PAS ALLER À SES ÉMOTIONS, LA FEMME EST AIDANTE ET DÉVOUÉE

Un des stéréotypes sexuels les plus néfastes est sans doute celui qui veut que l'expression des émotions, de la tendresse et du dévouement soit l'apanage exclusif de la femme (Plant et coll., 2000). Nous avons déjà vu que les hommes apprennent souvent à ne pas faire étalage de leurs émotions. Un homme qui cherche à paraître fort peut éprouver de la difficulté à se montrer vulnérable, à exprimer des sentiments profonds et des doutes. Il peut être extrêmement difficile pour un homme conditionné de la sorte de développer des relations intimes satisfaisantes.

Par exemple, s'il croit qu'il ne peut afficher ses émotions, un homme peut aborder la sexualité comme une activité purement physique où les émotions n'ont pas

leur place. L'expérience qui en résultera pourra être très limitée et laisser les deux parties insatisfaites. Les femmes réagissent souvent de façon négative lorsqu'elles décèlent ce comportement chez un homme, car elles accordent généralement beaucoup d'importance à la franchise et à la volonté d'exprimer ses émotions dans une relation. Il faut se rappeler cependant que de nombreux hommes doivent, lorsqu'ils tentent d'exprimer des émotions enfouies depuis longtemps, lutter contre un conditionnement machiste qui leur a été imposé dès l'enfance. Les femmes, quant à elles, peuvent se sentir fatiguées de jouer le rôle de la personne dévouée, surtout quand leurs efforts ne rencontrent que peu ou pas d'écho.

Nous avons vu comment la stricte adhésion aux stéréotypes sexuels traditionnels peut nous limiter et nous restreindre dans l'expression de notre sexualité. Cet héritage peut s'exprimer de façon plus subtile de nos jours, mais les attentes liées aux rôles masculins et féminins nous empêchent souvent de grandir et d'être nous-même avec les autres. Même si de plus en plus de gens sont en rupture avec ces rôles stéréotypés et apprennent à s'accepter et à s'exprimer plus librement, nous ne pouvons sous-estimer l'influence qu'exercent encore les rôles attribués à chaque sexe dans notre société.

De nombreuses personnes tentent maintenant d'intégrer à leur façon de vivre des comportements à la fois masculins et féminins. Cette tendance, souvent appelée *androgynie*, fait l'objet de la dernière partie de ce chapitre.

AU-DELÀ DES RÔLES SEXUELS : L'ANDROGYNIE

Le mot **androgyne**, qui signifie « qui possède les caractéristiques des deux sexes », est dérivé des racines grecques *andros*, qui veut dire « homme », et *gunê*, qui veut dire « femme ». Ce terme est utilisé pour traduire une certaine flexibilité dans les stéréotypes sexuels. Les individus androgynes sont ceux qui ont intégré à leur personnalité et à leur comportement des aspects masculins et féminins. L'androgynie permet d'adopter le comportement qui semble le plus approprié à une situation et non pas nécessairement celui prescrit par le rôle sexuel stéréotypé. Ainsi, les individus androgynes

Androgyne   Individu dont la personnalité et le comportement présentent des caractéristiques de l'homme et de la femme.

peuvent faire preuve d'assurance au travail, mais être dévoués envers leurs amis, leur famille ou la personne qu'ils aiment. De nombreuses personnes ont des caractéristiques traditionnellement rattachées à un sexe mais des intérêts et des comportements traditionnellement attribués à l'autre sexe. En fait, il existe toutes les nuances chez les humains, depuis des personnes très masculines ou très féminines jusqu'à d'autres pouvant être à la fois masculines et féminines, c'est-à-dire androgynes.

La psychologue sociale Sandra Bem (1974, 1993) a développé un inventaire papier-crayon pour mesurer chez des individus leur degré de comportements masculins ou féminins, ou une combinaison des deux. D'autres outils semblables ont été développés par la

suite (Spence et Helmreich, 1978). À l'aide de ces nouveaux instruments de mesure de l'androgynie, un des chercheurs a étudié comment les individus androgynes se comparent avec les personnes fortement stéréotypées. Un certain nombre d'études indiquent que les personnes androgynes démontrent plus de souplesse dans leurs comportements, sont moins prisonnières des stéréotypes, ont une plus grande estime d'elles-mêmes, prennent de meilleures décisions lorsqu'elles sont dans un groupe, ont de meilleures habiletés de communication, de plus grandes compétences sociales et plus de motivation pour mener leurs projets à terme que les personnes fortement stéréotypées ou ayant eu un résultat pauvre dans la combinaison des deux types de comportements (Hirokawa et coll., 2004).

RÉSUMÉ

HOMME ET FEMME, MASCULIN ET FÉMININ

* Les processus par lesquels sont déterminés notre masculinité ou notre féminité et la manière dont ils influent sur notre comportement, sexuel ou autre, sont d'une grande complexité.

* Le mot *sexe* fait référence à notre masculinité ou féminité biologique telle qu'elle est exprimée dans différents attributs physiques (chromosomes, organes sexuels internes et externes, etc.).

* Le sentiment d'appartenance à un sexe est ce sentiment subjectif qu'a chaque individu d'être un homme ou une femme.

* Les stéréotypes sexuels constituent un ensemble d'attitudes et de comportements considérés comme normaux et adéquats pour les personnes appartenant à l'un et à l'autre sexe dans une culture donnée.

* Les scénarios de genre établissent des attentes comportementales selon le sexe; ces attentes sont définies par la culture et varient donc d'une société à l'autre et d'une époque à l'autre.

LE DÉVELOPPEMENT DU SENTIMENT D'APPARTENANCE À UN SEXE

* Les recherches menées dans le but d'isoler les nombreux facteurs biologiques influant sur l'identité de genre

d'une personne ont permis d'identifier six catégories ou niveaux biologiques : le sexe chromosomique (aussi appelé *sexe génétique*), le sexe gonadique, le sexe hormonal, les structures génitales internes, les organes génitaux externes et la différenciation sexuelle du cerveau.

* Dans des conditions normales, ces variables biologiques interagissent de façon harmonieuse afin de déterminer notre sexe biologique. Des erreurs peuvent cependant survenir à n'importe lequel des six niveaux. Des irrégularités dans le développement du sexe biologique d'une personne peuvent grandement affecter le sentiment d'appartenance à un sexe.

* Selon la théorie de l'apprentissage social, notre identification à un sexe et aux rôles masculins ou féminins dépend en premier lieu des influences sociales et culturelles auxquelles nous sommes exposés.

* La plupart des théoriciens contemporains ont adopté le modèle interactionnel selon lequel le développement du sentiment d'appartenance à un sexe est le résultat d'une interaction complexe entre des facteurs liés à l'apprentissage social et d'autres facteurs d'ordre biologique.

LES RÔLES SEXUELS

* Une fois qu'ils sont largement acceptés, les rôles sexuels se transforment en stéréotypes, c'est-à-dire

des idées préconçues basées non pas sur l'individualité de chacun mais plutôt sur l'appartenance à un groupe plus vaste (âge, sexe, etc.).

* Il existe dans notre société plusieurs stéréotypes sexuels pouvant nous amener à entretenir des préjugés envers les gens et, ainsi, à restreindre nos possibilités.

* La socialisation est le processus par lequel la société transmet à ses membres ses attentes en matière de comportements. Les parents, les pairs, la télévision, la religion, l'école et les manuels scolaires contribuent tous à la transmission des stéréotypes sexuels.

* Les attentes liées aux rôles sexuels exercent une influence profonde sur notre sexualité. Notre affirmation en tant qu'êtres sexués, les attentes que nous entretenons face aux relations intimes, la perception que nous avons de la qualité de telles expériences et la réponse des autres à notre sexualité peuvent être grandement influencées par la perception que nous avons de notre rôle comme homme ou comme femme.

* Les individus androgynes ont fait éclater le cadre des stéréotypes sexuels traditionnels en intégrant à leur façon de vivre des aspects à la fois masculins et féminins.

Les orientations sexuelles

e présent chapitre traite de l'orientation sexuelle, c'est-à-dire des choix de partenaires. Nous commencerons par un examen de l'éventail des orientations sexuelles, puis nous présenterons les théories et les résultats des recherches sur les facteurs déterminants de ces orientations. D'importantes questions d'attitudes sociales seront soulevées, suivies d'informations sur les styles de vie des gais et des lesbiennes.

UN CONTINUUM D'ORIENTATIONS SEXUELLES

Pour désigner l'**orientation sexuelle** d'une personne, c'est-à-dire son attirance envers un sexe ou l'autre, ou les deux, on utilise les mots *homosexualité*, *bisexualité*, *hétérosexualité* et *asexualité*. L'attirance entre des personnes de même sexe est une orientation homosexuelle et l'attirance entre des personnes de sexes différents est une orientation hétérosexuelle. La bisexualité désigne une attirance tant pour des personnes de son propre sexe que pour des personnes de l'autre sexe. Quant à l'asexualité, elle désigne le fait de ne ressentir aucune attirance sexuelle envers une autre personne, quel que soit son sexe. Comme l'orientation sexuelle n'est que l'un des aspects de la vie d'une personne, nous utiliserons ces quatre termes en tant qu'éléments descriptifs d'une partie de l'individu plutôt que comme des termes définissant son identité entière.

Dans notre société, on a tendance à établir une nette distinction entre homosexualité et hétérosexualité. En réalité, la délimitation n'est pas si précise. Un pourcentage relativement restreint de personnes se considèrent comme exclusivement homosexuelles alors que plus de 90 % se considèrent comme exclusivement hétérosexuelles. Ces groupes se situent aux deux extrémités d'un vaste spectre. Entre les deux, il y a place chez l'individu pour toute une variété d'orientations ou d'expériences qui peuvent changer avec le temps. Par exemple, quelqu'un qui se masturbe en fantasmant sur une personne du même sexe que lui, ou qui jouit en rêve avec des personnes de son propre sexe, mais qui n'a des relations sexuelles qu'avec des partenaires de l'autre sexe se situe quelque part entre les extrémités du continuum (Epstein, 2006).

La figure 5.1 présente les sept catégories du continuum qu'Alfred Kinsey a établi pour analyser les orientations sexuelles dans la société américaine (Kinsey et coll., 1948). L'échelle va de 0 (contact et attirance exclusivement hétérosexuels envers les personnes de l'autre sexe) à 6 (contact et attirance exclusivement homosexuels). Entre les deux pôles prennent place différents degrés d'orientations et d'expériences homosexuelles et hétérosexuelles ; la catégorie 3 renvoie à une attirance et à une expérience à la fois homosexuelles et hétérosexuelles.

Les recherches indiquent que les hommes et les femmes se situent dans des catégories différentes sur l'échelle de Kinsey. Les hommes, tant homosexuels

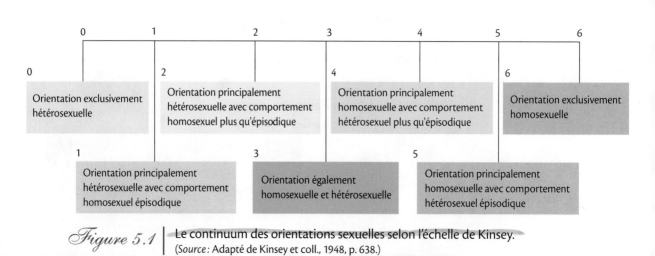

Figure 5.1 | Le continuum des orientations sexuelles selon l'échelle de Kinsey.
(*Source:* Adapté de Kinsey et coll., 1948, p. 638.)

Question d'analyse critique

Où vous situeriez-vous sur l'échelle de Kinsey ?

qu'hétérosexuels, se trouvent habituellement à l'une ou l'autre des extrémités de l'échelle alors que les femmes se situent davantage dans les catégories 2 à 5. Selon une recherche, les femmes qui s'identifient elles-mêmes comme hétérosexuelles ont 27 fois plus de chances que les hommes hétérosexuels d'exprimer une attirance modérée ou forte envers des personnes de leur propre sexe (Lippa, 2006).

L'échelle de Kinsey peut donner l'impression que l'orientation sexuelle est quelque chose de fixe, de statique, alors qu'en réalité la situation d'une personne sur cette échelle peut varier à différents moments de sa vie. Par exemple, comme l'échelle est basée à la fois sur l'attirance et le comportement, un individu bisexuel peut se trouver d'un côté ou de l'autre du centre de l'échelle selon qu'il est avec un partenaire masculin ou féminin à un moment donné. Pour évaluer l'orientation sexuelle d'une personne, il faut regarder l'ensemble de sa vie plutôt qu'une période donnée (Fox, 1990).

L'HOMOSEXUALITÉ

Ma vie de jeune lesbienne a été très différente de celle des jeunes lesbiennes d'aujourd'hui. Dans le temps, personne de mon entourage ne parlait d'homosexualité et je sortais avec des garçons pour faire comme mes amies. J'avais la jeune trentaine lors de ma première expérience sexuelle avec une autre femme et, malgré le bonheur de cette rencontre, je ne me croyais pas lesbienne. Il m'a fallu encore plusieurs années avant de m'identifier comme telle et d'avoir des amis homosexuels autres que ma partenaire. Les lesbiennes d'aujourd'hui sont mieux renseignées et disposent de modèles positifs. Ça les aide à se comprendre et à s'accepter. Mais elles sont également la cible de la réaction conservatrice des opposants au mouvement gai. De mon temps, parce que l'homosexualité était taboue, les gens préféraient fermer les yeux, et ça protégeait considérablement notre droit à l'intimité et à la vie privée. Nous n'avons jamais connu le harcèlement, la violence et l'activisme homophobe que l'on rencontre aujourd'hui. (Notes des auteurs)

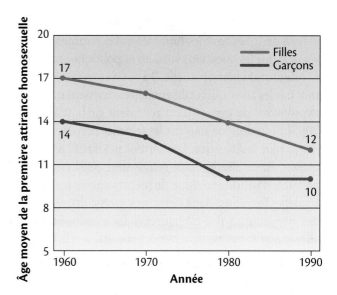

Figure 5.2 Les jeunes gais et lesbiennes des années 1990 ont connu leur première attirance envers une personne de même sexe quatre ou cinq ans plus tôt que les jeunes des années 1960.

Pour bien des gens, l'homosexualité se résume à un contact sexuel entre des individus de même sexe. C'est là une définition incomplète, car elle ne tient pas compte de deux dimensions, soit les sentiments et les perceptions des personnes impliquées, et le contexte dans lequel leur activité sexuelle a lieu. Elle n'englobe pas non plus tous les sens du mot **homosexuel**, lequel peut désigner une attirance érotique, un comportement sexuel, un attachement affectif et une façon de se définir soi-même (Diamond, 2003b ; Eliason et Morgan, 1998). La définition qui suit se veut plus globale : une personne homosexuelle est un individu dont les principaux intérêts sur les plans érotique, psychologique, affectif et social sont orientés vers des personnes de son propre sexe, que ces intérêts soient ouvertement affirmés ou non (Martin et Lyon, 1972, p. 1). La figure 5.2 montre l'âge moyen auquel les adolescents ont ressenti leur première attirance envers une personne de même sexe.

Le mot **gai** est un synonyme courant d'homosexuel. À l'origine, c'était un mot de reconnaissance utilisé entre

Orientation sexuelle Attirance sexuelle envers des personnes de son propre sexe (homosexualité), envers des personnes de l'autre sexe (hétérosexualité), envers des personnes des deux sexes (bisexualité) ou absence d'attirance sexuelle (asexualité).

Homosexuel Personne dont les principaux intérêts sur les plans érotique, psychologique, affectif et social sont orientés vers des personnes de son propre sexe.

Gai Personne homosexuelle, plus particulièrment un homme.

homosexuels et, dans le langage populaire, il en est venu à désigner tant les hommes et les femmes homosexuels que les questions sociales et politiques relatives à l'orientation homosexuelle. Il a aussi été récupéré, surtout par les ados, qui l'utilisent péjorativement dans des expressions du genre « C'est tellement gai ! » (Caldwell, 2003b). On désigne souvent les femmes homosexuelles par le mot **lesbiennes**. Les termes péjoratifs *pédé*, *fifi*, *tapette*, *homo*, *pédale*, *tante*, *gouine* sont aussi traditionnellement utilisés en signe de mépris envers les homosexuels. Toutefois, dans certaines sous-cultures gaies, des personnes gaies elles-mêmes les emploient entre elles d'une façon complice et humoristique (Bryant et Demian, 1998).

Beaucoup d'hommes et de femmes non hétérosexuels, nés après les années 1970, se désignent eux-mêmes « génération *queer* » (ou génération Q) dans un effort pour désamorcer la charge négative du mot et tenter d'estomper les frontières entre les sous-groupes constitués d'hommes gais, de lesbiennes, de personnes bisexuelles et de toute une variété d'individus transgenres appartenant à la « nation *queer* » (Vary, 2006). Les membres de la « génération Q » se considèrent comme différents, voire étrangers aux gais et lesbiennes de plus de 30 ans, en partie parce qu'ils sont devenus adultes durant la période de mobilisation contre le sida (Nichols, 2000).

Selon l'enquête sur la santé dans les collectivités canadiennes de Statistique Canada (2004), l'orientation sexuelle des Canadiens et Canadiennes se présenterait comme suit : « Dans l'ensemble, 1,0 % des Canadiens âgés de 18 à 59 ans ont déclaré qu'ils se considéraient comme des homosexuels, et 0,7 %, comme des bisexuels. Environ 1,3 % des hommes se considéraient comme des homosexuels, soit près du double de la proportion des femmes (0,7 %). Cependant, 0,9 % des femmes se sont déclarées bisexuelles, une proportion légèrement supérieure à celle des hommes (0,6 %). » Pour ce qui est des jeunes, l'étude du Conseil des ministres de l'Éducation du Canada sur les jeunes, la santé sexuelle, le VIH et le sida au Canada révèle que parmi les élèves de 1re, 3e et 5e secondaire, moins de 3 % répondent qu'ils sont attirés par des personnes de leur sexe. D'autre part, 9 % des élèves de 1re secondaire et moins de 2 % des élèves de 3e et 5e secondaire déclarent n'être attirés ni par un sexe ni par l'autre (CMEC, 2003).

Selon les données de Kinsey, la catégorie exclusivement homosexuelle comprenait 2 % de femmes et 4 % d'hommes. Ces évaluations datent cependant, et elles ont été critiquées. L'enquête plus récente du National Health and Social Life Survey a révélé des taux un peu moins élevés, soit 1,4 % de femmes et de 2,8 % d'hommes qui se disent homosexuels. Toutefois, une autre question a donné d'autres résultats avec des taux plus élevés. On demandait aux sujets s'ils avaient eu des relations sexuelles avec un ou une partenaire de même sexe depuis l'âge de 18 ans ; environ 5 % des hommes et 4 % des femmes en avaient eu (Laumann et coll., 1994). Dans l'enquête « The Global Sex Survey », une moyenne de 12 % des répondants de 41 pays ont dit avoir eu au moins une expérience sexuelle avec une personne du même sexe qu'eux (Durex, 2006).

LA BISEXUALITÉ

Selon MacDonald (1981), est bisexuelle une personne qui aime s'adonner à des activités sexuelles avec des hommes et des femmes, ou qui manifeste le désir de le faire. Comme nous l'avons vu, plus de femmes que d'hommes sont bisexuelles. En outre, les femmes qui ont une plus forte libido sont plus susceptibles d'être bisexuelles, comme le montre une recherche menée auprès de 3600 personnes (Lippa, 2006). Plus une femme a une forte libido, plus elle a du désir envers les personnes des deux sexes. Par comparaison, les hommes hétérosexuels, les hommes homosexuels et les lesbiennes qui ont une forte libido sont plus susceptibles d'être attirés par des personnes d'un seul sexe, le leur ou l'autre, selon le cas. Ces résultats sont les mêmes chez tous les groupes d'âge et on a pu les observer dans plusieurs régions du monde, notamment en Amérique latine, en Australie, en Inde et en Europe de l'Ouest. L'universalité de ces résultats suggère qu'il y aurait un fondement biologique à de telles différences en matière de bisexualité. Ces résultats pourraient aussi s'expliquer par le fait que plusieurs sociétés tolèrent davantage l'attirance sexuelle entre femmes qu'entre hommes. Lorsque des vedettes telles qu'Angelina Jolie ou Madonna ont des expériences homosexuelles, cela rehausse leur popularité et leur valeur marchande (Owen, 2006). Pour les célébrités masculines, révéler de telles expériences ne ferait que nuire à leur carrière.

LES TYPES DE BISEXUALITÉ

Il y a plusieurs types de bisexualité : la **bisexualité** en tant qu'orientation sexuelle véritable, la bisexualité en tant qu'orientation sexuelle transitoire ou de circonstance et la bisexualité en tant que déni homosexuel (Fox, 1990 ; Ross et coll., 2003). Un véritable bisexuel éprouve une attirance pour les personnes des deux sexes. Il pourrait, à un moment donné, être ou ne pas être sexuellement actif avec plusieurs partenaires, tout en demeurant capable d'éprouver de l'attirance envers des personnes des deux sexes (Kinnish et coll., 2005).

Le taux de bisexualité chez les femmes américaines a pratiquement triplé durant la dernière décennie : 11 % d'entre elles ont mentionné avoir eu au moins une expérience sexuelle avec une autre femme, une augmentation de 4 % par rapport à la précédente décennie. Plusieurs femmes universitaires voient leur expérience homosexuelle comme transitoire avant d'être diplômées et de se marier avec un homme ; cette façon de faire est suffisamment répandue pour qu'on lui ait trouvé un nom, soit LUG, acronyme de Lesbian Until Graduation (Kennedy, 2006). Par comparaison, chez les hommes, il n'y a pas eu un tel changement : 6 % d'entre eux ont mentionné avoir eu au moins une expérience homosexuelle, ce qui donne seulement 1 % de plus que 10 ans auparavant (Jones, 2006). Chez les hommes, on aurait tendance à établir une dichotomie entre gai et hétérosexuel, alors que, chez les femmes, ce serait quelque chose comme « Cela dépend de la personne avec qui je suis » (Bailey et coll., 1993). Une étude menée par Rosenbluth (1997) montre que 58 % des lesbiennes en couple ont choisi l'orientation sexuelle comme fondement de leur relation. Bien qu'elles puissent apprécier le sexe avec les hommes, elles préfèrent les relations homosexuelles, qu'elles qualifient de moins stéréotypées et de plus intimes.

Le comportement bisexuel peut aussi être temporaire ou circonstanciel — une relation sans durée entre des gens qui sont en réalité hétérosexuels ou homosexuels (Dykes, 2000). Le comportement homosexuel circonstanciel peut avoir lieu dans des institutions scolaires ou carcérales où les deux sexes ne cohabitent pas, et les gens qui s'y sont adonnés dans ce cadre reviennent aux relations hétérosexuelles quand l'occasion le permet de nouveau (Kalb et Murr, 2006). Des prostitués des deux sexes pourront faire commerce avec un sexe ou l'autre, mais avoir des rapports exclusivement hétérosexuels ou homosexuels dans leur vie privée.

La bisexualité peut également être une situation transitoire chez une personne qui est en train de passer d'une orientation sexuelle à une autre de façon définitive, comme le montre le témoignage suivant.

J'ai mené une vie traditionnelle avec un mari, deux enfants et des activités sociales. Ma meilleure amie et moi étions très actives dans l'association de parents d'élèves et de professeurs. À notre grande surprise, nous sommes tombées amoureuses. Nous avons gardé notre relation secrète au début et avons continué à mener notre vie de femmes mariées. Puis, nous avons toutes deux divorcé et nous sommes parties pour commencer une nouvelle vie ensemble. La meilleure image de notre situation est qu'avant la vie était comme une télé en noir et blanc, alors que maintenant elle est en couleurs. (Notes des auteurs)

Le passage de la bisexualité à l'homosexualité peut être plus fréquent pendant l'adolescence. Selon une étude, environ la moitié des jeunes qui s'identifiaient au départ comme bisexuels se sont considérés, cinq ans plus tard, comme gais ou lesbiennes et le sont demeurés par la suite (Rosario et coll., 2006). Par contre, les personnes qui s'identifiaient au départ comme gais ou lesbiennes ont eu moins tendance à avoir des relations avec des personnes de l'autre sexe par la suite. C'est parfois un défi de développer une relation hétérosexuelle après s'être perçu comme gai ou lesbienne. Par exemple, JoAnn Loulan, une militante lesbienne réputée qui a écrit *La sexualité lesbienne*, a fait l'objet de nombreuses réactions négatives de la part d'autres lesbiennes, s'étant même fait traiter de « hasbian », lorsqu'elle est devenue amoureuse d'un homme (White, 2003). Le passage de relations homosexuelles à hétérosexuelles se produit plus souvent chez les femmes. Une étude menée auprès de 80 femmes de 18 à 25 ans sexuellement engagées avec une autre femme a révélé que 25 % d'entre elles ont eu une relation avec un homme dans les cinq années suivant le début de la recherche. Même si leur comportement sexuel et le sexe de leur partenaire avaient changé, leur attirance envers les autres femmes était demeurée la même (Diamond, 2003a).

Enfin, il arrive que la bisexualité soit une tentative de nier des penchants exclusivement homosexuels et d'éviter la stigmatisation rattachée à l'homosexualité (MacDonald, 1981). Par exemple, nombre de personnes

Lesbienne Femme homosexuelle.

Bisexualité Attirance sexuelle envers des personnes des deux sexes.

se marient pour maintenir une façade d'hétérosexualité, mais continuent néanmoins d'avoir des désirs homosexuels forts et des contacts en secret, comme l'illustre le drame vécu par les hommes et leurs épouses dans le film *Brokeback Mountain* (Butler, 2006). Se marier avec une personne de l'autre sexe malgré une orientation homosexuelle risque de se produire plus souvent là où existent un tabou et une stigmatisation de l'homosexualité. En Chine, par exemple, même si le tabou de l'homosexualité se relâche, près de 80 % des hommes homosexuels sont mariés ou projettent de l'être.

Les gais et les lesbiennes considèrent parfois que les personnes bisexuelles sont en réalité des homosexuels qui n'ont pas le courage de se l'avouer (McBride, 2005). La bisexualité se vit quelquefois dans l'ambivalence. Les bisexuels subissent souvent la pression des hétérosexuels et des homosexuels qui les poussent à choisir une seule orientation (Diamond, 2003a ; Grannis, 2005).

L'ASEXUALITÉ

L'asexualité, c'est-à-dire le fait de ne ressentir aucune attirance sexuelle pour une personne, quel que soit son sexe, a fait l'objet de peu d'études. Une d'elles, menée auprès de 18 000 personnes en Grande-Bretagne, a révélé que 1 % de ces individus étaient asexuels (Bogaert, 2004). La plupart des hommes et des femmes asexuels l'ont été toute leur vie. Plus de femmes que d'hommes ont été identifiés comme asexuels, mais l'étude a trouvé plusieurs facteurs d'asexualité communs aux deux sexes : une petite taille et des problèmes de santé. On constate aussi que les femmes asexuelles ont eu leurs premières menstruations plus tard que les autres. De tels facteurs semblent indiquer que l'asexualité a un fondement biologique. Par ailleurs, les individus asexuels des deux sexes ont un niveau de scolarité et un statut socioéconomique inférieurs aux autres. De telles conditions défavorables pourraient expliquer la petitesse de leur taille et leurs problèmes de santé. Selon l'*Asexual Visibility and Education Network*, l'asexualité est une orientation sexuelle et non un choix volontaire. Les personnes asexuelles n'ont pas d'attirance sexuelle, mais leur intérêt pour les autres s'exprime sous forme d'amitié, d'affection et de collaboration. Il arrive que certaines personnes asexuelles se masturbent, mais elles ne manifestent aucun intérêt pour une activité sexuelle avec une autre personne (Jay, 2005).

QU'EST-CE QUI DÉTERMINE L'ORIENTATION SEXUELLE ?

On a échafaudé de nombreuses théories pour tenter d'expliquer les origines de l'orientation sexuelle, particulièrement l'homosexualité. Les résultats des recherches sont souvent contradictoires et il n'existe pas, à ce jour, de réponse définitive à cette question. Dans les pages qui suivent, nous présentons quelques théories courantes sur les causes de l'homosexualité et évaluons quelques recherches visant à les confirmer.

LES THÉORIES PSYCHOSOCIALES

Les théories psychosociales sur le développement de l'orientation homosexuelle renvoient à des expériences de vie, à des modèles parentaux ou à des attributs psychologiques propres à l'individu. Bell et ses collègues (1981) ont mené l'étude la plus complète à ce jour sur le développement de l'orientation sexuelle. Ils ont utilisé un échantillon de 979 hommes et femmes homosexuels qu'ils ont jumelé à un groupe témoin de 477 personnes hétérosexuelles. Dans le cadre d'entrevues en tête-à-tête d'une durée de quatre heures, tous les sujets ont été interrogés sur leur enfance, leur adolescence et leurs habitudes sexuelles. Les chercheurs ont ensuite eu recours à des méthodes statistiques élaborées pour analyser les causes possibles du développement de l'homosexualité ou de l'hétérosexualité. Nous citerons fréquemment cette recherche en raison de son excellente méthodologie.

LA THÉORIE DU CHOIX « PAR DÉFAUT » OU « FAUTE DE MIEUX »

Certains croient que les expériences hétérosexuelles malheureuses peuvent rendre une personne homosexuelle. Des affirmations telles que « Tout ce qu'une lesbienne a besoin, c'est d'une bonne baise » et « Il n'a pas encore rencontré la femme qui lui convient » reflètent cette idée que l'homosexualité est un choix « par défaut » ou « faute de mieux » effectué par les personnes qui n'ont jamais eu de relations et d'expériences hétérosexuelles satisfaisantes. Contrairement à ce mythe, les données indiquent que l'orientation homosexuelle n'est ni le signe d'une expérience hétérosexuelle pauvre ni celui d'un passé de rencontres hétérosexuelles décevantes (Bell et coll., 1981). Bell et ses collègues ont découvert que les sujets homosexuels avaient eu autant de fréquentations durant l'école secondaire que les sujets hétérosexuels. Toutefois, peu de sujets homosexuels déclarèrent avoir apprécié leurs fréquentations hétérosexuelles.

On attribue parfois le lesbianisme à la peur des hommes, ou à une méfiance à leur égard, plutôt qu'à une attirance pour les femmes. Pour se convaincre de l'illogisme de ce raisonnement, il suffit de le retourner et de dire que l'hétérosexualité féminine découle de la peur des femmes et de la méfiance qu'elles suscitent.

LE MYTHE DE LA SÉDUCTION

Certains croient que les jeunes femmes et les jeunes hommes deviennent homosexuels parce qu'ils ont été séduits par des personnes homosexuelles plus âgées, ou qu'ils ont « attrapé » cela de quelqu'un d'autre, généralement un individu rattaché au corps professoral que l'élève aime et respecte. Les gens qui sont d'avis que les gais et les lesbiennes ne devraient pas enseigner (soit environ 36 % de la population américaine) croient aux mythes de la séduction et de la contagion (Leland, 2000b). Cependant, la recherche déboulonne cette croyance en montrant que l'orientation sexuelle est le plus souvent établie avant l'âge scolaire et que la plupart des personnes homosexuelles ont leurs premières expériences sexuelles avec quelqu'un de leur propre groupe d'âge (Bell et coll., 1981).

LA THÉORIE DE FREUD

Une autre théorie répandue a trait à certains modèles d'influence familiale. La théorie psychanalytique met en cause à la fois les expériences de l'enfance et les relations avec les parents : Freud (1905) soutenait que la relation avec le père et la mère était cruciale à cet effet. Il croyait que dans un développement « normal », nous passons tous par une phase « homoérotique ». Il alléguait que les garçons peuvent faire une fixation durant cette phase homosexuelle s'ils ont une piètre relation avec leur père et une relation excessivement étroite avec leur mère ; la même chose pourrait arriver à une fille si elle développait l'envie du pénis (Black, 1994).

Des études cliniques ultérieures ont tenté de confirmer cette hypothèse (Bieber et coll., 1962). Bien qu'on soit parvenu à démontrer l'existence de tels modèles dans certains cas, il demeure que de nombreux individus homosexuels n'entrent pas dans ce moule, c'est-à-dire qu'ils n'ont eu ni mère dominatrice ni père émotionnellement détaché. De plus, de nombreuses personnes précisément élevées dans des familles où ces modèles prévalaient étaient hétérosexuelles. Bell et ses collègues (1981) en conclurent que, malgré certains témoignages suggérant que l'homosexualité masculine puisse être dans certains cas liée à une relation père-fils déficiente, on ne pouvait déceler aucun phénomène particulier de la vie de famille expliquant à lui seul le développement homosexuel ou hétérosexuel. Leurs résultats furent confirmés par une autre étude (Epstein, 2006 ; Savin-Williams et Diamond, 2000).

Ces deux baleines mâles se frottant mutuellement le pénis constituent un exemple de comportement homosexuel chez l'animal. La première exposition muséale sur l'homosexualité chez l'animal a eu lieu en 2006 au Musée d'histoire naturelle d'Oslo, en Norvège. L'homosexualité mâle et femelle a été observée chez plus de 1500 espèces d'animaux, et elle est bien documentée pour 500 d'entre elles. Des exemples : girafes, perroquets, pingouins, insectes ou hyènes ont quelques comportements bisexuels observés chez les bonobos, une sorte de chimpanzé qui a des relations sexuelles avec des congénères des deux sexes pour établir des liens sociaux (Doyle, 2006).

LES THÉORIES BIOLOGIQUES

Les chercheurs ont exploré plusieurs pistes dans l'espoir de découvrir des causes biologiques à l'orientation sexuelle. Les pistes les plus sérieuses concernent les facteurs génétiques ainsi que les facteurs prénataux et hormonaux.

LES FACTEURS GÉNÉTIQUES

Suivant une piste de recherche, on a examiné la possibilité que des facteurs génétiques soient à l'œuvre dans l'homosexualité. De nombreuses études ont montré que l'homosexualité, tant masculine que féminine, a une composante familiale, qu'elle se développe à l'intérieur de la famille (Bailey et Bell, 1993 ; Bailey et Benishay, 1993 ; Pattatucci et Hamer, 1995). Mais cela ne signifie pas pour autant que des facteurs génétiques soient en cause ; les influences psychosociales de l'environnement familial pourraient tout aussi bien jouer un rôle.

Les chercheurs mènent souvent des études sur des jumeaux pour tenter de mieux comprendre les influences relatives de l'environnement (culture) et de l'hérédité (nature) sur les comportements. Les jumeaux identiques sont issus d'un seul et même ovule fécondé, qui se divise en deux entités de codes génétiques identiques. Les jumeaux identiques ayant les mêmes gènes, toute différence entre eux devrait donc résulter de facteurs environnementaux. Par contre, les jumeaux non identiques sont issus de la fécondation de deux ovules par des spermatozoïdes distincts. Leurs codes génétiques ne sont donc pas plus semblables entre eux que ceux de n'importe quels autres frères ou sœurs. Les différences physiques et comportementales entre les jumeaux non identiques peuvent être attribuables à des facteurs génétiques, à des facteurs environnementaux ou à une combinaison des deux.

Pour comprendre les rôles relatifs de la génétique et de l'environnement dans la détermination des caractéristiques du comportement, les chercheurs comparent souvent le degré auquel une caractéristique se manifeste chez des jumeaux. Quand une caractéristique commune est plus marquée chez les jumeaux identiques (elle est dite *concordante*) que chez des jumeaux non identiques de même sexe, on peut présumer qu'il y a là un solide fondement génétique. Inversement,

Non-conformisme sexuel Absence de conformité aux rôles sociaux (stéréotypes) traditionnellement attribués aux hommes et aux femmes.

quand une caractéristique a un degré de concordance comparable chez les deux types de jumeaux, on peut raisonnablement penser que la culture exerce davantage d'influence.

C'est en Australie qu'a été menée la plus récente étude sur les jumeaux (Bailey et coll., 2000). Plus de 150 paires de jumeaux identiques et non identiques du même sexe ont fait partie de cette étude. Chaque participant a rempli un questionnaire anonyme comportant de grandes sections sur la sexualité, incluant des éléments sur l'orientation sexuelle. En se fondant sur des critères stricts pour définir l'orientation sexuelle, les chercheurs ont trouvé un taux de concordance (le pourcentage de jumeaux qui sont tous deux homosexuels) de 20 % chez les jumeaux identiques masculins et de 0 % chez les non identiques. Chez les femmes, les taux de concordance correspondants étaient de 24 % et de 10,5 % (Bailey et coll., 2000). Le taux très élevé de concordance observé chez les jumeaux identiques apporte une preuve très forte d'une composante génétique de l'orientation sexuelle chez plusieurs individus. Dans l'encadré « Pleins feux sur la recherche », nous parlons des recherches sur l'influence de différents facteurs durant la période du développement prénatal.

LE NON-CONFORMISME SEXUEL

Le fort lien entre l'homosexualité à l'âge adulte et le **non-conformisme sexuel** durant l'enfance vient aussi étayer la thèse d'une prédisposition biologique à l'homosexualité (Bailey et coll., 2000 ; Ellis et coll., 2005). L'individu fait preuve de non-conformisme sexuel s'il s'écarte des caractères stéréotypés de la masculinité ou de la féminité durant son enfance ; pour mesurer cela, on interroge les répondants pour établir à quel point ils étaient masculins ou féminins durant leur enfance et à quel point ils appréciaient les activités traditionnellement associées aux garçons et aux filles.

Les chercheurs ont ainsi découvert qu'en général les adultes homosexuels faisaient preuve d'un plus grand non-conformisme sexuel durant l'enfance que les adultes hétérosexuels (Bailey et Zucker, 1995 ; Green, 1987 ; Lippa, 2002). La moitié des hommes homosexuels, mais le quart seulement des hommes hétérosexuels, ne correspondaient pas au modèle identitaire masculin traditionnel, tandis que les quatre cinquièmes des femmes homosexuelles, et seulement les deux tiers des femmes hétérosexuelles, n'étaient pas très « féminines » durant l'enfance (Bell et coll., 1981). De semblables façons d'être ont aussi été documentées interculturellement. Bell et ses collègues émirent l'hypothèse que s'il y a une

Pleins feux sur la recherche

L'influence prénatale

Certains chercheurs ont étudié, chez l'adulte, les niveaux hormonaux qui, croyaient-ils, pouvaient contribuer à l'homosexualité. Toutefois, aucune recherche méthodiquement contrôlée n'a permis de découvrir de différences quant au niveau d'hormones sexuelles dans le sang. Dans un autre secteur de recherche, on s'est intéressé aux niveaux hormonaux avant la naissance. Comme nous l'avons vu au chapitre 3, ceux-ci ont une influence sur la féminisation ou la masculinisation du cerveau chez le fœtus. La recherche sur des animaux de laboratoire a montré qu'on peut, en administrant des hormones avant la naissance, rendre plus masculins des fœtus femelles et démasculiniser des fœtus mâles. Et cela entraîne des comportements sociaux et sexuels de type homosexuel quand les animaux parviennent à maturité (Vanderberg, 2003). Outre les niveaux d'hormones, il est probable que d'autres facteurs prénataux influent aussi sur l'orientation sexuelle (Lippa, 2003; Rachman et Wilson, 2003).

La recherche sur les facteurs prénataux et les attributs humains liés à l'orientation sexuelle sont présentés dans ce chapitre. Il est important de garder à l'esprit que les résultats obtenus dans plusieurs secteurs sont souvent contradictoires. Par exemple, certaines recherches ont montré que les habiletés cognitives des hommes homosexuels sont plus proches de celles des femmes hétérosexuelles que des hommes hétérosexuels (Rachman et Wilson, 2003). Les études faites sur de petits échantillons révèlent souvent des différences entre homosexuels et hétérosexuels, alors que celles comportant des échantillons plus larges, plus rigoureuses, tendent à ne trouver aucune différence. Il faut aussi prendre en compte que les études montrant des différences sont plus susceptibles d'être publiées que celles qui n'en trouvent pas.

Certains champs de recherche indiquent une possible différence entre les hommes et les femmes en ce qui a trait aux influences prénatales. Par exemple, la puberté arrive généralement 12 mois plus tard chez les garçons que chez les filles. Mais plusieurs études ont montré que les hommes gais et les hommes bisexuels ont leur puberté plus tôt que les hommes hétérosexuels. Par contre, aucune corrélation de ce genre n'a été trouvée chez les femmes (Bogaert et coll., 2002).

L'ordre de naissance et le sexe des autres enfants de la famille est un autre champ de recherche où l'on a établi une corrélation avec l'homosexualité masculine, mais non avec l'homosexualité féminine (Zucker et coll., 2003). Les recherches comportant des échantillons d'homosexuels et d'hétérosexuels s'identifiant comme tels montrent que les hommes homosexuels ont tendance à avoir plus de frères aînés que les hétérosexuels, et que plus on a de frères aînés, plus la probabilité d'être attiré par une personne de même sexe est grande (Blanchard et Bogaert, 1996; Bogaert, 2005; Lauman et coll., 1994; Wellings et coll., 1994). Ces études n'ont révélé aucune forme d'interaction sexuelle entre les frères plus âgés et les plus jeunes ni aucun facteur environnemental qui pourrait avoir contribué à l'attirance sexuelle des plus jeunes frères envers les autres hommes. Par ailleurs, aucune corrélation n'a été trouvée entre l'homosexualité masculine et le fait d'avoir des sœurs aînées, peu importe leur nombre, et aucune corrélation n'a pu être faite entre l'homosexualité féminine et les autres enfants de la famille, quel que soit leur sexe.

---

cause biologique à l'homosexualité, elle explique probablement le non-conformisme sexuel comme l'orientation sexuelle (1981, p. 217).

LES CONSÉQUENCES D'UNE EXPLICATION BIOLOGIQUE

Les indices donnant à penser que l'homosexualité serait de nature biologique soulèvent d'importantes questions. Si l'on parvenait à prouver que celle-ci a une cause biologique, ceux qui croient que l'homosexualité est anormale ou immorale auraient alors à réviser leur position. La société pourrait donc se montrer plus ouverte face à l'homosexualité (Stein, 1999; Wood, 2000). Cependant, les résultats des recherches ne sont pas clairs à ce sujet. Certaines études font état d'une augmentation des attitudes homophobes, alors que d'autres indiquent une ouverture plus grande sur des sujets comme l'homosexualité chez les enseignants et l'égalité des droits au travail (Wolfe, 1998; Haslam et Levy, 2006). L'idée que l'homosexualité est innée est-elle très répandue dans la population? Cela dépend à qui on pose la question. Chez la population en général, environ 49% des gens le pensent, comparativement à 75% chez les homosexuels (Kitch, 2006; Leland, 2000b).

Certains craignent que la preuve des causes biologiques de l'homosexualité ait des conséquences négatives. Selon eux, il suffirait que l'homosexualité soit considérée comme une « déficience » du point de vue biologique pour qu'on fasse appel au génie génétique, à des programmes de dépistage ou à des techniques médicales pour empêcher ou prévenir le développement de l'homosexualité durant la grossesse, voire changer l'orientation sexuelle des personnes (Stein, 1999 ; Gore, 1998). Par ailleurs, certains soutiennent que les revendications en faveur de l'égalité des droits et de la protection de la loi fondées sur l'argument « Nous sommes nés ainsi, alors cessez la discrimination contre nous » ne font que susciter de la compassion et de la tolérance envers une orientation « déficiente » (Woodson, 2005).

En conclusion, la recherche semble indiquer qu'il y a une prédisposition biologique à l'homosexualité exclusive. Toutefois, les causes de l'orientation sexuelle en général, et particulièrement de la bisexualité, demeurent incertaines et impliquent probablement de multiples voies de développement. Plutôt que de penser qu'il y a une cause unique à l'orientation sexuelle, il vaudrait mieux considérer le continuum de l'orientation sexuelle comme le produit de l'interaction entre divers facteurs psychosociaux et biologiques, lesquels sont exclusifs à chaque personne.

LES ATTITUDES SOCIALES

Les attitudes sociales envers l'homosexualité varient considérablement dans le monde. Comme l'indique l'encadré intitulé *Perspective interculturelle sur l'homosexualité*, la plupart des sociétés admettent au moins certaines manifestations d'homosexualité.

LE JUDÉO-CHRISTIANISME ET L'HOMOSEXUALITÉ

La tradition judéo-chrétienne dans laquelle baigne la culture nord-américaine a toujours porté un regard critique sur l'homosexualité. Beaucoup de spécialistes des

religions croient que la condamnation de l'homosexualité a connu une recrudescence au VIIe siècle av. J.-C. à l'occasion d'un mouvement de réforme entrepris par des dirigeants religieux juifs désireux de créer une communauté distincte, fermée, en marge des autres groupes de l'époque. Les activités homosexuelles faisaient alors partie du rituel religieux de plusieurs sectes, et le fait de les rejeter a pu permettre à la religion juive de se démarquer (Fone, 2000 ; Kosnik et coll., 1977). Dans l'Ancien Testament, on relate le sort de deux villes où se pratiquaient la sexualité entre hommes : Sodome et Gomorrhe. Le mot *sodomie* désignant la pénétration anale provient du nom

Les uns et les autres

Perspective interculturelle sur l'homosexualité

Les attitudes envers l'homosexualité varient considérablement d'une culture à l'autre. Nombre d'études sur d'autres cultures, incluant des cultures anciennes, ont montré une large acceptation des comportements homosexuels. Par exemple, dans la Grèce antique, la relation homosexuelle entre hommes était considérée comme l'expression d'un amour de niveaux intellectuel et spirituel supérieurs, tandis que l'hétérosexualité offrait des avantages plus pratiques tels que les enfants et la cellule familiale. Autre exemple, plus de la moitié des 225 Premières Nations américaines acceptaient l'homosexualité masculine et 17 % l'homosexualité féminine (Pomeroy, 1965).

Certaines sociétés exigent que leurs membres s'adonnent à des activités homosexuelles. Par exemple, tous les hommes de la société sambia vivant dans les montagnes de Nouvelle-Guinée ont des activités exclusivement homo-

sexuelles à partir de l'âge de sept ans environ jusqu'au début de la vingtaine, moment où ils se marient. Les Sambias croient que, pour devenir un redoutable guerrier et un bon chasseur, un garçon prépubère doit boire autant de sperme que possible à partir du pénis de garçons postpubères. Une fois qu'un garçon est pubère, il ne doit plus faire de fellation à d'autres garçons, mais peut goûter au plaisir de la recevoir de ceux qui ne peuvent pas encore éjaculer. Dès le début de leur vie érotique et durant leurs années de puissance orgasmique maximale, les jeunes hommes jouissent assidûment et obligatoirement d'un plaisant homoérotisme. Durant cette période, ils ne peuvent ni regarder ni toucher les femmes. Cela est tabou. Pourtant, à mesure qu'ils progressent vers le mariage, ces jeunes ont de puissants rêves éveillés de nature érotique à propos des femmes. Durant les premières semaines du mariage, ils goûtent à la fellation que leur fait leur femme, puis ils ajoutent le coït à leurs activités hétérosexuelles. Après le mariage, ils cessent toute activité homosexuelle et ils montrent beaucoup de désir sexuel pour les femmes; ils n'auront à partir de là, et ce, jusqu'à la fin de leur vie, que des activités hétérosexuelles (Stoller et Herdt, 1985).

À la lumière d'événements récents à Cuba, on peut constater combien une société peut procéder à de rapides changements concernant l'homosexualité. Dans les 35 premières années de la révolution communiste, les gais et les lesbiennes étaient considérés comme des contre-révolutionnaires déviants, expulsés du Parti communiste et exclus des emplois

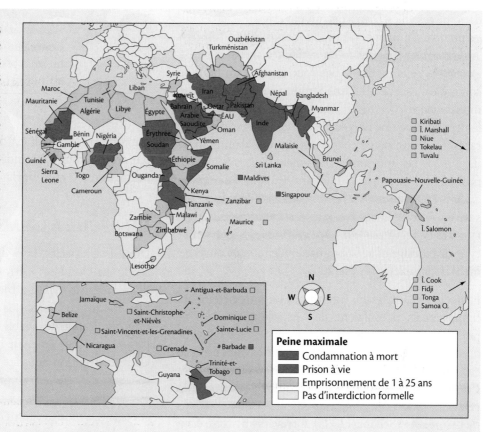

Les peines maximales pour activité homosexuelle.

dans la fonction publique et les universités. Certains furent envoyés dans des camps de travail. En 1992, Castro taxa cette homophobie de la première heure d'attitude machiste invétérée. Sa nièce, Mariela Castro, à travers un organisme gouvernemental, a joué un rôle important dans l'acceptation des lesbiennes, des gais et des individus transgenres (Israel, 2006).

Toutefois, les violations des droits fondamentaux des gais et lesbiennes sont courants dans de nombreux pays du monde, comme le montre la figure ci-dessus. Amnistie internationale se préoccupe de plus en plus de ce problème. L'organisme a répertorié de nombreuses formes de sévices envers les homosexuels : meurtre par décapitation d'un politicien bisexuel au Brésil, « épuration sociale » perpétrée par des escadrons de la mort en Colombie, lois punissant les actes homosexuels par la peine de mort en Iran et en Iraq, et persécution de militants gais dans plusieurs pays (Amnistie internationale, 2003; El-Rouayheb, 2006; Rose, 2006).

Par contre, en certains endroits, la discrimination a diminué. Quatorze pays, européens pour la plupart, ont adopté des lois protégeant les gais, les lesbiennes et les personnes bisexuelles contre la discrimination (voir le tableau ci-contre). L'Afrique du Sud a assuré la protection la plus complète à cet égard en l'inscrivant dans sa constitution en 1996. Les conjoints de fait de même sexe

ont un statut légal au Canada, au Danemark, en Suède, en Suisse, en Norvège, en Espagne, en Islande, en Belgique, en France, dans deux villes d'Italie et au Brésil, lequel est le premier pays d'Amérique latine à avoir adopté une telle mesure (Brooke, 2000; Henry, 2000; Power, 1998b). L'Afrique du Sud, les Pays-Bas, la Belgique, l'Espagne et le Canada accordent aux couples gais le droit de se marier (Wines, 2005). En 2000, la Grande-Bretagne s'est jointe à l'Australie, au Canada et à la Nouvelle-Zélande en supprimant l'interdiction des gais dans l'armée (Wang, 2000).

Quatorze pays ayant adopté des lois contre la discrimination envers les personnes gaies, lesbiennes et bisexuelles.

Afrique du Sud	France	Nouvelle-Zélande
Canada	Irlande	Pays-Bas
Danemark	Islande	Slovénie
Espagne	Israël	Suède
Finlande	Norvège	

Source : Siecus Report (1999).

d'une de ces villes. Dieu a détruit par le feu du ciel ces villes pour en éliminer ce péché (Dawkings, 2006). L'Ancien Testament sert d'ailleurs de sérieux avertissements à ce sujet : «Vous ne devez pas coucher avec un homme comme on couche avec une femme ; c'est une pratique monstrueuse» (Lv 18,22). (Le Lévitique considère également comme une horreur le fait de manger des crustacés [Lv 11,10] ou de couper les cheveux d'un homme [Lv 19,27]). Les juifs sont actuellement divisés quant à la position de leur religion sur l'homosexualité. La réforme du judaïsme a autorisé les mariages entre gens du même sexe en 2000 et les leaders religieux conservateurs sont en train de réévaluer leur opposition traditionnelle à ce type de mariage et à la nomination de rabbins ouvertement homosexuels (Friess, 2003).

Historiquement, les lois interdisant les comportements homosexuels découlaient des interdits bibliques et prévoyaient des peines extrêmement sévères pouvant aller jusqu'à l'emprisonnement, comme c'était encore le cas, au Canada, jusqu'en 1969, année où l'on retira du Code criminel canadien les dispositions relatives à la criminalisation des relations sexuelles entre personnes de même sexe (Schabas, 1995). À travers l'histoire occidentale, on trouve même des pays où l'homosexualité entraînait la torture, voire la peine de mort.

Les présentes positions théologiques sur l'homosexualité indiquent une vaste diversité d'opinions parmi les Églises chrétiennes (Haffner, 2004). Les positions diffèrent selon les confessions, mais aussi à l'intérieur d'une même confession. Dans plusieurs religions traditionnelles, des groupes militent pour que leur Église accepte gais et lesbiennes parmi leur clergé, mais les fondamentalistes s'y opposent. Les conflits entre ces deux points de vue vont probablement s'accroître à mesure que les Églises tenteront d'établir des positions claires sur l'homosexualité (Soukup, 2006 ; Johnson et Nelson, 2003). La plupart des Églises protestantes d'importance au Canada acceptent l'ordination de gais et de lesbiennes. L'Église unitarienne universaliste a été parmi les premières à adopter une politique d'ouverture à l'égard des gais et des lesbiennes sexuellement actifs et à se doter d'une politique officielle qui reconnaît la légitimité de leurs relations. Parmi les Églises protestantes majeures au Canada, seule l'Église unie du Canada, après un long et déchirant débat, a fini par accepter aussi comme membres du clergé les homosexuels qui ont une vie sexuelle active. Toutes les autres confessions exigent, du moins dans leur politique «officielle», que les gais et les lesbiennes soient célibataires pour faire partie du clergé. Dans l'Église catholique

Question d'analyse critique

Comment vos croyances religieuses ou leur absence influencent-elles votre attitude à l'égard de l'homosexualité ?

romaine, où le célibat est de rigueur, seuls les hommes ont accès à la prêtrise indépendamment de leur orientation sexuelle et le mariage gai n'est pas reconnu.

DU PÉCHÉ À LA MALADIE

Durant des siècles, la pensée judéo-chrétienne dominante en Occident a étroitement associé les notions de péché et de maladie. L'idée était que Dieu avait créé un monde parfait et que les maladies ne pouvaient être que le fait du Diable. Être vertueux garantissait la santé, pécher amenait la maladie (Comfort, 1967). Cette conception subsiste encore chez les fondamentalistes religieux américains qui croient et enseignent que le sida est une punition que Dieu inflige aux homosexuels (Dawkings, 2006).

Médecins et psychologues ont usé de traitements draconiens pour tenter de guérir la «maladie» de l'homosexualité. Dans les années 1800, on procédait à des opérations chirurgicales comme la castration pour l'éliminer. Jusqu'en 1951, on a utilisé la lobotomie (chirurgie consistant à sectionner des fibres nerveuses du lobe frontal du cerveau) pour la «guérir». La psychothérapie, les traitements de choc, les médicaments, les hormones, l'hypnose, les thérapies aversives (association de stimuli homosexuels avec l'administration de chocs électriques ou de vomitifs) ont tous été utilisés à cette même fin (Fone, 2000).

Des décennies de recherche infirment l'idée que l'homosexualité est une maladie mentale. Seules certaines recherches ont fait état d'un taux de dépression et de pensées suicidaires légèrement plus élevé chez les gais que chez les hétérosexuels (Mills et coll., 2004 ; Rochman, 2003), mais cette différence est probablement attribuable à la stigmatisation sociale, ainsi qu'aux deuils et états de stress liés à l'épidémie de sida (Cochran et Mays, 2000). Alan Bell et Martin Weinberg en concluent que les adultes homosexuels qui assument leur orientation, qui ne s'en désolent pas et qui ont une vie sexuelle et sociale articulée ne sont pas plus troublés psychologiquement que les adultes hétérosexuels (1978, p. 216).

En 1973, après d'importants débats internes, l'Association américaine de psychiatrie a rayé l'homosexualité de sa liste des troubles mentaux (DSM III). Faisant écho aux recherches contemporaines sur l'homosexualité — et parce que ni l'Association américaine de psychiatrie ni l'Association des psychologues ne la classaient dans les maladies mentales —, la plupart des thérapeutes ont changé l'orientation de leur pratique. Ceux-ci offrent désormais à la personne homosexuelle une **thérapie d'affirmation de son homosexualité** pour l'aider à vivre dans une société qui lui est passablement hostile, plutôt que de tenter de la guérir en changeant son orientation sexuelle (Crisp, 2006). Cette modification dans la pratique thérapeutique est importante, car le problème a maintenant trait à l'attitude négative de la société par rapport à l'homosexualité plutôt qu'à l'homosexualité elle-même (Kort, 2004). Cela n'empêche pas qu'un parti pris hétérosexiste demeure présent dans les thérapies familiales en raison de l'ignorance des thérapeutes du vécu des gais et des lesbiennes (Long et Serovich, 2003).

Quelques praticiens en santé mentale continuent toutefois à offrir des **thérapies de réorientation sexuelle** pour aider les personnes homosexuelles insatisfaites de leur état à contrôler, à réduire ou à annihiler leurs désirs et comportements homosexuels (Kemena, 2000; Nicolosi et coll., 2000a). Ces thérapies sont souvent proposées dans un contexte religieux où un soutien important est offert à ceux et celles qui veulent tenter une réorientation sexuelle.

Des groupes religieux comme Exodus International, une organisation chrétienne non rattachée à une confession, introduisent l'enseignement religieux dans les groupes de thérapie en insistant sur les traumatismes survenus dans l'enfance qui seraient la cause de l'homosexualité : abandon du père, mère absente, abus sexuels ou violence parentale. Le processus de transformation vise à développer le désir hétérosexuel ou, en cas d'échec, l'abstinence. Les études sur ce type de thérapie font état de résultats assez variés : les participants disent, dans des proportions allant de 4 % à 45 %, ne plus se débattre contre des désirs ou des comportements homosexuels et être devenus complètement hétérosexuels, être impliqués dans une relation hétérosexuelle ou, à tout le moins, être plus hétérosexuels qu'homosexuels (Nicolosi et coll., 2000b). (Les plus hauts taux de succès proviennent d'études menées par des thérapeutes en réorientation sexuelle.) Parmi ceux dont l'orientation sexuelle n'a pas été modifiée par la thérapie, on compte

deux des fondateurs d'Exodus International, Michael Bussee et Garry Cooper, qui ont rompu leur mariage avec leur femme pour vivre ensemble (Goldberg, 2006). D'autres individus chez qui la thérapie de réorientation n'a pas fonctionné disent avoir menti à leur thérapeute et avoir maintenu des comportements homosexuels pendant leur thérapie et que celle-ci a alimenté la haine d'eux-mêmes (Nguyen, 2006). Pour ceux qui ont fait partie de ces groupes de thérapie et qui n'ont pu changer d'orientation comme ils l'auraient souhaité, le choix se pose en termes de « être avec Dieu ou être gai », deux voies irréconciliables. Un tel dilemme peut conduire au suicide (Clementson, 2000b). Pour Dorais (2001), un grand nombre de suicides chez les adolescents gais seraient liés à la difficulté de se reconnaître comme tels et d'assumer leur homosexualité, difficulté essentiellement attribuable aux attitudes sociales homophobes.

L'HOMOPHOBIE

Le terme **homophobie** renvoie à des attitudes d'aversion envers les personnes homosexuelles. L'homophobie se définit aussi comme une crainte irrationnelle des homosexuels, ou comme la peur et le dégoût de ses propres sentiments homosexuels. L'hétérosexisme est une forme d'homophobie. Elle consiste à condamner et à dénigrer tout comportement, identité, relation ou communauté qui n'est pas hétérosexuel (Berkman et Zinberg, 1997; Van Voorhis et Wagner, 2002).

Malheureusement, l'homophobie est encore très répandue et bouleverse souvent considérablement la vie des gais, des lesbiennes et des personnes bisexuelles. Elle se manifeste de bien des manières (LaSala, 2006). Les manifestations ouvertes d'hostilité nourrissent le harcèlement quotidien et la discrimination dont sont victimes les personnes ne répondant pas aux critères hétérosexuels « convenables ». Dans sa forme extrême, l'hostilité peut aller jusqu'aux crimes haineux contre les gais. Les crimes haineux sont des voies de fait, des vols ou des meurtres commis contre des personnes en raison de leur race, de leur religion, de leur appartenance ethnique ou de leur orientation sexuelle. Plus du tiers

---

Thérapie d'affirmation de son homosexualité Thérapie aidant les homosexuels à faire face aux attitudes sociales négatives à leur endroit.

Thérapie de réorientation sexuelle Thérapie aidant les hommes et les femmes homosexuels à changer d'orientation.

Homophobie Haine ou peur irrationnelle de l'homosexualité; peur de ses propres sentiments homosexuels.

des gais et des lesbiennes ont été victimes de violence (Parrot et Zeichner, 2006). Cependant, les crimes haineux sont moins rapportés que d'autres actes violents, les victimes ne s'attendant pas à avoir de soutien de la part des autorités (Herek et coll., 1999).

LES CAUSES DE L'HOMOPHOBIE ET DES CRIMES HAINEUX

Il peut sembler n'y avoir aucun lien entre assassiner un homme parce qu'il est homosexuel, voter de façon à permettre la discrimination contre les homosexuels dans l'emploi et insulter une lesbienne en l'appelant « gouine » ; pourtant, il y a des traits communs. Tout d'abord, cela reflète le piètre bilan de l'humanité dans l'acceptation des différences entre les personnes. Le manque de tolérance face aux différences raciales, religieuses ou ethniques est à l'origine de graves tragédies et d'actions « inhumaines » comme l'épuration ethnique, l'Holocauste et l'Inquisition. Les nombreuses religions qui définissent l'homosexualité comme immorale encouragent les groupes et les personnes à adopter cette vision négative de l'autre. La recherche montre que les personnes les plus conservatrices sur le plan religieux ont aussi les attitudes les plus négatives envers l'homosexualité (Kite et Whitley, 1998b ; Kyes et Tumbelaka, 1994). Les données établies par la police révèlent que la grande majorité des crimes haineux sont motivés par la race ou l'origine ethnique (61 %), la religion (27 %) et l'orientation sexuelle (10 %) (Dauvergne et coll., 2006). Les gais, les lesbiennes et les bisexuels sont davantage victimes d'actes violents (Beauchamp, 2004).

L'homophobie et les crimes haineux ont aussi un rapport avec les stéréotypes sexuels traditionnels : les individus qui adhèrent à ces stéréotypes sont généralement plus hostiles à l'homosexualité que les autres (Louderback et Whitley, 1997). De plus, les hommes sont généralement plus violemment opposés à l'homosexualité que les femmes, ce qui reflète peut-être la plus grande rigidité des paramètres régissant les rôles sexuels des garçons/hommes dans notre culture (Kite et Whitley, 1998a ; Herek et Capitanio, 1999). Une

URBAN ● STONE
ÇOVERED

L'homophobie est moins fréquente envers les lesbiennes. Les gestes sexuels entre femmes sont excitants pour bien des personnes et les annonces qui suggèrent le sexe entre lesbiennes sont courantes dans la publicité.

recherche menée en Australie montre que les jeunes hommes de 14 à 17 ans ont plus d'attitudes négatives envers l'homosexualité que les autres groupes d'âge des deux sexes (Plummer, 2005). Au Canada, l'enquête « Reginald Bibby Project Teen Canada 2000 » portant sur 3600 adolescents montre aussi une attitude plus négative chez les garçons : « Environ un adolescent sur deux (54 %) approuve les relations homosexuelles, plus entre femmes (66 %) qu'entre hommes (41 %). Mais 75 %, surtout chez les femmes, sont d'avis que les homosexuels ont les mêmes droits que les autres Canadiens » (Bibby, 2001). D'autre part, les hommes hétérosexuels ont moins d'attitudes négatives envers les lesbiennes qu'envers les gais

(Mahaffey et coll., 2005). C'est peut-être, en partie, parce que les hommes hétérosexuels ne sont pas mal à l'aise par rapport aux désirs sexuels qu'ils éprouvent pour les femmes en général.

La première motivation de la plupart de ceux qui commettent des crimes haineux contre les gais — que des hommes, jusqu'à maintenant — est que l'homosexualité est une violation des normes masculines. Agissant souvent à deux ou en groupe, ils essaient de se rassurer sur leur « virilité » face à eux-mêmes et à leurs amis en assaillant ceux qui ne se conforment pas au modèle rigide du rôle masculin. La même motivation mène aux agressions contre les hommes transgenres qui sont souvent la cible d'actes violents (Maurer, 1999). La collaboration accrue entre les groupes et les personnes transgenres et les associations de défense des droits des gais découle en partie de la reconnaissance de l'importance de la diversité sexuelle (Coleman, 1999 ; Denny, 1999).

L'homophobie et les crimes haineux sont aussi une tentative de nier ou de supprimer ses propres émotions homosexuelles. Mal à l'aise dans sa propre sexualité, la personne homophobe s'attache à ce qui « ne va pas » dans la sexualité des autres (Kantor, 1998). Une étude a montré que des hommes nourrissant une répugnance marquée à l'encontre des gais ont des émotions érotiques envers d'autres hommes, mais les refoulent et nient avoir conscience de cette excitation (Adams et coll., 1996). Au cours de l'étude, on montrait à des hommes des vidéos contenant des ébats hétérosexuels, lesbiens et gais sexuellement explicites. Durant le visionnement, chaque sujet portait un pléthysmographe pénien mesurant le niveau d'excitation physique provoqué par chaque scénario. Sans connaître les résultats du pléthysmographe, les sujets indiquèrent le niveau d'excitation qu'ils avaient éprouvé durant chaque vidéo. Les hommes déclarèrent avoir été excités par les vidéos hétérosexuelles et lesbiennes, et leurs niveaux d'excitation correspondaient aux résultats du

Les uns et les autres

Le premier mouvement pour la défense des droits des homosexuels

C'est en Allemagne, quarante ans avant la Seconde Guerre mondiale, qu'est né le premier mouvement faisant la promotion de l'homosexualité et de l'abolition des lois contre elle. Mais l'arrivée des Nazis au pouvoir a signé l'arrêt de mort du mouvement et environ 50 000 hommes gais ont été exterminés après avoir séjourné dans les camps de concentration.

Ce n'est que dans les années 1960, aux États-Unis, que des gens ont créé des associations pour les hommes et les femmes homosexuelles en dépit du climat social conservateur de l'époque.

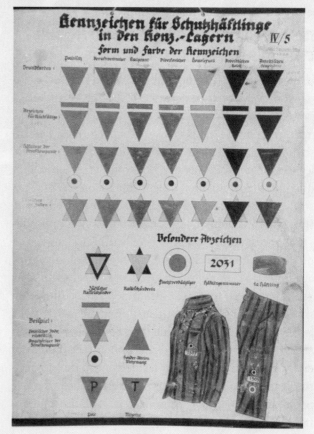

Les Nazis ont associé l'homosexualité à un complot juif pour affaiblir la masculinité des hommes aryens. L'Allemagne nazie a anéanti la base du mouvement mondial des droits gais à Berlin. Obligés de porter un triangle rose comme symbole sur leur manche, plus de 100 000 hommes gais furent arrêtés et environ 50 000 envoyés dans les camps de la mort.

Question d'analyse critique

Selon vous, les sujets homophobes de l'étude ci-dessous étaient-ils simplement malhonnêtes lorsqu'ils niaient ressentir une excitation sexuelle durant le visionnement de vidéos gaies ?

pléthysmographe. Les résultats les plus intéressants ont trait aux écarts entre l'excitation déclarée et l'excitation physique réelle face aux vidéos gaies explicitement sexuelles. Les hommes qui n'avaient pas donné de réponses homophobes au questionnaire sur leurs attitudes envers les gais dirent ne pas avoir été excités par les vidéos gaies, ce que le pléthysmographe confirmait. Par contre, les données enregistrées par l'appareil durant le visionnement de ces mêmes vidéos par des hommes homophobes venaient contredire leurs déclarations sur leur absence d'excitation par rapport à ces ébats homosexuels (Kantor, 1998). Ces résultats suggèrent que les hommes homophobes n'ont pas conscience de leur excitation homoérotique, ou refusent de l'admettre. Leur agressivité envers les gais pourrait être une réaction de défense contre le malaise que suscitent en eux ces sentiments qu'ils refusent d'avoir (Kite et Whitley, 1998a).

LES CONSÉQUENCES DE L'HOMOPHOBIE CHEZ LES HÉTÉROSEXUELS

Une autre forme d'homophobie consiste à éviter rigoureusement tout comportement susceptible d'être interprété comme homosexuel. En ce sens, l'homophobie peut restreindre l'expérience des personnes hétérosexuelles. Par exemple, au cours des ébats amoureux, les hommes hétérosexuels pourront être incapables d'accepter la stimulation de leurs mamelons ou se montrer réticents à laisser leur partenaire prendre l'initiative s'ils interprètent ces comportements comme des « tendances homosexuelles » (Wells, 1991). Les amis de même sexe ou les membres d'une famille se refuseront aux étreintes cordiales, on évitera les vêtements «pas assez féminins» ou «insuffisamment masculins», on s'abstiendra de se dire féministe de peur de passer pour lesbienne, etc. L'homophobie peut constituer un frein à l'intimité dans les amitiés entre hommes. Ceux qui craignent d'être attirés par les personnes de leur propre sexe s'interdisent souvent la vulnérabilité affective nécessaire aux amitiés profondes et, ce faisant, confinent leurs relations à la compétitivité et à la camaraderie (Nelson, 1985).

VERS UNE PLUS GRANDE ACCEPTATION DE L'HOMOSEXUALITÉ

Avec le temps, les individus peuvent vaincre leur attitude homophobe en s'y attaquant consciemment, par l'expérience ou l'éducation. En fait, les gens qui connaissent personnellement une lesbienne ou un gai sont généralement plus ouverts face à l'homosexualité (Leland, 2000b ; Span et Vidal, 2003). Des actions individuelles peuvent aussi avoir un impact : l'étudiant ou l'étudiante qui invite des personnes à son party sans se soucier de leur orientation, le comptable qui garde une photo de son partenaire sur son bureau au travail, le médecin qui a une sœur lesbienne et qui réplique à une plaisanterie homophobe, ceux-là aident à faire évoluer les attitudes (Solmonese, 2005). On peut constater une tolérance accrue envers l'homosexualité en comparant les attitudes par groupe d'âge. Les jeunes adultes (de 18 à 29 ans) sont remarquablement plus libéraux face aux droits des gais que les gens de plus de 30 ans, lesquels sont par contre plus tolérants que les gens de 50 ans et plus. Cette plus grande ouverture d'esprit des moins de 50 ans tient peut-être au fait qu'ils sont plus susceptibles d'avoir un ami ou une connaissance homosexuel (65 %) que leurs aînés (45 %) (Leland, 2000b).

Les médias accordent de plus en plus de place à des personnages homosexuels ou à des personnalités homosexuelles telles qu'Ellen De Generes et Melissa Etheridge. Des séries britanniques et américaines telles

Des émissions comme *Les mecs comiques* aident à combattre les préjugés contre les homosexuels.

que *Six pieds sous terre* (*Six Feet Under*), *Elles* (*L World*), des séries québécoises telles que *Cover Girl* ou *Les mecs comiques*, des films comme *J'en suis* et *Brokeback Mountain* sont autant d'exemples de productions favorisant l'acceptation de l'homosexualité ou de comportements perçus comme homosexuels.

LES STYLES DE VIE

On entend parfois parler d'un «style de vie gai». De quoi s'agit-il exactement? La plupart du temps, c'est un euphémisme pour désigner la conduite sexuelle entre des partenaires de même sexe (Howey et Samuels, 2000). Dans cette section, nous constaterons que les styles de vie homosexuels sont aussi variés que les styles de vie hétérosexuels. Toutes les classes sociales, professions, ethnies, religions et convictions politiques sont représentées chez les personnes homosexuelles. Les seules caractéristiques communes aux individus homosexuels sont forcément leur désir d'épanouissement affectif et sexuel avec une personne de même sexe et l'hostilité sociale dont ils sont victimes.

L'AFFIRMATION DE SON ORIENTATION SEXUELLE

La décision de tenir secrète son orientation sexuelle ou de la révéler a bien sûr un effet indiscutable sur le style de vie. Il y a divers degrés de «clandestinité» et le processus d'**affirmation de son orientation sexuelle** comprend plusieurs étapes — reconnaissance, acceptation et expression ouverte de sa propre homosexualité (Patterson, 1995). Les gais, les lesbiennes et les personnes bisexuelles décident d'affirmer ou non leur orientation sexuelle en tenant compte des répercussions en termes de sécurité et de tolérance, pour eux-mêmes comme pour les autres. En effet, s'il est personnellement libérateur de vivre au grand jour son homosexualité ou sa bisexualité, cela ne convient pas nécessairement à toutes les situations (Anderson et Holliday, 2003; Oswald et Culton, 2003).

Un individu peut parfois éviter les conséquences sociales négatives liées à la divulgation de son homosexualité en se faisant passer pour hétérosexuel, mais garder le secret est source de stress et peut avoir des effets dévastateurs (Berger, 1996). L'affirmation de son orientation sexuelle dépend de circonstances individuelles, mais l'époque a aussi son importance, comme l'indiquent les résultats d'une étude portant sur trois générations de lesbiennes, soit:

* les lesbiennes devenues adultes avant l'ère de revendication des droits des gais dans les années 1970;

* les lesbiennes devenues adultes pendant la période de revendication des droits des gais, de 1970 à 1985;

* les lesbiennes devenues adultes après 1985.

Plus jeunes elles sont, plus tôt elles ont pris conscience de leur orientation sexuelle, ont eu leur première expérience homosexuelle, se sont identifiées comme lesbiennes et ont révélé leur orientation aux autres. Par exemple, dans le groupe le plus jeune, c'est en moyenne à l'âge de 20 ans que les femmes se sont reconnues elles-mêmes comme lesbiennes, contre 32 ans dans le groupe le plus âgé. Le changement le plus significatif à travers le temps est que de plus en plus de femmes ont des expériences sexuelles avec d'autres femmes avant d'en avoir avec des hommes. Cela se vérifie chez le groupe des plus jeunes, alors que c'est l'inverse chez les deux autres groupes plus âgés (Parks, 1999).

LA RECONNAISSANCE DE SOI

Dans la première phase du processus d'affirmation de son orientation sexuelle, la personne prend généralement conscience qu'elle se sent différente du modèle hétérosexuel (Meyer et Schwitzer, 1999). Certains individus disent avoir pris conscience de leur homosexualité dès la petite enfance. Plusieurs se rendent compte durant l'adolescence qu'il manque quelque chose dans leurs relations hétérosexuelles et qu'ils sont attirés sexuellement par des camarades de même sexe (Cloud, 2005; Mallon, 1996). Une fois que les individus ont reconnu leurs sentiments homosexuels, il leur faut habituellement faire face à leur homophobie personnelle et assumer leur appartenance à une minorité discréditée (Katz, 1995). Les hommes et les femmes homosexuels qui ont beaucoup de difficulté à s'assumer tentent parfois de se dissimuler à eux-mêmes leur orientation

Affirmation de son orientation sexuelle Processus de prise de conscience et de révélation de son orientation sexuelle.

sexuelle. Ces personnes rechercheront activement les relations sexuelles avec des personnes de l'autre sexe et il n'est pas rare qu'elles se marient pour se convaincre de leur « normalité » (Dubé, 2000).

L'ACCEPTATION DE SOI

L'acceptation de sa propre homosexualité est une étape d'importance, qui suit la prise de conscience. Cette acceptation est souvent difficile, car elle oblige l'individu à surmonter les préjugés sociaux homophobes et négatifs qu'il a parfois intériorisés.

> Au début, les difficultés qu'éprouve la personne homosexuelle découlent souvent de l'attitude de réprobation très répandue par rapport à l'homosexualité... Ses propres préjugés sont à peu de choses près une réplique des préjugés que la société en général nourrit à l'encontre des homosexuels. (Weinberg, 1973, p. 74)

Quand les individus appartiennent à un groupe socialement discrédité, l'acceptation de soi est difficile, mais essentielle (Ryan et Futterman, 2001).

Il peut être problématique pour les adolescents et adolescentes d'affirmer leur orientation homosexuelle (Kitts, 2005). La plupart des jeunes gais ou lesbiennes éprouvent des sentiments ambigus et ne savent pas trop où aller chercher aide et soutien (Rosario et coll., 2002 ; Russell, 2001). En fait, ils subissent généralement beaucoup d'hostilité et de harcèlement (Satterly et Dyson, 2005). À un stade du développement où le sentiment d'appartenance à leur groupe de pairs est si important, presque la moitié des adolescents gais et des adolescentes lesbiennes ont perdu au moins une amitié après avoir révélé leur orientation sexuelle (Ryan et Futterman, 1997). Le jugement éventuel de leur famille est une grande source de stress pour eux (Ueno, 2005).

Malgré la discrimination à laquelle ils s'exposent, bon nombre d'adolescents homosexuels savent composer efficacement avec la situation et réussissent à développer une image de soi cohérente et positive. Ces jeunes doivent pouvoir parler avec au moins une personne adulte ouverte en qui ils ont confiance, et le soutien de leur famille est particulièrement important. Ils pourront, grâce à Internet, rompre leur isolement et établir des liens avec d'autres personnes qui pourront les soutenir. Des groupes d'entraide et des organismes ont été créés pour aider les jeunes gais à faire face à leurs difficultés. Au Québec, des sites Internet existent dans ce but, tels Gai écoute et Séro-Zéro. Au Canada, les personnes homosexuelles et bisexuelles peuvent compter sur des organismes de services, des groupes d'intérêt et des organisations nationales, telle EGALE (Equality for Gays and Lesbians Everywhere), et provinciales, telle la Coalition for Lesbians and Gay Rights in Ontario.

LA RÉVÉLATION

Après la prise de conscience et l'acceptation de soi vient l'heure de décider si on veut faire connaître ou non son orientation sexuelle. Il peut arriver que des gais et des lesbiennes voient leur orientation divulguée inopinément par quelqu'un d'autre. L'expression souvent utilisée au Québec pour désigner le fait de révéler son orientation homosexuelle est *sortir du placard*. L'expression *façade publique* est parfois employée pour désigner le masque d'hétérosexualité qu'une personne choisit de maintenir sur le plan social (Lynch, 1992). Il est généralement très facile de passer pour hétérosexuel, car la plupart des gens présument que c'est ce que chacun est. Mais lorsqu'on est homosexuel, il faut décider, au fil des relations et des situations, si on se révélera ou pas (Kelly, 1998).

Plusieurs campagnes publicitaires parrainées par Gai écoute visent à combattre l'homophobie.

Les personnes hétérosexuelles ne comprennent pas toujours le problème de l'affirmation de son orientation sexuelle, comme en témoigne le commentaire suivant.

> Je ne vois vraiment pas pourquoi ils devraient le dire à quiconque. Ils pourraient bien se contenter de mener leur vie sans en faire tout un plat. (Notes des auteurs)

Dans certaines interactions quotidiennes, l'orientation sexuelle n'a aucune importance, mais l'homosexualité et l'hétérosexualité sont de puissants courants sous-jacents qui touchent plusieurs aspects de la vie. Imaginez ce que vous pourriez ressentir si vous étiez une personne homosexuelle non déclarée et qu'un ami vous faisait un commentaire désagréable sur les

« tapettes » ou les « gouines ». Ou qu'on vous disait : « Mais quand donc vas-tu te ranger et te marier ? » Ou qu'on vous invitait à venir accompagné à une fête au bureau. Comme le disait un écrivain : « À cause du discrédit dont est frappée l'homosexualité, le geste de l'affirmer (ou de la nier) a plus de poids et entraîne plus de conséquences sur le mode de vie d'une personne qu'un geste semblable ne pourrait jamais en avoir pour un hétérosexuel » (Gagnon, 1977, p. 248). L'encadré intitulé *Comment révéler son orientation sexuelle à des amis* fournit des conseils utiles à ce sujet.

À quelques exceptions près, plus une personne fait ou désire faire partie du « système », plus elle risque gros en révélant son orientation sexuelle. Cela peut mettre

Comment révéler son orientation sexuelle à des amis

On peut s'attendre à tout quand un gai ou une lesbienne révèle son orientation sexuelle à un ami. Il se peut que la chose trouble davantage un ami soi-disant « libéral » qu'une personne plus « conservatrice ». Il est essentiel de se rappeler que les réactions des autres sont révélatrices de leurs propres forces et faiblesses, et non des vôtres. Les conseils suivants devraient vous aider à mettre au point votre plan de révélation. Ils sont adaptés du livre de Michelangelo Signorile, *Outing Yourself* (1995).

1. *Le réseau d'entraide.* Vous devriez avoir mis en place un réseau d'entraide composé de personnes gaies, surtout d'individus qui se sont déjà révélés à plusieurs personnes dans leur vie. Vous pourrez vous inspirer de leur expérience et trouver auprès d'eux le soutien requis pour mettre au point votre plan de révélation.

2. *Le premier choix.* Faites en sorte que votre première révélation à une personne hétérosexuelle soit facile. Il vaut peut-être mieux ne pas commencer par votre meilleur(e) ami(e) hétérosexuel(le), car l'enjeu est élevé. Choisissez quelqu'un qui devrait vous exprimer de la compréhension. Cette personne doit aussi être fiable et discrète pour que vous ayez le temps de vous révéler à d'autres.

3. *La visualisation.* Planifiez vos confidences en en visualisant les détails concrets. Mettez-vous en scène dans un décor familier où vous serez à l'aise avec l'autre personne. Songez aux bons sentiments que vous éprouverez d'avoir révélé une chose pour laquelle vous éprouvez de la fierté (pas quelque chose dont vous devez vous excuser). Exercez-vous à dire : « Je veux te dire quelque chose sur moi, parce que notre amitié compte

à mes yeux. Je te fais confiance et je me sens proche de toi. Je suis lesbienne/gai. »

4. *La planification.* Choisissez le moment — prévoyez suffisamment de temps pour avoir une longue conversation, si les choses se passent bien. Choisissez l'endroit — un lieu où vous serez tous deux à l'aise. Planifiez l'après-rencontre. Assurez-vous d'avoir au moins un ami (ou une amie) homosexuel auprès de qui vous trouverez du soutien et à qui vous pourrez raconter ce qui s'est passé. Préparez-vous à répondre calmement à des questions comme : « Comment sais-tu que tu es gai ? Depuis quand le sais-tu ? Comment ça se fait ? Peux-tu changer ? As-tu le sida ? »

5. *Misez sur la patience.* Souvenez-vous que vous révélez aux gens quelque chose auquel ils n'ont pas pu se préparer, tandis que vous avez eu tout le temps de le faire. Plusieurs seront surpris, choqués ou perplexes, et auront besoin de quelque temps pour réfléchir et poser des questions. Une première réaction négative ne signifie pas forcément que la personne n'acceptera pas la nouvelle. Si un ami réagit négativement, mais avec respect, restez et discutez avec lui. Montrez que vous comprenez sa surprise et sa stupéfaction : « Je peux comprendre que cela te trouble. »

6. *Maîtrisez votre colère.* Si la personne devient hostile ou insultante, mettez poliment fin à la rencontre : « Je regrette que tu ne prennes pas bien cette nouvelle, et il vaut mieux que je m'en aille maintenant. » Ne lui donnez pas de raison de se fâcher contre vous en faisant preuve de mesquinerie ou d'impolitesse ou en sortant de vos gonds.

en danger emploi, position sociale et amitiés (Druzin et coll., 1998 ; Horvath et Ryan, 2003). Le degré de conservatisme de la communauté environnante ou l'époque peuvent aussi influer sur la décision de révéler ou non son orientation sexuelle et à qui (Stein, 2001). Il peut être plus difficile pour des parents homosexuels de divulguer leur orientation. En fait, certaines personnes homosexuelles se refusent à briser les liens du mariage justement pour cette raison (Green et Clunis, 1989). Environ 60 % des hommes et des femmes homosexuels qui ont été mariés ont eu au moins un enfant (Bell et Weinberg, 1978). Il n'est pas rare qu'un parent homosexuel perde la garde d'un enfant ou ses droits de visite strictement du fait qu'il est homosexuel, indépendamment de ses aptitudes comme parent (Schwartz, 1990).

COMMENT LE DIRE À LA FAMILLE

Il peut être plus difficile de divulguer son homosexualité aux membres de sa famille qu'à d'autres personnes. Cela est une étape particulièrement marquante, comme en témoigne ce jeune homme de 35 ans.

> Dans l'ensemble, mes vacances à la maison s'étaient bien passées, mais la fin a été très éprouvante. Les allusions aux gais revenaient constamment sur le tapis. Ma mère s'acharnait particulièrement sur eux (nous) et, bien sûr, je n'étais pas d'accord avec elle. Finalement, elle m'a demandé si j'étais «l'un d'eux». J'ai dit oui. Cela a été très dur pour elle. Elle m'a posé un tas de questions, auxquelles j'ai répondu aussi calmement, honnêtement et rationnellement que j'ai pu. Nous avons passé ensemble une journée plutôt tendue. C'était pénible de la voir tant souffrir pour cela et de constater qu'elle n'avait aucune idée de l'oppression que subissent les personnes homosexuelles. Je voudrais seulement que ma mère n'ait pas eu à pâtir autant de tout cela. (Notes des auteurs)

Les parents peuvent se mettre en colère ou se reprocher d'avoir «mal fait» quelque chose (Woog, 1997). Les attitudes sociales étant de plus en plus positives envers l'homosexualité, la recherche montre que les parents tendent à mieux accepter la révélation de l'homosexualité de leur enfant (Pearlman, 2005). Ce sont les familles aux attitudes les moins conservatrices et rigides qui acceptent le mieux la révélation de l'homosexualité de l'un des leurs (Willoughby et coll., 2006). Il peut être plus difficile de révéler son homosexualité à ses parents qu'à ses enfants ou à son épouse.

L'ENGAGEMENT DANS LA COMMUNAUTÉ GAIE

Le besoin d'appartenir à un groupe est quelque chose de profondément humain. Pour l'individu homosexuel, un sentiment d'appartenance à la communauté gaie permet d'affirmer et d'accepter son orientation, ce qu'il ne peut pas faire dans la société en général. L'engagement politique et social auprès d'autres personnes homosexuelles est une autre étape du processus d'affirmation de son homosexualité. Dans les grandes villes, les bars et les cafés gais et lesbiens desservent différentes clientèles. Ces endroits de rencontre, comme c'est le cas pour les hétérosexuels, sont tantôt des lieux de socialisation discret, tantôt des lieux de drague publique. Dans le passé surtout, les bars gais, de même que certaines aires de loisir particulières — restaurants ou bains publics —, étaient des lieux de rencontre très importants. Avec San Francisco, Montréal est une des villes les plus accueillantes envers la communauté gaie en Amérique du Nord. Elle possède son quartier gai, connu internationalement sous le nom de Village gai.

La crise du sida a resserré les liens et accru l'engagement au sein de la communauté gaie (Fineman, 1993). Les communautés gaie et lesbienne se sont mobilisées dans un but d'éducation ; elles ont mis au point des programmes novateurs de soins pour les sidéens, créé un impressionnant réseau de soutien bénévole pour

Une parade de la fierté gaie a lieu à Montréal tous les ans.

aider les personnes atteintes du virus et ont fait pression, souvent avec beaucoup de visibilité, pour attirer l'attention sur la maladie et obtenir des fonds pour la recherche médicale.

LES RELATIONS HOMOSEXUELLES

Certaines personnes croient à tort que les couples homosexuels reproduisent les rôles stéréotypés du « mâle » actif et de la « femelle » passive. Cette idée découle en partie du modèle de relation homme-femme très répandu chez les hétérosexuels. Comme ce modèle a historiquement joué un rôle prédominant dans notre culture, il a marqué les relations intimes tant hétérosexuelles qu'homosexuelles (O'Sullivan, 1999). Toutefois, les couples d'aujourd'hui, quelle que soit leur orientation sexuelle, ont des relations plus égalitaires. Sur le plan des rôles, la relation homosexuelle peut même s'avérer plus souple que la relation hétérosexuelle dans notre société.

Les couples gais et lesbiens rencontrent les mêmes défis que les hétérosexuels dans la recherche d'une vie de couple satisfaisante. Ils ont en plus des problèmes spécifiques découlant de leur appartenance à une minorité stigmatisée. En l'absence d'acceptation sociale, ils doivent souvent composer avec les préjugés et la discrimination s'ils révèlent leurs relations (Otis et coll., 2006).

DES ASPECTS DES RELATIONS GAIES ET LESBIENNES

Une étude comparative des relations homosexuelles et hétérosexuelles a permis de dégager une différence majeure entre les deux : les couples hétérosexuels ont plus tendance à se comporter selon les rôles sexuels traditionnels que les couples homosexuels (Peplau, 1981). La plupart des relations homosexuelles étudiées ressemblaient à une profonde amitié agrémentée d'une attirance romantique et érotique.

Cette étude a aussi révélé plusieurs similarités entre les relations homosexuelles et hétérosexuelles. L'examen d'échantillons composés de femmes et d'hommes tant homosexuels qu'hétérosexuels a fait ressortir que l'essentiel, dans une relation amoureuse, était de « pouvoir parler de ses plus intimes sentiments » avec le ou la partenaire. L'étude a aussi montré que les partenaires d'une relation amoureuse, peu importe leur orientation sexuelle, doivent concilier leur désir d'être ensemble et leur besoin d'indépendance. Pour beaucoup d'indi-

vidus, ces désirs ne s'excluaient pas ; certains voulaient à la fois une relation amoureuse sûre et des activités intéressantes, de même que des amitiés en dehors de la relation.

Les réactions des femmes homosexuelles et hétérosexuelles différaient quelque peu de celles des hommes homosexuels et hétérosexuels. Les femmes accordaient plus d'importance à l'égalité dans la relation et faisaient état d'attitudes et d'opinions politiques semblables. Elles valorisaient aussi davantage l'expression affective dans la relation que les hommes (Iasenza, 2000).

Une étude s'est basée sur un inventaire des éléments de satisfaction conjugale pour comparer la vie de couples gais et lesbiens à celle de couples hétérosexuels (Means-Christensen et coll., 2003). L'étude montre qu'il y a plus de similitudes que de différences en ce qui a trait à la résolution des problèmes de communication, à la gestion des finances domestiques et à l'expression de la violence verbale ou physique. Lorsqu'on examine plus particulièrement ceux et celles qui se sont dits gais, lesbiennes ou bisexuels, on constate qu'ils affichent des taux plus élevés de violence conjugale que les hétérosexuels. En effet, 15 % des gais et lesbiennes et 28 % des bisexuels ont déclaré avoir été victimes de violence conjugale par rapport à 7 % des hétérosexuels. Ces résultats concordent avec ceux de recherches antérieures (Statistique Canada, 2004). Cependant, les groupes de lesbiennes et d'hommes hétérosexuels ont manifesté de plus hauts niveaux de satisfaction que les groupes de gais et de femmes hétérosexuelles quant à la qualité de l'expression affective et au temps passé à des loisirs communs.

LES DIFFÉRENCES D'ATTITUDES ET DE COMPORTEMENTS SEXUELS ENTRE LES GAIS ET LES LESBIENNES

Il y a des différences entre les femmes et les hommes homosexuels quant au nombre de partenaires sexuels. Les lesbiennes ont tendance à avoir beaucoup moins de partenaires que les gais, et les couples lesbiens sont plus résolument monogames que les couples gais (Dubé, 2000 ; Rothblum, 2000). Les femmes homosexuelles associent davantage l'intimité affective à la sexualité que les hommes homosexuels, ce qui rejoint le modèle hétérosexuel présenté au chapitre 7. Une étude montre d'ailleurs que les lesbiennes attendent d'avoir développé une intimité affective avec leur partenaire avant d'avoir des relations sexuelles. Bien que 46 % des gais aient développé une amitié avec leur partenaire avant d'avoir des relations sexuelles, ils sont, comme groupe, plus susceptibles que les lesbiennes d'avoir des relations sexuelles avec des personnes qu'ils viennent juste de rencontrer (Sanders, 2000). La socialisation en matière de rôles sexuels, il est vrai, favorise le sexe occasionnel chez les hommes.

Au début des années 1980, une sous-culture lesbienne «sexuellement radicale» a vu le jour; cette tendance n'a pas de pendant chez les hétérosexuelles. Les rapports sexuels sans lendemain, anonymes, les pratiques sexuelles «un peu spéciales», le sadomasochisme et la sexualité centrée sur les rôles sexuels sont autant de pratiques qui repoussent les limites traditionnelles de la sexualité féminine. Les associations de lesbiennes vouées à ce type d'expression sexuelle sont en pleine croissance (Bonet et coll., 2006; Nichols, 2000).

Avant l'épidémie de sida, certains hommes homosexuels avaient des relations sexuelles occasionnelles avec de nombreux partenaires (Bell et Weinberg, 1978; Kinsey et coll., 1948). Ces relations étaient souvent extrêmement brèves et avaient lieu dans des bains publics, des toilettes publiques ou des cabines de visionnement de films pornos. Il semble que ce genre de contacts sexuels brefs et fortuits connaisse une recrudescence maintenant que le sida est moins synonyme de mort (Jefferson, 2005). Il reste qu'avoir des relations sexuelles avec plusieurs partenaires n'est pas une pratique généralisée chez les hommes homosexuels (Isay, 1989; Kurdek, 1995). Plusieurs aspirent à une solide relation affective avant de s'engager sexuellement. Certains, d'ailleurs, perdent tout intérêt sexuel pour d'autres hommes lorsqu'ils sont engagés dans une liaison amoureuse.

LA VIE DE FAMILLE

La famille traditionnelle est composée d'un couple d'hétérosexuels et de leurs enfants, mais il y a beaucoup d'autres types de familles dans notre société contemporaine. Les enquêtes montrent qu'aux États-Unis de 45 % à 80 % des lesbiennes et de 40 % à 60 % des gais vivent des relations stables et cohabitent (National Gay and Lesbian Task Force, 2003). Les individus homosexuels forment aussi des cellules familiales, composées d'un seul parent ou d'un couple et d'enfants qui s'y trouvent pour toutes sortes de raisons. Les données de recensement des États-Unis indiquent que 33 % des couples lesbiens et bisexuels et que 22 % des couples gais et bisexuels élèvent des enfants (National Gay and Lesbian Task Force, 2003). Au Canada, selon les données du recensement de 2006, la proportion de couples mariés de même sexe par rapport à l'ensemble des couples mariés, soit 0,1 %, est comparable à celle que l'on trouve dans d'autres pays qui autorisent les mariages entre conjoints de même sexe. Le nombre de couples de même sexe a aussi augmenté de 33 % de 2001 à 2006 (Statistique Canada, 2007). Une enquête Léger Marketing menée en 2001 révèle que 57,1 % des répondants sont d'accord avec l'énoncé: «Selon vous, devrait-on légalement accorder aux couples homosexuels les droits suivants? [...] Adoption d'enfants» (FNEEQ, 2002, p. 13).

Plusieurs personnes homosexuelles ont des enfants issus de précédents mariages hétérosexuels (Kantrowitz, 1996). Un homme homosexuel désireux de devenir père peut avoir recours à une femme porteuse. Près du tiers des lesbiennes sont devenues mères biologiques soit à la suite de relations hétérosexuelles, soit par insémination artificielle (Baker, 1990). Certains individus ou couples homosexuels deviennent parents adoptifs ou nourriciers (Brooks et Goldberg,

De plus en plus de couples homosexuels ont une vie de famille.

2001 ; Sherman, 2002). Un site offre des informations spécialement destinées aux mères lesbiennes : http ://www.aml-lma.org/.

Certaines gens mettent en doute la capacité des parents homosexuels à assurer un environnement sain à des enfants. Toutefois, des études ont montré que les enfants de mères lesbiennes ne sont pas différents des autres enfants sur le plan de l'estime de soi, des problèmes de relations entre les sexes, des rôles sexuels, de l'orientation sexuelle et du développement en général (Golombok et coll., 2003). La plupart des enfants élevés par des parents gais ou lesbiens grandissent en étant hétérosexuels (Bailey et coll., 1995 ; Golombok et Tasker, 1996). L'American Academy of Pediatrics, après analyse des recherches sur les parents gais et lesbiens, a reconnu que l'adoption par des couples homosexuels

permettait aux enfants d'acquérir la sécurité de deux parents légalement reconnus (Contemporary Sexuality, 2002a).

Malheureusement, les enfants de parents homosexuels sont souvent victimes de préjugés (Barovick, 2002). Ils doivent apprendre à ignorer les insultes, à ne pas se formaliser que des parents interdisent à leurs enfants de venir chez eux et à composer avec le manque d'éducation des autres (Howey et Samuels, 2000). Par exemple, un enseignant de sixième année a demandé de donner des exemples de différentes sortes de familles, et une élève qui vivait avec sa mère et sa partenaire féminine a levé la main et a répondu : « Des lesbiennes. » L'enseignant lui a alors rétorqué : « C'est une belle petite ville ici. Je ne crois pas qu'il y ait des lesbiennes parmi nous » (Kantrowitz, 1996, p. 53).

RÉSUMÉ

UN CONTINUUM D'ORIENTATIONS SEXUELLES

Le mot *homosexuel* peut représenter, de façon objective ou subjective, un comportement sexuel, des liens affectifs ou une définition de soi, ou les trois à la fois.

* Le continuum de Kinsey comprend sept catégories d'orientation sexuelle, allant de l'hétérosexualité exclusive à l'homosexualité exclusive. Cette classification est basée sur une combinaison des comportements sexuels manifestes et de l'attirance.

* Selon les estimations du National Health and Social Life Survey, environ 2,8 % des hommes et 1,4 % des femmes s'identifient comme homosexuelles.

* Une personne est bisexuelle si elle a des activités sexuelles avec des personnes des deux sexes ou si elle éprouve de l'attirance envers des personnes des deux sexes. Comme c'est le cas pour l'hétérosexualité et l'homosexualité, la bisexualité est difficile à définir nettement.

* Il y a trois types de bisexualité : la bisexualité en tant qu'orientation sexuelle véritable, la bisexualité en tant qu'orientation transitoire ou circonstancielle, et la bisexualité comme déni homosexuel.

QU'EST-CE QUI DÉTERMINE L'ORIENTATION SEXUELLE ?

* Plusieurs théories psychosociales et biologiques ont tenté d'expliquer l'origine de l'homosexualité.

* Certaines théories psychosociales évoquent les modèles parentaux, les expériences de vie ou les traits psychologiques de la personne.

* Les théories biologiques s'intéressent aux écarts hormonaux, tant chez le fœtus que chez l'adulte, de même qu'aux facteurs génétiques.

* L'orientation sexuelle, peu importe sa position dans le continuum hétérosexualité/homosexualité, semble reposer sur un ensemble de facteurs propres à chaque individu.

LES ATTITUDES SOCIALES

* Les attitudes des diverses cultures vis-à-vis l'homosexualité vont de la condamnation à l'acceptation. Les attitudes négatives continuent de prédominer dans notre société.

* L'homophobie est une peur irrationnelle de l'homosexualité, une crainte face à ses propres sentiments

homosexuels ou un dégoût face à sa propre homo-sexualité. L'homophobie extrême qui trouve son exutoire dans le crime haineux est souvent le fait de jeunes hommes.

LES STYLES DE VIE

* Contrairement à ce que laissent entendre les stéréo-types populaires, les personnes homosexuelles ont des styles de vie très variés.

* Le choix d'affirmer son orientation ou de la taire a beaucoup d'impact sur le style de vie de la personne homosexuelle. Le processus d'affirmation de son orientation homosexuelle comprend trois princi-pales étapes : la prise de conscience, l'acceptation et l'expression ouverte de son homosexualité.

* Maintenant que les rôles sexuels sont moins stéréoty-pés, les couples homosexuels et hétérosexuels peuvent développer des relations de plus en plus égalitaires.

Les développements sexuels au cours de la vie

ans de nombreuses sociétés occidentales, y compris la nôtre, la sexualité est encore souvent vue comme quelque chose qui commence avec la puberté. Cette vision est inexacte et contraire aux observations scientifiques, et même aux observations communes. Dans ce chapitre, nous présenterons d'abord quelques comportements sexuels propres à l'enfance et à l'adolescence. Ensuite, nous nous intéresserons à ce qui se passe à l'âge adulte.

LA SEXUALITÉ CHEZ LE NOURRISSON ET L'ENFANT

> Mon plus ancien souvenir de ce qui pourrait s'appeler un geste de nature sexuelle est de m'être frotté contre mon oreiller dans mon berceau et d'avoir ressenti quelque chose de très agréable ; je crois aujourd'hui que c'était un orgasme (en fait, je me souviens de l'avoir fait à plusieurs reprises). Je devais avoir deux ans, plus ou moins quelques mois. Ce qui est étonnant à propos de ces expériences précoces est que je dormais dans la chambre de mes parents — je m'en souviens clairement — et que je n'ai jamais été réprimandé pour ce comportement « autoabusif ». Ou bien mes parents dormaient profondément, ou bien ils étaient très avant-gardistes en matière de sexualité. Connaissant mes parents, je pense que c'est la première hypothèse qui est juste. (Notes des auteurs)

Les recherches des dernières décennies ne laissent plus de doute : l'être humain est capable de plaisirs sexuels dès la petite enfance. Ce potentiel n'est pas systématiquement réalisé chez tous les jeunes enfants. Une combinaison de facteurs — personnalité, environnement familial et culturel, pairs, etc. — influera sur le développement de la sexualité durant l'enfance. Comme plusieurs de ces facteurs jouent un rôle aux différents âges de la vie et que chaque personne tend à s'adapter à son milieu de la même façon, il est probable que ce qui se passe dès le début de l'enfance continuera d'influencer le comportement du futur adulte.

LA SEXUALITÉ DU NOURRISSON... ET DU FŒTUS

Avec l'arrivée de l'échographie prénatale, l'érection chez un fœtus masculin est devenu une observation courante. Des érections sont aussi observées chez des bébés dès leur naissance.

Chez la plupart des gens, la capacité d'avoir une réponse sexuelle est présente dès la naissance (DeLamater et Friedrich, 2002 ; Thanasiu, 2004). Durant les deux premières années de la vie, période dite du « nourrisson », plusieurs filles et garçons découvrent les plaisirs de la stimulation génitale (Lidster et Horsburgh, 1994 ; Yang et coll., 2005). Il s'agit de poussées ou de frottements de la zone génitale contre un objet, tel un oreiller ou une poupée, comme dans le témoignage ci-contre. Les poussées du bassin et d'autres signes d'excitation sexuelle chez le nourrisson, par exemple la lubrification vaginale ou l'érection pénienne, sont souvent mal interprétés, ou simplement ignorés. Toutefois, les observateurs attentifs noteront ces marques de sexualité chez les très jeunes bébés (Lively et Lively, 1991 ; Ryan, 2000 ; Thanasiu, 2004). On a pu observer chez des nourrissons, tant garçons que filles, ce qui, à s'y méprendre, ressemble à un orgasme. Le nourrisson ne peut, bien entendu, confirmer verbalement la nature sexuelle de son activité. Toutefois, celle-ci est tellement similaire à la réponse sexuelle de l'adulte que son caractère sexuel ne laisse guère de doutes. Kinsey et son équipe, dans leur livre sur la sexualité féminine, rapportent en détail les observations d'une mère à propos de sa fillette de trois ans, occupée à n'en pas douter à une activité masturbatoire.

> Couchée sur le ventre, genoux dépliés, elle se mit à effectuer des poussées pelviennes rythmiques environ toutes les secondes. C'était avant tout des poussées du bassin et les jambes étaient tendues en position fixe. Les poussées vers l'avant s'effectuaient à un rythme soutenu et régulier que la petite n'interrompait que le temps de replacer ses organes génitaux sur la poupée contre laquelle elle se pressait ; la reprise après chaque poussée était spasmodique et saccadée.

Il y eut 44 poussées à un rythme soutenu, une brève pause, 87 poussées suivies d'un léger temps d'arrêt, puis un moment de concentration et de respiration intense, accompagné de spasmes soudains signalant l'approche de l'orgasme. Elle était complètement absorbée durant cette dernière phase de l'activité. Elle avait le regard vague, fixe et vide. Le soulagement et la relaxation qui suivirent l'orgasme étaient évidents. (Kinsey et coll., 1953, p. 104-105)

Kinsey décrit aussi des manifestations de la sexualité d'un nourrisson de sexe masculin.

Mis à part l'absence d'éjaculation, l'orgasme du nourrisson ou de tout autre jeune garçon ressemble à s'y méprendre à l'orgasme chez l'adulte. Le comportement comporte une série de changements physiologiques qui prennent place graduellement avec l'adoption de mouvements corporels rythmés accompagnés de pulsations péniennes et de poussées du bassin, d'une altération évidente des capacités sensorielles, d'une tension finale particulière des muscles de l'abdomen, des hanches et du dos, suivie d'un soudain relâchement accompagné de spasmes, incluant des contractions anales régulières — et se terminant avec la disparition de tous les symptômes. Un bébé agité se calme dès la première stimulation sexuelle, perd tout intérêt pour d'autres activités, entreprend des poussées pelviennes rythmiques, se tend à l'approche de l'orgasme, est pris de convulsions, est souvent agité de violents mouvements des bras et des jambes et parfois secoué de sanglots au moment de l'orgasme. (Kinsey et coll., 1948, p. 177)

Il est impossible de déterminer le sens de ces premières expériences sexuelles pour les nourrissons, mais il est assez certain qu'elles sont agréables. Beaucoup d'enfants des deux sexes s'y adonnent tout naturellement si leurs parents ou les personnes qui prennent soin d'eux ne s'y opposent pas.

Il est clair que les nourrissons sont incapables de différencier le plaisir sexuel des autres formes de plaisir sensuel. Plusieurs soins quotidiens du nourrisson, comme l'allaitement, le bain, la toilette ou le changement de couches, comportent des stimulations tactiles qui, bien qu'essentiellement sensuelles, peuvent entraîner une réponse génitale ou sexuelle (Frayser, 1994; Martinson, 1994).

Il est possible que les contacts chaleureux et agréables qu'on a connus dans l'enfance, particulièrement avec ses parents, conditionnent le plaisir que l'on retire de l'intimité sexuelle à l'âge adulte.

LA SEXUALITÉ DURANT L'ENFANCE

Qu'est-ce qui constitue un comportement sexuel sain et normal chez l'enfant? Voilà une question à laquelle on ne peut apporter de réponse définitive, vu la rareté des données sur la sexualité durant l'enfance. La recherche en ce domaine demeure parcellaire pour de nombreuses raisons, dont les plus importantes sont les divergences de vues des écoles de pensée sur ce qui «peut être considéré comme l'exploitation des enfants ou d'insidieuses tentatives de leur insuffler des idées sexuelles» (*Contemporary Sexuality*, 1998, p. 1).

Le développement sexuel de l'enfant est varié et soumis à diverses influences (Bancroft, 2003). Bien que l'on puisse dégager certains traits communs, il faut se rappeler que l'histoire sexuelle de chaque individu est unique et qu'elle peut donc s'écarter du modèle commun. Il est aussi important de comprendre que, mis à part ce que nous en disent les personnes qui prennent soin des petits, notre connaissance du comportement sexuel dans l'enfance repose en grande partie sur des souvenirs d'adultes. Et comme nous l'avons dit au chapitre 1, il peut être très difficile, voire impossible, pour les adultes de se remémorer avec exactitude des expériences ayant eu lieu de nombreuses années auparavant.

L'enfant apprend à exprimer ses sentiments affectueux et sensuels par le baiser et l'étreinte. L'accueil qui sera fait à ses manifestations de tendresse pourra vivement conditionner l'expression de sa sexualité. En effet, nos dispositions à donner et à recevoir de l'affection, une fois adultes, semblent liées à nos premiers contacts chaleureux et agréables avec des personnes importantes pour nous, particulièrement nos parents (DeLamater et Friedrich, 2002 ; Hatfield, 1994 ; Singer, 2002). Plusieurs chercheurs croient que les enfants privés de « contact réconfortant » (qu'on ne caresse pas ou qu'on ne prend pas dans ses bras) durant les premiers mois et les premières années de la vie peuvent éprouver des difficultés à établir des relations intimes plus tard (Harlow et Harlow, 1962 ; Montagu et Matson, 1979 ; Prescott, 1989). De plus, d'autres recherches suggèrent que l'affection et la violence physique sont, dans une certaine mesure, mutuellement exclusives. Ainsi, une étude portant sur 49 sociétés différentes a révélé qu'il y avait peu de violence adulte dans les cultures où les enfants étaient élevés affectueusement. Inversement, elle était manifeste dans celles où les enfants étaient privés de contacts physiques affectueux (Prescott, 1975).

LA MASTURBATION

Pour Desjardins (2007), dès que l'enfant acquiert le contrôle de ses mouvements, il est susceptible de chercher à s'autostimuler de diverses façons. Parfois, les bébés caressent leurs organes génitaux ou se masturbent en frottant ou en poussant leur zone génitale contre un objet comme un oreiller ou une poupée, mais la manipulation rythmique des organes génitaux propre à la masturbation adulte ne se produit généralement pas avant l'âge de deux ans et demi ou trois ans (DeLamater et Friedrich, 2002 ; Martinson, 1994).

La masturbation est l'une des manifestations sexuelles les plus courantes durant l'enfance (Thanasiu, 2004). Dans l'étude à laquelle renvoie l'encadré « Pleins feux sur la recherche », environ 16 % des mères ont déclaré avoir vu leurs enfants de deux à cinq ans se masturber manuellement (Friedrich et coll., 1998). Diverses autres études ont révélé que le tiers des répondantes et les deux tiers des répondants disaient s'être masturbés avant l'adolescence (Elias et Gebhard, 1969 ; Friedrich et coll., 1991 ; Hunt, 1974). Selon une enquête récente menée auprès d'étudiants de niveau collégial, un peu plus de filles (40 %) que de gars (38 %) ont déclaré s'être masturbés avant leur puberté (Bancroft et coll., 2003a).

La réaction des parents à l'autoérotisme de l'enfant peut avoir une très grande influence sur le développement de sa sexualité. Dans notre société, la plupart des parents et des personnes qui s'occupent des enfants ont tendance à les dissuader de s'y adonner ou à interdire ce genre d'activité sexuelle, et même à s'en inquiéter auprès d'autres adultes, la trouvant inusitée (Ryan, 2000). Les parents ne parlent généralement pas de la masturbation à leurs enfants. Quand ils le font, c'est souvent de manière désobligeante. Repensez à votre jeunesse. Vos parents vous ont-ils jamais dit qu'ils comprenaient cette activité ? Aviez-vous l'impression qu'ils admettaient l'autoérotisme chez leurs enfants ? Probablement pas. La plupart du temps, les parents gratifient l'enfant qui se masturbe d'un regard désapprobateur, d'une tape sur la main ou d'un avertissement « d'arrêter de faire ça ». Et ces gestes de condamnation n'échappent pas aux enfants, ni même aux très jeunes dont les capacités langagières ne sont pas encore développées.

Comment les adultes peuvent-ils montrer qu'ils comprennent cette forme d'autoexploration si naturelle et si normale ? D'abord, en s'abstenant de réprouver l'habitude qu'ont les bébés et les enfants en bas

Le comportement sexuel des enfants : un échantillon contemporain

Le psychologue William Friedrich et ses collaborateurs (1998) de l'Institut Mayo ont soumis un vaste échantillon de mères à un questionnaire sur les comportements de nature sexuelle qu'elles avaient observés chez leurs enfants. On a ainsi obtenu des données sur les comportements sexuels de 834 enfants de 2 à 12 ans n'ayant pas été victimes d'abus sexuels. On a demandé aux mères combien de fois elles avaient vu leurs enfants s'adonner à 38 comportements sexuels différents, durant les six mois précédents. Quand 20 mères ou plus déclaraient avoir observé tel comportement, les chercheurs considéraient celui-ci comme une manifestation normale de l'expression sexuelle chez les enfants. Voici les principaux résultats de cette importante étude.

Un large éventail de comportements sexuels a été observé et leur fréquence variait selon l'âge des enfants. Comme le montre le tableau ci-dessous, les comportements les plus fréquents étaient l'autostimulation, l'exhibitionnisme (consistant souvent à montrer ses parties intimes à un autre enfant ou à un adulte) et des comportements liés à l'espace personnel, comme toucher les seins de sa mère ou ceux d'une autre femme. Les comportements sexuels importuns — par exemple, l'enfant qui met sa main sur les organes génitaux d'un autre enfant — furent moins fréquemment observés.

Chez les deux sexes, la fréquence des comportements sexuels observés était inversement reliée à l'âge, culminant à cinq ans pour ensuite décliner durant les sept années suivantes. On a noté que les enfants de 2 ans des deux sexes avaient plus de gestes ouvertement sexuels que ceux de 10 à 12 ans. Le nombre de comportements sexuels observables s'accroissait tant chez les garçons que chez les filles jusqu'à cinq ans, puis commençait à diminuer. Selon les auteurs de l'étude, cette diminution n'indique pas nécessairement que les enfants ont moins de comportements sexuels en vieillissant, mais plutôt qu'ils s'y adonnent avec plus de discrétion. De plus, les enfants plus âgés passant plus de temps en compagnie de leurs pairs, les parents ont donc moins d'occasions de les observer.

Aucun lien significatif n'a pu être établi entre l'origine ethnique et les comportements sexuels observés. On a pu cependant établir un lien direct entre les attitudes maternelles envers la sexualité et la fréquence de ces comportements. Les mères qui disaient avoir une attitude « détendue » par rapport à la nudité dans la famille par exemple ou qui ne voyaient pas d'inconvénient à dormir ou à prendre un bain avec leurs enfants ont rapporté un plus grand nombre d'activités sexuelles chez ces derniers. Le comportement sexuel des enfants était aussi relié pour une bonne part au niveau de scolarité de la mère de même qu'à son degré d'ouverture à l'égard de l'activité sexuelle chez l'enfant. Les mères plus instruites, pour qui les sentiments et les comportements sexuels des enfants sont normaux, ont observé plus de comportements de nature sexuelle chez leurs enfants.

Les auteurs de cette étude ont conclu que le comportement sexuel explicite, particulièrement chez les jeunes enfants, apparaît comme un aspect normal du développement. Cette constatation est particulièrement intéressante à une époque où les abus sexuels contre les enfants font partie des préoccupations bien réelles de nombreux parents et des corps enseignant et médical. En conclusion, Friedrich et ses collègues font remarquer qu'il est important que les parents (et les autres adultes) comprennent que l'enfant de cinq ans qui touche à l'occasion ses parties génitales, même au retour d'une fin de semaine chez l'autre parent, n'a pas pour autant été abusé sexuellement. Que c'est plutôt là un comportement que l'on retrouve chez près des deux tiers des garçons de cet âge (Friedrich et coll., 1998, p. 11-12).

Pourcentage des mères ayant observé un comportement donné au moins une fois, dans les six derniers mois.

	GARÇONS			FILLES		
	De 2 à 5 ans	De 6 à 9 ans	De 10 à 12 ans	De 2 à 5 ans	De 6 à 9 ans	De 10 à 12 ans
Touche ses organes génitaux en public	26,5	13,8	1,2	15,1	6,5	2,2
Touche ses organes génitaux à la maison	60,2	39,8	8,7	43,8	20,7	11,6
Touche les organes génitaux d'autres enfants	4,6	8,0	1,2	8,8	1,2	1,1
Touche les organes génitaux des adultes	7,8	1,6	0,0	4,2	1,2	0,0
Touche les seins	42,4	14,3	1,2	43,7	15,9	1,1
Montre ses organes génitaux aux autres enfants	9,3	4,8	0,0	6,4	2,4	1,1
Montre ses organes génitaux aux adultes	15,4	6,4	2,5	13,8	5,4	2,2
Se masturbe manuellement	16,7	12,8	3,7	15,8	5,3	7,4
Se masturbe avec un objet	3,5	2,7	1,2	6,0	2,9	4,3
Parle d'actes sexuels	2,1	8,5	8,9	3,2	7,2	8,5
Met sa bouche sur les seins	5,7	0,5	0,0	4,3	2,4	0,0
En sait beaucoup sur la sexualité	5,3	13,3	11,4	5,3	15,5	17,9

Source: Adapté avec l'autorisation de W. Friedrich et coll., 1998.

âge de caresser leurs parties génitales. Plus tard, en répondant aux questions des enfants concernant leur corps, il peut être bon de mentionner le plaisir que procurent les organes génitaux (« C'est bon quand tu te touches »). Également, en respectant l'intimité des petits — par exemple, en frappant avant d'entrer dans leur chambre —, on leur permet d'être à l'aise durant cette activité très personnelle. Les adultes peuvent montrer qu'ils acceptent ouvertement l'activité autoérotique de leur enfant, comme dans l'exemple suivant.

> Un jour, mon fils de sept ans est venu me rejoindre sur le divan pendant un match de football. Il venait de sortir de la douche et était couvert d'une serviette. Pendant qu'il paraissait absorbé par l'écran, j'ai remarqué qu'il avait une main enserrant son pénis. Il s'est aperçu que je le regardais, ses yeux ont croisé les miens. Il a eu un large sourire gêné. Je ne savais pas trop comment réagir, alors j'ai simplement dit : « C'est agréable, n'est-ce pas ? » Il n'a rien dit, il n'a pas non plus continué à se toucher, mais il a souri un peu plus. Je dois admettre que j'hésitais au départ à lui signifier mon approbation pour ce genre de comportement. Je craignais qu'il ne commence à se masturber ouvertement devant d'autres personnes. Mais mes craintes n'étaient pas fondées, en ce sens qu'il continue cette activité, mais en privé. Je suis heureux de savoir qu'il peut expérimenter les plaisirs que lui procure son corps sans le désagréable sentiment de culpabilité avec lequel son père a grandi. (Notes des auteurs)

Certains craignent, comme dans l'exemple ci-dessus, que les enfants ne se mettent à se masturber ouvertement devant les autres s'ils savent que leurs parents acceptent ce comportement. C'est une réaction bien naturelle. Personne n'a vraiment envie d'intervenir parce que Jade ou Samuel se masturbe devant grand-mère. Toutefois, les enfants sont généralement assez conscients des convenances pour agir très discrètement dans un domaine aussi intime et personnel que l'autoérotisme. La plupart d'entre eux sont beaucoup plus capables de discernement que ne le croient leurs parents. Mais advenant qu'un enfant se masturbe en présence d'autres personnes, les parents doivent alors agir avec circonspection et lui indiquer clairement que c'est l'endroit qui est mal choisi, et non l'activité. Une façon de réagir avec tact et sensibilité est de dire à l'enfant : « Je sais que tu as du plaisir, mais il s'agit d'un acte personnel. Trouvons un endroit où tu pourras avoir

l'intimité dont tu as besoin » (Planned Parenthood Federation of America, 2002, p. 12).

Beaucoup d'enfants se masturbent. On réussira rarement à éliminer ce comportement en le leur interdisant, en les menaçant de punitions, ou en prétendant que la masturbation peut les mener à la dégénérescence mentale ou physique. Tout ce qu'on risque ainsi, c'est d'amplifier le sentiment de culpabilité et l'anxiété associés à ce comportement (Singer, 2002).

LES JEUX SEXUELS

Outre l'autostimulation, les enfants prépubères s'adonnent à des jeux qu'on peut considérer comme sexuels (Ryan, 2000 ; Sandnabba et coll., 2003 ; Thanasiu, 2004). Ils s'y adonnent avec des amis des deux sexes ou avec leurs frères et sœurs du même âge (Thanasiu, 2004). Cela peut se produire dès l'âge de deux ou trois ans, mais plus généralement entre quatre et sept ans (DeLamater et Friedrich, 2002). Alfred Kinsey (1948, 1953) indique que 45 % des femmes et 57 % des hommes de son échantillon ont déclaré s'être adonnés à ces expériences avant l'âge de 12 ans. D'autres recherches ont révélé que 61 % des étudiants de niveau collégial avaient participé à certains jeux sexuels avec d'autres enfants avant l'âge de 13 ans (Greenwald et Leitenberg, 1989), que 83 % des élèves d'une école secondaire en Suède (81 % des garçons, 84 % des filles) avaient aussi eu des jeux sexuels avant l'âge de 13 ans (Larsson et Svedin, 2002) et que 56 % des membres d'un groupe de professionnels se rappelaient avoir eu des activités considérées comme sexuelles avec d'autres enfants avant l'âge de 12 ans (Ryan et coll., 1988). À l'occasion de ces jeux, les enfants montraient leurs organes génitaux ou les faisaient examiner (sous prétexte de jouer au docteur), et simulaient le coït en se frottant mutuellement les parties génitales. La plupart des adultes, surtout les parents, ont tendance à s'inquiéter de la nature apparemment sexuelle de ces

Question d'analyse critique

Imaginez que vous êtes le parent d'un garçon de sept ans et que vous venez de le surprendre en train de « jouer au docteur » avec une petite amie de son âge. Tous deux ont enlevé leurs sous-vêtements et s'examinent attentivement l'un l'autre. Que faites-vous ? Agiriez-vous différemment selon le sexe de votre enfant ?

jeux ; pour les enfants, cependant, c'est le côté ludique de ces gestes qui a de l'importance, bien plus que leur contenu sexuel.

La curiosité envers ce qui est défendu joue probablement un rôle important dans ces jeux (Comfort, 1967) et suscite l'exploration sexuelle précoce (Hayez, 2004). La curiosité envers les attributs sexuels des autres, surtout ceux de l'autre sexe, est parfaitement normale (DeLamater et Friedrich, 2002 ; Thanasiu, 2004 ; Hayez, 2004). Plusieurs garderies et classes de prématernelle disposent maintenant de salles de bains communes aux deux sexes, permettant ainsi aux enfants d'apprendre leurs différences anatomiques de façon naturelle au jour le jour.

Outre leur intérêt manifeste envers les comportements sexuels, beaucoup d'enfants de cinq à sept ans commencent à reproduire dans leurs agissements le modèle du mariage hétérosexuel prédominant dans notre société parce qu'ils veulent faire « comme les adultes » (Hayez, 2004). La chose est claire quand ils « jouent au papa et à la maman », jeu typique des enfants de cet âge. Certains des jeux sexuels décrits plus tôt prennent place dans le cadre de cette activité.

Autour de huit et neuf ans, les filles et les garçons commencent à jouer séparément, quoique l'intérêt romantique envers l'autre sexe continue d'exister (DeLamater et Friedrich, 2002). Et si l'intérêt pour les jeux sexuels avec les autres diminue, la curiosité envers la sexualité demeure importante. C'est l'âge des nombreuses questions sur la procréation et la sexualité (Gordon et Gordon, 1989 ; Parsons, 1983 ; Hayez, 2004).

La plupart des enfants de 10 et 11 ans sont vivement intéressés par les changements corporels, particulièrement ceux ayant trait aux organes sexuels et aux caractères sexuels secondaires, comme les poils aux aisselles et la formation des seins. Ils ont souvent très hâte de voir apparaître chez eux ces signes annonciateurs de l'adolescence. Beaucoup d'enfants prépubères deviennent alors extrêmement embarrassés par leur corps et très réticents à se montrer aux autres. Vivre séparément de l'autre sexe fait loi et les enfants de cet âge protestent souvent avec véhémence contre toute allusion à un quelconque intérêt romantique de leur

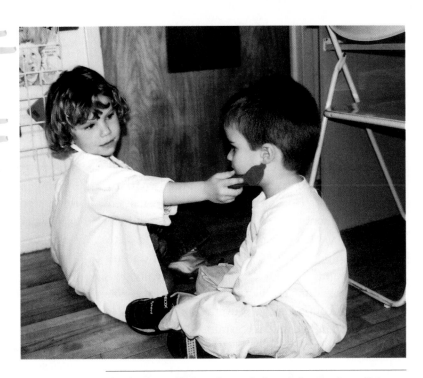

Chez beaucoup d'enfants, l'aspect ludique de l'examen lorsqu'ils jouent au docteur l'emporte sur toute connotation sexuelle.

part envers l'autre sexe (Goldman et Goldman, 1982 ; Hayez, 2004).

Les jeux sexuels entre amis de même sexe sont courants durant ces dernières années de l'enfance (DeLamater et Friedrich, 2002 ; Sandnabba et coll., 2003). En fait, au cours de cette période où l'homosociabilité est particulièrement forte, ils sont probablement plus fréquents qu'entre amis des deux sexes (DeLamater et Friedrich, 2002 ; Martinson, 1994). Dans la plupart des cas, ces jeux sont transitoires et bientôt remplacés par les premières fréquentations hétérosexuelles de l'adolescence (Reinisch et Beasley, 1990 ; Thornburg et Aras, 1986). Toutefois, chez certains enfants, ils peuvent être annonciateurs d'une orientation homosexuelle ou bisexuelle qui s'épanouira durant l'adolescence et à l'âge adulte. En elles-mêmes, cependant, ces expériences sexuelles de jeunesse avec des amis de même sexe sont rarement déterminantes de l'orientation homosexuelle (Bell et coll., 1981 ; Van Wyk, 1984). Nous conseillons aux parents qui remarquent de tels comportements d'éviter les réactions hostiles ou d'y voir des activités homosexuelles de type adulte.

Il est clair que la découverte de soi et que les interactions avec les pairs sont très importantes durant l'enfance, alors que commence le développement de la sexualité. L'influence de ces facteurs se poursuit pendant l'adolescence.

LA SEXUALITÉ À L'ADOLESCENCE

L'adolescence est le temps des changements physiologiques spectaculaires et du développement du rôle social. Dans les sociétés occidentales, elle marque le passage de l'enfance à la maturité et s'étend habituellement de l'âge de 12 à 20 ans, parfois davantage. La plupart des changements physiques majeurs de l'adolescence ont lieu durant les premières années de cette période. Par contre, des changements importants en matière de comportements et de rôles sociaux se produiront durant toute cette étape de la vie. Dans notre société, l'adolescence dure longtemps alors que dans d'autres cultures (comme c'était le cas dans la société occidentale de l'ère préindustrielle), l'enfant assume le rôle d'adulte beaucoup plus tôt, souvent au moment de la puberté et même avant dans certains cas.

LES CHANGEMENTS PHYSIQUES

La **puberté** (du latin *pubescere*, «se couvrir de poils») est le terme couramment utilisé pour désigner la période de rapides changements physiques du début de l'adolescence. On ne connaît pas encore tous les mécanismes qui enclenchent la séquence de ce développement, mais on sait que l'hypothalamus y joue un rôle clé (Brook, 1999a; Caufriez, 1997; Foster, 1992). En général, quand l'enfant a entre 8 et 14 ans, l'hypothalamus se met à sécréter davantage d'hormones, ce qui amène l'hypophyse à libérer, dans la circulation sanguine, d'importantes quantités de **gonadostimuline** (Brook, 1999a). Cette hormone, chimiquement identique chez les garçons et les filles, stimule l'activité des gonades. Chez les garçons, elle accroît la production de testostérone, tandis que, chez les filles, elle stimule les ovaires qui commencent à produire des niveaux élevés d'œstrogène. Vers 9 ou 10 ans, les niveaux de ces hormones se mettent à augmenter à l'approche de la puberté (Bancroft, 2003).

En réponse à l'augmentation des niveaux d'hormones mâles et d'hormones femelles, des signes extérieurs de la maturation sexuelle mâle et femelle commencent à apparaître. Ces changements — formation des seins, mue de la voix, pilosité faciale, corporelle et pubienne — sont appelés **caractères sexuels secondaires**. L'apparition des poils pubiens chez les deux sexes et des bourgeons mammaires (légère protubérance sous le mamelon) chez les filles sont habituellement les premiers signes de la puberté. Une poussée de croissance suit également, sous l'effet des hormones sexuelles, de l'hormone de croissance et d'une troisième substance appelée *protéine de liaison des facteurs de type insuline* (Caufriez, 1997). Cette poussée prend éventuellement fin, toujours sous l'influence des hormones sexuelles, lesquelles commandent la fermeture des extrémités des os longs. La taille des organes génitaux externes augmente aussi: chez le garçon, le pénis et les testicules se développent, alors que chez la fille, il y a élargissement des petites et des grandes lèvres (voir la figure 6.1).

La seule chose qui est clairement associée à la puberté chez les deux sexes est la croissance (Brook, 1999a). Parce que les œstrogènes facilitent la sécrétion de l'hormone de croissance par l'hypophyse plus que ne le fait la testostérone, aussitôt que les filles commencent à montrer des signes de puberté, leur taille s'accroît plus rapidement (Brook, 1999a). Même si l'ampleur des changements à la puberté est à peu près la même chez les deux sexes, ils débutent environ deux ans plus tôt chez les filles. C'est ainsi qu'en moyenne les filles de 12 ans sont considérablement plus grandes que les garçons du même âge.

Stimulés par l'afflux hormonal, les organes internes des deux sexes se transforment encore davantage durant la puberté. Chez les filles, les parois vaginales s'épaississent, l'utérus augmente de volume et devient plus musclé. D'alcalin qu'il était, le pH vaginal devient acide à mesure que les sécrétions vaginales et cervicales s'accroissent au rythme des changements hormonaux. Éventuellement, les menstruations débutent; l'apparition des premières règles est appelée *ménarche* (voir le chapitre 2). La plupart des filles commencent à être menstruées autour de 12 et 13 ans, mais l'âge de la ménarche varie beaucoup. Les premières menstruations peuvent être irrégulières et se produire sans ovulation. Le cycle menstruel de certaines adolescentes demeurera irrégulier durant plusieurs années avant de se régulariser et de devenir prévisible. Voilà pourquoi

---

Puberté Période de changements rapides du début de l'adolescence pendant laquelle les organes reproducteurs deviennent matures.

Gonadostimuline Hormone hypophysaire stimulant l'activité des gonades (testicules et ovaires).

Caractères sexuels secondaires Changements physiques autres que génitaux qui indiquent une maturité sexuelle, comme la pilosité corporelle, les seins, la voix plus grave.

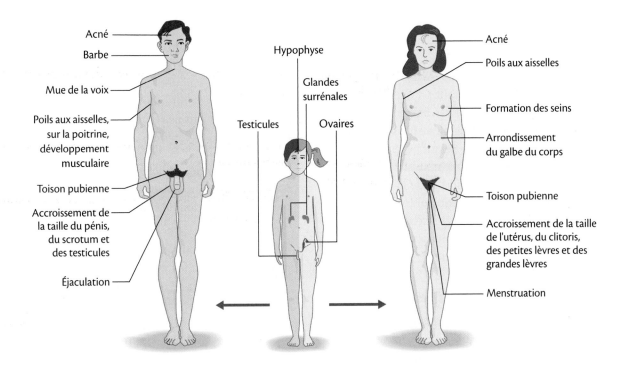

Figure 6.1 | Les changements hormonaux de la puberté, enclenchés par l'action de l'hypothalamus sur l'hypophyse, stimulent une croissance rapide et le développement des caractères sexuels secondaires.

les méthodes de contraception fondées sur le cycle menstruel manquent singulièrement de fiabilité pour les filles de ce groupe d'âge (Chumlea et coll., 2003).

Chez les garçons, la taille de la prostate et des vésicules séminales s'accroît considérablement durant la puberté. Bien que certains garçons aient parfois des orgasmes durant l'enfance, l'éjaculation n'est possible que lorsque la prostate et les vésicules séminales commencent à fonctionner sous l'effet de l'augmentation des niveaux de testostérone. En général, la première éjaculation se produit un an après le début de la poussée de croissance, habituellement vers l'âge de 13 ans, mais, comme pour les menstruations, l'âge exact varie beaucoup (Stein et Reiser, 1994). C'est généralement vers l'âge de 14 ans qu'il y a présence de sperme dans l'éjaculat (Kulin et coll., 1989; Wheeler, 1991). Il semble qu'il y ait une période d'infertilité au début de la puberté chez plusieurs garçons et filles, après les premières éjaculations ou les premières menstruations. Par contre, on trouve des spermatozoïdes viables dès le début de la puberté dans l'éjaculat de certains garçons (Abrahams, 1982).

La mue de la voix causée par l'élargissement du larynx se produit chez les deux sexes, mais elle est plus évi-

dente chez les garçons, où le passage impromptu d'un ton aigu à un ton grave, ou l'inverse, est parfois source d'embarras. La pilosité faciale, chez les garçons, et la pilosité axillaire (aisselles), chez les deux sexes, se produisent environ deux ans après l'apparition de la toison pubienne. L'accroissement de l'activité des glandes sébacées peut causer des boutons ou de l'acné.

Toutes ces transformations physiques sont à la fois sources de fierté et d'inquiétude pour les adolescents et les adolescentes, de même que pour leur famille et leurs amis. Les jeunes sont souvent embarrassés par tant de changements, et ceux qui parviennent à maturité plus tôt ou plus tard que la moyenne le sont tout particulièrement.

Des changements sur le plan de la sociabilité ont également lieu. Souvent, les amitiés entre garçons et filles se transforment, et les adolescents et adolescentes deviennent — du moins pour un temps — plus homosociaux, recherchant davantage les contacts avec les personnes de leur propre sexe. Cette phase ne dure pas très longtemps, cependant. L'adolescence est également marquée par d'importants changements dans les comportements.

LES CHANGEMENTS DE COMPORTEMENTS

L'adolescence est une période exploratoire durant laquelle l'activité sexuelle — tant par autostimulation que par stimulation mutuelle des partenaires — s'intensifie. Bien que la sexualité adolescente soit en grande partie la suite logique de la sexualité enfantine, elle acquiert alors une signification nouvelle. Nous allons nous intéresser à quelques aspects de la sexualité qui se développent particulièrement durant l'adolescence, notamment le double standard sexuel, la masturbation, les jeux sexuels, les relations sexuelles suivies, la relation coïtale et l'homosexualité.

LE DOUBLE STANDARD SEXUEL

Les enfants font l'apprentissage des stéréotypes sexuels dès leur plus jeune âge, mais c'est à l'adolescence, avec l'importance accrue de la sexualité, que la différenciation des rôles sexuels peut se cristalliser. L'existence d'un double standard lié au sexe est révélateur des scénarios de genre : des normes généralement permissives pour les hommes et restrictives pour les femmes (Crawford et Popp, 2003 ; Greene et Faulkner, 2005 ; Muehlenhard et coll., 2003). Comme nous le verrons au chapitre 10, le double standard en matière de sexualité peut influencer les hommes et les femmes tout au long de leur existence. La sexualité naissante de l'adolescence absorbe l'essentiel de ces valeurs sociales polarisées. Une revue de 30 études publiées depuis 1980 montre clairement que le double standard sexuel influe sur la sexualité des adolescentes, des adolescents et des adultes (Crawford et Popp, 2003). Par contre, les données recueillies durant les dernières années tendent à montrer qu'il est en perte de vitesse en Amérique du Nord, surtout chez les femmes (Baumeister, 2000 ; Greene et Faulkner, 2005). Malgré tout, le double standard sexuel continue d'être un facteur déterminant dans la vie de bien des hommes et de bien des femmes (Crawford et Popp, 2003 ; Milhausen et Herold, 1999).

Jetons un coup d'œil sur quelques-uns des effets potentiels de ce double standard chez les adolescents. Chez les hommes, le but de la sexualité peut être la conquête sexuelle. Les jeunes hommes qui ne sont pas entreprenants ou qui n'ont aucune expérience sexuelle risquent donc d'être affublés d'étiquettes négatives du genre « fif ». Les pairs contribuent souvent à renforcer des attitudes et comportements masculins stéréotypés en approuvant l'agressivité et l'indépendance. Pour certains jeunes hommes, parler de leurs rencontres sexuelles est plus important que l'activité elle-même.

Ma propre image était une façade. Voilà comme j'étais : belle apparence, sens de l'humour, athlétique et fêtard, mais toujours vierge. Tout le monde tenait pour acquis que j'étais expert dans l'art de faire l'amour. J'ai joué ce rôle et, sans hésitation, j'ajoutais « Oui, on l'a fait et, les gars, c'était plaisant ». (Notes des auteurs)

Pour ce qui est des femmes, le message et les attentes sont souvent très différents. Le témoignage suivant rend compte du double standard tel que perçu par une femme.

Cela me paraissait bien étrange : la société valorisait la virginité, mais pour les gars c'était correct de perdre la leur. Je viens d'une famille nombreuse et mon frère était l'aîné. Je me souviens des mots soulignant combien mon frère était un play-boy (il avait environ 18 ans). Mes parents n'étaient pas dérangés par cela ; ils semblaient en être plutôt fiers. Mais lorsque mes sœurs et moi sommes devenues prêtes à sortir, nos parents se sont montrés suspicieux. Je me rappellerai toujours comment je me sentais ; je me disais que, si je devenais parent, je ne permettrais pas une telle injustice et une telle emphase sur la virginité féminine. (Notes des auteurs)

Beaucoup de jeunes femmes font face à un dilemme. Elles apprendront à avoir l'air « sexy » pour attirer les garçons, mais éprouveront souvent de l'ambivalence par rapport à un comportement sexuel libre. En refusant d'avoir des rapports sexuels, la jeune femme redoute que son ami ne se désintéresse d'elle et cesse de la voir. Si, au contraire, elle lui cède, elle craint de se faire une réputation de « fille facile ».

LA MASTURBATION

Bien que bon nombre d'adolescents n'aient pas de rapports sexuels avant 19 ans, beaucoup se masturbent. Comme nous l'avons vu plus tôt dans ce chapitre, la masturbation est une manifestation de sexualité courante durant l'enfance. Pendant l'adolescence, ce comportement tend à devenir plus fréquent. Les taux de fréquence de la masturbation chez les filles sont considérablement plus bas que chez les garçons pour tous les groupes d'âge, incluant les adolescentes (Leitenberg et coll., 1993 ; Simon et Gagnon, 1998). À la fin de l'adolescence, presque tous les garçons et approximativement trois filles sur quatre se sont masturbés (Coles et Stokes, 1985 ; Janus et Janus, 1993 ; Kolodny, 1980).

La masturbation peut être une voie d'expression sexuelle importante durant l'adolescence. En plus de fournir un exutoire à la tension sexuelle, l'autostimulation est une excellente façon de découvrir son propre corps et le potentiel sexuel qu'il recèle. Les adolescentes et adolescents peuvent essayer différentes façons d'atteindre le plaisir et accroître ainsi leur connaissance d'eux-mêmes. Cette connaissance pourrait leur être utile plus tard, lors d'interactions sexuelles avec un ou une partenaire.

LES JEUX SEXUELS

Il y a une autre forme d'expression sexuelle non coïtale grâce à laquelle beaucoup de jeunes entrent en contact et qu'ils utilisent parfois comme substitut aux rapports sexuels. Les **jeux sexuels** désignent des contacts physiques érotiques pouvant inclure baisers, étreintes, touchers, stimulations manuelles ou buccogénitales — mais sans qu'il y ait coït. Au Québec, on dit parfois « se taponner » ou « se poigner » pour parler de ces séances de pelotage. Peut-être que l'un des changements les plus remarquables quant au répertoire sexuel des adolescents est le recours à la stimulation buccogénitale. De nombreuses enquêtes ont révélé que l'incidence de ce comportement a spectaculairement augmenté chez les adolescentes et adolescents (Mosher, 2005 ; Halpern-Felsher et coll., 2005).

Plusieurs adolescents et adolescentes considèrent que les relations buccogénitales sont plus acceptables lors d'aventures amoureuses et qu'elles sont significativement moins risquées que le coït en termes de santé et de conséquences sociales et émotionnelles (Halpern-Felsher et coll., 2005). Malheureusement, plusieurs semblent ne pas être conscients des risques que comportent les contacts buccogénitaux en ce qui a trait à la transmission d'infections comme le VIH, l'herpès génital et la gonorrhée (voir le chapitre 12 à ce propos).

Les jeux sexuels sont très appréciés de certains jeunes parce qu'ils offrent la possibilité d'expérimenter l'intimité sexuelle tout en demeurant « techniquement vierge ». La notion de virginité est par contre ambiguë pour plusieurs raisons. La plus importante est qu'elle laisse entendre que le « vrai sexe » relève d'une seule activité — le coït ou la pénétration du pénis dans le vagin — et que la virginité est liée uniquement au coït hétérosexuel. Qu'en est-il alors des lesbiennes, des hommes gais et des hétérosexuels qui n'ont jamais connu le coït, mais qui ont expérimenté d'autres formes de comportements sexuels telles que la masturbation mutuelle, les contacts buccogénitaux, la pénétration anale et les contacts entre les organes génitaux ? Est-ce que ces personnes sont toutes « techniquement vierges » ? Que dire alors d'une femme qui n'a connu qu'une seule pénétration vaginale et qu'il s'agissait d'un viol ? A-t-elle perdu sa virginité même si elle n'était pas consentante ?

L'idée même que des personnes puissent se livrer à toutes les formes imaginables de rapports sexuels tout en demeurant « vierges » apparaît comme une notion discutable et même anachronique. Peut-être le temps est-il venu d'accorder moins d'importance à ce mot porteur de jugements de valeur et d'exclusion.

LES RELATIONS SEXUELLES

La tendance au double standard sexuel subsiste encore, mais les études indiquent aussi que, en général, les jeux sexuels et les rapports coïtaux se produisent maintenant davantage dans le cadre d'une relation suivie que ce n'était le cas à l'époque de Kinsey. Il semble que les adolescents d'aujourd'hui ont plus tendance à partager leur intimité sexuelle avec quelqu'un qu'ils aiment

Beaucoup d'adolescents établissent entre eux de tendres relations.

Jeux sexuels Contacts physiques sans coït tels que des baisers, des touchers, du sexe oral.

ou pour lequel ils éprouvent de l'attachement affectif (Laumann et coll., 1994 ; Sprecher et McKinney, 1993). De plus, des changements notoires d'attitudes et de comportements chez les deux sexes sont en train de réduire le décalage entre les hommes et les femmes. Les adolescentes font plus volontiers l'amour avec quelqu'un pour qui elles éprouvent de l'affection ; elles croient moins devoir « se garder » pour une relation amoureuse. De même, les adolescents ont de plus en plus tendance à faire l'amour dans le cadre d'une relation tendre ou amoureuse, plutôt que d'avoir des rencontres sexuelles avec des connaissances de fortune ou des inconnues, comme c'était le cas auparavant (Farber, 1992 ; Sorenson, 1973 ; Sprecher et McKinney, 1993). Néanmoins, les relations sexuelles occasionnelles ou de passage sont relativement fréquentes chez les ados (voir le chapitre 8).

Le rapport sexuel coïtal

Les « rapports sexuels préconjugaux » font souvent partie des éléments statistiquement abordés en sexologie. Pour les besoins statistiques, le rapport sexuel préconjugal est défini comme le rapport pénien-vaginal dans un couple avant le mariage. Il y a deux raisons pour lesquelles le terme *préconjugal* est trompeur. D'abord, comme outil usuel de mesure de l'évolution des valeurs sexuelles et morales de la jeunesse, il a le désavantage d'exclure tout un ensemble d'activités hétérosexuelles et homosexuelles autres que le coït. Or, les jeux sexuels comprennent plusieurs types de contacts sexuels menant à l'orgasme. Bien des personnes refusent le coït avant le mariage sans pour autant renoncer à toute activité sexuelle. Deuxièmement, le terme *préconjugal* a des connotations qui en agacent plus d'un. Voyez un peu :

> Je déteste les questions d'enquête du genre : « Avez-vous eu des rapports sexuels préconjugaux ? » Qu'est-ce qu'on fait de ceux qui, comme moi, ont décidé de demeurer célibataires ? Est-ce que cela signifie que je passerai ma vie à avoir des rapports sexuels préconjugaux ? Je dénonce cette façon de sous-entendre que le mariage est l'idéal vers lequel tous devraient tendre. (Notes des auteurs)

Pour ces raisons, nous éviterons d'utiliser l'expression *rapport préconjugal* dans la suite de notre exposé. Nous examinerons d'abord les données sur les rapports sexuels durant l'adolescence, puis nous aborderons la grossesse et la contraception.

L'incidence du coït chez les adolescentes et les adolescents

Une enquête de Statistique Canada publiée en 2008 révèle qu'en 2005, 43 % des adolescents (filles et garçons) de 15 à 19 ans ont dit avoir eu au moins une relation sexuelle, comparativement à 47 % en 1996-1997. Cette diminution est attribuable à une plus faible activité sexuelle déclarée chez les adolescentes (passant de 51 % à 43 %) en 2005, alors que l'activité sexuelle des adolescents s'est maintenue à 43 %. Les résultats font également ressortir que l'activité sexuelle augmente avec l'âge : pendant la période couverte par l'enquête, près du tiers des 15 à 17 ont déclaré avoir eu des relations sexuelles contre environ les deux tiers des 18 et 19 ans.

Au Québec, en 2005, 58 % des adolescents ont dit avoir eu des relations sexuelles, un taux supérieur à celui établi pour le Canada sans le Québec. L'Ontario et la Colombie-Britannique affichent pour la même période des taux de 37 % et 40 % respectivement, tandis que les autres provinces ont un taux se rapprochant de celui de l'ensemble du pays. De 1996-1997 à 2005, les taux ont augmenté de 31 % à 49 % en Nouvelle-Écosse, et diminué de 41 % à 37 % en Ontario. Ils ont des taux similaires à celui du Canada. (Statistique Canada, 2008).

Les raisons pour lesquelles les adolescents et adolescentes accomplissent le coït

Les adolescents et adolescentes ont des rapports coïtaux pour de nombreuses raisons. L'afflux d'hormones sexuelles, spécialement de la testostérone, accroît le désir sexuel et l'excitabilité chez les deux sexes. Certains individus sont motivés par la curiosité et le sentiment d'être mûrs pour l'expérience. C'est du moins les raisons données par environ la moitié des hommes et le quart des femmes ayant participé à l'enquête du NHSLS pour motiver leur premier coït (Laumann et coll., 1994). Beaucoup d'adolescents et d'adolescentes considèrent le rapport coïtal comme une manifestation naturelle de tendresse ou d'amour (Sprecher et McKinney, 1993). Presque la moitié des répondantes et le quart des répondants de l'enquête du NHSLS ont déclaré que c'était là la principale raison de leur premier rapport coïtal (Laumann et coll., 1994). L'envie de se comporter en « adulte », la pression des pairs, l'insistance du ou de la partenaire et un sentiment d'obligation envers un partenaire loyal sont d'autres raisons susceptibles d'inciter les adolescents à avoir une relation coïtale (Lammers et coll., 2000 ; Rosenthal et coll., 1999).

Les facteurs prédisposant les adolescents au coït précoce ou tardif

Les chercheurs ont découvert plusieurs facteurs psychologiques qui semblent prédisposer les très jeunes adolescents au rapport coïtal. Il y a, entre autres, la pauvreté, les conflits familiaux, la vie au sein d'une famille monoparentale ou recomposée, le peu d'instruction des parents, le manque de surveillance parentale, la toxicomanie, la piètre estime de soi et le sentiment de désespoir (Hingson et coll., 2003; McBride et coll., 2003; O'Donnell et coll., 2006; Regnerus et Luchies, 2006). Parmi les autres facteurs, on compte le faible rendement scolaire, le peu de crédit accordé à l'éducation (Lammers et coll., 2000; Steele, 1999), la tolérance envers le comportement antisocial, la fréquentation de pairs délinquants (Rosenthal et coll., 1999; Whitbeck et coll., 1999) et le fait d'avoir été victime d'abus sexuels (agression ou viol) (Boyer et Fine, 1992; Lammers et coll., 2000). Les adolescentes qui fréquentent des personnes plus âgées qu'elles de plusieurs années sont plus susceptibles d'avoir des rapports coïtaux que celles qui ont des partenaires de leur âge (Kaestle et coll., 2002).

Les recherches donnent aussi un aperçu des caractéristiques et des expériences des ados qui choisissent d'attendre avant d'avoir des rapports coïtaux. Quelques études indiquent qu'une profonde croyance religieuse, une pratique religieuse assidue, de même qu'un sentiment d'appartenance à un groupe d'amis réduisent en général la probabilité de rapports sexuels précoces (Bancroft et coll., 2003; Holder et coll., 2000). Selon d'autres chercheurs, les jeunes qui croient que leur mère désapprouve le coït chez les ados ou qui ont avec elle une relation satisfaisante sont plus enclins à l'abstinence sexuelle ou à avoir peu d'activité sexuelle (Althaus, 1994; Jaccard et coll., 1996). Les résultats d'une enquête nationale américaine ont révélé qu'une puberté tardive, la réprobation parentale à l'égard du coït chez les ados, le bon rendement scolaire, les croyances religieuses bien ancrées et la promesse d'abstention contribuaient tous à retarder le premier rapport coïtal (Resnick et coll., 1997). Selon une autre étude menée auprès de 26 000 élèves de la septième à la douzième année, les facteurs qui contribuent le plus à reporter le moment du premier coït comprennent le statut socioéconomique supérieur, le bon rendement scolaire, les attentes élevées des parents et la conviction des ados d'être aimés par un adulte ou plus dans leur vie (Lammers et coll., 2000). Plusieurs autres études ont aussi permis d'établir un lien positif

Question d'analyse critique

Vous êtes parent et votre ado vous demande : « Comment je saurai si je dois avoir des rapports sexuels ? » Que lui répondrez-vous ? Justifiez votre réponse.

entre le délai de l'activité sexuelle chez les adolescents et d'excellents rapports et échanges interpersonnels parents-enfants (Dittus et Jaccard, 2000; Karofsky et coll., 2000; Lambert et coll., 2001; Regnerus et Luchies, 2006). Enfin, une analyse des données recueillies auprès de 12 000 ados du secondaire a permis d'associer étroitement intelligence supérieure et expérience coïtale tardive (Halpern et coll., 2000).

L'HOMOSEXUALITÉ

Les résultats de différentes études ont révélé qu'entre 6 % et 11 % des filles et 11 % et 14 % des garçons ont eu des contacts sexuels avec une personne de même sexe durant l'adolescence (Haffner, 1993; Hass, 1979). La grande majorité de ces contacts se sont produits avec des pairs plutôt qu'avec des adultes. Mais ces données, ou les comportements auxquels elles renvoient, ne constituent pas une indication nette de l'orientation sexuelle définitive. Les contacts sexuels avec une personne de même sexe visant l'excitation sexuelle peuvent être expérimentaux et transitoires, ou être l'expression d'une orientation sexuelle durable. Plusieurs personnes homosexuelles n'expriment pas leurs sentiments et leur attirance avant l'âge adulte, et beaucoup d'hétérosexuels ont eu dans leur jeunesse une ou plusieurs expériences sexuelles avec une personne de leur sexe (voir le chapitre 5).

Les gais, les lesbiennes et les bisexuels se heurtent fréquemment à des réactions hostiles par rapport à leur orientation. Il est donc parfois plus difficile pour eux de développer harmonieusement leur sexualité. Contrairement à d'autres sociétés, la nôtre n'accueille pas particulièrement bien l'homosexualité chez les jeunes, et pas tellement plus leur hétérosexualité d'ailleurs. Ceux qui s'écartent du modèle hétérosexuel dominant pourront donc se sentir doublement exclus du fait de leur orientation sexuelle et parce qu'ils s'adonnent à des activités sexuelles.

Les épisodes de dépression, l'abus de stupéfiants et les tentatives de suicide ne sont pas rares chez les jeunes gais, lesbiennes et bisexuels aux prises avec la difficulté de concilier leur sexualité avec les attentes de leurs pairs et de leurs parents (Harrison, 2003 ; Rienzo et coll., 2006). Ne pas être « comme les autres », sur le plan affectif, est très pénible, et les jeunes homosexuels risquent de se sentir souvent exclus et méprisés par leurs pairs. Les adolescents soupçonnés d'homosexualité sont souvent victimes de violences verbales ou physiques (Dorais, 2001 ; Harrison, 2003 ; Williams et coll., 2005).

Beaucoup de jeunes lesbiennes et de jeunes gais sont incapables de discuter ouvertement de leur orientation sexuelle avec leurs parents. Ceux et celles qui le font sont souvent rejetés par leur famille, émotivement comme physiquement (Dempsey, 1994 ; Frankowski, 2004), et il n'est pas rare qu'ils en viennent à quitter la maison, volontairement ou non, parce que leurs parents ne peuvent accepter leur sexualité. Certains sont parfois même violentés par des membres de leur famille (Hunter, 1990 ; Safren et Heimberg, 1999). À cela s'ajoute la difficulté de trouver des personnes à qui confier leurs inquiétudes et auprès desquelles ils peuvent obtenir aide et soutien (Safren et Heimberg, 1999). Les parents, les prêtres ou les pasteurs, les médecins et les enseignants sont souvent incapables d'offrir un soutien positif aux jeunes homosexuels. Une société qui traditionnellement craint et tente d'étouffer les orientations homosexuelles ne dispose généralement pas d'une profusion de modèles positifs auxquels les jeunes gais, lesbiennes ou bisexuels pourraient s'identifier.

Heureusement, on peut dire que depuis quelques années les Canadiens sont de plus en plus ouverts aux comportements qui s'écartent des schèmes et des rôles sexuels établis. L'information sur l'homosexualité est de plus en plus accessible, tout comme les services de soutien aux personnes d'orientation homosexuelle. Une rapide recherche sur Internet permet de trouver de nombreuses ressources adaptées. Les adolescents et adolescentes homosexuels peuvent aussi trouver dans les clavardoirs (*chats*) et les forums de discussion des sources d'aide et d'information particulièrement utiles (voir le chapitre 5). De plus, depuis quelques années, l'homosexualité jouit d'une plus grande visibilité et est présentée sous un meilleur jour dans les médias. Plusieurs personnalités du monde du spectacle, de la politique et des sports ont fait connaître publiquement leur homosexualité et peuvent maintenant servir de modèles aux jeunes. Il faut espérer que cette plus grande acceptation sociale facilitera la vie des jeunes homosexuels durant la difficile période de l'adolescence.

LES RETOMBÉES DU SIDA SUR LES COMPORTEMENTS SEXUELS DES ADOLESCENTS

Plusieurs professionnels de la santé sont d'avis que les adolescents nord-américains risquent davantage d'être infectés par le VIH, virus qui cause le sida (Feroli et Burstein, 2003 ; Murphy et coll., 2003 ; Rosengard et coll., 2005). Au Canada, au 31 décembre 2006, parmi les 58 981 cas de séropositivité signalés à l'Agence de santé publique du Canada (ASPC), 868 (1,5 %) étaient des jeunes âgés de 15 à 19 ans (2007).

Plusieurs enquêtes montrent que les adolescents possèdent les connaissances de base au sujet du sida et savent quelles sont les activités à haut risque de transmission du VIH. Cela ne suffit pas pour autant à changer leurs comportements. Selon plusieurs études américaines, les adolescents des écoles secondaires, des collèges et des universités américaines se croient pour la plupart à l'abri d'une infection au VIH, de sorte qu'ils ne cherchent pas à modifier leurs comportements sexuels (Feroli et Burstein, 2003 ; Lynch et coll., 2000).

Le concept de la « pensée magique » (Elkind, 1967) pourrait s'appliquer à l'analyse que font les adolescents des risques liés à leurs comportements sexuels. Ce système de pensée très égocentrique qu'ils ont tendance à adopter leur fait croire qu'ils sont invulnérables et à l'abri des conséquences des comportements à risque (Feroli et Burstein, 2003 ; Hillis, 1994 ; Murstein et Mercy, 1994). Ainsi, non pas parce qu'ils sont ignorants à propos du VIH et du sida, mais parce qu'ils considèrent qu'ils risquent peu d'en subir les conséquences négatives, plusieurs continuent à avoir des comportements sexuels à haut risque (Feroli et Burstein, 2003 ; Ku et coll., 1993). Les comportements à risque de transmission du VIH sont, notamment, les relations coïtales sans condom, la consommation d'alcool, de cocaïne ou d'autres drogues modifiant le jugement et désinhibitrices des pulsions — et augmentant par le fait même les comportements sexuels à risque —, le partage d'aiguilles contaminées par les utilisateurs de drogues intraveineuses et les relations sexuelles avec de multiples partenaires sexuels sans discernement (Dittman, 2003 ; Dunn et coll., 2003 ; Hingson et coll., 2003). Le niveau de risque lié au fait d'avoir de multiples partenaires sexuels est discuté au chapitre 12.

Conscients des risques que courent les adolescentes de contracter le VIH (ou une autre infection transmissible sexuellement), la plupart des conseillers œuvrant dans les cliniques de santé familiale leur recommandent maintenant l'usage du condom, même si elles prennent un contraceptif oral. Malheureusement, ce conseil est rarement suivi pour une multitude de raisons. Plusieurs jeunes femmes ne veulent pas avoir à négocier le port du condom avec leurs partenaires, malgré les inconvénients mineurs que cela comporte, et se disent suffisamment à l'abri d'une grossesse non désirée (Ott et coll., 2002). Une étude menée en 2002 auprès de 436 adolescentes sexuellement actives révèle que l'usage du condom est moins fréquent chez celles qui prennent un contraceptif oral que chez celles qui n'en prennent pas (Ott et coll., 2002).

Enfin, de nombreux adolescents hétérosexuels qui utilisent le condom lors de pénétrations vaginales ne font généralement pas la même chose lors de relations anales (Baldwin et Baldwin, 2000). Comme nous le verrons au chapitre 12, les relations anales sont l'une des pratiques les plus à risque de transmission du VIH.

LES GROSSESSES CHEZ LES ADOLESCENTES

Le taux de grossesse chez les adolescentes (moins de 20 ans) canadiennes était d'environ 25,6 sur 1000 en 2004. Le Québec affichait alors un taux supérieur à la moyenne canadienne avec 28,6 sur 1000. Depuis 1974, il y a eu une diminution régulière du taux de grossesse à l'adolescence. Un peu plus des deux tiers de ces grossesses se sont terminées par un avortement au Québec contre un peu plus de la moitié dans l'ensemble du Canada (Statistique Canada, 2007b).

Le taux de grossesse chez les adolescentes canadiennes est d'environ la moitié du taux américain. Sur près d'un million de grossesses annuelles chez les adolescentes américaines, environ 51 % sont menées à terme et 35 % se terminent par un avortement (American Academy of Pediatrics, 2006).

LES CONSÉQUENCES DE LA GROSSESSE

Les statistiques sur les taux de grossesse chez les adolescentes recèlent beaucoup de souffrance humaine. Lors d'une grossesse, les adolescentes sont plus vulnérables à des complications comme la toxémie, les hémorragies, une fausse couche, voire la mort, que les femmes dans la vingtaine (American Academy of Pediatrics, 2006). Les taux de mortalité prénatale et infantile à la suite d'une grossesse sont également beaucoup plus élevés

chez les adolescentes que chez les femmes plus matures (American Academy of Pediatrics, 2006).

Les adolescentes enceintes présentent aussi un risque particulièrement élevé d'ITSS du fait qu'elles utilisent moins le condom parce qu'il n'est plus nécessaire pour éviter une grossesse. Il y aurait moins de 30 %, et peut-être même aussi peu que 8 %, des adolescentes enceintes sexuellement actives qui utiliseraient le condom sur une base régulière pendant le coït (Byrd et coll., 1998 ; Niccolai et coll., 2003). Ces données sont inquiétantes, car elles indiquent un risque accru d'ITSS pouvant compromettre la santé de la mère et de son enfant.

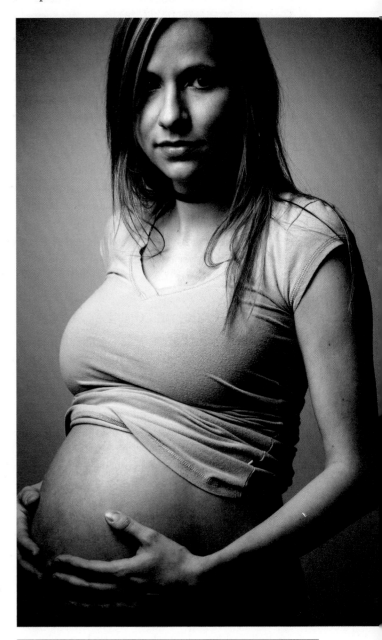

Environ 440 000 adolescentes deviennent enceintes chaque année au Canada. Cette réalité est souvent accompagnée de plusieurs conséquences fâcheuses.

Aux prises avec une grossesse non désirée, l'adolescente qui décide de garder l'enfant compromet souvent sérieusement ses études et sa situation financière (American Academy of Pediatrics, 2006 ; Shearer et coll., 2002). Même s'il est désormais illégal d'exclure une adolescente enceinte de l'école publique, un grand nombre d'entre elles décrochent et n'y retournent pas (Cassell, 2002 ; Marx et Hopper, 2005). Accablées par le fardeau des soins à apporter au bébé et limitées sur le plan de la scolarité, les mères adolescentes ont peine à trouver de l'emploi. Elles sont généralement acculées au chômage et obligées de vivre de l'aide sociale (Paukku et coll., 2003a ; Shearer et coll., 2002). De plus, leur manque d'instruction et leurs qualifications professionnelles restreintes risquent de les empêcher de parvenir à l'indépendance économique.

Les conséquences fâcheuses de la grossesse chez les adolescentes touchent également leurs enfants. La qualité des soins maternels de ces jeunes mères est souvent moindre que celle de mères adultes (Coley et Chase-Lansdale, 1998 ; Stier et coll., 1993). Il a été largement démontré que les enfants de mères adolescentes sont plus sujets aux problèmes d'ordre physique, cognitif et affectif que les enfants de mères plus âgées (Meschke et coll., 2000 ; Shearer et coll., 2002). Ils présentent en général plus de déficits cognitifs et ont de moins bons résultats scolaires (American Academy of Pediatrics, 2006 ; Shearer et coll., 2002).

L'USAGE DE MOYENS DE CONTRACEPTION

La tendance est à l'utilisation accrue du condom chez les 15 à 19 ans au Canada, avec un taux de 72 % en 2003 et de 75 % en 2005 (Rotterman, 2008). Par contre, le taux est parfois stable, comme au Québec avec 66 % pour ces deux années, ou légèrement en déclin, comme à l'Île-du-Prince-Édouard avec 88 % puis 87 %, ou sensiblement à la hausse, comme en Nouvelle-Écosse, où il est passé de 77 % à 90 % durant la même période (Rotterman, 2008).

Il reste que beaucoup d'adolescentes et d'adolescents attendent souvent plusieurs mois après être devenus sexuellement actifs avant de se renseigner sur la contraception, et certains ne le font même jamais. Les idées fausses sur les risques pour la santé de certaines méthodes contraceptives (par exemple, les contraceptifs oraux et les dispositifs intra-utérins [DIU]), la crainte de l'examen pelvien, la gêne de demander ou d'acheter des contraceptifs et le désir de confidentialité empêchent de nombreux adolescents et adolescentes

d'aller chercher des conseils sur la contraception (Alan Guttmacher Institute, 2006 ; Iuliano et coll., 2006 ; Jones et coll., 2005). La confidentialité est souvent une question importante pour les jeunes. Ceux-ci ne seront probablement disposés à discuter de leur vie sexuelle et de leurs besoins de contraception avec un professionnel de la santé que si cette confidentialité leur est assurée.

On a découvert que plusieurs facteurs ou caractéristiques personnels pouvaient influer sur l'usage ou le rejet de la contraception. Les adolescentes dont les relations sexuelles sont peu stables ou qui n'ont que des rapports sexuels épisodiques sont généralement de mauvaises utilisatrices de la contraception (Glei, 1999 ; Klein, 2005). De plus, celles dont le partenaire est plus âgé de trois ans et plus sont moins susceptibles de recourir à la contraception que celles ayant un partenaire sensiblement de leur âge (Manlove et coll., 2004 ; Marin et coll., 2006). Être engagée dans une relation avec un partenaire plus âgé pourrait impliquer « un pouvoir amoindri sur la relation sexuelle et un plus faible contrôle sur les décisions en matière de contraception » (Manlove et coll., 2004, p. 265). Les ados des deux sexes qui ont des rapports coïtaux précoces sont moins susceptibles de recourir aux moyens contraceptifs que ceux et celles qui les ont plus tard, et la recherche a révélé une relation inverse entre le taux de grossesse des adolescentes et l'âge du premier coït (Lagana, 1999). Les jeunes qui sont sous l'effet de l'alcool ont plus tendance à avoir des comportements sexuels à risque (Hingson et coll., 2003 ; LaBrie et coll., 2005). Enfin, plusieurs jeunes femmes sexuellement actives croient qu'elles n'ont pas le droit de discuter ou de décider des choses relatives à leurs relations sexuelles avec leurs partenaires masculins, et cette attitude passive expliquerait leur usage irrégulier de contraceptifs (Rickert et coll., 2002).

Les recherches ont révélé que les adolescents engagés dans des relations stables et durables qui discutaient de contraception et d'autres sujets avec leur partenaire utilisaient régulièrement et efficacement la contraception (Klein, 2005 ; Stone et Ingham, 2002). Les discussions parent-enfant sur la contraception ont aussi un impact positif sur l'utilisation des contraceptifs par les jeunes (Halpern-Felsher et coll., 2004 ; Stone et Ingham, 2002). La réussite scolaire et le fait que les parents aient une bonne éducation sont aussi des facteurs qui contribuent à l'usage de contraceptifs chez les adolescents (Klein, 2005 ; Manlove et coll., 2004). La recherche montre aussi que les adolescents élevés dans les

Question d'analyse critique

Les parents devraient-ils fournir des moyens de contraception à leurs adolescents et adolescentes qui ont beaucoup de fréquentations ou qui sortent régulièrement avec quelqu'un? Justifiez votre réponse.

familles où on leur apprend à être responsables de leurs comportements sont plus enclins à utiliser les moyens contraceptifs (Whitaker et coll., 1999; Wilson et coll., 1994). Finalement, plus les adolescents en savent sur la contraception, plus ils sont susceptibles d'y recourir régulièrement et efficacement (Lagana, 1999).

LES STRATÉGIES DE RÉDUCTION DES GROSSESSES CHEZ LES ADOLESCENTES

Beaucoup de spécialistes de la sexualité adolescente s'entendent pour dire que l'éducation sexuelle visant à sensibiliser les jeunes à la contraception et à d'autres aspects de la sexualité sera beaucoup plus efficace si celle-ci est présentée comme un aspect positif de la nature humaine plutôt que comme quelque chose de répréhensible ou de honteux. Les adolescents qui considèrent sainement leur sexualité seront mieux disposés à utiliser des moyens de contraception efficaces (Lagana, 1999; Meschke et coll., 2000). Dans beaucoup de pays d'Europe occidentale, où le taux de natalité chez les adolescentes est très bas et où l'activité sexuelle des adolescents est comparable ou plus élevée qu'au Canada, la sexualité est généralement considérée comme naturelle et saine, et l'activité sexuelle des ados est largement acceptée.

Plusieurs actions peuvent être entreprises pour réduire les taux de grossesse chez les adolescentes si l'on en croit la vaste documentation sur la sexualité des adolescents et adolescentes. Les recherches indiquent clairement que les adolescentes et les adolescents que l'on valorise, respecte et de qui on attend un comportement responsable déçoivent rarement (Kelly et McGee, 1999). Elles révèlent aussi que les adolescentes qui ont bénéficié d'une éducation sexuelle ouverte risquent beaucoup moins de tomber enceintes que celles qui n'ont pas eu cette chance, surtout si l'information est dispensée avant le début de la vie sexuelle active.

Pour réduire le nombre de grossesses non désirées chez les adolescentes, on doit tenir compte du fait que les garçons ont un important rôle à jouer en matière de contraception (Goodyear et coll., 2000; Marsiglio, 1993). Ces derniers considèrent souvent que la responsabilité de la contraception n'incombe qu'à la jeune fille (Braverman et Strasburger, 1993b; Lagana, 1999). D'ailleurs, la plupart des recherches sur la grossesse durant l'adolescence portent principalement, sinon exclusivement, sur les jeunes femmes enceintes, rarement sur les jeunes hommes ayant contribué à cet état de fait (Goodyear et coll., 2000).

LA SEXUALITÉ À L'ÂGE ADULTE

Après 44 ans de mariage, maintenant que les enfants sont établis chacun de leur côté, nous pouvons vraiment prendre du bon temps. Nous sortons souvent dîner, puis nous rentrons à la maison, nous dansons sur la musique des années quarante, nous causons, nous nous embrassons, nous nous massons et nous avons parfois des rapports sexuels. Nos ébats amoureux peuvent durer des heures et nous sommes tous les deux entièrement comblés. (Notes des auteurs)

À l'âge adulte, les relations intimes prennent plusieurs formes et occupent une place considérable dans la vie de nombreux individus. L'état civil d'un adulte — célibataire, marié ou vivant avec quelqu'un — est important sur le plan social et identitaire. Nous examinerons ici plusieurs styles de vie à l'âge adulte et étudierons les effets du vieillissement sur les relations intimes.

LE CÉLIBAT

Au recensement de 2006, les adultes (20 ans et plus) célibataires (jamais mariés) représentaient une tranche importante de la population canadienne. Ainsi, les 6 962 690 personnes qui se déclaraient célibataires représentaient 29,1 % des 23 892 565 adultes recensés (Statistique Canada, 2006). Il s'agit d'une tendance à la hausse qui se confirme à chaque recensement. Au Québec, le taux de célibataires est aussi de 29 %, mais sont inclus dans ce chiffre les 15 à 19 ans.

Jusqu'à récemment, les femmes qui poursuivaient des études universitaires étaient moins susceptibles de se marier. Mais, aujourd'hui, elles sont autant susceptibles de se marier que les femmes moins scolarisées, bien qu'elles le fassent plus tard que la moyenne. Par exemple, aux États-Unis, les diplômées universitaires nées après 1960 se marient deux ans plus tard que la moyenne des femmes et celles qui obtiennent un diplôme de troisième cycle se marient cinq ans plus tard que la moyenne (Coontz, 2006).

Sur le plan de la sexualité, le célibat englobe un éventail de modes de vie impliquant divers degrés de satisfaction personnelle. Certaines personnes qui vivent seules sont célibataires par choix ou parce qu'elles n'ont pas trouvé de partenaire. D'autres pourront être engagées dans une relation à long terme avec un ou une partenaire sexuelle exclusive. Certains s'adonnent à la monogamie sérielle, passant d'une relation sexuelle exclusive à l'autre. D'autres encore préfèrent mener de front plusieurs relations sexuelles et affectives avec des partenaires différents. Enfin, certaines personnes célibataires entretiennent une relation privilégiée avec un ou une partenaire tout en ayant à l'occasion des rapports sexuels avec d'autres. Les niveaux d'activité sexuelle des célibataires varient beaucoup, tout comme chez les gens mariés. Les études tendent à montrer que les gens mariés sont plus actifs et plus satisfaits sexuellement que les célibataires (Laumann et coll., 1994).

L'UNION DE FAIT

Quand j'étais étudiant au début des années soixante, il était simplement impensable de vivre avec l'être aimé en dehors des liens sacrés du mariage. Cette possibilité ne m'a même jamais effleuré l'esprit. Quand j'ai rencontré la personne de ma vie et que j'ai eu envie de vivre avec elle, il n'y avait pas d'autre choix que le mariage. Nous avons eu des rapports sexuels avant le mariage, mais nous n'avons jamais fait une seule escapade de fin de semaine ensemble. On n'entendait jamais parler de couples vivant ensemble sans être mariés, quoique, à l'occasion, j'ai entendu certaines allusions à des personnes « vivant dans le péché ». (Notes des auteurs)

Ce témoignage rappelle comment l'union de fait (vie commune hors des liens du mariage) a déjà été considérée socialement. Au cours des dernières décennies, ce mode de vie, autrefois exceptionnel, a fait de plus

en plus d'adeptes et a été de mieux en mieux accepté. En 2006, 19 % de la population québécoise de 15 ans et plus vivait en union libre (Girard, 2007).

L'union de fait a effacé les frontières entre le mariage et le célibat, et développé ses caractéristiques propres. Selon Blackwell et Lichter (2000), au début de leur relation, les personnes vivant en union libre ont les mêmes niveaux de satisfaction ou de tension que les gens mariés. Si on les compare à ceux-ci, ils ont des attitudes moins traditionnelles quant aux rôles sexuels, ont moins le désir d'avoir des enfants et partagent les tâches domestiques de façon plus équitable. Cependant, selon la même étude, les personnes vivant en union de fait et les couples mariés se ressemblent en ce que les partenaires ont généralement la même éducation et appartiennent à la même ethnie. Les gens vivant en union libre présentent moins de similarités que les gens mariés, mais ces différences sont minimes. On note également que, dans les unions de fait, les hommes sont souvent moins instruits que leur compagne, tandis que, dans le mariage, c'est plutôt l'inverse. Les résultats de cette étude indiquent que l'engagement, plus important chez les couples mariés, est parfois plus exigeant et contraignant pour les partenaires d'une union de fait. La recherche montre aussi que plus les gens vivent longtemps ensemble sans être mariés, plus ils ont des conflits d'insatisfaction et des problèmes de communication comparativement aux personnes mariées (Brown, 2003 ; Willetts, 2006).

L'IMPACT DE LA COHABITATION AVANT LE MARIAGE

Selon plusieurs recherches, les gens qui cohabitent avant de se marier éprouvent plus de difficultés une fois mariés que ceux qui se marient sans avoir cohabité (Amato et coll., 2003 ; Cobb et coll., 2003). On ne sait pas si c'est en raison de caractéristiques personnelles qu'ils sont plus portés à divorcer ou si c'est la cohabitation elle-même qui amènerait un plus grand risque de divorce, mais il reste que les mariages qui ont été précédés d'une vie commune ont 50 % plus de risques de se terminer par un divorce, à une exception près : lorsque, dans un couple hétérosexuel, la femme n'a jamais eu d'expérience sexuelle ni cohabité avec un homme auparavant (Teachman, 2003).

La recherche établit que le mariage comporte un plus grand degré d'engagement et de stabilité que la cohabitation, ce qui pourrait expliquer qu'il continue d'exercer un si grand attrait, sauf au Québec, où l'indice de

Question d'analyse critique

Pourquoi, selon vous, la cohabitation avant le mariage n'augmente-t-elle pas les chances de stabilité du couple ?

nuptialité des célibataires (probabilité qu'ils se marient au moins une fois avant l'âge de 50 ans) est très faible et en constante diminution. Voici ce qu'écrit Chantal Girard de l'Institut de la statistique du Québec (2007) sur cet indice de nuptialité : « Les indices sont très bas ; ils expriment que seulement 28 % des hommes et 30 % des femmes se marieraient légalement si les taux des dernières années restaient constants. Les indices ont diminué graduellement au fil des années et sont passés sous la barre des 500 pour 1000 en 1983, tant chez les hommes que chez les femmes. »

LE MARIAGE

Le mariage est une institution en évolution que l'on retrouve virtuellement dans toutes les sociétés. Il remplit traditionnellement plusieurs fonctions tant personnelles que sociales. Le mariage sert généralement de base à la société et permet la formation de cellules familiales stables à partir desquelles seront transmises les normes sociales. C'est en effet de leurs parents mariés ou de la parenté que la plupart des enfants apprennent les règles et les mœurs sociales. Le mariage structure aussi la cellule familiale en un partenariat économique intégrant l'éducation des enfants, l'accomplissement des tâches domestiques et l'acquisition d'un revenu. Le mariage définit aussi les droits de succession à la propriété familiale. Les mariages arrangés prévalaient en Europe avant le XIXᵉ siècle. Dans les classes sociales de l'élite, les parents arrangeaient les mariages de leurs enfants afin de développer des alliances entre familles, consolider leur pouvoir politique et préserver leur fortune, voire assurer la paix entre des pays. Dans les classes sociales défavorisées (la classe moyenne n'existait pas avant le XXᵉ siècle), le mariage avait aussi une fonction économique : le fait de fonder une famille permettait d'avoir des enfants à utiliser comme main-d'œuvre, de mettre en commun les ressources et les capacités de chacun et de bénéficier d'un encadrement juridique (Coontz, 2005).

Plusieurs sociétés modernes se préoccupent de la façon dont le mariage influe sur l'ordre social et cherchent à en modifier l'impact, comme le souligne l'encadré *Le mariage en crise* à la page suivante.

LE MARIAGE DANS LES CULTURES COLLECTIVISTES ET INDIVIDUALISTES

Les scientifiques qui ont étudié les cultures ont identifié deux caractéristiques qui permettent de les différencier : le collectivisme et l'individualisme. Le but du mariage n'est pas le même selon qu'une culture est collectiviste ou individualiste. Dans les cultures de type collectiviste, comme celles de l'Inde contemporaine, de la Thaïlande, des Philippines, du Moyen-Orient ainsi que de certaines régions de l'Asie et de l'Afrique, les intérêts du groupe ou de la collectivité passent avant ceux de l'individu. Dans de telles cultures, le mariage a pour fonction d'unir des familles plutôt que deux personnes. Dans les cultures collectivistes, les parents arrangent souvent les mariages de leurs enfants. Les sentiments personnels des individus ne doivent pas prendre le dessus sur les besoins d'engagements plus importants que sont ceux de la famille, de la communauté ou de la religion. Dans les faits, un amour passionné entre deux personnes peut être perçu comme une menace à la stabilité de la famille étendue. Lorsque, dans une culture collectiviste, l'individualisme s'installe, les mariages deviennent moins stables, comme on peut le constater en Chine où le relâchement des contrôles gouvernementaux et l'influence croissante de l'Occident ont entraîné une augmentation de 21 % du nombre de divorces pour la seule année 2004 (Beech, 2005).

À l'opposé, dans les cultures individualistes comme celles du Canada, de l'Europe, de l'Australie, du Brésil « européen » et des États-Unis, ce sont les désirs et les buts personnels qui l'emportent sur ceux de la famille. Dans ces cultures, les personnes accordent plus d'importance aux sentiments amoureux comme fondement du mariage que dans les cultures collectivistes (Levine et coll., 1995). Il s'agit d'un phénomène récent dans la longue histoire de l'humanité. Ce n'est pas avant la fin des années 1700 que les choix personnels basés sur l'amour ont remplacé les intérêts familiaux comme le fondement du mariage dans le monde occidental (Coontz, 2006).

LA POLYGAMIE

Les cultures collectivistes sont plus susceptibles d'être polygames (un mariage impliquant un homme et plusieurs femmes). Bien qu'elle soit peu connue dans le monde occidental, la polygamie a été la forme de mariage la plus répandue à travers les âges et elle prévaut toujours au Moyen-Orient et dans certaines parties de l'Afrique. L'islam permet à un homme d'avoir jusqu'à quatre

Les uns et les autres

Le mariage en crise

Plusieurs pays considèrent que le statut et la fonction du mariage sont en crise, mais pas tous pour les mêmes raisons. Par exemple, en Espagne, les planificateurs économiques voudraient que 50 % des femmes célibataires âgées de 25 à 29 ans se marient au plus tôt et aient plus d'enfants afin de stimuler la croissance économique. En Allemagne, en Australie, en Russie, en France et au Japon, les gouvernements sont préoccupés par la baisse de la natalité ; quelques-uns fournissent même de l'aide financière et réservent des logements et des garderies aux gens qui ont des enfants, et ce, quel que soit l'état matrimonial des parents. Par exemple, la Russie verse 9200 $ à la famille qui a un second enfant, prolonge la durée du congé de maternité et fournit une allocation pour voir au soin des enfants. En République tchèque, par contre, on encourage les gens à vivre seuls dans l'espoir de réduire le taux de divorce, qui est de 50 %. Chez nous, le Régime québécois d'assurance parentale, pour aider économiquement les couples à avoir des enfants, a prolongé la durée du congé parental après une naissance ; en outre, la province s'est dotée d'un système de garderies géré par les usagers, qui offre des tarifs privilégiés.

Plusieurs pays se préoccupent des différents obstacles au mariage des hommes. Les dirigeants de l'Arabie saoudite et des Émirats arabes unis demandent aux familles de réduire la dot payée par le fiancé afin de permettre aux jeunes hommes de se marier. En Italie, les analystes critiquent les quelque 33 % d'hommes célibataires de 30 à 35 ans qui préfèrent demeurer dans la maison familiale à profiter des talents de cuisinière et de femme de maison de leur mère. En Chine et en Inde, gouvernements et populations sont inquiets au sujet des millions d'hommes qui pourraient ne pas trouver à se marier vers 2020 en raison du déséquilibre démographique du ratio hommes/femmes (Hesketh et Xing, 2006). La Fondation Bill et Melinda Gates a financé une étude dans une région rurale de l'Inde qui a montré que, chez les enfants de moins 6 ans, on comptait 628 filles pour 1000 garçons. Cette différence s'explique par le plus grand nombre de fœtus féminins avortés et tués à la naissance en raison des préférences culturelles très marquées pour les garçons (Chung, 2006 ; Coontz, 2005 ; Power, 2006). En Inde, selon la tradition indoue, les fils ont l'importante responsabilité d'allumer le bûcher funéraire de leurs parents. Les garçons sont tenus de pourvoir au bien-être de la famille, alors que les filles doivent fournir une dot en se mariant, ce qui représente une perte financière pour la famille. Le gouvernement indien offre aux familles des bourses d'études destinées aux filles dans le but de susciter davantage de naissances féminines. Mais la tradition plusieurs fois centenaire associant les enfants mâles à un statut social plus élevé est très difficile à changer (Power, 2006).

Les Nations Unies et d'autres organismes font campagne au Moyen-Orient et dans diverses régions d'Afrique et d'Asie pour empêcher les mariages de filles âgées de 13 ans et moins. À travers le monde, 51 millions de filles sont mariées si jeunes qu'elles courent des risques plus élevés en termes de santé et de pauvreté (Stoparic, 2006). Dans une région de l'Éthiopie, 50 % des filles sont mariées avant l'âge de 15 ans. Les jeunes épouses dont les corps ne sont pas totalement matures accouchent souvent dans des conditions traumatisantes : elles peuvent être en travail pendant des jours, ce qui peut provoquer l'accouchement de bébés mort-nés et endommager leur vagin de façon permanente (Pathfinder International, 2006). Les très jeunes épouses sont généralement mariées à des hommes beaucoup plus âgés qu'elles, lesquels sont souvent polygames, ce qui augmente le risque qu'ils leur transmettent le VIH dès le début de leur mariage (Ali, 2006 ; Clark et coll., 2006).

Au Kenya, le jour du mariage, un fiancé swahili lève le voile couvrant le visage de sa future épouse qu'il n'a peut-être encore jamais vue.

femmes ; sa fortune personnelle et sa capacité à faire vivre plusieurs femmes déterminent habituellement combien il en épousera (Coontz, 2005).

Dans les pays où la polygamie est la norme, certains s'y opposent. Par exemple, au Swaziland, un pays africain, le droit d'un homme à la polygamie est inscrit dans la nouvelle Constitution. Cependant, malgré que le roi ait 13 épouses, sa fille âgée de 18 ans, la princesse Sikhanyiso, mène l'opposition à cette tradition. Les opposants à la polygamie — notamment des femmes des milieux ruraux et urbains — considèrent cette pratique comme un prétexte aux aventures extraconjugales. Les hommes épousent leurs petites amies pour un temps limité, puis les rejettent pour en marier d'autres. La principale raison pour laquelle les femmes s'opposent à la polygamie est leur désir de satisfaire leurs besoins amoureux et sexuels sans avoir à partager un homme avec d'autres femmes, une motivation qui reflète la tendance à l'individualisme dans les cultures collectivistes. Comme l'a dit un avocat du Swaziland, « la polygamie va mourir de sa belle mort parce que les femmes veulent se consacrer à un mari sans attaches avec d'autres femmes ». De plus, la propagation du VIH dans la famille des épouses est un important sujet de préoccupation dans ce pays qui connaît un des plus hauts taux de VIH au monde. Une recherche menée en Inde corrobore cette préoccupation : la plupart des femmes qui ont contracté le VIH dans ce pays vivent dans des mariages polygames et ont été infectées par leur mari (The Hindu News Update Service, 2006).

Peu de cultures reconnaissent la polyandrie (le fait pour une femme d'avoir plusieurs époux) ; encore plus rares sont les cultures qui permettent d'avoir des activités sexuelles hors mariage. Une culture matriarcale en Chine inverse les conceptions habituelles du mariage, comme le précise l'encadré « Les uns et les autres ».

LE MARIAGE DANS LE MONDE OCCIDENTAL

Le mariage est basé sur l'amour, l'engagement à long terme envers un partenaire régulier, la gratification sexuelle et la possibilité d'avoir des enfants, le tout avec la sécurité qu'apporte une institution sociale légitime. Globalement, les personnes mariées sont plus heureuses, en meilleure santé tant physique que psychologique que les gens qui ne le sont pas (Horwitz et coll., 1996 ; Prior et Hayes, 2003). Les hommes mariés gravissent les échelons plus rapidement dans leur carrière et ont de meilleurs revenus que les célibataires (Elder, 2005). Mais ces avantages ne valent que dans certaines condi-

tions. Les personnes qui ont un mariage dysfonctionnel ont une moins bonne santé que ceux dont le mariage est harmonieux, comme le montre une enquête longitudinale. Plus encore, les effets négatifs d'un mariage dysfonctionnel sont cumulatifs dans le temps et s'aggravent avec l'âge (Umberson et coll., 2006).

LES NOUVELLES ATTENTES À L'ÉGARD DU MARIAGE

Un fossé profond sépare l'idéal nord-américain du mariage de la réalité (Corliss et Steptoe, 2004). La cohabitation, le nombre élevé de divorces et les aventures extraconjugales sont des réalités très courantes et contraires à l'idéal traditionnel du mariage. Dans les faits, si l'on prend les États-Unis comme exemple, la région la plus conservatrice du pays, celle dite de la « Bible Belt »[1], a l'un des plus hauts taux de divorce et de mères célibataires (Coontz, 2005). Cet écart entre le mariage idéal et le mariage tel qu'il existe réellement s'explique en partie par les changements concernant les attentes face au mariage et sa fonction sociale.

Les couples actuels se marient en s'attendant à ce que leurs besoins sexuels, émotionnels, spirituels, sociaux, financiers, et peut-être aussi de coparentage, soient pleinement satisfaits (T. Edwards, 2000 ; Gager et Sanchez, 2003). De plus, plusieurs souhaitent que le mariage soit garant du bonheur, du moins minimalement. L'ironie est que, en même temps que les attentes envers le mariage sont devenues plus grandes, les structures sociales sur lesquelles l'institution s'appuyait se sont affaiblies. Les familles étendues et les petites communautés sont tricotées moins serré et sont moins aidantes, forçant le mariage à répondre une plus grande variété de besoins. Les couples sont souvent obligés de faire appel à des ressources externes pour les tâches domestiques, la garde des enfants, ou pour obtenir de l'aide financière et un soutien émotionnel. Alors que le partage de la vie quotidienne dans le mariage peut enrichir et combler certains couples, le défi que cela représente peut en désillusionner bien d'autres (Patz, 2000). En outre, comme les gens vivent aujourd'hui beaucoup plus longtemps qu'avant, le couple marié doit constamment s'ajuster aux besoins de l'autre, et ce, sur une période beaucoup plus longue.

---

1. Cette région concentrée dans les États du sud et sud-est des États-Unis est ainsi nommée en raison du très grand nombre d'Églises de différentes obédiences chrétiennes qui s'y trouvent et des pratiques sociales religieuses que l'on y observe.

Les uns et les autres

Quand les femmes choisissent

Dans une partie éloignée de la Chine, sur les rives d'un lac en haute altitude entouré par des montagnes, la société Mosuo a l'une des plus atypiques pratiques du mariage à travers le monde. Cette ancienne **société matriarcale** comprenant environ 50 000 personnes existe depuis près de 2000 ans et continue de prospérer de nos jours. En raison de leur situation isolée, les Mosuo ont résisté à l'imposition de la famille patriarcale traditionnelle ailleurs en Chine. Comme il s'agit d'une société matriarcale, ce sont les femmes qui transmettent leur nom à leurs enfants et qui gèrent les affaires économiques et sociales de la famille étendue. Tous les fils et toutes les filles de chaque femme vivent toute leur vie dans la maison de leur mère.

Après une cérémonie d'initiation au monde adulte vers l'âge de 13 ans, chaque jeune fille se voit attribuer une chambre personnelle dans la maison familiale. Là, elle peut inviter les amoureux de son choix à passer la soirée et la nuit avec elle. À l'aube, son amoureux retourne dans la maison de sa propre mère, où il vit. Cette tradition porte le nom de « mariage ambulatoire » parce que l'homme doit se rendre à la maison de la femme pour y passer la nuit. La femme entreprend un mariage ambulatoire en jetant un regard vers l'élu ou en lui touchant la paume de la main d'une manière particulière. Les hommes ne peuvent jamais prendre l'initiative, mais ils peuvent décliner une invitation.

Lorsqu'une femme mosuo devient enceinte et donne naissance à un enfant, celui-ci demeure dans la maison familiale de la mère. Les frères de la femme qui a accouché aident celle-ci à élever son enfant. Le père biologique n'assume aucun rôle paternel, sauf envers les enfants de ses propres sœurs. Les seules raisons pour lesquelles les hommes et les femmes se rencontrent sont l'amour et l'intimité sexuelle, non le soin des enfants. En conséquence, les mariages ambulatoires commencent et se terminent facilement : la femme s'aperçoit que les visites nocturnes de son amoureux cessent ou son amoureux peut se cogner le nez à une porte barrée (Bennion, 2005).

Vêtue pour une grande fête annuelle, cette femme mosuo choisit un homme avec qui elle désire passer la nuit dans sa chambre, à la maison de sa mère.

> **Société matriarcale** Société dans laquelle le nom de famille se transmet par les femmes et où celles-ci assument la gestion économique et sociale de la collectivité.

L'arrivée des enfants constitue un défi important pour les couples. Une analyse de 90 enquêtes révèle que la satisfaction maritale diminue de 42 % avec la naissance du premier enfant et décroît graduellement avec chaque nouvel enfant. Près de 50 % des couples nouvellement parents vivent autant de stress que les couples qui suivent une thérapie pour régler leurs problèmes conjugaux (Picker, 2005). Selon une autre recherche, les parents les plus susceptibles de rester heureux comme couple sont ceux où le mari comprend ce que vit intérieurement son épouse, l'admire et maintient activement le sentiment amoureux (Gottman et Silver, 2001).

PRÉDIRE LES CHANCES DE BONHEUR DANS LE MARIAGE

Les études du psychologue John Gottman et de ses collègues ont permis de mettre au point des outils de prévision du bonheur conjugal étonnamment efficaces. Le résumé et la présentation de leurs découvertes, dont nous faisons état ici, ont été publiés dans les livres suivants : *Why Marriages Succeed or Fail* (1994), *What Predicts Divorce* (1993) et *Les couples heureux ont leurs secrets : les sept lois de la réussite* (2000).

Gottman n'a pas étudié les couples gais et lesbiens cohabitant durant une longue période, bien que ses résultats puissent parfois s'y appliquer. Son équipe a puisé dans une large base de données constituée de 20 enquêtes différentes portant sur 2000 couples. Pendant que les époux discutaient des aspects problématiques de leur mariage, on enregistrait leurs échanges sur bande vidéo et on suivait de près leurs réactions physiologiques (tels que les changements de rythme cardiaque et de pression artérielle). En complétant ces informations par des questionnaires et des entrevues, Gottman et ses collègues ont identifié quelques comportements types permettant de prédire les conflits conjugaux, l'insatisfaction profonde et la séparation des partenaires. L'identification de ces comportements types permet ainsi de prédire avec plus de 90 % de précision si un couple se séparera dans les premières années du mariage. Ces comportements types comprennent notamment :

* un ratio de moins de cinq interactions positives pour chaque interaction négative ;

* des expressions du visage traduisant le désaccord, la crainte ou la détresse ;

* un rythme cardiaque élevé ;

* un comportement défensif, par exemple chercher des excuses et nier toute responsabilité en cas de désaccord ;

* l'utilisation de mots méprisants de la part de l'épouse ;

* une indifférence du mari qui fournit des réponses évasives aux questions qui préoccupent son épouse.

La clé réside dans le ratio de cinq interactions positives pour chaque interaction négative. Gottman résume : c'est la proportion entre les interactions affectives négatives et positives dans un mariage qui détermine la satisfaction qu'il apporte — il faut que les bons moments excèdent les moments de récrimination, de critique, de colère, de dégoût, de mépris, de froideur ou les épisodes passés sur la défensive (1994, p. 44). Le rapport de 5 pour 1 est plus important que la somme des disputes du couple ou que leur compatibilité sociale, financière ou sexuelle. Quand les couples maintiennent ou améliorent ce rapport, ils ont un mariage durable et satisfaisant, peu importe leur style de relation. Gottman a aussi révélé que la qualité de l'amitié entre les époux constitue le facteur le plus important de satisfaction conjugale (Gottman et Silver, 2001). L'encadré « Votre santé sexuelle » présente un questionnaire mis au point par Gottman.

Gottman a aussi relevé chez les nouveaux mariés d'importants traits permettant de prédire un mariage stable et heureux (Gottman et coll., 1998). Ces traits diffèrent chez les hommes et chez les femmes. Les recherches ont montré que ce sont généralement les femmes qui ouvrent la discussion sur les problèmes ou les difficultés du mariage. Celles qui savent entamer la discussion en douceur, calmement et adroitement, ont des mariages stables et heureux. De même, les hommes qui ont de la considération pour le jugement de leur femme jouissent aussi de bons mariages durables. On peut dire que les maris qui font fi des demandes et des préoccupations de leur épouse sont ceux qui refusent essentiellement de partager leur pouvoir. Plus souvent qu'autrement, ces hommes vivent des mariages malheureux qui se terminent par un divorce. La capacité d'un mari à accorder du crédit à son épouse n'a rien à voir avec son âge, ses revenus, son occupation ou son instruction. Bien que ces traits soient exclusifs à chacun des sexes, l'interaction positive entre les deux est claire : une épouse saura mieux trouver les mots qu'il faut si elle sait son mari réceptif, et l'époux accueillera mieux l'influence de sa femme si elle entame la discussion avec tact.

LE COMPORTEMENT SEXUEL ET LA SATISFACTION DANS LE MARIAGE

Comparativement aux groupes des recherches de Kinsey, les couples nord-américains d'aujourd'hui semblent posséder un répertoire de comportements sexuels beaucoup plus vaste et avoir des rapports sexuels plus nombreux. Plusieurs études indiquent des changements importants dans l'activité sexuelle des couples mariés depuis les années où Kinsey a recueilli ses données. La fréquence et la durée des activités précoïtales ont augmenté. Plus de gens prennent en effet plaisir à ces activités, qu'ils ont cessé de considérer comme un simple prélude au coït. La stimulation buccale des seins et la stimulation manuelle des organes génitaux sont plus fréquentes ; il en est de même des contacts buccogénitaux, que ce soit la fellation ou le cunnilingus (Clements, 1994 ; Laumann et coll., 1994).

Satisfaction sexuelle et vie conjugale heureuse vont souvent de pair ; tout comme dans les relations hors mariage, la satisfaction sexuelle est liée à une satisfaction relationnelle, à un engagement amoureux et à la

Votre santé sexuelle

Votre relation est-elle solide?

Évaluez la solidité de votre relation à l'aide de ce questionnaire préparé par John Gottman.

Vrai ou faux?

1. Je connais les noms des meilleurs amis de mon partenaire.

2. Je peux dire ce qui cause du stress à mon partenaire présentement.

3. Je connais les noms de quelques personnes qui ont récemment irrité mon partenaire.

4. Je peux vous parler de ce à quoi aspire mon partenaire.

5. Je peux vous parler de la philosophie de vie de mon partenaire.

6. Je peux faire une liste des membres de la famille que mon partenaire aime le moins.

7. J'ai le sentiment que mon partenaire me connaît plutôt bien.

8. Lorsque nous sommes séparés, je pense souvent tendrement à mon partenaire.

9. Je touche ou embrasse souvent mon partenaire affectueusement.

10. Mon partenaire me respecte vraiment.

11. Il y a du feu et de la passion dans cette relation.

12. Dans notre relation, il y a du romantisme.

13. Mon partenaire apprécie ma contribution à notre relation.

14. Mon partenaire apprécie généralement ma personnalité.

15. Notre vie sexuelle est satisfaisante dans son ensemble.

16. À la fin de la journée, mon partenaire est heureux de me voir.

17. Mon partenaire est l'un de mes meilleurs amis.

18. Nous aimons parler ensemble, juste pour le plaisir de parler.

19. Il y a beaucoup d'échanges mutuellement enrichissants dans nos discussions (chacun influence l'autre).

20. Mon partenaire m'écoute avec respect, même lorsque nous ne sommes pas d'accord.

21. Mon partenaire est généralement d'une grande aide pour trouver des solutions aux problèmes.

22. Nous avons en général les mêmes valeurs fondamentales et les mêmes buts dans la vie.

Pointage: Chaque « vrai » compte pour un point.

Plus de 12 points: Votre relation comporte un grand nombre de points forts. Félicitations!

Moins de 12 points: Votre relation pourrait s'améliorer, notamment en travaillant sur ce qui est essentiel, comme la communication.

---

stabilité (Aponte et Machado, 2006; Sprecher, 2002). Les données de l'enquête National Health and Social Life Survey (NHSLS) montrent que la satisfaction sexuelle est plus grande chez les personnes mariées que chez les célibataires, mais qu'elle diminue avec le temps (Liu, 2003).

La satisfaction sexuelle des hommes et des femmes mariés n'est pas la même. La recherche indique que les épouses ont un niveau de satisfaction sexuelle inférieur à celui déclaré par les maris (Liu, 2003). Cette différence est un sujet complexe et les causes en sont inconnues. Liu suppose que la satisfaction moindre des épouses découle de deux facteurs: premièrement, elles ont moins souvent d'orgasmes que les hommes et, deuxièmement, elles vont généralement investir davantage dans la relation et, conséquemment, avoir de plus grandes attentes quant à la qualité des relations sexuelles.

Les mariages sans relations sexuelles ne sont pas rares. Un psychologue qui a interrogé des personnes âgées de 25 à 55 ans a déclaré: « J'ai été stupéfait du nombre de couples mariés ayant dit ne pas avoir de sexe depuis des années » (Murray, 1992, p. 64). Un acronyme américain proposé par Robert Reich, un ancien secrétaire d'État au Travail, exprime bien la réalité des stress vécus par les couples; il les qualifie de DINS — *dual income no sex* (Deveny, 2003) —, ce qui se traduit par « double revenu, pas de sexe ». Répondre aux exigences des employeurs, faire la lessive, réparer la tondeuse, entretenir des relations avec les parents et amis de l'un et de l'autre sont autant d'activités qui peuvent réduire le temps et l'énergie disponibles pour partager de l'intimité. Il faut noter, par contre, qu'un manque d'activités sexuelles ne veut pas dire nécessairement qu'un mariage est mauvais. Le sexe n'est pas, et n'a peut-être jamais été, une grande priorité. Comme le psychologue mentionné plus haut l'a observé : « Il y a plusieurs façons d'avoir des rapports entre humains. Ces couples ne veulent pas sacrifier un mariage qui fonctionne bien à d'autres niveaux » (Murray, 1992, p. 64).

Comme nous l'avons vu, le mariage est en général un défi. En dépit des difficultés qu'il présente plusieurs couples homosexuels aspirent à se marier. Depuis peu, au Canada, c'est chose possible ; les chiffres de 2006 pour le Québec indiquent qu'il y a eu 627 mariages entre personnes du même sexe (Girard, 2007). Certains pays ont une législation accordant aux couples homosexuels des droits et privilèges semblables à ceux des couples mariés, notamment l'Allemagne, l'Angleterre, la Croatie, le Danemark, la Finlande, la France, la Hongrie, l'Islande, Israël, la Nouvelle-Zélande, la Norvège, le Portugal, la Slovénie, la Suède et la Suisse.

LES RELATIONS EXTRACONJUGALES

Le terme *relation extraconjugale* désigne une liaison sexuelle qu'une personne mariée entretient avec une personne autre que son époux ou son épouse. C'est un terme général qui ne précise pas les modalités de l'activité qui peut être clandestine ou connue et approuvée par les partenaires mariés. La relation extraconjugale peut être occasionnelle ou impliquer un profond engagement affectif ; elle peut être de courte ou de longue durée. Parfois, elle s'inscrit dans un mode de vie alternatif, comme dans l'échangisme et le **polyamour**.

La plupart des sociétés ont des normes restrictives envers la sexualité extraconjugale, normes habituellement plus sévères pour les femmes que pour les hommes. L'exemple du Pakistan est éloquent : traditionnellement, les femmes reconnues adultérines encourent la peine de mort ou l'emprisonnement. En 2006, le président pakistanais Pervez Musharraf a modifié la loi et plus de 6000 femmes emprisonnées pour adultère ont pu être relâchées sur-le-champ (Nations Unies, Bureau de coordination des affaires humanitaires, 2006). Contrairement à cet exemple, quelques sociétés étudiées avant 1970 autorisaient la sexualité extraconjugale, comme on le précise dans l'encadré « Les uns et les autres ».

LES RELATIONS EXTRACONJUGALES CONSENSUELLES

Lorsque les deux époux sont au courant des engagements sexuels extraconjugaux de leur partenaire et y

---

Polyamour Terme utilisé par beaucoup de gens pour décrire les relations amoureuses multiples et consensuelles.

Les uns et les autres

L'attitude envers la sexualité extraconjugale dans d'autres cultures

Les aborigènes de la Terre d'Arnhem, en Australie occidentale, acceptent ouvertement les relations sexuelles extraconjugales pour les épouses et les maris. Ils acceptent la variété des expériences et la rupture de la monotonie qu'offrent les engagements extraconjugaux. Plusieurs indiquent que cela augmente l'appréciation et l'attachement qu'ils ont envers leur conjoint.

Les Marquisiens de la Polynésie n'acceptent pas ouvertement les aventures extraconjugales, mais les acceptent néanmoins tacitement. Une femme marquisienne prend souvent comme amoureux des jeunes garçons, des amis de son époux ou des relations de celui-ci. À l'inverse, le mari peut avoir des relations sexuelles avec des jeunes filles non mariées ou avec ses belles-sœurs. La culture marquisienne reconnaît ouvertement les pratiques de changement de partenaires et d'hospitalité sexuelle,

celle-ci consistant à offrir aux visiteurs non accompagnés d'avoir une relation sexuelle avec l'hôte du sexe opposé. Certaines communautés inuits pratiquent aussi l'hospitalité sexuelle, l'épouse de l'hôte ayant alors une relation avec le visiteur masculin (Gebhard, 1971).

Les Turus de Tanzanie centrale considèrent le mariage essentiellement comme une coopération économique et un lien social. L'affection entre conjoints est généralement vue comme déplacée ; la plupart des membres de cette société croient que l'amour et l'affection mettent en danger la relation conjugale. Les Turus ont développé un système d'amour romantique, appelé *mbuya*, qui leur permet d'aller chercher de l'affection en dehors du foyer sans compromettre la stabilité du mariage, qu'ils doivent privilégier. Tant les maris que les femmes ont de telles relations externes (Gebhard, 1971).

consentent, on dit qu'il y a relations extraconjugales consensuelles. Il y a à ce chapitre toutes sortes d'ententes possibles. Nous allons en présenter brièvement trois formes : l'échangisme, le mariage ouvert et le polyamour.

L'échangisme

L'échangisme est une forme de relation extraconjugale consensuelle à laquelle s'adonne un couple marié (Atwood et Seifer, 1997). On parle d'échange de partenaires lorsque le mari et la femme ont des relations sexuelles avec d'autres couples, simultanément et dans un même lieu — généralement dans une maison privée ou parfois dans le cadre de « congrès d'aventures sensuelles ». Les clubs « échangistes », par opposition, offrent la possibilité, moyennant un prix d'entrée, à des personnes seules ou à des couples d'assister aux échanges sexuels d'autres personnes ou d'avoir des relations sexuelles avec d'autres visiteurs.

Le mariage ouvert et le polyamour

En 1972, le livre *Open Marriage* de George et Nena O'Neill porta à l'attention du public le concept du **mariage ouvert**, selon lequel les membres d'un couple s'autorisent mutuellement à avoir des relations sexuelles extraconjugales. Une appellation plus récente, difficile à traduire en français, la *managed monogamy* (la monogamie dirigée), désigne ces ententes négociées en couple pour s'autoriser mutuellement des relations sexuelles extraconjugales (Hanus, 2006a).

« Non, mais il devrait y avoir une loi contre les mariages sans sexe. »

Depuis quelques années, beaucoup de gens utilisent le terme *polyamour* pour décrire les relations amoureuses multiples et consensuelles. Les adeptes du polyamour se distinguent des échangistes par l'importance qu'ils accordent à l'engagement affectif dans leurs multiples relations, la sexualité étant l'expression de leur capacité d'aimer plus d'une personne à la fois. La documentation polyamouriste fait la promotion de relations « non monogames responsables », honnêtes et éthiques, constituées de trios, de mariages ouverts, de groupes de couples et de familles volontairement formés (Wise, 2006). C'est le gouvernement néerlandais qui, en 2005, a été le premier à reconnaître une union basée sur le polyamour, soit un contrat de cohabitation entre un couple et une troisième personne. La signature du contrat est suivie d'une cérémonie et d'une lune de miel à trois (Hanus, 2006).

LES RELATIONS EXTRACONJUGALES CLANDESTINES

Dans la relation conjugale clandestine, une personne mariée a une liaison sexuelle hors mariage sans le consentement (ou présumément à l'insu) de son conjoint ou de sa conjointe.

Pourquoi les gens ont-ils des aventures extraconjugales ?

Il ne manque pas de théories, d'ailleurs aussi diverses que complexes, pour expliquer pourquoi les gens ont des liaisons extraconjugales clandestines. Il y aurait, du moins partiellement, un conflit intrinsèque à la nature humaine. Comme l'explique l'auteure Erica Jong, nous sommes des créatures faites pour vivre en couple, comme les cygnes ou les oies, mais nous sommes aussi portés à la promiscuité comme les babouins ou les bonobos. Entre ces deux pôles de la nature humaine, on peut trouver toutes les nuances de la chasteté et de la sensualité (2003, p. 48). Parfois, les aventures extraconjugales ne sont motivées que par un désir de changement et d'excitation, même si une personne n'a pas d'insatisfaction particulière dans son mariage et dirait même que c'est un mariage heureux (Straus, 2006).

Selon une autre théorie, les personnes tenteraient ainsi de raviver chez elles le sentiment d'individualité et d'autonomie que le mariage aurait émoussé (Schnarch, 1991). Si un individu, en butte à la désapprobation de l'autre, est incapable d'être lui-même à cause d'une immaturité émotive, il peut tenter de rétablir le sens de son moi en s'engageant dans une relation secrète (Shaw, 1997). Pour certains, l'aventure extraconjugale est un moyen de se prouver qu'ils sont toujours désirables. D'autres sont simplement malheureux en ménage. Lorsque le mariage ne comble pas les besoins affectifs d'une personne, la perspective d'une «liaison clandestine» peut sembler fort attrayante (Friedman, 1994). Dans certains cas, les aventures sont le coup de pouce dont l'individu a besoin pour mettre un terme à un mariage qui ne fonctionne plus (Brown, 1988). Il arrive aussi que les gens aient des liaisons extraconjugales parce qu'ils n'ont plus de rapports sexuels avec leur conjoint. Une longue séparation, une maladie débilitante, l'incapacité ou le refus de l'autre d'avoir des rapports sexuels sont tous des facteurs pouvant inciter à rechercher l'épanouissement sexuel ailleurs. Une aventure peut aussi être motivée par un désir de vengeance (Sponaugle, 1989). Dans ce cas, la partie fautive pourra agir de façon très impudente, de façon à s'assurer que la personne «trompée» n'ignore rien de l'infidélité dont elle fait les frais. Parfois, enfin, certaines personnes ont tout simplement besoin de mettre du piquant dans leur vie. En effet, le secret enveloppant la relation illicite ajoute souvent à son attrait.

Qu'est-ce qui distingue les personnes qui ont des aventures extraconjugales de celles qui sont fidèles? Les études ont montré que ce sont surtout des caractéristiques liées à la personne qui sont en cause, plus que la qualité de la relation. Ainsi, les individus de 18 à 30 ans sont deux fois plus enclins à avoir une aventure que les gens de plus de 50 ans. Les hommes infidèles abusent plus de drogues récréatives et expriment davantage d'insatisfaction envers leur mariage que ceux qui sont fidèles. Une plus grande permissivité et un plus grand intérêt à l'égard des choses sexuelles sont aussi corrélés avec les aventures extraconjugales. Lorsqu'ils partagent la même attitude et le même niveau d'intérêt envers le sexe, la femme et l'homme sont autant susceptibles l'un que l'autre d'avoir des aventures extraconjugales. Ces observations vont à l'encontre de l'idée que les femmes sont moins portées à l'infidélité que les hommes et contredisent d'autres études qui ne tenaient pas compte des variables de l'attitude et de l'intérêt sexuels (Atkins et coll., 2005; Treas et Giesen, 2000).

Le travail et le milieu de vie y jouent aussi un rôle. Les personnes sont plus portées à l'infidélité si elles ont souvent l'occasion d'être en contact avec des partenaires potentiels, que ce soit au travail, lors de voyages à l'extérieur de la ville, ou simplement en vivant dans un milieu relativement anonyme comme dans une grande ville. La présence d'un plus grand nombre de femmes sur le marché du travail, parce qu'elles rencontrent plus de personnes, peut influer sur l'augmentation des aventures sexuelles. Le fait qu'une personne ait peu de liens ou d'activités avec les amis et la famille de son conjoint, ou qu'elle ne soit impliquée dans aucune communauté religieuse accroît les chances d'avoir des aventures extraconjugales (Ali et Miller, 2004).

Une étude sur les couples en thérapie conjugale a fait ressortir plusieurs différences entre les partenaires fidèles et infidèles. Les couples infidèles sont plus instables et moins honnêtes dans leur relation, ont des problèmes de confiance mutuelle, font preuve d'égocentrisme et passent plus de temps l'un sans l'autre (Atkins et coll., 2005). La principale question que soulèvent ces éléments négatifs est la suivante: qu'est-ce qui arrive en premier, l'insatisfaction ou l'infidélité? Il est tout à fait possible que l'insatisfaction soit la cause de l'infidélité et que l'infidélité soit la cause de l'insatisfaction. La personne qui a une aventure peut se comporter différemment envers son ou sa conjoint(e) parce qu'elle se sent coupable de comparer son mariage avec l'excitation d'une nouvelle relation amoureuse ou sexuelle.

La part d'Internet dans les infidélités

L'accès à Internet et à des sites Web spécialement destinés à ceux qui recherchent des aventures extraconjugales offre de nouvelles possibilités pour développer des relations intimes en dehors de la relation légitime (2004). Même une relation secrète par l'entremise de courriels peut acquérir une grande charge émotionnelle et amener les personnes à passer de l'échange de confidences à l'amour romantique (Teich, 2006).

Bien qu'une enquête indique que 41% des adultes (davantage d'hommes que de femmes) considèrent qu'une relation par Internet n'est pas une tricherie envers leur partenaire, la plupart des thérapeutes conjugaux disent avoir observé une augmentation significative du nombre de couples en crise qui viennent les consulter après que l'épouse a découvert une aventure ayant débuté sur Internet (Cooper, 2004; Ross, 2005). Si Internet facilite grandement la tâche de ceux qui recherchent une aventure extraconjugale,

Mariage ouvert Mariage dans lequel les deux conjoints, d'un commun accord, ont des contacts intimes entre eux et avec d'autres personnes.

il favorise aussi la découverte de celle-ci par le conjoint, la conjointe ou un employeur. Un complément d'information, en format vidéo, est disponible dans les séries Maux d'amour et Websexo.ca.

L'impact de l'adultère sur les personnes et le mariage

S'engager dans une aventure extraconjugale peut avoir de sérieuses conséquences pour ceux qui s'y adonnent, notamment une diminution de l'estime de soi, un profond sentiment de culpabilité, un stress occasionné par la nécessité de garder l'aventure secrète, des dommages à la réputation, la perte d'un amour et des complications dues aux infections transmises par le sexe et le sang (ITSS). La dynamique qu'exige le caractère secret de l'aventure affecte généralement la qualité de la relation du couple. Cacher et mentir (même par omission) détériore le lien entre les conjoints et rend l'intimité plus illusoire. Un sexothérapeute dit à ce propos : « L'infidélité consiste à enlever de l'énergie sexuelle sous toutes ses formes (pensées, sentiments et comportements) à une relation légitime et de façon nuisible, tout en prétendant que ce détournement d'énergie n'aura aucun effet ni sur le partenaire ni sur la relation tant et aussi longtemps que cela restera secret. Cacher ses sentiments affaiblit une relation, en compromet l'intégrité et demande à l'autre partenaire d'être responsable et sensible dans ses décisions » (J. Shaw, 1997, p. 27).

Les thérapeutes conjugaux diffèrent d'opinions quant à la nécessité d'avouer une aventure à son conjoint. Cependant, la recherche montre que les couples qui consultent un thérapeute conjugal à la suite d'un aveu ou de la découverte d'une aventure sexuelle retirent plus de bénéfices des rencontres que les couples qui consultent pour d'autres motifs. Toutefois, lorsqu'un des conjoints en thérapie conjugale maintient une aventure secrète, mais dont il a informé le ou la thérapeute, il y a moins de chances que le couple progresse en consultant. La recherche indique aussi qu'un mariage se porte mieux si la personne infidèle révèle son aventure à l'autre, plutôt que s'il la découvre (Aaronson, 2005).

Peu importe comment la personne trompée apprend l'infidélité de l'autre, elle se sent souvent anéantie. Diverses émotions peuvent l'habiter, comme le sentiment de ne pas avoir été correcte, le rejet, une colère extrême, du ressentiment, de la honte et de la jalousie. Les personnes divorcées attribuent souvent leur rupture à une aventure extraconjugale. Cela ne veut pas dire nécessairement que la découverte d'une infidélité met fin à un mariage ou en détériore complètement la qualité. Dans certains cas, une telle crise peut s'avérer bénéfique si elle motive le couple à rechercher les causes de la discorde dans la relation et à tenter d'y trouver une solution, un processus pouvant à la limite consolider le mariage (Kalb, 2006 ; Wiviott, 2001).

LA SEXUALITÉ DES PERSONNES ÂGÉES

Dans les derniers âges de la vie, la plupart des gens notent des changements dans le déroulement de leur réponse sexuelle (voir le chapitre 3). Certaines personnes comprennent et acceptent la nature de ces changements. D'autres en sont troublées. Une part importante des sentiments de confusion et de frustration vécus par les personnes âgées découle du discours dominant à l'effet que la sexualité n'existe pas (ou n'a pas sa place) quand on est vieux (Kellett, 2000).

Pourquoi le vieillissement est-il si souvent associé à l'asexualité ? Une partie de la réponse vient de la culture nord-américaine qui continue de croire que sexe égale procréation et qui proclame que les personnes âgées n'ont pas de besoins sexuels ni d'intérêt envers la sexualité. On qualifie d'*âgisme* l'attitude stéréotypée qui se traduit par le dégoût, le rejet et le malaise profond des jeunes adultes

et des adultes d'âge moyen envers d'autres personnes du fait de leur âge (Badeau et Bergeron, 1991, p. 20), surtout si celles-ci se montrent ouvertement sexuelles (Badeau et Bergeron, 1991). Les médias associent souvent sexualité, amour et romance à la jeunesse. Avec l'accroissement continu du nombre de personnes âgées dans nos sociétés, les publicités montrent plus souvent des personnes âgées radieuses et sensuelles (Jarrell, 2000). Et comme la génération dite de la « révolution sexuelle » fait aujourd'hui partie de la tranche des « aînés », la notion d'asexualité du troisième âge devient caduque (Kingsberg, 2002 ; Zilbergeld, 2001). La sexualité demeure présente à tout âge. Badeau et Bergeron se réfèrent à Pasini (1979) et écrivent au sujet de la sexualité des femmes âgées que « l'érotisme prend sa source dans l'imaginaire et dans la vie fantasmatique, lesquels ne sont nullement atténués par l'âge ».

Tableau 6.1	Pourcentage des adultes sexuellement actifs après 60 ans.	
	HOMMES	**FEMMES**
Sexagénaires sexuellement actifs	71%	51%
Septuagénaires sexuellement actifs	57%	30%
Octogénaires sexuellement actifs	25%	20%

Source : Dunn et Cutler, 2000.

LE DOUBLE STANDARD SEXUEL

Le double standard sexuel qui s'exerce envers les personnes âgées inflige des contraintes particulières aux femmes, tout comme c'est le cas dans les autres groupes d'âge. Même si la femme conserve ses capacités sexuelles tout au long de sa vie, la culture continue d'associer le fait d'être sexy à la jeunesse. La culture populaire représente le plus souvent la femme âgée soit comme une dame bienveillante qui prodigue de bons soins, soit comme une manipulatrice sans scrupules, rarement comme une personne ayant une vie sexuelle. En fait, la femme âgée est rare dans les médias. Les actrices de plus de 40 ans ne comptent que pour 9 % du total des rôles dans les films, contre 30 % pour les hommes du même groupe d'âge (Jeffery, 2006).

Chez les hommes, l'âge est souvent vu comme un facteur de séduction. Les cheveux gris et les rides sont fréquemment associés à la distinction et considérés comme des signes d'une grande expérience de vie et de sagesse. Ainsi, il est relativement commun d'associer l'augmentation du *sex appeal* chez les hommes à leur réussite et à leur statut social, bien que leur intérêt sexuel risque d'être vu négativement dans certains cas (Bergeron et Badeau, 1991). Pour les femmes qui réussissent dans leur vie professionnelle, c'est différent : on les perçoit comme une menace et elles risquent de perdre certains partenaires sexuels masculins.

Les couples réunissant un homme âgé influent et une jolie jeune femme reflètent ce double standard sexuel. Le mariage d'un homme de 55 ans avec une femme de 25 ans provoque moins de réactions que la situation inverse. Par ailleurs, une enquête a montré que 34 % des femmes de plus de 40 ans fréquentent des hommes plus jeunes qu'elles et qu'il y a maintenant plus de femmes qui épousent un homme plus jeune qu'elles qu'autrefois (Coontz, 2006 ; Mahoney, 2003).

Réagissant au double standard sexuel, l'écrivaine Susan Sontag propose un changement d'attitude :

> Les femmes ont une autre option. Elles peuvent chercher à développer leur intelligence plutôt qu'une belle apparence, à être compétentes plutôt qu'aidantes, à être fortes plutôt que simplement gracieuses, à être ambitieuses pour elles-mêmes plutôt qu'à travers leurs relations avec les hommes et les enfants. Elles peuvent accepter de vieillir sans honte et rejeter sans équivoque les conventions sociales du double standard. Au lieu d'être des filles et de le rester aussi longtemps que possible, jusqu'à ce que l'âge finisse par les humilier, elles peuvent devenir femmes plus tôt dans la vie et demeurer des adultes actives profitant de la longue vie érotique dont les femmes sont capables (Sontag, 1972, p. 38).

L'ACTIVITÉ SEXUELLE DURANT LE TROISIÈME ÂGE

Pour de nombreuses personnes âgées, la sexualité est essentielle à une vie riche et pleine. En fait, les recherches ont montré que, dans notre société, l'activité et l'intérêt sexuels s'intègrent naturellement au processus de vieillissement (Beckman et coll., 2006 ; Nusbaum et coll., 2005). Une enquête américaine nationalement représentative menée auprès d'hommes et de femmes de 60 ans et plus indique qu'environ la moitié d'entre eux sont « sexuellement actifs ». Dans cette enquête étaient considérées comme sexuellement actives les personnes s'adonnant à des rapports coïtaux-vaginaux, buccogénitaux, anaux ou à la masturbation au moins une fois par mois (Dunn et Cutler, 2000). Au Québec, une enquête menée auprès de 110 personnes âgées par les sexologues André Bergeron et Denise Badeau (1991), au milieu des années 1980, corrobore ces données.

Une étude portant sur la satisfaction sexuelle des femmes mariées de 50 ans et plus a révélé que leur satisfaction était corrélée, par ordre d'importance décroissant, à la satisfaction conjugale globale, à une plus grande fréquence orgasmique pour elles-mêmes et leur époux et à des rapports coïtaux et non coïtaux plus fréquents (Young et coll., 2000).

Toutefois, le nombre de personnes sexuellement actives diminue à chaque décennie d'âge, comme le montre le tableau 6.1. Bien des octogénaires demeurent sexuellement actifs tout en s'adaptant aux changements physiologiques normaux liés à l'avancée en âge (voir le chapitre 3) (Bergeron et Badeau, 1991 ; Budd, 1999).

De nombreuses personnes âgées ont des fréquentations. Selon une enquête, 22 % des hommes et 14 % des femmes se fréquentent principalement pour trouver quelqu'un avec qui se marier ou cohabiter (Kantrowitz, 2006). Les relations amicales non sexuelles avec des gens des deux sexes favorisent les gestes de tendresse, l'intimité affective, la stimulation intellectuelle et la socialisation (Jacoby, 1999). Un réseau d'amis aide à réduire la solitude et à maintenir un enthousiasme envers la vie (Potts, 1997). La recherche montre en général que les gens qui ont des amis proches, une sorte de « famille choisie », vivent plus longtemps que ceux qui n'ont que leur épouse et leurs enfants (Tyre, 2006).

L'activité sexuelle des personnes d'âge mûr est aussi confirmée, malencontreusement, par l'accroissement des cas d'infections au VIH et des cas de sida dans ce groupe d'âge (Yared, 2004). Environ 61 % des personnes âgées célibataires et sexuellement actives disent avoir des relations sexuelles non protégées (Kantrowitz, 2006) et 10 % des gens âgés de plus de 50 ans présentent un ou plusieurs facteurs de risque, mais peu d'entre eux auront recours à un test de dépistage. La majorité des professionnels de la santé ne font pas ce type de test chez les personnes âgées, mais plusieurs organismes de santé publique leur offrent des séances d'information sur les mesures à prendre pour avoir des rapports sexuels sans risque (Levy, 2001 ; McGinn et Skipp, 2002).

LES FACTEURS DE MAINTIEN DE L'ACTIVITÉ SEXUELLE

Les études de Kinsey et de son équipe (1948, 1953) ont fait ressortir une forte corrélation entre le niveau d'activité sexuelle au début de l'âge adulte et celui du troisième âge. D'autres recherches ont corroboré cette relation (Bretschneider et McCoy, 1988 ; Leiblum et Bachmann, 1988). Le maintien d'activités sexuelles tout au long de

la vie et une attitude positive envers la sexualité sont généralement garantes de la persistance du désir et de la réponse sexuelle (DeLamater et Sill, 2005).

Le plus important facteur influant sur l'activité sexuelle des personnes âgées est généralement la santé. Une santé défaillante ou la maladie agissent plus sur la sexualité que le vieillissement lui-même (Bergeron et Badeau, 1991). À long terme, la mauvaise santé d'une personne peut aussi limiter l'expression de la sexualité du ou de la partenaire (Vasconcellos et coll., 2006). Faire régulièrement de l'exercice, bien manger, maintenir un poids santé et consommer peu ou pas d'alcool contribuent à se garder en forme, en plus d'agir positivement sur le désir et la réponse sexuelle. Les personnes âgées développent souvent de nouvelles méthodes pour maintenir ou améliorer leur plaisir sexuel, malgré les changements physiologiques progressifs. Le sexe oral, les films sexuellement explicites, les fantasmes, les stimulations manuelles, l'usage d'un vibrateur sont autant de moyens qu'elles peuvent intégrer à leur vie sexuelle. En même temps que les contacts génitaux diminuent en fréquence, les activités non génitales telles que les baisers, les caresses, les étreintes gardent tout leur attrait, ou deviennent même plus fréquentes (Kellett, 2000). L'ouverture à de nouvelles expériences sexuelles et le développement de nouvelles stratégies avec un ou une partenaire complice jouent un rôle clé dans le maintien de la satisfaction sexuelle (Bachmann, 1991).

LES GAIS ET LES LESBIENNES ÂGÉS

Tous les adultes, quelle que soit leur orientation sexuelle, connaissent les difficultés du vieillissement, de même que ses bons côtés. Mais, pour les gais et les lesbiennes, cette étape de la vie présente certaines particularités. Le fait d'avoir vécu toute leur vie dans la stigmatisation les a peut-être mieux préparés que les hétérosexuels à vivre les changements qui accompagnent l'avancée en âge et à faire face aux pertes qui y sont liées (Altman, 1999). De plus, plusieurs gais et lesbiennes ont développé un plus grand réseau d'entraide et d'amis que les personnes hétérosexuelles (Alonzo, 2003 ; Nystrom et Jones, 2003).

Globalement, les études montrent que les gais et les lesbiennes âgés ont une vie qui les satisfait au moins autant, sinon davantage que les personnes du même groupe d'âge dans la population en général (Woolf, 2001). Selon une étude sur les gais âgés, le nombre de partenaires diminue avec le temps, mais l'activité

Le besoin d'affection et d'intimité sexuelle ne se dément pas durant le troisième âge, lequel est souvent propice au partage et au rapprochement.

sexuelle se maintient et 75 % des sujets se disent satisfaits de leur vie sexuelle courante. La plupart mentionnent qu'ils socialisent surtout avec des pairs du même âge. Cette socialisation ainsi que la présence d'un partenaire du même âge sont des aspects importants de leur satisfaction ; le marché sexuel des bars et des saunas, où la jeunesse et l'apparence physique sont les standards de désirabilité, s'avère d'ailleurs souvent inhospitalier pour les gais plus âgés (Berger, 1996).

En tant que groupe, les lesbiennes âgées bénéficient de certains avantages par rapport aux femmes hétérosexuelles. Selon la recherche, elles préfèrent les partenaires de leur âge (Daniluk, 1998). Aussi, en raison de la plus grande longévité féminine, une lesbienne âgée court moins de risques de devenir veuve. Et si la mort frappe, le bassin de partenaires disponibles n'est pas aussi restreint. Comme les femmes ont moins tendance que les hommes à rechercher la beauté physique, le double standard sexuel joue moins chez elles que chez les femmes hétérosexuelles (Berger, 1996).

LE DERNIER AMOUR

L'avancée en âge peut développer chez l'individu un sentiment de plénitude qui transcende les rôles limités et l'expérience de vie propres aux jeunes. L'intimité peut alors être l'occasion d'un partage des multiples dimensions de soi (Friedman, 1994 ; Wales et Todd, 2001).

Un thérapeute sexuel et conjugal explique :

> L'essence de l'intimité ne réside pas dans la maîtrise d'habiletés sexuelles particulières, mais dans la capacité de se connaître profondément et d'être connu autant par son ou sa partenaire. Si facile à dire mais si difficile à réaliser, cette capacité des partenaires du couple de se voir chacun tels qu'ils sont réellement, de voir à l'intérieur de l'autre pendant qu'ils ont une relation sexuelle, demande d'avoir assez de courage, d'intégrité et de maturité pour se regarder soi-même en face, et peut-être, ce qui est le plus angoissant, d'accepter que ce moi puisse se livrer entièrement au partenaire... L'érotisme adulte est davantage une question de maturité émotionnelle que de réponse physiologique. (Schnarch, 1993, p. 43)

Le vrai plaisir du «dernier amour» entre deux partenaires qui ont suffisamment partagé leur vie pour se connaître profondément l'un et l'autre peut, par comparaison, faire paraître bien terne le «premier amour» entre deux personnes (Schnarch, 1993). Comme le dit un proverbe turc : «Le premier amour vient de la terre, le dernier amour vient du paradis» (Koch-Straube, 1982).

LE VEUVAGE

Il peut arriver qu'un conjoint meure au début de l'âge adulte, mais c'est généralement durant le troisième âge que le veuvage se produit. Dans la plupart des cas, c'est l'homme qui décède en premier, une tendance qui n'a fait que s'accentuer au cours du xxᵉ siècle. Entre 1900 et la fin des années 1990, le rapport entre les veuves et les veufs a plus que doublé au pays (Statistique Canada, 2001, 2006).

L'adaptation au veuvage est un peu différent de l'adaptation au divorce. Les veufs et veuves n'ont généralement pas le sentiment d'avoir failli dans leur mariage. Leur chagrin peut être plus intense du fait de la qualité du lien émotif avec le conjoint décédé. Pour certaines personnes, ce lien est si fort que toute autre relation semble quelconque en comparaison. Toutefois, beaucoup de veufs et de veuves se remarient ; environ la moitié des veufs et le quart des veuves le font (Lown et Dolan, 1998).

RÉSUMÉ

LA SEXUALITÉ CHEZ LE NOURRISSON ET L'ENFANT

✳ Les nourrissons des deux sexes sont capables de plaisir et de réactions sexuels. On peut observer l'orgasme chez certains d'entre eux.

✳ L'autostimulation des organes génitaux n'est pas rare chez les garçons et les filles durant les deux premières années de la vie.

✳ Nos dispositions à donner et à recevoir de l'affection à l'âge adulte semblent conditionnées par le plaisir que nous avons tiré de nos contacts avec les autres dans l'enfance, spécialement avec nos parents.

✳ La masturbation est l'une des expressions sexuelles les plus courantes de l'enfance. Les réactions parentales peuvent être déterminantes pour le développement de la sexualité de l'enfant.

✳ Les jeux sexuels entre enfants peuvent avoir lieu dès l'âge de deux ou trois ans, mais ils sont plus fréquents entre cinq et sept ans.

✳ La séparation entre les sexes tend à s'accentuer vers l'âge de huit ou neuf ans. Toutefois, l'intérêt romantique pour l'autre sexe et la curiosité en matière sexuelle demeurent très élevés durant cette phase du développement.

✳ La période de 10 à 11 ans est marquée par un vif intérêt pour les modifications corporelles, la séparation entre les sexes et l'incidence d'expériences homoérotiques.

LA SEXUALITÉ À L'ADOLESCENCE

✳ La puberté englobe les changements physiques résultant de l'accroissement de la quantité d'hormones dans l'organisme. Ces changements comprennent la maturation des organes génitaux, laquelle marque le début des menstruations chez les filles et de l'éjaculation chez les garçons.

✳ Aujourd'hui, les relations sexuelles entre adolescents sont plus susceptibles d'avoir lieu à l'intérieur d'une relation suivie qu'à l'époque de l'enquête Kinsey.

✳ Le pourcentage d'adolescents et d'adolescentes qui se masturbent s'accroît entre 13 et 19 ans.

✳ Les jeux sexuels sont une forme d'expression courante chez les jeunes.

✳ Plusieurs raisons amènent certains jeunes à avoir très tôt des relations sexuelles coïtales.

✳ Les relations homosexuelles qui ont lieu durant l'adolescence peuvent être de simples expériences ou l'expression d'une orientation sexuelle permanente.

✳ Le taux de grossesse chez les adolescentes canadiennes est d'environ la moitié de celui des Américaines, qui un des plus élevés du monde.

✳ Le nombre d'adolescents qui n'utilisent pas le condom est encore élevé et plusieurs adolescentes n'utilisent aucun moyen contraceptif.

✳ Le faible taux d'utilisation des moyens contraceptifs chez les adolescents est lié à plusieurs facteurs : la crainte de l'examen pelvien, la gêne d'avoir à demander ou à acheter des moyens de contraception et le désir de confidentialité.

LA SEXUALITÉ À L'ÂGE ADULTE

✳ Le célibat est souvent considéré comme une période transitoire avant ou après le mariage, mais c'est aussi un choix de vie pour de nombreuses personnes.

✳ La proportion d'hommes et de femmes dans la vingtaine qui ne se sont jamais mariés a augmenté spectaculairement depuis les années 1970.

✳ En 2006, 19 % des 15 ans et plus vivaient en union de fait (union libre) au Québec. Il semble que le risque de rupture conjugale soit plus élevé chez les gens ayant vécu en union de fait avant de se marier que chez les couples qui se sont immédiatement mariés. On ne peut cependant pas expliquer cette corrélation.

✳ Dans notre société, l'idéal conjugal est une relation permanente, sexuellement exclusive et reconnue par la loi entre deux adultes hétérosexuels.

✳ Les couples mariés adoptent aujourd'hui une plus grande variété de comportements sexuels qu'auparavant.

LA SEXUALITÉ DES PERSONNES ÂGÉES

* Les rapports sexuels peuvent s'améliorer durant le troisième âge, car les personnes se préoccupent davantage de l'intimité et redéfinissent leurs relations affectives et sexuelles. La bonne forme physique et l'exercice aident à maintenir le fonctionnement et la satisfaction sexuels.

* La façon d'exprimer sa sexualité change durant le troisième âge. De plus, de nombreux individus se retrouvent sans partenaire sexuel. La masturbation peut alors être une solution de rechange.

CHAPITRE 7

Les conduites sexuelles

*L*es gens expriment leur sexualité de nombreuses façons. Les émotions et le sens qu'ils rattachent au comportement sexuel varient aussi grandement. Dans ce chapitre, nous soulignerons l'importance du contexte dans l'expression de la sexualité et nous analyserons divers comportements sexuels. Nous examinerons d'abord les comportements sexuels sur le plan individuel, puis en couple. Commençons par l'expression de la sexualité en contexte d'abstinence.

L'ABSTINENCE

On qualifie d'abstinentes les personnes physiquement matures qui renoncent aux rapports sexuels ou ne peuvent en avoir (isolement, absence de partenaires, maladies, etc.). L'abstinence peut leur sembler une solution viable en attendant un contexte propice à une relation sexuelle. En règle générale, on n'a pas tendance à considérer l'abstinence comme une forme d'expression sexuelle. Toutefois, quand elle résulte de la décision délibérée de se refuser à tout comportement sexuel, elle est en soi une manifestation personnelle de sexualité. Il y a deux degrés d'abstinence. Dans l'**abstinence sexuelle complète**, la personne ne se livre ni à la masturbation ni au contact sexuel avec une autre personne. Dans l'**abstinence sexuelle partielle**, l'individu se masturbe, mais n'a pas de contact sexuel interpersonnel.

L'abstinence est généralement associée à la ferveur religieuse ; faire partie d'un ordre religieux ou être prêtre demande souvent de faire vœu de chasteté. L'idéal religieux du célibat est de transformer l'énergie sexuelle en énergie au service de l'humanité (Abbott, 2000). Mère Teresa de Calcutta et le Mahatma Gandhi de l'Inde ont incarné cet idéal et ils sont toujours admirés pour leur leadership moral (Sipe, 1990).

Historiquement, des femmes ont choisi le célibat pour éviter les contraintes de la maternité et d'être assujetties au mariage. Au Moyen Âge, une femme qui voulait recevoir une éducation devenait religieuse. Dans les couvents, les sœurs avaient accès à une bibliothèque et pouvaient correspondre avec des théologiens instruits. Les femmes mariées étaient privées de certains privilèges. Élisabeth 1re, dite « la reine vierge » d'Angleterre, a évité de se marier afin de pouvoir conserver son pouvoir politique, mais a eu plusieurs relations amoureuses non coïtales pendant son règne. Elle faisait elle-même vérifier périodiquement sa virginité par des gens de la cour (Abbott, 2000).

Aujourd'hui, bien des considérations peuvent amener des personnes à choisir l'abstinence. Ainsi, on peut vouloir pratiquer l'abstinence jusqu'au mariage pour des motifs moraux ou religieux. D'autres personnes, que des relations sexuelles ont pu troubler ou décevoir, désireront prendre le temps d'établir de nouvelles relations sans que le facteur sexuel vienne brouiller les cartes (Elliott et Brantley, 1997).

Parfois, des personnes sont tellement prises par d'autres aspects de leur vie que la sexualité devient secondaire pour elles. Des considérations liées à la santé, comme la crainte d'une grossesse ou des infections transmissibles par le sexe et par le sang (ITSS), peuvent aussi influer sur la décision de ne pas avoir de relations sexuelles.

Certaines personnes trouvent enrichissant d'avoir des périodes d'abstinence. Elles peuvent alors en profiter pour se recentrer sur elles-mêmes et explorer des plaisirs personnels, apprendre à apprécier la solitude, l'autonomie et l'intimité, ou accorder la priorité au travail et aux relations interpersonnelles sans échange sexuel. L'amitié peut apporter de nouvelles dimensions à l'accomplissement personnel. En tant que choix possible d'expression de la sexualité, l'abstinence est souvent très mal comprise. Cependant, elle demeure un choix personnel valable.

Abstinence sexuelle complète Renonciation complète à l'activité sexuelle ; la personne ne se masturbe pas et n'a aucun contact sexuel avec une autre personne.

Abstinence sexuelle partielle Renonciation partielle à l'activité sexuelle ; la personne n'a aucun contact sexuel avec une autre, mais elle se masturbe.

LES RÊVES ÉROTIQUES ET LES FANTASMES

Certaines expériences sexuelles se passent dans l'esprit, accompagnées ou non de comportements sexuels. Les rêves érotiques et les fantasmes sont ces créations mentales, fruits de notre imaginaire ou d'expériences de vie, ou suscitées par des livres, des dessins, des photographies ou des films.

LES RÊVES ÉROTIQUES

Les rêves érotiques, et à l'occasion l'orgasme, peuvent se produire durant le sommeil, indépendamment de la volonté. Une étude de Schredl et de ses collaborateurs rapporte que 93 % des hommes et 86 % des femmes ont des rêves érotiques (2004). Une personne peut s'éveiller durant un rêve érotique et noter des signes d'excitation : érection, lubrification vaginale, mouvements du bassin. Un orgasme peut aussi survenir pendant le sommeil : on parle alors d'un orgasme nocturne. Celui-ci s'accompagne habituellement d'une éjaculation, d'où l'expression *rêve mouillé* ou *éjaculation nocturne*. Les femmes ont aussi des orgasmes nocturnes, mais ils sont moins faciles à identifier en raison de l'absence de signes clairs. Les femmes qui ont tendance à avoir plus d'orgasmes nocturnes ont aussi une plus grande fréquence de relations sexuelles et se masturbent plus souvent que celles ayant moins d'orgasmes nocturnes (Wells, 1983).

LES FANTASMES

Les fantasmes érotiques se produisent généralement durant un rêve éveillé, la masturbation ou une activité sexuelle avec une autre personne. Selon des résultats de recherche, environ 95 % des hommes et des femmes ont des fantasmes sexuels (Leitenberg et Henning, 1995). La teneur de ces fantasmes est extrêmement variée, allant de vagues images romantiques à des représentations crues d'expériences imaginaires ou passées. La vie fantasmatique ne semble pas différer selon l'orientation sexuelle, sauf en ce qui a trait au sexe du partenaire imaginé (Leitenberg et Henning, 1995).

LE RÔLE DES FANTASMES

Les fantasmes érotiques sont des productions mentales à contenu sexuel explicite ou symbolique. Cette faculté qu'a l'humain de se représenter mentalement des désirs érotiques fait de l'imaginaire une véritable zone érogène (Crépault et Samson, 1999). Les fantasmes érotiques, de même que les fantaisies et les rêves, ont plusieurs fonctions. D'abord, ils contribuent à l'éveil et à l'activation de l'excitation érotique ; ils permettent l'évacuation partielle des désirs irréalisés et irréalisables ; ils peuvent combler certains besoins psychoaffectifs conscients ou non tels que les besoins de valorisation de soi, de dépendance, de consolidation de l'identité sexuelle, de sécurité. Les fantasmes érotiques se prêtent bien aussi aux usages défensifs, car ils permettent de combler un vide, de surmonter l'ennui ou une expérience sexuelle traumatisante (Crépault et Samson, 1999). Ainsi, par ses fantasmes, la personne peut se donner l'illusion d'être aimée et désirée, d'avoir beaucoup de charme ou de *sex-appeal*. En imaginant des regards séducteurs, un premier baiser ou une nouvelle position coïtale, certaines personnes seront peut-être plus à l'aise quand viendra le temps d'en faire réellement l'expérience (Leitenberg et Henning, 1995). Les fantasmes érotiques servent également à se préparer à de nouvelles expériences sexuelles.

Les fantasmes sexuels permettent à des « désirs interdits » de s'exprimer. Le côté « interdit » peut d'ailleurs rendre un fantasme plus excitant. Les gens qui entretiennent des relations sexuelles exclusives peuvent ainsi fantasmer sur leurs anciens amants ou d'autres personnes qui les attirent en demeurant fidèles à leur partenaire. Les fantasmes ayant trait aux « désirs défendus » sont nombreux : une personne peut s'imaginer avoir des relations sexuelles lascives en groupe, avec une personne d'un autre sexe que d'habitude, avec un étranger, des amis ou des connaissances, un membre de la famille et même avec des animaux, sans que cela porte à conséquence.

Lorsque les fantasmes surviennent durant une relation sexuelle, certains sont convergents avec ce qui est en train de se produire mais d'autres en sont complètement dissociés. Ces fantasmes divergents demandent plus d'efforts mentaux. Celui ou celle qui s'y livre est beaucoup moins disponible sensuellement parlant, car ces fantasmes entravent les sensations corporelles. L'activité fantasmatique devient alors le seul soutien à l'excitation sexuelle. Elle se substitue complètement aux sensations corporelles, ce qui peut conduire à des dysfonctions sexuelles (Crépault et Samson, 1999).

Une autre fonction des fantasmes est d'aider à se libérer des attentes liées aux rôles masculins et féminins. Le fantasme féminin d'être une agresseure sexuelle et le fantasme masculin d'être forcé à avoir du sexe vont à contre-courant des stéréotypes sexuels. Dans son premier livre sur les fantasmes masculins, Nancy Friday mentionne qu'un des principaux thèmes est l'abdication masculine du contrôle en faveur de la passivité.

> Cela peut sembler érotisant et stimulant d'être celui qui choisit la femme, qui décide quand, où et comment cela se passera. Mais son rôle à elle n'est-il pas moins risqué ? L'homme est comme celui qui recommande un nouveau restaurant à des amis. Qu'arrive-t-il s'il n'est pas à la hauteur des attentes qu'il a suscitées ? Le rôle macho est d'être l'as de la performance. Le coût caché est de mettre la femme dans le rôle de critique. (Friday, 1980, p. 274)

La recherche montre que près de deux fois plus de femmes que d'hommes ont le fantasme d'être forcées à avoir du sexe (Knafo et Jaffe, 1984 ; Maltz et Boss, 1997). Ce fantasme n'a pas la même signification chez les deux sexes. Pour les femmes qui ont reçu des messages ambigus sur leur nature sexuelle, ce genre de fantasme est une façon de se déresponsabiliser d'avoir une aventure sexuelle et de ne pas se sentir coupables. Selon une étude, les femmes disant avoir le fantasme d'être forcées à avoir du sexe ont en général des sentiments plus positifs envers leur partenaire que celles n'ayant pas ce genre de fantasme. La recherche a aussi établi que ce type de fantasme n'est pas le signe d'un passé d'abus sexuel. Il est important de souligner qu'il ne signifie pas que la femme veut être violée (Gold et coll., 1991). Une femme est responsable de ses fantasmes, mais une victime d'agression n'est pas en situation de contrôle ; donc, elle n'a aucune responsabilité dans ce cas.

LES DIFFÉRENCES ET LES SIMILARITÉS ENTRE LES FANTASMES SEXUELS MASCULINS ET FÉMININS

Les situations qui vous portent à fantasmer sont de type masculin ou féminin ? Lisez les deux descriptions qui suivent et identifiez celle qui vous incite le plus au fantasme.

A) Pour des raisons obscures, vous vous retrouvez soudain seul(e) dans un lieu paradisiaque. Vous découvrez que cet endroit est habité par des gens qui font de vous leur chef suprême. Vous obtenez alors tous les pouvoirs, plus rien ne vous est interdit. Dans ces conditions, imaginez une mise en scène érotique qui serait la plus stimulante pour vous, celle qui réunit les composantes susceptibles de vous apporter le maximum de plaisir.

ou

B) Seul(e) depuis longtemps, vous êtes en voyage ; la soirée est douce, la musique et les odeurs sont enveloppantes. Vous avez besoin de vous retrouver, de ne plus faire de compromis. L'autre danse ; son corps est souple et ferme. Son regard est imprégné du désir de vous, presque douloureux : une émotion d'intensité, une invitation au plaisir. Des souvenirs de moments passés particulièrement érotiques cherchent à occuper votre esprit, vos sens. Et si...

Cet exercice tiré d'un cours de formation en sexologie fait ressortir des particularités de l'homme et de la femme. La première situation inspire plus d'hommes que de femmes, et la seconde plus de femmes que d'hommes. Et vous, laquelle avez-vous choisie ?

La vie fantasmatique des hommes et celle des femmes ont certains aspects communs. Premièrement, la fréquence des fantasmes est semblable chez les deux sexes durant l'activité sexuelle avec une autre personne (Leitenberg et Henning, 1995). Deuxièmement, les sujets de fantasmes sont aussi diversifiés. Un rapport de recherche portant sur le contenu des fantasmes sexuels fait toutefois ressortir certaines différences (Crépault et Samson, 1999 ; Leitenberg et Henning, 1995 ; Pasini et Crépault, 1987).

* Les hommes ont plus de fantasmes érotiques en dehors des activités sexuelles que les femmes. Cette différence semble être liée à leur plus grande habileté à codifier érotiquement les stimulations sexuelles, peut-être parce qu'ils ont appris, au cours du processus de socialisation, à être plus audacieux et moins inhibés que les femmes. Cela peut aussi être lié à l'influence hormonale, comme le laisse voir la diminution des fantasmes avec l'avancée en âge chez plusieurs.

* Les fantasmes des femmes portent généralement sur ce que l'autre va leur faire et sur l'intérêt que leur

propre corps suscite chez leur partenaire, tandis que ceux des hommes sont souvent plus actifs et portent davantage sur le corps de la femme et sur ce qu'ils voudraient lui faire.

* La majorité des hommes et des femmes disent avoir occasionnellement des fantasmes érotiques lors des activités sexuelles. Toutefois, un certain nombre d'hommes sont incapables d'évaluer la fréquence des fantasmes chez leur partenaire alors que les femmes y parviennent très aisément.

* Les hommes commencent à fantasmer à l'adolescence, souvent durant des activités de masturbation, tandis que les femmes débutent plus tardivement.

* Chez les femmes, les fantasmes sont plus fréquents en phase préorgasmique, alors qu'ils surviennent à n'importe quel moment de l'activité sexuelle chez les hommes.

* Au début de la relation sexuelle, chez les hommes comme chez les femmes, les fantasmes présentent à l'esprit des scènes qui pourraient se passer dans la réalité, mais plus l'excitation progresse, plus les inhibitions se relâchent, ce qui permet la transgression d'interdits moraux ou sociaux.

* Quatre hommes sur cinq déclarent avoir recours, au moins à l'occasion, à des fantasmes lors de leurs activités sexuelles avec leur conjointe actuelle, tandis que les femmes sont moins d'une sur deux à le faire.

* Les quatre fantasmes les plus fréquents chez les deux sexes sont d'être avec un ou une autre partenaire, de revivre une relation sexuelle antérieure, de revoir des scènes tirées de films érotiques ou pornographiques et d'avoir une relation buccogénitale. Les autres fantasmes récurrents chez les hommes sont dans l'ordre : se représenter une partie du corps féminin, avoir des activités sexuelles avec une femme très séduisante, être avec plusieurs femmes à la fois, éjaculer dans la bouche d'une femme et être séduit par une femme. Chez les femmes, il s'agit plutôt de scènes tendres et romantiques, d'être séduites, d'être désirées par plusieurs hommes à la fois, de regarder les autres faire l'amour et d'être soumises à un homme.

* Les femmes accordent une grande importance à la dimension affective et aux aspects relationnels, alors que les hommes ont des fantasmes qui mettent en scène des actes sexuels plus explicites.

* Les hommes s'abandonnent généralement davantage à des fantasmes de domination, tandis que les femmes ont un penchant pour les fantasmes où elles se déresponsabilisent du plaisir, c'est-à-dire ceux où elles vont être soumises à la volonté de l'autre.

* Les fantasmes sexuels des hommes se concentrent sur les actes sexuels explicites, les corps nus et le plaisir sexuel, tandis que ceux des femmes sont à plus forte teneur affective et romantique.

* Les hommes, davantage que les femmes, ont des fantasmes impliquant plusieurs partenaires sexuels.

La fréquence du fantasme d'être contraint ou de contraindre à l'acte sexuel diffère grandement selon le sexe. Bien que ce genre de fantasme puisse en quelque sorte constituer un renversement des rôles sexuels, il est généralement le reflet magnifié des stéréotypes sociaux voulant que l'homme soit actif et la femme passive. Il est important de savoir toutefois que le fait d'avoir des fantasmes sexuels de soumission ne signifie aucunement que la femme désire être violée (Gold et coll., 1991). En effet, dans le fantasme, la femme écrit le scénario et contrôle ce qui lui arrive, ce qui n'est pas le cas de la victime d'une agression sexuelle.

Selon Crépault (1998), les femmes qui ont une vie fantasmatique riche sont plus scolarisées, ont commencé à se masturber au cours de l'enfance et continuent à le faire régulièrement ; elles parviennent relativement bien à l'orgasme lors d'une relation sexuelle et, de manière générale, elles disent avoir une vie sexuelle satisfaisante.

LES FANTASMES : UTILES OU NUISIBLES ?

On considère généralement les fantasmes érotiques comme des aspects sains et utiles de la sexualité. La plupart des gens trouvent leurs fantasmes sexuels agréables et excitants (Leitenberg et Henning, 1995). De nombreux sexothérapeutes incitent leurs clients à recourir à des fantasmes sexuels pour stimuler leur intérêt et accroître leur excitation. Cette recommandation professionnelle a souvent pour effet de déculpabiliser les gens à l'égard de leur vie sexuelle, ce qui est extrêmement bénéfique pour la capacité à s'abandonner. Les personnes souffrant d'un manque de désir sexuel ou éprouvant des difficultés à maintenir leur degré d'excitation sont souvent dépourvues d'imaginaire érotique (Boss et Maltz, 2001). Plus les gens se sentent coupables par rapport à la sexualité, moins ils sont excités par les fantasmes sexuels (Follingstad et Kimbrell, 1986). Ceux qui se sentent peu coupables d'avoir des fantasmes durant leurs relations sexuelles en ont davantage. Leur degré de satisfaction et de performance sexuelle est plus élevé ; ils atteignent plus facilement l'orgasme et ils sont généralement plus actifs au cours des relations sexuelles (Crépault et Samson, 1999 ; Cado et Leitenberg, 1990).

Bien que la plupart des rapports de recherche indiquent que l'imaginaire érotique joue un rôle positif, certains fantasmes sont parfois associés à des relations sexuelles pauvres et à d'autres problèmes (Perel, 2003). Ainsi, des hommes ont de la difficulté à atteindre l'orgasme parce que les fantasmes dont ils ont besoin pour parvenir à un niveau élevé d'excitation sont discordants par rapport au comportement sexuel de leur partenaire (Perleman, 2001). Les fantasmes durant le rapport sexuel pourraient aussi éroder la confiance entre les partenaires et l'intimité de la relation. D'ailleurs, les résultats d'une étude indiquent qu'en ce qui a trait à l'interprétation des fantasmes sexuels de leur partenaire, les étudiants et les étudiantes appliquaient allègrement la politique du deux poids, deux mesures. En effet, les participants des deux sexes considéraient comme « normaux » et sans conséquence pour l'exclusivité de leur relation les fantasmes qu'ils nourrissaient envers une personne autre que leur partenaire. Le type de fantasmes qu'ils jugeaient le plus menaçant étaient ceux que leur partenaire entretiennent à l'égard d'un ami commun ou d'un autre étudiant plutôt que sur un improbable rival comme une vedette du cinéma (Yarab et Allgeier, 1998).

Les abus sexuels subis pendant l'enfance s'accompagnent parfois chez l'adulte de fantasmes sexuels envahissants et indésirables. Parvenir à développer de nouveaux fantasmes sexuels basés sur l'acceptation de soi et l'amour peut alors s'inscrire dans une démarche thérapeutique (Boss et Maltz, 2001).

Comme pour la plupart des autres aspects de la sexualité, ce qui fait qu'un fantasme est profitable ou nuisible à la relation dépend de sa signification et des objectifs poursuivis par les partenaires. Il y a des personnes qui décident d'intégrer concrètement un fantasme particulier dans leur relation sexuelle avec un ou une partenaire. Vivre un fantasme peut être une source de plaisir ; par contre, si cela rend l'autre mal à l'aise ou va à l'encontre de son système de valeurs, les conséquences peuvent être négatives. Chacun doit soupeser les avantages et les inconvénients qu'il y a à concrétiser ainsi ses fantasmes. Pour certaines personnes, les fantasmes sont plus excitants lorsqu'ils demeurent imaginaires.

Plusieurs technologies et activités liées à Internet offrent un compromis entre les fantasmes privés et leur réalisation. Le partage et la communication de ses fantasmes sexuels sur Internet — à l'occasion de clavardages, de jeux érotiques multijoueurs ou à l'aide d'une caméra Web — nécessitent de se dévoiler à des étrangers. Chose intéressante, le fait de parler de ses fantasmes en ligne avec des étrangers peut amener certains individus à les faire connaître à leur partenaire réel, ce qu'ils n'osaient pas faire auparavant.

La plupart des gens font la différence entre le monde des fantasmes et le monde réel, de sorte qu'ils s'abstiennent de réaliser des fantasmes pouvant leur être dommageables ou susceptibles de nuire aux autres. Il arrive cependant que le fantasme incite une personne à agir d'une façon dangereuse pour les autres. C'est notamment le cas des agresseurs sexuels. Les personnes qui se croient capables de commettre de tels actes devraient demander de l'aide psychologique professionnelle.

LA MASTURBATION

Le mot **masturbation** décrit l'autostimulation des parties génitales pour obtenir du plaisir sexuel. *Autoérotisme* est un autre terme pour désigner la masturbation. Nous exposerons quelques points de vue sur la masturbation, puis nous en donnerons les buts et expliquerons certaines techniques d'autostimulation.

Masturbation Stimulation de ses parties génitales dans le but d'obtenir du plaisir sexuel.

DES POINTS DE VUE SUR LA MASTURBATION

Durant toute l'histoire judéo-chrétienne, la masturbation a été source d'opprobre et objet de censure. Voilà qui explique les faussetés qui circulent toujours à son sujet, de même que la honte et la crainte considérables qu'elle suscite chez beaucoup d'individus. Plusieurs des attitudes négatives par rapport à la masturbation sont attribuables aux vieilles conceptions du judaïsme et du christianisme selon lesquelles la procréation est l'unique fin légitime de la sexualité. Comme la masturbation n'occasionne manifestement pas la conception, on la condamna (Weisner-Hanks, 2000). Au milieu du XVIIIᵉ siècle, surtout sous la plume d'un médecin européen nommé Samuel Tissot, les « fléaux » de la masturbation défrayèrent la chronique scientifique. Pendant des générations, cette vue négative modela les attitudes sociales et médicales en Europe et en Amérique du Nord, comme en témoigne l'extrait suivant tiré d'une « encyclopédie » médicale datant de 1918, où les « symptômes » de la masturbation sont décrits en ces termes :

> La santé se détériore rapidement de façon notoire ; le patient souffrira de débilité générale, d'un ralentissement de la croissance, de faiblesse des membres inférieurs, de nervosité et de tremblements des mains, d'une perte de mémoire, d'une inaptitude à l'étude ou à l'apprentissage, d'un état d'agitation, de faiblesse des yeux et de troubles de vision, de maux de tête et d'incapacité à dormir ou à s'éveiller. Puis viennent les douleurs aux yeux, la cécité, la stupidité, la phtisie, l'affection rachidienne, l'amaigrissement, l'éjaculation involontaire, la perte de tout énergie ou entrain, la folie et l'idiotie — bref l'inéluctable naufrage du corps et de l'esprit. (Wood et Ruddock, 1918, p. 812)

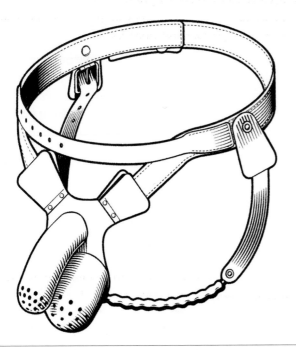

Ce fourreau métallique à serrure, muni de courroies en cuir, a été homologué en 1910. Il était conçu pour empêcher les patients des hôpitaux psychiatriques de se masturber.

Dans les années 1800, on considérait l'abstinence sexuelle, les aliments simples et la bonne forme physique comme les composantes essentielles de la santé. Le révérend Sylvester Graham, qui faisait la promotion des farines de grains entiers et dont le nom demeure associé à une marque de biscuits, écrivait que l'éjaculation disséminait de « précieuses substances vitales ». Il conjurait les hommes de renoncer à la masturbation et même aux rapports conjugaux de façon à éviter la dégénérescence morale et physique. John Harvey Kellogg, médecin, poussa plus loin les enseignements de Graham et créa les flocons de maïs qui devaient être un remède contre la masturbation et le désir sexuel (Money, 1983). On recommandait par ailleurs d'autres techniques de contrôle de la masturbation qui consistaient à s'envelopper les parties génitales dans des bandages, à s'attacher les mains durant la nuit, à pratiquer la clitoridectomie, à enduire le clitoris de phénol et à suturer le prépuce ; on proposait également des dispositifs mécaniques (Planned Parenthood Federation of America, 2003a).

Freud et la plupart des premiers psychanalystes ont reconnu que la masturbation n'était pas dommageable à la santé physique et ils la considéraient comme normale durant l'enfance. Toutefois, ils croyaient qu'elle pouvait mener chez l'adulte à un développement sexuel « immature » et à l'inhabileté à établir de bonnes relations sexuelles. Pour Krafft-Ebing, médecin de la même époque et auteur du manuel *Psycopathia Sexualis*, une des premières classifications modernes des déviances sexuelles, la masturbation était la cause de la plupart des maux qui accablent l'humanité (Brecher, 1969). Les recherches indiquent que la masturbation n'est ni bénéfique ni dommageable à l'adaptation sexuelle du jeune adulte (Leitenberg et coll., 1993).

Les opinions contemporaines sur la masturbation demeurent contradictoires et la condamnation traditionnelle est encore en vigueur. En 1976, le Vatican a émis sa *Déclaration sur certaines questions d'éthique sexuelle* dans laquelle la masturbation est décrite comme un acte intrinsèquement et profondément immoral. Cette opinion a été réitérée en 1993 par le pape Jean-Paul II qui a condamné la masturbation en la qualifiant de moralement inacceptable. Bon nombre de chrétiens fondamentalistes partagent cette opinion et renoncent à la masturbation.

> Je ne me masturbe pas, parce je tiens de l'Église et de mes parents que l'amour sexuel dans le mariage est une manifestation de l'amour de Dieu. Toute autre forme de sexualité réduit le sens que j'y trouverai avec mon épouse. (Notes des auteurs)

La condamnation de la masturbation se retrouve même dans les politiques publiques. Par contre, plusieurs voient la masturbation comme un aspect positif et sain de la sexualité. Betty Dodson, par exemple, écrit dans *Libération de la masturbation* : « La masturbation, en fait, est notre première activité sexuelle naturelle. C'est par elle que nous découvrons l'érotisme, que nous apprenons à répondre sexuellement, que nous apprenons à nous aimer nous-mêmes et à construire notre estime de soi » (Dodson, 1974, p. 13).

LES BUTS DE LA MASTURBATION

Les gens se masturbent pour diverses raisons, parmi lesquelles l'excitation et l'orgasme occuperont toujours une place importante. Les gens y voient le plus souvent un moyen de relâcher la tension sexuelle (Michael et coll., 1994). La masturbation est aussi un moyen de mieux se connaître. L'éducatrice sexuelle Eleanor Hamilton recommande la masturbation aux adolescents pour relâcher la tension et être « à l'aise avec leurs organes sexuels » (1978, p. 33). De fait, les gens peuvent en apprendre énormément sur leurs réactions sexuelles par la masturbation. L'autostimulation est souvent d'une grande aide pour les femmes qui apprennent à atteindre l'orgasme et pour les hommes qui veulent expérimenter des façons d'augmenter leur contrôle éjaculatoire. (Nous présenterons la masturbation en tant que moyen d'augmenter la satisfaction sexuelle au chapitre 10). Enfin, plusieurs personnes trouvent que la masturbation les aide à s'endormir le soir, car elle leur procure le même sentiment de relaxation qu'une relation sexuelle (Ellison, 2000).

La satisfaction tirée d'une séance d'autoérotisme est parfois plus grande que celle que procure une relation sexuelle interpersonnelle, comme en témoigne ce qui suit :

J'avais toujours considéré la masturbation comme une manifestation sexuelle de second ordre. Jusqu'au jour où, en comparant mon agréable expérience de masturbation matinale avec l'échange sexuel peu satisfaisant que j'avais eu en soirée avec un partenaire, je compris que ce genre de jugement est très relatif. (Notes des auteurs)

Certaines personnes considèrent que la détente sexuelle distincte que leur offre la masturbation peut les aider à prendre de meilleures décisions concernant leurs rapports sexuels avec d'autres. De même, dans une rela-

Question d'analyse critique

Selon vous, qu'est-ce que les parents devraient dire à leurs enfants à propos de la masturbation ?

tion, la masturbation peut aider à niveler les effets d'un intérêt sexuel divergent. Elle peut être une expérience partagée :

Lorsque, contrairement à moi, mon partenaire n'a pas envie de faire l'amour, il me prend dans ses bras et m'embrasse pendant que je me masturbe. Aussi parfois, après avoir fait l'amour, j'ai envie de me caresser pendant qu'il m'étreint. C'est tellement meilleur que de se faufiler en solitaire vers la salle de bains. (Notes des auteurs)

Les gens qui s'adonnent à la masturbation craignent souvent de « le faire trop ». Le tableau 7.1 présente la fréquence masturbatoire d'étudiants d'universités. Chez les étudiants, 92 % des garçons déclarent s'être déjà masturbés au moins une fois et le pourcentage chez les filles est de 72 % (Hyde et coll., 2006). Même dans les écrits qualifiant la masturbation de « normale », la masturbation excessive est souvent présentée comme malsaine. Mais on définit rarement ce qu'on entend par « excessive ». Si une personne se masturbait au point que cela nuirait à un aspect quelconque de sa vie, il y aurait probablement lieu de s'inquiéter. Toutefois, la masturbation serait alors le symptôme ou le signe d'un problème plutôt que le problème lui-même. Par exemple, quelqu'un qui éprouverait une très grande angoisse pourrait se masturber dans l'espoir de trouver le calme et le réconfort. Le problème dans ce cas en serait un d'intense anxiété émotionnelle — pas de masturbation.

Tableau 7.1 | **Deux mille étudiants d'universités répondent à la question « À quelle fréquence vous masturbez-vous ? ».** (Pourcentages exprimés aux deux extrémités de l'échelle seulement)

	HOMMES	FEMMES
Deux ou trois fois par semaine	50 %	16 %
Jamais	12 %	40 %

Source : Elliott et Brantley, 1997.

La plupart des hommes et des femmes, en couple ou non, se masturbent à l'occasion. C'est à partir de la vingtaine que les femmes ont tendance à le faire davantage. Kinsey croyait que cela pouvait être attribuable à leur plus grande sensibilité érotique, à l'apprentissage des possibilités de l'autostimulation à travers les jeux sexuels avec un partenaire et à la diminution des inhibitions sexuelles.

Il est courant que les gens continuent à se masturber une fois mariés. En fait, les individus dont les activités sexuelles avec un partenaire sont les plus fréquentes sont aussi ceux qui se masturbent le plus souvent (Laumann et coll., 1994). Toutefois, on considère souvent que la masturbation est inappropriée dans le cas des personnes qui ont un partenaire sexuel. Certains croient qu'elles ne devraient pas s'engager dans une activité sexuelle à laquelle le partenaire ne participerait pas ou que le plaisir sexuel qu'elles tirent de la masturbation prive en quelque sorte l'autre d'un plaisir. D'autres interprètent à tort le désir de leur partenaire de se masturber comme un signe que quelque chose ne va pas dans leur relation. Mais, à moins que cela n'interfère avec le plaisir que procure l'intimité sexuelle lors d'une relation, on peut considérer que la masturbation est une composante normale du répertoire sexuel de chacun. De plus, une étude a révélé que les femmes mariées qui se masturbent jusqu'à l'orgasme ont une plus grande satisfaction sexuelle et conjugale que celles qui s'en abstiennent (Hurlbert et Whittaker, 1991).

DES TECHNIQUES D'AUTOÉROTISME

Il y a plusieurs techniques de masturbation. Le choix d'un mode excitatoire (par exemple, archaïque ou mécanique) dépend de chaque personne (Desjardins, 2007).

Les hommes prennent généralement la hampe de leur pénis d'une main, comme l'illustre la figure 7.1. Certains enduisent leur organe de lotion ; d'autres préfèrent une friction naturelle. La stimulation s'obtient à l'aide de mouvements alternatifs de haut en bas le long de la hampe du pénis en variant le rythme et la pression des caresses (mode mécanique classique). L'homme peut aussi caresser le gland et le frein du pénis et titiller le scrotum ou tirer dessus par petits coups. Ou, au lieu de se servir de ses mains, il peut frotter son pénis contre le matelas ou un oreiller (mode archaïque ou mode mixte archaïco-mécanique).

Les femmes disposent d'une grande variété de techniques d'autostimulation. Généralement, elles effec-

Figure 7.1 | La masturbation masculine.

tuent des mouvements circulaires d'une main, d'avant en arrière et de haut en bas sur le mont de Vénus et la région clitoridienne (voir la figure 7.2). Le gland du clitoris est rarement stimulé directement, bien qu'il puisse l'être indirectement lorsque le capuchon le recouvre. Certaines femmes frottent la région clitoridienne contre un objet comme un drap ou un oreiller.

Figure 7.2 | La masturbation féminine.

D'autres se masturbent en pressant les cuisses l'une contre l'autre et en contractant les muscles de la paroi pelvienne qui sous-tendent la vulve (mode archaïque). Contrairement à la mise en scène pornographique courante, peu de femmes utilisent la pénétration vaginale pour atteindre l'orgasme par la masturbation. Selon l'enquête de Shere Hite (1976), seulement 1,5 % des femmes introduisent un doigt ou un objet phallomorphe dans leur vagin; plus de la moitié de ce groupe restreint avait aussi utilisé la stimulation clitoridienne au préalable.

Certains individus et couples se servent aussi de vibrateurs (mode mécanique) et de divers jouets sexuels pour augmenter le plaisir et la variété. Bien que certains hommes aiment passer un vibrateur sur leurs organes génitaux, ce genre d'appareils est surtout apprécié des femmes. Plusieurs d'entre elles ont aussi découvert que les jets d'eau projetés par une pomme de douche que l'on tient dans la main procurent des sensations agréables lorsqu'ils sont dirigés sur la vulve. Les enquêtes révèlent qu'aux États-Unis de 40 % à 60 % des femmes utilisent des vibrateurs et que plus de 75 % d'entre elles le font à l'intérieur d'une relation sexuelle (Berman, 2004; Springen, 2005a). Quatre-vingt-dix pour cent des femmes qui se masturbent avec un vibrateur sont à l'aise d'en parler avec leur partenaire et bon nombre de couples intègrent les vibrateurs dans leurs jeux sexuels (Berman, 2004). Le sociologue Pepper Schwartz invite les hommes à ne pas se sentir menacés par l'intrusion du vibrateur dans leur relation avec leur partenaire: « Messieurs, ce n'est pas un compétiteur, c'est un collègue » (Schwartz, 2006).

Si vous voulez utiliser un vibrateur, expérimentez-en plusieurs types et essayez les nombreuses façons de les employer. En déplaçant le vibrateur sur différentes zones de votre corps ou de vos organes génitaux, vous découvrirez ce qui est particulièrement excitant pour vous. Vous pourrez accroître votre plaisir en bougeant le pelvis ou le vibrateur.

Le vibrateur fut autrefois une innovation médicale bien commode. De l'ère d'Hippocrate aux années 1920, les médecins traitaient les femmes frappées d'« hystérie », un mal alors très répandu, en leur massant l'appareil génital jusqu'à ce qu'elles atteignent l'orgasme, qu'on appelait «paroxysme hystérique». (Le médecin voyait dans la relaxation post-orgasmique de la femme la confirmation de l'efficacité de son traitement.) Dans les années 1880, le vibrateur était reconnu comme l'un des instruments médicaux les plus efficaces, puisqu'il permettait de raccourcir la durée de semblables visites au cabinet du médecin (Otto, 1999).

Le vibrateur n'est qu'un des gadgets sexuels pouvant servir à l'autoérotisme ou à l'amplification du plaisir sexuel obtenu avec son ou sa partenaire. Jusqu'au milieu du XXe siècle, les gadgets sexuels étaient fabriqués par des artisans et vendus aux riches qui avaient le loisir et les moyens de s'adonner à autre chose qu'à la lutte pour la survie. Depuis, la production en usine a amené la démocratisation des gadgets sexuels.

Depuis toujours dans l'histoire, le godemiché, ou pénis artificiel, a été utilisé pour accroître l'excitation sexuelle. On utilise aussi de petits godemichés pour la stimulation anale. Pendant des milliers d'années, les

La « baguette magique », son accessoire pour le vagin (a) et son accessoire pour stimuler le point G (b).

L'anneau de cet objet se fixe à la base du pénis et le tonnelet stimule le clitoris.

Les vibrateurs se présentent sous différentes formes. L'émission *Sexe à New York* a fait connaître celui-ci dit « le lapin ».

femmes, en Chine et au Japon, ont utilisé les boules de *ben wa* ou boules de geishas pour parvenir au plaisir. On insère dans le vagin ces deux boules, l'une étant vide et l'autre remplie d'un liquide lourd, tandis que la femme est étendue dans un hamac ou assise sur une balançoire, de façon que le mouvement fasse bouger les boules et lui procure des sensations internes. Les hommes peuvent aussi se masturber à l'aide d'objets en latex ou en caoutchouc simulant les organes génitaux féminins. Certains gadgets sexuels plus élaborés permettent aussi de stimuler simultanément plusieurs zones génitales, et on en développe constamment de nouvelles variétés (Otto, 1999).

Même si toutes sortes de gens apprécient la masturbation, tout le monde ne désire pas s'y adonner. Parfois, lorsqu'un professionnel tente d'aider les gens désireux de se débarrasser de leurs sentiments négatifs face à l'autoérotisme, il peut avoir l'air de leur dire qu'ils devraient se masturber. Ce n'est pas le cas. La masturbation est une forme d'expression sexuelle, pas une obligation.

L'EXPRESSION SEXUELLE INTERPERSONNELLE

Ma sexualité a pris plusieurs dimensions durant ma vie. Ma masturbation infantile était un désir secret et coupable dont je ne me suis jamais confessée. « Jouer au docteur » avait un « côté coquin » qui m'intriguait et m'excitait. Les heures brûlantes passées à s'embrasser et à se peloter durant l'adolescence et les premières années à l'université ont développé ma conscience sexuelle. J'ai eu mon premier rapport sexuel avec un ami que j'aimais et en qui j'avais confiance. Ça a été une expérience physique et affective profonde, à laquelle, 30 ans plus tard, je repense toujours avec un vif plaisir. Comme beaucoup de jeunes adultes des années 1960 et 1970, ma sexualité s'exprimait dans un cadre où les rapports sexuels occasionnels alternaient avec les moments d'abstinence. Le mariage m'a apporté le confort et les défis de l'engagement ; ma sexualité s'alliait alors à l'intense désir d'être enceinte ; puis la première grossesse, la naissance et l'allaitement élargirent grandement mes horizons sexuels. Maintenant, jonglant avec la famille, la carrière, les intérêts personnels et les rendez-vous chez le coiffeur, ma sexualité me fait l'effet d'un tranquille ronronnement d'arrière-fond. J'aspire à la retraite et à plus de temps et d'énergie, car j'attends plus de la vie qu'un baiser matinal après le café. (Notes des auteurs)

Jusqu'à maintenant, nous avons examiné diverses façons de s'exprimer sexuellement sur le plan individuel. Toutefois, beaucoup de nos comportements sexuels ont lieu dans le cadre de relations interpersonnelles. Dans les sections suivantes, nous traiterons des expressions les plus courantes du comportement sexuel interpersonnel.

LE CONTEXTE DE L'EXPRESSION SEXUELLE

Bien que les sections suivantes présentent diverses techniques sexuelles, il faut retenir que l'interaction sexuelle n'a pas de sens en soi ; elle tire son sens de la motivation des individus qui y participent, du sens qu'ils lui attribuent, et elle s'inscrit dans le cadre de l'ensemble de la relation. Comme l'explique un auteur :

La sexualité peut être motivée par l'excitation ou l'ennui, le besoin physique ou la tendresse, le désir ou le devoir, la solitude ou la suffisance. Elle peut être un exercice de pouvoir ou un échange égalitaire, un relâchement purement machinal de tension ou une fusion profondément affective, une façon de se fatiguer avant le sommeil ou un moyen de se revigorer. La relation sexuelle peut être vue comme une récompense ou un encouragement, comme un don désintéressé ou une faveur ; ce peut aussi être une manifestation d'égoïsme, d'insécurité ou de narcissisme. La sexualité peut exprimer et signifier presque n'importe quoi. (Fillion, 1996, p. 41)

LA HIÉRARCHIE DE MALTZ

Pour que les comportements sexuels contribuent à l'affirmation de soi et à la consolidation de la relation, le contexte dans lequel ils prennent place est extrêmement important. L'auteure et sexothérapeute Wendy Maltz a schématisé l'expression de la sexualité en délimitant des niveaux constructifs et des niveaux destructifs (Maltz, 2001c). Elle considère l'énergie sexuelle comme une force neutre ; cependant, l'intention et les conséquences rattachées au comportement sexuel peuvent aller dans des directions positives ou négatives. Par exemple, la relation sexuelle au sein d'un couple peut être intensément passionnée; elle peut aussi être un viol.

Les trois niveaux positifs de l'interaction sexuelle se fondent sur le choix mutuel, le souci de l'autre, le respect et la sécurité. Comme on le voit à la figure 7.3, au niveau +1, *Épanouissement en conformité avec le rôle sexuel*, les rôles sexuels s'appuient sur les mœurs sociales et religieuses voulant (dans les relations hétérosexuelles) que l'homme prenne l'initiative et que la femme soit réceptive. À ce niveau, les interactions sexuelles sont caractérisées par le respect mutuel et l'absence de contrainte et de ressentiment; il y règne un solide sentiment de sécurité et une grande prévisibilité. Les buts de la sexualité y sont très souvent la grossesse et l'assouvissement de la pulsion sexuelle.

Niveau +3 Intimité sexuelle authentique
Ouverture et proximité affective;
sentiments d'extase.

Niveau +2 Faire l'amour
Orienté vers le plaisir; réciprocité;
expérimentation.

**Niveau +1 Épanouissement en conformité
avec le rôle sexuel**
Comportement conforme au rôle social;
devoirs religieux ou culturels; sexualité
visant la reproduction.

Énergie sexuelle (point neutre)

Niveau –1 Interaction impersonnelle
Irresponsabilité par rapport à la contraception,
aux maladies transmissibles sexuellement
ou au bien-être de soi et de l'autre.

Niveau –2 Interaction abusive
Domination et contrainte sexuelles.

Niveau –3 Interaction violente
Utilisation de la sexualité comme mode
d'expression hostile; viol.

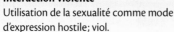 **Figure 7.3** | L'échelle des interactions sexuelles de Maltz (Maltz, 2001c).

Le niveau +2, *Faire l'amour*, est centré sur le plaisir mutuel découlant de la créativité et de l'expérimentation pour chacun des partenaires. Le comportement social traditionnel est délaissé au profit d'une sexualité qui s'ouvre sur une expérience érotique euphorisante. Les partenaires se révèlent plus profondément en communiquant et en exprimant leur propre sexualité, ce qui crée une plus grande intimité.

Le niveau +3, *Intimité sexuelle authentique*, procure le sentiment partagé d'un lien profond tant avec soi-même qu'avec son ou sa partenaire et rend hommage au corps par l'expérience érotique. Le plaisir de la sensualité englobe une profonde expression d'amour réciproque.

L'honnêteté et l'ouverture affectives sont extrêmement importantes et chaque partenaire éprouve la sensation d'une profonde plénitude. L'intimité sexuelle authentique peut être le moment culminant de l'expérience ou caractériser l'ensemble des ébats amoureux.

Maltz souligne que les interactions sexuelles peuvent aussi être des épreuves bouleversantes ou traumatisantes, souvent imposées à une personne par une autre. Du côté négatif de l'échelle, chaque niveau est de plus en plus destructif et nocif. Le niveau -1, *Interaction impersonnelle*, se caractérise par le manque de respect et l'irresponsabilité par rapport à soi et à l'autre. Ici, les individus ne tiennent aucun compte des possibles conséquences négatives pour eux-mêmes et leur partenaire — grossesse non désirée ou risque de contracter des infections transmissibles sexuellement comme le VIH. C'est à ce niveau que les partenaires supportent des relations sexuelles rebutantes ou mentent sur des questions vitales pour le ou la partenaire (état de santé ou sens de la liaison sexuelle). Ces expériences se soldent par des sentiments de malaise et d'anxiété.

Au niveau -2, *Interaction abusive*, une personne exerce consciemment sur une autre une contrainte psychologique dans le but d'asseoir sa domination. Le viol sans recours à la violence d'une personne que l'on connaît et l'inceste en sont des exemples. Les paroles dégradantes et coercitives en font également partie. Suivant sa logique tordue, la personne exploiteuse rationalise ou nie le mal qu'elle inflige à l'autre. L'expérience porte généralement atteinte à l'estime de soi de la personne maltraitée.

Le niveau -3, *Interaction violente*, se produit quand l'énergie sexuelle est utilisée sciemment pour exprimer l'hostilité. Les organes sexuels deviennent des armes ou des cibles. Le viol en est l'exemple le plus extrême.

LE BAISER

Plusieurs d'entre nous se rappellent leur premier baiser romantique, probablement avec quelques sentiments d'inconfort. Pourtant, le baiser peut être une expérience intense, érotique et profonde.

Les lèvres et la bouche sont généreusement pourvues de terminaisons nerveuses sensibles pouvant faire des baisers une expérience des plus voluptueuses. Le *Kâma Sûtra*, célèbre traité indien de techniques philosophico-érotiques, répertorie 17 sortes de baisers (Ards, 2000). Le baiser à bouche close est plus tendre et affectueux, tandis que le baiser lingual ou profond, à bouche ouverte, est généralement plus intense sexuellement. Le baiser peut aussi comprendre un ensemble d'activités buccales comme le léchage, la succion et le mordillement. Le corps peut être embrassé partout.

Les attitudes par rapport au baiser et les manières d'embrasser en Occident ne sont nullement universelles. Le baiser bouche à bouche est complètement absent de l'art érotique hautement explicite des anciennes civilisations de la Chine et du Japon. Encore au XXe siècle, le baiser sur la bouche était considéré si négativement au Japon que la célèbre sculpture de Rodin, *Le baiser*, ne fut pas montrée au public lors d'une exposition sur l'art européen tenue en ce pays en 1920. Dans d'autres cultures — la culture lepcha d'Eurasie, la chewa et la thonga d'Afrique ou la siriono d'Amérique du Sud —, le baiser est considéré comme malsain et dégoûtant (Tiefer, 1995).

LE TOUCHER

La peau est le plus grand des organes sensoriels. Le toucher est l'un des premiers et des plus importants sens dont nous faisons l'expérience dès la naissance. Des nourrissons qui ont été alimentés mais privés de cette stimulation fondamentale en sont morts. Une étude classique a montré que si l'on satisfait les besoins physiques des bébés singes et d'autres primates, mais qu'on empêche leur mère de les toucher, ils deviennent extrêmement mal adaptés en grandissant (Harlow et Harlow, 1962). Le toucher est la pierre angulaire de l'échange sexuel entre humains (Kluger, 2004). Voici l'évaluation qu'en donnent Masters et Johnson :

Le toucher est une fin en soi. C'est une forme primordiale de communication, une voix silencieuse qui nous sauve du piège des mots tout en permettant l'expression des sentiments du moment. Il comble le fossé de l'individualité physique auquel nul n'échappe en établissant littéralement un sens de solidarité entre deux individus. Le toucher est un plaisir sensuel consistant à explorer les textures de la peau, la souplesse des muscles, le galbe du corps, sans autre but que de se délecter des perceptions tactiles. (Masters et Johnson, 1976, p. 253)

Les zones érogènes du corps sont particulièrement réceptives au toucher. Par exemple, environ 81 % des femmes et 51 % des hommes indiquent qu'une stimulation de leur poitrine et de leurs mamelons provoque ou augmente leur excitation sexuelle (Meston, 2006). Pour être sexuel, un toucher ne doit pas nécessairement être dirigé vers une zone érogène. La totalité de la surface du corps est sensible et un toucher — pratiquement n'importe où — peut susciter l'intimité et l'excitation sexuelles. Il existe différents types de touchers d'intensités variables et chacun a ses préférences ; une personne peut trouver un toucher hautement excitant à un certain moment, puis le trouver déplaisant à un autre. Il appartient à chaque partenaire d'en parler ouvertement. Dans les relations lesbiennes, le toucher est particulièrement recherché et apprécié, et il peut procurer aux partenaires davantage de plaisir et un orgasme plus fort que ne peuvent en connaître les femmes hétérosexuelles. Shere Hite a trouvé qu'il y avait une plus grande satisfaction sexuelle entre femmes parce que «les relations sexuelles lesbiennes tendent à durer plus longtemps et impliquent davantage la sensualité du corps dans son ensemble» (1976, p. 413). Le tableau 7.2 compare les réponses et comportements sexuels de femmes lesbiennes et hétérosexuelles.

Contrairement au stéréotype selon lequel l'expérience sexuelle entre hommes est entièrement centrée sur la génitalité, l'érotisme extragénital et la tendresse sont d'importants aspects du contact sexuel de nombreux homosexuels. Comparativement aux autres hommes, les gais démontrent souvent plus de variété, d'expression de soi et de plaisir personnel dans leurs rapports sexuels (Sanders, 2000, p. 253). Les gais considèrent comme important de s'étreindre, de s'embrasser, de se blottir l'un contre l'autre et de se caresser tout le corps. Comme l'indiquent les résultats d'une enquête, 85 % des homosexuels interrogés préféraient ce genre d'interactions à toute autre catégorie de comportements sexuels (Lever, 1994).

Tableau 7.2 | **Comparaison de la dernière relation sexuelle de femmes lesbiennes et hétérosexuelles.**

	LESBIENNES	HÉTÉROSEXUELLES
Plus d'un orgasme	32 %	19 %
Un rapport buccogénital	48 %	20 %
Un rapport ayant duré 15 minutes ou moins	4 %	14 %
Un rapport ayant duré plus d'une heure	39 %	15 %

Sources : Données sur les lesbiennes tirées d'un sondage effectué pour le magazine *Advocate* (Lever, 1994) ; données sur les hétérosexuelles fournies par le National Health and Social Life Survey (Laumann et coll., 1994).

Se frotter les parties génitales contre celles de son partenaire ou contre une autre partie de son corps peut faire partie de l'échange sexuel de n'importe quel couple, et cela est commun dans l'amour lesbien. On appelle *tribadisme* la pratique consistant à se stimuler contre le corps de l'autre ou contre sa région génitale. Beaucoup de lesbiennes apprécient ce type de jeu sexuel, car il met en contact tout le corps et est extrêmement sensuel. Certaines femmes trouvent les mouvements de poussée très excitants ; d'autres chevauchent une jambe de la partenaire et s'y frottent délicatement. Certaines encore frottent leur clitoris sur l'os pubien de leur partenaire (Loulan, 1984).

Le toucher sensuel peut être source de plaisir tant pour la personne qui donne que pour celle qui reçoit.

LA STIMULATION MANUELLE DES ORGANES GÉNITAUX FÉMININS

Les touchers génitaux qui suscitent l'excitation varient grandement selon les femmes. Leurs préférences mêmes peuvent varier d'un moment à l'autre. Les femmes peuvent préférer des mouvements délicats ou fermes à différents endroits de la région vulvaire. La stimulation directe du clitoris est désagréable pour certaines d'entre elles ; des touchers au-dessus ou sur les côtés du clitoris sont souvent préférables. L'insertion d'un doigt dans le vagin peut aussi amplifier l'excitation. Lorsqu'elles approchent de l'orgasme, la plupart des femmes ont généralement besoin qu'un toucher à la pression régulière et uniformément rythmé soit maintenu jusqu'à ce que l'orgasme soit atteint (Ellison, 2000). Les tissus vulvaires sont délicats et sensibles. S'il n'y a pas assez de lubrification pour rendre la vulve glissante, elle peut s'irriter facilement. On peut utiliser un lubrifiant à base d'eau, une lotion sans alcool ni parfum, ou encore de la salive pour enduire les doigts et la vulve de façon à rendre le toucher plus agréable. La stimulation ou la pénétration anale sont érotiques pour certaines femmes, mais pas pour d'autres. Il est important de ne pas toucher la vulve ou le vagin avec le doigt dont on s'est servi pour la stimulation anale, car les bactéries présentes dans le rectum peuvent causer des infections si elles sont introduites dans le vagin.

LA STIMULATION MANUELLE DES ORGANES GÉNITAUX MASCULINS

Les hommes ont aussi des préférences individuelles quant à la stimulation manuelle et, tout comme les femmes, ils peuvent désirer des touchers plus fermes ou plus délicats — des caresses plus rapides ou plus lentes — tandis que leur excitation monte. Ils peuvent aimer les caresses délicates ou fermes sur la hampe du pénis et sur le gland, et des touchers légers ou de petits étirements du scrotum comme le montre la figure 7.4. Pour certains hommes, le gland est désagréablement sensible au toucher, immédiatement après l'orgasme. D'autres trouvent qu'une lubrification avec de la lotion ou de la salive accroît le plaisir. (Advenant le cas où un rapport hétérosexuel suivrait, la lotion ne doit pas être irritante pour les tissus génitaux de la femme.) Certains aiment aussi la stimulation manuelle ou la pénétration de l'anus.

Figure 7.4 | Les stimulations manuelles peuvent être une façon très agréable pour les partenaires d'explorer leurs sensations.

viduellement à des caresses buccogénitales, de façon à ressentir davantage leurs effets quand elles les donnent ou les reçoivent (voir la figure 7.5). D'autres apprécient particulièrement la réciprocité de la relation buccogénitale simultanée, qu'on appelle parfois la position du « 69 », à cause des positions corporelles que suggère ce nombre (voir la figure 7.6). Il existe une variété d'autres positions, dont la position latérale où une cuisse ou un oreiller sert d'appui à la tête. À mesure que l'excitation s'intensifie durant la stimulation buccogénitale mutuelle, les partenaires doivent prendre soin de ne pas sucer ou mordre l'autre trop vigoureusement.

On utilise des termes différents pour désigner la stimulation buccogénitale des hommes et celle des femmes. Le **cunnilingus** (du latin *cunnus*, « vulve », et *lingere* signifiant à la fois « lécher » et « sucer ») désigne la stimulation buccale de la vulve — clitoris, petites lèvres, vestibule et orifice vaginal. Beaucoup de femmes trouvent la chaleur, la douceur et la moiteur des lèvres et de la langue de leur partenaire extrêmement voluptueuses et efficaces pour susciter l'excitation sexuelle ou l'orgasme. Les différentes stimulations comprennent des mouvements de langue circulaires ou de va-et-vient rapides ou lents appliqués à la région clitoridienne, la succion du clitoris ou des petites lèvres et la pénétration de

LA STIMULATION BUCCOGÉNITALE

La bouche et les organes génitaux sont deux zones érogènes primaires, des régions généreusement dotées de terminaisons nerveuses sensorielles. Les couples psychologiquement à l'aise avec la stimulation buccogénitale peuvent donc en tirer beaucoup de plaisir. Le contact buccogénital peut procurer l'excitation et l'orgasme. Comme le constate une femme :

> Je crois que les hommes sont trop attachés à mener les femmes à l'orgasme de la façon « normale ». Je connais un tas de femmes, dont je suis, qui (la masturbation mise à part) n'ont connu l'orgasme que grâce à des relations buccogénitales. J'aime les sons, le spectacle, les odeurs et les sensations propres à ce type de rapport. (Notes des auteurs)

La stimulation buccogénitale peut être faite individuellement (par un partenaire à l'autre) ou simultanément. Certaines personnes préfèrent se livrer indi-

Figure 7.5 | Pendant le sexe oral, un partenaire peut se concentrer complètement sur l'expérience de donner, tandis que l'autre peut simplement jouir du plaisir de recevoir.

Figure 7.6 | Stimulation buccogénitale simultanée en position du « 69 ».

l'ouverture vaginale à l'aide de la langue. Pour certaines femmes, une stimulation manuelle vaginale doublée d'une stimulation buccale de la région clitoridienne est particulièrement excitante.

La **fellation** (du latin *fellare*, « sucer ») désigne la stimulation buccale du pénis et du scrotum. Pour stimuler avec la bouche les organes génitaux masculins, on peut lécher et sucer délicatement ou vigoureusement le gland de même que le frein et la hampe du pénis ; on peut aussi lécher les testicules ou les prendre dans la bouche. Certains hommes aiment la stimulation buccale du gland combinée à la stimulation manuelle de la hampe pénienne, des testicules ou de l'anus. Chez les hommes homosexuels, la fellation est l'expression sexuelle la plus répandue (Lever, 1994).

Il vaut généralement mieux que la personne qui fait la fellation contrôle les mouvements de son partenaire en tenant le pénis près de ses lèvres de façon à l'empêcher d'entrer trop profondément dans sa bouche, ce

qui pourrait être désagréable. On évitera ainsi une sensation d'étouffement. Par ailleurs, des poussées trop vigoureuses du pénis risquent de déchirer les lèvres de la personne qui suce ; par ailleurs, celle-ci doit s'efforcer de garder le pénis hors d'atteinte de ses dents.

Les couples ont des goûts différents en ce qui concerne l'éjaculation dans la bouche. Certains n'y trouvent rien à redire et beaucoup la trouvent excitante ; d'autres, par contre, la rejettent. Le couple peut s'entendre d'avance pour que celui qui fait l'objet de la stimulation buccogénitale avertisse lorsqu'il approche de l'orgasme et se retire à temps de la bouche du ou de la partenaire. Quant aux couples qui sont à l'aise avec l'éjaculation dans la bouche, l'éjaculat peut être avalé ou pas, selon le désir de chacun. Le goût de l'éjaculat varie d'une personne à l'autre et dépend des facteurs présentés dans le tableau 7.3.

Certaines personnes éprouvent des réserves importantes à l'égard de la stimulation buccogénitale. Il importe de se rappeler que les comportements sexuels ne menant pas à la grossesse dans le mariage ont traditionnellement été désignés comme « des actes dénaturés » et immoraux. De nombreuses personnes croient donc que la relation sexuelle buccogénitale est condamnable.

D'autres réticences découlent de la conviction que la stimulation buccogénitale n'est pas hygiénique ou que les organes génitaux ne sont pas beaux. Plusieurs personnes croient que ces organes sont « sales » parce qu'ils se trouvent près de l'orifice urétral et de l'anus. Toutefois, les soins d'hygiène de base, à l'aide d'eau et de savon, en assurent la propreté. Il peut cependant être difficile pour qui entretient une vision négative de son pénis ou de sa vulve d'accueillir avec plaisir une stimulation buccogénitale.

Cunnilingus   Stimulation buccale de la vulve.

Fellation   Stimulation buccale du pénis.

Tableau 7.3 | Ce qui influe sur le goût du sperme.

GOÛT	SOURCE DU GOÛT (SAVEUR)
Amer	Alcool, cigarettes et marijuana (peut aussi provenir d'une infection urinaire ou de la prostate)
Âcre	Viande rouge, nourriture grasse, produits laitiers, chocolat, asperges, brocoli ou épinards
Modéré	Aucun des facteurs du goût amer et seulement un ou deux facteurs du goût âcre
Doux	Diète végétarienne, fruits (surtout les ananas et les pommes), persil, céleri, menthe et menthe poivrée
Sucré	Boissons à fermentation naturelle ou sperme provenant d'une personne diabétique ou prédiabétique

Source : Hamilton (2002).

Certains hétérosexuels rejettent également la relation buccogénitale parce qu'ils y voient un acte homosexuel — même lorsqu'elle est le fait de couples hétérosexuels. Bien que beaucoup d'homosexuels aient des rapports buccogénitaux, cette activité n'est pas pour autant de nature homosexuelle. Ce sont plutôt les sexes des partenaires qui s'y adonnent qui déterminent la nature de l'activité.

Malgré ces attitudes négatives, le contact buccogénital est de plus en plus fréquent. Une étude récente a révélé que la signification et la fréquence de ce type de contact ont beaucoup changé au cours des dernières décennies. Les femmes nées avant 1950 n'ont presque jamais pratiqué la stimulation buccogénitale durant leurs études secondaires ou avant leur mariage. Si cela s'est produit, c'était à la suite d'un engagement dans une relation durable. Par contre, dans les années 1990, près de la moitié des élèves de niveau collégial ont eu un rapport buccogénital, et ce, avant leur premier rapport sexuel avec pénétration. La relation buccogénitale semble même être considérée par les élèves comme un moyen d'éviter le rapport sexuel et de préserver techniquement leur virginité (Ellison, 2000). Une recherche récente indique que désormais les deux tiers des Montréalais francophones de moins de 60 ans apprécient les relations buccogénitales (Trudel, 2002). Il faut se rappeler que, malgré la popularité croissante de ce type de contact sexuel, il n'est pas essentiel de le pratiquer pour qu'une relation sexuelle soit pleinement satisfaisante. Il est important de respecter ses limites et ses goûts en matière de sexualité.

Comme le contact buccogénital met en jeu un échange de fluides organiques, on peut ainsi transmettre le VIH (le virus du sida) ou en être infecté (Torassa, 2000). Ce virus peut entrer dans la circulation sanguine par de petites fissures de la bouche ou des organes génitaux. Bien que le risque de transmission du VIH par le contact buccogénital soit très faible, seuls les partenaires monogames non porteurs du virus sont à l'abri de tout risque lorsqu'ils se livrent à cette activité.

LA STIMULATION ANALE

On estime que 25 % des adultes ont eu une relation anale au moins une fois (Seidman et Rieder, 1994) et que cette pratique est en hausse chez les jeunes. Une enquête menée auprès de 813 femmes suivant un cours sur la santé féminine a montré que 32 % d'entre elles avaient eu une relation anale (Flannery et coll., 2003).

L'anus est généreusement pourvu de terminaisons nerveuses capables de susciter des sensations érotiques. Certaines femmes disent avoir connu l'orgasme grâce à une relation sexuelle anale (Masters et Johnson, 1970), et les hommes tant hétérosexuels qu'homosexuels parviennent souvent à l'orgasme pendant la pénétration anale. La caresse manuelle de l'extérieur de l'orifice anal ou l'insertion d'un ou de plusieurs doigts dans l'anus peuvent procurer beaucoup de plaisir à certaines personnes durant la masturbation ou les ébats sexuels.

Comme l'anus est tapissé de tissus délicats, la stimulation anale nécessite un soin spécial. Pour éviter toute douleur ou blessure, il faut prévoir un lubrifiant non irritant et procéder doucement lors de la pénétration. Il vaut mieux lubrifier tant l'anus que le pénis ou l'objet à insérer. Le partenaire qui est l'objet de la pénétration anale peut pousser (comme pour déféquer) de façon à relaxer le sphincter. Le ou la partenaire qui effectue la pénétration doit procéder doucement et graduellement, en gardant le pénis ou l'objet incliné suivant l'angle du colon (Morin, 1981). Il est essentiel que les accessoires sexuels utilisés pour la stimulation anale aient une base plus large que la pointe, autrement l'objet pourrait glisser dans l'ouverture anale et être happé à l'intérieur par le sphincter anal, ce qui obligerait à le faire enlever d'urgence.

Les couples hétérosexuels ne devraient jamais avoir de rapports sexuels vaginaux immédiatement après un rapport anal, car les bactéries présentes dans l'anus causent souvent des infections vaginales. La stimulation buccale de l'anus, appelée *analingus* ou *analinctus*, est très risquée ; on peut en effet contracter ou répandre par voie bucco-anale diverses infections intestinales, l'hépatite ou des infections transmissibles sexuellement, même si l'on a pris soin de se laver à fond. L'utilisation appropriée de la digue dentaire peut aider à prévenir la contamination virale ou bactérienne.

La relation sexuelle anale comporte des risques très importants pour la santé. C'est le comportement sexuel le plus à risque sur le plan de la transmission du virus du sida, surtout pour la personne qui reçoit. Pour les femmes, le risque de contracter ce virus lors d'une relation anale non protégée est encore plus grand que lors d'une relation vaginale non protégée (Silverman et Gross, 1997). Les hétérosexuels et les couples homosexuels désireux de réduire les risques de transmission de ce virus mortel devraient s'abstenir de relations anales ou utiliser un condom et se retirer avant l'éjaculation. Les précautions à prendre contre la propagation du VIH sont présentées en détail au chapitre 12.

LE COÏT ET LES POSITIONS COÏTALES

Pour le rapport pénien-vaginal, ou coït, les couples peuvent adopter de nombreuses positions (voir les figures 7.7 à 7.10). Les trois positions préférées des étudiants et étudiantes universitaires sont présentées au tableau 7.4. Chaque position offre diverses possibilités d'expression physique et affective. Le goût pour une position particulière peut changer selon l'humeur du moment. Voici ce qu'en pense un homme de 30 ans.

> Chez moi, les différentes positions sexuelles signifient et évoquent généralement des émotions particulières. Quand je suis sur le dessus, je me sens plus combatif; quand je suis en dessous, je suis plus sensuellement réceptif. La position latérale me porte à la douceur et à l'intimité. J'aime partager ces trois dimensions de mon être avec mon amante. (Notes des auteurs)

Les préférences sont aussi souvent en lien avec l'état de santé, l'âge, le poids, la grossesse ou les partenaires. Dans plusieurs positions, un des partenaires sera plus à même de décider du rythme, de l'angle ou du style de mouvements que prendra la stimulation devant mener à l'excitation. Dans d'autres positions, le contrôle du rythme des poussées s'effectue d'un commun accord. Certaines positions se prêtent à la stimulation manuelle du clitoris durant le coït, par exemple quand la femme est au-dessus, assise, bien en croupe, sur le corps de l'autre. Beaucoup de couples aiment une position qui leur permet d'avoir un contact visuel et de regarder le corps de l'autre. La position face à face, sur le côté, peut offrir un rapport particulièrement détendu, alors que chacun des partenaires dispose d'une main pour caresser le corps de l'autre. La pénétration par l'arrière est une bonne position durant la grossesse alors que la pression contre l'abdomen de la femme est désagréable. Le coït peut s'accomplir qu'il y ait ou non orgasme de l'un ou des deux partenaires.

Figure 7.7 | Position coïtale face à face, où l'homme est au-dessus.

Figure 7.8 | Position coïtale face à face, où la femme est au-dessus.

Figure 7.9 | Position coïtale face à face, sur le côté.

Tableau 7.4 | **Des étudiantes et étudiants d'universités répondent à la question « Quelle est votre position sexuelle préférée ? ».**

	HOMMES	FEMMES
L'homme au-dessus	25 %	48 %
La femme au-dessus	45 %	33 %
En levrette	25 %	15 %

Sources : Elliott et Brantley, 1997.

Figure 7.10 | L'intromission en position arrière peut être plus confortable pendant la grossesse.

Mais il n'y a pas que le choix des positions ; les aspects coopération et considération de l'autre sont aussi importants, surtout lors de l'**intromission** (introduction du pénis dans le vagin). La femme peut souvent mieux guider le pénis de son partenaire dans son vagin en bougeant son corps ou à l'aide de sa main. Si le pénis glisse et en ressort, ce qui peut facilement se produire dans certaines positions, il est habituellement plus simple que la femme aide à le réintroduire dans le vagin. De plus, la communication tant verbale que non verbale sur les préférences quant à la position, au rythme et aux mouvements peut amplifier le plaisir et l'excitation des deux partenaires.

LE RAPPORT SEXUEL : LA VOIE TANTRIQUE

La notion selon laquelle l'orgasme mâle est l'ultime et unique fin des rapports sexuels est étrangère à la philosophie et à l'exercice de la sexualité tantrique (Yarian et Anders, 2006). Dans son livre intitulé *L'art de l'extase sexuelle* (1992), Margo Anand explique que le tan-

trisme, qui vit le jour autour de 5000 avant Jésus-Christ, est une ancienne voie orientale pour parvenir à l'illumination spirituelle. D'après cette philosophie, le monde est né d'un acte d'amour érotique entre un dieu et une déesse, et l'expression sexuelle peut devenir une forme de méditation spirituelle et la voie menant à une conscience plus profonde (Kuriansky et Simonson, 2005).

Dans la sexualité tantrique, l'homme apprend à contrôler et à retarder son propre orgasme et à rediriger l'énergie sexuelle à travers son corps et celui de sa partenaire. Avant le rapport sexuel, les amants se stimulent lentement et érotiquement. Quand tous deux sont prêts pour le rapport sexuel, la pénétration douce et détendue s'accomplit sous la direction de la femme. Le couple maintient d'abord les moments de poussée au minimum, accumulant l'énergie par des mouvements internes comme la contraction du faisceau pubien. Les couples harmonisent leur respiration, trouvent un rythme commun d'inspiration et d'expiration, tandis qu'ils visualisent la diffusion par tout leur corps de la chaleur, de l'excitation et de l'énergie emmagasinées dans leurs organes génitaux. Les mouvements deviennent plus vifs et enjoués, puis ralentissent ou s'arrêtent pour qu'il y ait relaxation avant que l'homme ne parvienne à l'orgasme. Le couple éprouve des sentiments d'intimité profonde, d'abandon et d'extase, plongeant chacun leur regard dans celui de l'autre et savourant une « profonde détente du cœur » (Anand, 1992).

Intromission Pénétration du pénis dans le vagin.

La sexualité tantrique : le Cycle infini.

RÉSUMÉ

L'ABSTINENCE

✳ On entend par abstinence le renoncement à l'activité sexuelle. L'abstinence peut être complète (aucune masturbation ni contact sexuel interpersonnel) ou partielle (la personne se masturbe). Dans de nombreuses circonstances, l'abstinence est un moyen positif d'exprimer sa propre sexualité.

LES RÊVES ÉROTIQUES ET LES FANTASMES

✳ Les rêves érotiques s'accompagnent souvent d'excitation sexuelle et d'orgasme durant le sommeil. Les fantasmes érotiques ont plusieurs fonctions : ils peuvent amplifier l'excitation sexuelle, aider à surmonter l'anxiété ou contrebalancer une relation sexuelle décevante, servir de préparation à de nouvelles expériences sexuelles, permettre aux désirs interdits de s'exprimer sous une forme acceptable ou aider à se libérer des attentes rattachées aux rôles sociaux.

LA MASTURBATION

✳ La masturbation est l'autostimulation des organes génitaux pour obtenir un plaisir sexuel.

✳ Dans le passé, la masturbation a été extrêmement décriée. Toutefois, sa signification et ses buts sont aujourd'hui considérés plus positivement.

✳ La masturbation est une activité qui se poursuit à l'âge adulte, bien qu'elle varie en fréquence selon l'âge et le sexe.

L'EXPRESSION SEXUELLE INTERPERSONNELLE

✳ La sexualité peut être l'expression d'un sentiment profond d'amour de soi et de l'autre comme l'expression de l'exploitation et de l'abus. La hiérarchie de Maltz distingue six niveaux de signification de l'expression sexuelle.

✳ La surface entière du corps est un organe sensoriel ; le baiser et le toucher sont les formes fondamentales de la communication et de l'intimité entre les personnes.

✳ Les préférences quant au rythme, à la pression et aux zones de stimulation manuelle des organes génitaux varient d'une personne à l'autre.

✳ Le contact buccogénital est devenu plus courant ces dernières années. Les scrupules par rapport à ce type de contact découlent habituellement de l'idée fausse que cette façon de faire n'est pas hygiénique, que c'est une pratique homosexuelle ou contraire à la morale.

✳ Le cunnilingus est la stimulation buccale de la vulve ; la fellation est la stimulation buccale des organes génitaux masculins.

✳ Les couples s'adonnent à la stimulation anale pour faire monter l'excitation, pour parvenir à l'orgasme ou par désir de variété. La prudence nécessite une hygiène rigoureuse pour éviter d'introduire des bactéries anales dans le vagin. Pour réduire les risques de transmission du VIH, les couples devraient éviter le rapport sexuel anal, sinon utiliser un préservatif et pratiquer le retrait avant l'éjaculation.

✳ La diversité des positions coïtales aide à éviter la monotonie dans les rapports sexuels. Les positions les plus courantes sont les positions face à face, les positions latérales et la pénétration par l'arrière.

✳ La sexualité tantrique recherche l'intimité sexuelle intense et prolongée.

CHAPITRE 8

L'amour, la communication et l'intimité sexuelle

L'amour, l'intimité et les relations sexuelles sont des aspects importants et complexes de la vie des gens. Dans ce chapitre, nous examinerons ces interactions humaines à partir de différents points de vue et nous présenterons certaines recherches qui se sont intéressées à ces questions. Nous nous pencherons sur des sujets tels que : Qu'est-ce que l'amour ? Quels sont les différents types d'amour ? Pourquoi devient-on amoureux avec telle personne plutôt qu'avec telle autre ? Quel rôle la sexualité joue-t-elle dans une relation ? Quel rapport y a-t-il entre jalousie et amour ? Et, enfin, quels sont les facteurs qui jouent sur le développement de l'intimité dans une relation et quels sont les qualités ou comportements qui aident à la préserver durant des années ?

QU'EST-CE QUE L'AMOUR ?

Ô l'amour est une chose tortueuse
Personne n'est assez sage
Pour savoir tout ce qu'il contient
Car il penserait à l'amour
Jusqu'à ce que les étoiles aient disparu
Et que l'ombre ait dévoré la lune

WILLIAM BUTLER YEATS, « Brown Penny »

L'amour fut la source d'inspiration de plusieurs grands chefs-d'œuvre de la littérature, des beaux-arts et de la musique.

À travers l'histoire, l'amour a intrigué bien des personnes. Ses joies et ses douleurs ont inspiré des artistes, des poètes, des romanciers, des producteurs de films, des penseurs... De fait, l'amour est l'un des thèmes les plus présents dans l'art et la littérature de nombreuses cultures. Nous avons tous été influencés de manière significative par l'amour sous diverses formes, à commencer par celui que nous avons reçu enfants. Nos meilleurs comme nos pires moments dans la vie peuvent être reliés à l'amour.

Mais qu'est-ce que l'amour ? Comment peut-on le définir ? L'amour est une sorte d'attitude faite d'émotions fortes et de comportements spécifiques. C'est un phénomène difficile à définir ou à expliquer. Comme le suggèrent les extraits suivants, l'amour prend un sens différent selon chacun.

L'amour est patient, l'amour est bon, il n'est pas envieux, il ne se vante pas, il n'est pas orgueilleux ; l'amour ne fait rien de honteux, il n'est pas égoïste, il ne s'irrite pas, il n'éprouve pas de rancune ; l'amour ne se réjouit pas du mal, mais il se réjouit de la vérité. L'amour permet de tout supporter, il nous fait garder en toute circonstance la foi, l'espérance et la patience. (Corinthiens 13,4-7)

L'amour est une folie temporaire qui se guérit par le mariage ou en éloignant la personne de la source de son trouble. (Bierce, 1943, p. 202)

L'amour est la situation où le bonheur d'une autre personne est essentiel à notre propre bonheur. (Heinlein, 1961, p. 345)

C'est clair, l'amour est difficile à définir. Mais peut-on le mesurer de manière significative ? Certains spécialistes des sciences sociales s'y sont essayés avec des résultats divers (Davis et Latty-Mann, 1987 ; Hatfield et Sprecher, 1986a ; Pam et coll., 1975 ; Rubin, 1970). La plus audacieuse tentative fut probablement celle menée il y a plusieurs années par le psychologue Zick Rubin (1970, 1973), qui a conçu un questionnaire en 13 points (l'échelle de l'amour) pour évaluer le désir d'intimité d'une personne envers une autre, son attachement et son souci de l'autre. Une recherche à propos du dicton populaire affirmant que les amants passent beaucoup de temps à se regarder dans les yeux a permis de valider cette échelle (Rubin, 1970). Des couples étaient observés à travers un miroir sans tain alors qu'ils attendaient pour participer à une expérience psychologique. Les résultats ont révélé que les personnes peu amoureuses (celles qui avaient un résultat en dessous de la moyenne sur l'échelle de l'amour) se regardaient beaucoup moins dans les yeux que les personnes très amoureuses (celles dont le résultat sur l'échelle était au-dessus de la moyenne).

LES TYPES D'AMOUR

> Chez moi, l'attirance physique précède le sentiment amoureux. Mais la beauté physique seule ne suffit pas à me faire tomber amoureux. J'ai besoin d'intimité affective avec la personne. La confiance aussi est partie essentielle d'une relation pouvant mener à l'amour. Une bonne partenaire devrait également partager certains de mes intérêts, et moi, certains des siens. Enfin, et c'est peut-être l'essentiel, pour devenir vraiment amoureux, je dois pouvoir établir une bonne communication dans ma relation avec l'autre. (Notes des auteurs)

L'amour peut prendre plusieurs formes. Il y a l'amour entre un parent et un enfant, et l'amour entre les membres de la famille. Il y a l'amour entre amis, ce que les Grecs de l'Antiquité appelaient *philia*, qui nous incite à nous soucier du bien-être de l'autre. Il y a aussi les deux types d'amour que les amoureux peuvent éprouver, l'amour-passion et l'amour-amitié. Dans cette section, nous nous pencherons sur ces deux types d'amour et présenterons ensuite deux théories ou modèles contemporains de l'amour.

L'AMOUR-PASSION

L'amour-passion, qu'on appelle aussi *amour romantique* ou *choc amoureux*, est un état de fusion intense avec l'autre et de désir ardent. Il se caractérise par de vifs sentiments de tendresse, d'exaltation, d'anxiété, de désir sexuel et de ravissement. Ce type d'amour s'accompagne souvent d'une excitation physiologique généralisée comprenant pouls accéléré, transpiration, rougissement, estomac à l'envers et surexcitation. Les pensées ou déclarations typiques associées à cet état sont par exemple : « Je passe par toute la gamme des émotions » ; « J'ai parfois l'impression de ne pas pouvoir contrôler mes pensées, je ne pense qu'à lui ou elle, cela tient de l'obsession » ; « J'ai toujours envie de lui donner des caresses et d'en recevoir » ; « Je suis extrêmement déprimé quand les choses ne vont pas bien dans ma relation » ; « Personne ne pourrait l'aimer comme moi » (Alberoni, 1993). Cet état comprend habituellement aussi une forte composante de désir sexuel.

L'amour-passion est généralement intense au début de la relation. Il semble que moins on connaît l'autre, plus on l'aime passionnément. Durant ce choc amoureux, les gens ferment les yeux sur les défauts de l'autre et évitent les conflits. La logique et la raison cèdent le pas à l'excitation. Il arrive que l'on considère l'objet de sa passion comme la source d'un épanouissement personnel total.

Il ne faut donc pas s'étonner que l'amour-passion soit souvent de courte durée, généralement l'affaire de quelques mois plutôt que de quelques années. Au fur et à mesure que la familiarité se développe dans le couple, cet amour qui repose sur l'ignorance de la personnalité véritable de l'autre se modifie forcément. Mais les gens oublient souvent cet aspect temporaire de l'amour-passion, surtout les jeunes qui n'ont pas l'expérience des longues relations amoureuses. Convaincus de la permanence de la passion, de nombreux couples qui brûlent d'amour-passion n'hésitent pas à s'engager (ils se fiancent, emménagent ensemble, se marient, etc.). Et la déception risque de les atteindre par la suite. Lorsque le ravissement fait place à la routine et qu'émergent les contrariétés et les conflits caractéristiques des relations suivies, il arrive que les amants se mettent à douter de leur partenaire.

> Les premières semaines et les premiers mois de ma relation avec lui étaient incroyables. J'avais l'impression d'avoir trouvé le conjoint parfait, quelqu'un qui comblait les vides dans ma vie. Puis, après un certain temps, il s'est mis à me tomber sur les nerfs, et nous avons commencé à nous disputer à chaque rencontre. Nous avons

Amour-passion État de fusion intense avec l'autre ; aussi appelé *amour romantique* ou *choc amoureux*.

mis quelque temps à comprendre que nous nous voyions enfin comme des personnes réelles et non plus comme des personnages de rêve. (Notes des auteurs)

Certains couples réussissent à passer à travers cette période pour découvrir une base solide sur laquelle construire une relation d'amour durable. D'autres découvrent, consternés, qu'ils n'ont jamais rien eu d'autre en commun que leur passion. Malheureusement, quand la passion s'estompe, de nombreuses personnes croient que c'est la fin de l'amour, plutôt qu'une probable transition vers une autre forme d'amour.

L'AMOUR-AMITIÉ

L'amour-amitié est une émotion moins intense que l'amour-passion. Il se caractérise par une tendresse bienveillante et un attachement profond résultant d'une connaissance intime de l'être aimé. Il implique une appréciation réfléchie du partenaire. L'amour-amitié est souvent fait de tolérance envers les défauts de l'autre, de même que d'un désir de surmonter les difficultés et les conflits inhérents à toute relation. Dans ce type d'amour, les partenaires s'investissent continuellement dans leur relation. Bref, l'amour-amitié est souvent durable, tandis que l'amour-passion est presque toujours transitoire.

Dans une relation d'amour-amitié, les rapports sexuels sont généralement empreints de sentiments associés à une connaissance approfondie de l'autre, et particulièrement à la confiance que procure le fait de savoir ce qui lui plaît. Cette connaissance fondamentale et cette confiance peuvent favoriser la discussion sur des sujets délicats en lien avec la sexualité. Dans l'ensemble, le plaisir sexuel renforce le lien dans une relation amour-amitié. Bien que les rapports sexuels soient généralement moins excitants que dans l'amour-passion, les partenaires les considèrent souvent comme plus riches, plus signifiants et plus profondément satisfaisants, comme l'indique le témoignage suivant.

> **Amour-amitié** Type d'amour caractérisé par une bienveillante tendresse et un attachement profond résultant d'une connaissance intime de l'être aimé.
>
> **Passion** Composante motivationnelle de l'amour dans la théorie triangulaire de l'amour de Sternberg.
>
> **Intimité** Composante affective de l'amour dans la théorie triangulaire de l'amour de Sternberg.
>
> **Engagement** Composante cognitive de l'amour dans la théorie triangulaire de l'amour de Sternberg.

> ### Question d'analyse critique
>
> Selon vous, quelles sont les principales différences entre l'amour-passion et l'amour-amitié ? Parmi les caractéristiques que vous avez énumérées, lesquelles vous semblent essentielles à une relation amoureuse réussie et durable ?

Après l'échec de mon premier couple, j'ai vraiment apprécié l'ivresse de la nouveauté en matière de relations sexuelles, surtout après toutes les frustrations que j'avais connues dans ma première relation. Pourtant, même si la fièvre de cette période me manque parfois, je n'y reviendrais jamais s'il me fallait pour cela sacrifier la sérénité et la profondeur de l'intimité sexuelle que je connais dans mon mariage depuis maintenant dix-sept ans. (Notes des auteurs)

Bien que la plupart des relations commencent par une période d'amour-passion qui se transforme plus tard en amour-amitié, certaines procèdent à l'inverse. Il arrive en effet que l'amour-amitié se développe d'abord entre deux personnes qui se rencontrent souvent en tant que connaissances, amis ou collègues. L'attirance sexuelle n'est pas au premier plan dans ce cas, ou les circonstances la reportent à l'arrière-plan. Dans une telle relation, l'amour reposera sur la connaissance de l'autre, plutôt que sur l'ivresse de l'inconnu.

LA THÉORIE TRIANGULAIRE DE L'AMOUR DE STERNBERG

Le psychologue Robert Sternberg (1986, 1988) a approfondi la distinction entre l'amour-passion et l'amour-amitié en élaborant un intéressant cadre théorique permettant de conceptualiser ce que les gens éprouvent lorsqu'ils se disent amoureux. Selon Sternberg, l'amour est constitué de trois dimensions ou composantes : la passion, l'intimité et l'engagement (voir la figure 8.1).

* La **passion** est la composante motivationnelle de l'amour. Elle est ce qui nourrit les sensations, l'attirance physique et le désir sexuel. La personne ressent un profond désir d'union avec l'être aimé. Dans un certain sens, la passion est comme une dépendance : étant une source de désirs et de stimulations intenses, elle peut susciter un fort sentiment de « besoin » chez la personne.

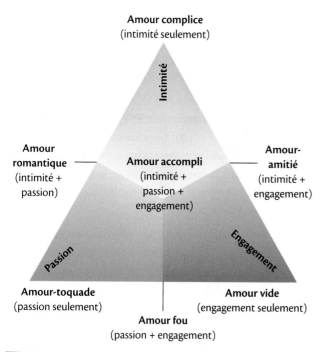

Amour complice
(intimité seulement)

Intimité

Amour romantique
(intimité + passion)

Amour accompli
(intimité + passion + engagement)

Amour-amitié
(intimité + engagement)

Passion

Engagement

Amour-toquade
(passion seulement)

Amour vide
(engagement seulement)

Amour fou
(passion + engagement)

Figure 8.1 Selon le triangle de l'amour de Sternberg, les diverses combinaisons des trois composantes de l'amour (passion, intimité et engagement) produisent les différents types d'amour. On notera que l'absence des trois composantes indique l'indifférence, autrement dit le non-amour.

* L'**intimité** est la composante affective de l'amour qui procure le sentiment d'être lié à une autre personne. Elle est faite de sentiments chaleureux, de partage et de rapprochement affectif. L'intimité comprend aussi le désir d'aider l'être aimé et une disposition à partager ses pensées et ses sentiments intimes avec lui.

* L'**engagement** est l'aspect réfléchi ou cognitif de l'amour. C'est la décision consciente d'aimer l'autre et de préserver à long terme la relation malgré les difficultés qui pourraient survenir.

Selon Sternberg, la passion a tendance à surgir rapidement et intensément dans les premiers moments de la relation amoureuse pour décliner alors que la relation évolue. Inversement, l'intimité et l'engagement continuent à croître avec le temps, bien qu'à des rythmes différents (voir la figure 8.2). La théorie de Sternberg propose ainsi une base conceptuelle pour étudier le passage de l'amour-passion à l'amour-amitié. L'amour-passion, composé de romance et d'attirance physique, atteint vite un sommet et décline ensuite rapidement. À mesure que la passion s'apaise, l'intimité et l'engagement croissent chez de nombreux couples et leur relation évolue vers

l'amour-amitié (Sprecher et Regan, 1998). Si l'intimité ne s'installe pas et que les partenaires ne décident pas d'un commun accord de s'engager l'un envers l'autre, avec la passion qui s'étiole, la relation s'évanouit et les conflits émergent. Par contre, l'engagement, l'attachement et le souci de l'autre peuvent maintenir une relation dans les périodes de mécontentement ou de conflit.

Les trois composantes de l'amour selon Sternberg sont des dimensions importantes d'une relation amoureuse, mais elles varient à divers degrés, créant différents modèles de relations amoureuses. Elles peuvent d'ailleurs varier à long terme à l'intérieur d'une relation amoureuse.

Sternberg considère que de telles variations produisent différents types d'amour — ou du moins des différences dans la façon dont chaque personne vit ses expériences amoureuses (voir la figure 8.1). Quand seule l'intimité est présente, la relation est de l'ordre de l'amour complice, en d'autres termes de l'amitié. Si la passion existe, sans l'intimité ou l'engagement, c'est l'amour-toquade ou le coup de foudre. La présence de l'engagement sans la passion et l'intimité donne un amour vide (tel qu'il peut se présenter dans une relation statique de longue durée). Si l'intimité et l'engagement sont présents, mais sans la passion, on éprouve alors de l'amour-amitié (ce qui est souvent le cas des couples heureux qui ont vécu plusieurs années ensemble). Quand la passion et l'engagement sont présents, mais sans l'intimité, l'expérience relationnelle, désignée *amour fou*, est caractérisée par des jeux de

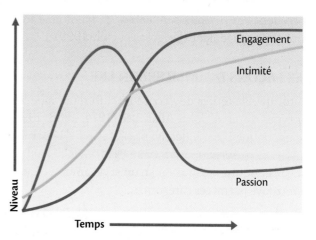

Figure 8.2 Selon la théorie de Sternberg, la passion, une des composantes de l'amour, atteint rapidement un sommet dans la relation, puis elle décline, tandis que l'intimité et l'engagement continuent de croître avec le temps.

séduction ou des situations dans lesquelles on adule et désire ardemment une autre personne à distance. L'amour caractérisé par une passion et une intimité sans aucun engagement est considéré par Sternberg comme un amour romantique. Enfin, quand chacune des trois composantes est présente, on parle d'un amour accompli, le plus complet des types d'amour, celui que les gens recherchent, mais qu'ils trouvent difficile à atteindre et à garder. L'absence des trois composantes, que Sternberg nomme le *non-amour*, est ce que la plupart des gens ressentent envers des personnes qui ne font que traverser leur vie.

La recherche empirique a fourni un certain appui au modèle de l'amour de Sternberg. Une étude sur des couples qui se fréquentaient a indiqué que la présence de deux des composantes de l'amour de Sternberg — intimité et engagement — était annonciatrice de la stabilité et de la longévité de la relation (Hendrick et coll., 1988). Une autre étude a établi que les couples mariés montraient un plus haut niveau d'engagement envers leur partenaire que les personnes célibataires, une conclusion conforme au modèle de Sternberg (Acker et Davis, 1992). Cette même étude a relevé que, bien que l'intimité continue à grandir dans les relations de longue durée, la passion diminue chez les deux sexes, et ce, beaucoup plus rapidement chez les femmes que chez les hommes. Dans d'autres recherches sur la théorie triangulaire de Sternberg, on a remarqué que la façon dont les couples définissent les trois composantes de base de l'amour est relativement stable au fil du temps (Reeder, 1996) et que la compatibilité d'un couple augmente si les deux partenaires possèdent des niveaux semblables de passion, d'intimité et d'engagement (Drigotas et coll., 1999).

LES FAÇONS D'AIMER SELON LEE

Plutôt que de tenter de décrire les différents modèles ou types d'amour, John Allan Lee (1974, 1988, 1998) a élaboré une théorie décrivant six façons d'aimer qui caractérisent les relations humaines intimes. Selon Lee, les gens ont une façon d'aimer, un style amoureux, qui se retrouve parmi ces catégories.

* **Style romantique** (*eros*) Ils sont avides de beauté physique et recherchent la personne idéale. Les amoureux romantiques-érotiques se délectent de la beauté et des plaisirs sensuels que leur apporte le corps de leurs amants.

* **Style ludique** (*ludus*) Ils aiment draguer et réaliser de nombreuses « conquêtes » sexuelles avec lesquelles ils ne s'engageront que peu ou pas. L'amour est un divertissement, séduire est un plaisir à savourer et les relations demeurent occasionnelles et fugaces.

* **Style possessif** (*mania*) Ils ont tendance à rechercher les relations amoureuses obsessionnelles, souvent caractérisées par l'agitation et la jalousie. Ils ont une vie amoureuse tourmentée dans laquelle toute manifestation d'affection de la part de l'amant amène l'extase, tandis que le moindre désintérêt les met au supplice.

* **Style amour-amitié** (*storge*) Ils mettent du temps à développer de la tendresse et à s'engager, mais ont tendance à établir des relations durables. Ce type d'amour ne connaît ni fièvre ni tourment, c'est une relation paisible et sereine qui commence généralement par l'amitié et se transforme avec le temps en tendresse et en amour.

* **Style altruiste** (*agapè*) Ils font preuve d'oubli de soi et d'un profond souci de donner à l'autre sans rien espérer en retour. C'est un amour patient, jamais astreignant ou jaloux.

* **Style pragmatique** (*pragma*) Ils ont tendance à choisir leurs amants suivant des critères rationnels et pratiques (des intérêts communs, par exemple), susceptibles d'apporter la satisfaction mutuelle. Pour ces individus, l'amour est une transaction. Ils tentent de conclure la « meilleure affaire amoureuse » possible en cherchant des partenaires dont le statut social, l'instruction, la religion et les intérêts sont compatibles avec les leurs.

Que se passe-t-il quand les deux personnes engagées dans une relation tendent naturellement vers des façons d'aimer différentes ? Selon Lee, la question est cruciale. Il croit que les relations amoureuses échouent fréquemment parce que « trop souvent les gens ne tiennent pas le même langage quand ils parlent d'amour » (Lee, 1974, p. 44). Il arrive en effet que les efforts qu'ils font conjointement pour construire un engagement durable soient minés par un impossible combat visant à intégrer leurs façons d'aimer contradictoires. Ainsi, la satisfaction et la réussite des relations amoureuses tiennent souvent à la découverte du partenaire qui « a la même attitude ou approche et la même définition de l'amour que soi » (Lee, 1974, p. 44).

Un outil de recherche appelé *Échelle des attitudes en amour* a été élaboré pour mesurer les six façons d'aimer selon Lee (Hendrick et Hendrick, 2003, 1986), ce qui a permis d'effectuer quelques études empiriques basées sur sa théorie. L'une d'elles, fort intéressante, semble corroborer l'hypothèse de Lee selon laquelle la compatibilité des façons d'aimer influe sur le succès d'une relation (Davis et Latty-Mann, 1987 ; Hendrick et Hendrick, 2003). Selon cette étude, les étudiants de niveau universitaire préfèrent fréquenter des personnes qui ont un style d'amour semblable au leur (Hahn et Blass, 1997 ; Hendrick et Hendrick, 2003).

D'autres résultats permettent également de constater que les styles d'amour chez les étudiants diffèrent selon que l'on est un homme ou une femme. Une recherche a ainsi montré que les étudiantes ont tendance à adopter les styles amour-amitié, pragmatique ou possessif alors que les étudiants sont plutôt de style amour-amitié ou ludique (Hendrick et Hendrick, 2003). Une autre étude a également fait ressortir des différences selon le sexe dans les styles d'amour des étudiants de niveau universitaire, les femmes adoptant les styles amour-amitié, pragmatique ou romantique, et les hommes les styles ludique et altruiste (Lacey et coll., 2004).

Une recherche (Montgomery et Sorell, 1997) a utilisé l'échelle des attitudes en amour pour étudier le lien entre les façons d'aimer et la satisfaction que procure une relation aux différents stades de la vie. L'échantillon de l'étude était composé de 250 adultes répartis en 4 groupes : jeunes célibataires, jeunes adultes mariés sans enfants, adultes mariés avec enfants à la maison et adultes mariés dont les enfants ont quitté le foyer. Deux façons d'aimer, *eros* (romantique) et *agapè* (altruiste), se révélèrent associées positivement à la satisfaction dans une relation à toutes les périodes de la vie. Comme on pouvait s'y attendre, le type *ludus* (ludique) fut associé négativement à la satisfaction par les trois groupes d'adultes mariés. Seuls les couples ayant des enfants à la maison lièrent nettement le type *storge* (amour-amitié) à la satisfaction dans une relation. Aucun groupe n'associa les types *mania* (possessif) ni, étonnamment, *pragma* (pragmatique) à la satisfaction dans une relation. Ces conclusions sont également soutenues par d'autres recherches qui montrent que le type *ludus* (ludique) est annonciateur d'une relation insatisfaisante et que les individus ayant un résultat élevé dans les styles d'amour *eros* (romantique), *storge* (amour-amitié) ou *agapè* (altruiste) vivent davantage de satisfaction dans leurs relations que les individus ayant d'autres styles d'amour.

ÊTRE EN AMOUR : POURQUOI ET AVEC QUI ?

Qu'est-ce qui fait que les gens deviennent amoureux et pourquoi de telle personne ? Ces questions sont extrêmement complexes. Certains auteurs croient que l'on devient amoureux pour surmonter un sentiment de solitude et d'isolement. Selon le psychanalyste Erich Fromm (1965), l'union avec une autre personne serait le plus profond besoin des humains. Rollo May, également psychanalyste et écrivain, auteur de *Love and Will* (1969), croit aussi qu'ayant goûté à la solitude, les gens aspirent au refuge que leur offre l'union amoureuse. Pour d'autres observateurs, la solitude n'est pas inhérente à la condition humaine, mais serait plutôt une conséquence de notre société hautement individualiste et arriviste. Ceux-ci font valoir les liens que nous entretenons avec les gens grâce aux relations sociales, au langage et à la culture. Suivant ce point de vue, les relations amoureuses ne sont qu'un aspect du réseau social d'une personne plutôt qu'un « remède » à la solitude (Solomon, 1981).

L'amour peut être expliqué, du moins en partie, à l'aide de différentes théories psychosociales. Mais la raison pour laquelle nous tombons amoureux pourrait bien aussi relever, jusqu'à un certain point, de processus neurochimiques complexes qui s'enclenchent dans notre cerveau quand nous sommes attirés par une personne. Nous présentons quelques découvertes concernant la chimie de l'amour dans la section qui suit.

LA CHIMIE DE L'AMOUR

Les gens submergés par l'intense passion d'un amour naissant disent souvent qu'ils se sentent transportés ou qu'ils éprouvent une sorte d'euphorie naturelle. Selon Michael Liebowitz, auteur de *The Chemistry of Love* (1983), Jean-Didier Vincent, auteur de *Biologie des passions* (1986), Anthony Walsh, auteur de *The Science of Love: Understanding Love and Its Effects on Mind and Body* (1991), et Antonio R. Damasio, auteur de *Spinoza avait raison* (2003), ce genre de réactions pourrait bien s'expliquer, du moins en partie, par la chimie du cerveau. D'après ces auteurs, l'exultation première et l'énergisante poussée d'excitation, de vertige et d'euphorie caractéristiques de l'amour passionnel résultent de l'élévation brusque du niveau de trois importantes substances chimiques du cerveau, appelées *neurotransmetteurs*, grâce auxquelles les cellules du cerveau communiquent entre elles. Ces neurotransmetteurs, qui comprennent la noradrénaline, la dopamine et surtout la phényléthylamine (PÉA), sont chimiquement similaires aux amphétamines — et ils ont donc le même genre d'effets, tels que l'euphorie, le plaisir grisant et l'allégresse. Comme le fait remarquer Walsh, quand nous rencontrons quelqu'un qui nous attire, « la sirène mugit dans l'usine de PÉA » (dans Toufexis, 1993, p. 50). De plus, comme nous l'avons appris au chapitre 3, l'ocytocine et la dopamine contribuent à l'excitation sexuelle, ce qui ajoute du feu à la passion.

L'ocytocine, sécrétée par l'hypothalamus au cours d'accolades et de gestes d'intimité physique, joue un rôle important en facilitant l'attachement social et en stimulant les sentiments amoureux (Carter, 1998 ; Lucentini, 2005 ; Love, 2001). Les résultats d'une étude récente confirment le rôle important de la dopamine dans la chimie de l'amour. Dans cette étude, les chercheurs ont utilisé l'imagerie par résonnance magnétique (IRM) pour scruter le cerveau d'hommes et de femmes alors qu'ils regardaient des photographies d'un amoureux et celles d'un ami intime. Ce sont les photographies des amoureux et non celles d'amis intimes qui ont « allumé » les régions du cerveau riches en dopamine (Bartels et Zeki, 2004).

L'euphorie et le haut niveau d'excitation sexuelle que procurent les amphétamines ne durent généralement pas — peut-être en partie parce que le corps finit par développer une tolérance à la PÉA et aux neurotransmetteurs qui y sont associés, tout comme il le fait avec les amphétamines. Il est probable qu'avec le temps notre cerveau est de moins en moins capable de satisfaire à la demande toujours accrue de PÉA nécessaire pour produire l'émoi particulier de l'amour. Ainsi, l'euphorie que nous ressentons au début d'une relation finit par diminuer. Voilà qui explique biologiquement, de façon plausible, pourquoi l'amour-passion est de courte durée.

Liebowitz fait un autre parallèle avec l'usage des amphétamines. Il fait remarquer que l'anxiété, le désespoir et la douleur qui suivent la perte — ou même l'idée de la perte — de la relation d'amour-passion s'apparentent à ce qu'éprouve, durant le sevrage, une personne dépendante des amphétamines. Dans les deux cas, l'interruption de l'apport de substances chimiques euphorisantes entraîne parfois une longue période de douleur affective.

Y aurait-il dans le cerveau d'autres substances chimiques permettant d'expliquer pourquoi certaines relations survivent à l'euphorie de l'amour-passion ? Selon Walsh et Liebowitz, la réponse est oui. Il se pourrait en effet que le passage de l'engouement à l'attachement profond, une caractéristique des longues relations amoureuses, tienne à ce que le cerveau se met graduellement à produire davantage d'un autre ensemble de neurotransmetteurs appelés *endorphines*. Ces substances chimiques, de la même famille que la morphine, sont des inhibiteurs qui aident à produire un sentiment de sécurité, de tranquillité et de paix. Cela peut aider à comprendre pourquoi les amants abandonnés sont si malheureux après qu'on les a quittés — ils sont désormais privés de leur dose quotidienne de sentiment de bien-être.

S'il est difficile d'expliquer pourquoi les gens deviennent amoureux et pourquoi ils s'éprennent de telle personne plutôt que de telle autre, on sait que plusieurs facteurs ont souvent une grande importance, dont la proximité, la similarité, la réciprocité et l'attirance physique.

LA PROXIMITÉ

Lorsqu'ils énumèrent les facteurs qui les ont attirés vers une personne, les gens omettent généralement la **proximité**, ou le voisinage géographique, et pourtant c'est l'une des plus importantes variables. Nous construisons souvent d'étroites relations avec les gens que nous fréquentons dans notre voisinage, à l'école, au travail ou dans les lieux de culte.

Pourquoi la proximité est-elle un si puissant facteur d'attirance interpersonnelle ? Les spécialistes en relations sociales ont apporté à cette question plusieurs explications plausibles. L'une d'elles est simplement que la **familiarité** est source d'affection ou d'amour. Les recherches ont révélé qu'à force d'être exposés à de nouveaux stimuli — qu'il s'agisse de pièces musicales, de tableaux ou de visages humains — nous finissons par y prendre goût (Bornstein, 1989 ; Brooks et Watkins, 1989 ; Nuttin, 1987). Ce phénomène, appelé **effet de la simple exposition**, explique en partie pourquoi nous sommes attirés par les gens qui sont très proches de nous.

Proximité   Voisinage géographique de deux personnes ; facteur important dans l'attirance interpersonnelle.

Effet de la simple exposition   Phénomène par lequel une exposition répétée à un nouveau stimulus tend à faire croître chez un individu le goût de ce stimulus.

Une autre raison expliquant que la proximité influe sur l'attirance personnelle est que les gens se rencontrent souvent dans des lieux où ils ont des activités qui reflètent leurs intérêts communs. Cette observation est appuyée par l'enquête National Health and Social Life Survey (NHSLS) (voir le chapitre 1), dans laquelle étaient incluses des questions concernant l'endroit où les gens avaient le plus de chances de rencontrer un partenaire intime. Laumann et ses collègues (1994) ont classé les données en deux groupes : lieux à forte présélection et lieux à faible présélection. Les lieux à forte présélection étaient ceux où les gens partageaient des intérêts communs tels que l'exercice physique (s'entraîner au même centre) ou l'apprentissage (étudier dans la même classe, la même école). Les lieux à faible présélection touchaient les endroits où divers groupes de personnes pouvaient se rassembler, comme les bars ou les centres de villégiature. Tel que prévu, Laumann et ses collègues ont constaté que les lieux à présélection élevée étaient plus propices à engendrer des unions que les lieux à faible présélection.

Selon cette enquête, le lieu de travail et l'école favorisent la rencontre d'un futur partenaire. Ce résultat s'explique : les gens passent beaucoup de temps en ces endroits et le fait d'avoir des intérêts communs peut avoir un impact sur leur rencontre. De plus, travailler ou suivre des cours avec des partenaires potentiels multiplie les possibilités d'avoir des contacts répétés avec eux. Bon nombre d'entre nous sont peu disposés à entamer une relation dès la première ou deuxième rencontre avec quelqu'un. Cependant, au travail ou dans une classe, nous avons des contacts quotidiens avec les gens. Si une personne nous attire, cela nous permet de mieux la connaître, de nous sentir de plus en plus à l'aise dans les interactions que nous avons avec elle, et peut nous motiver à lui proposer une première sortie.

LA SIMILARITÉ

La similarité a également de l'influence sur le type de personne dont nous tombons amoureux. Contrairement à l'adage populaire qui veut que les contraires s'attirent, nous avons tendance à aimer les gens qui nous ressemblent sur le plan de la culture, de la scolarité, des valeurs, des croyances, des attitudes et des intérêts (Amodio et Showers, 2005 ; Byrne, 1997 ; Sherman et Jones, 1994). Nous avons également tendance à nous unir aux personnes dont le niveau d'attirance physique s'apparente au nôtre (Folkes, 1982). Cette tendance pourrait être liée à notre crainte d'être rejetés si nous abordions quelqu'un que nous percevons comme plus attirant que nous (Bernstein et coll., 1983).

Nous tendons également à être attirés par les gens qui nous ressemblent en termes d'âge, de niveau d'éducation et de religion. La similitude dans les caractéristiques personnelles ou la tendance à s'associer avec des personnes dont les attributs sociaux et personnels sont semblables aux nôtres s'appelle *homophilie*. Les données du NHSLS concernant les traits communs en termes d'âge, de niveau d'éducation et de religion selon différents types de relations sont présentées au tableau 8.1. Le NHSLS indique également que les gens tendent généralement à s'associer avec des personnes de race et d'ethnie semblables.

Pourquoi sommes-nous attirés par les personnes qui nous ressemblent ?

Chose certaine, les personnes ayant des attitudes et des intérêts semblables tendent à participer aux mêmes genres d'activités et de loisirs. Encore plus important, nous communiquons généralement mieux avec les personnes dont les idées et les opinions sont semblables aux nôtres, et la communication est un aspect important du maintien d'une relation. Il est également

Tableau 8.1 | Pourcentage de couples ayant des traits communs en termes d'âge, de niveau d'éducation et de religion selon divers types de relations.

TRAITS COMMUNS	TYPES DE RELATIONS			
	Mariage	Cohabitation	Union de longue durée	Union de courte durée
Âge (pas plus de cinq ans de différence entre les partenaires)	78 %	75 %	76 %	83 %
Niveau d'éducation (pas plus d'un niveau de scolarité de différence)	82 %	87 %	83 %	87 %
Religion (même confession religieuse)	72 %	53 %	56 %	60 %

Source : Adapté de Laumann et coll., 1994.

Les gens qui tombent amoureux l'un de l'autre ont souvent des intérêts communs.

rassurant d'être avec des personnes qui nous ressemblent, parce cela nous permet de confirmer notre vision sur le monde, de valider nos propres expériences et de consolider nos opinions et nos croyances (Amodio et Showers, 2005 ; Byrne et coll., 1986).

Les similitudes que l'on perçoit chez les autres nous attirent particulièrement puisqu'elles renforcent nos attentes d'être acceptés et appréciés par des personnes qui sont comme nous (Sprecher et McKinney, 1993). Ces attentes sont souvent comblées car, selon diverses recherches, les personnes qui ont en commun certains traits personnels et sociaux ont plus tendance à rester ensemble que celles qui n'en ont pas (Weber, 1998).

LA RÉCIPROCITÉ

Le fait de percevoir qu'une personne s'intéresse à nous joue un rôle dans l'attirance qu'on éprouve pour elle. Les

---

gens ont tendance à réagir positivement à la flatterie, aux compliments et aux autres expressions de sympathie et d'affection. Dans l'étude de l'attirance interpersonnelle, ce concept renvoie au principe de **réciprocité** selon lequel, lorsque nous sommes la cible d'expressions d'affection ou d'amour, nous avons tendance à rendre la pareille (Byrne et Murnen, 1988). Et à leur tour, les réponses de réciprocité peuvent enclencher l'intensification de la relation.

En répondant chaleureusement aux gens qui nous semblent bien disposés envers nous, nous les amenons souvent à nous aimer davantage (Curtis et Miller, 1988). De plus, l'estime de soi est liée à l'attachement et à l'appréciation que les autres nous témoignent. Savoir que quelqu'un nous apprécie augmente notre sentiment d'appartenance ou notre sentiment d'être socialement intégré dans une relation et renforce alors notre estime de soi (Baumeister et Leary, 1995).

L'ATTIRANCE PHYSIQUE

Comme on peut s'y attendre, l'**attirance physique** joue souvent un rôle de premier plan dans l'union de deux êtres. Même si l'on entend souvent dire que la beauté est superficielle, des expériences ont montré que les gens physiquement attrayants sont plus recherchés comme amis et amants et qu'ils sont perçus comme plus aimables, intéressants, sensibles, équilibrés, heureux, sexy, compétents et socialement habiles que les gens d'apparence ordinaire ou peu séduisante (Baron et coll., 2006 ; Sangrador et Yela, 2000).

Pourquoi la beauté physique est-elle un si puissant facteur d'attirance ? Il y a d'abord là une question d'esthétique. Nous aimons tous regarder quelque chose ou quelqu'un que nous considérons comme beau. Il y a aussi que beaucoup de gens semblent croire que les belles personnes ont plus de précieuses qualités personnelles que celles qui sont moins attrayantes. Il se peut aussi que nous soyons attirés par les jolies personnes parce qu'elles nous offrent la possibilité de gagner du prestige par association. Et peut-être que ces personnes, parce qu'elles ont été très bien traitées par les autres durant toute leur vie, ont plus confiance en elles-mêmes et se sentent mieux dans leur peau, ce qui se traduit par des relations particulièrement satisfaisantes. Enfin, il apparaît que les gens considèrent la beauté physique comme un signe de santé et que, tout compte fait, nous sommes attirés par les gens sains (Kalick et coll., 1998).

Réciprocité Principe selon lequel une personne recevant des marques d'affection ou d'amour aura tendance à y répondre de façon similaire.

Attirance physique Facteur important dans l'attirance que deux personnes éprouvent l'une envers l'autre.

Plusieurs études se sont employées à déterminer si les deux sexes sont impressionnés de façon égale par la beauté physique. Les résultats de l'une d'elles ont révélé que lors du choix d'un ou d'une partenaire en vue d'un rapport sexuel ou d'une relation à long terme, les étudiants valorisaient beaucoup plus l'apparence physique que les étudiantes. Celles-ci valorisaient davantage une attitude chaleureuse et les traits de personnalité (Nevid, 1984 ; Townsend et Wasserman, 1998). D'autres études ont également montré que la beauté physique est plus importante pour les hommes que pour les femmes (Bailey et coll., 1994 ; Sprecher et coll., 1994). Croyez-vous que cette différence s'observe aussi chez les hommes et les femmes d'autres cultures ?

Une étude interculturelle portant sur les différences entre les sexes quant aux préférences en matière de partenaire hétérosexuel a bien montré que, partout sur la planète, il est plus important pour les hommes que pour les femmes d'avoir des partenaires à la fois jeunes et physiquement séduisants. Dans cette étude, menée par le psychologue David Buss (1994), on a demandé aux sujets des 37 échantillons sélectionnés en Afrique, en Asie, en Europe, dans les deux Amériques, en Australie et en Nouvelle-Zélande de coter un large éventail d'attributs personnels qu'ils aimeraient voir chez un partenaire potentiel. Ces caractéristiques comprenaient notamment la fiabilité, la beauté, l'âge, les perspectives prometteuses sur le plan financier, l'intelligence, la sociabilité et la chasteté.

Tous les hommes, sans exception, dans toutes les cultures examinées, accordaient plus d'importance à la jeunesse et à l'apparence physique de leur partenaire que ne le faisaient les femmes (Buss, 1994). Au contraire, ces dernières valorisaient davantage les

Les uns et les autres

Les différences entre les hommes et les femmes quant aux critères de sélection de leur partenaire

Les chercheurs Susan Sprecher, Quintin Sullivan, et Elaine Hatfield (1994) ont fait une enquête nationale basée sur un échantillon représentatif de plus de 13 000 anglophones ou hispanophones des États-Unis, âgés de 19 ans et plus. La figure ci-contre montre la cote moyenne attribuée par les hommes et les femmes à différents thèmes du questionnaire utilisé dans l'enquête. Une partie du questionnaire demandait aux répondants jusqu'à quel point ils seraient intéressés à épouser une personne qui aurait plus ou moins d'éducation qu'eux, qui serait plus ou moins âgée qu'eux, etc. Les sujets indiquaient leur niveau d'accord par rapport à chaque question sur une échelle de 1 (« pas du tout intéressé[e] ») à 7 (« très intéressé[e]»).

Les résultats indiquent que les répondantes étaient significativement plus disposées que les hommes à épouser quelqu'un qui est plus instruit, plus vieux, gagne plus d'argent qu'elles et n'est pas séduisant. Inversement, les femmes étaient significativement moins disposées que les hommes à épouser quelqu'un qui a moins d'éducation, est plus jeune, n'est pas capable de garder un emploi et gagne moins qu'elles. Il n'y avait que de très petites différences entre les sexes concernant un mariage antérieur, la religion et le fait d'avoir des enfants.

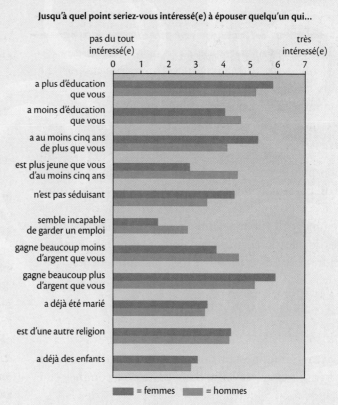

Jusqu'à quel point seriez-vous intéressé(e) à épouser quelqu'un qui...

Différences entre les hommes et les femmes quant à certains critères de sélection de leur partenaire.

partenaires un peu plus âgés, financièrement prometteurs, fiables et assidus. Cela ne signifie pas pour autant que l'attirance physique ne comptait pas pour les femmes de ces diverses cultures. En fait, plusieurs d'entre elles la considéraient comme importante — mais moins que la responsabilité financière et la fiabilité.

Pourquoi cette apparente uniformité dans tant de cultures sur ce qui plaît aux hommes et aux femmes chez un éventuel partenaire? Et comment interpréter les différences entre les hommes et les femmes? Buss applique à cela un raisonnement sociobiologique — c'est-à-dire qu'il explique le comportement d'une espèce en fonction de ses besoins d'évolution. Selon lui, l'évolution oriente les préférences quant aux partenaires autant chez les humains que chez d'autres animaux. Les mâles sont attirés par les femelles jeunes et physiquement séduisantes parce que ces caractéristiques laissent augurer une reproduction réussie. Bref, une jeune femme a plus d'années à consacrer à la reproduction qu'une femme plus âgée. De plus, des caractéristiques comme une peau douce et sans taches, un bon tonus musculaire, des cheveux lustrés sont des indices de bonne santé — et donc autant de signes de la valeur reproductive de la personne. Par ailleurs, les femmes sont généralement portées vers les hommes plus âgés et bien établis, car des caractéristiques comme la richesse, un bel environnement ou une position sociale bien en vue sont les meilleurs gages de sécurité pour les enfants. La jeunesse et l'attrait physique d'un homme importent moins aux femmes, parce que la fertilité masculine est moins liée à l'âge que la fertilité féminine.

Des études ont de plus révélé que, pour les femmes américaines, des traits comme avoir de l'ambition et être un bon pourvoyeur comptaient davantage dans le choix d'un partenaire que pour leurs homologues masculins (Buss et Schmidt, 1993). D'autres différences entre les femmes et les hommes américains concernant les critères de sélection d'un partenaire sont décrites dans l'encadré « Les uns et les autres » à la page précédente.

LES MODES D'ATTACHEMENT ET L'AMOUR

L'**attachement** est un terme qui désigne le lien émotif intense qui existe entre deux individus, comme celui

qui se tisse entre un enfant et son parent ou entre deux amoureux (Rholes et coll., 2006). Il est possible d'éprouver de l'attachement sans amour, mais il est peu pensable que l'amour d'une personne pour une autre puisse exister en l'absence d'attachement. Bien qu'il soit difficile de mesurer et d'analyser l'amour lui-même, les chercheurs ont obtenu d'importants résultats en étudiant divers aspects de l'attachement, tels que la façon dont il se développe, les conséquences de son absence et les modes de l'attachement. Dans les pages suivantes, nous examinerons les principaux résultats des recherches concernant l'attachement et les relations humaines.

LES MODES D'ATTACHEMENT

La manière dont nous développons de l'attachement, laquelle remonte à notre enfance, a un impact majeur sur notre façon d'établir une relation avec la personne aimée. Plusieurs des connaissances scientifiques concernant la manière dont se développent nos modes d'attachement et la façon dont ils nous influenceront plus tard proviennent du travail de la psychologue développementaliste Mary Ainsworth (Ainsworth 1979, 1989; Ainsworth et coll., 1978). Ainsworth a employé un protocole de laboratoire qu'elle a intitulé « la situation étrange ». Dans ce protocole expérimental, l'enfant âgé d'un an est placé dans un environnement peu familier et son comportement est alors évalué dans des conditions diverses: en présence de sa mère, en présence de sa mère et d'un étranger, en présence d'un étranger seulement ou totalement seul.

Ainsworth a ainsi découvert que les enfants en bas âge réagissent différemment à ces situations inhabituelles pour eux. Certains, qu'elle a qualifiés de *confiants*, ont utilisé leur mère comme base sécurisante pour explorer gaiment leur nouvel environnement et s'amuser avec les jouets dans la pièce. Une fois séparés de leur mère, les enfants confiants ont semblé se sentir en sécurité, ont exprimé une détresse modérée et ont semblé confiants que leur mère reviendrait prendre soin d'eux et les protéger. Lorsqu'ils ont retrouvé leur mère, ces enfants ont recherché le contact et ont souvent repris l'exploration de leur environnement. Les enfants *inquiets* ont réagi différemment. Ils ont montré plus d'appréhension et ont eu moins tendance à laisser leur mère de côté pour explorer. Ils ont été profondément troublés quand leur mère est partie, pleurant souvent fort, et quand celle-ci est revenue, ils ont souvent exprimé de l'hostilité ou de l'indifférence.

Attachement Lien émotif intense entre deux individus, comme celui d'un enfant avec son parent ou entre amoureux.

Selon les recherches sur l'attachement, la qualité des contacts affectueux, tels que les caresses et les étreintes entre le bébé et ses parents, influence les interactions semblables entre amoureux à l'âge adulte.

L'analyse des données de la recherche d'Ainsworth sur la situation étrange a permis de diviser la catégorie des enfants inquiets en deux sous-groupes, ceux exprimant un attachement *anxieux-ambivalent* (enfants manifestant une inquiétude extrême quand leur mère les laissait) et ceux exprimant un attachement *anxieux-évitant* (enfants semblant vouloir un contact corporel étroit avec leur mère, mais étant peu disposés à le rechercher, apparemment par crainte de ressentir une distance ou une indifférence de leur part).

Comment expliquer ces différences dans les modes d'attachement ? La réponse se trouve probablement dans une combinaison de facteurs faisant intervenir l'inné et les pratiques parentales. Certains enfants sont plus naturellement portés que d'autres à développer un mode attachement de type *confiant* ; ainsi, certains nouveau-nés réagissent mieux que d'autres lorsqu'on les prend dans nos bras ou qu'on les caresse. Un deuxième facteur contribuant aux différentes réactions des bébés à la situation étrange est la manière dont leur mère s'occupe d'eux à la maison. Les mères des enfants *confiants* avaient tendance à être plus sen-

sibles et plus réceptives à leurs besoins. Par exemple, certaines nourrissaient leur bébé quand il avait faim plutôt qu'à heures fixes. Elles avaient également tendance à caresser leur enfant en dehors des moments consacrés à l'alimentation ou au changement de couche. En revanche, les mères des enfants classés dans une des deux catégories d'*inquiets* avaient tendance à être moins sensibles et réceptives à leurs besoins, et à y répondre de manière inconstante. Par exemple, elles ne nourrissaient leur enfant que lorsqu'elles le voulaient et, parfois, elles ignoraient les cris exprimant la faim. Ces mères avaient également tendance à éviter le contact physique avec leur bébé.

L'établissement d'un lien de confiance et d'un attachement sécurisant entre un enfant et un parent semble avoir des effets manifestes sur le développement futur de l'enfant. Plusieurs études ont prouvé que les enfants *confiants*, qui apprennent que les parents sont une source de sécurité et de fiabilité, sont susceptibles de faire preuve d'une compétence sociale beaucoup plus grande que les enfants appartenant à l'une ou l'autre des catégories d'*inquiets* (Aspelmeier et Kerns, 2003 ; Sroufe, 1985 ; Sroufe et coll., 1983). Les enfants de type *anxieux-ambivalent*, qui ont appris que les parents répondent de manière inconstante à leurs besoins, se montrent souvent indécis face à de nouvelles situations et ont fréquemment des réactions négatives, telles que des accès de colère, un besoin obsessif d'être près de leurs parents et une inconstance dans leurs réactions qui reflète leur ambivalence sur la façon de répondre aux autres. Les enfants de type *anxieux-évitant*, souvent négligés par leurs parents, développent une vision négative des autres et sont peu disposés à les laisser s'approcher d'eux.

Ces divers modes d'attachement qui se développent pendant l'enfance tendent à se poursuivre tout au long de la vie et ont un impact considérable sur la capacité de chacun à créer des liens affectueux avec des personnes significatives.

LES RELATIONS INTIMES CHEZ L'ADULTE EN TANT QUE MODE D'ATTACHEMENT

Nombre de spécialistes des relations humaines ont analysé les relations amoureuses chez l'adulte en tant que mode d'attachement (par exemple, Aspelmeier et Kerns, 2003 ; Feeney et Noller, 1996). Selon cette approche, les individus reprennent les modes d'attachement acquis dans leur relation parent-enfant et les appliquent aux personnes avec lesquelles ils créent des liens sur les plans émotionnel et sexuel. En ce sens, les partenaires amoureux ne font que reproduire le mode d'attachement de leur enfance (Hazan et Zeifman, 1999 ; Lavallée, 2001 ; Aspelmeier et Kerns, 2003 ; Collins et coll., 2006 ; Perel, 2006).

Les modes d'attachement entre amoureux ou partenaires adultes peuvent correspondre à l'un ou l'autre des trois types définis précédemment. Les adultes *confiants* semblent être mieux outillés pour établir des relations stables et satisfaisantes. Ces individus trouvent qu'il est relativement facile de se rapprocher des autres et de se sentir à l'aise avec ceux qui vivent près d'eux. Ils se sentent en confiance dans leurs relations et ne craignent pas d'être abandonnés. En revanche, les adultes ayant un mode d'attachement de type *anxieux-ambivalent* ont souvent une piètre image d'eux-mêmes et se montrent *inquiets* dans leurs relations. Ces personnes peuvent vouloir se rapprocher d'un partenaire, mais elles hésitent à le faire de peur d'essuyer un refus. Elles peuvent essayer de surmonter cette ambivalence en faisant désespérément des tentatives de rapprochement et en renonçant même souvent à leur indépendance dans ce processus. Les adultes de type *anxieux-évitant* se sentent inquiets face à tout rapprochement ou proximité affective d'un partenaire, faisant ainsi écho au troisième mode d'attachement. Ces adultes ont souvent de la difficulté à faire confiance à quelqu'un ou à dépendre d'une autre personne. Ils voient souvent les autres négativement et considèrent qu'il est dangereux de s'en approcher sur le plan affectif et de partager de l'intimité. Les adultes de type *anxieux-évitant* recherchent l'indépendance.

La recherche montre qu'un peu plus de la moitié des adultes des États-Unis sont du type *confiant*, qu'environ un quart sont du type *anxieux-évitant* et un cinquième du type *anxieux-ambivalent* (Hazan et Shaver, 1987). Le tableau 8.2 décrit comment les trois modes d'attachement influencent les relations interpersonnelles.

Une recherche indique que les gens qui forment un couple partagent généralement le même mode d'attachement — une autre preuve que la similarité influence le choix de la personne dont on devient amoureux (Gallo et Smith, 2001 ; Latty-Mann et Davis, 1996). Le type de couple le plus répandu était composé d'individus qui avaient un mode d'attachement *confiant* (Chappell et Davis, 1998). Cela n'est pas étonnant puisque les personnes confiantes tendent à répondre positivement aux autres et se sentent à l'aise avec la proximité. Ainsi, leur mode d'attachement les rend plus désirables comme amoureux que les personnes ayant l'un des autres modes d'attachement. Dans une étude portant sur 354 couples, environ la moitié d'entre eux était composée de partenaires ayant un mode d'attachement *confiant*. Tel que prévu, aucun couple ne comprenait deux partenaires de type *anxieux-ambivalent* ou *anxieux-évitant* — sans doute parce que ce genre d'union ne peut fonctionner. Les gens ayant un mode d'attachement sécurisant ont fait état d'un plus haut niveau de satisfaction relationnelle, surtout lorsque leur partenaire avait le même mode d'attachement qu'eux (Kirkpatrick et Davis, 1994).

Tableau 8.2 | **Influence des modes d'attachement sur les relations intimes.**

ADULTES CONFIANTS	ADULTES ANXIEUX-AMBIVALENTS	ADULTES ANXIEUX-ÉVITANTS
Considèrent qu'il est assez facile de se rapprocher des autres. Sont à l'aise lorsque les autres les approchent.	Veulent se rapprocher des autres, mais croient que les autres ne veulent pas se rapprocher d'eux.	Se sentent très mal à l'aise face à la proximité des autres.
Se sentent en sécurité dans les relations et ne craignent pas l'abandon.	S'inquiètent du fait que leur partenaire ne les aime pas vraiment et qu'il puisse les laisser.	Croient que l'amour est seulement transitoire et que leur partenaire partira inévitablement à un moment donné.
Sont à l'aise avec le fait d'être dépendants l'un de l'autre.	Peuvent fusionner complètement et être engloutis par leur partenaire.	S'inquiètent de devenir dépendants l'un de l'autre.
La relation amoureuse est caractérisée par du bonheur, de la satisfaction, de la confiance et un appui émotif réciproque.	La relation amoureuse est caractérisée par des charges émotionnelles en montagne russe, une attirance sexuelle obsessive et de la jalousie.	Veulent généralement moins de rapprochement que leur partenaire. Craignent l'intimité et les charges émotionnelles en dents de scie.
La relation dure en moyenne 10 ans.	La durée moyenne de la relation est d'environ 5 ans.	La durée moyenne de la relation est d'environ 6 ans.

Source : Adapté de Ainsworth (1989), Ainsworth et coll. (1978), Shaver et coll. (1988).

Enfin, une autre étude portant sur 128 couples a montré que le mode d'attachement influence les interactions des partenaires. Les personnes de type *confiant* disent aborder les conflits ou les comportements potentiellement préjudiciables de leur partenaire de manière constructive et efficace. Lorsque les problèmes font surface, elles se mettent en mode communication pour en discuter et tenter de les résoudre. En revanche, les gens ayant les deux autres modes d'attachement réagissent aux problèmes ou aux conflits qui se présentent en les évitant ou en se retirant de la situation (Scharfe et Bartholomew, 1995).

L'ensemble de ces résultats tendent à confirmer la forte influence qu'exercent les modes d'attachement sur l'amour et la satisfaction dans les relations intimes.

LA DYNAMIQUE DES RELATIONS AMOUREUSES

Dans les paragraphes suivants, nous explorerons certains problèmes inhérents aux relations amoureuses en nous concentrant sur deux sujets en particulier. Tout d'abord, nous discuterons de la relation entre l'amour et la sexualité. Ensuite, nous examinerons comment la jalousie affecte les relations et, dans la mesure du possible, ce qui peut être fait pour la contrer.

QUELLE RELATION Y A-T-IL ENTRE AMOUR ET SEXUALITÉ ?

Bien que l'on associe naturellement sexualité et amour, le lien n'est pas toujours net. Il est vrai qu'on peut avoir des relations sexuelles sans être amoureux de son ou sa partenaire. Un exemple est la pratique relativement courante du **sexe sans lendemain**, où des relations sexuelles sans amour se vivent en différents contextes (semaine de vacances, rencontre d'un soir, etc.) (Lambert et coll., 2003). Un autre exemple est le phénomène d'« **amis de sexe** » qui comporte une interaction sexuelle entre personnes qui se considèrent amis et qui n'ont pas une relation amoureuse (Hughes et coll., 2005). Les chercheurs sont très intrigués par ce genre de relation où se combinent les bénéfices de l'amitié et des avantages sexuels tout en évitant les responsabilités et l'engagement propres à une relation amoureuse (Hughes et coll., 2005). Les recherches montrent que les « amis de sexe » sont très courants sur les campus universitaires. Dans trois campus différents, le pourcentage des étudiants ayant eu une relation de ce type était de 48,5 %, 54 % et 61,7 % (Afifi et Faulkner, 2000 ; Mongeau et coll., 2003).

L'amour peut aussi exister en dehors de toute attirance ou expression sexuelles. Toutefois, la relation amoureuse idéale, pour la plupart d'entre nous, intègre à la fois les sentiments amoureux et la satisfaction sexuelle.

Le sentiment amoureux et l'attirance sexuelle se confondent souvent, particulièrement au début d'une relation. Une recherche auprès d'étudiants d'universités indique qu'autant les femmes que les hommes considèrent le désir et l'attirance sexuels comme des ingrédients importants de l'amour romantique (Regan, 1998). L'interaction complexe entre l'amour et la sexualité soulève plusieurs questions. L'intimité sexuelle approfondit-elle la relation amoureuse ? Les hommes et les femmes ont-ils des conceptions différentes du lien entre la sexualité et l'amour ? Convient-il d'avoir des relations sexuelles sans amour ? Tâchons ici d'éclaircir quelque peu ces questions et d'autres qui s'y rapportent.

L'intimité sexuelle approfondit-elle la relation amoureuse ?

Je connaissais Christian depuis quelque temps et je me croyais prête à avoir des rapports sexuels avec lui. Donc, à la fin d'une soirée passée ensemble, je lui ai demandé si je pouvais passer la nuit chez lui, et il a dit oui. J'étais vraiment excitée quand nous nous sommes mis au lit. J'avais vraiment beaucoup de plaisir à explorer les lignes de son corps et le grain de sa peau. Cependant, quand nous avons commencé à nous toucher le sexe, je me suis sentie mal à l'aise. Si nous continuions ainsi, nous allions dépasser le niveau d'intimité émotionnelle que j'éprouvais. J'avais l'impression qu'il me faudrait abandonner le sentiment de grande intimité que je ressentais pour aller plus loin. Je devais choisir entre intimité et contact génital. Notre intimité comptait davantage pour moi. J'ai donc dit à Christian que je voulais que nous nous connaissions mieux avant d'aller plus loin sexuellement. (Notes des auteurs)

Le témoignage de cette femme révèle qu'elle a décidé de reporter un engagement sexuel plus avancé à un moment où elle se sentira plus à l'aise dans la relation.

Sexe sans lendemain   Interaction sexuelle de courte durée, dépourvue d'amour.

Amis de sexe   Interaction sexuelle entre amis qui n'ont pas une relation amoureuse.

De nombreux individus prennent le chemin inverse et passent rapidement à l'intimité sexuelle. Dans certains cas, cela permet d'approfondir la relation, mais c'est loin d'être assuré. Dans les faits, lorsque la relation devient sexuelle avant que le couple ait pu établir un bon lien intime, les individus peuvent se sentir encore plus loin l'un de l'autre émotionnellement. Il y a même parfois un lien adverse entre amour et sexualité, selon Perel (2006) : « L'amour a besoin de proximité, le sexe de distance » (p. 44).

Il y a raisonnablement lieu de croire que les gens tentent parfois de justifier leur comportement sexuel en se déclarant amoureux, ce qui serait plus fréquent chez les femmes (Perel, 2006). Il est probable que certains couples se fréquentent, se mettent en ménage, se fiancent, ou même se marient de façon prématurée, dans le but non avoué de se convaincre de la profondeur de leur amour et de légitimer ainsi leur activité sexuelle.

Les hommes et les femmes ont-ils des conceptions différentes de la relation entre sexualité et amour ?

Les hommes et les femmes entretiennent généralement des conceptions quelque peu différentes du lien entre sexualité et amour (Hendrick et Hendrick, 1995 ; Regan et Berscheid, 1995). Ainsi les hommes, plus que les femmes, définissent le sentiment amoureux et la qualité de l'implication amoureuse en termes de satisfaction sexuelle (Fischer et Heesacker, 1995 ; McCabe, 1999). Des études confirment ces données, indiquant qu'il est plus facile pour les hommes que pour les femmes d'avoir des rapports sexuels pour le plaisir et la détente physique, sans engagement émotif (Buss, 1999 ; Townsend, 1995). Cependant, cette différence entre les sexes diminue avec l'âge ; les femmes plus âgées ont davantage tendance que les jeunes femmes à considérer le plaisir physique comme une source importante de motivation pour avoir des relations sexuelles (Murstein et Tuerkheim, 1998).

Malgré ces apparentes différences, il demeure que tant les hommes que les femmes valorisent l'amour et la tendresse dans les relations sexuelles. De plus, deux importantes études sur de vastes échantillons, réalisées en 1984 et 1994, ont révélé une convergence de tendance entre les attitudes des hommes et des femmes en ce qui a trait au lien entre amour et sexualité. Dans la première étude, 59 % des hommes et 86 % des femmes ont déclaré qu'il était difficile d'avoir des rapports sexuels sans amour (Ubell, 1984). Toutefois, dix ans plus tard,

71 % des hommes exprimaient ce point de vue, tandis que le pourcentage des femmes était toujours de 86 % (Clements, 1994).

D'autres études ont confirmé que malgré les différences dans la façon dont les hommes et les femmes perçoivent le lien entre amour et sexualité, les deux sexes s'entendent sur ce qu'ils considèrent comme les ingrédients essentiels d'une relation amoureuse enrichissante et réussie (Regan, 1998 ; Sprecher et coll., 1995). Parmi les éléments jugés très importants se trouvent une bonne communication, l'engagement et une bonne qualité d'intimité à la fois émotive et physique (Byers et Demmons, 1999 ; Fischer et Heesacker, 1995 ; McCabe, 1999).

Les personnes d'orientation hétérosexuelle et homosexuelle ont-elles des conceptions différentes de l'amour et de la sexualité ?

Je ne dirais pas que j'ai des préjugés contre les homosexuels. Toutefois, jusqu'à un certain point, je désapprouve leur style de vie, lequel semble souvent rempli d'aventures sans lendemain où la sexualité prend le pas sur la tendresse. Certains homosexuels masculins de ma connaissance ont eu plus de partenaires ces dernières années que je n'en ai eu durant toute ma vie. (Notes des auteurs)

Cette opinion fait écho à la croyance répandue parmi les hétérosexuels que les liaisons sexuelles des femmes et des hommes homosexuels sont avant tout basées sur l'attirance physique et souvent dépourvues d'attachement, d'amour, d'engagement sincère et de satisfaction générale. De nombreux chercheurs ont dénoncé cette conception en montrant que les homosexuels, comme les hétérosexuels, recherchent généralement les relations faites d'amour, de confiance, de souci de l'autre et comprenant plusieurs dimensions de partage en plus de l'intimité sexuelle (Adler et coll., 1989 ; Kurdek, 1995b ; Zak et McDonald, 1997). Les hommes gais, comme les hommes hétérosexuels, sont généralement plus enclins que les femmes lesbiennes ou hétérosexuelles à séparer sexualité et amour. Il s'agirait plutôt d'une question de différence entre les sexes que d'orientation sexuelle. Cela ne fait que confirmer la divergence déjà observée entre les hétérosexuels des deux sexes sur cette même question. En effet, tandis que les hommes sont généralement plus enclins que les femmes à séparer sexualité et amour, comme on l'a vu plus tôt, les hommes gais démontrent une inclinaison fortement marquée à le faire. Certains gais, surtout avant que ne se déclare l'épidémie du sida, avaient de fréquentes aventures sexuelles sans amour ni attachement affectueux (Bell et Weinberg, 1978 ; Gross, 2003a). Plutôt que d'indiquer que les hommes gais ne valorisent pas l'amour, cette étude révèle simplement que certains d'entre eux considèrent que la relation sexuelle est une fin en soi. Par contre, la plupart des lesbiennes reportent l'engagement sexuel tant que l'intimité émotionnelle n'est pas établie avec la partenaire (Leigh, 1989 ; Zak et McDonald, 1997). Selon plusieurs chercheurs, ces différences entre les lesbiennes et les gais résultent de modèles sociaux liés aux rôles sexuels qui valorisent davantage les rapports sexuels occasionnels chez les hommes que chez les femmes. Ils avancent de plus que les hommes hétérosexuels seraient tout aussi intéressés que les hommes homosexuels à avoir des rapports sexuels occasionnels sans amour si les femmes l'étaient également et si la plupart des couples hétérosexuels ne considéraient pas leur relation comme exclusive (Foa et coll., 1987 ; Leigh, 1989).

Enfin, l'amour joue un rôle prédominant dans la vie des personnes homosexuelles parce qu'il sert de révélateur de l'orientation gaie ou lesbienne. Plusieurs personnes ayant une orientation hétérosexuelle ont eu des contacts avec des individus de leur propre sexe. C'est particulièrement vrai au cours de l'enfance et de l'adolescence, alors que ce type de contact peut être expérimental et transitoire, ou l'expression d'une orientation qui durera toute la vie (voir le chapitre 5). Ces activités sexuelles avec des personnes de même sexe ne sont pas en soi suffisantes pour déterminer l'orientation sexuelle. Par contre, le fait de tomber amoureux d'une personne de son propre sexe permet vraiment d'établir l'orientation homosexuelle de quelqu'un (Troiden, 1988).

LA JALOUSIE DANS LES RELATIONS AMOUREUSES

La jalousie est une réaction émotive d'aversion qu'éprouve un individu face à la liaison réelle ou imaginaire de son partenaire avec une tierce personne (Bringle et Buunk, 1991). Plusieurs personnes croient que la jalousie est un indicateur de l'amour qu'on a pour son partenaire et que son absence indique un manque d'amour (Buss, 2000). Les gens ont généralement des attitudes ambivalentes envers la jalousie, «la voyant parfois comme un signe d'insécurité, parfois comme un signe d'amour, et parfois les deux simultanément» (Puente et Cohen, 2003, p. 458). Toutefois, la jalousie a davantage trait aux blessures d'amour-propre, ou à la crainte de perdre ce qu'on veut contrôler ou posséder, qu'à l'amour. Par exemple, une personne qui s'aperçoit que son conjoint se plaît en compagnie de quelqu'un d'autre peut devenir jalouse parce qu'elle ne se sent pas à la hauteur. Comme nous l'avons mentionné à propos de la réciprocité, nous entrons et restons dans une relation parce que cela nous procure un sentiment d'appartenance et rehausse notre estime de soi. Nous comptons souvent sur notre partenaire pour valider une perception positive de nous-mêmes. En conséquence, une personne peut se croire menacée et sentir une perte potentielle de réciprocité et d'une image de soi positive si elle perçoit que son partenaire pense à la remplacer (Boekhout et coll., 1999).

Les sentiments intenses de jalousie sont généralement dus à notre imagination et à notre crainte d'être abandonnés par notre partenaire pour quelqu'un d'autre (Sharpsteen et Kirkpatrick, 1997). Les sentiments jaloux peuvent être exacerbés si l'on envie certaines caractéristiques de la «personne rivale». On est en effet plus susceptible de jalouser des individus possédant les qualités que l'on désirerait avoir. En général, les traits que les femmes envient le plus sont la beauté physique et la popularité, tandis que les hommes ont une prédilection pour la richesse et la renommée (Barker, 1987 ; Salovey et Rodin, 1985).

Certaines personnes sont plus portées à la jalousie que d'autres. Ainsi en est-il des individus qui souffrent de sentiments d'insécurité ou d'incompétence à cause de la piètre opinion qu'ils ont d'eux-mêmes (Brehm et coll., 2002 ; Buss, 1994, 1999). Cela nous ramène à un point auquel nous avons déjà fait allusion, à savoir qu'une saine estime de soi est primordiale à la création de bonnes relations intimes. Par ailleurs, les gens qui constatent un grand écart entre ce qu'ils sont et ce qu'ils voudraient être sont aussi portés à la jalousie. Comme on peut s'y attendre, de tels individus ont aussi une piètre estime d'eux-mêmes. Enfin, les gens qui valorisent beaucoup des valeurs comme la richesse, la renommée, la popularité et l'apparence physique sont plus susceptibles de se montrer jaloux dans une relation (Salovey et Rodin, 1985).

La jalousie entraîne souvent de la violence dans les mariages et les fréquentations (Buss, 1999 ; Puente et Cohen, 2003 ; Vandello et Cohen, 2003). La recherche a révélé que la violence enclenchée par la jalousie est plus communément dirigée contre son propre partenaire ou amant que contre la partie rivale (Mathes et Verstraete, 1993 ; Paul et Galloway, 1994).

La jalousie est un sentiment désagréable qui peut entraver le développement d'une relation amoureuse et gâcher le plaisir d'être ensemble. Tant pour les hommes que pour les femmes, les émotions et les pensées associées à la jalousie sont négatives. Les jaloux se sentent anxieux, déprimés ou en colère. Ils ont l'impression que leur partenaire les déprécie et qu'ils manquent d'attrait à leurs yeux (Bush et coll., 1988). La jalousie a aussi un effet paradoxal, car bien que la personne jalouse désire préserver sa relation et son image de soi, elle risque de nuire aux deux en l'exprimant (Buunk et Bringle, 1987).

Les nombreux effets négatifs de la jalousie sont évidents, mais les moyens de composer avec les sentiments de jalousie qui se révèlent dans une relation sont loin de l'être autant. L'encadré *Comment déjouer le démon de la jalousie* offre des conseils aux gens qui veulent endiguer les sentiments de jalousie, soit les leurs ou ceux de leur partenaire.

L'expression de la jalousie selon le sexe

Les gens ne réagissent pas tous à la jalousie de la même manière, et de nombreuses études ont permis de dégager certaines différences entre les réactions des femmes et celles des hommes. En général, les femmes ont plus tendance à admettre leur jalousie que les hommes (Barker, 1987 ; Clanton et Smith, 1977). De plus, une femme jalouse est plus portée à se concentrer sur la liaison affective de son partenaire avec une autre, tandis que l'homme jaloux sera probablement davantage contrarié par la liaison sexuelle de sa partenaire avec un autre (Fisher, 1999 ; Shackelford et coll., 2002). Toutefois, d'autres études n'ont pas permis de confirmer cette différence entre les deux sexes (Harris, 2003). Une étude chez les hommes et les femmes d'orientations hétérosexuelle et homosexuelle a montré que les deux sexes étaient plus préoccupés par l'implication affective de leur partenaire avec une autre personne que par l'implication sexuelle (Harris, 2002).

Autre différence entre les sexes par rapport au modèle de la jalousie : les femmes s'attribuent souvent le blâme quand un problème de jalousie surgit, tandis que les

hommes jettent le blâme sur la tierce partie ou le comportement de leur partenaire (Barker, 1987 ; Daly et coll., 1982). Les femmes sont également plus portées à susciter délibérément la jalousie chez leur partenaire (Sheets et coll., 1997 ; White et Helbick, 1988). Peut-être est-ce parce que les jalouses souffrent souvent simultanément de sentiments d'incompétence et d'inutilité. En tentant d'inciter à la jalousie, elles cherchent probablement à soutenir leur estime de soi et à reporter sur elles l'attention du partenaire qu'elles rendent inquiet par leurs actions. Les hommes aussi éprouvent souvent le sentiment d'inutilité qui accompagne la jalousie. Toutefois, le rapport entre les deux est souvent inverse chez eux : la jalousie précède le sentiment d'incompétence (White et Helbick, 1988).

PRÉSERVER LA SATISFACTION DANS LA RELATION

Les relations humaines présentent bien des défis. D'abord, il faut parvenir à l'harmonie avec soi-même. Il faut aussi établir des relations gratifiantes et agréables avec sa famille, ses pairs, ses professeurs, ses collègues, ses employeurs et les autres personnes de son réseau social. Développer des relations particulières et intimes avec ses amis et, si on le désire, des relations sexuelles, pose un troisième défi. Enfin, de nombreuses personnes s'attaquent à la difficulté de préserver la satisfaction et l'amour à l'intérieur d'une relation suivie et engagée. Cette section présente certains des facteurs pouvant contribuer à la satisfaction dans une relation durable. Nous traiterons aussi de l'importance de la variété sur le plan sexuel à l'intérieur d'une relation.

LES COMPOSANTES D'UNE RELATION AMOUREUSE DURABLE

Les composantes d'une relation amoureuse durable sont l'acceptation de soi, l'appréciation mutuelle, l'engagement, la bonne communication, les attentes réalistes, les intérêts communs, l'égalité dans la prise de décision et la capacité de résoudre les conflits. Ces caractéristiques ne sont pas statiques ; elles évoluent, changent et interagissent dans le temps. Souvent, il faut délibérément les cultiver. Selon une enquête sur la satisfaction conjugale, les mariages réussis qui résistent au temps ont aussi les caractéristiques suivantes (Karney et Bradbury, 1995) :

* Les parents des deux époux ont eu des mariages heureux et réussis.

Question d'analyse critique

Selon les recherches, les femmes sont plus portées que les hommes à avouer leur jalousie. À votre avis, comment pourrait-on expliquer cette différence entre les sexes ?

Comment déjouer le démon de la jalousie

Il est courant que le démon de la jalousie montre sa face hideuse au moins une fois dans le cours d'une relation. Il est parfois très difficile de composer avec la jalousie, parce que les sentiments qu'éprouvent les jaloux découlent souvent d'une profonde impression d'inaptitude inhérente à la personne plutôt qu'à la relation. La personne que des sentiments d'insécurité poussent à la jalousie se détourne souvent de son ou de sa partenaire ou passe à l'attaque en proférant des accusations ou des menaces, quand ce n'est pas les deux. Ces comportements inadéquats provoquent fréquemment une réaction similaire chez le ou la partenaire non jaloux — retrait ou contre-attaque. Il serait pourtant mieux indiqué de la part de la personne jalouse de reconnaître ses propres sentiments de jalousie et de tenter d'en déterminer la source. Ainsi, le jaloux peut prendre l'initiative de la discussion en disant, par exemple : « Marie, j'ai peur pour nous, et je m'inquiète un peu en pensant à tout le temps que tu passes à travailler tard avec tes collègues, et spécialement avec ce William ! » Cette façon de mettre cartes sur table, sans menaces ni accusations, va probablement inciter Marie à rassurer son partenaire, et un dialogue positif pourrait s'ensuivre.

Mais dans de nombreuses situations, la personne jalouse n'admettra pas le problème et n'exprimera pas le désir d'y remédier. Si c'est le cas, il est essentiel de commencer par motiver la personne à s'efforcer d'éliminer les douloureux sentiments de jalousie et les comportements destructeurs qu'ils suscitent souvent. Robert Barker (1987), un psychothérapeute conjugal, donne de précieux conseils à ce sujet dans son livre *The Green-Eyed Marriage : Surviving Jealous Relationships*. Cet auteur soutient qu'une personne jalouse aura une plus grande envie de remédier à son problème et acceptera l'aide des autres si :

- *Elle croit qu'elle n'a pas à craindre de perdre le ou la partenaire qu'elle aime.* Il ne sert souvent à rien de tenter de convaincre la personne jalouse que la relation n'est pas en danger ; cela peut même se révéler contre-productif. Il est plus efficace de faire allusion, de temps à autre, au futur qu'on envisage ensemble. Ainsi, le conjoint non jaloux, qui prévoit prendre l'initiative d'une discussion sur la jalousie à un certain moment, pourrait commencer par saisir quelques opportunités pour dire des choses du genre : « Ce sera formidable quand les enfants auront grandi et que nous aurons plus de temps, juste pour nous. »

- *Elle est convaincue que le problème émane de la relation plutôt que de défauts de son caractère.* Une personne jalouse sera plus encline à essayer de s'en sortir si les deux conjoints reconnaissent que la jalousie est un problème commun. Le partenaire non jaloux peut amener l'autre à penser cela en disant, par exemple : « C'est notre problème et nous devons tous deux nous efforcer de le régler. »

- *Elle se croit sincèrement aimée et respectée.* Comme la jalousie résulte de sentiments d'incompétence et d'insécurité, le partenaire non jaloux peut diminuer ces émotions négatives et nourrir l'estime de soi et la confiance en soi de l'autre en lui réaffirmant régulièrement son affection verbalement, émotionnellement et physiquement (Barker, 1987, p. 100).

- *Elle n'est pas acculée à la honte ou à la culpabilité.* Il est compréhensible que les personnes qui font indûment l'objet de jalousie se mettent en colère et soient tentées de contre-attaquer en utilisant le sarcasme, le ridicule ou le dénigrement, dans l'idée de susciter chez leur partenaire jaloux suffisamment de culpabilité et de honte pour qu'il cesse ses accusations injustifiées. Malheureusement, en provoquant la colère et en mettant l'autre sur la défensive, ce genre de contre-attaque négative aura probablement l'effet inverse. Pis encore, ainsi repoussés dans leurs retranchements, les jaloux pourraient avoir plus de difficulté à reconnaître leur besoin de changer.

- *Elle est capable d'empathie envers la personne blessée par son comportement jaloux.* Quand les gens jaloux sont capables de comprendre la douleur que leur comportement cause à leur conjoint, le désir de changer augmente. La difficulté pour le partenaire non jaloux est de favoriser le développement de l'empathie plutôt que celui de la culpabilité. Il peut pour cela exprimer sa peine et sa douleur, mais sans en attribuer la responsabilité au partenaire jaloux. Par exemple, Marie pourrait dire à son conjoint jaloux : « Je t'aime vraiment, Michel, et je trouve terriblement difficile de travailler tard, car je sais que tu es à la maison et que tu aimerais que nous y soyons ensemble. J'ai de la peine de penser que mon travail puisse parfois paraître plus important que notre relation. »

Une fois que la motivation à changer est établie et que le couple engage un dialogue destiné à contrer la jalousie, plusieurs des stratégies de communication esquissées dans les pages qui suivent peuvent faciliter le processus. Certaines des suggestions concernant les révélations sur soi, l'écoute, la rétroaction et les questions à poser peuvent aider à déterminer ce que chaque partenaire désire et attend de la relation. Par exemple, après avoir exprimé ses craintes, Michel pourrait dire à Marie que cela pourrait l'apaiser si elle passait moins de temps à travailler avec William après les heures de bureau ou si elle était aussi en présence d'autres collègues dans ces moments-là.

✴ Les époux ont des attitudes, des intérêts et des styles de personnalité similaires.

✴ Les deux époux sont satisfaits de leurs échanges sexuels.

✴ Le couple dispose d'un revenu suffisant et régulier.

✴ La femme n'était pas enceinte au moment du mariage.

Dans une autre étude, les chercheurs ont demandé à un groupe de 560 femmes et hommes d'évaluer un certain nombre d'éléments quant à leur capacité à assurer le succès d'un mariage ou à favoriser une relation amoureuse durable. Il en est ressorti qu'une relation jugée de grande qualité devrait contenir les éléments suivants (Sprecher et coll., 1995):

✴ Une bonne communication: savoir communiquer ouvertement et honnêtement, et avoir la volonté d'aborder les questions et les sujets difficiles.

✴ De la camaraderie: partager des intérêts communs et aimer faire beaucoup d'activités ensemble.

✴ L'expression sexuelle: vivre ensemble une sexualité spontanée et variée, et se sentir sexuellement attirant l'un pour l'autre.

Selon une autre étude portant sur 300 couples mariés et heureux, la clé de la réussite et du bonheur conjugaux serait que les conjoints se considèrent comme les meilleurs amis l'un de l'autre. Les qualités que les individus appréciaient particulièrement chez leur conjoint étaient le souci de l'autre, la générosité, l'intégrité et le sens de l'humour. Ces couples avaient conscience des défauts de leur conjoint, mais ils croyaient que leurs qualités l'emportaient. Plusieurs ont déclaré que leur conjoint était devenu plus intéressant avec le temps. Ils préféraient les activités en commun aux activités individuelles, ce qui semblait refléter la richesse de leur relation. La plupart des couples étaient généralement satisfaits de leur vie sexuelle, et pour certains, la passion charnelle s'était intensifiée avec le temps (Lauer et Lauer, 1985).

Il est essentiel de maintenir de nombreuses interactions positives pour jouir d'une relation pleinement satisfaisante. Le dicton «Ce sont les petites choses qui comptent» a beaucoup de sens, dans ce contexte. Quand un partenaire dit à l'autre «Tu ne m'aimes plus», cela signifie souvent «Tu ne fais plus autant les choses qui me témoignent ton amour». Il s'agit souvent de gestes si ténus qu'on ne les remarque même pas. Toutefois, quand les couples font de moins en moins de choses pour que l'un et l'autre se sentent aimés (ou quand ils cessent complètement ces comportements), la carence est souvent ressentie comme un manque d'amour. L'interaction affectueuse et attentionnée aide à alimenter le sentiment d'amour.

Le genre de choses qui me donnent le sentiment que mon compagnon m'aime toujours peuvent paraître anodines, mais elles ne le sont pas pour moi. Quand il se lève pour m'accueillir au retour à la maison, quand il me prend le bras pour traverser la rue, quand il me demande «Est-ce que je peux te donner un coup de main?», quand il me dit que j'ai l'air formidable, quand il m'étreint au milieu de la nuit, quand il me remercie pour une

L'intimité et l'affection dans un vieux couple sont le fruit de nombreuses années d'expériences partagées.

tâche quotidienne — je me sens aimée de lui. Ces petites choses, une fois additionnées, font une grande différence pour moi. (Notes des auteurs)

Il est aussi utile de parler avec son partenaire, de lui faire savoir ce qui nous est agréable ou de lui suggérer de nouvelles idées. La règle d'or «Fais aux autres ce que tu voudrais qu'ils te fassent» ne s'applique pas toujours, car les préférences des gens sont souvent très différentes. Il se peut que votre partenaire ne sache pas ce que vous voulez tant que vous ne le lui aurez pas exprimé. Lorsqu'on apprécie quelqu'un et qu'on a du plaisir avec lui autrement que sexuellement, cela nourrit généralement l'intérêt et les interactions sexuelles. De nombreux couples déclarent manquer de désir pour l'intimité sexuelle quand ils ne se sentent pas proches affectivement.

L'IMPORTANCE DE LA VARIÉTÉ SUR LE PLAN SEXUEL

Je connais un petit restaurant spécial, confortable, à l'ambiance intime, où l'on sert de délicieux steaks et j'aime m'y rendre quelques fois par année. De la bonne compagnie, une bonne bouteille, un repas savoureux et je revis. Si j'y retourne à l'invitation d'un ami le jour suivant, ce sera encore bon, mais pas aussi stimulant. Pour peu qu'une autre invitation m'y ramène le jour suivant, je suis mûr pour l'arrêt quart de livre chez McDonald. (Notes des auteurs)

Beaucoup de gens cherchent fermement à varier leurs expériences de vie. Ils se font, par exemple, un grand cercle d'amis qui enrichissent leur vie, chacun à sa manière. De même, ils lisent plusieurs types de livres, s'adonnent à une variété d'activités de loisir, mangent des mets variés et prennent toutes sortes de cours. Pourtant, un grand nombre d'entre eux se contentent d'une vie sexuelle routinière.

Malheureusement, bien des gens qui s'engagent dans une relation amoureuse croient que, parce qu'ils s'aiment, ils en retireront naturellement un intense plaisir sexuel. Mais, comme on l'a vu dans ce chapitre, l'excitation du début doit éventuellement céder le pas à des efforts réalistes et soutenus pour préserver la vitalité et les gratifications d'une relation qui marche bien. Une fois qu'une personne s'est engagée envers un partenaire, elle n'a plus accès à la variété que pourrait lui apporter une suite de relations. Certains individus doivent alors trouver la variété autrement.

Les couples ne ressentent pas tous le besoin de variété sexuelle. Beaucoup sont très à l'aise dans leur routine et n'ont pas envie de changer leurs habitudes. Toutefois, si vous désirez apporter plus de variété à votre vie sexuelle, ce qui suit pourrait vous être utile.

La communication est cruciale. Parlez avec votre partenaire de vos besoins et de vos sentiments. Confiez-lui votre désir d'essayer quelque chose de différent. Certains conseils exposés dans la prochaine section pourraient vous aider dans vos demandes et votre échange d'information.

Bien que le temps atténue l'effet de la nouveauté dans une relation, la perte de la passion peut être contrebalancée par l'introduction de nouvelles façons d'exprimer sa sexualité. Cela peut être réalisé en évitant les moments et les endroits routiniers. Faire l'amour ailleurs que dans le lit (sur le plancher de la buanderie ou sous la douche, ou en bordure d'un sentier de montagne) et à des moments variés (à l'aube au chant des oiseaux ou à midi, ou au beau milieu de la nuit quand on s'éveille et ressent de l'appétit sexuel) se révèle souvent bénéfique.

Certaines des expériences sexuelles les plus excitantes sont peut-être celles qui tiennent à l'impulsion du moment, qui n'ont été que peu planifiées ou pas du tout. Évidemment, ces rencontres fougueuses se produisent surtout durant les fréquentations. Il est aussi vrai qu'elles peuvent vite être reléguées aux oubliettes, une fois que le couple reprend l'exigeant horaire réglant son quotidien. Toutefois, peut-être découvrirez-vous qu'en cultivant cette forme de spontanéité, vous nourrirez utilement votre relation durant les mois et les années que vous passerez ensemble.

D'un autre côté, il peut également être bon de prévoir des moments d'intimité — sexuels et non sexuels — de façon à préserver la solidité de la relation. Donnez-vous des rendez-vous et continuez consciemment à faire les gestes romantiques qui vous venaient naturellement au début de la relation. Investissez du temps et de l'énergie dans votre relation.

Ne passez pas à côté d'une vie érotique riche et variée pour des questions de «normalité». Trop souvent les gens s'empêchent d'essayer quelque chose de nouveau parce qu'ils ont l'impression que certaines activités sont «anormales». En réalité, vous seul pouvez juger de ce qui est normal pour vous. Les sexologues contemporains s'entendent pour dire que toute activité sexuelle est normale tant qu'elle donne du plaisir et qu'elle ne cause pas de malaise émotionnel ou physique ni de mal à aucun des partenaires. Le bien-être émotionnel est important, car si l'on essaie des comportements trop contraires à nos valeurs et à nos habitudes, il pourrait en résulter malaise et conflit plutôt qu'intimité et plaisir (Barbach, 1982, p. 282). Perel (2006) va plus loin lorsqu'elle remet en cause l'obsession de l'égalité et de ce qu'elle appelle la « démocratie » dans le couple. Le désir érotique ne doit pas être confondu avec des notions appartenant à la vie sociale ; il est d'abord une connexion avec soi-même et cela peut vouloir dire s'éloigner de ce que l'on croit être une « bonne personne ».

Nous ne voulons pas donner à entendre que tout le monde doit être sexuellement actif et avoir une vie sexuelle variée pour être vraiment heureux ; ce n'est pas notre propos. Comme nous l'avons vu, certaines personnes sont à l'aise et satisfaites dans les échanges sexuels qui leur sont familiers. D'autres estiment que la sexualité est peu importante comparativement à d'autres aspects de leur vie et choisissent de ne pas mettre d'efforts particuliers à rechercher le plaisir. Toutefois, si votre sexualité est une importante source de plaisir dans votre vie, peut-être ces suggestions et certaines autres dans ce manuel vous seront-elles utiles.

Les hommes et les femmes diffèrent-ils dans leur désir de varier leur vie sexuelle ? Une recherche interculturelle décrite dans l'encadré ci-dessous appuie l'idée que les deux sexes diffèrent sur ce plan.

Pleins feux sur la recherche

Les différences entre les hommes et les femmes quant au désir de variété sexuelle

Un certain nombre de psychologues évolutionnistes ont émis l'hypothèse que les stratégies de séduction des hommes et des femmes ont évolué différemment ; une différence marquée se situerait au niveau motivationnel et concernerait la recherche de relations sexuelles passagères. Selon cette perspective, les hommes recherchant des compagnes pour des relations passagères sont souvent motivés par un désir de variété sexuelle, qui se reflète dans leurs tendances à solliciter de nombreuses partenaires et à consentir aux activités sexuelles assez rapidement. D'autre part, la recherche de relations passagères chez les femmes serait fondamentalement motivée par le désir de sélectionner des hommes dont le statut social est élevé ou qui, sur le plan génétique, sont d'excellente qualité (Gangestad et Simpson, 2000 ; Schmitt, 2003 ; Schmitt et coll., 2001).

Cette interprétation a récemment été appuyée par une étude transculturelle impliquant 16 288 personnes choisies dans dix grandes régions du monde, soit l'Amérique du Nord, l'Amérique du Sud, l'Europe de l'Ouest, l'Europe de l'Est, l'Europe méridionale, le Moyen-Orient, l'Afrique, l'Océanie, l'Asie du Sud et du Sud-Est, et l'Asie orientale. Cette recherche a été conduite par le psychologue évolutionniste David Schmitt (2003). Schmitt a utilisé un questionnaire anonyme de neuf pages, traduit dans les langues locales, pour évaluer trois variables fondamentales : 1) le nombre de partenaires sexuels désirés à différents intervalles (mesure du « nombre de partenaires »), 2) la durée de la relation avant qu'il y ait une relation sexuelle coïtale (mesure du « temps connu ») et 3) l'importance accordée à la recherche active d'un partenaire pour une relation à court terme (mesure « recherche à court terme »).

Les résultats de cette recherche montrent de manière marquante les différences psychologiques entre les hommes et les femmes quant à la recherche de relations à court terme. Cela est tout particulièrement vrai pour ce qui est de leur désir de variété sexuelle, et ces différences semblent être universelles. Les résultats de Schmitt ont révélé que les « hommes possèdent non seulement un plus grand désir que les femmes de varier leurs partenaires sexuelles, mais ils ont aussi besoin de moins de temps qu'elles pour consentir à une relation coïtale et ils ont plus tendance à rechercher activement des partenaires temporaires que les femmes » (Schmitt, 2003, p. 101).

Schmitt en conclut que sa recherche confirme fortement le point de vue de la psychologie évolutionniste voulant que les stratégies de relations à court terme développées par les hommes sont reliées à un désir de variété sexuelle. Par exemple, même chez les participantes ayant répondu qu'elles « recherchaient fortement » un partenaire passager, moins de 20 % d'entre elles désiraient avoir plus d'un partenaire sexuel au cours du mois suivant. En revanche, chez les hommes, dans la catégorie « recherchant fortement », plus de 50 % désiraient plus d'une partenaire sexuelle au cours du mois suivant. Ce pourcentage a grimpé à 69 % pour une période de six mois et à 75 % pour une période d'un an. Chez les répondantes, les pourcentages augmentaient peu pour les mêmes périodes.

L'IMPORTANCE DE COMMUNIQUER EN SEXUALITÉ

La communication sexuelle peut grandement contribuer à la satisfaction que l'on retire d'une relation intime. Les gens affirment souvent qu'une bonne communication sur leurs préoccupations et désirs sexuels est un précieux apport au développement et à la préservation d'une relation satisfaisante et durable (Byers et Demmons, 1999 ; Ferroni et Jaffee, 1997 ; Byers, 2005). Nous ne voulons pas dire par là qu'un dialogue approfondi est essentiel à tout échange sexuel ; il y a des moments où la communication verbale peut être plus nuisible qu'utile. Néanmoins, les partenaires qui ne parlent jamais des aspects sexuels de leur relation se refusent probablement le rapprochement et le plaisir accrus que leur apporterait la connaissance de leurs besoins et désirs réciproques.

Selon nous, l'**empathie mutuelle** — c'est-à-dire la conviction profonde qu'a chacun des partenaires de la relation d'être important pour l'autre — joue un rôle fondamental dans la communication sexuelle efficace. C'est dans cette optique que nous examinerons quelques approches de la communication sexuelle qui ont permis à de nombreuses personnes d'améliorer la qualité de leur relation. Nous ne prétendons ici ni épuiser le vaste sujet de la communication humaine ni suggérer que les idées proposées fonctionneront pour tous. Les stratégies de communication ont souvent besoin d'être adaptées aux individus et, parfois, les différences entre deux personnes sont si profondes que même la meilleure communication ne peut assurer une relation mutuellement satisfaisante. Nous espérons, cependant, que certaines de ces expériences et suggestions vous aideront dans votre propre vie.

LES DIFFICULTÉS DE LA COMMUNICATION SEXUELLE

Les principales raisons pour lesquelles la communication sexuelle est difficile tiennent à notre socialisation, au langage dont nous disposons pour parler de sexualité et à notre peur de nous exprimer sur le sujet.

LA SOCIALISATION ET LA COMMUNICATION SEXUELLE

La difficulté de parler de ses besoins sexuels dépend bien souvent de la façon dont on a été élevé. Le manque de communication sur les sujets sexuels à la maison peut être nuisible sur plusieurs plans. En évitant ce sujet, on prive le jeune enfant d'une précieuse source de vocabulaire qui lui serait utile pour parler de sexualité plus tard dans la vie. Ce manque de communication peut aussi véhiculer implicitement le message que la sexualité n'est pas un sujet de conversation convenable. De plus, les enfants acquièrent plus efficacement les habiletés de communication quand ils disposent de modèles d'interaction verbale laissant place à l'expression de leurs propres pensées dans une atmosphère accueillante. Tous ces éléments sont généralement absents d'un foyer où les gens ne parlent tout simplement pas de sexualité.

Le manque de modèles positifs est aussi fréquent en dehors du foyer. Peu de gens ont en effet accès à des cours ou à des manuels qui enseignent comment les couples parlent de sexualité. Et ni les groupes de pairs ni les médias ne comblent cette lacune en proposant de l'information authentique et réaliste. Les films populaires portent rarement à l'écran des communications verbales sérieuses entre des amants, et lorsqu'il y a dialogue, l'échange est généralement ambigu ou dur et insensible (Striar et coll., 2000).

LE LANGAGE ET LA COMMUNICATION SEXUELLE

La pauvreté du langage relatif à la sexualité est un autre obstacle à une véritable communication sexuelle. Devenus adultes et avides de communiquer nos besoins et nos sentiments par rapport à la sexualité, nous ne savons guère comment nous y prendre. Les mots mêmes que nous avons appris pour décrire la sexualité sont souvent associés à des émotions négatives plutôt que positives. Beaucoup ont appris à ricaner en utilisant les mots tabous de la sexualité ou à en faire le vocabulaire de la colère, de l'agression ou de l'insulte. On comprend alors qu'on puisse être mal à l'aise d'utiliser ces mêmes mots pour décrire une activité partagée avec quelqu'un nous tenant vraiment à cœur.

Alors, quand nous voulons parler de sexualité avec quelqu'un, nous avons peine à trouver le langage qui conviendrait à la forme la plus intime de dialogue. L'éventail de mots communément utilisés pour décrire

---

Empathie mutuelle Dans une relation, conviction profonde de chacun des partenaires d'être apprécié de l'autre.

l'anatomie génitale est un bon indice de l'attitude ambiguë de notre société par rapport à la sexualité. Les deux extrêmes prédominent : le langage familier d'une part, et la terminologie clinique d'autre part.

Dans notre culture, il est très naturel — ou à tout le moins courant — de se sentir intimidé ou embarrassé lorsqu'on parle de sexualité avec des amis ou des amants. Toutefois, cet embarras est rarement inévitable ou insurmontable. Par exemple, certaines personnes donnent à leur sexe ou à celui de leur partenaire des surnoms comme « Albert, petite marmotte, Pipo ou chatonne » afin d'éviter tout lien avec les termes péjoratifs ou grivois qui ont cours. Quand les partenaires d'un couple donnent un surnom à leur appareil génital — en choisissant des termes faciles à dire et ayant une connotation positive —, cela peut faciliter la communication en créant une atmosphère enjouée (*Contemporary Sexuality*, 1999b, p. 1). Chez des couples qui éprouvent des problèmes sexuels, on a démontré qu'il y a des avantages à employer des noms amusants pour désigner les parties génitales (Godow, 1999). Pour que ce truc de communication réussisse, il faut que les deux partenaires se sentent à l'aise avec les termes utilisés.

Parler à son amoureux et toucher son corps procurent de la joie et du plaisir. C'est un moment merveilleux pour développer l'intimité tout en se renseignant sur ses besoins et ses préférences. C'est une manière particulièrement agréable de découvrir les mots appréciés de l'autre.

Les modes de communication varient aussi selon l'appartenance ethnique, ce qui influe nécessairement sur la communication sexuelle.

LES MODES DE COMMUNICATION SELON LE SEXE

Un autre facteur qui peut entraver la communication entre partenaires hétérosexuels est la façon dont les hommes et les femmes échangent avec les autres. (Canary et Dindia, 1998 ; James et Cinelli, 2003 ; Greene et Faulkner, 2005 ; Tannen, 1994, 2001). Selon Deborah Tannen (1990, 1994), professeure de linguistique à l'Université Georgetown de Washington, les hommes et les femmes n'ont pas les mêmes objectifs de communication. Les hommes utilisent le langage pour véhiculer de l'information, pour asseoir leur prestige dans un groupe, pour défier les autres et pour éviter qu'on leur marche sur les pieds. Selon cette perspective, la communication devient une compétition où il faut

éviter de perdre la face. On peut s'attendre que, dans un pareil contexte, un homme soit très réticent à demander des conseils ou des suggestions sur la manière de se comporter dans telle situation (sexuelle ou autre), à accepter qu'on lui dise de faire quelque chose ou à adopter un comportement qui s'apparente, ne fut-ce que de façon éloignée, à être inférieur à quelqu'un ou à se laisser marcher sur les pieds.

Par contre, Tannen soutient que de nombreuses femmes utilisent le langage pour parvenir à l'intimité, pour la partager, pour nourrir le rapprochement, pour évaluer la distance émotive entre elles et l'être aimé, et éviter le rejet. Socialement, les femmes n'ont généralement pas appris à se servir du langage pour se défendre contre la domination et le contrôle. En fait, elles utilisent le dialogue pour se rapprocher de l'autre personne — et pour estimer jusqu'à quel point elles sont près ou loin d'un partenaire qu'elles chérissent.

En exprimant ses préoccupations, la femme cherche souvent à créer un sentiment de partage, à établir un rapport et à sentir qu'elle n'est pas seule. Elle veut pour réponse « Je comprends : j'ai connu ça, moi aussi » — une réaction qui met les deux interlocuteurs sur le même pied et leur permet de tisser des liens égalitaires. Tandis que la femme ne recherche souvent que la compréhension ou une disposition à discuter ouvertement d'une question qui lui tient à cœur, son partenaire masculin aura tendance à lui apporter conseils et solutions. Par cette réponse, l'homme se place dans son rôle de « plus cultivé, plus raisonnable, plus en contrôle : bref, dans le rôle de celui qui marque un point. Et cela contribue à l'effet de distanciation » (Tannen, 1990, p. 53). La femme peut minimiser cet effet réducteur de la relation en disant clairement à son partenaire masculin que lorsqu'elle parle de problèmes intimes ou émotionnels, elle ne veut pas se voir offrir rapidement des solutions. Elle préfère qu'il l'écoute et qu'il soit ouvert à discuter et à partager, sur une base égalitaire, les points de vue concernant les problèmes.

Depuis la publication de l'étude de Tannen, plusieurs autres recherches se sont penchées sur les différences des modes de communication selon le sexe. Un examen récent d'un grand nombre de ces études a conclu que les différences dans les styles de communication sont, en général, relativement petites (Canary et Dindia, 1998). Bien sûr, les différences selon le sexe décrites par Tannen et d'autres existent, mais elles ne sont pas suffisantes pour dire que les deux sexes ont des cultures

La communication entre partenaires hétérosexuels peut être entravée par les façons différentes qu'ont les hommes et les femmes d'entrer en relation avec les autres.

différentes en matière de communication. En fait, les recherches indiquent qu'il y a plus de similitudes que de différences entre les modèles de communication des femmes et des hommes (MacGeorge et coll., 2004). Les hommes et les femmes peuvent avoir une véritable communication sur un large éventail de sujets, y compris l'intimité sexuelle. Être conscient des différences décrites par Tannen ne peut qu'améliorer la communication entre les deux sexes.

LES INQUIÉTUDES LIÉES À LA COMMUNICATION SEXUELLE

Au-delà des obstacles induits par la socialisation et les limites du langage, certaines personnes éprouvent de la difficulté à parler de sexualité parce qu'elles craignent de se révéler elles-mêmes. Tout dialogue sur la sexualité implique une certaine part de risque : en parlant, les gens s'exposent au jugement, à la critique et même au rejet. On acceptera probablement plus volontiers de prendre des risques si la confiance est grande dans la relation. Certains couples manquent de cette confiance mutuelle, et l'expression ouverte des besoins sexuels des partenaires apparaît alors trop risquée. D'autres couples ont un très haut niveau de confiance réciproque et se préoccupent l'un de l'autre. Il est plus facile pour eux de faire les premiers pas lorsqu'il s'agit d'aborder la sexualité.

Même dans les meilleures conditions, des partenaires peuvent éprouver de la difficulté à établir un dialogue satisfaisant sur la sexualité. Si un couple ne parvient pas à résoudre par lui-même ses problèmes de communication sexuelle, il peut être indiqué de recourir à une aide professionnelle. (Au chapitre 10, nous donnons quelques conseils pour trouver de l'aide professionnelle.)

Nous avons décrit des raisons pour lesquelles plusieurs personnes trouvent difficile de s'engager dans une véritable communication sexuelle. Malgré ces difficultés, la communication demeure un élément important de la vie sexuelle du couple, tout comme elle l'est pour beaucoup d'autres aspects de la relation. Une véritable communication sur la sexualité ne peut qu'améliorer la vie sexuelle des partenaires et enrichir leur relation dans son ensemble.

AMORCER UNE DISCUSSION

Comment entame-t-on une discussion sur un sujet comme la sexualité ? Dans cette section, nous explorerons quelques façons de briser la glace. Ces suggestions valent tant au début que dans le cours d'une relation.

SAVOIR EN PARLER

Quand les gens sont mal à l'aise avec un sujet, la meilleure chose à faire est souvent de commencer par parler de la difficulté d'en parler. Ce peut être une bonne idée d'amorcer la discussion par *pourquoi* il est difficile de parler de sexualité. Chaque partenaire a ses raisons propres et les comprendre peut aider à bien asseoir la relation. Peut-être pourriez-vous échanger sur vos précédentes tentatives de discussion avec vos parents, des professeurs, des médecins, des amis ou des amants. Vous pourriez aussi aborder graduellement la communication sexuelle en ayant d'abord des discussions sur des sujets rassurants, moins personnels (comme les méthodes de contraception, les lois sur la pornographie, etc.). Plus tard, quand vous vous sentirez plus à l'aise, vous aurez plus de facilité à parler de vos sentiments et de vos besoins personnels.

LIRE ET DISCUTER

Comme beaucoup de gens trouvent plus facile de lire sur la sexualité que d'en parler, les articles et les livres sur le sujet peuvent favoriser les conversations personnelles. Les partenaires peuvent lire la documentation chacun de leur côté et en discuter ensuite, ou la lire ensemble et discuter de leurs réactions personnelles. Passer d'un livre ou d'un article aux sentiments personnels est souvent moins contraignant que d'aborder immédiatement ses préoccupations.

En lisant ensemble sur des sujets délicats, on peut faciliter la discussion.

ÉCHANGER SUR L'ÉDUCATION SEXUELLE DE CHACUN

Une autre façon d'engager le dialogue est d'échanger sur l'éducation et les valeurs sexuelles reçues en posant des questions comme celles-ci : Quel genre d'éducation sexuelle dispensait-on chez toi ou à l'école ? Quel genre de relation tes parents avaient-ils entre eux ? Détectais-tu une composante sexuelle dans leur relation ? Quand as-tu découvert la sexualité et quelles ont été tes réactions ? (Voir aussi l'encadré « Parlons-en » du chapitre 1, p. 3.)

L'ÉCOUTE ET LA RÉTROACTION

La communication, sexuelle ou autre, est mieux réussie quand elle met en rapport un émetteur efficace et un récepteur actif.

Vous êtes-vous déjà demandé pourquoi certaines gens semblent attirer les autres un peu comme un aimant attire le métal ? En y réfléchissant un peu, vous découvrirez, entre autres choses, que ces individus savent souvent très bien écouter. Par quelles habiletés particulières donnent-ils l'impression de s'intéresser vraiment à ce que nous avons à dire ? La prochaine fois que vous serez en compagnie d'un tel individu, observez-le attentivement. Peut-être remarquerez-vous certains traits propres à une bonne écoute tels que faire de l'écoute active, maintenir le contact visuel, fournir une rétroaction, soutenir l'autre dans ses efforts de communication, faire preuve d'une acceptation inconditionnelle de l'autre.

FAIRE DE L'ÉCOUTE ACTIVE

Certaines personnes font de l'écoute passive. Pendant qu'on leur parle, elles contemplent le vide d'un air absent, lâchant sporadiquement quelques « oui, oui » en signe d'assentiment. On interprète habituellement ce genre de réponse comme de l'indifférence, même si ce n'est pas toujours le cas, et on abandonne alors assez vite l'idée de partager ses pensées avec quelqu'un d'apparemment si peu réceptif.

Quand je dis des choses importantes à mon mari, il a le regard vide. C'est comme si je parlais aux murs. Je pense qu'il entend mes messages, quelquefois du moins, mais il est très rare qu'il me réponde. Parfois, je voudrais le secouer et lui crier « Es-tu encore en vie ? ». Vous comprendrez qu'aujourd'hui je ne tente même plus de communiquer avec lui. (Notes des auteurs)

Faire de l'écoute active signifie se montrer attentif à ce que dit l'autre et lui montrer que l'on est sincèrement intéressé à entendre ce qu'il a à dire (Cole et Cole, 1999 ; Gottman et coll., 1998). On peut manifester cet intérêt par l'attention que révèle le langage corporel, par des expressions de visage appropriées et empreintes de sympathie, par des hochements de tête, par des questions (« Pourrais-tu me donner un exemple ? ») ou par de brefs commentaires (« Je vois ce que tu veux dire »). Il est parfois utile de rendre la pareille dans une conversation. Par exemple, si votre partenaire parle d'un sentiment ou d'un incident quelconque, vous pouvez l'informer que vous avez vécu quelque chose de semblable. Faire ce genre d'association et simplement l'exprimer — en autant que vous ne détournez pas la conversation vers vos propres besoins — peut encourager votre partenaire à s'ouvrir davantage.

MAINTENIR LE CONTACT VISUEL

Dans un bon tête-à-tête, il est essentiel de maintenir le contact visuel. Les yeux expriment merveilleusement les sentiments. Quand une personne garde un contact visuel au moment où nous lui confions des pensées, des sentiments ou des préoccupations personnelles, le message est clair : ce que nous avons à dire lui importe. Lorsqu'elle refuse un tel contact, elle nous prive d'une rétroaction essentielle sur la façon dont elle perçoit notre message.

FOURNIR UNE RÉTROACTION

Le but de la communication est d'envoyer un message qui aura un certain effet sur la personne qui écoute. Toutefois, il arrive que l'effet du message diffère de l'intention qu'on avait en le transmettant. C'est particulièrement vrai pour un sujet comme la sexualité, dont on parle souvent en utilisant un langage indirect ou vulgaire. Il est donc utile de réagir verbalement au message de son interlocuteur. En plus de lui montrer comment ses propos ont été perçus, la rétroaction verbale vient renforcer chez lui l'impression qu'il est écouté activement.

De la même façon, une personne ne devrait pas hésiter à demander à son ou à sa partenaire d'apporter une réponse à un message qu'elle considère comme important. Un commentaire tel que « Qu'est-ce que tu penses de ce que je viens de dire ? » pourrait favoriser une rétroaction susceptible de l'aider à déterminer l'effet qu'a eu son message.

SOUTENIR L'AUTRE DANS SES EFFORTS DE COMMUNICATION

Plusieurs d'entre nous peuvent se sentir très vulnérables lorsqu'ils transmettent d'importants messages à leur partenaire. En soutenant les efforts de l'autre, on peut apaiser ses craintes et son anxiété, et l'encourager ainsi à développer les habiletés de communication essentielles à la viabilité d'une relation. Songez combien il est bon, après être parvenu à exprimer une importante préoccupation, d'entendre son ou sa partenaire dire « Je suis content de savoir ce que tu ressens vraiment » ou « Merci d'avoir pris la peine de me dire ce que tu penses ». Ce type d'encouragement peut aider à nourrir l'empathie mutuelle, tout en nous incitant à continuer à livrer sans détours nos pensées et nos sentiments.

FAIRE PREUVE D'UNE ACCEPTATION INCONDITIONNELLE DE L'AUTRE

Nous empruntons le concept de l'acceptation inconditionnelle à la célèbre thérapie centrée sur le client de Carl Rogers (1951). Dans les relations personnelles, cela consiste à transmettre à nos partenaires le sentiment que nous continuerons à les apprécier et à nous soucier d'eux peu importe ce qu'ils font ou disent. L'acceptation inconditionnelle peut même inciter une personne à parler de ses problèmes les plus embarrassants ou les plus douloureux. Le témoignage suivant révèle en quoi cette attitude est si précieuse.

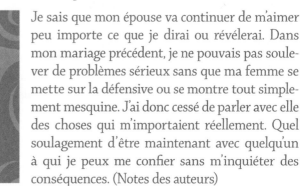

Je sais que mon épouse va continuer de m'aimer peu importe ce que je dirai ou révélerai. Dans mon mariage précédent, je ne pouvais pas soulever de problèmes sérieux sans que ma femme se mette sur la défensive ou se montre tout simplement mesquine. J'ai donc cessé de parler avec elle des choses qui m'importaient réellement. Quel soulagement d'être maintenant avec quelqu'un à qui je peux me confier sans m'inquiéter des conséquences. (Notes des auteurs)

DÉCOUVRIR LES BESOINS DE L'AUTRE

Découvrir ce qui donne du plaisir à son ou à sa partenaire est un aspect important de l'intimité sexuelle. Plusieurs individus formant un couple veulent connaître les préférences de leur partenaire, mais ne savent pas comment y parvenir. Dans cette section, nous examinons quelques façons efficaces de découvrir les besoins et les désirs de son ou sa partenaire.

POSER DES QUESTIONS

Un des meilleurs moyens de connaître les besoins de l'autre est simplement de lui poser des questions. Mais il y a plusieurs façons de le faire : certaines questions sont utiles, tandis que d'autres ne fonctionnent pas, certaines allant même à l'encontre du but recherché. Passons en revue certains des moyens les plus courants et leurs effets probables.

Les questions fermées bipolaires

Imaginez que vous ayez à répondre à une ou à plusieurs des questions suivantes après une relation sexuelle avec votre partenaire.

1. Ça a été bon pour toi ?

2. Aimes-tu l'amour oral ?

3. Est-ce que tu aimes la façon dont je te touche ?

De prime abord, ces questions semblent raisonnablement formulées. Toutefois, elles ont toutes en commun une caractéristique qui en réduit l'efficacité : ce sont des **questions fermées bipolaires**. On y répond par oui ou non, même si les pensées et les sentiments sont rarement aussi simples.

Par exemple, considérez la question « Aimes-tu l'amour oral ? ». En ayant à répondre par « Oui, ça me plaît » ou « Non, je n'aime pas ça », les partenaires ratent l'occasion de discuter du sujet. Dans un monde où la communication sur la sexualité est souvent difficile, celui qui pose la question ne retirera guère plus que l'information précisément demandée. Dans certaines situations, bien sûr, un bref oui ou non suffit. Les **questions ouvertes**, c'est-à-dire les questions qui permettent au répondant de communiquer une préférence, peuvent aussi l'aider à préciser ses réponses.

Les questions ouvertes

Certaines personnes croient que les questions ouvertes sont particulièrement utiles pour découvrir les désirs de leur partenaire. En voici quelques exemples.

1. Qu'est-ce qui te donne le plus de plaisir quand nous faisons l'amour ?

2. Que souhaiterais-tu changer dans nos relations sexuelles ?

3. Que penses-tu de l'amour oral ?

Le premier avantage des questions ouvertes, c'est de donner à votre partenaire toute la liberté d'exprimer ses sentiments ou de fournir l'information qu'il ou elle croit pertinente. Comme ces questions n'ont ni limites ni restrictions, vous pourriez en apprendre ainsi davantage qu'avec des questions fermées.

Mais les questions ouvertes ont parfois l'inconvénient d'embarrasser le partenaire, car il ne sait pas par où commencer quand il lui faut répondre à des questions plutôt générales. Par exemple, que répondriez-vous à une question du genre : « Quels aspects de nos ébats amoureux te plaisent le plus ? » Certaines personnes peuvent trouver difficile de répondre à une si vaste question, particulièrement si elles ne sont pas habituées à parler ouvertement de sexualité. En pareil cas, une question plus structurée, telle que la question à options, serait plus indiquée pour les inciter à parler.

Les questions à options

Voici des exemples de **questions à options**.

1. Aimerais-tu que l'on fasse l'amour à la clarté ou préfères-tu que j'éteigne ?

2. Est-ce de cette façon que tu veux que je te touche ou préférerais-tu que j'essaie d'autres sortes de caresses ?

3. Aimerais-tu parler maintenant ou préfères-tu qu'on le fasse plus tard ?

Les questions à options sont plus structurées que les questions ouvertes et elles favorisent davantage la participation que les questions fermées bipolaires. Toutefois, comme les questions à options peuvent aussi être quelque peu restrictives, une personne pourrait ne pas aimer les choix que son ou sa partenaire lui offre. Dans ce cas, elle pourrait proposer une solution de rechange.

Outre les questions, il existe d'autres moyens de découvrir les besoins de l'autre. Nous traiterons ici de trois autres techniques de communication : la révélation de soi, l'échange de vues et l'autorisation d'exprimer ses besoins.

LA RÉVÉLATION DE SOI

Les questions directes mettent souvent les gens sur la sellette. Si votre partenaire vous demandait « Aimes-tu l'amour oral ? » ou « Que penses-tu de l'amour oral ? », vous pourriez trouver difficile de lui répondre franchement, simplement parce que vous ne savez pas ce qu'il ou elle en pense. Si le sujet de la question a de fortes charges émotives, il pourrait être très malaisé de répondre — que la demande ait été brillamment formulée ou non. C'est la teneur de la question, pas la

Découvrir ce qui est agréable à son ou à sa partenaire est un aspect important de l'intimité sexuelle.

technique de communication, qui pose problème. Avec les sujets délicats, il vaut souvent mieux commencer par dire ce qu'on ressent et ce qu'on pense.

> Pendant très longtemps, j'ai évité le sujet de l'amour oral avec mon amoureuse. Je n'avais absolument aucune idée de ce qu'elle en pensait. Je craignais d'aborder le sujet de peur de passer pour un pervers. Mais je ne pouvais plus tolérer le fait de ne pas connaître ses sentiments. J'ai alors abordé le sujet en parlant de l'ambiguïté de mes sentiments à ce propos, comme de sentir que ce n'était pas une chose naturelle tout en ayant vraiment envie d'essayer. Finalement, elle avait des sentiments semblables, mais elle craignait de m'en parler. Après, nous avons ri du fait que nous avions tous les deux peur de casser la glace. Une fois que nous en avons parlé, il a été facile d'ajouter cette forme de stimulation à notre vie sexuelle. (Notes des auteurs)

Les révélations sur soi nécessitent quelques concessions mutuelles. Il est beaucoup plus facile de partager des sentiments sur des sujets à fortes charges émotives quand le ou la partenaire est disposé(e) à s'ouvrir également. Il faut convenir que ce genre de démarche n'est pas sans risques, et qu'on peut occasionnellement se sentir vulnérable en révélant ses pensées et ses sentiments personnels. Toutefois, la perspective d'un dialogue ouvert et honnête peut valoir l'embarras qu'une personne pourrait ressentir en prenant l'initiative de se révéler d'abord. Les recherches indiquent clairement que la révélation de soi concernant les désirs et besoins sexuels est associée positivement à la satisfaction sexuelle du couple (Byers et Demmons, 1999 ; Greene et Faulkner, 2005). Une autre étude indique également que lorsqu'un partenaire discute ouvertement des ses sentiments, l'autre tend à le faire aussi (Derlego et coll., 1993 ; Hendrick et Hendrick, 1992).

Il est de plus en plus fréquent que les gens s'engagent dans des communications intimes sur Internet. L'absence de contrôle direct peut augmenter tant la rapidité que l'intensité émotionnelle de la révélation de soi (Ben-Ze'ev, 2003). Ainsi, un inconvénient des discussions sexuelles en ligne est qu'elles peuvent inciter les gens à se révéler de façon prématurée ou imprudente. Cependant, l'anonymat relatif du cyberespace peut aussi amener certaines personnes à révéler leurs sentiments personnels sur des questions sexuelles. Cela peut être particulièrement vrai pour des hommes qui trouvent souvent difficile de discuter de leurs sentiments (Basow et Rubenfeld, 2003 ; Levant, 1997). Dans l'encadré « Au-delà des frontières », nous abordons plus en détail la question des relations par Internet.

Question fermée bipolaire Question à laquelle on répond par oui ou non, ce qui ne permet pas d'ouvrir la discussion sur le sujet.

Question ouverte Question qui permet au répondant de communiquer l'information ou les sentiments jugés pertinents.

Question à options Question qui permet de faire un choix entre différentes options.

Les relations par Internet

Internet a créé une communauté virtuelle qui a radicalement augmenté les moyens de rencontrer un partenaire potentiel et de parler de sexualité (Philaretou, 2005; Waskul, 2004). Plus tôt dans ce chapitre, nous avons décrit comment la proximité géographique influence notre attirance envers quelqu'un. Le cyberspace a créé un monde de proximité virtuelle dans lequel les gens peuvent se sentir proches tout en étant éloignés par des centaines ou des milliers de kilomètres (Wright, 2004). Les internautes peuvent être tentés d'aller visiter des sites spécialisés dans les rencontres en y voyant l'occasion de communiquer avec d'autres personnes qui ont les mêmes intérêts. Certains peuvent naviguer sur le Web à la recherche d'une relation sérieuse (Benotsch et coll., 2002). D'autres peuvent être motivés par le désir de discuter de fantasmes sexuels ou de partager certains comportements sexuels en ligne (Ross, 2005). L'absence de contraintes liées à l'interaction face à face (FAF) peut expliquer la popularité croissante des relations médiatisées par ordinateur (RMO). L'anonymat des relations en ligne permet à ceux et celles qui connaissent des difficultés dans leurs relations directes d'améliorer leur capacité à établir des liens sociaux et à développer des liens d'attachement très forts (Fleming et Rickwood, 2004).

La communication en ligne peut contribuer au développement de relations amoureuses en éliminant le rôle que joue l'apparence physique dans le processus de séduction. En l'absence de cette dimension de l'attirance interpersonnelle, la perception que l'on se fait de l'autre peut être fortement influencée par l'imaginaire, conférant à l'autre encore plus de puissance attractive (Ben-Ze'ev, 2003). Sans l'influence du visuel, les relations romantiques/érotiques peuvent se développer à partir d'une intimité émotionnelle plutôt que de l'attirance physique (Munger, 1997). La RMO peut être également moins influencée par les stéréotypes sexuels qui jouent souvent un rôle dans les interactions directes entre les sexes.

Ces avantages de la RMO sont contrebalancés par les inconvénients sous-jacents aux relations par Internet.

Par exemple, les relations érotiques/intimes peuvent se développer avec une telle rapidité qu'un sain jugement n'aura pas le temps de s'exercer (Benotsch et coll., 2002; Genuis et Genuis, 2005). Cette rapide intensification de la relation peut se produire en raison du sentiment de sécurité que procurent l'anonymat (relatif) et le confort du foyer lorsqu'on veut révéler ses pensées intimes. Il y a ainsi un risque d'érotisation accélérée de la relation, sans que les partenaires aient pu se connaître suffisamment pour développer le sentiment de confiance nécessaire à une relation satisfaisante. Cette « pseudo-intimité érotisée » peut devenir difficile à maintenir lorsque la relation amoureuse évolue vers une relation FAF (Cooper et Sportolari, 1997).

Un autre inconvénient potentiel de la communication en ligne est que les gens peuvent tricher lorsqu'ils donnent de l'information sur des sujets tels que leurs intérêts personnels, leur métier, leur état civil ou leur âge. En outre, les rencontres en FAF avec des partenaires de l'Internet comportent certains risques. Les médias rapportent de nombreux cas d'abus, de violence ou de harcèlement issus de relations par Internet. Les recherches indiquent également que la probabilité d'avoir une relation sexuelle à risque et sans l'utilisation d'un préservatif est plus grande lors d'une première rencontre FAF avec une personne que l'on a connue en ligne (Chiasson et coll., 2003; Genuis et Genuis, 2005; McFarlane et coll., 2002).

Le phénomène des relations en ligne est en pleine évolution et les recherches à venir nous fourniront sans aucun doute une meilleure compréhension de l'impact du Web sur la vie intime des gens. Le meilleur conseil que nous pouvons vous donner à ce sujet est d'y aller lentement, de communiquer honnêtement avec votre partenaire et de l'inciter à faire la même chose, de vous dévoiler prudemment; bien sûr, si vous décidez de rencontrer votre partenaire en personne, choisissez un endroit public sûr et excluez tout contact sexuel.

DISCUTER DE SES PRÉFÉRENCES SEXUELLES

Beaucoup de couples qui planifient une sortie trouvent naturel d'échanger sur leurs préférences: «Aimerais-tu aller au concert ou préférerais-tu le ciné?», «Dans quelle rangée aimerais-tu t'asseoir?», «Préfères-tu des mets végétariens ou italiens?» En fin de soirée, ils évalueront probablement leur sortie en toute franchise: «Le percussionniste était formidable!», «Je crois qu'on devrait s'éloigner des haut-parleurs la prochaine fois», «Tu parles: c'est bien la dernière fois que je choisis les langoustines!» Et pourtant, bien des couples ne songeraient même pas à échanger sur leur plaisir sexuel réciproque.

Admettons qu'il y a une marge entre discuter d'une soirée et débattre de ses préférences sexuelles. Néanmoins, des gens ont bel et bien ce type de dialogue sur la sexualité. Certaines personnes n'hésitent pas à

Question d'analyse critique

Les couples ont-ils avantage à parler de ce qu'ils aiment et de ce qu'ils n'aiment pas dans leur vie sexuelle, ou devraient-ils se montrer plus sélectifs dans leurs sujets de discussion ? Est-ce que votre niveau de révélation de soi sera influencé par la nature de votre relation amoureuse (simple fréquentation, cohabitation, mariage) ?

discuter de leurs préférences sexuelles avec un nouvel amant avant de faire l'amour. Elles pourront parler des zones de leur corps qui réagissent le mieux, dire comment elles aiment être touchées, quelles sont leurs positions sexuelles préférées, quelle est la façon la plus agréable de parvenir à l'orgasme, quels sont leurs moments et leurs lieux favoris pour faire l'amour, quelles sont les choses qui les excitent ou les rebutent spécialement, quelles sont les choses qu'elles aiment et n'aiment pas sur le plan sexuel, etc.

Cette démarche ouverte et franche a l'avantage de permettre au couple de se concentrer sur les activités particulièrement agréables plutôt que d'avoir à les découvrir après de laborieuses tentatives. Toutefois, il y a des gens qui pourront trouver ce genre de dialogue trop clinique, considérant même qu'il les privent de l'excitation et de l'expérimentation sexuelles liées à la découverte mutuelle. De plus, ce qui plaît à une personne peut varier selon ses partenaires. Il peut donc être difficile de déterminer ses propres préférences à l'avance.

Certains couples peuvent trouver qu'il est bon pour eux de parler de ce que chacun ressent après une relation sexuelle. Les partenaires peuvent alors dire ce qui a été bon pour eux et ce qui pourrait être amélioré. Chacun peut utiliser ce moment pour renforcer ce qui a été particulièrement satisfaisant (« J'ai aimé ta façon de me toucher à l'intérieur des cuisses »). C'est pourquoi des moments de rétroaction réciproque peuvent être extrêmement profitables et contribuer à approfondir l'intimité entre deux personnes.

DONNER L'AUTORISATION D'EXPRIMER SES BESOINS

Donner l'autorisation est une méthode pouvant faciliter grandement la découverte des besoins de votre partenaire. Elle consiste essentiellement à fournir

soutien et réconfort à l'autre. L'un des partenaires dit à l'autre qu'il est correct d'aborder certains sentiments ou besoins explicites — en fait, qu'il ou elle veut vraiment connaître l'opinion de l'autre sur le sujet.

Lui : Je ne sais pas vraiment comment tu aimerais que je te touche quand nous faisons l'amour.

Elle : Toutes les façons qui te vont me vont aussi.

Lui : Bon, mais je veux savoir ce que tu préfères et tu peux m'aider en me disant ce que tu trouves bon quand je te touche.

Qui n'a pas un jour essuyé une rebuffade pour avoir tenté de faire connaître ses besoins à l'autre ? On ne s'étonnera donc pas du silence de gens qui auraient pourtant souvent envie de confier leurs sentiments personnels. En consentant à ce que l'autre exprime librement ses besoins et en obtenant son autorisation de faire de même, on favorise un précieux échange d'information.

APPRENDRE À DEMANDER

Les gens ne font pas de télépathie. Pourtant, plusieurs amants présument que leur partenaire connaît (peut-être par intuition ?) parfaitement leurs besoins. Les personnes qui abordent la sexualité de cette façon ne prennent pas l'entière responsabilité de leur plaisir sexuel. Si leurs rencontres sexuelles ne sont pas satisfaisantes, elles pourront trouver plus commode de blâmer leur partenaire — « Tu ne te soucies pas de mes besoins » — plutôt que de reconnaître que c'est leur propre réticence à faire connaître leurs besoins qui est en cause. S'attendre à ce que la ou le partenaire devine nos désirs revient à lui confier une lourde responsabilité. Bien des gens considèrent qu'ils « ne devraient pas avoir à demander » en ce domaine. Faire ses propres demandes est pourtant une façon d'agir courageuse et responsable qui profite au couple.

PRENDRE LA RESPONSABILITÉ DE SON PROPRE PLAISIR

Quand un couple est vraiment en harmonie, il n'a pas besoin de parler de ses désirs sexuels. Chacun sent les désirs de l'autre et y pourvoit. La parole a tendance à gâcher ces moments magiques. (Notes des auteurs)

Donner l'autorisation   Indiquer à sa ou son partenaire qu'elle ou il peut exprimer ses sentiments et ses besoins spécifiques.

La situation décrite par cette personne appartient davantage à un monde idéal que réel. Comme nous venons de le dire, les gens ne lisent pas dans les pensées des autres et l'intuition laisse à désirer comme moyen de communication. La personne qui s'attend à ce que l'autre connaisse intuitivement ses besoins lui dit en fait « Ce n'est pas à moi de te faire connaître mes besoins, c'est à toi de les savoir », ce qui risque de laisser sous-entendre : « Si mes besoins ne sont pas comblés, c'est de ta faute, pas de la mienne. » Inutile de dire combien cette attitude potentiellement destructive peut mener à une sexualité nourrie de ressentiments, de malentendus et d'insatisfactions.

La meilleure façon de satisfaire nos besoins sexuels est de les exprimer. Deux individus disposés à communiquer leurs désirs et à prendre la responsabilité de leur propre plaisir créent le cadre requis pour accéder à une intimité sexuelle épanouissante. La décision d'assumer la responsabilité de son propre plaisir est un pas important, tout comme le choix des moyens qui seront pris pour exprimer ses besoins. La façon dont une demande est formulée modèle généralement la réaction qu'elle suscite. Les deux prochaines sections suggèrent quelques moyens de l'exprimer.

PRÉCISER SES DEMANDES

Plus une demande est précise, plus elle a de chances d'être entendue et prise en compte. Les amants demandent souvent des changements concernant l'aspect sexuel de leur relation en employant les termes les plus flous. Il est parfois stressant et même anxiogène d'être celui qui reçoit une demande mal définie. Mais comment y répondre ? Généralement, en faisant le minimum, ou même rien du tout.

Pour s'éviter un stress inutile, les demandes doivent être aussi claires et concises que possible. Une demande aussi vague que « J'aimerais que tu me caresses différemment » deviendrait : « J'aimerais que tu me caresses doucement autour du clitoris, mais pas dessus directement. » Voici d'autres exemples de demandes explicites.

1. J'aimerais que tu me touches et me caresses partout plus longtemps avant que l'on passe au coït.

2. J'éprouve beaucoup de plaisir quand tu m'embrasses et me caresses alors que tu es en moi.

3. Je veux être au-dessus cette fois. C'est agréable pour moi et j'aime te regarder jouir.

4. J'aimerais que tu me caresses le pénis avec ta main.

PARLER À LA PREMIÈRE PERSONNE

De nombreux conseillers et conseillères incitent leurs clients à utiliser le « je » lorsqu'ils expriment leurs besoins à l'autre (Worden et Worden, 1998). Cette approche directe produit plus souvent les résultats désirés qu'un énoncé général. Par exemple, dire « J'aimerais être au-dessus » a plus de chances d'amener ce résultat que de lancer « Que dirais-tu de changer de position ? ».

Il arrive que des requêtes directement formulées ne donnent pas les résultats escomptés. Certaines personnes veulent prendre toutes les décisions seules et se ferment aux demandes de leur partenaire lors de leurs ébats amoureux. Une telle réaction peut blesser l'autre. Il serait sage de vérifier si votre partenaire peut réagir de la sorte avant d'avoir une relation sexuelle ensemble, sinon vous risquez de vous retrouver dans une situation embarrassante. Une façon de déterminer si c'est le cas est de lui poser une question ouverte telle que « Que penses-tu de l'idée de faire des demandes spécifiques pendant que nous faisons l'amour ? ». Vous pouvez aussi décider d'attendre et de voir ce qui se passe au cours de jeux sexuels. Dans tous les cas, si vous croyez qu'une personne est fermée aux demandes directes, il est toujours possible de réévaluer vos stratégies. D'autres moments, tels qu'un contexte non sexuel, conviendraient peut-être mieux à l'expression de vos besoins ; cela permettrait à votre partenaire de se sentir plus détendu et d'accueillir plus facilement vos désirs. Quelle que soit la situation, nous vous encourageons à utiliser le « je » pour formuler vos demandes.

EXPRIMER ET ACCUEILLIR LES PLAINTES

Contrairement à la notion romantique très répandue, les partenaires capables de combler mutuellement tous les besoins de l'autre, tout le temps, n'existent pas. Il semble inévitable que dans une relation intime les individus aient quelquefois à se plaindre de la situation et à demander des changements. La chose n'est pas facile pour des amoureux dont l'engagement est fait d'empathie mutuelle. La manière la plus efficace d'exprimer une insatisfaction est de se plaindre plutôt que de critiquer (Gottman, 1994). Se plaindre (ce qui n'est nullement synonyme de « pleurnicher »), c'est exprimer de manière constructive les problèmes relationnels plutôt que de critiquer. Se plaindre occasionnellement peut être bénéfique pour la relation, puisque cela permet au couple d'identifier les problèmes qui doivent être discutés et résolus. Se plaindre implique plusieurs des stratégies décrites dans la section suivante, telles qu'être sensible au moment où l'on exprime la plainte, s'exprimer au « je » et tempérer les plaintes par des éloges.

Les plaintes sont exprimées dans le but de créer un changement constructif et salutaire pour les deux partenaires. En revanche, les critiques sont souvent formulées pour blesser l'autre, le diminuer, lui exprimer du mépris, de la vengeance ou chercher à le dominer. La critique implique souvent d'« attaquer la personnalité ou l'intégrité de la personne — plutôt qu'un comportement spécifique — en la blâmant, en général » (Gottman, 1994, p. 73). Un mode de communication empreint de dénigrement, de critique et de mépris peut profondément nuire à la relation du couple. Plus loin dans ce chapitre, nous discuterons des effets d'un tel mode négatif de communication. Quand les plaintes concernent un secteur aussi important émotionnellement que l'intimité sexuelle, il peut être doublement difficile de les exprimer et de les recevoir. Les partenaires devront alors penser aux stratégies les plus appropriées et aux obstacles possibles avant d'accomplir ces tâches délicates.

QUELQUES STRATÉGIES CONSTRUCTIVES POUR EXPRIMER SES PLAINTES

Plusieurs stratégies existent pour formuler une plainte à son partenaire. Nous en présentons quelques-unes.

Choisir le bon moment et le bon endroit

Un élément à considérer lorsque vient le temps d'exprimer une plainte à son partenaire est de choisir le bon moment et le bon endroit.

> Quand mon amante mentionne quelque chose qui la dérange dans notre vie sexuelle, elle le fait invariablement juste après que nous avons fait l'amour. Et moi je suis là, détendu, je la tiens dans mes bras, j'entretiens des pensées heureuses et elle vient ruiner l'atmosphère en formulant une critique ou une autre. Je veux bien qu'elle exprime ses préoccupations, mais son choix du moment est affreux. La dernière chose dont je veux entendre parler après avoir fait l'amour, c'est bien comment ça aurait pu être mieux ! (Notes des auteurs)

Le désarroi de cet homme est évident. La décision de sa partenaire d'exprimer ses critiques tout de suite après une relation sexuelle dessert mal l'objectif qu'elle poursuit. Il se sent vulnérable et est clairement contrarié qu'un moment aussi privilégié soit gâché par

la perspective d'une conversation potentiellement difficile. Cela n'exclut pas, bien sûr, que d'autres couples privilégient ce moment où ils sont très proches l'un de l'autre pour soulever des questions épineuses.

Bien des gens, comme cette partenaire, ne choisissent pas le meilleur moment pour discuter de problèmes avec leur partenaire. Ils plongent immédiatement, ce qui n'est pas toujours la meilleure stratégie. Si vous éprouvez de la déception, du ressentiment ou de la colère, le raz-de-marée de ces émotions négatives peut facilement nuire à une interaction constructive. Évitez d'exprimer vos critiques sous le coup de la colère. Même si vous avez fermement l'intention d'apporter une critique constructive, la colère bloque la recherche de solutions. Si parfois il est nécessaire d'exprimer sa colère, nous verrons comment le faire correctement à la fin de la présente section.

Dans la plupart des cas, il n'est pas prudent de s'attaquer à un problème si l'un ou l'autre des partenaires dispose de peu de temps, est fatigué, stressé, préoccupé ou sous l'emprise de la drogue ou de l'alcool. Il vaut mieux choisir un moment où les deux auront du temps devant eux, seront détendus et se sentiront près l'un de l'autre.

Choisir le bon moment et le bon endroit pour exprimer ses préoccupations d'ordre sexuel facilite la communication.

Pour choisir le moment opportun, il suffit bien souvent d'en parler à son partenaire, en disant, par exemple : « Notre relation sexuelle a vraiment beaucoup de valeur pour moi, mais il y a des questions dont j'aimerais discuter avec toi. Est-ce le bon moment ou préfères-tu que nous en parlions plus tard ? » Attendez-vous à un peu de résistance. Si votre partenaire hésite à parler, suggérez-lui de choisir un autre moment ou un autre endroit. Il est important que vous vous entendiez sur un moment, surtout si vous sentez qu'il ou elle laisserait volontiers aller les choses.

Choisir le bon endroit pour exprimer ses préoccupations d'ordre sexuel peut être aussi important que le moment. Certaines personnes préfèrent s'asseoir autour d'une table en prenant un café plutôt que là où ils ont fait l'amour ; d'autres préfèrent un lieu familier comme le lit. Une promenade dans un parc ou une balade en voiture, loin des interférences d'un style de vie actif, peut être préférable pour certains. Soyez attentif aux besoins de l'autre. Quand et où est-il plus réceptif à vos demandes de changement ?

Bien sûr, le choix d'un moment et d'un lieu opportuns ne garantit pas l'obtention de résultats harmonieux, mais il améliore grandement la possibilité que votre partenaire réponde favorablement à votre appel. D'autres stratégies constructives peuvent également améliorer vos chances de succès. L'une de celles-ci est de tempérer les plaintes par des éloges.

Tempérer les plaintes par des éloges

La stratégie de tempérer les plaintes par des éloges est basée sur le gros bon sens. Nous réagissons tous bien aux compliments, tandis qu'une plainte acerbe ou une critique sèche est difficile à avaler. L'approche plus humaine consistant à combiner les deux est une bonne façon de réduire l'effet négatif du reproche.

En donnant aussi à l'autre plus de latitude pour évaluer la critique, il sera moins susceptible d'être sur la défensive ou de se mettre en colère. Essayez de voir comment vous réagiriez aux plaintes présentées au tableau 8.3 si elles étaient formulées seules ou accompagnées d'éloges.

Hélas, la plupart d'entre nous ont déjà fait l'objet de critiques comme celles que contient la colonne de gauche. Et nous avons le plus souvent réagi par la colère, l'humiliation, l'angoisse et le ressentiment. Bien que de telles critiques puissent amener certaines personnes à tenter d'améliorer les choses, il est assez rare que cela ait cet effet. Par contre, la critique positive, comme dans les exemples de la colonne de droite, est plus susceptible d'inciter au changement. Il y a beaucoup de sagesse populaire dans cet énoncé : « Les gens s'efforceront plus volontiers d'améliorer une bonne chose que de rendre bonne une mauvaise. » Cela s'applique autant aux activités sexuelles qu'à n'importe quel domaine d'interaction sociale.

C'est aussi une bonne idée de demander une rétroaction quand on fait part de ses plaintes. En effet, malgré toute la chaleur et la bonne volonté que l'on consacre à ce processus difficile, la possibilité demeure que son ou sa partenaire se réfugie dans le silence ou change de sujet. En l'invitant à s'exprimer par rapport aux demandes de changement, on réduit cependant cette possibilité. (Notez que tous les exemples dans la colonne « Plainte avec éloge » se terminent par une invitation à la rétroaction.)

Éviter les pourquoi

Les gens posent souvent des questions commençant par « pourquoi » dans un effort à peine voilé de critiquer et d'attaquer leur partenaire sans toutefois prendre pleinement la responsabilité de leurs paroles. Vous

Tableau 8.3 | **Exemples de plaintes seules et de plaintes avec éloges.**

PLAINTE SEULE	PLAINTE AVEC ÉLOGE
1. Lorsque nous faisons l'amour, j'ai l'impression que tu es inhibé.	1. J'aime ça quand tu réagis à mes demandes lorsqu'on fait l'amour. Je pense que ce serait encore mieux si parfois tu prenais l'initiative. Est-ce que ça te paraît être une demande raisonnable ?
2. Je suis vraiment tanné que tu fermes la lumière chaque fois que nous faisons l'amour.	2. J'aime t'entendre et sentir tes réactions lorsque nous faisons l'amour. J'aimerais aussi te voir réagir. Que penserais-tu de laisser la lumière allumée à l'occasion ?
3. Je trouve qu'on ne fait pas assez souvent l'amour. On dirait qu'avoir des relations sexuelles n'est pas aussi important pour toi que pour moi.	3. J'adore te faire l'amour et ça me dérange qu'on n'ait pas eu beaucoup de temps pour le faire dernièrement. Qu'en penses-tu ?

a-t-on déjà posé une des questions suivantes ? Ou les avez-vous déjà posées vous-même ?

1. Pourquoi ne me fais-tu pas l'amour plus souvent ?

2. Pourquoi ne t'intéresses-tu pas davantage à moi ?

3. Pourquoi est-ce que tu n'es plus excité par moi maintenant ?

Des questions de ce type n'ont pas de place dans une relation amoureuse. Blessantes et dommageables, elles sont loin d'être d'inoffensives demandes d'information. Elles servent plutôt à véhiculer des messages de colère que les gens refusent d'exprimer honnêtement. Ce sont des tactiques lâches qui mettent l'autre sur la défensive et suscitent rarement des changements positifs.

Exprimer convenablement ses émotions négatives

Plus tôt, nous avons indiqué qu'il apparaît sage d'éviter de discuter de problèmes avec son partenaire lorsqu'on est sous l'emprise du ressentiment ou de la colère. Il y aura probablement quand même des moments où vous ne pourrez pas vous empêcher d'exprimer des sentiments négatifs. Quand c'est le cas, on peut, en suivant certaines règles, désamorcer une situation potentiellement explosive.

Évitez d'exprimer votre colère en vous attaquant au caractère de votre partenaire (« Tu es insensible »). Tâchez plutôt de diriger votre insatisfaction vers ses comportements (« Quand tu n'écoutes pas ce que je dis, j'ai l'impression que je ne compte pas pour toi et ça m'attriste »). Du même coup, exprimez votre appréciation de votre partenaire en tant que personne : (« Tu comptes beaucoup pour moi et je déteste me sentir comme ça »). Vous manifestez ainsi que le comportement de votre partenaire peut vous heurter, mais que vous l'aimez toujours — une vérité souvent négligée, mais combien importante.

On exprimera mieux ses émotions négatives à l'aide de phrases claires et honnê-

tes, énoncées à la première personne, plutôt que sur le mode accusatoire et potentiellement incendiaire de la deuxième personne. Comparez les exemples présentés au tableau 8.4.

Les énoncés à la première personne sont des révélations de soi, exprimant comment le sujet se sent, sans blâmer le ou la partenaire ou dénigrer son caractère. Au contraire, les énoncés à la deuxième personne, parce qu'ils font souvent l'effet d'une critique du caractère de l'autre ou d'une tentative de lui attribuer le blâme, ont pour résultat de mettre le ou la partenaire sur la défensive. De plus, en utilisant des énoncés commençant par « je » pour exprimer des émotions comme la tristesse, la peine ou la peur, on transmet le sentiment de sa propre vulnérabilité à l'autre, qui pourra plus facilement répondre à l'expression de ces émotions « plus douces » qu'à des attaques basées sur le ressentiment, la colère ou le dégoût.

Se limiter à une plainte par discussion

Beaucoup d'entre nous ont tendance à éviter les affrontements avec l'autre. Et c'est ainsi qu'à cause de cette répugnance bien naturelle à faire face aux questions difficiles, on finit par accumuler les griefs inexprimés. Par conséquent, quand la coupe est pleine et qu'il nous faut « dire quelque chose sinon c'est l'éclatement », on risque de ne pouvoir réprimer un déferlement de critiques sur tous les sujets imaginables. Ce genre de réaction, bien que compréhensible, ne fait qu'amplifier les conflits entre amoureux au lieu de les résoudre, comme en fait foi le témoignage suivant.

> Ma femme préfère ronger son frein plutôt que de me laisser savoir que je fais quelque chose qui lui déplaît. Elle emmagasine mes moindres travers et finit par réagir de façon disproportionnée. Mais elle me laisse dans le noir tant qu'elle n'a pas accumulé une assez longue liste de griefs. Alors, seulement, elle me matraque en les déballant tous à la fois, pour être bien certaine que je me sente

Tableau 8.4 | **Exemples d'énoncés à la deuxième et à la première personne.**

ÉNONCÉ À LA DEUXIÈME PERSONNE	ÉNONCÉ À LA PREMIÈRE PERSONNE
1. Tu te fiches complètement de moi.	1. Parfois, je me sens ignoré et cela me fait craindre pour nous deux.
2. Tu me blâmes toujours pour tes problèmes.	2. Je n'aime pas porter le blâme.
3. Tu ne m'aimes pas.	3. Je ne me sens pas aimé.

comme un beau dégueulasse. Elle me ressort parfois des choses qui se sont produites des années auparavant. Et elle me demande pourquoi je ne trouve rien à répondre, une fois qu'elle a fini de vitupérer. Mais que voulez-vous répondre à quelqu'un qui vient de vous donner entre 10 et 20 raisons pour lesquelles votre relation avec elle est minable ? À quoi choisiriez-vous de répondre ? Et comment ne pas se mettre en colère quand quelqu'un vous jette à la face tous vos défauts réels ou imaginaires ? (Notes des auteurs)

Évitez ce genre de situation contre-productive dans vos relations en vous limitant à un grief par discussion. Même si vous vouliez en soulever une demi-douzaine, il vaudrait mieux pour votre relation d'en choisir un seul et de reporter les autres à plus tard.

Il est difficile pour la plupart d'entre nous d'écouter une interminable critique, même si elle ne porte que sur un point. Il vaut donc mieux faire preuve de concision. Contentez-vous d'exposer brièvement le problème, limitez-vous à un ou deux exemples, puis arrêtez-vous là.

RECEVOIR UNE PLAINTE

S'il est difficile d'exprimer une plainte à l'endroit de son ou sa partenaire, il est aussi éprouvant sur le plan affectif d'en faire les frais. Toutefois, comme on l'a déjà dit, c'est inévitable dans une relation amoureuse. La façon de répondre à la plainte pourra avoir un effet significatif, non seulement sur les dispositions du partenaire à confier ses problèmes à l'avenir, mais aussi sur la probabilité que le grief se résolve d'une manière à renforcer la relation plutôt qu'à la miner.

Quand votre partenaire se plaint, prenez un moment pour rassembler vos idées. Il est sûrement plus souhaitable de prendre d'abord quelques inspirations profondes que de lâcher tout de go : « Ah oui ? Et alors qu'est-ce que tu dirais si je te parlais de la fois où tu...! » Demandez-vous : « Est-ce que cette personne essaie de me donner de l'information qui pourrait m'être utile ? » Dans une relation amoureuse où prévaut l'empathie mutuelle, vous réussirez peut-être à considérer cela sous un angle positif, même si vous venez de recevoir un douloureux message. Il y a plusieurs façons de répondre à ce genre de communication. Espérons que vous trouverez dans les suggestions qui suivent un ou plusieurs moyens de vous orienter dans ces circonstances.

Admettre la plainte et trouver un point sur lequel vous êtes d'accord

Peut-être qu'en accueillant la critique, vous vous rendrez compte qu'elle n'est pas inutile. Par exemple, supposons que votre partenaire soit en colère et vous reproche votre horaire chargé et le peu de temps que vous consacrez à votre relation. Vous croirez peut-être qu'il ou elle exagère et qu'il ou elle oublie tout le temps que vous avez passé ensemble. Toutefois, vous savez aussi que le reproche n'est pas dénué de tout fondement. Il serait bon de le reconnaître en disant, par exemple : « Je comprends que tu puisses avoir l'impression que je te néglige, car ce nouveau travail est très prenant. » Et vous pouvez faire cet aveu constructif, même si vous jugez la critique en grande partie injustifiée. En réagissant de façon ouverte et solidaire, vous indiquez que vous êtes à l'écoute et que vous comprenez et appréciez les préoccupations de votre partenaire.

Demander des précisions

Dans certains cas, votre partenaire émettra sa critique si vaguement que des clarifications s'imposeront. Si cela se produit, posez-lui des questions. Par exemple, supposons qu'il ou elle se plaigne de la trop courte durée de vos rapports sexuels. Vous pourriez réagir en lui demandant : « Veux-tu dire que nous devrions passer plus de temps à nous toucher avant la pénétration, que je devrais retarder mon orgasme ou que tu aimerais que je te garde plus longtemps dans mes bras après la relation sexuelle ? »

Exprimer ses sentiments

Il peut être bon de parler des sentiments que vous inspire la plainte plutôt que de laisser ces émotions dicter vos réactions. Ainsi, si la plainte de votre partenaire vous met en colère, vous blesse ou vous décourage, il vaut probablement mieux verbaliser vos réactions émotives que d'y donner libre cours. En effet, ce n'est pas en criant, en tapant du pied, en pleurant ou en vous réfugiant dans le désespoir que vous en arriverez à un dialogue constructif. Par contre, il pourrait être utile de dire à votre partenaire : « C'est très difficile à entendre et je suis vexé » ou « Pour l'instant, je suis en colère ; il vaut mieux que je prenne un temps d'arrêt, que je respire un peu et que je tâche de voir clair dans mes pensées et mes sentiments. »

Se concentrer sur les changements réalisables

Une excellente manière de clore la discussion est d'examiner ce que vous pouvez faire tous les deux pour améliorer les choses. C'est peut-être le temps de dire : « Mon nouveau travail compte vraiment pour moi, mais notre relation est beaucoup plus importante. Peut-être pourrions-nous nous réserver chaque semaine des moments précis, juste pour nous, auxquels nous jurons de ne pas déroger. » En effet, il arrive que les gens soient d'accord pour améliorer les choses, mais qu'ils négligent de discuter des changements concrets capables de régler le problème. Il est donc essentiel de prendre le temps de s'entendre sur les changements précis à apporter.

SAVOIR DIRE NON

On a bien souvent de la difficulté à dire non aux autres. Et notre embarras à livrer ce message simple est peut-être encore plus prononcé dans le domaine des relations intimes, comme le montrent les témoignages suivants.

> Parfois, ma partenaire veut avoir un rapport sexuel, alors que je ne cherche que la proximité. Le problème, c'est que je suis incapable de dire non. J'ai peur que mon refus la blesse ou la mette en colère. Malheureusement, c'est moi qui finis par m'en vouloir de mon incapacité à exprimer mes vrais sentiments. Dans un contexte pareil, les rapports sexuels ne sont pas fantastiques. (Notes des auteurs)

> C'est tellement difficile de dire non à un homme qui vous propose d'avoir une relation sexuelle à la fin d'une soirée. C'est encore plus vrai si nous avons passé de bons moments ensemble. On ne sait jamais s'il va avoir cet air piteux ou s'il va devenir agressif ou en colère. (Notes des auteurs)

Ces témoignages font ressortir certaines des raisons qui nous empêchent parfois de dire non. On peut craindre qu'un rejet blessera l'autre, le mettra en colère ou le fera monter aux barricades. Lorsqu'on nourrit de telles craintes, il semble moins stressant de simplement s'incliner. Malheureusement, cet assentiment donné de mauvaise grâce peut susciter de tels sentiments négatifs que l'activité commune sera probablement peu agréable pour les deux partenaires.

DIRE NON : UNE DÉMARCHE EN TROIS ÉTAPES

Beaucoup de gens trouvent utile d'avoir en tête un plan ou une stratégie pour dire non à des demandes d'engagement intime. On évite ainsi d'être pris au dépourvu et

de ne pas savoir comment se défaire élégamment d'une interaction qui pourrait s'avérer désagréable. Dans cette optique, la démarche suivante en trois étapes pourrait vous être utile.

1. Exprimez votre appréciation par rapport à l'invitation qui vous est faite (« Merci d'avoir pensé à moi », « C'est agréable de savoir que tu m'aimes assez pour m'inviter », etc.). Vous souhaiterez peut-être aussi valoriser l'autre (« Tu es une gentille personne »).

2. Dites non d'une façon nette et sans équivoque (« J'aimerais mieux ne pas faire l'amour/aller danser/m'engager dans des fréquentations », etc.).

3. Offrez une solution de rechange, le cas échéant (« Toutefois, j'aimerais bien dîner avec toi un de ces jours/te masser le dos », etc.).

Les aspects positifs de cette approche sont évidents. D'abord, on remercie la personne de l'intérêt qu'elle nous porte tout en énonçant clairement le désir de ne pas accéder à sa demande. On termine sur une note positive en offrant une solution de rechange. Bien sûr, cette troisième étape n'est pas toujours une option (par exemple, quand le refus s'adresse à quelqu'un avec lequel vous n'avez pas envie d'avoir d'autres contacts sociaux). Entre amoureux, toutefois, il y a souvent une solution de rechange acceptable.

NE PAS ENVOYER DE MESSAGES AMBIVALENTS

Dire non dans un langage clair et indubitable est essentiel à la réussite de la stratégie que nous venons de décrire. Il est tout aussi important de ne pas lancer de messages ambigus sur nos besoins sexuels ou intimes. Songez, par exemple, à l'individu qui accepte l'invitation à l'intimité sexuelle que lui lance sa partenaire, mais qui passe ensuite un temps fou dans la baignoire en espérant que le sommeil aura raison d'elle. Ou encore à cette personne qui exprime son désir d'avoir une relation sexuelle et qui reste absorbée par une émission de fin de soirée à la télé. Ces deux personnes émettent des messages ambigus qui reflètent leur propre ambivalence à s'engager dans une relation sexuelle.

Comme nous le décrivons à la prochaine section, plusieurs de nos messages concernant nos désirs sexuels se transmettent de façon non verbale. Lorsque nos messages non verbaux semblent contredire nos messages verbaux, notre partenaire peut difficilement savoir quelle est notre véritable intention. Par exemple, nous pouvons dire à notre partenaire que nous n'avons pas le goût d'un rapport sexuel tout en le touchant d'une manière intime. Nous pouvons aussi exprimer notre désir d'avoir une relation sexuelle, puis ne pas y répondre. Dans de pareilles circonstances, lorsque nos messages verbaux et non verbaux sont discordants, notre partenaire aura de la difficulté à déterminer ce que nous voulons communiquer. De plus, quand il y a discordance entre le message verbal et le message non verbal, c'est le message non verbal qui prédomine habituellement (Preston, 2005).

L'effet de tels messages ambigus est généralement peu désirable. Celui ou celle qui en fait les frais demeure souvent perplexe par rapport aux intentions de l'autre (« Pourquoi n'est-il pas capable de savoir ce qu'il veut ? »). Et ce sentiment peut l'amener à la colère (« Pourquoi faudrait-il que je devine ? ») ou au repli sur soi. Ces réactions sont compréhensibles dans les circonstances. Face à des messages contradictoires, nous demeurons pour la plupart incertains de ce qu'il faut faire : agir conformément au premier message ou au second ? Considérez ce qui suit.

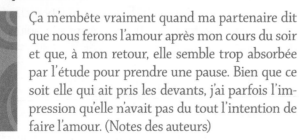

Ça m'embête vraiment quand ma partenaire dit que nous ferons l'amour après mon cours du soir et que, à mon retour, elle semble trop absorbée par l'étude pour prendre une pause. Bien que ce soit elle qui ait pris les devants, j'ai parfois l'impression qu'elle n'avait pas du tout l'intention de faire l'amour. (Notes des auteurs)

Nous pourrions tous faire notre propre bilan de temps en temps, histoire de voir si nous envoyons des messages ambigus. Tâchez de découvrir les écarts entre vos messages verbaux et vos actions ultérieures. L'autre semble-t-il perplexe ou incertain quand il interagit avec vous ? Si vous vous apercevez que vous envoyez des messages ambivalents, déterminez ce que vous pensez vraiment, puis dites-le sans équivoque. Il peut aussi valoir la peine de vous demander pourquoi vous lancez des messages contradictoires.

Si vous êtes l'objet de messages contradictoires, il serait utile de faire connaître votre perplexité et de demander à l'autre auquel des deux messages vous devez vous conformer. Peut-être, comprenant votre dilemme, prendra-t-il les moyens de le résoudre. S'il n'en est rien et qu'il ne veuille pas reconnaître l'incohérence de sa position, faites état de l'embarras et de la perplexité que suscitent ses messages ambivalents.

LA COMMUNICATION SEXUELLE NON VERBALE

La communication sexuelle ne se limite pas aux mots. Parfois, un toucher ou un sourire peuvent véhiculer une foule d'informations. Le ton de la voix, les gestes, l'expression du visage et les changements dans la respiration sont aussi d'importants éléments du processus de communication.

Je peux habituellement dire quand ma chérie a envie d'amour. Son visage est alors empreint d'une douceur spéciale et sa voix est plus rauque. Elle me touche davantage avec ses mains, et c'est comme si son corps devenait plus accessible et plus vulnérable. Il y a du vrai dans tous ces trucs qu'on raconte sur le langage corporel. Elle a rarement besoin d'exprimer verbalement son désir de faire l'amour, parce que je comprends généralement ce qu'elle veut. (Notes des auteurs)

Parfois, lorsque je veux que mon amoureux me touche à un certain endroit, je ne fais qu'approcher cette partie de mon corps de ses mains ou changer de position. Parfois, je guide sa main pour lui montrer quel genre de stimulation je veux. (Notes des auteurs)

Ces exemples sont révélateurs de la richesse de sens que la communication non verbale peut apporter dans notre sexualité. Dans cette section, nous prêterons attention à quatre composantes importantes de la communication sexuelle non verbale : l'expression du visage, la distance interpersonnelle, le toucher et les sons.

L'EXPRESSION DU VISAGE

Malgré l'indiscutable variété des expressions faciales, nous avons pour la plupart appris à reconnaître les émotions qu'elles transmettent. Le rapprochement et l'intimité entre amoureux sont susceptibles d'accroître encore cette habileté.

On peut ainsi mesurer rapidement le niveau de plaisir de son ou sa partenaire en observant son visage durant l'activité sexuelle. Si l'on constate le ravissement complet, il est probable que l'on poursuivra le même type de stimulation. Sinon, on voudra passer à autre chose ou peut-être inciter l'autre à donner quelques indications verbales.

Les expressions du visage fournissent aussi de précieuses informations lorsqu'on discute avec son ou sa partenaire

Les expressions du visage reflètent nos émotions et constituent un élément très important de la communication non verbale.

Les amoureux, dont l'espace interpersonnel est généralement minimal, peuvent utiliser ces indices pour signaler leur désir d'intimité. Quand votre amant ou amante se rapproche, en offrant son corps à vos touchers et à vos caresses, le message de désir d'intimité physique (pas nécessairement de rapports sexuels) est très manifeste. De même, quand il ou elle se met en boule à l'autre extrémité du lit, c'est peut-être une façon de dire : « S'il te plaît, garde tes distances ce soir. »

de questions sexuelles. Si son visage reflète la colère, l'anxiété ou quelque autre perturbation, il pourrait être bon d'en discuter immédiatement (« Je vois bien que tu es en colère. Pouvons-nous en parler ? »). Inversement, un visage qui montre de l'intérêt, de l'enthousiasme ou de la reconnaissance nous encouragera vraisemblablement à exprimer un sentiment ou une inquiétude donné. Il est bon aussi d'être attentif aux messages non verbaux que vous lancez quand votre partenaire vous confie ses pensées ou ses sentiments. Il arrive que nous interrompions un dialogue qui pourrait être utile, simplement parce que nous avons serré les mâchoires ou froncé les sourcils à un moment inopportun.

LA DISTANCE INTERPERSONNELLE

Les psychologues sociaux et les experts en communication ont beaucoup à dire sur l'espace personnel. Essentiellement, cette notion renvoie aux distances que l'on a tendance à maintenir avec les gens, selon la nature de nos relations (réelles ou souhaitées) avec eux. L'espace intime dans lequel nous admettons nos amis chers et nos amants permet davantage les contacts que la distance que nous maintenons avec les individus que nous n'aimons pas ou ne connaissons pas.

Lorsqu'une personne tente de réduire la distance interpersonnelle, c'est généralement interprété comme un signe non verbal d'attirance ou de désir d'un contact plus intime. Inversement, si quelqu'un se retire alors que l'autre l'approche, on conclura habituellement à un manque d'intérêt ou à un rejet sans heurt.

LE TOUCHER

Le toucher est un puissant moyen de communication sexuelle non verbale entre les amants. Les mains peuvent transmettre des messages extraordinaires. Par exemple, en accroissant le rythme de vos caresses, vous pouvez signaler à votre partenaire votre désir d'une plus grande stimulation. En étendant le bras pour attirer votre partenaire à vous, vous indiquez vos dispositions pour un contact plus intime. Dans les premiers stades d'une relation, le toucher peut aussi être utilisé pour exprimer un désir de rapprochement.

L'espace interpersonnel réduit est souvent un signe d'attirance et parfois de désir d'un contact plus intime.

Le toucher est un puissant véhicule de la communication sexuelle non verbale.

Lorsque je rencontre un homme qui m'intéresse, j'utilise le toucher pour lui transmettre mes sentiments. Toucher son bras pour mettre l'accent sur un point ou laisser mes doigts frôler légèrement sa main sur la table laissent connaître mes sentiments. (Notes des auteurs)

Le toucher sert également à désamorcer la colère et à régler les désaccords entre des amants provisoirement fâchés.

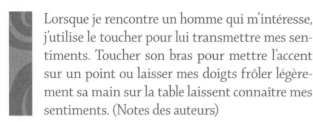
J'ai découvert qu'un léger toucher, amoureusement administré à ma partenaire, fait des merveilles pour nous réunir après une dispute. Le toucher, c'est pour moi le moyen de rétablir le lien. (Notes des auteurs)

LES SONS

Bien des gens aiment produire des sons ou en entendre durant l'activité sexuelle. Pour certains, l'accélération de la respiration, les gémissements, les grognements et les cris de l'orgasme sont extrêmement excitants. Ces sons peuvent par ailleurs être de bons indices de la réaction du partenaire à l'activité sexuelle. Il y a des individus que l'absence de sons contrarie tout à fait :

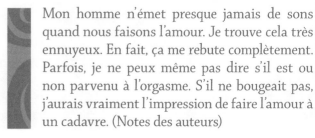
Mon homme n'émet presque jamais de sons quand nous faisons l'amour. Je trouve cela très ennuyeux. En fait, ça me rebute complètement. Parfois, je ne peux même pas dire s'il est ou non parvenu à l'orgasme. S'il ne bougeait pas, j'aurais vraiment l'impression de faire l'amour à un cadavre. (Notes des auteurs)

Certaines personnes s'efforcent consciemment de supprimer les sons spontanés qui pourraient leur échapper durant les ébats amoureux. Ce faisant, elles se privent d'une forme de communication sexuelle non verbale qui pourrait être très évocatrice et agréable. Et il n'est pas rare que ce silence délibéré nuise aussi à l'excitation sexuelle du ou de la partenaire, comme en témoigne l'exemple précédent.

Dans la présente section, nous avons indiqué qu'entre amants tout n'avait pas à être dit. Toutefois, l'expression du visage, la distance interpersonnelle, le toucher et les sons ne peuvent transmettre toute la complexité des besoins et des émotions qui tissent une relation intime ; on a aussi besoin des mots. Comme le faisait remarquer un écrivain : « Comme compléments de la communication verbale, les actes et les gestes font l'affaire. Comme substituts, ils ne sont pas vraiment à la hauteur » (Zilbergeld, 1978, p. 158).

RÉSUMÉ

QU'EST-CE QUE L'AMOUR ?

* Zick Rubin a développé un questionnaire en 13 points pour mesurer l'amour.

* L'amour-amitié se caractérise par une tendresse et un attachement profonds.

* Selon la théorie triangulaire de Sternberg, l'amour a trois dimensions : la passion et l'intimité, qui en sont respectivement les dimensions motivationnelle et affective, et l'engagement, qui en est la dimension cognitive. Les combinaisons de ces trois dimensions donnent lieu à sept types d'amour.

* John Allan Lee a élaboré une théorie décrivant six façons d'aimer : l'amour romantique, l'amour ludique, l'amour-amitié, l'amour pragmatique, l'amour possessif et l'amour altruiste.

* Notre mode d'attachement, qui prend sa source dans l'enfance, détermine en grande partie notre manière d'entrer en relation avec nos partenaires amoureux.

* Les enfants qui ont développé des liens sécurisants avec leurs parents font preuve, à l'âge adulte, de meilleures capacités sociales que ceux qui ont développé des liens ambivalents-anxiogènes ou d'évitement avec leurs parents.

* Les adultes de type confiant sont plus à même d'établir des relations de couple satisfaisantes. Ils sont à l'aise avec les autres dans l'intimité, ne se sentent pas menacés par une relation et n'ont pas peur d'être abandonnés.

* Les adultes de type anxieux-ambivalent ont souvent une pauvre image d'eux-mêmes, se sentent en danger dans une relation et sont ambivalents dans leur rapports intimes avec les autres.

* Les adultes de type anxieux-évitant perçoivent souvent négativement les autres, leur font peu confiance et n'aiment pas dépendre de quelqu'un.

* Dans un couple, les deux partenaires ont souvent un mode d'attachement de même type. Les unions les plus répandues sont celles où les deux partenaires ont un mode d'attachement de type confiant.

* Les personnes qui ont un mode d'attachement de type confiant font état d'un plus haut niveau de satisfaction dans leur relation, surtout si les deux partenaires possèdent ce mode.

* La liaison amoureuse serait due à un besoin de combler sa solitude, à un désir de justifier son engagement dans une relation sexuelle ou à une attirance sexuelle.

* L'intense sensation qui accompagne la passion amoureuse peut avoir des bases neurochimiques. Il y aurait alors une augmentation forte et subite, dans le cerveau, d'épinéphrine, de dopamine et, surtout, de phényléthylamine. La passion qui évolue vers l'attachement profond serait le résultat de l'augmentation progressive de l'endorphine dans le cerveau.

* Les facteurs qui contribuent à l'attirance interpersonnelle sont la proximité, la similarité, la réciprocité et l'attirance physique. Bien souvent, nous entretenons des relations amoureuses avec des gens que nous voyons fréquemment, qui partagent nos goûts et nos opinions, qui semblent nous apprécier et qui nous attirent physiquement.

* Il existe différentes interprétations du rapport entre l'amour et le sexe. La plupart des étudiants interrogés dans nos enquêtes disent que l'amour enrichit les relations sexuelles, mais qu'il n'est pas nécessaire pour jouir du sexe.

* Les femmes font davantage un lien entre l'amour et le sexe que les hommes, mais la recherche montre que cette différence s'estompe de plus en plus.

* Les homosexuels et les lesbiennes, comme les hétérosexuels, sont généralement en quête de relations faites d'amour, de confiance mutuelle et de souci pour l'autre, où le partage prend différentes formes, outre l'intimité sexuelle.

* Certains considèrent que la jalousie est un signe d'amour, mais elle exprimerait plutôt la peur de perdre l'autre ou le contrôle qu'on exerce sur lui.

* La jalousie est souvent un facteur de violence entre conjoints.

* Les recherches ont révélé que les hommes et les femmes réagissent différemment à la jalousie.

* Les ingrédients généralement présents dans une relation amoureuse qui dure sont, notamment, l'acceptation de soi, l'acceptation de l'autre, l'appréciation de l'autre, l'engagement, une bonne communication, des attentes réalistes, l'égalité dans la prise de décision, des intérêts communs et la capacité de faire face efficacement aux conflits.

* La variété est souvent un ingrédient majeur pour maintenir le bonheur sexuel dans une relation à long terme. Pour certains couples, par contre, la sécurité qu'apporte la routine est plus satisfaisante.

L'IMPORTANCE DE COMMUNIQUER EN SEXUALITÉ

* La communication sexuelle contribue au plaisir et à la satisfaction que l'on retire d'une relation intime ; la communication sexuelle peu fréquente ou inefficace est une raison courante d'insatisfaction par rapport à la vie sexuelle.

* L'empathie mutuelle est le fondement essentiel d'une véritable communication sexuelle. L'empathie mutuelle est l'assurance tacite que chacun des partenaires d'une relation se soucie de l'autre.

* L'absence de communication sur la sexualité au cours de l'enfance peut entraîner des difficultés de communication sexuelle à l'âge adulte.

* La pauvreté du vocabulaire sexuel nuit à une communication efficace.

✳ La façon différente dont les hommes et les femmes entrent en relation avec les autres peut nuire à la communication. Les hommes utilisent souvent le langage pour fournir conseils et information et pour préserver leur avantage. Par comparaison, les femmes s'en servent pour créer le rapprochement et partager l'intimité.

✳ Il est souvent difficile de parler de sexualité. Une bonne façon de commencer est de parler du problème lui-même, de lire sur la sexualité et d'en discuter, et d'échanger sur ses expériences sexuelles passées.

✳ La communication sera mieux réussie si on a un auditeur actif et un émetteur efficace.

✳ La personne qui écoute peut faciliter la communication en gardant le contact visuel avec l'interlocuteur, en offrant une rétroaction, c'est-à-dire en réagissant au message, en montrant qu'elle apprécie les efforts de communication de l'autre et en lui témoignant une acceptation inconditionnelle.

✳ Les questions fermées bipolaires qui incitent à des réponses limitées peuvent souvent freiner les efforts de communication des partenaires sexuels. Les questions ouvertes et les questions à options sont généralement plus efficaces.

✳ La révélation de soi peut aider le ou la partenaire à faire connaître ses besoins. Il peut être précieux d'échanger sur ses fantasmes, en exprimant d'abord ses désirs les plus inoffensifs.

✳ L'autorisation donnée à l'autre d'exprimer ses besoins incite les partenaires à échanger librement sur leurs sentiments.

✳ On aura plus de facilité à formuler ses demandes 1) en assumant la responsabilité de son propre plaisir, 2) en s'assurant que ses demandes sont explicites et 3) en parlant à la première personne.

✳ Il est important de choisir le moment et l'endroit opportuns pour exprimer ses préoccupations sexuelles. Il faut éviter d'émettre des plaintes sous l'emprise de la colère.

✳ La plainte est généralement plus efficace quand elle est tempérée d'éloges. Les gens sont habituellement plus motivés à effectuer des changements si on loue leurs forces en même temps qu'on leur fait part des aspects à améliorer.

✳ Les questions commençant par « pourquoi », dont on se sert pour blâmer le ou la partenaire, vont à l'encontre du processus de la plainte.

✳ Il est sage de diriger sa colère contre un comportement condamnable plutôt que contre le caractère de son auteur. La meilleure façon d'exprimer sa colère est probablement de recourir à des énoncés honnêtes et clairs à la première personne, plutôt qu'au mode accusateur des énoncés à la deuxième personne.

✳ Il est préférable, dans les relations, de limiter la plainte à un seul sujet par discussion.

✳ Reconnaître le bien-fondé de la plainte émise par l'autre favorise l'établissement d'un climat d'empathie facilitant la discussion.

✳ Quand les plaintes sont vagues, il est utile de demander des clarifications. En verbalisant calmement les émotions que suscite la plainte, on évitera souvent les échanges stériles et blessants.

✳ Une excellente façon de clore une discussion est de se pencher sur ce que l'on peut faire pour résoudre le problème dans la relation.

✳ Les trois étapes d'une stratégie visant à dire non à des demandes d'engagement intime consistent à remercier la personne d'avoir fait l'invitation, à lui dire non d'une façon claire et non équivoque, et à lui offrir une solution de rechange, le cas échéant.

✳ Pour éviter de lancer des messages ambigus, vérifiez occasionnellement que votre discours verbal est en accord avec vos actions ultérieures. Les personnes qui reçoivent des messages ambigus auraient avantage à exprimer leur perplexité et à demander lequel des messages contradictoires est le bon.

✳ La communication sexuelle ne se limite pas aux mots. Les expressions du visage, la distance interpersonnelle, le toucher et les sons transmettent aussi de l'information.

✳ La communication non verbale prend toute sa valeur lorsqu'elle complète, et non remplace, la communication verbale.

CHAPITRE 9

Le commercial et l'atypisme en sexualité

LE COMMERCE DU SEXE

LA SEXUALITÉ ATYPIQUE

*J*usqu'à maintenant, nous avons abordé la sexualité sous plusieurs aspects — biologique, psychologique, développemental, etc. Dans ce chapitre, nous nous intéressons au commerce du sexe, c'est-à-dire à l'échange d'argent contre de l'excitation sexuelle. Comme nous le verrons, ce type de commerce suscite de nombreuses controverses. Nous traiterons aussi d'un autre aspect de la sexualité, soit les comportements sexuels atypiques, c'est-à-dire qui sortent de l'ordinaire ou des normes en vigueur. Le sexe commercial et le sexe atypique sont liés entre eux par la loi économique de la rareté. Selon cette loi, une activité qui est hors norme et hors de l'ordinaire acquiert une valeur économique d'échange dans la mesure où plus une chose est rare, plus cette chose est susceptible d'être recherchée, et donc de susciter le développement d'un marché (Munger, 1995). Ces deux aspects du sexe ont aussi en commun d'avoir permis le développement d'un extraordinaire réseau d'échanges, de partage et de collaboration entre adeptes sur Internet. Nous analyserons quelques aspects sociaux et légaux de ce type d'activités.

LE COMMERCE DU SEXE

Il sera question ici de deux activités lucratives entourant le sexe : la pornographie, qui désigne toute production qui vise à provoquer l'excitation sexuelle, et la prostitution, qui consiste à offrir des services sexuels en échange d'argent.

LA PORNOGRAPHIE

La pornographie, pour moi, ce sont les revues et les films cochons que regardent des hommes vieux et pervers. J'aime les femmes nues en personne et dans un lit, regarder des revues et des films pornos ne m'intéresse pas. La pornographie est vraiment dégradante pour les femmes et elle transmet des faussetés sur elles. (Notes des auteurs)

Je me suis rendu compte que lorsque nous regardons de la pornographie, mon partenaire et moi, je deviens extrêmement excitée et je me laisse exprimer le côté débridé de ma sexualité. Une fois, j'étais si excitée que j'ai pris le contrôle de la soirée en lui faisant faire tout ce que je voulais, comme être rude, dominateur ou sensible. Nous avons aussi essayé différents endroits dans la chambre comme la table à café, le fauteuil ou le sofa. On s'est retrouvés défaits, nus au milieu du plancher, endormis et enlacés dans les bras

l'un de l'autre. Je sens que mon partenaire et moi avons réellement bénéficié de l'inclusion de la pornographie dans notre sexualité. Nous sommes devenus si à l'aise, intimes et en amour en sachant que le sexe est une bonne chose. (Notes des auteurs)

En général, le mot *pornographie* désigne tout document écrit, visuel ou sonore montrant une activité sexuelle ou les organes génitaux dans le but de provoquer l'excitation sexuelle. Il y a par contre une zone d'interprétation qui peut fluctuer, comme le suggère une remarque attribuée à André Breton : « La pornographie, c'est l'érotisme des autres. »

Selon que les organes génitaux sont montrés ou pas, certains font une distinction entre la pornographie dure ou intégrale (*hard core*) et la pornographie légère ou suggestive (*soft core*). Il est aussi possible de distinguer la pornographie selon qu'elle est dégradante ou non. La pornographie dégradante réduit le sujet au rôle d'objet et l'avilit. La pornographie interraciale véhiculant les stéréotypes raciaux est un exemple de pornographie dégradante (Cowan et Campbell, 1994). La pornographie violente implique des agressions et de la brutalité. Elle peut comprendre des scènes de viol, de coups et blessures, de démembrement et même de meurtre. Les fantasmes de violence et d'agression sont répandus dans les salons de clavardage, certains portant des noms tels que « Torturer les femmes » ou « Fille suçant son père » (Michaels, 1997). En fait, une étude comparant les revues pornographiques, les vidéos et les forums de discussion sur Usenet (*newsgroups*) a trouvé considérablement plus de violence sexuelle dans ces forums que dans les deux autres types de média (Barron et Kimmel, 2000).

LE MATÉRIEL ÉROTIQUE

Le matériel dit « érotique » constitue une sous-catégorie du matériel sexuellement explicite. Il s'agit d'un autre genre de pornographie, qui peut être dure (*hard core*) ou légère (*soft core*) selon le cas. Le matériel érotique est voué à l'éros ou à l'« amour-passion » (Steinem, 1998). Dans ce type de matériel, les scènes sexuelles sont empreintes de respect mutuel, d'affection et d'équilibre de pouvoir entre les sexes (Stock, 1985, p. 13). Comme il y a plus de femmes qui participent à la production d'œuvres sexuellement explicites, l'égalité entre les sexes y est plus habituelle (Klinger, 2003 ; Milne, 2005). Par exemple, les films pornographiques pour adultes de Femme Productions (États-Unis) mettent l'accent sur la sensualité, le plaisir féminin et l'affirmation de soi. Des films comme *Nina Hartley's Guide to Better Cunnilingus* et *The Sluts and Goddesses Video Workshop* font la promotion du plaisir et de l'excitation sexuels féminins.

Est-ce que le matériel érotique n'intéresse que les femmes ? Non, selon une étude faite auprès d'étudiants universitaires. Ceux-ci, qui étaient tous âgés d'au moins 21 ans, ont regardé quatre bandes vidéo comportant différents dosages de scènes d'amour et d'affection soit intenses, soit légères, combinées à des scènes très explicites sexuellement (*hard core*) ou légèrement explicites sexuellement (*soft core*). L'étude a montré que les hommes comme les femmes ont coté les vidéos combinant à la fois des scènes sexuellement très explicites et des scènes exprimant de forts sentiments amoureux comme les plus excitantes. Les chercheurs en ont conclu que les étudiantes de niveau universitaire voient l'amour et l'affection comme allant de pair avec l'excitation sexuelle (Quackenbush et coll., 1995). Une autre enquête par entrevues faite auprès de 150 hommes des États-Unis, du Canada et d'Europe a établi que les hommes appréciaient la pornographie surtout lorsqu'elle montrait que les participants hommes et femmes étaient égaux ou lorsque les hommes profitaient de l'affirmation sexuelle des femmes. Les hommes qui appréciaient ce type de vidéo insistaient sur l'importance de voir des femmes ressentir un plaisir sexuel authentique (Loftus, 2002).

Dans cette même perspective, le professeur d'université Constance Penley, qui donne un cours sur la pornographie, croit que la pornographie populaire est omniprésente parce qu'elle exprime le désir masculin d'un monde utopique où les femmes ne seraient pas socialement tenues de dire et de croire qu'elles n'aiment pas autant le sexe que les hommes (1996, p. 18). L'auteur de *Sex, Time and Power*, Leonard Shlain, va plus loin en affirmant que la pornographie disparaîtrait demain si les femmes étaient aussi désireuses d'avoir du sexe et se comportaient sexuellement aussi ouvertement que les hommes (2003, p. 352).

LES FILMS PORNOGRAPHIQUES ET L'ORIENTATION SEXUELLE

Les films produits pour les clientèles hétérosexuelles, gaies ou lesbiennes diffèrent par certaines caractéristiques générales. Beaucoup de porno hétérosexuelle montre en gros plans diverses positions de relations coïtales, orales et anales. Relations sexuelles entre deux femmes, triolisme et sexualité de groupe font souvent partie de la recette. Les femmes montrent généralement un très grand désir sexuel pour les participants et leur corps occupe la principale place dans le film. La plupart des stars pornos ont des corps stéréotypés, minces et une poitrine grossie par implants mammaires. L'érotisation du corps masculin y est rare et les acteurs masculins sont souvent d'apparence banale. La « scène payante », le gros plan de l'éjaculation masculine à l'extérieur du vagin de la femme ou de sa bouche, est la marque par excellence de la porno masculine hétérosexuelle (Paul, 2005).

L'industrie de la porno gaie se compare en importance à celle de la porno hétérosexuelle et offre le même éventail de films à petit budget et de films d'une certaine qualité. La plus grande partie de la porno gaie recourt à des acteurs bien mis, musclés et paraissant bien. Elle met l'accent sur l'érotisation du corps masculin et couvre les intérêts sexuels compris entre l'agressivité et la tendresse. Certaines sous-catégories de films présentent une plus grande variété de corps. Par exemple, la porno « *bear* » présente des hommes imposants et très poilus (Blue, 2003).

Il y a beaucoup moins de films pornos pour le public lesbien et ils sont généralement à petit budget et moins bien fignolés que les films pour hétérosexuels et les films pour gais. La plupart des films lesbiens mettent en scène des femmes qui sont de réelles amoureuses dans la vraie vie. Ils présentent de manière réaliste et diversifiée les interactions sexuelles lesbiennes au lieu d'offrir des performances qui excitent le spectateur. Plusieurs styles de beauté et de sexualité y sont montrés. La femme *butch* y côtoie la femme féminine et qui a de la classe. Les jeux de rôle, la parole, l'habillement et les accessoires érotiques y ont plus d'importance que l'intrigue. Les pratiques sexuelles sécuritaires y sont monnaie courante (Blue, 2003).

Pornographie hétérosexuelle, gaie et lesbienne : ce sont là des catégories générales qui sont loin de rendre compte de la très grande diversité des sujets abordés. La pornographie spécialisée témoigne du pouvoir illimité de l'imaginaire humain (Hanus, 2006b, p. 59). Elle touche à tous les sujets imaginables : bondage et asservissement, fétichisme, sadomasochisme, transgenres, dessins animés japonais, etc. (Blue, 2003 ; Hongo, 2006).

Ces catégories permettent de se faire une idée des différents types de matériel sexuellement explicite existants mais, dans la vie réelle, les réactions individuelles à la pornographie sont beaucoup plus diversifiées. « La pornographie d'une personne est l'érotisme d'une autre, et l'érotisme d'une personne peut en faire vomir une autre » (Kipnis, 1996, p. 64). Et ce qui peut être inoffensif dans un contexte donné (par exemple, un couple utilisant une vidéo érotique pour explorer différentes façons de faire l'amour) peut se révéler dangereux dans un autre (comme lorsque de jeunes enfants la trouvent et la regardent).

LA PORNOGRAPHIE JUVÉNILE

Au Canada, la production, la vente, la distribution et la simple possession d'images montrant des jeunes de moins de 18 ans ayant ou semblant avoir des activités sexuelles constituent des infractions selon le Code criminel. Il en va de même pour ce qui est des images d'organes sexuels ou de la région anale présentées à des fins sexuelles. Les textes et dessins montrant de la pornographie juvénile sont également prohibés (Schabas, 1995).

Internet permet aux adeptes de la pornographie juvénile d'accéder facilement à ce matériel illégal. Il s'agit d'une industrie en croissance dans le monde qui dépasse les 20 milliards de dollars annuellement. Les prédateurs sexuels s'en prennent à des enfants aussi jeunes que 18 mois et ils exploitent sexuellement des enfants en temps réel (Brockman, 2006). La surveillance d'Internet peut être couronnée de succès et a mené à plusieurs arrestations de producteurs de pornographie infantile. La prévention est importante et la Technology Coalition, qui regroupe des fournisseurs d'accès, développe et implante des solutions technologiques pour contrer l'utilisation d'Internet par les prédateurs à des fins de pornographie juvénile.

Depuis les dernières années, surtout depuis l'arrivée des webcams à faible coût, des jeunes se sont mis à vendre des images d'eux-mêmes sexuellement explicites.

Il va sans dire, Internet a augmenté de façon exponentielle l'accès à du matériel sexuellement explicite. À travers l'histoire, toute avancée technologique a à la fois accru l'accès à ce type de matériel et réduit le contrôle exercé par les gouvernements ou les Églises.

SURVOL HISTORIQUE

Les représentations de la sexualité sous forme d'images ou de dessins ne datent pas d'hier ; on en retrouve même dans les fresques murales des cavernes de la préhistoire. Le *Kâma Sûtra*, le célèbre manuel philosophico-

Sculptures érotiques ornant un temple hindou datant de plus de 3000 ans.

érotique indien datant de la fin du IVe siècle, allie sexualité et spiritualité en exposant dans le détail des techniques sexuelles permettant d'atteindre le nirvana. Au Japon, les shungas, des peintures et des gravures sur bois datant des années 1600 et 1700 et représentant de façon très explicite le coït, sont considérées comme des chefs-d'œuvre. Les Grecs et les Romains de l'Antiquité utilisaient abondamment les thématiques sexuelles dans l'ornementation et la décoration des bâtiments publics et des objets domestiques.

Avec le triomphe du christianisme et la chute de l'Empire romain, l'Église catholique étendit son autorité suprême sur tout le monde occidental. Durant le Moyen Âge, elle contrôlait la production écrite et les beaux-arts, assurant ainsi la diffusion de ses idées restrictives en matière de sexualité. À cette époque, les écrits étaient rédigés à la main par des moines et, vu sa richesse, l'Église catholique commandait la création de la majorité des œuvres d'art. Cependant, vers 1450, Johannes Gutenberg inventa la presse à imprimer utilisant des lettres mobiles, mettant ainsi fin au monopole de l'Église sur la diffusion de l'écrit (Lane, 2000). On imprima d'abord différentes éditions de la Bible, puis des histoires pornographiques, ce qui aurait contribué à l'alphabétisation des masses (Johnson, 1988). Vers le milieu du XVIe siècle, la parution des livres échappait tellement à l'influence de l'Église que le pape Paul IV publia le premier catalogue des livres interdits (Lane, 2000).

Dans la première moitié du XVIIIe siècle, une autre découverte technologique, la photographie, aida la pornographie à se répandre. Les daguerréotypes et les photographies érotiques se mirent à proliférer tant et si bien que le Congrès américain promulgua la première loi interdisant l'envoi postal d'obscénités (Johnson, 1998).

C'est en 1953, avec le lancement de *Playboy*, que le commerce de la pornographie est sorti de l'ombre pour devenir l'industrie multimilliardaire que l'on connaît aujourd'hui. La génération qui avait participé à la Seconde Guerre mondiale acheta 50 000 exemplaires du premier numéro du magazine. Le lectorat de *Playboy* continua de s'accroître durant les années 1960, et Hugh Hefner, l'éditeur du magazine, fut bientôt multimillionnaire. Puis le public eut accès, en toute légalité, à des films sexuellement explicites, lesquels, avant la sortie en 1973 du film *Deep Throat* (*Gorge profonde*), n'étaient diffusés que clandestinement. Cette invraisemblable histoire d'une femme ayant le clitoris logé dans la gorge fut la première production cinématographique pour adultes présentée en salle, devant grand public. Énorme succès financier, *Deep Throat* rapporta 600 millions de dollars et ouvrit la voie à la pornographie moderne. Il eut aussi pour effet de repousser les limites du contenu sexuel dans les films réguliers. En français, des films comme *Histoire d'O*, *Emmanuelle* et *Valérie* en sont des exemples. L'augmentation du contenu sexuel a suscité l'opposition des groupes religieux et politiques de droite, ceux-ci affirmant que la pornographie est immorale, qu'elle a des effets nocifs sur les adultes et qu'elle augmente le nombre de crimes à proximité des cinémas pour adultes et des endroits vendant de la porno.

Au Canada, la Cour suprême semble donner raison partiellement à ce point de vue, du moins indirectement. Dans son arrêt de 1992 précisant les critères devant guider les juges pour délimiter ce qui est acceptable en matière d'obscénité, elle affirmait que si du matériel contient des scènes dégradantes ou déshumanisantes, celles-ci ne doivent pas être tolérées par la communauté (Schabas, 1995). Plus récemment, il y a eu une tentative de retour indirect à la censure ; dans cette optique, seules les productions respectant l'ordre public seraient financées par des fonds gouvernementaux. Une telle conception rejoint l'argumentation fondée sur le critère de la moralité publique.

LES NOUVELLES TECHNOLOGIES ET LE MATÉRIEL SEXUELLEMENT EXPLICITE

Toutefois, alors même que l'on tente de réprimer la pornographie, de nouvelles technologies viennent en compliquer le contrôle, tout en rendant cette activité encore plus lucrative. Ainsi, l'avènement de la télévision par câble, du magnétoscope et d'Internet ont permis l'accès en tout anonymat à la pornographie à des gens qui ne seraient probablement jamais entrés dans un cinéma ou une librairie pour adultes. Les premiers ordinateurs personnels ont fait leur apparition en même temps que la télé par câble et le magnétoscope, et l'industrie du sexe a favorisé nombre d'innovations technologiques du Web (Carnes, 2000).

Selon une enquête menée par le journal néerlandais *Het Laatste Nieuws* en 2007, un nouveau site porno apparaît toutes les 39 secondes aux États-Unis ; en 2002, 70 % des achats faits sur Internet concernaient la porno et 42 % des internautes avaient déjà visité un site «X» ; le chiffre d'affaires de la cyberpornographie dépasserait aujourd'hui celui d'entreprises telles que Microsoft, Google, Amazon, Ebay, Yahoo et Apple. Le mot *sexe* est le plus populaire sur les moteurs de recherche ;

Question d'analyse critique

Croyez-vous que les groupes religieux proches de la droite (aux idées très conservatrices) réussiront à empêcher la diffusion de la pornographie ? Pourquoi ?

géographiquement, ce mot est le plus demandé en Inde, au Pakistan, en Égypte, en Turquie, en Algérie et au Maroc (AOL, 2007). L'industrie de la porno produit environ 11 000 films chaque année, comparativement à 400 longs métrages pour les studios hollywoodiens (Paul, 2004). La porno est désormais accessible sur les téléphones cellulaires, les baladeurs MP3, les assistants personnels numériques et les jeux pour PSP (PlayStation Portable). La diffusion de matériel sexuellement explicite sur les appareils mobiles de poche est devenue une affaire extrêmement lucrative quelques mois seulement après son arrivée (Piccionelli, 2006b).

LE MATÉRIEL À CONTENU SEXUELLEMENT EXPLICITE : BÉNÉFIQUE OU NUISIBLE ?

Les images sexuelles sont devenues si répandues dans notre culture que plusieurs départements universitaires de littérature, d'anthropologie de cinéma, de droit et d'études féministes offrent un programme d'étude sur la pornographie (Cullen, 2006). L'impact de la pornographie sur ceux qui en consomment est un important sujet de débat. Pour certains, la pornographie est bénéfique, alors que pour d'autres elle est nuisible.

La pornographie peut être aidante pour l'individu, car elle lui permet d'avoir une stimulation sexuelle sans risquer d'être rejeté ou critiqué par un partenaire, tout en évitant grossesse ou contamination éventuelles par une ITSS. « Personne n'échoue à avoir une érection, la femme n'a aucun problème à atteindre l'orgasme, personne n'a peur de paraître trop gros... Aucune femme ne devient enceinte, personne ne demande à se marier ou n'essaie de fixer un rendez-vous pour la prochaine fin de semaine » (Paul, 2005, p. 41). La pornographie peut aussi procurer une variété sans fin de fantasmes sexuels. Dans une relation, le matériel érotique peut même atténuer la différence d'intérêts des partenaires envers la sexualité en procurant l'excitation sexuelle pendant la masturbation lorsque l'un d'eux n'est pas disposé ou est à l'extérieur de la ville. Des personnes et des couples trouvent que la pornographie ou le matériel érotique les a aidés à développer leurs expériences

sexuelles. Une étude montre que 37 % des hommes et 28 % des femmes ont agrandi leur répertoire érotique en regardant des sites Internet de sexe. Des personnes peuvent aussi améliorer leur capacité de communication sexuelle en échangeant sur leurs intérêts sexuels en ligne dans l'anonymat : après l'avoir fait, environ 50 % des femmes et 44 % des hommes ont communiqué à leur partenaire des désirs sexuels qu'ils avaient jusque-là gardés secrets (Gowen, 2005). Les vidéos sexuellement explicites et à vocation éducative peuvent améliorer la communication et l'expérimentation sexuelle dans un couple.

D'un autre côté, plusieurs observateurs ont exprimé des inquiétudes à propos de l'influence de la pornographie sur les relations intimes. Une étude a révélé qu'après avoir été exposés régulièrement à la pornographie, les hommes comme les femmes étaient moins attirés par leur partenaire et moins satisfaits de sa performance sexuelle (Zillmann et Bryant, 1988b). Des thérapeutes conjugaux et des avocats spécialisés en divorce ont constaté une augmentation des cas où la pornographie sur Internet a joué un rôle significatif dans la décision de consulter ou de divorcer prise par des couples (Greenfield, 2005 ; Hanus, 2006). La porno peut amener les hommes et les femmes à trouver la sexualité conventionnelle moins intéressante et à préférer la cyberporno à la relation face à face. Des personnes peuvent aussi subir la pression de leur partenaire pour se livrer à des comportements typiquement pornographiques, par exemple éjaculer sur le visage de la femme ou sur son corps, avoir des activités sexuelles avec d'autres partenaires ou avoir des relations anales (Paul, 2005). De telles influences de la cyberpornographie peuvent contribuer à la détérioration d'une relation, comme le montre le témoignage suivant.

> Au début et jusque vers le milieu de ma vingtaine, j'ai passé beaucoup de temps (et dépensé pas mal d'argent) à payer des femmes pour jouer des rôles sexuels par l'entremise d'une webcam afin d'agrémenter mes masturbations. Je considérais cela comme une façon saine, sûre et simple de satisfaire mes besoins sexuels plutôt que de compter sur des rendez-vous pour avoir du sexe. Puis j'ai rencontré Jennifer et j'ai craqué pour elle. Après plusieurs mois, j'ai commencé à m'ennuyer dans notre sexualité ordinaire et lui ai demandé de jouer le rôle de l'écolière que j'avais apprécié au moyen de la webcam. Elle a essayé de son mieux, mais c'était loin de me satisfaire et je lui ai donné

l'impression qu'elle n'était pas assez sexy pour moi. Je n'avais pas considéré qu'il était illusoire qu'elle puisse personnifier un fantasme aussi bien que le font les professionnels de la webcam. Cela fait un grand changement, mais je préfère avoir du sexe avec une femme qui se soucie de moi plutôt qu'avec une bonne actrice. (Notes des auteurs)

Les thèmes exploités par la pornographie sont généralement pauvres en termes d'«éducation sexuelle». Elle montre souvent des performances masculines rapides et sans sensualité, basées sur la conquête plutôt que la recherche du plaisir (Cook, 2006). Elle perpétue les mythes voulant que l'homme véritable ait toujours envie de sexe et devrait sans relâche «prendre son pied», sans tenir compte de la complexité de l'autre personne ou de sa propre nature (Zilbergeld, 1978). De plus, on y présente les femmes comme toujours très réceptives à n'importe quelle stimulation des hommes. Lorsqu'une femme ne réagit pas comme cela dans la vie réelle, l'homme se sent inadéquat ou trahi, et tous deux peuvent en arriver à douter de la normalité de leur propre sexualité (Castleman, 2005).

LA PROSTITUTION ET LE TRAVAIL DU SEXE

La **prostitution** consiste à échanger des services sexuels contre de l'argent. Quand on pense à la prostitution, on imagine généralement une femme vendant ses services sexuels à un homme, bien que les transactions entre deux hommes soient aussi très courantes. Il est plus rare qu'une femme paie pour les services sexuels d'un homme. L'expression *travailleurs du sexe* désigne les personnes qui pratiquent la prostitution et diverses activités connexes, telles que la danse nu, les échanges sexuels par téléphone ou Internet, les massages érotiques et les rôles dans les vidéos pornos. La plupart de ceux qui ne quittent pas le milieu après quelques mois iront d'une activité à l'autre dans le travail du sexe (Farley, 2003).

Mais les relations dans lesquelles le rapport sexuel est une monnaie d'échange ne se limitent pas au cadre de la prostitution proprement dite. Les femmes échangent leurs faveurs sexuelles contre des ressources financières de nombreuses façons. On pourrait avancer que c'est ce que fait la femme qui marie un bon pourvoyeur plutôt que l'élu de son cœur, ou que c'est également à une forme de prostitution que consent celle qui étouffe son désir de divorcer pour des raisons financières (Ridgeway, 1996).

HISTOIRE DE LA PROSTITUTION

La prostitution remonte à la nuit des temps. Selon les sociétés et les époques, «le plus vieux métier du monde» a eu des fonctions et connu des statuts divers. Dans la Grèce antique, la prostitution était tolérée et, à certains moments, les hétaïres, des prostituées de haut rang, étaient même recherchées pour leur intellect, leur brillante conversation et leur savoir-faire sexuel. La prostitution faisait partie des rites religieux de certaines autres sociétés de l'Antiquité. Considérés comme des actes sacrés, les rapports sexuels entre les prostituées et les hommes avaient souvent lieu dans les temples; dans certaines cultures, l'homme agissait en cette occurrence comme un représentant de la divinité. Dans l'Europe médiévale, la prostitution était tolérée et avait cours dans les bains publics. L'Angleterre victorienne y voyait un exutoire scandaleux, mais socialement et sexuellement nécessaire. On jugeait en effet préférable qu'un bourgeois ait des rapports sexuels avec une prostituée plutôt qu'avec la femme ou la fille d'un de ses pairs (Brecher, 1969 ; Taylor, 1970).

LES CLIENTS DES TRAVAILLEURS DU SEXE

S'il y a des travailleurs du sexe, c'est qu'il y a une demande pour leurs services. Le sexe en échange de l'argent procure au client un contact sexuel sans aucune attente d'intimité ou d'engagement futur; il élimine le risque de rejet et offre au client la possibilité d'avoir des activités sexuelles qu'il ne voudrait pas avoir avec sa partenaire habituelle (Califa, 2002). Une enquête auprès d'un échantillon représentatif d'hommes autour du monde montre qu'environ 10 % d'entre eux ont échangé de l'argent contre du sexe pendant les douze derniers mois (Carael et coll., 2006). Les résultats d'une étude menée auprès d'hommes américains fréquentant des prostituées indiquent que 93 % d'entre eux avaient des rapports sexuels avec elles une fois par mois ou plus (Freund et coll., 1991).

Les femmes sont beaucoup moins susceptibles que les hommes de payer pour avoir du sexe. Le tourisme sexuel des femmes est par contre en forte hausse. Des femmes blanches célibataires, divorcées ou mariées, principalement européennes et nord-américaines, vont dans certains lieux touristiques du tiers-monde, tel que Mombassa au Kenya, pour avoir des aventures sexuelles avec des *beach boys* qui les complimentent,

Prostitution Échange de services sexuels contre de l'argent.

leur tiennent compagnie et leur donnent du sexe en échange de cadeaux ou d'argent. Les femmes noires américaines sont plus susceptibles de faire du tourisme sexuel en Jamaïque et les Japonaises se rendent habituellement à Bali (Hari, 2006). Comme le dit une femme faisant du tourisme sexuel: «En Angleterre, les hommes de notre âge ne sont guère intéressés... Ici, les hommes nous redonnent l'impression d'être des femmes super-belles et sexy» (Knight, 2006, p. 2).

Les femmes faisant du tourisme sexuel et les hommes qu'elles engagent minimisent souvent le côté commercial de leurs relations. Un chercheur a révélé que les hommes s'imaginent souvent recevoir des cadeaux pour l'aide qu'ils apportent à ces femmes, et celles-ci croient qu'elles aident les hommes et l'économie locale en leur donnant cadeaux et argent (Hari, 2006). Le tourisme sexuel féminin est le thème du film de Laurent Cantet *Vers le sud*, dans lequel trois Américaines se rendent à Haïti pour expérimenter les talents sexuels de jeunes insulaires. Une pièce jouée à Londres en 2006, *Sugar Mummies*, montre sans retenue que les femmes faisant du tourisme sexuel considèrent le corps des hommes comme un objet (Burr, 2006).

LA PROSTITUTION ADULTE SELON LE SEXE

Les prostitués adultes diffèrent les uns des autres sur des points comme la visibilité en public, l'argent qu'ils font et leur classe sociale. Il y a des prostitués à temps partiel qui, par ailleurs, poursuivent des études, occupent un emploi conventionnel ou mènent une vie sociale normale. Ceux qui le font à l'occasion, pour un temps limité, et qui ont d'autres qualifications professionnelles, peuvent plus aisément quitter le métier. Nombre de ces hommes ou de ces femmes ne se considèrent pas comme des prostitués, ou des «professionnels». Les prostitués à temps plein, qui ont rejeté les valeurs traditionnelles et s'identifient à la sous-culture (l'arrestation policière favorise cette identification), sont généralement des personnes peu instruites et peu qualifiées, qui pourraient difficilement se trouver un autre emploi. Une étude conclut que 89 % des travailleurs du sexe aimeraient «quitter la profession» (Farley, 2003) (voir le tableau 9.1). Mais sans autres ressources, plusieurs esti-

ment difficile de devenir complètement indépendant de la prostitution (Butcher, 2003).

Les filles faisant le trottoir et les hommes *hustlers* sollicitent respectivement les hommes hétérosexuels et les gais dans la rue et dans les bars; s'ajoutent à ces lieux les saunas gais, les parcs et les toilettes publiques (Friedman 2003 ; Parsons, 2005). Ce sont ces prostitués qui gagnent le moins pour leurs services parmi les travailleurs du sexe. Les *hustlers* travaillent rarement pour un ou une proxénète et, contrairement à une idée répandue, c'est également le cas pour la plupart des filles de rue (seuls 10 % de l'ensemble des prostitués à Montréal ont un proxénète) (Mensah, 2007). Ces prostitués risquent davantage d'être victimes d'abus et de vol de la part des clients ou des proxénètes (Valera et coll., 2001). Ce sont des proies faciles et il n'est pas rare que les journaux signalent le meurtre d'une fille de rue ou que la police donne la chasse à un tueur en série qui s'en prend à ce genre de travailleuse du sexe (Green, 2000).

Au Canada, de 1986 à 2006, plus de 140 prostituées ont été victimes de meurtre, ce qui représente un risque de 60 à 120 plus élevé que pour la population en général. Moins de la moitié des cas sont résolus, contre 80 % pour les autres types d'homicides (Mensah, 2007). À cause de leur visibilité, les prostitués de rue des deux sexes sont souvent arrêtés. Au cours de leur vie, la plupart seront arrêtés plus d'une fois, condamnés à une brève sentence d'emprisonnement, puis relâchés.

Tableau 9.1 | **Les réponses des travailleuses du sexe à la question : « Qu'est-ce qui pourrait vous aider à abandonner la prostitution ? »**

CE QUI AIDERAIT LES FEMMES À ABANDONNER LA PROSTITUTION (Par ordre décroissant d'importance)
L'apprentissage d'un métier
Une maison ou un endroit sûr
Des soins de santé
Du counseling personnalisé
De l'assistance judiciaire
Du soutien de la part des pairs
Un traitement contre la dépendance à la drogue ou l'alcool
Des cours d'auto-défense
Des soins et des services pour enfants
La légalisation de la prostitution
Une protection contre les agressions physiques des proxénètes

LE BORDEL

Le **bordel** est une maison dans laquelle travaille un groupe de prostituées. Au Canada, les bordels sont considérés comme des maisons de débauche et sont de ce fait illégaux. Le simple fait de s'y trouver sans motif valable constitue un crime. Ils sont généralement dirigés par une « tenancière » qui reçoit les clients et administre la boîte.

Certains « salons de massages érotiques » sont en quelque sorte des bordels en version service rapide. C'est souvent une fois installé dans la salle de massage que le client négocie le tarif d'une stimulation manuelle ou bucco-génitale jusqu'à l'orgasme. Le client pourra aussi fréquemment dicter la tenue de la masseuse — habillée ou pas. Le coït pourra ou non faire partie du « massage ».

Les « escortes », et leurs équivalents masculins qui offrent leurs services aux hommes, gagnent généralement plus que les autres types de prostitués. Souvent issues de la classe moyenne, les femmes qui travaillent comme escortes peuvent accompagner leurs clients en société — clients qui sont généralement en bonne santé, d'âge moyen ou plus vieux — aussi bien que vendre leurs services sexuels. Elles sont habituellement référées par un contact personnel ou une « agence d'escortes » et ont souvent plusieurs clients réguliers (Blackmun, 1996a). Elles ont plus de chances que les autres types de prostituées de se voir offrir de beaux objets, des vêtements, des bijoux ou même un lieu de résidence par leurs clients. Étant moins visibles, elles sont moins à risque d'être arrêtées par la police que celles qui font le trottoir.

Une étude a établi que les hommes travaillant pour une agence d'escortes ont six clients en moyenne par mois, que leurs rencontres durent une heure en moyenne et que le sexe oral est ce qu'ils font le plus souvent. La plupart des escortes évitent le sexe anal. Environ 80 % des escortes n'aiment pas avoir des relations sexuelles avec leurs clients, préférant plutôt ceux qui recherchent un accompagnement sans sexe pour converser, se distraire ou voyager (Hagen, 2006).

LA PROSTITUTION JUVÉNILE

Il y a beaucoup d'adolescentes et d'adolescents qui se prostituent au Canada (Franzen, 2001). Ceux et celles qui sont en fugue n'ont souvent pas d'autres moyens de survie (Carnes, 1991 ; Ring, 2001). La plupart des adolescents et adolescentes qui se prostituent proviennent de foyers instables, criblés de problèmes (McCaghy et Hou,

Les prostituées de rue sont très exposées aux mauvais traitements de leurs clients et de leur proxénète.

1994). Environ 95 % d'entre eux ont été victimes d'agression sexuelle et la plupart ont été rejetés par leur famille, surtout après que leurs parents eurent appris qu'ils ou elles étaient gais, lesbiennes, bisexuels ou transgenres (Mok, 2006). Cependant, les adolescentes et adolescents issus des classes moyennes ou aisées sont de plus en plus nombreux à s'adonner au commerce du sexe et semblent se vendre pour le côté excitant et l'argent rapide que cela leur procure, ce qui leur permet de dépenser à leur gré sans l'interférence de leurs parents. Certaines filles invitent même des clients chez elles pendant que leurs parents sont au travail (Smalley, 2003).

LE TRAVAIL DU SEXE SUR INTERNET

Internet est en train de transformer le plus vieux métier du monde. Les sites Web proposent des escortes très variées en termes d'attributs physiques et intellectuels et de spécialités sexuelles (ligotage, sadomasochisme, réalisation de fantasmes). Un site d'escortes masculines contient 36 000 noms répartis dans 121 pays autour du

---

Bordel   Lieu où exercent plusieurs prostituées.

monde (Hagen, 2006). Les travailleurs du sexe, hommes et femmes, travaillent de plus en plus à partir de sites personnels. La négociation se fait directement par courriels, éliminant ainsi la nécessité d'engager des frais pour être sur le site Web d'une compagnie, d'un proxénète ou d'un bordel (Reynolds, 2006). Les modèles travaillant en direct par vidéoconférence demandent de 25 $ à 50 $ l'heure, mais n'en gagnent en réalité qu'une fraction. Les compagnies qui les emploient font au minimum 300 $ l'heure par travailleur du sexe. Qu'ils travaillent pour une compagnie ou sur un site personnel, les travailleurs du sexe sur Internet exercent leur métier dans des conditions beaucoup plus sûres et sont moins opprimés que les autres prostitués. Bien que les arrestations en lien avec Internet soient peu fréquentes, il est facile pour les policiers de se faire passer pour des clients (Linskey, 2006).

L'ÉMERGENCE DU TRAVAIL DU SEXE

C'est une combinaison de facteurs psychologiques, sociaux, environnementaux et économiques qui font que quelqu'un devient travailleur du sexe. Une étude dit que c'est une question de choix personnel et de droit à la libération sexuelle (Lim, 1998). Le travail du sexe peut donner un sentiment de puissance, notamment lorsqu'il s'agit de négocier le montant demandé et le service offert (Deshotels et Forsyth, 2006). Le désir de recevoir de l'attention de la part des clients peut être une motivation (Andreas, 2005). Les jeunes gais peuvent trouver une acceptation de leur sexualité à travers les compliments et l'appréciation des clients, faisant fortement contraste avec les sentiments homophobes qu'ils ont connus dans leur entourage lorsqu'ils étaient plus jeunes (Steele et Kennedy, 2006).

Les impératifs économiques sont généralement la principale raison qui amène une personne au travail du sexe et qui l'incite à continuer (Carter, 2003 ; Kempner, 2005). La recherche exhaustive de Melissa Farley sur les travailleurs du sexe dans neufs pays (Canada, Colombie, Allemagne, Mexique, Afrique du Sud, Thaïlande, Turquie, États-Unis et Zambie) conclut que la raison la plus répandue est de gagner de l'argent. Le plus souvent, c'est un terrible besoin de survie : 75 % étaient sans logis au moment de commencer à se prostituer (Farley, 2004).

LE COÛT PERSONNEL ÉLEVÉ DU TRAVAIL DU SEXE

Les travailleurs du sexe ont plusieurs problèmes de santé physique et mentale découlant directement de la violence, du stress chronique et de l'exposition aux ITSS (Ward et Day, 2006 ; Wong et coll., 2006). Les deux tiers des travailleurs du sexe de l'étude de Farley répondaient aux critères diagnostiques du syndrome post-traumatique, lequel survient lorsqu'une personne vit un traumatisme profond. Parmi les symptômes observés se trouvent des cauchemars récurrents, une certaine anesthésie affective, un sentiment généralisé de peur, de la difficulté à dormir et à se concentrer et des remémorations spontanées d'expériences antérieures (un sentiment de revivre l'expérience traumatisante de départ). Les travailleurs du sexe sont deux fois plus nombreux à être victimes du syndrome post-traumatique que les vétérans de la guerre du Vietnam ; le taux et la sévérité du syndrome sont les mêmes dans tous les pays, qu'ils soient développés ou non. L'expérience suivante est arrivée à une femme qui se prostituait surtout dans les boîtes de strip-tease.

> Le travail exigeait qu'elle tolère les abus verbaux (en gardant un sourire forcé), qu'elle se fasse accrocher par des clients, qu'elle se laisse pincer les jambes, les fesses, la poitrine et l'entrecuisse... Ses seins étaient tordus jusqu'à ce qu'elle ressente des douleurs insupportables. Elle était humiliée par des clients qui éjaculaient sur son visage... [et] on lui tirait les cheveux comme moyen de contrôle et de torture. Elle avait de graves ecchymoses dues à des coups et elle avait souvent des yeux au beurre noir. Elle recevait des coups de poing sur la tête, provoquant parfois des commotions et des comas. Ces raclées lui ont disloqué la mâchoire et causé des dommages aux tympans. Plusieurs années plus tard, sa mâchoire est toujours disloquée. Elle a été coupée avec des couteaux. Elle a été brûlée avec des cigarettes par des clients qui fumaient après l'avoir violée. Elle a été violée par des groupes... Les viols commis par les gens et par les proxénètes ont parfois provoqué des saignements internes. (Farley, 2003, p. 64)

LA PROSTITUTION ET LE VIH/SIDA

Le VIH/sida est un autre danger que courent les prostitués. Nous n'avons pas de chiffres fiables pour le Canada, mais, ici comme ailleurs, les travailleurs du sexe qui ont le plus désespérément besoin de trouver de l'argent, soit parce qu'ils sont sans papiers, pauvres, plus vieux ou toxicomanes, sont les plus enclins à accepter des pratiques sexuelles à risque (Chapkis, 1997). Une étude faite au Mexique a révélé que les prostituées recevaient une prime allant de 23 % à 46 % pour des pratiques sexuelles à risque — ce qui représentait une augmentation de 14 000 $ à 51 000 $ de leurs revenus annuels (Gertler et coll., 2006).

Bien que la plupart soient poussés à se prostituer pour des motifs économiques, d'autres y sont pratiquement forcés par tromperie ou violence, comme le montre l'encadré ci-dessous.

Les uns et les autres

La prostitution : l'exploitation sexuelle des femmes et des enfants dans le monde

L'histoire moderne du trafic sexuel aurait débuté il y a une cinquantaine d'années avec l'occupation militaire américaine de la Corée du Sud. Actuellement, il y aurait plus de un million de travailleurs du sexe dans les divers *camp towns* adjacents à la centaine de bases américaines à travers le monde ; il s'agit principalement de femmes victimes de trafiquants du sexe qui œuvrent en Europe de l'Est et aux Philippines. Ces trafiquants sont des criminels qui recrutent des femmes et des enfants dans des pays socialement et économiquement sous-développés ou politiquement instables en leur promettant un emploi.

Au lieu de leur fournir un emploi légitime, les trafiquants vendent ces femmes et enfants à d'autres individus qui les forcent à devenir des travailleurs du sexe, principalement dans des pays plus riches et plus stables ou dans des lieux connus pour le tourisme sexuel (Farr, 2004). Par exemple, après la chute du communisme en Europe au cours des années 1990, les trafiquants promettaient faussement à des femmes pauvres d'Europe de l'Est qu'elles auraient un emploi légitime à l'Ouest. Certaines sont également attirées dans la prostitution par des promesses de mariage dans un pays étranger. Les filles issues de groupes ethniques minoritaires sont les proies les plus faciles pour les trafiquants, en raison des possibilités économiques limitées et de leur faible statut social dans leur pays d'origine.

Les trafiquants achètent également des enfants à des parents qui ne peuvent en assumer la charge financière, trop lourde pour eux. Les enfants orphelins dont les parents sont morts du sida ou dans des guerres interethniques en Afrique et en Europe de l'Est sont aussi des proies faciles (Rios, 1996). Il y a eu une augmentation notable du nombre de jeunes garçons prostitués pour répondre à la demande du tourisme sexuel (Lim, 1998). On cherche à avoir des enfants de plus en plus jeunes parce que les clients les considèrent comme moins susceptibles d'être infectés par le VIH. Les trafiquants recourent également à l'enlèvement. Profitant du chaos causé par l'occupation américaine de l'Iraq, les bandes de trafiquants ont enlevé quelque 2000 filles dans le pays, selon des estimations pour la période antérieure à 2006 (Bennett, 2006). Il est impossible de déterminer l'ampleur réelle du nombre de femmes et d'enfants qui sont victimes de la traite à travers le monde, mais un rapport de la CIA a estimé qu'aux États-Unis seulement il y aurait 50 000 femmes et enfants travaillant comme esclaves dans l'industrie du sexe (Leuchtag, 2003).

Les trafiquants vont des organisations familiales à des réseaux multinationaux hautement sophistiqués de groupes criminels. Des individus corrompus occupant des postes de confiance sont également impliqués : des agents de police, des gardes-frontières, des agents de l'immigration, des agents de voyages et des banquiers. Une victime enrôlée comme travailleur du sexe peut rapporter de 75 000 $ à 250 000 $ par an à son « employeur », ce qui stimule l'appât du gain des personnes impliquées à tous les niveaux (Farr, 2004). On estime qu'à l'échelle mondiale l'exploitation des enfants et des femmes par le trafic sexuel rapporte entre 7 et 10 milliards de dollars de profit par année (Cwikel et Hoban, 2005).

Un touriste sexuel est un adulte qui voyage pour avoir des relations sexuelles en échange d'argent ou de cadeaux. L'essor de l'industrie du tourisme sexuel, dont les clients proviennent des pays industrialisés, tire profit du trafic sexuel des femmes et des enfants et de la condition économique sans espoir de la population locale. Les hommes qui travaillent comme *beach boys* dans le tourisme sexuel féminin le font souvent parce que c'est leur seule façon d'aider leur famille. La plupart des pays où le tourisme sexuel féminin se pratique sont d'anciennes colonies d'esclaves qui ne se sont pas relevées économiquement de leur passé colonial (Hoggard, 2006).

Le tourisme sexuel pour hommes est plus répandu dans les pays asiatiques, comme la Thaïlande, les Philippines, l'Inde, le Sri Lanka, le Vietnam et le Cambodge, et dans les pays d'Amérique du Sud, comme le Brésil. La publicité renforce le stéréotype de la femme asiatique docile et aimante (Alfano, 2006). En Thaïlande, entre 22 500 et 40 000 travailleuses du sexe sont des filles âgées de moins de 18 ans (Alfano, 2006). La plupart des touristes sexuels qui se rendent dans ces pays sont des hommes japonais, allemands, scandinaves, arabes et américains. Le commerce légal du sexe rapporte annuellement environ 3,3 milliards de dollars à l'Indonésie et 27 milliards de dollars à la Thaïlande (Farley, 2004). Un professeur d'économie de la Thaïlande estime que le commerce du sexe rapporte de quatre à cinq fois plus que l'industrie agricole (Budhos, 1997).

Comme nous l'avons vu, il y a des effets néfastes à la prostitution « volontaire », mais le tort causé aux femmes victimes de la traite est encore plus grave. Les études menées dans divers pays font ressortir que les conditions de confinement proches de l'esclavage, l'abus et les viols systématiques que ces femmes subissent pendant des mois ou des années entraînent des problèmes psychologiques et physiques, qui perdurent même après qu'elles ont trouvé un moyen de sortir du milieu de la traite des humains. Près de 40 % d'entre elles ont des pensées suicidaires pendant ou après leur calvaire. Les femmes elles-mêmes se reprochent souvent de ne pas avoir été capables de détecter la tromperie des tactiques de recrutement. Pendant le transit, elles risquent d'être mises aux arrêts aux frontières et même de trouver la mort en raison des modes de transport dangereux. Les trafiquants confisquent leurs papiers d'identité et menacent de les tuer ou de tuer leur famille si elles essaient de s'échapper. Elles sont privées de nourriture, maintenues isolées et on les force à utiliser des drogues pour s'assurer de leur docilité. Plus de 96 % d'entre elles ont été physiquement ou sexuellement agressées et 100 % ont été contraintes à des actes sexuels, comprenant des rapports sexuels non protégés, du sexe anal, du sexe oral et des viols collectifs. La plupart reçoivent de 10 à 25 clients par nuit, certaines plus de 40 à 50. Vingt-cinq pour cent ont eu au moins une grossesse non désirée et subi un avortement (Van Hook et coll., 2006 ; Zimmerman et coll., 2003).

Les organisations de femmes et d'autres groupes de défense des droits de la personne n'ont cessé de revendiquer une meilleure éducation et une plus grande autonomie économique des femmes pour briser la relation entre la pauvreté et l'exploitation sexuelle. Des organisations privées actives dans de nombreux pays ont élaboré des programmes pour aider les femmes à échapper à la traite d'êtres humains.

Malheureusement, les efforts visant à obtenir une aide significative de la part des gouvernements et des sociétés n'ont eu qu'un succès limité, et le bilan des États-Unis est peu reluisant en matière de lutte contre ce trafic international. Avec la Somalie, c'est le seul pays membre des Nations Unies à ne pas avoir ratifié la Convention des Nations Unies relative aux droits de l'enfant ni le Protocole des Nations Unies visant à prévenir, réprimer et punir le trafic des personnes. En outre, en 2002, le président George W. Bush a révoqué l'engagement américain envers le Statut de Rome, engagement que le président Bill Clinton avait paraphé en 1999. Ce traité a créé un tribunal international (la fameuse Cour pénale internationale jugeant les personnes présumées responsables de crimes contre l'humanité et siégeant à La Haye) pour poursuivre notamment les trafiquants d'êtres humains (Farr, 2004 ; Meyer, 2006). Un chercheur travaillant sur ce sujet est d'avis que les dirigeants des États-Unis veulent ainsi éviter des poursuites contre leur pays en raison de la traite des personnes qui a lieu dans les *camp towns* de la Corée du Sud, traite qui s'est faite avec la complicité de l'armée américaine : « Les soldats américains, censés promouvoir la lutte pour la liberté à travers le monde, se livrent à une activité qui opprime des femmes et des filles innocentes et [ils] aident des criminels à faire des profits » (Meyer, 2006, p. 255).

LA PROSTITUTION ET LA LOI

La prostitution comme telle n'est pas illégale au Canada. Par contre, offrir des services sexuels, les négocier en public (le client est aussi criminalisé) ou en vivre est illégal. Cohabiter avec une personne qui se prostitue crée la présomption d'en vivre et est donc illégal. Être dans un endroit où la prostitution se pratique est illégal aussi.

Quelques villes canadiennes, dont Edmonton, Vancouver, Calgary, Winnipeg et Windsor, essaient d'encadrer la prostitution en émettant des permis pour les agences d'escorte et les escortes. Ces villes exigent des escortes et des propriétaires d'agences qu'ils se procurent un permis et qu'ils s'enregistrent auprès de la police locale. Ils doivent aussi tenir un registre des noms et adresses de leurs clients. Obtenir un permis de la ville ne protège en rien contre la possibilité d'être poursuivi en justice pour des activités liées à la prostitution (Rathus et coll., 2007).

Eleanor Maticka-Tyndale, Jacqueline Lewis et Megan Street (2005), de l'Université de Windsor, ont étudié le processus d'émission des permis à Windsor. Elles ont constaté que, lorsque les escortes et les agences d'escortes obtiennent un permis pour la première fois, elles s'attendent à être traitées comme une entreprise légitime.

Délibérément, les règlements municipaux ne mentionnaient pas le mot *sexe* dans la description des entreprises d'escortes. Après l'obtention de leur permis, par contre, les escortes ont eu le sentiment que leurs activités étaient considérées comme indésirables. Elles se sont senties victimes de stratégies policières de piégeage : par exemple, les policiers les encourageaient à négocier un prix pour leurs services sexuels de façon à pouvoir les accuser ensuite de s'être placées en situation illégale. Cela nous ramène à la question : c'est une bonne ou une mauvaise chose, la criminalisation de la prostitution ?

Il y a trois positions possibles par rapport au caractère criminel actuel de la prostitution : la légalisation, la décriminalisation et la déjudiciarisation. Légaliser la prostitution impliquerait que sa pratique pourrait être encadrée et réglementée, et que les gouvernements en tireraient des revenus sous forme de taxes et impôts. Les travailleurs du sexe pourraient figurer dans un registre, non pas comme dans les exemples des villes canadiennes ci-haut, mais en étant protégés contre les poursuites, et ils devraient détenir un permis de pratique conditionnel à un suivi médical curatif et préventif. L'expérience des pays où la prostitution est légale, comme les Pays-Bas, montre les limites de l'intégration de la prostitution dans l'activité économique. Par exemple, environ 70 % des prostituées d'Amsterdam sont entrées illégalement dans le pays et ne sont donc pas éligibles aux prestations sociales, ce qui rend problématique le contrôle de cette activité sur le plan économique (Leuchtag, 2003 ; Passariello, 2002).

Décriminaliser la prostitution signifie qu'il n'y aurait plus de sanction imposée aux travailleurs du sexe et à leurs clients ou clientes. Cependant, il n'y aurait ni système d'encadrement, ni permis, ni suivi médical obligatoire. Les restrictions légales sur la sollicitation et l'utilisation des mineurs pourraient être maintenues (McElroy, 1995). La décriminalisation est la position défendue au Québec par l'organisme Stella et par des chercheurs universitaires comme Mensah (2007) ou Nadeau (2001). Ceux-ci prônent la reconnaissance de ce travail comme étant un travail comme les autres et considèrent que les personnes qui l'exercent le choisissent librement dans la majorité des cas. Cette reconnaissance, qui existe ailleurs dans certains pays, permettrait aux travailleurs du sexe de bénéficier d'une meilleure protection légale, d'exercer leur travail dans de meilleures conditions et de s'associer librement (l'Argentine est un exemple). D'autres chercheurs universitaires croient que le travail du sexe ne peut être considéré comme un travail librement consenti et qu'on doit continuer à tenter de l'éradiquer au nom des droits à l'égalité et à la dignité humaine et de la lutte contre le trafic sexuel mondial (Geadah, 2003).

Les opposants au maintien de la criminalisation de la prostitution invoquent aussi l'inefficacité des poursuites. La prostitution prospère malgré les sanctions, comme toujours, dans la plupart des sociétés où elle a été interdite. Les efforts pour éliminer la prostitution se sont en effet révélés tout aussi coûteux qu'inefficaces (Chapkis, 1997). On s'inquiète par ailleurs des consé-

Question d'analyse critique

À votre avis, quel devrait être le statut légal des activités liées à la prostitution ?

quences négatives de la prostitution illégale. Ainsi, on craint que le statut criminel de l'activité n'encourage les affiliations avec le crime organisé et ne nuise à la réhabilitation des prostituées (lesquelles trouveront plus difficilement un emploi ordinaire si elles ont un casier judiciaire) (Weiner, 1996).

On oublie ici que les prostitués et prostituées sont souvent victimes des clients, des souteneurs, tout autant que des lois discriminatoires et de l'opprobre sociale (Valera et coll., 2001). De plus, si la prostitution était décriminalisée ou légalisée, le système de justice pénale pourrait se consacrer davantage aux crimes contre les personnes et les biens. La légalisation aurait probablement l'avantage d'affaiblir les liens avec le crime organisé, tout en mettant les prostituées à l'abri des mauvais traitements des souteneurs, des clients, du système judiciaire et autres instances qui profitent d'elles (*The Economist*, 1998).

Farley (2004) recommande de déjudiciariser les travailleuses et travailleurs du sexe tout en poursuivant sans merci les clients, les proxénètes, les propriétaires de bordel et les trafiquants de personnes. Un certain nombre de pays ont adopté cette approche (Corée du Sud, Suisse, Vietnam et Venezuela) et dispensent des services médicaux et sociaux aux prostituées pour les aider à s'en sortir.

Les partisans de la légalisation de la prostitution, ou de sa décriminalisation, font valoir plusieurs arguments. D'abord, la prostitution est habituellement considérée comme « un crime sans victime », comme un acte non préjudiciable aux personnes impliquées. Étant donné la forte incidence d'abus sexuels et physiques que traîne la prostitution et la gravité des abus physiques et psychologiques inhérents au travail du sexe lui-même, la prostitution est rarement une activité sans victimes. De plus, pour que la prostitution ne crée pas de victimes, il faudrait que les gens puissent débuter dans le métier de leur plein gré, ce qui n'est possible que si des alternatives économiques réelles existent en dehors du travail du sexe, si les travailleuses et travailleurs du sexe ont autant de pouvoir que leurs clients et si leur sécurité physique est assurée (Farley, 2004).

LA SEXUALITÉ ATYPIQUE

Nous avons vu jusqu'ici l'aspect commercial de la sexua-lité. Une des caractéristiques de cette activité est de miser sur la relative rareté de certains comportements, condition de base pour que des gens soient prêts à payer pour l'obtenir. On voit mal quelqu'un payer pour quelque chose qui se trouve partout. La rareté relative se trouve aussi dans les caractéristiques d'un autre aspect de la sexualité, celui de l'atypisme, du hors-norme.

QU'EST-CE QU'UN COMPORTEMENT SEXUEL ATYPIQUE ?

La loi exprime une volonté de normalisation présente dans toute société. Elle codifie ce qui est considéré comme inacceptable dans une société donnée à une époque donnée. Elle a pour fonction de définir un ordre de fonctionnement. En matière de sexualité, sur-tout, elle se place à la frontière du privé et du public. La prostitution et les activités qui l'accompagnent, nous le voyons, sont des éléments qui suscitent des jugements réprobateurs. De plus, les personnes qui la pratiquent sont souvent confrontées à des demandes sexuelles hors de l'ordinaire de chacun et chacune. Tout comme la pornographie, la prostitution est un lieu où s'exprime ce qui est hors norme, à l'abri (relatif) du jugement réprobateur, justifié ou non, d'une société. Mais ce ne sont pas les seuls domaines où la sexualité hors norme s'exprime. Dans ce qui suit, nous allons aborder d'autres pratiques sexuelles controversées, parfois interdites par la loi, parfois classées hors norme selon les critères cli-niques, parfois les deux. Débutons par ce témoignage :

Mon dernier partenaire sexuel appréciait énor-mément l'urolagnie. Ayant passé du temps à regar-der les films de G.G. Allen, j'étais bien au courant de l'existence de cette pratique, mais jamais il ne m'était venu à l'idée que j'aimerais y participer. Lorsque mon partenaire m'a révélé son désir de boire mon urine, j'ai été prise de court. J'étais reconnue pour être quelqu'un qui essayait des choses que je pourrais trouver un peu atypique, alors j'ai accepté. J'étais très inquiète et incertaine quant à la façon de faire. Des pensées telles que « Si sa demande est une plaisanterie, il va me prendre pour une idiote » et « Et si je rate complètement... » me passaient par la tête. J'étais paralysée par la nervosité et cela faisait que j'avais de la difficulté à uriner. Mon anxiété a fini par s'atténuer et j'ai

pu me détendre et me laisser aller. Sa réaction m'a stupéfiée. Il a commencé à se masturber avec force et il a bu mon urine en étant dans un état d'extase. Je ne l'avais jamais vu aussi excité. Le plus surpre-nant a été jusqu'à quel point j'ai aimé cela. Bien que je ne puisse pas imaginer jouer son rôle, c'était une expérience réellement agréable et stimulante. (Notes des auteurs)

Cette description d'une expérience sexuelle peu fré-quente, provenant d'une étudiante inscrite dans un cours sur la sexualité, peut refléter aux yeux des lecteurs un comportement sexuel anormal ou peut-être même déviant. Nous croyons qu'il vaut mieux considérer ce témoignage comme un exemple de sexualité atypique. Notez cependant que ce comportement peut présen-ter certains dangers : le VIH a été détecté dans l'urine des personnes qui en étaient infectées. La prudence est donc de mise. Voyons maintenant brièvement ce que peuvent être des comportements sexuels atypiques.

UNE DÉFINITION DE LA PARAPHILIE

Dans la présente section, nous examinerons des compor-tements sexuels qui ont parfois été qualifiés de déviants, de pervers, d'aberrants ou d'anormaux. De nos jours, on utilise le terme **paraphilie**, moins chargé de jugement, pour décrire ces types d'expression sexuelle moins fré-quents. Signifiant littéralement « en dehors de l'amour usuel ou courant », le terme *paraphilie* indique que les comportements sexuels atypiques ne sont généralement pas fondés sur une relation tendre ou aimante, mais qu'ils sont les signes d'un comportement psychosexuel patho-logique, dans lequel l'excitation ou la réponse sexuelles, ou les deux, sont conditionnées par une activité hors de l'ordinaire, singulière (American Psychiatric Association, 2000), voire « bizarre » ou perverse, selon le point de vue (Money, 2004). Le terme *paraphilie* se rencontre surtout dans la documentation en psychologie et en psychiatrie. Notre expérience de rencontres et de discussions concer-nant ce type de comportements nous montre qu'il s'agit de formes extrêmes de comportements qui peuvent se rencontrer couramment ou peupler des fantasmes non réalisés. C'est pourquoi, dans ce chapitre, nous avons classé les paraphilies dans les **comportements sexuels atypiques**.

Certains points doivent être notés au sujet des compor-tements sexuels atypiques en général avant d'aborder des exemples plus précis. Les comportements que nous décrirons dans la présente section représentent les extrêmes de comportements sexuels atypiques, dont la gravité peut varier, allant de tendances légères et épisodiques aux comportements généralisés et systématiques. Bien qu'il s'agisse de comportements atypiques, il est possible de reconnaître en soi, à divers degrés, certaines des manifestations ou sentiments qui y sont associés. Il pourra s'agir de tendances épisodiques, ou en grande partie réprimées, ou n'émergeant qu'au cœur des fantasmes les plus secrets.

Un second élément à retenir concerne l'état de nos connaissances sur ces comportements. Dans l'exposé qui suit, nous présumons que les sujets sont de sexe masculin, car c'est le cas de la plupart des personnes inculpées pour comportement sexuel atypique ou paraphile (American Psychiatric Association, 2000; Seligman et Hardenburg, 2000). Toutefois, nous reconnaissons que cette présomption est peut-être faussée par la partialité des dénonciations et des plaintes en la matière. Il est ainsi beaucoup moins probable que soient signalés à la police des cas d'exhibitionnisme féminin, alors que l'exhibitionnisme masculin l'est immanquablement. Selon John Money (1981), le comportement sexuel atypique pourrait être plus fréquent chez les hommes parce que, chez eux, la différenciation éroto-sexuelle (le développement de l'excitation sexuelle en réaction à divers types d'images ou de stimuli) serait plus complexe que chez les femmes et sujette à plus d'erreurs. Les études sur la paraphilie féminine sont rares; une d'elles a été menée à Ottawa par Fedoroff, Fishell et Fedoroff, et publiée en 1999.

Un troisième élément digne de mention est que les comportements atypiques sont souvent interreliés. Il semble en effet que lorsqu'une paraphilie se manifeste, d'autres paraphilies risquent aussi de se présenter simultanément ou consécutivement (Bradford et coll., 1992; Durand et Barlow, 2000; Fedora et coll., 1992). La recherche menée sur les hommes paraphiles qui ont été vus en médecine ou qui ont attiré l'attention des autorités judiciaires a montré que plus de la moitié d'entre eux avaient plus d'une paraphilie et qu'un sur cinq avait fait l'expérience de quatre paraphilies et plus (Abel et Osborn, 2000). Une hypothèse est qu'en se livrant à un comportement atypique (par exemple, l'exhibitionnisme) le sujet perd une partie de ses inhibitions, ce qui l'incite à s'adonner à une autre paraphilie, le voyeurisme, par exemple. C'est ainsi qu'on tente d'expliquer l'effet cumulatif (Stanley, 1993).

Question d'analyse critique

Selon vous, l'incidence de comportements sexuels atypiques plus élevée chez les hommes que chez les femmes pourrait-elle résulter d'un conditionnement culturel et social? Justifiez votre réponse.

Une dernière considération sur les comportements sexuels atypiques a trait à l'effet qu'ils ont sur les personnes qui en sont affligées et sur celles qui en font les frais. Ces comportements sont souvent pour ceux qui s'y adonnent l'unique moyen de parvenir au plaisir sexuel. Ils sont fréquemment une fin en soi. Comme il est très probable que les paraphiles s'aliènent les autres par ces comportements inusités, il est extrêmement difficile pour eux d'établir des relations sexuelles ou intimes satisfaisantes avec des partenaires. Leur expression sexuelle est, par la force des choses, solitaire, obsessionnelle, voire irrépressible. Certains de ces comportements impliquent que l'espace personnel d'un autre sera perturbé contre son gré et de façon importune. Dans la section qui suit, nous ferons la distinction entre les paraphilies coercitives et les paraphilies non coercitives.

LES TYPES DE PARAPHILIES

Une façon de classer les paraphilies est l'usage ou non de coercition. De nombreuses paraphilies sont des activités strictement solitaires. D'autres se font avec la collaboration d'adultes qui consentent soit à prendre part au comportement marginal, soit à l'observer, soit simplement à le tolérer. Aux yeux de plusieurs personnes, ces comportements atypiques sont considérés comme relativement bénins ou inoffensifs parce qu'ils n'impliquent aucune coercition.

Certaines paraphilies sont, par contre, carrément contraignantes et coercitives, car des personnes y sont soumises contre leur gré. C'est ce qui se produit dans le voyeurisme ou l'exhibitionnisme. Des études indiquent d'ailleurs que les victimes de tels actes sont souvent psychologiquement traumatisées par l'expérience. Certaines ont l'impression d'avoir été violentées, craignent d'être

Paraphilie   Terme utilisé pour désigner des formes d'expression sexuelle peu communes.

Comportement sexuel atypique   Comportement sexuel qui ne se rencontre habituellement pas chez la plupart des gens dans une société donnée.

agressées physiquement, ou se mettent à appréhender la récurrence de semblables incidents désagréables. Voilà pourquoi les paraphilies qui s'exercent sous la contrainte sont illégales, bien que de nombreuses personnes qui en font l'objet n'en sont souvent pas autrement troublées. Cela dit, comme plusieurs de ces comportements coercitifs n'impliquent pas de contacts physiques ou sexuels avec l'agresseur, ils sont généralement considérés par les autorités comme des infractions sexuelles mineures.

LES PARAPHILIES NON COERCITIVES

Dans la présente section, nous présentons quatre paraphilies non coercitives assez courantes : le fétichisme, le travestisme fétichiste, le sadisme sexuel et le masochisme sexuel. Nous décrirons ensuite quatre paraphilies moins courantes.

LE FÉTICHISME

Le **fétichisme** désigne un comportement sexuel par lequel l'individu parvient à l'excitation sexuelle en investissant un objet inanimé ou une partie du corps humain d'une sorte de pouvoir érotique. Bien des gens sont sexuellement excités à la vue de sous-vêtements ou de certaines parties du corps, comme les pieds, les jambes, les fesses, les cuisses et les seins. Beaucoup d'hommes et certaines femmes utilisent des vêtements et d'autres accessoires lorsqu'ils se masturbent ou qu'ils ont une activité sexuelle avec un ou une partenaire. Il n'y a véritablement *fétichisme* que lorsqu'une personne a une fixation sur certains objets ou parties du corps, à l'exclusion de toute autre chose

(Lowenstein, 2002). Dans certains cas, la personne sera incapable d'excitation sexuelle ou d'orgasme si elle est privée de son fétiche. Dans d'autres cas, si l'érotisation du fétiche est moins exclusive, l'excitation demeurera possible, mais elle sera moins forte. Chez certains, le fétiche remplace purement et simplement le contact avec une personne, mais il peut être délaissé si un ou une partenaire devient disponible. Parmi les fétiches les plus communs, mentionnons la lingerie féminine, les chaussures (surtout à talons hauts), les bottes (souvent associées à la domination), les cheveux, les bas (surtout les bas résille noirs) et une palette d'accessoires et de vêtements en cuir, en soie et en caoutchouc ou latex (American Psychiatric Association, 2000 ; Davison et Neale, 1993).

Comment le fétichisme se développe-t-il ? Cela peut se produire lorsqu'un fétiche, objet ou partie du corps, a été intégré à un fantasme auquel le sujet a recours pour parvenir au plaisir lors d'une séance de masturbation. L'orgasme vient ici renforcer l'association fétichiste (Junginger, 1997). Il s'agit en quelque sorte d'un conditionnement classique suivant lequel tel objet ou telle partie du corps est associé au plaisir sexuel.

Il se pourrait aussi que l'explication de certains cas de fétichisme se trouve dans l'enfance. En effet, des enfants apprennent à associer l'excitation sexuelle à des objets (sous-vêtements ou chaussures) appartenant à une personne émotionnellement signifiante, comme leur mère ou leurs sœurs aînées (Freund et Blanchard, 1993). C'est un processus que l'on appelle parfois *transformation symbolique*. Ici, le fétiche est

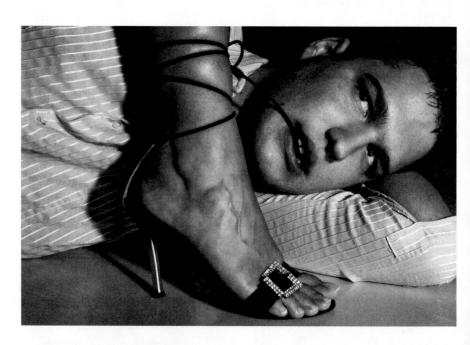

Il y a des individus pour qui des objets ou certaines parties du corps humain, comme les pieds, peuvent être des sources exclusives d'excitation sexuelle.

investi du pouvoir ou de l'essence de la personne à laquelle il appartient, de sorte que l'enfant (généralement un garçon) éprouve pour cet objet ce que lui inspire la personne elle-même (Gebhard et coll., 1965). Si ces schèmes s'enracinent suffisamment, l'individu n'aura que peu ou pas d'interactions sexuelles avec autrui durant ses années de croissance et, devenu adulte, il continuera peut-être à préférer les fétiches aux contacts sexuels avec d'autres humains.

Il est rare que le fétichisme conduise la personne à commettre un acte dangereux. Il arrive parfois qu'une personne aille jusqu'à commettre un vol pour s'approprier un objet fétiche, comme en témoigne cette communication.

> Il y a quelques années de cela, nous avions un voleur de sous-vêtements dans le voisinage. Vous ne pouviez pas suspendre un soutien-gorge à l'extérieur sans avoir peur de le perdre. Il prenait aussi les petites culottes, mais les soutiens-gorge semblaient sa préférence. J'en ai parlé avec d'autres femmes du voisinage qui avaient le même problème. Ce type devait en avoir une pleine chambre. Je n'ai jamais entendu dire qu'il s'était fait prendre. Il a dû décider de changer de quartier car les vols ont cessé tout d'un coup. (Notes des auteurs)

Le vol est le délit le plus souvent associé au fétichisme (Lowenstein, 2002). Rarement une personne pourra poser un geste bizarre comme de couper une mèche de cheveux sans le demander. Dans les cas les plus extrêmes, un homme ira jusqu'au meurtre, mutilant sa victime pour prélever et conserver certaines parties du corps qu'il utilisera pour nourrir ses fantasmes pendant qu'il se masturbe.

LE TRAVESTISME FÉTICHISTE

L'expression **travestisme fétichiste** ne s'applique qu'aux gens qui se parent des vêtements de l'autre sexe pour s'exciter sexuellement. C'est cette composante d'excitation sexuelle qui distingue l'agir de ces individus de celui des gens qui s'habillent en femmes pour faire du spectacle, de celui des gais qui le font occasionnellement pour draguer d'autres hommes ou par cabotinage, et de celui des transsexuels qui y voient un moyen d'atteindre une certaine plénitude physique et affective.

Le travestisme englobe une palette de comportements. C'est souvent une activité solitaire à laquelle certains hommes s'adonnent dans le secret de leur foyer. Il peut leur arriver à l'occasion de sortir en ville ainsi vêtus, mais c'est plutôt inhabituel. En général, le travestisme est une activité sporadique qui suscite l'excitation sexuelle et se termine par la masturbation ou un rapport sexuel avec un partenaire. Dans bien des cas, la personne s'excite en ne portant qu'un vêtement, peut-être un slip ou un soutien-gorge. Comme ce comportement contient une importante composante fétichiste (Freund et coll., 1988), l'Association américaine de psychiatrie (2000) a formalisé le lien entre ces deux paraphilies (travestisme et fétichisme) en instituant la catégorie diagnostique de « travestisme fétichiste ». Ce qui distingue le travestisme fétichiste

Fétichisme Comportement sexuel par lequel une personne n'est sexuellement excitée, de façon exclusive ou presque exclusive, que par un objet inanimé ou une partie du corps.

Travestisme fétichiste Comportement par lequel une personne obtient du plaisir sexuel en s'habillant comme l'autre sexe.

Parmi les objets fétiches les plus communs se trouvent la lingerie féminine et les chaussures à talons hauts. Les fétichistes peuvent être excités par ces objets inanimés.

du fétichisme proprement dit, c'est que la personne doit porter le vêtement fétiche pour s'exciter, elle ne peut se contenter de le regarder ou de le caresser.

Les critères de diagnostic du travestisme fétichiste, tels que définis par l'Association américaine de psychiatrie (2000), sont les suivants : présence durant au moins six mois, chez l'homme hétérosexuel, d'intenses et récurrents fantasmes, pulsions sexuelles ou comportements à base de travestisme. Ces fantasmes, pulsions sexuelles ou comportements perturbent ou dérèglent de façon pathologique d'importants aspects du fonctionnement de la personne.

De nos jours, plusieurs membres de la communauté transgenre (voir le chapitre 4), de plus en plus présente dans les revues professionnelles et les médias populaires, soutiennent que le travestisme est une source légitime d'excitation sexuelle plutôt que le signe d'un désordre psychologique ou d'un trouble du comportement. Ils rejettent ainsi l'étiquette de travestisme fétichiste et ce qu'elle implique d'anormal.

Les critères diagnostiques mentionnés plus haut précisent que le travestisme fétichiste se rencontrerait uniquement chez les hommes d'orientation hétérosexuelle. Visiblement, ce sont surtout des hommes qui sont enclins à se travestir pour s'exciter sexuellement. Cela semble se vérifier pour l'ensemble des sociétés actuelles sur lesquelles nous avons des données. La documentation clinique rapporte cependant quelques rares cas

Pour plusieurs personnes qui s'adonnent au travestisme fétichiste, cette pratique constitue une façon appropriée et légitime de s'exciter sexuellement plutôt qu'un signe de trouble de comportement ou de désordre psychologique.

de femmes s'habillant en homme pour avoir du plaisir sexuel (Bullough et Bullough, 1993 ; Stoller, 1982).

Plusieurs études menées auprès de populations cliniques et non cliniques semblent indiquer que le travestisme fétichiste se rencontre principalement chez les hommes hétérosexuels et mariés (Brown, 1990 ; Bullough et Bullough, 1997 ; Doctor et Prince, 1997).

Comme pour le fétichisme et plusieurs autres comportements atypiques, le développement du travestisme fétichiste révèle souvent une forme de conditionnement. Le renforcement, sous forme d'excitation ou d'orgasme, peut avoir accompagné certaines activités de travestisme au tout début du développement de l'intérêt sexuel, comme le montre ce témoignage.

> Enfant, vers 11 ou 12 ans, j'étais fasciné et excité par les photos dans les revues montrant des femmes en sous-vêtements. Me masturber en les regardant était fameux. Plus tard, j'ai intégré les sous-vêtements de ma mère à mes petits rituels de masturbation ; au début, je ne faisais qu'y toucher avec ma main libre, puis je me suis mis à les porter et à me regarder ainsi dans le miroir pendant que je me stimulais manuellement. Maintenant que je suis adulte, j'ai de nombreuses relations sexuelles satisfaisantes avec des femmes sans avoir recours au déguisement. Mais occasionnellement, quand je suis seul, je me travestis à nouveau et cela continue d'être vraiment excitant. (Notes des auteurs)

Une recherche sur Internet montre le développement d'une quasi-culture alternative autour de ce qu'on appelle des « fetish cafe ». Là, des soirées thématiques s'organisent autour d'une pratique fétichiste. Les règles sont plus ou moins souples, mais souvent la tenue vestimentaire doit refléter le thème retenu. Les participants adoptent également un comportement en lien avec le thème.

LE SADISME ET LE MASOCHISME SEXUELS

Le sadisme et le masochisme sont souvent abordés conjointement dans la catégorie du sadomasochisme (aussi appelé SM), parce que ce sont deux variantes d'un même phénomène associant expression sexuelle et souffrance ; les deux comportements, en effet, se ressemblent et se complètent. Dans ce qui suit, nous utiliserons fréquemment l'acronyme SM pour les désigner. Cela n'implique pas nécessairement, par contre, qu'une personne qui pratique l'un pratique aussi l'autre, le sadisme et le masochisme étant en réalité deux comportements distincts. Le DSM-IV (2000) présente ces deux paraphilies en deux catégories séparées : sadisme sexuel et masochisme sexuel. Le masochisme est la seule paraphilie se rencontrant avec une certaine fréquence chez les femmes (American Psychiatric Association, 2000). Les gens qui pratiquent le SM utilisent les termes « bondage-domination-sadisme-masochisme », ou BDSM, pour désigner ce type d'activités (Gross, 2006).

Il est difficile de déterminer quels comportements relèvent du sadisme sexuel et du masochisme sexuel, car de nombreuses personnes se prêtent à certaines violences durant les jeux amoureux (les morsures d'amour, par exemple) qu'on ne qualifierait cependant pas de sado-masochistes. Alfred Kinsey et ses collègues ont établi que 22 % des hommes et 12 % des femmes de leur échantillon avaient une réaction érotique aux histoires à thématique sadomasochiste. De même, plus de 25 % des sujets des deux sexes disaient être attisés érotiquement par les morsures durant les rapports sexuels (Gross, 2006). Hunt (1974) indique que 10 % des hommes et 8 % des femmes de son échantillon (composé d'adultes de moins de 35 ans) disaient retirer du plaisir sexuel d'activités SM communes. Une autre étude portant sur 975 hommes et femmes a montré que 25 % des sujets pratiquaient une forme quelconque de SM à l'occasion (Rubin, 1990). Il y a des indications à l'effet que les personnes fascinées par le SM sont plus nombreuses à explorer leur intérêt pour ces pratiques, la facilité d'accès à Internet y étant pour quelque chose (Gross, 2006 ; Kleinplatz et Moser, 2004).

Bien que les pratiques sadomasochistes puissent être dangereuses physiquement, la plupart des personnes qui s'y adonnent ne dépassent généralement pas les limites auxquelles elles avaient mutuellement consenti préalablement, se contentant de se livrer en compagnie d'un ou d'une partenaire de confiance à des actes légèrement ou même symboliquement sadomasochistes. Sous sa forme la plus bénigne, le sadisme sexuel se résume souvent à infliger une souffrance plus symbolique que réelle.

Les gens ayant des dispositions masochistes pourront être excités sexuellement s'ils se font flageller, si on les coupe, si on les pique avec une aiguille, si on les attache ou si on leur donne la fessée. Le degré de douleur nécessaire à l'obtention d'un état d'excitation sexuelle peut varier, allant de souffrances très légères et sym-boliques jusqu'aux corrections ou mutilations graves, lesquelles sont rares, cependant. Font également preuve de masochisme sexuel les individus qui, pour être sexuellement excités, doivent « être méprisés, humiliés et forcés de se soumettre à des actes avilissants ou dégradants » (Money, 1981, p. 83). L'idée répandue voulant que tout genre de douleur, physique ou morale, puisse exciter sexuellement les personnes prédisposées au masochisme est fausse. La douleur doit faire partie d'une mise en scène dont l'objectif explicite est le plaisir sexuel.

Dans une autre variante masochiste, certains individus trouvent plaisir à être attachés, ligotés ou entravés dans leurs mouvements d'une quelconque façon. Ce comportement, appelé *bondage*, nécessite généralement l'aide d'un ou d'une partenaire qui attache ou ligote l'individu et lui administre des corrections, par exemple des fessées ou des coups de fouet (Santilla et coll., 2002). Une étude menée auprès de 975 hommes et femmes a révélé que 25 % d'entre eux se livraient à des pratiques de ligotage durant leurs relations sexuelles (Rubin, 1990).

Nombre d'individus qui s'adonnent au SM ne se limitent pas à des comportements exclusivement sadiques ou exclusivement masochistes. Certains alternent les deux rôles, souvent par nécessité, car ils n'ont pu trouver de partenaire préférant uniquement infliger de la souffrance ou s'en faire infliger. La plupart de ces gens semblent préférer l'un ou l'autre rôle, mais certains apprécient les deux (Mosher et Levitt, 1987 ; Taylor et Ussher, 2001).

Il semble qu'il y ait moins d'individus aux tendances sexuelles sadiques que masochistes (Sandnabba et coll., 1999). Ce déséquilibre est peut-être à l'image de la morale ambiante — il apparaît certainement plus acceptable d'être puni que de perpétrer une agression mentale ou physique contre un autre. Cela étant, les personnes ayant besoin d'une douleur intense pour atteindre un état d'excitation sexuelle pourraient avoir de la difficulté à obtenir la coopération d'un partenaire. Certains individus en sont donc réduits à s'infliger eux-mêmes de la douleur en se brûlant. De même, celui qui a besoin d'infliger de grandes douleurs pour parvenir à un état d'excitation sexuelle trouvera difficilement un partenaire consentant, même contre rémunération. Les meurtres sadiques qui font occasionnellement la une de certains journaux servent parfois à assouvir ce type de besoin (Money, 1990). Dans ces cas, c'est souvent la violence meurtrière elle-même qui permet l'orgasme.

Certaines personnes trouvent un plaisir sexuel dans les tenues et les rôles liés au ligotage.

Le sadomasochisme est perçu très négativement par bien des gens dans nos sociétés occidentales actuelles. Cette perception est surtout présente, cela se comprend, chez les personnes pour qui la sexualité doit être un échange d'amour et de tendresse entre deux partenaires qui souhaitent se donner mutuellement du plaisir. En général, on voit le SM comme une forme de perversion sexuelle qui entraîne des douleurs et des souffrances profondes et la déshumanisation. On tient généralement pour acquis que les personnes impliquées dans ces pratiques sont plus souvent des victimes que des participants volontaires.

Un groupe de chercheurs a contesté cette opinion, laissant entendre qu'elle provient du modèle médical classique, lequel considère le sadomasochisme comme une pathologie en raison d'un échantillon beaucoup trop limité d'individus qui ont consulté des médecins pour des troubles de la personnalité ou de sérieux problèmes psychologiques. Selon ces chercheurs, il est trompeur de tirer des conclusions sur le SM comme sur les autres comportements sexuels atypiques à partir d'un tel échantillon. Ils ont donc mené leur propre recherche et l'ont étendue à un environnement non clinique, interrogeant différents adeptes du sadomasochisme et les observant dans différentes mises en scène. Ils ont pu constater que quelques sadomasochistes correspondaient à l'image traditionnelle qu'on en avait; toutefois, pour la plupart de ceux qui participaient à ces séances, il s'agissait simplement d'une forme de sexualité comportant des éléments de domination et de soumission, des jeux de rôles et le consentement mutuel, qu'ils

choisissaient «ensemble et volontairement d'explorer» (Weinberg et coll., 1984, p. 388). Une autre étude portant sur 164 hommes membres de clubs sadomasochistes a révélé qu'ils étaient des personnes socialement bien intégrées et que «leur comportement sadomasochiste était surtout une façon de stimuler leur vie sexuelle» (Sandnabba et coll., 1999, p. 273).

Plusieurs personnes qui ont des activités SM le font pour expérimenter un rapport de domination/soumission plutôt que pour la douleur (Weinberg, 1987, 1995). C'est d'ailleurs ce que fait ressortir ce témoignage d'une étudiante inscrite dans un cours sur la sexualité.

> J'ai parfois des fantasmes sadomasochistes. Je veux avoir du sexe «animal» en étant sous le contrôle de mon mari. Je veux qu'il me «force» à faire des choses. La domination et de légères douleurs agrémenteraient la scène. J'ai lu des livres et j'ai discuté de cela avec des gens, et je suis terrifiée par plusieurs aspects de cette pratique, mais avec la relation de confiance que j'ai avec mon mari, je ne serais pas craintive. Cela semble un jeu idiot, mais c'est si excitant d'y penser. Peut-être, un jour, cela arrivera-t-il. (Notes des auteurs)

L'étude du comportement sexuel chez plusieurs espèces animales révèle la présence de comportements agressifs et dangereux avant l'accouplement (Gross, 2006). Quelques théoriciens ont avancé que ce genre d'activité a une fonction neurologique, augmentant des réactions inhérentes à l'excitation sexuelle telles que la pression artérielle, la tension musculaire et l'hyperventilation (Gebhard et coll., 1965). Pour diverses raisons (comme le sentiment de culpabilité, l'anxiété ou l'apathie), des personnes peuvent avoir besoin de stimuli non sexuels pour atteindre une excitation sexuelle suffisante. On prétend aussi que l'opposition ou la tension entre des partenaires fait s'épanouir la sexualité et que le SM n'est qu'une manifestation de ce principe poussé à l'extrême (Tripp, 1975).

La peur, surtout le sentiment d'être en danger de mort, semble associée à une excitation sexuelle puissante, comme en témoigne cet appel lancé par une femme sur le site Web Élysa.

> Je voudrais savoir s'il est possible d'avoir un orgasme très intense à la suite d'une peur panique. Je m'explique. Il y a quelques semaines, j'ai failli me noyer dans une rivière pendant une inondation. J'ai glissé et je suis tombée à l'eau. Heureusement, j'ai pu m'accrocher à une branche. Pendant que j'essayais de sortir de l'eau, j'étais

paniquée et j'ai cru mourir. À ce moment-là, j'ai ressenti une espèce de volupté et je me rappelle avoir uriné très fort, et il y a eu cet orgasme d'une intensité énorme... je ne peux pas le décrire. J'ai réussi à sortir de l'eau et quelques minutes après j'ai été prise de tremblements et j'ai joui de nouveau sans rien faire pour ça. À présent, j'aimerais connaître de nouveau ces deux orgasmes tellement ils étaient forts. Je fantasme presque sur la noyade. Je voudrais savoir si ce qui m'est arrivé est normal et surtout j'aimerais savoir si d'autres femmes ont eu les mêmes sensations en ayant eu très peur. Merci de votre réponse. (Élysa, 2008)

Il n'existe pas d'explication scientifique validée de ce phénomène. Chez la plupart des gens, la peur est anti-érotique. Par contre, une expérience célèbre ouvre une piste. Deux chercheurs, Dutton et Aron (1974), ont voulu vérifier la théorie selon laquelle, dans certaines conditions, des émotions non sexuelles peuvent être perçues comme de l'amour ou de l'attirance sexuelle. Ils ont fait circuler des volontaires masculins soit sur un pont instable surplombant une rivière dangereuse, soit sur un pont solide surplombant une rivière tranquille. Les sujets rencontraient un interviewer sur le pont, c'était parfois un homme parfois une femme, qui leur « demandait de remplir un court questionnaire, puis d'écrire une petite histoire en se basant sur une photographie représentant une jeune femme qui se couvrait le visage d'une main et qui tendait l'autre main » (Allgeier et Allgeier, 1992).

Cette expérience a été menée en double aveugle. Les outils utilisés pour mesurer l'excitation sexuelle dans les récits inventés par les hommes ont montré que ceux qui se trouvaient sur le pont expérimental (le pont dangereux) avaient un récit à contenu sexuel beaucoup plus important que celui des hommes qui avaient marché sur le pont solide, mais, et cela est significatif, seulement si l'interviewer rencontré sur le pont dangereux était une femme. Ces mêmes hommes ont aussi eu nettement plus tendance à contacter l'interviewer féminine les semaines suivantes que les hommes du pont sécuritaire (Dutton et Aron, 1974).

Une telle réaction peut être reliée aux nombreux récits de personnes qui développent une attirance mutuelle après avoir connu ensemble des épisodes de danger, ou aux récits dans lesquels un valeureux chevalier délivre une jeune fille (une princesse, de préférence) en danger pour ensuite se marier, avoir beaucoup d'enfants et vivre

heureux... Enfin, des réactions paradoxales d'excitation sexuelle pouvant aller jusqu'à l'orgasme sont rapportées dans diverses études sur les agressions sexuelles, et ce, sans qu'aucune attirance et encore moins le désir ou l'acceptation puissent être invoqués, mais où la peur et la douleur étaient présentes (Desaulniers, 1998).

Le sadomasochisme pourrait aussi être pour ceux qui s'y adonnent un moyen d'échapper à l'intransigeance et à la rigidité morale du rôle qu'ils assument quotidiennement en public. Cela expliquerait pourquoi, dans ce contexte, les hommes jouent davantage les rôles masochistes que les femmes (Baumeister, 1997 ; Friday, 1980). Pour Perel, « ces rituels de domination et de soumission sont un moyen subversif d'appréhender une société qui glorifie la maîtrise, déprécie la dépendance et réclame l'égalité » (2006, p. 108). Une théorie s'y rapprochant veut que le sadomasochisme soit une façon de décrocher d'une hypervigilance ou d'un contrôle de soi très poussé. Comme dans la soûlerie ou d'autres comportements où la personne essaie de s'évader d'elle-même, le masochisme bloque des pensées et des sentiments indésirables, surtout ceux qui génèrent de l'anxiété ou de la culpabilité, ainsi que les sentiments d'incompétence ou d'insécurité (Baumeister, 1988).

Des études cliniques de personnes qui pratiquent le sadomasochisme révèlent parfois que le lien entre la sexualité et la souffrance a pu être établi lors d'expériences précoces. Ainsi, celui qui aura été puni pour s'être adonné à certaines activités sexuelles (comme la masturbation) pourra en venir, enfant ou adolescent, à faire une telle association. L'enfant pourrait même ressentir de l'excitation sexuelle pendant la punition : par exemple, l'érection ou la lubrification se produira quand on lui découvrira le postérieur et qu'on lui administrera la fessée (la fessée est une activité SM répandue).

De nombreuses personnes qui s'adonnent au SM (peut-être même la majorité d'entre elles) peuvent parvenir à l'excitation sexuelle ou à l'orgasme sans pratiquer le SM, ayant également des désirs et des pratiques traditionnels (Kleinplatz et Moser, 2004). Ceux qui ne s'y livrent qu'à l'occasion reconnaissent qu'une bonne part de l'excitation et de l'attrait érotiques de ces pratiques tient à ce qu'elles sortent de l'ordinaire. Par contre, le comportement masochiste est parfois un moyen d'expiation pour les personnes ayant un rapport à la sexualité très négatif. Considérant le sexe comme immoral et répréhensible, elles obtiennent ainsi du plaisir tout en étant châtiées, ou elles subissent d'abord un châtiment leur donnant ensuite droit au plaisir. De même, les gens qui s'adonnent au sadisme trouvent ainsi moyen de punir leur partenaire parce qu'il commet le mal. Enfin, les gens qui se sentent profondément inaptes sur le plan personnel ou sexuel tenteront, en dominant l'autre de façon sadique, d'étouffer provisoirement ces sentiments d'infériorité.

AUTRES PARAPHILIES NON COERCITIVES

Certaines autres paraphilies non coercitives sont peu répandues, et même rares. En voici quelques-unes.

L'**asphyxiophilie** (parfois nommée *hydroxyphilie*) est une paraphilie extrêmement rare et périlleuse : un individu, presque toujours un homme, tente de réduire son apport d'oxygène au cerveau pendant un état d'excitation sexuelle extrême (American Psychiatric Association, 2000 ; Stanley, 1993). L'arrêt d'oxygénation s'accomplit généralement par strangulation à l'aide d'une chaîne, d'une courroie en cuir, d'un garrot, ou par pendaison au moyen d'un nœud coulant. Il arrive aussi que l'asphyxie soit pratiquée à l'aide d'un sac de plastique ou en comprimant la cage thoracique. La personne peut s'adonner à ces activités de privation d'oxygène en solitaire ou en compagnie d'un partenaire.

Nous n'avons que peu de données pour développer une théorie explicative des motivations de cette pratique. Ceux qui s'y adonnent le révèlent rarement à leur entourage, amis ou thérapeute, gardant pour eux ce qui les motive à agir de la sorte (Garza-Leal et Landron, 1991 ; Saunders, 1989). Pour certains, le but semble la recherche d'une augmentation de l'excitation sexuelle et de l'intensité de l'orgasme. Dans ces cas, le moyen utilisé est le plus souvent une corde enserrée autour du cou qui réduit l'arrivée d'oxygène au cerveau pendant la masturbation et qui est relâchée au moment de l'orgasme. Les personnes développent souvent des techniques très élaborées pour éviter l'étranglement et provoquer le relâchement juste avant de perdre conscience.

Asphyxiophilie Augmentation de l'excitation sexuelle et de l'intensité de l'orgasme en réduisant l'apport d'oxygène au cerveau.

Clystérophilie Terme désignant l'obtention du plaisir sexuel par des lavements intestinaux.

Coprophilie Terme désignant l'obtention du plaisir sexuel par le contact avec des matières fécales.

Urophilie Terme désignant l'obtention du plaisir sexuel par le contact avec l'urine.

Exhibitionnisme Terme qui désigne l'action d'exposer ses parties génitales à quelqu'un sans son consentement.

L'augmentation de l'excitation sexuelle par la privation d'oxygène tend à confirmer les allégations selon lesquelles on pourrait intensifier l'orgasme en inhalant du nitrite d'amyle (*poppers*), un médicament servant au traitement des douleurs angineuses. On sait que cette substance réduit temporairement l'oxygénation du cerveau en dilatant les artères périphériques amenant le sang à celui-ci.

On a aussi avancé que l'asphyxiophilie serait une variante assez rare de masochisme sexuel où les participants exécutent des rituels associés au ligotage (American Psychiatric Association, 2000 ; Cosgray et coll., 1991). Les personnes qui s'adonnent à cette pratique tiennent souvent un journal personnel dans lequel elles décrivent des fantasmes de ligotage très élaborés et, dans certains cas, des fantasmes où elles se font asphyxier ou malmener par quelqu'un d'autre.

Cette pratique a pour conséquence qu'elle se termine souvent par la mort (Cooper, 1996 ; Cosgray et coll., 1991 ; Garos, 1994). Les morts accidentelles résultent d'un mauvais fonctionnement du matériel ou d'une erreur d'utilisation telle que mal faire le nœud coulant ou le garrot. Les données sur les États-Unis, l'Angleterre, l'Australie et le Canada indiquent que de un à deux décès par année par million d'habitants sont attribuables à cette pratique (American Psychiatric Association, 2000).

La **clystérophilie** est une forme d'expression sexuelle très rare par laquelle l'individu retire du plaisir sexuel en recevant des lavements intestinaux. Parfois, mais c'est moins courant, l'excitation érotique résulte du fait d'administrer des lavements. Les cas documentés de clystérophilie révèlent qu'une mère inquiète et aimante a soumis ses enfants à de fréquents lavements alors qu'ils étaient tout jeunes. Il se peut que l'érotisation de l'expérience se soit formée par association entre soins dévoués et stimulation anale et que, rendus à l'âge adulte, les individus aient besoin d'un lavement soit comme substitut, soit comme préalable indispensable au rapport sexuel.

La **coprophilie** et l'**urophilie** désignent des activités par lesquelles des individus parviennent à l'excitation sexuelle respectivement au contact de matières fécales et d'urine. Les personnes coprophiles atteignent des paroxysmes d'excitation sexuelle à regarder quelqu'un déféquer ou en déféquant sur quelqu'un. Dans certains cas rares, elles parviennent à l'excitation quand quelqu'un défèque sur elles. Dans l'urophilie, l'excitation vient lorsque le sujet urine sur quelqu'un ou que quelqu'un urine sur lui. Les initiés feront parfois allusion à la «pluie d'or». On ne s'entend pas sur les causes de ces paraphilies très inusitées.

LES PARAPHILIES COERCITIVES

Dans la présente section, nous présentons d'abord trois formes très courantes de comportements paraphiles coercitifs : l'exhibitionnisme, les appels obscènes et le voyeurisme. Nous traiterons par la suite de trois autres types de paraphilies coercitives, soit le frotteurisme, la nécrophilie et la zoophilie.

L'EXHIBITIONNISME

L'**exhibitionnisme** désigne le comportement d'un individu (presque toujours un homme) qui exhibe ses organes génitaux en présence d'une observatrice non consentante (d'ordinaire une femme ou une fillette) (American Psychiatric Association, 2000 ; Marshall et coll., 1991). Généralement, l'homme qui s'est ainsi exhibé obtient une gratification sexuelle en se masturbant peu après. Il revoit alors en esprit les réactions de sa victime, ce qui accroît son excitation. Il existe des cas où l'exposition des organes génitaux suffit à déclencher un orgasme, et un certain nombre d'exhibitionnistes se masturbent en même temps qu'ils s'exposent (American Psychiatric Association, 2000 ; Freund et coll., 1988). En associant l'excitation sexuelle et l'orgasme à l'acte exhibitionniste lui-même ou à un fantasme le mettant en scène dans des actes d'exhibitionnisme, le sujet consolide son goût pour ce comportement (Blair et Lanyon, 1981). L'outrage à la pudeur peut se produire dans des lieux divers ayant pour la plupart la particularité de permettre une fuite aisée. Le métro, les rues relativement désertes, les parcs et les voitures dont une portière est ouverte sont tous propices à l'exhibitionnisme. Il arrive aussi que l'exhibition survienne dans une habitation privée, comme le montre cet extrait.

> Un soir, j'ai été choquée de voir un homme nu en ouvrant la porte de mon appartement. Je l'ai regardé juste assez longtemps pour constater qu'il ne portait rien sur lui et je lui ai claqué la porte en pleine face. Je suis certaine que mon expression d'horreur était ce qu'il recherchait. Mais c'est difficile de se contenir lorsque vous ouvrez la porte à un homme nu. (Notes des auteurs)

Beaucoup d'entre nous ont des tendances exhibitionnistes ; certains s'adonnent au nudisme, d'autres paradent devant leurs amants admiratifs ou se parent

Question d'analyse critique

Les gens admettent généralement plus aisément l'exhibitionnisme des femmes que celui des hommes. Par exemple, si une femme observe un homme qui se déshabille devant une fenêtre, elle aura beau jeu de l'accuser d'exhibitionnisme. Toutefois, si les rôles sont inversés et que c'est une femme qui se déshabille à la fenêtre, l'homme qui la regarde fera probablement figure de voyeur. Que pensez-vous de cette façon d'interpréter les comportements ?

de vêtements provocants et de maillots suggestifs. Toutefois, ces comportements sont admis en société, car notre culture ne répugne pas à exploiter et à exalter l'érotisme du corps humain.

Pour qu'un comportement exhibitionniste soit considéré comme illicite, il faut généralement qu'il ne soit pas voulu de la part des témoins. Le Code criminel canadien va dans ce sens en précisant les conditions qui rendent la nudité acceptable sur le plan légal. Sans donner tous les détails, notons qu'une personne qui se produit nue sur une scène devant des personnes qui

Les exhibitionnistes cherchent souvent à choquer, à susciter la crainte ou la terreur. La meilleure façon de réagir à ce type d'agression est de calmement ignorer l'agresseur et de passer tranquillement son chemin.

savent à l'avance que c'est ce qu'elle fera (par exemple, les danseuses nues dans les bars) ne peut être poursuivie en justice pour exhibitionnisme (Schabas, 1995). Une différence notable existe si l'exhibitionnisme a lieu en présence d'enfants de moins de 14 ans, et un article séparé du Code criminel en traite (Schabas, 1995).

Les données dont nous disposons sur ce comportement proviennent largement des études sur les personnes qui se sont fait arrêter pour exhibitionnisme — un échantillon sans doute non représentatif. Ce problème d'échantillonnage est fréquent dans le cas des comportements atypiques qui sont aussi définis comme criminels. Selon ces données limitées, la plupart des exhibitionnistes seraient des hommes dans la vingtaine ou la trentaine ; plus de la moitié d'entre eux sont ou ont été mariés (Murphy, 1997). Leurs relations sexuelles sont plutôt insatisfaisantes. Plusieurs sont issus d'un milieu caractérisé par une atmosphère puritaine et génératrice de honte envers la sexualité.

Nombre d'éléments interviennent dans le développement du comportement exhibitionniste. Plusieurs personnes ont un tel sentiment d'inaptitude qu'elles ne cherchent pas à rencontrer d'autres personnes par peur d'être rejetées (Minor et Dwyer, 1997). Vu sous cet angle, l'exhibitionnisme serait une tentative d'avoir un quelconque échange sexuel, ne serait-ce qu'un court instant. En réduisant au minimum le contact, par exemple en ouvrant et en refermant tout de suite son imperméable, le risque de rejet est limité d'autant. Certains hommes agissent ainsi dans le but d'affirmer leur masculinité. D'autres, se sentant seuls et délaissés, le font pour avoir un peu d'attention. Un petit nombre d'individus ressentent de la haine et de l'hostilité envers les gens, surtout envers les femmes, qui n'auraient pas su leur accorder de l'attention ou qui les auraient fait souffrir émotionnellement. Dans ces conditions, l'exhibitionnisme peut représenter pour eux une façon de se venger, en choquant ou effrayant celles qu'ils considèrent comme la principale source de leur malaise.

Ajoutons que l'exhibitionnisme n'est pas rare chez les personnes perturbées émotionnellement, intellectuellement déficientes ou psychologiquement désorientées. Dans ces cas-là, le comportement traduit une conscience limitée de ce que la société considère comme des gestes acceptables, une faille dans l'autocontrôle éthique, ou les deux. Certaines maladies et affections neurologiques peuvent aussi être à la base de tels comportements.

Quelle est la meilleure réaction à avoir devant un exhibitionniste qui se montre devant vous ? Il est important de garder à l'esprit que la plupart de ceux qui agissent ainsi cherchent à provoquer une réaction d'excitation, de choc, de peur ou de terreur. Bien qu'il soit difficile de faire comme si de rien n'était, la meilleure façon de réagir est de poursuivre ses activités normalement. Bien sûr, il importe de s'éloigner immédiatement de la personne et d'aviser les autorités policières ou les responsables de la sécurité de ce qui vient de se produire.

LES APPELS OBSCÈNES

Les gens qui font des appels téléphoniques obscènes s'apparentent aux exhibitionnistes et, à ce titre, certains professionnels considèrent les appels obscènes comme une sous-catégorie de l'exhibitionnisme. La loi canadienne les considère plutôt comme une infraction au droit à la propriété (Schabas, 1995). Les auteurs d'appels obscènes parviennent généralement à l'excitation sexuelle quand leur victime réagit en se montrant horrifiée ou choquée, et plusieurs se masturbent pendant ou immédiatement après avoir « réussi » un échange téléphonique. Comme le révélait une étude fouillée, ces paraphiles sont généralement des hommes affligés de profonds sentiments d'inaptitude et d'insécurité (Matek, 1988 ; Nadler, 1968). Les appels téléphoniques obscènes sont souvent pour eux la seule façon d'avoir une forme quelconque d'échange sexuel. Ils sont habituellement plus tendus et hostiles que les exhibitionnistes dans leurs relations avec l'autre sexe, comme le montre l'exemple suivant.

> J'ai reçu un appel d'un homme, un soir. Il paraissait tout à fait normal jusqu'à ce qu'il commence à me raconter un tas de saletés. Juste au moment où j'allais lui raccrocher au nez, il me lance : « Ne raccroche pas ! Je sais où tu habites (il me donne mon adresse) et que tu as deux petites filles. Si tu ne veux pas les retrouver en morceaux, tu vas écouter ce que j'ai à dire. Et je m'attends à ce que tu sois disponible pour répondre tous les soirs à la même heure. » C'était un cauchemar. Il appelait soir après soir. Parfois, il me demandait de l'écouter pendant qu'il se masturbait. J'ai fini par ne plus être capable d'en prendre plus longtemps et j'ai contacté les policiers. Ils n'ont pas pu l'attraper, mais ils lui ont fait peur, j'en remercie le ciel. J'étais en train de devenir folle. (Notes des auteurs)

Heureusement, il est rare qu'un tel individu donne suite à ses menaces verbales en attaquant physiquement sa victime.

Quelle est la meilleure façon de se comporter lors d'un appel téléphonique obscène ? La plupart des compagnies de téléphone donnent des conseils à ce sujet. Mais comme celles-ci sont débordées de demandes d'assistance pour ce genre d'appels, on doit souvent faire preuve de patience. Quelques bons trucs peuvent toutefois vous éviter d'avoir à dépendre d'une aide externe.

Très souvent, l'auteur de l'appel obscène a choisi votre nom au hasard dans l'annuaire ou il vous connaît et veut simplement savoir comment vous réagirez. Votre première réaction est donc déterminante. Il espère que sa victime sera horrifiée, terrorisée ou dégoûtée ; il vaut donc généralement mieux ne pas réagir ouvertement. En lui raccrochant au nez, vous lui montrez qu'il vous a atteinte et cela l'encouragera. Raccrochez doucement, comme si de rien n'était, et si le téléphone sonne de nouveau immédiatement après, laissez-le sonner. Il est probable que l'homme se lassera et se mettra à la recherche d'une victime plus réceptive.

D'autres tactiques peuvent aussi s'avérer efficaces. La première, utilisée avec succès par une étudiante, est de simuler la surdité : « Qu'est-ce que vous dites ? Parlez plus fort. Je suis dure d'oreille, vous savez ! » Raccrocher le combiné en disant que vous allez répondre sur un autre appareil (ce que vous ne ferez jamais) peut être une solution à envisager. Enfin, filtrer les appels au moyen d'une boîte vocale ou d'un afficheur peut aussi se révéler très utile. Le harceleur raccrochera s'il n'y a pas de réaction émotionnelle au bout du fil.

Si cela ne suffit pas et que vous êtes toujours importunée par des appels obscènes, d'autres actions peuvent être envisagées. Votre compagnie de téléphone peut vous aider en changeant votre numéro pour un autre qui sera confidentiel, et cela sans frais. Mais attention. Ce n'est pas une bonne idée de produire un bruit strident (à l'aide d'un sifflet, par exemple), car cela peut être très douloureux ou même endommager le tympan ; de plus, vous risquez que l'importun vous réponde en utilisant la même méthode.

Le repérage d'appels, un service offert par la plupart des compagnies téléphoniques, peut vous aider en cas d'appels obscènes ou de menaces répétées. Après avoir raccroché, vous composez *57 (ce numéro peut varier selon la compagnie), et l'origine de l'appel sera automatiquement détectée par la compagnie. Après qu'un certain nombre d'appels de la même origine ont été retracés, un avis écrit est transmis à leur auteur, lui signifiant qu'il a été identifié et qu'il sera poursuivi en justice s'il n'arrête

Bien qu'un appel obscène suscite l'horreur, la colère ou le dégoût, il est généralement préférable de ne pas réagir émotivement à ce type d'appel. Un interlocuteur qui n'obtient pas la réaction qu'il attend est moins susceptible de rappeler.

pas. Au Canada, le harceleur est clairement informé de la possibilité de poursuites civiles ou même criminelles. Le repérage des appels est difficile s'ils sont faits depuis un téléphone public, et les appels faits à partir d'un téléphone cellulaire ne peuvent aucunement être retracés.

LE VOYEURISME

Le **voyeurisme** consiste à retirer du plaisir sexuel en épiant la nudité ou les activités sexuelles de personnes inconnues (American Psychiatric Association, 2000). Au Canada, le voyeurisme est une infraction criminelle seulement si la personne observée l'est sans son consentement (Schabas, 1995). Il est ainsi impossible, par exemple, d'accuser de voyeurisme les clients d'un bar de danseuses nues. Comme une certaine forme de voyeurisme est socialement acceptée (en témoignent la popularité des films cotés R ou NC-17 aux États-Unis et les sites de nature sexuelle sur Internet), il est parfois difficile de déterminer à partir de quand le voyeurisme devient problématique (Arndt, 1991 ; Forsyth, 1996). Disons cependant qu'on est en présence d'un comportement

Voyeurisme Terme désignant l'obtention de plaisir sexuel en observant, sans leur consentement, des personnes dénudées ou en train d'avoir des relations sexuelles.

sexuel atypique lorsque le voyeurisme est préféré à toute relation sexuelle avec une autre personne ou lorsqu'il faut prendre des risques pour s'y adonner (ou les deux). Le degré d'excitation sexuelle des gens qui s'adonnent à ce comportement est souvent proportionnel au risque d'être découvert — ce qui explique sans doute pourquoi la plupart des voyeurs ne sont pas attirés par les camps de nudistes ni les plages où l'on pratique le naturisme, où il est permis de regarder des personnes nues (Tollison et Adams, 1979).

Le voyeurisme est un comportement généralement masculin (Davison et Neale, 1993). Le voyeur épie aux fenêtres des chambres à coucher, se tient près de l'entrée des toilettes pour femmes et perce des trous dans les murs des cabines d'essayage des grands magasins. Certains hommes parcourent des circuits élaborés plusieurs soirs par semaine, dans l'espoir qu'ils auront la rare chance de contempler par une fenêtre un corps nu ou des ébats amoureux. Depuis quelques années, certains voyeurs utilisent des caméras vidéo miniatures pour s'immiscer subrepticement dans l'intimité de nombreuses personnes sans qu'elles s'en rendent compte. Le voyeur pourra ainsi, dans un endroit public, capter des images du dessous des jupes d'une femme ou avoir une vue en plongée de ses seins. Le même stratagème peut aussi être utilisé dans les vestiaires sportifs, les saunas, les toilettes pour femmes, sur des plages de nudistes, etc. Voir à cet effet l'encadré « Au-delà des frontières ».

Ici encore, les gens qui ont une tendance au voyeurisme s'apparentent aux exhibitionnistes (Arndt, 1991 ; Langevin et coll., 1979). Comme eux, ils ont développé très peu d'habiletés sociosexuelles et ils se sentent profondément inférieurs et inaptes, particulièrement vis-à-vis d'une potentielle partenaire sexuelle (Kaplan et Krueger, 1997). Ce sont souvent de jeunes hommes, généralement au début de la vingtaine (Davison et Neale, 1993 ; Dwyer, 1988). Ils épient rarement une connaissance, préférant se rabattre sur des inconnues. En général, le voyeurisme n'est pas associé à d'autres comportements antisociaux. La plupart des individus qui s'y adonnent se contentent simplement d'observer, en gardant leurs distances. Cependant, il arrive que des voyeurs commettent des infractions plus graves,

Au-delà des frontières

Le vidéovoyeurisme

Les développements technologiques ont ajouté une nouvelle variante au voyeurisme, le voyeurisme par l'utilisation de la caméra vidéo. De petites caméras vidéo, quasi invisibles parfois, sont de plus en plus utilisées pour épier l'intimité des gens. Les images enregistrées peuvent se retrouver sur Internet ou sur des cassettes ou des disques vidéo. Les caméras miniatures peuvent être dissimulées dans des endroits tels que les détecteurs de fumée, les plafonniers, les vestiaires de gymnase, etc.; il est désormais facile pour les personnes sans scrupules de se procurer ces appareils et de satisfaire leur penchant voyeur. Elles peuvent faire ainsi de nombreuses victimes. Ce type de délit a été porté à l'attention du public il y a quelques années lorsque des médias ont rapporté le cas de clientes de salons de bronzage ayant été filmées à leur insu pendant qu'elles se dévêtaient. Les journaux rapportent de plus en plus de cas de caméras furtives placées dans des salles de bains, des douches, des vestiaires, des chambres à coucher ou le dessous d'un bureau.

Les gens qui utilisent ces « caméras voyeuses » le font pour leur propre plaisir ou pour de l'argent. Les développements technologiques en matière de vidéos ont entraîné l'apparition d'un nouveau marché lucratif où des entreprises plus ou moins morales vendent des séquences filmées de moments intimes de personnes sur des supports comme des cassettes vidéo, des DVD, des disques Blue-Ray ou sur des sites Internet payants. Le nombre de captations voyeuristes, autorisées comme non autorisées, disponibles sur Internet a explosé. Faites ce test. Tapez le mot « voyeur » dans votre moteur de recherche préféré et il en ressortira des milliers de résultats. La plupart des sites de vidéos voyeuristes sont basés sur un mode de paiement à la pièce ou sur abonnement, et un internaute peut s'y connecter pour regarder les activités de personnes, souvent des femmes séduisantes, qui peuvent ignorer qu'on les observe.

Bien des victimes en colère et humiliées découvrent malheureusement qu'elles ont peu de recours juridique contre ces entreprises sans scrupules lorsque celles-ci diffusent à partir de pays où les lois sont très permissives envers ce type d'activité. Au Canada, le Code criminel contient des articles interdisant la diffusion de ce type de matériel ; au Québec, le Code civil stipule qu'il faut obtenir la permission écrite de toute personne avant de la photographier ou de la filmer.

Question d'analyse critique

Les danseurs et danseuses qui donnent des spectacles alors qu'ils sont partiellement ou totalement nus s'adonnent-ils à une réelle forme d'exhibitionnisme ? Justifiez votre réponse. Qu'en est-il des personnes qui assistent à ces représentations ? Sont-elles des voyeurs ? Qu'est-ce qui distingue les exhibitionnistes et les voyeurs pathologiques des danseuses et danseurs « érotiques » et de leur auditoire ? Y a-t-il vraiment une différence ?

comme un cambriolage, un incendie criminel, des voies de fait et même un viol (Abel et Osborn, 2000 ; Langevin, 2003).

Il est difficile de cerner un facteur précis qui causerait le voyeurisme, surtout que nous exprimons tous plus ou moins des tendances voyeuristes de façon contrôlée. L'adolescent ou le jeune adulte qui présente un tel comportement ressent souvent (comme plusieurs d'entre nous) une grande curiosité envers les activités sexuelles, mais du même coup il se sent angoissé et peu sûr de lui. Le voyeurisme, qu'il se manifeste directement ou par l'entremise d'une caméra cachée, lui procure un plaisir par procuration, car il est généralement incapable d'avoir de véritables relations sexuelles sans ressentir une vive anxiété. Dans quelques cas, le comportement voyeuriste est renforcé par un sentiment de supériorité et de pouvoir sur les personnes qui sont secrètement observées.

AUTRES PARAPHILIES COERCITIVES

Terminons cet exposé sur les paraphilies coercitives en présentant brièvement trois autres comportements impliquant une intrusion dans l'intimité d'autres personnes. Les deux premiers, le frotteurisme et la zoophilie, sont à vrai dire fréquents. Le troisième, la nécrophilie, est non seulement très rare, mais également une forme extrêmement aberrante d'expression sexuelle.

Le frotteurisme

Le frotteurisme est une paraphilie coercitive commune qui passe souvent inaperçue. Il implique un individu, généralement de sexe masculin, qui se donne du plaisir sexuel en se pressant ou en se frottant contre une inconnue entièrement vêtue. Cela se produit habituellement dans un endroit public tel qu'un ascenseur, un autobus, le métro, ou dans de grands rassemblements, des manifestations sportives ou des concerts en plein air. La forme la plus courante de contact se fait entre le pénis non dénudé de l'homme et les fesses ou les jambes d'une femme. Il est moins courant que l'homme se serve de ses mains pour toucher les cuisses, le pubis, les seins ou les fesses d'une femme. Souvent, le toucher semble fortuit, et la victime ne s'en rend pas compte ou n'y prête pas attention. En revanche, il arrive qu'elle se sente molestée et qu'elle se mette en colère (Freund et coll., 1997).

Les hommes qui s'adonnent au frotteurisme parviennent parfois à l'excitation et à l'orgasme au moment du contact. La plupart du temps, ils intègrent mentalement leur geste à des fantasmes auxquels ils s'abandonnent durant une séance de masturbation subséquente. Les hommes qui s'adonnent au frotteurisme ont beaucoup en commun avec les exhibitionnistes. Ils se sentent souvent socialement et sexuellement incompétents. Les contacts brefs et furtifs qu'ils ont avec des inconnues, dans des endroits bondés, leur permettent d'inclure, sans crainte et sans danger, les autres à leur sexualité.

Comme pour d'autres activités atypiques, il est difficile d'estimer jusqu'à quel point le frotteurisme est un comportement répandu. Une enquête menée auprès d'étudiants universitaires a établi que 21 % d'entre eux avaient déjà manifesté un comportement frotteuriste au moins une fois (Templeman et Sinnett, 1991).

La zoophilie

La zoophilie, parfois appelée *bestialité*, implique un échange sexuel entre les humains et les animaux (American Psychiatric Association, 2000). Ce comportement est considéré comme criminel au Canada (Schabas, 1995). Il est raisonnable de penser que les animaux impliqués dans ce type de comportement sont des participants non consentants et que les actes auxquels ils sont soumis sont à la fois coercitifs et importuns. Il apparaît donc tout à fait justifié de classer cette paraphilie dans la catégorie coercitive.

Dans l'échantillon de Kinsey, 8 % des hommes et près de 4 % des femmes reconnaissaient avoir déjà eu des rapports sexuels avec des animaux. Ce genre de comportement était plus fréquent chez les hommes élevés sur une ferme (17 % d'entre eux déclaraient être parvenus à l'orgasme à la suite de contacts avec un animal).

Les animaux les plus fréquemment impliqués dans des rapports sexuels avec des humains sont les chèvres, les moutons, les ânes, les grosses volailles (canards et oies), les chiens et les chats. Les hommes sont plus susceptibles d'avoir des rapports péniens-vaginaux ou à se faire lécher les organes génitaux par des animaux de ferme (Hunt, 1974; Kinsey et coll., 1948; Miletski, 2002). Les femmes zoophiles ont plutôt des contacts avec des animaux de compagnie. Elles se feront lécher les organes génitaux par eux ou elles masturberont un chien, par exemple. Également, mais c'est moins répandu, certaines femmes dressent un chien pour qu'il les monte et accomplisse avec elles un coït (Gendel et Bonner, 1988; Kinsey et coll., 1953).

Le contact sexuel avec les animaux n'est habituellement qu'une expérience transitoire de jeunes gens en mal de partenaire (Money, 1981). La plupart des adolescents et adolescentes qui s'adonnent à la zoophilie passent ensuite à l'âge adulte à des relations sexuelles avec des partenaires humains. Il peut arriver qu'un adulte se livre occasionnellement à ce genre de comportement par goût de «l'aventure» (Tollison et Adams, 1979). On ne parle de véritable zoophilie ou de zoophilie non transitoire que lorsque le contact sexuel avec les animaux est préféré à toute autre forme d'expression sexuelle. Ce comportement, qui est très rare, ne se retrouve généralement que chez les gens affligés de profonds problèmes psychologiques ou qui ont une vision complètement déformée de l'autre sexe. Par ailleurs, certains hommes ayant eu des contacts sexuels avec des animaux ne correspondent pas à ce profil. Une enquête récente menée sur Internet auprès de 114 hommes se qualifiant eux-mêmes de «zoophiles» a fait ressortir que la majorité d'entre eux préféraient avoir du sexe avec un animal; comme motifs de cette préférence, ils invoquaient le besoin d'affection et la recherche du plaisir, et non une quelconque haine envers les femmes (Williams et Weinberg, 2003).

La nécrophilie

La nécrophilie est une expression sexuelle extrêmement rare par laquelle une personne trouve un plaisir sexuel en observant ou en ayant un rapport sexuel avec un cadavre. Au Canada, cette pratique est illégale et définie comme un crime d'outrage, d'indécence ou d'indignité envers un cadavre (Schabas, 1995). Cette paraphilie semble se retrouver presque uniquement chez les hommes. Mais un film de 1996, *Kissed*, de Lynne Stopkewich, une adaptation d'une nouvelle écrite par Barbara Gowdy, met en scène une femme

nécrophile. Cette paraphilie pousse parfois ceux qui en sont atteints à exhumer des corps récemment inhumés dans les cimetières ou à se faire embaucher à la morgue ou dans des entreprises de pompes funèbres (Tollison et Adams, 1979).

Les annales judiciaires font état de quelques affaires où des hommes aux tendances nécrophiles auraient tué quelqu'un afin de disposer de son cadavre, la plus célèbre étant celle d'Ed Gein, qui a inspiré plusieurs scènes de films, dont le très connu *Silence des agneaux* de Jonathan Demme en 1991. Gein utilisait notamment la peau de cadavres féminins pour confectionner des vêtements. Mais comme il est très difficile de se procurer une dépouille mortelle, certains nécrophiles chercheront plutôt à assouvir leur comportement déviant au moyen d'un simulacre. Certaines prostituées acceptent de se prêter au jeu. Elles se poudrent le corps pour simuler la pâleur cadavérique, se couvrent d'un linceul et demeurent parfaitement immobiles durant tout le rapport sexuel, car tout mouvement de leur part ferait probablement retomber l'excitation sexuelle de leurs clients.

Les hommes qui se livrent à la nécrophilie sont presque toujours affligés de graves troubles affectifs (Goldman, 1992). Ils se considèrent sexuellement et socialement incompétents, et ils détestent et craignent les femmes tout à la fois. Pour eux, la partenaire sexuelle idéale est sans vie, donc soumise et inoffensive (Rosman et Resnick, 1989; Stoller 1977).

LA COMPULSION SEXUELLE EXISTE-T-ELLE?

Depuis quelques années, la presse spécialisée et les médias se sont beaucoup intéressés à ce qu'on appelle la compulsion sexuelle (parfois aussi dépendance sexuelle ou hypersexualité). Cette idée que des gens puissent être la proie d'insatiables besoins sexuels n'est pas d'hier, comme en font foi les termes *nymphomanie*, *satyriasis* ou *donjuanisme*, le premier applicable aux femmes, les deux derniers, aux hommes. Beaucoup de professionnels réprouvent ces catégorisations, qu'ils jugent méprisantes et susceptibles de culpabiliser inutilement des individus jouissant d'une vie sexuelle active. De plus, ils objectent qu'on ne peut qualifier d'excessifs des rapports sexuels, alors même qu'on ne dispose pas de critères nets établissant ce que seraient des niveaux «normaux» d'activités sexuelles. Les critères sur lesquels se fonde le diagnostic d'hypersexualité

— nymphomanie et satyriasis — sont subjectifs et entachés de jugements de valeur. La définition de ces termes repose donc généralement sur des considérations plus morales que scientifiques ; c'est pourquoi bon nombre de sexologues les critiquent vivement (Klein, 1991, 2003 ; Levine et Troiden, 1988). La psychothérapeute Marty Klein (2003) est particulièrement critique envers le mouvement contre la compulsion sexuelle qui, selon son point de vue, exploite la peur des gens face à leur propre sexualité en la présentant comme une pathologie malsaine. Néanmoins, le concept de compulsion sexuelle a acquis sa légitimité avec la publication du livre de Patrick Carnes, en 1983, sous le titre *Sexual Addiction*, puis sous celui de *Out of the Shadows : Understanding Sexual Addiction* (2001, 3ᵉ éd.).

Selon Carnes, beaucoup de ceux qui s'adonnent à des comportements sexuels atypiques ou paraphiles décrits dans ce chapitre (y compris les cas extrêmes impliquant des abus sexuels sur des enfants) présentent les symptômes de la compulsion psychologique. Déprimés, anxieux, isolés et souffrant d'une piètre estime de soi, ces gens trouvent dans l'euphorie sexuelle un soulagement provisoire analogue à celui que procure la consommation d'alcool ou de cocaïne.

Les idées de Carnes sur la compulsion sexuelle ont suscité beaucoup d'intérêt au sein de la profession. Tandis que Carnes et ses disciples cherchent à faire accepter la compulsion sexuelle comme une catégorie diagnostique légitime, ses détracteurs font valoir que la documentation sur la compulsion sexuelle « persiste à éviter les recherches empiriques et à présenter des conjectures comme des faits » (Chivers, 2005, p. 476). Beaucoup de sexologues croient que la compulsion sexuelle ne devrait pas faire l'objet d'une catégorie diagnostique distincte, car elle est à la fois rare et apparentée aux autres troubles obsessionnels, comme la dépendance au jeu et les troubles de l'alimentation, et qu'une telle étiquette nie que l'individu est responsable de ses pulsions sexuelles « incontrôlables » qui font des victimes (Barth et Kinder, 1987 ; Levine et Troiden, 1988 ; Satel, 1993). Cette dernière conception a prévalu et l'Association américaine de psychiatrie (2000) a décidé de ne pas créer de catégorie pour l'hypersexualité dans la plus récente édition du DSM-IV-TR, la principale référence en matière de classification des troubles psychologiques.

Il y a des professionnels qui reconnaissent la validité des arguments contre le concept de dépendance sexuelle, mais qui pourtant reconnaissent que des personnes puissent être excessives dans leurs activités sexuelles. Il y a notamment dans ce groupe le sexologue Eli Coleman (1990, 1991, 2003) qui préfère décrire ces comportements comme des symptômes de compulsion sexuelle plutôt que comme une dépendance. Selon lui, une personne présentant des comportements sexuels excessifs se sent souvent honteuse, sans valeur, incompétente et seule. Ces sentiments négatifs lui causent une profonde souffrance émotionnelle qu'elle veut à tout prix « anesthésier ». Comme certains se tournent vers l'alcool, la nourriture ou le jeu pour soulager leur souffrance affective, d'autres choisissent la sexualité. Se tourner vers cette « solution » procure un soulagement temporaire des douleurs psychologiques, qui ressurgiront plus intenses, entraînant un « besoin » plus grand encore d'activités sexuelles pour trouver un apaisement toujours temporaire. Malheureusement, ces actes répétitifs et compulsifs vont à l'encontre du but recherché, car ils suscitent la honte et compromettent les possibilités de rapports intimes en empêchant le développement normal et sain des relations interpersonnelles.

D'autres sexologues, notamment John Bancroft et Zoran Vukadinovic (2004), croient qu'en raison du manque de recherches empiriques la notion actuelle de dépendance sexuelle n'a pas vraiment de valeur scientifique. Ces auteurs proposent qu'en attendant d'avoir plus de données scientifiques pour juger de la validité de ces concepts, on devrait s'en tenir à l'expression générale « perte de contrôle » pour parler de ce genre de comportement sexuel problématique.

Parce que le sexe est devenu extrêmement populaire chez les internautes, quelques professionnels croient qu'une nouvelle forme de « dépendance » ou de « compulsion » s'est développée. L'encadré « Au-delà des frontières » (p. 282) se penche sur ce phénomène émergent.

Nous pouvons nous attendre à ce que les professionnels de la sexualité continuent encore quelque temps à discuter de la façon de diagnostiquer, de décrire et d'expliquer les problèmes de sexualité excessive ou hors contrôle.

Des brochures gouvernementales traitent de la question, par exemple *La dépendance sexuelle et affective*, d'Annick Bourget (2005), de la collection « Ça s'exprime ». Des publications présentées comme scientifiques en traitent aussi, soit pour l'affirmer (Mc Dougall, 1993), soit pour discuter de son sens (Lemay, 1997).

Au-delà des frontières

Dépendance et compulsion liées au cybersexe : exutoire inoffensif des tensions sexuelles ou comportement sexuel problématique ?

Des employés modèles, d'éminents professionnels, des personnes occupant des fonctions hautement valorisées (médecins, professeurs, chercheurs, etc.) perdent leur emploi et leur statut lorsqu'ils se font prendre à fréquenter des sites Internet spécialisés dans la pornographie infantile. Des enquêtes ont révélé que de nombreuses personnes passent beaucoup de temps, tant à la maison qu'au travail, à naviguer sur des sites à contenu sexuel explicite, particulièrement ceux impliquant des enfants. De tels comportements inquiètent de plus en plus les spécialistes en santé mentale.

Les sites Internet à contenu sexuel sont les plus largement visités sur la Toile. Au moment d'écrire ces lignes, il y avait plus de 100 000 sites affichant tous les contenus sexuels possibles et leur fréquentation avait énormément augmenté, certains d'entre eux prétendant avoir reçu 50 millions de visites (Philaretou, 2005). La recherche nous montre qu'un tiers des usagers d'Internet vont sur des sites à contenu sexuel (Cooper, 2002, 2003). Est-ce que ce genre d'utilisation d'Internet dénote un problème de comportement ou un problème de société ? À l'inverse, certains suggèrent que le cybersexe est un loisir inoffensif servant d'exutoire aux pulsions sexuelles des internautes (par exemple, grâce aux salons de clavardage ou à la masturbation devant des images sexuelles), et ce, sans risque de transmission d'ITSS ou sans les autres risques liés aux relations sexuelles (Waskul, 2004). Naviguer sur Internet permet aussi l'exploration en ligne de fantasmes sexuels dans la sécurité et l'intimité du foyer (Quittner, 2003).

Une vision d'Internet plus critique s'inquiète de ce qu'un petit nombre d'usagers, mais un nombre tout de même croissant, utilisent Internet comme principal moyen de stimulation et d'expression sexuelles, le faible coût, l'accessibilité et l'anonymat d'Internet créant une nouvelle forme de compulsion-dépendance sexuelle. Plusieurs utiliseraient le cybersexe à l'exclusion de toute autre relation (Cooper, 2002, 2003 ; Dew et Chaney, 2004 ; Philaretou, 2005).

Il est difficile d'évaluer avec précision quelle proportion des usagers d'Internet fréquentent des sites à contenu sexuel. Une grande majorité de ceux qui le font ne semblent pas en subir d'inconvénients (Waskul, 2004). De plus, il n'y aurait que 1 % des internautes qui seraient dépendants du cybersexe au point que celui-ci perturbe gravement leur fonctionnement quotidien (Carnes, 2000).

L'excitation, la stimulation et les orgasmes que peut procurer le contenu sexuel virtuellement infini risquent d'avoir des répercussions dévastatrices sur la vie personnelle et familiale de l'individu (Cooper, 2002 ; Woodward, 2003). Les partenaires de ces personnes disent se sentir ignoré(e)s, abandonné(e)s, dévalorisé(e)s et trahi(e)s par la dépendance de leur compagnon ou compagne envers le cybersexe. Certaines personnes consacrent tellement de temps au cybersexe qu'à la fin elles finissent par négliger les membres de leur famille, leurs responsabilités et leur travail (Philaretou, 2005).

Une autre conséquence négative du cybersexe est la possibilité qu'il évolue vers des rencontres entre personnes physiques, ce qui peut comporter de sérieux risques de transmission d'ITSS et d'agressions sexuelles (Cooper, 2002 ; Genuis et Genuis, 2005).

Les praticiens en santé mentale ont exprimé des préoccupations sur la dépendance au cybersexe chez les adolescents (Fleming et Rickwood, 2004 ; Jancin, 2005). Les adolescents nord-américains sont de plus grands utilisateurs Internet que les adultes (Fleming et Rickwood, 2004). La recherche sur le comportement des internautes adolescents étant relativement limitée, il est difficile de dire combien il y en a qui ont des comportements problématiques face à Internet, incluant la dépendance au cybersexe. Malgré cela, certains cliniciens avancent que ce sont les adolescents plus que les adolescentes qui deviennent dépendants du sexe sur Internet. Selon la psychothérapeute Ann Freeman, il est commun de rencontrer des jeunes dépendants au cybersexe qui se masturbent trois ou quatre fois par jour devant des sites à contenu sexuel (dans Jancin, 2005). Certains comportements sexuels associés à Internet peuvent entraîner l'isolement social, des conduites sexuelles malsaines, la solitude et la dépression ; les jeunes peuvent aussi devenir la proie de cyberprédateurs pédophiles (Fleming et Rickwood, 2004 ; Jancin, 2005). (Voir le chapitre 11 pour une discussion à propos des pédophiles dans le cyberespace).

Nous espérons que les futures recherches sur le cybersexe apporteront une réponse plus claire à la question : « Est-ce que l'exploration sexuelle en ligne est un exutoire relativement bénin ou un comportement sexuel potentiellement très nocif ? » Pour le moment, nombre de professionnels ont attiré notre attention sur les conséquences potentiellement négatives d'une dépendance au cybersexe.

Même si le débat sur la réalité du phénomène se poursuit, des plans de traitement sont proposés aux « sexoliques » (néologisme québécois désignant les dépendants sexuels). L'approche la plus souvent retenue s'inspire de celle développée par le mouvement des Alcooliques anonymes.

RÉSUMÉ

LE COMMERCE DU SEXE

* Le terme *pornographie* désigne généralement tout matériel (écrit, visuel, sonore) contenant des scènes sexuelles explicites dans le but d'exciter sexuellement.

* La pornographie est l'un des premiers domaines d'application des innovations technologiques. Peu après leur invention, la presse à imprimer, la photographie, le cinéma, la télé par câble, le magnétoscope et Internet ont été employés pour la production de pornographie.

* Il y a dans l'érotisme une composante de tendresse, de respect et de plaisir mutuels.

* Il existe une pornographie qui s'adresse spécifiquement aux hommes hétérosexuels, aux gais et aux lesbiennes, chaque type de pornographie ayant ses propres caractéristiques.

* Le caractère positif ou négatif du matériel à contenu sexuellement explicite fait l'objet d'une controverse.

* La prostitution est un échange de services sexuels contre de l'argent. Les travailleurs du sexe sont issus de différents milieux et leurs conditions de travail sont variables.

* Les travailleurs du sexe comprennent notamment les prostituées de rue, les *hustlers*, les prostituées qui travaillent dans des bordels ou des salons de massages érotiques, et les escortes.

* Le tourisme sexuel pratiqué par les femmes devient commun dans certains pays en voie de développement.

* Près de la moitié des travailleurs du sexe ont débuté dans le métier avant l'âge de 18 ans.

* Selon la recherche, environ 10 % des hommes ont eu recours à la prostitution dans les douze derniers mois.

* Internet a transformé le travail du sexe en offrant plus d'autonomie et de sécurité à ceux qui le pratiquent.

* Les impératifs économiques constituent la principale motivation des travailleurs du sexe.

* Un fort pourcentage de travailleurs du sexe développent des symptômes de choc post-traumatique comme conséquence du stress chronique, du danger et de la violence inhérents au commerce du sexe.

* Les travailleurs du sexe font plus d'argent en acceptant des pratiques sexuelles à risque.

* Le trafic sexuel de femmes et d'enfants est un problème mondial ; la pauvreté, la guerre et l'instabilité politique rendent les gens vulnérables à ce type de trafic.

LA SEXUALITÉ ATYPIQUE

* Le comportement sexuel atypique, ou paraphilie, comprend une variété d'activités sexuelles qui, dans leurs formes les plus développées, sont peu répandues dans la population.

* De tels comportements peuvent se manifester à des degrés divers, allant de la légère tendance épisodique aux comportements ancrés et réguliers.

* Ce sont généralement les hommes qui se livrent aux paraphilies. Certaines paraphilies peuvent faire des victimes et être le prélude à des agressions sexuelles plus graves. Les paraphiles s'adonnent souvent à plusieurs paraphilies.

* Les paraphilies non coercitives sont souvent des activités solitaires ou des activités sexuelles inhabituelles auxquelles des adultes acceptent de se prêter, ou qu'ils se contentent d'observer ou de tolérer.

* Le fétichisme, le travestisme fétichiste, le sadisme sexuel, le masochisme sexuel, la clystérophilie, la coprophilie et l'urophilie sont toutes des variantes de paraphilies non coercitives.

* Le fétichisme est une forme de comportement sexuel atypique par lequel un individu parvient à l'excitation en se concentrant sur un objet inanimé ou sur une partie du corps humain.

* Le fétichisme découle souvent d'un conditionnement. L'association entre un fétiche et l'excitation sexuelle est renforcée par l'orgasme auquel l'individu parvient en se masturbant.

* Le travestisme fétichiste consiste à obtenir l'excitation sexuelle en s'habillant comme l'autre sexe. Il s'agit généralement d'une activité solitaire à laquelle un homme hétérosexuel s'adonne, en secret, à la maison.

* Le sadomasochisme (SM) est un comportement sexuel par lequel l'individu parvient à l'excitation grâce à la souffrance mentale ou physique qu'on lui inflige ou qu'il inflige lui-même à un autre.

* La plupart des adeptes du sadomasochisme considèrent ce comportement comme une forme d'épanouissement sexuel volontairement et mutuellement recherché par les partenaires.

* Pour certains de ses adeptes, le sadomasochisme est un exutoire grâce auquel ils peuvent échapper temporairement aux rôles austères et contraignants qu'ils assument dans la vie courante.

* Les individus qui se livrent au sadomasochisme ont parfois connu dans leur enfance des expériences où sexualité et souffrance étaient associées.

* L'asphyxiophilie est une paraphilie rare et potentiellement mortelle par laquelle un individu, presque toujours un homme, tente d'accroître son excitation sexuelle et l'intensité de son orgasme en se privant volontairement d'oxygène.

* La clystérophilie est une paraphilie qui consiste à parvenir au plaisir sexuel au moyen de lavements.

* La coprophilie et l'urophilie consistent à trouver l'excitation sexuelle au contact de matières fécales et d'urine, respectivement.

* L'exhibitionnisme, les appels obscènes, le voyeurisme, le frotteurisme, la zoophilie et la nécrophilie sont tous des paraphilies coercitives, c'est-à-dire qui impliquent la contrainte.

* Suivant la notion de compulsion sexuelle, les symptômes de la dépendance psychologique seraient présents chez certains individus ayant une activité sexuelle excessive. On retrouve en effet chez eux ces sentiments de découragement, d'anxiété, de solitude et de honte dont ils peuvent provisoirement se soulager grâce à l'euphorie sexuelle.

* Selon de nombreux sexologues, la compulsion sexuelle ne doit pas faire l'objet d'une catégorie diagnostique distincte.

CHAPITRE 10

Des difficultés sexuelles et leurs solutions

LA SATISFACTION SEXUELLE DANS LE COUPLE

LES DIFFÉRENTS TYPES DE DIFFICULTÉS SEXUELLES

* Les difficultés liées au désir sexuel
* Les difficultés durant la phase d'excitation
* Les difficultés durant la phase orgasmique
* La dyspareunie
* Le vaginisme

LES CAUSES DES DIFFICULTÉS SEXUELLES

* Les facteurs physiologiques
* Les facteurs culturels
* Les facteurs individuels
* Les facteurs relationnels

VERS L'ÉPANOUISSEMENT SEXUEL

* La conscience de soi
* La focalisation sensuelle
* Conseils destinés aux femmes
* Conseils destinés aux hommes
* Traiter le trouble du désir sexuel hypoactif
* Demander de l'aide professionnelle

*U*n grand nombre de couples éprouvent, à un moment ou l'autre de leur vie, des difficultés sexuelles, dont les plus fréquentes sont des troubles de la réponse sexuelle. Une fois que nous aurons cerné ce que signifie la satisfaction sexuelle dans un couple, nous présenterons ces difficultés en expliquant brièvement les aspects physiques, culturels, individuels et relationnels qui interfèrent avec le désir sexuel, l'excitation et l'orgasme. Nous suggérerons ensuite des moyens concrets d'améliorer sa vie sexuelle.

LA SATISFACTION SEXUELLE DANS LE COUPLE

J'aurais aimé que ma première fois soit meilleure. J'aurais voulu avoir une relation sexuelle avec quelqu'un que j'appréciais, à tout le moins, plutôt qu'avec quelqu'un qui voulait simplement le faire avec moi. Nous étions tous les deux passablement éméchés, mais pas assez ivres pour oublier jusqu'à quel point je suis venu rapidement. La rumeur a circulé sur cette expérience et je n'ai plus eu de relations sexuelles pendant un moment. Ma première blonde s'est montrée « cool » par rapport à cela et, après quelque temps, j'ai été plus détendu et j'ai pu tenir plus longtemps. (Notes des auteurs)

La santé sexuelle est « un état de bien-être physique, émotionnel et mental sur le plan de la sexualité », état qui suppose l'identification et le traitement des troubles sexuels (Sadovsky et Nusbaum, 2006, p. 3). Cette définition de l'Organisation mondiale de la santé (OMS) nous servira de repère pour analyser certains troubles sexuels relativement répandus, leurs causes ainsi que les moyens de prise en charge personnelle et les approches thérapeutiques susceptibles de les résoudre. L'enquête américaine National Health and Social Life Survey (NHSLS) a montré la prévalence de certains problèmes sexuels selon diverses catégories de population (voir le tableau 10.1). Il faut noter, par contre,

Tableau 10.1 | **La prévalence des troubles sexuels selon diverses catégories de population.**

	MANQUE D'INTÉRÊT POUR LE SEXE		ANORGASMIE		DYSFONCTION-NEMENT ÉRECTILE	DYSPAREUNIE	ÉJACULATION PRÉCOCE
	F (%)	H (%)	F (%)	H (%)	HOMMES (%)	FEMMES (%)	HOMMES (%)
Groupes d'âge							
18–29	32	14	26	7	7	21	30
30–39	32	13	28	7	9	15	32
40–49	30	15	22	9	11	13	28
50–59	27	17	23	9	18	8	31
Éducation							
Secondaire non complété	42	19	34	11	13	18	38
Secondaire complété	33	12	29	7	9	17	35
Université	24	14	18	7	10	10	27

Source: Laumann et coll. (1999).

que des personnes peuvent avoir un problème sexuel sans pour autant être perturbées ou sexuellement insatisfaites. Par exemple, l'enquête rapporte que 43 % des femmes disent avoir expérimenté une quelconque dysfonction sexuelle. Mais, lors d'une enquête téléphonique subséquente (moins rigoureuse que celle de la NHSLS) menée auprès d'une population aléatoirement sélectionnée par l'Institut Kinsey, on a demandé à des femmes si elles considéraient comme un problème leur manque d'intérêt sexuel, d'excitation ou d'orgasme. À peine 24 % ont alors déclaré en souffrir (Bancroft et coll., 2003b). L'enquête de l'Institut Kinsey a révélé que les femmes sont plus portées à se sentir malheureuses sur le plan sexuel lorsque leur relation avec leur partenaire est plutôt pauvre sur le plan affectif et personnel. La recherche montre que les problèmes sexuels peuvent avoir un impact sur le bien-être global. Les personnes qui ont des problèmes sexuels se déclarent moins satisfaites de leur vie en général que celles qui n'en ont pas (Hellstrom et coll., 2006 ; Mallis et coll., 2006).

En lisant le tableau 10.1, il est important de se rappeler que la satisfaction sexuelle est quelque chose de subjectif et qu'elle est une composante importante de la définition d'un problème sexuel (Gierhart, 2006 ; Shabsigh, 2006). Une personne ou un couple peuvent avoir des problèmes sexuels et être satisfaits de leur vie sexuelle, ou ne pas avoir de problèmes sexuels et être très insatisfaits de leurs expériences sexuelles (Basson et coll., 2003 ; Smith, 2003). La figure 10.1 montre le niveau de satisfaction sexuelle dans le monde. Ces résultats sont tirés de l'enquête internationale (Nicolosi et coll., 2004) sur les attitudes et les comportements sexuels, la première étude mondiale de ce genre, pour laquelle on a interrogé plus de 27 000 hommes et femmes répartis dans 29 pays à travers le monde. Si vous désirez connaître votre degré de satisfaction en cette matière, remplissez le questionnaire d'autoévaluation proposé dans l'encadré « Votre santé sexuelle » à la page suivante.

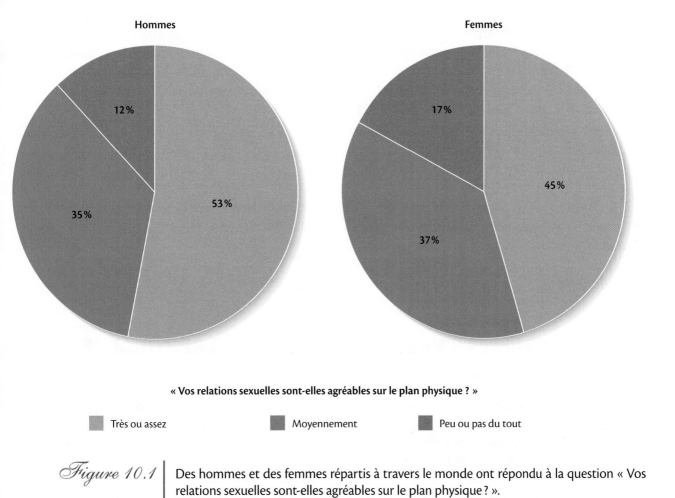

Figure 10.1 | Des hommes et des femmes répartis à travers le monde ont répondu à la question « Vos relations sexuelles sont-elles agréables sur le plan physique ? ». *Source* : Adapté de Nicolosi et coll., 2004.

Votre santé sexuelle

Autoévaluation — Indice de satisfaction sexuelle

Grâce au questionnaire suivant, vous pourrez mesurer le degré de satisfaction que vous apporte votre vie sexuelle avec votre partenaire. Il ne s'agit pas d'un test : il n'y a donc ni bonnes ni mauvaises réponses. Évaluez chaque énoncé aussi soigneusement et rigoureusement que possible en inscrivant après chacun le nombre correspondant au barème suivant :

1 Rarement ou jamais　　*4 La plupart du temps*
2 Pratiquement jamais　*5 Pratiquement toujours*
3 Parfois

1. J'ai l'impression que mon ou ma partenaire aime notre vie sexuelle. ▮
2. Ma vie sexuelle est très stimulante. ▮
3. Nous avons tous deux beaucoup de plaisir à faire l'amour. ▮
4. J'ai l'impression de n'être qu'un objet sexuel pour mon ou ma partenaire. ▮
5. J'ai l'impression que le sexe est une chose sale et dégoûtante. ▮
6. Ma vie sexuelle est monotone. ▮
7. Nos rapports sexuels sont brefs et trop rapidement expédiés. ▮
8. J'ai l'impression que ma vie sexuelle est pauvre. ▮
9. Je trouve l'autre sexuellement très excitant(e). ▮
10. J'aime les techniques sexuelles que mon ou ma partenaire aime ou utilise. ▮
11. J'ai l'impression que mon ou ma partenaire m'en demande trop sexuellement. ▮
12. Je pense que la sexualité est merveilleuse. ▮
13. Mon ou ma partenaire accorde trop d'importance au sexe. ▮
14. J'essaie d'éviter les contacts sexuels avec mon ou ma partenaire. ▮

15. Mon ou ma partenaire fait preuve de trop de violence ou de brusquerie quand nous faisons l'amour. ▮
16. Mon ou ma partenaire est extraordinaire sur le plan sexuel. ▮
17. J'ai l'impression que le sexe fait naturellement partie de notre relation. ▮
18. Mon ou ma partenaire ne veut pas faire l'amour quand je le voudrais. ▮
19. J'ai l'impression que notre vie sexuelle enrichit vraiment beaucoup notre relation. ▮
20. Mon ou ma partenaire semble éviter les contacts sexuels avec moi. ▮
21. Mon ou ma partenaire m'attise. ▮
22. J'ai l'impression que mon ou ma partenaire a du plaisir sexuel avec moi. ▮
23. Mon ou ma partenaire est très sensible à mes besoins et désirs sexuels. ▮
24. Mon ou ma partenaire ne me comble pas sexuellement. ▮
25. J'ai l'impression que ma vie sexuelle est ennuyeuse. ▮

Résultats : Les énoncés 1, 2, 3, 9, 10, 12, 16, 17, 19, 21, 22, 23 doivent être inversement cotés. (Par exemple, si vous avez attribué 5, 3 et 2 aux trois premiers énoncés, vous les noterez 1, 3 et 4.) Cela fait, assurez-vous de n'avoir omis de répondre à aucun énoncé. Additionnez ensuite toutes les notes et soustrayez 25. Cette évaluation a été prouvée valable et fiable.

Interprétation : Les résultats peuvent s'échelonner de 0 à 100, le score le plus élevé indiquant l'insatisfaction sexuelle. Un résultat d'environ 30 ou plus est l'indice d'une insatisfaction par rapport à sa vie sexuelle.

Source : Adapté de Hudson et coll., 1990.

LES DIFFÉRENTS TYPES DE DIFFICULTÉS SEXUELLES

Dans cette section, nous abordons quelques-uns des problèmes que les personnes éprouvent relativement au désir, à l'excitation, à l'orgasme et à la douleur physique durant le coït. Dans la réalité, ils sont souvent reliés l'un à l'autre : un problème de désir et d'excitation affecte l'orgasme, et les difficultés liées à l'orgasme peuvent affecter l'intérêt sexuel et la capacité d'être excité. Par exemple, environ 44 % des hommes qui ont des problè-

mes érectiles ont également des éjaculations précoces (Fisher et coll., 2006). De plus, la ligne qui démarque ce qui est « normal » et ce qui appartient à un « trouble » n'est pas clairement définie sur le plan clinique (Althof et coll., 2005). Ainsi, combien de fois un homme doit-il avoir des difficultés érectiles pour que l'on parle de dysfonction érectile ? Dans quel contexte ne pas avoir d'érection est-il normal ?

Question d'analyse critique

Dans quel contexte considérez-vous normal qu'un homme n'ait pas d'érection ou qu'une femme n'ait pas de lubrification vaginale ? Dans quel contexte serait-ce le signe d'un trouble sexuel ?

Les problèmes sexuels que nous aborderons varient en termes de durée et de situation selon les personnes. Une difficulté peut exister pendant toute la vie (elle est alors dite « primaire ») ou, au contraire, survenir à un moment particulier (elle est alors dite « secondaire »). Une personne peut avoir un problème avec n'importe quel partenaire, quelle que soit la situation (le problème est alors de « type généralisé »), ou encore dans des situations précises ou avec un certain type de partenaires (il est alors de « type situationnel » ou « circonstanciel ») (American Psychiatric Association, 2000). Le classement et les appellations que nous utilisons ici proviennent de *Second International Consultation on Sexual Medicine: Sexual Dysfunctions in Men and Women* (Lue et coll., 2004a) et du DSM-IV ; nous y avons ajouté quelques catégories et appellations de notre cru.

Pour qu'une difficulté soit considérée comme un trouble de la sexualité, elle doit survenir bien qu'il y ait eu une stimulation psychologique et physique adéquate. La recherche a mis en lumière l'importance des stimulations physiques Ainsi, les femmes qui déclarent avoir régulièrement des orgasmes utilisent une plus grande variété de techniques sexuelles que celles qui ne peuvent en avoir aussi régulièrement (Fugl-Meyer et coll., 2006). Par ailleurs, un homme qui éjacule rapidement après que sa partenaire lui a demandé de faire vite ne se trouve pas dans une situation de stimulation physique et psychologique adéquate, et ne peut donc pas être considéré comme un éjaculateur précoce du fait de cette seule expérience. Autre exemple : un diagnostic de manque de désir sexuel ne serait pas approprié dans le cas d'une femme qui serait pressée par son partenaire d'être plus sexuelle à sa façon à lui, mais qui ne la stimulerait pas et ne lui donnerait pas de plaisir.

LES DIFFICULTÉS LIÉES AU DÉSIR SEXUEL

La présente section traite de l'inhibition du désir sexuel, de l'insatisfaction quant à la fréquence de l'activité sexuelle et du trouble de l'aversion sexuelle.

LE TROUBLE DU DÉSIR SEXUEL HYPOACTIF

Le **trouble du désir sexuel hypoactif** (TDSH) se caractérise tant par l'absence ou la quasi-absence de pensées sexuelles, de fantasmes et d'intérêt avant l'activité sexuelle que par le manque de désir durant celle-ci (Basson et coll., 2004). Plusieurs hommes et femmes qui ne ressentent pas d'« appétit sexuel » peuvent éprouver du plaisir et devenir excités une fois l'activité sexuelle amorcée. Jusqu'à récemment, le TDSH était défini exclusivement par le manque d'intérêt sexuel, de pensées et de fantasmes en dehors de l'activité sexuelle. Vu sous cet angle, il s'agit d'une difficulté répandue tant chez les hommes que chez les femmes et du motif de consultation en thérapie le plus fréquent (Giargiari et coll., 2005 ; McCarthy, 2006). Bien que ce type de difficultés soit plus courant chez les femmes (Hayes et coll., 2006) (voir le tableau 10.1), depuis la fin des années 1990, quelques cliniques de thérapie sexuelle traitent un nombre égal d'hommes et de femmes pour manque de désir sexuel (Pridal et LoPiccolo, 2000).

> **Trouble du désir sexuel hypoactif**   Manque d'intérêt sexuel avant toute activité sexuelle.

Le trouble du désir sexuel hypoactif reflète souvent des problèmes relationnels.

L'INSATISFACTION QUANT À LA FRÉQUENCE DE L'ACTIVITÉ SEXUELLE

Les partenaires sexuels n'ont pas toujours les mêmes attentes quant au type et à la fréquence de leurs activités sexuelles. Les différences homme / femme se font sentir lorsqu'il est question de fréquence : l'enquête Global Sex Survey de 2005 a montré que 41 % des hommes contre 29 % des femmes aimeraient avoir plus souvent des relations sexuelles (Durex, 2006). Le couple peut bien entendu s'accommoder de ces divergences de goûts, mais il arrive qu'elles soient de véritables sources de conflit ou d'insatisfaction, chacun accusant l'autre de ne « jamais » vouloir ou, au contraire, de « toujours » en vouloir.

LE TROUBLE DE L'AVERSION SEXUELLE

Lorsque le simple fait de penser au sexe suscite la crainte et le désir d'éviter tout contact sexuel, on dit qu'il y a **trouble de l'aversion sexuelle**. L'aversion sexuelle a plusieurs degrés, qui vont du malaise à la répulsion, au dégoût et à la peur extrême et irrationnelle de l'acte sexuel. La seule pensée d'un contact sexuel peut faire naître une angoisse et une panique intenses. Sudation, accélération du rythme cardiaque, nausées, étourdissements, tremblements et diarrhée sont les symptômes physiologiques de l'aversion sexuelle.

LES DIFFICULTÉS DURANT LA PHASE D'EXCITATION

L'inhibition de l'excitation sexuelle se produit lorsqu'il y a absence ou manque chronique d'excitation physique, de sensations érotiques, ou lorsque la personne n'arrive pas à se sentir excitée intérieurement. L'absence de lubrification vaginale ou de sensibilité physique peut être le signe d'un trouble de l'excitation / sexuelle chez la femme (Basson, 2002), alors que chez l'homme l'incapacité d'avoir ou de maintenir une érection en est la manifestation typique.

LE TROUBLE DE L'EXCITATION SEXUELLE CHEZ LA FEMME

Chez les femmes, la lubrification vaginale est le premier signe physiologique d'excitation sexuelle. L'incapacité persistante d'obtenir ou de maintenir une lubrification-engorgement est un signe de **trouble de l'excitation sexuelle chez la femme**. Par contre, lorsque les signes physiques de l'excitation sont présents mais que la sensation de plaisir ou d'excitation sexuels est absente ou fortement diminuée, on parle alors de **trouble subjectif de l'excitation sexuelle chez la femme**. La présence des deux troubles porte le nom de **trouble combiné de l'excitation sexuelle chez la femme** (Basson et coll., 2004).

LE TROUBLE DE L'EXCITATION SEXUELLE PERSISTANTE

Le **trouble de l'excitation sexuelle persistante** se caractérise par une excitation génitale — picotements, battements, pulsations — spontanée, envahissante et non désirée, en l'absence de désir sexuel. Le fait d'avoir un ou plusieurs orgasmes n'enlève pas l'inconfort, et l'excitation peut persister pendant des heures ou des jours (Basson et coll., 2004). Ce trouble a été identifié pour la première fois en 2001 et les professionnels de la santé ont diagnostiqué environ 400 cas féminins depuis. Les femmes qui ont été examinées avaient des évaluations physiologiques et psychiatriques normales. Les causes de ce trouble sont inconnues, de même que son traitement, et il se manifesterait différemment selon les personnes (Leiblum et Nathan, 2002).

LE TROUBLE DE L'ÉRECTION

Il y a un **trouble de l'érection** ou dysfonction érectile (DE) lorsqu'un homme ne parvient pas, depuis au moins trois mois, à obtenir ou à maintenir une érection suffisante pour permettre une pénétration (Lue et coll., 2004). On estime qu'un homme sur cinq âgé de plus de 20 ans a une dysfonction érectile et celle-ci est un motif fréquent de consultation sexothérapeutique (Saigal et coll., 2006). L'incidence de ce trouble augmente avec l'âge, comme le montre la figure 10.2. Un homme dans la cinquantaine risque deux fois plus d'en souffrir qu'un homme dans la vingtaine.

Des protocoles spéciaux ont été mis au point pour évaluer les facteurs physiques du trouble de l'érection. Quelques méthodes mesurent les érections nocturnes puisque les hommes ayant des érections pendant le sommeil ne sont généralement pas sujets à un trouble d'origine organique. D'autres méthodes mesurent la pression et le flux sanguin péniens afin de déterminer si la difficulté érectile est attribuable à un problème vasculaire. On utilise aussi l'injection de médicaments provoquant des érections pour détecter d'éventuels problèmes. Si aucune érection ne se produit après une injection, alors il s'agit probablement d'un problème vasculaire (Lue et coll., 2004b).

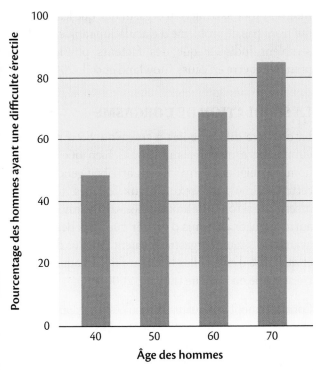

Figure 10.2 | L'incidence de la dysfonction érectile selon l'âge (Kim et Lipshultz, 1997).

Tableau 10.2 | Réponse fournie par des étudiants universitaires à la question « Avez-vous déjà eu un orgasme ? ».

	FEMMES (%)	HOMMES (%)
Oui	87	94
Non	13	6

Source : Elliott et Brantley, 1997.

On parle d'un trouble de l'orgasme situationnel lorsqu'une femme atteint l'orgasme par la masturbation, mais pas par la stimulation de la part d'un partenaire. Les femmes qui n'ont pas souvent d'orgasme peuvent aussi avoir de la difficulté à l'atteindre : environ 25 % des femmes ont eu des problèmes d'orgasme au cours de la dernière année (Laumann et coll., 1994). Ce sont les femmes jeunes et non mariées et celles qui ont le moins d'éducation qui sont le plus touchées par ces problèmes (Laumann et coll., 1999). Pour plusieurs femmes, atteindre l'orgasme est quelque chose qui nécessite un apprentissage : une enquête révèle que près de 62 % des femmes avaient plus de 18 ans lors de leur premier orgasme (Ellison, 2000). Le tableau 10.2 montre l'incidence de l'orgasme chez des étudiants universitaires.

LES DIFFICULTÉS DURANT LA PHASE ORGASMIQUE

D'autres difficultés sexuelles concernent la réponse orgasmique, et ce type de trouble touche autant les hommes que les femmes. Quelques-unes de ces difficultés sont marquées par l'absence totale ou la rareté d'orgasmes. D'autres se caractérisent par une atteinte trop rapide ou trop lente de l'orgasme. Nous considérons aussi la simulation de l'orgasme comme un problème sexuel.

LES TROUBLES DE L'ORGASME FÉMININ

Les **troubles de l'orgasme féminin** touchent l'absence d'orgasme, le temps requis pour l'atteindre ou sa faible intensité malgré une forte sensation subjective d'excitation provenant de tout type de stimulation (Basson et coll., 2004). De 5 % à 10 % des femmes américaines n'ont jamais eu d'orgasme, que ce soit par autostimulation ou par stimulation de la part d'un partenaire ; toutefois, les données indiquent que ce nombre est en baisse (LoPiccolo, 2000). Cette baisse apparente serait attribuable aux excellents livres et vidéos d'auto-apprentissage destinés aux femmes désirant parvenir à l'orgasme.

L'ORGASME FÉMININ PENDANT LE COÏT

La plupart des thérapeutes sexuels croient que les femmes qui apprécient les relations sexuelles et qui atteignent l'orgasme autrement que par le coït n'ont pas de problème sexuel (Hamilton, 2002 ; LoPiccolo, 2000).

Trouble de l'aversion sexuelle Peur extrême et irrationnelle de toute activité sexuelle.

Trouble de l'excitation sexuelle chez la femme Incapacité d'obtenir ou de maintenir une lubrification-engorgement sur le plan génital.

Trouble subjectif de l'excitation sexuelle chez la femme Absence ou diminution des sensations subjectives de l'excitation physique.

Trouble combiné de l'excitation sexuelle chez la femme Absence ou diminution des sensations subjectives et des réactions physiologiques de l'excitation sexuelle.

Trouble de l'excitation sexuelle persistante Excitation génitale spontanée, envahissante et non désirée.

Trouble de l'érection Incapacité prononcée ou récurrente pendant au moins trois mois d'avoir une érection suffisante pour permettre une pénétration.

Troubles de l'orgasme féminin Absence d'orgasme, délai trop long pour l'atteindre ou orgasme de faible intensité.

Plus de femmes atteignent l'orgasme par la masturbation, la stimulation de la part d'un partenaire et le cunnilingus que par le coït (Fugl-Meyer et coll., 2006). Pour plusieurs, la stimulation que procure le coït est tout simplement moins efficace que la stimulation manuelle ou buccale de la région clitoridienne (Bancroft, 2002). Comme l'a dit la sexologue et psychiatre Helen Kaplan, il y a des millions de femmes qui sont sexuellement réactives, et souvent multiorgasmiques, mais qui n'ont pas d'orgasme pendant le coït à moins de recevoir en même temps une stimulation clitoridienne (1974, p. 397). Malheureusement, cela n'est pas toujours compris par les femmes et les hommes: dans une étude canadienne, 23 % des femmes interrogées ont déclaré que le fait d'avoir peu souvent d'orgasme pendant le coït constituait pour elles un problème (Gruszecki et coll., 2005).

LES TROUBLES DE L'ORGASME MASCULIN

L'expression **troubles de l'orgasme masculin** renvoie généralement à l'incapacité de l'homme à éjaculer pendant une activité sexuelle. Huit pour cent des hommes éprouvent cette difficulté (Laumann et coll., 1994). L'anorgasmie coïtale masculine (difficulté à atteindre l'orgasme pendant le coït) et l'anorgasmie partenariale (difficulté à atteindre l'orgasme par la stimulation manuelle ou buccale de la part du partenaire) décrivent mieux la réalité que l'expression générique *troubles de l'orgasme masculin* (Apfelbaum, 2000).

L'ÉJACULATION PRÉCOCE

L'**éjaculation précoce**, une difficulté orgasmique courante, est l'incapacité pour l'homme d'exercer un contrôle volontaire sur le moment de son éjaculation. C'est le plus répandu des troubles sexuels masculins (Hellstrom et coll., 2006).

La plupart des hommes éjaculent prématurément lors de leur première pénétration coïtale, ce qui est une déception, mais pas un problème, si cela ne s'installe pas comme une habitude. En général, à travers le monde, de 20 % à 30 % des hommes de 18 à 59 ans ont régulièrement une éjaculation précoce (Broderick, 2006) et, parmi eux, 30 % éjaculent sans même avoir une pleine érection (Lue et coll., 2004). La recherche montre que les hommes souffrant d'éjaculation précoce sous-estiment l'intensité de leur excitation sexuelle, ressentent rapidement une forte excitation lors de la stimulation pénienne et éjaculent avant d'atteindre une pleine excitation sexuelle, de sorte qu'ils ressentent une

moins grande satisfaction orgasmique que les hommes qui n'ont pas de problème d'éjaculation rapide. Ces faits semblent indiquer que des facteurs physiologiques pourraient être en cause (Rowland et coll., 2000).

LA SIMULATION DE L'ORGASME

La dernière difficulté liée à l'orgasme dont nous parlerons concerne l'orgasme simulé. Bien que quelques hommes feignent l'orgasme, on attribue généralement cette dissimulation sexuelle aux femmes, ce qui est assez juste si l'on se fie aux données du tableau 10.3. Une autre enquête a permis d'établir que 75 % des femmes ayant déjà simulé l'orgasme l'avaient fait plus de 50 fois, et que 10 % d'entre elles l'avaient fait à chaque rencontre sexuelle ou presque (Ellison, 2000).

Contrairement à d'autres difficultés, l'orgasme simulé résulte d'une décision consciente. Les femmes qui y recourent disent le faire le plus souvent pour ne pas décevoir ou blesser leur partenaire (Ellison, 2000). Plusieurs personnes se livrent à cette duperie parce qu'elles sont ou se croient tenues à certaines prouesses. On peut aussi simuler l'orgasme pour mettre un terme à la rencontre sexuelle, parce qu'on n'est pas sur la même longueur d'onde que l'autre, parce qu'on connaît mal les techniques sexuelles, parce qu'on cherche l'approbation de son ou sa partenaire, ou parce qu'on tente de masquer l'effritement de la relation (Ellison, 2000; Lauerson et Graves, 1984).

Mais, en simulant l'orgasme, la personne s'enferme souvent dans un cercle vicieux. Comme l'autre ignore que sa partenaire feint l'orgasme, il refait les gestes qu'il croit efficaces, et la partenaire continue à feindre pour couvrir son mensonge. Ne pouvant discuter de ce qui serait épanouissant pour les deux, le couple s'emprisonne dans une dynamique mensongère très difficile à

Tableau 10.3 | « Avez-vous déjà simulé un orgasme ? » Voici la réponse fournie par des étudiants universitaires.

	OUI	NON
Hétérosexuelles	60 %	40 %
Lesbiennes ou bisexuelles	71 %	29 %
Hétérosexuels	17 %	83 %
Gais ou bisexuels	27 %	73 %

Source: Elliott et Brantley, 1997.

rompre. Et c'est ainsi que l'orgasme simulé crée une distance affective dans les moments qui devraient être les plus propices à l'intimité et au bonheur (Ellison, 2000 ; Masters et Johnson, 1976).

LA DYSPAREUNIE

La **dyspareunie** est un terme médical désignant le rapport sexuel douloureux ; ce problème touche autant les hommes que les femmes, bien qu'il soit plus fréquent chez les femmes.

LA DYSPAREUNIE MASCULINE

La dyspareunie se manifeste surtout chez certains individus non circoncis, dont le prépuce est trop serré ; ils ressentent alors de la douleur durant l'érection. Ce problème se règle facilement par une intervention chirurgicale mineure. La douleur peut aussi être liée à une hygiène déficiente laissant le smegma s'accumuler sous le prépuce ou causant une infection sous celui-ci, d'où une irritation pendant l'excitation sexuelle. On peut prévenir ce problème en tirant le prépuce vers le bas et en nettoyant le gland avec de l'eau et du savon. Des problèmes comme des infections de l'urètre, de la vessie, de la prostate ou des vésicules séminales peuvent causer des sensations de brûlure, d'irritation ou de douleur pendant ou après l'éjaculation (Davis et Noble, 1991). Des conseils médicaux appropriés peuvent aider à éliminer ces sources d'inconfort pendant le coït.

Une autre source d'inconfort masculin est la **maladie de La Peyronie**, caractérisée par l'apparition d'une plaque fibreuse ou d'un dépôt calcaire au-dessus et entre les corps caverneux du pénis. Cette maladie cause des douleurs et une incurvation du pénis pendant l'érection qui peuvent nuire à celle-ci et éventuellement au coït. La maladie de La Peyronie est généralement due à une extension traumatique du pénis pendant le coït ou à une intervention médicale à l'urètre (Gholami et coll., 2003 ; Johnson et coll., 2002). Il existe des traitements médicaux généralement efficaces pour remédier à ce problème (Castro et coll., 2003).

LA DYSPAREUNIE FÉMININE

Il arrive souvent que les femmes ressentent de la douleur lors d'une pénétration partielle du vagin ou lors du coït. Au moins 60 % des femmes en feront l'expérience au moins une fois durant leur vie (Petersen et coll., 2006). La douleur durant l'intromission ou lors du coït

est généralement causée par un manque d'excitation ou de lubrification. Certains états physiologiques comme l'insuffisance hormonale peuvent réduire la lubrification. Pour pallier cette difficulté, on peut recourir à une gelée lubrifiante, mais ce n'est là qu'une solution provisoire. Pour vraiment résoudre ce problème, il faut trouver la cause de la douleur.

Elle peut être attribuable à une infection bactérienne ou à une infection à champignon qui provoquent une inflammation des parois du vagin et rendent le coït douloureux. Les mousses contraceptives, les crèmes vaginales, les gelées spermicides, les condoms et les diaphragmes peuvent aussi irriter le vagin. Une douleur à l'entrée du vagin peut être due à la rupture incomplète de l'hymen, à une infection des glandes de Bartholin ou à la présence de tissu cicatriciel périphérique (Kellog-Spadt, 2006). L'accumulation de smegma sous le capuchon du clitoris peut aussi causer une irritation pendant les mouvements du coït. Un nettoyage délicat avec de l'eau et du savon peut prévenir ce problème.

Près de 10 % des femmes ressentent une vive douleur à l'entrée du vagin, connue sous le nom de **vestibulite vulvaire**, et c'est peut-être la cause la plus répandue de douleurs lors de la pénétration (Connor et Robinson, 2006 ; Pukall, 2005 ; Zolnoun et coll., 2006). Habituellement, une petite région rougeâtre s'avère très douloureuse à la moindre pression, et cette zone est parfois si petite qu'elle peut être difficile à déceler, même par un professionnel de la santé. Les traitements possibles sont une médication ou une ablation de la zone hypersensible (Goldstein et coll., 2006).

Une douleur dans la région pelvienne ou la cavité abdominale durant les poussées coïtales peut résulter d'une irritation des ovaires ou d'un étirement des ligaments fixant l'utérus. La femme n'éprouvera cette forme de douleur que dans certaines positions ou à des moments particuliers du cycle menstruel.

Troubles de l'orgasme masculin Incapacité de l'homme à éjaculer pendant une activité sexuelle.

Éjaculation précoce Éjaculation prématurée en raison de l'incapacité de l'homme à contrôler le moment de son éjaculation.

Dyspareunie Douleur ou inconfort pendant le coït.

Maladie de La Peyronie Présence anormale de tissus fibreux ou de dépôts calcaires dans le pénis.

Vestibulite vulvaire Douleurs ressenties dans une petite zone à l'entrée du vagin lors de la pénétration.

Certaines femmes déclarent ne la ressentir que pendant l'ovulation.

L'endométriose est aussi une source de douleurs pelviennes. Cette prolifération dans différentes parties de la cavité abdominale de tissus qui ne se développent normalement qu'à l'intérieur de l'utérus empêche les organes internes de bouger librement et peut causer des douleurs durant le coït. On prescrit parfois des contraceptifs oraux pour contrôler la prolifération de ces tissus durant le cycle menstruel (Reiter et Milburn, 1994). Les interventions chirurgicales visant à retirer les tumeurs cancéreuses de l'utérus ou des ovaires peuvent elles aussi entraîner la dyspareunie.

Les ligaments fixant l'utérus à la cavité pelvienne sont parfois déchirés durant un accouchement ou un viol, ce qui peut aussi rendre le coït douloureux. Ce problème peut être réglé partiellement ou complètement par une intervention chirurgicale.

Enfin, certains facteurs psychologiques peuvent contribuer à la dyspareunie. Le fait d'avoir subi au début de la vie des influences qui ont suscité la crainte du rapport sexuel et des problèmes relationnels qui ont nui à l'expérience sexuelle peut aussi entraîner un coït douloureux. En fait, il semble que la dyspareunie est dans la plupart des cas le fruit de la combinaison de facteurs physiques et psychologiques (Binik et coll., 2000).

> **Vaginisme** Contractions spasmodiques involontaires des muscles du tiers externe du vagin, rendant toute pénétration difficile.

LE VAGINISME

Le **vaginisme** se définit comme de fortes contractions involontaires des muscles du premier tiers externe du vagin lors des relations sexuelles. La contraction peut être si forte que toute tentative d'introduire le pénis dans le vagin devient très douloureuse ou même insupportable pour la femme. Les contractions douloureuses du vagin sont l'expression d'une réaction conditionnée et involontaire, généralement liée à un historique de pénétration douloureuse (van Lankveld et coll., 2006). Une femme souffrant de vaginisme aura généralement un spasme similaire durant l'examen pelvien (Weiss, 2001). Même l'insertion d'un doigt dans le vagin pourrait causer une douleur considérable. Il est important que les deux partenaires d'un couple sachent que le coït, les tampons hygiéniques et l'examen pelvien ne devraient pas être douloureux. S'ils le sont, il est essentiel d'en identifier la cause.

On estime que 2 % des femmes souffrent de vaginisme (Renshaw, 1990). Certaines d'entre elles sont sexuellement réceptives et parviennent à l'orgasme par une stimulation manuelle ou buccale, tandis que d'autres sont incapables de désir ou d'excitation (Leiblum, 2000). Parce que la plupart des couples considèrent le coït comme une composante très importante de leur vie sexuelle, le problème du vaginisme peut devenir très préoccupant, même pour les partenaires qui ont d'autres moyens d'expression sexuelle.

LES CAUSES DES DIFFICULTÉS SEXUELLES

Dans les paragraphes qui suivent, nous considérerons quelques facteurs physiologiques, culturels, personnels et relationnels qui peuvent être impliqués dans les difficultés sexuelles. Il peut arriver que ces facteurs interagissent de façon notable. Par exemple, toute forme de difficulté physiologique peut fragiliser la réponse sexuelle et rendre la personne plus vulnérable aux déséquilibres découlant d'émotions ou de situations négatives. Aussi, un homme ayant un diabète modéré pourra avoir une bonne érection lorsqu'il est reposé et détendu, mais être incapable d'en avoir une lorsqu'il est stressé, par exemple, après une dure journée de travail ou à la suite d'une discussion avec son ou sa partenaire. Il ne faut pas non plus perdre de vue qu'il est ardu d'identifier une cause spécifique à une difficulté sexuelle, sachant qu'un même facteur peut causer un problème chez une personne, mais pas chez une autre (LoPiccolo, 1989).

LES FACTEURS PHYSIOLOGIQUES

Quiconque éprouve des problèmes sexuels devrait d'abord faire un bilan de santé et se soumettre à un examen gynécologique ou urologique, car les facteurs physiques en sont souvent la cause (Beckman et coll., 2006). Selon des recherches récentes, des variables individuelles comme la sensibilité particulière au toucher peuvent jouer un rôle dans les difficultés sexuelles. Par exemple, certains hommes qui éjaculent rapidement peuvent être hypersensibles aux stimulations de façon innée, ce qui serait la cause de leur problème (Metz et McCarthy, 2004 ; Salonia et coll., 2006 ; Waldinger et Schweitzer, 2006). Il y a des preuves à l'effet que certaines femmes qui ont de la difficulté à devenir sexuellement excitées ont un faible niveau de sensibilité au toucher en général (Frohlich et Meston, 2005). Les études en cours permettront d'approfondir les connaissances sur les aspects physiologiques des difficultés sexuelles. Actuellement, nous avons plus de données sur les effets des maladies, des médicaments et des handicaps sur la sexualité des hommes que sur celle des femmes, les recherches sur le fonctionnement de la sexualité masculine étant plus nombreuses (Bancroft, 2002).

BONNES HABITUDES DE VIE = BONNE SANTÉ SEXUELLE

De bonnes habitudes de vie sont fortement liées à une bonne santé sexuelle. À la base d'un bon fonctionnement sexuel, il y a le fait de se nourrir sainement et de faire de l'exercice. Par exemple, le gras corporel, surtout à l'abdomen, réduit le taux de testostérone (hormone responsable du désir sexuel) chez les hommes. Une étude portant sur 22 000 hommes en bonne santé, suivis pendant 14 ans, a établi que ceux qui étaient obèses couraient 90 % plus de risques d'avoir des difficultés érectiles. Par contre, les hommes qui font plus d'exercice sont 30 % moins susceptibles que les autres de souffrir de dysfonction érectile (Bacon et coll., 2006).

Une autre saine habitude qui peut aider à un bon fonctionnement sexuel consiste à éviter l'usage des drogues

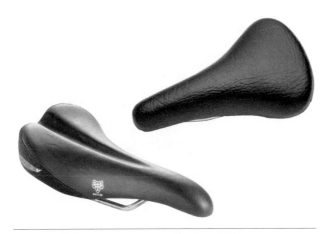

Malheureusement, les effets positifs du cyclisme sur la santé cardiovasculaire et la résistance physique s'accompagnent d'un coût à payer sur le fonctionnement sexuel. La pression exercée par la selle sur les organes génitaux peut endommager des nerfs et nuire à la circulation sanguine, ce qui peut causer des difficultés sexuelles. Les adeptes du cyclisme doivent utiliser des selles appropriées pour prévenir ce problème.

récréatives. Ainsi, les femmes qui ne fument pas, qui ont un historique de consommation modérée d'alcool et qui ont un poids santé sont moins susceptibles d'avoir des insatisfactions ou des difficultés sexuelles (Addis et coll., 2006). La consommation de tabac peut avoir de sérieux effets négatifs sur la fonction érectile. Les fumeurs sont en effet cinq fois plus susceptibles d'avoir des difficultés érectiles que les non-fumeurs (Manecke et Mulhall, 1999). Le tableau 10.4 présente d'autres drogues récréatives qui peuvent nuire au fonctionnement sexuel.

LES EFFETS DES MALADIES

Au cours de leur vie, beaucoup de gens auront à faire face à la maladie chronique. En s'attaquant au système

Tableau 10.4 | **Les effets sur la sexualité de l'abus de certaines substances et drogues illicites.**

DROGUE	EFFETS
Alcool	L'abus chronique d'alcool cause des changements hormonaux (réduction de la taille des testicules et inhibition de la fonction hormonale) et endommage de façon permanente les systèmes circulatoire et nerveux.
Amphétamines	À forte dose, s'il y a abus chronique, inhibent l'orgasme et réduisent l'érection et la lubrification.
Barbituriques	Amoindrissent le désir sexuel, causent des troubles érectiles et retardent l'orgasme.
Cocaïne	Cause des troubles érectiles et inhibe l'orgasme chez les deux sexes.
Marijuana	Abaisse les niveaux de testostérone chez les hommes et réduit le désir sexuel chez les deux sexes.
Tabac	Porte atteinte aux petits vaisseaux sanguins du pénis ; réduit la fréquence et la durée des érections (Mannino et coll., 1994).

Source : Finger et coll., 1997.

Une cigarette ramollie permet d'illustrer les effets du tabagisme sur le fonctionnement sexuel masculin.

nerveux, hormonal ou circulatoire, celle-ci perturbe le fonctionnement sexuel. Certains médicaments peuvent aussi avoir des effets négatifs sur le désir ou la réponse sexuels. Toute douleur ou fatigue peut contrecarrer les pensées et les sensations érotiques et limiter les activités sexuelles (Schover, 2000). Par exemple, la dysfonction érectile est souvent associée au diabète, à l'hypertension et aux problèmes cardiovasculaires. De fait, les professionnels de la santé voient souvent l'incapacité à avoir une érection comme un signe d'un problème de santé sérieux (Jackson et coll., 2006 ; Montorsi et coll., 2006 ; Strachan-Bennett, 2006). Par contre, les recherches montrent que chez les hommes qui ont des érections mais qui éprouvent des difficultés à les maintenir, les causes les plus probables sont d'ordre psychologique (Corona et coll., 2006).

Les paragraphes suivants exposent les conséquences de certaines maladies sur la sexualité.

Le diabète est un dysfonctionnement du système endocrinien qui découle d'une incapacité du pancréas à sécréter suffisamment d'insuline. Cette maladie cause des dommages aux nerfs et au système circulatoire qui sont à l'origine d'environ 50 % des baisses ou pertes d'érection chez les hommes atteints. Certains d'entre eux peuvent connaître l'éjaculation rétrograde (éjaculation dans la vessie) (Manecke et Mulhall, 1999). Une forte consommation d'alcool et un faible niveau de sucre dans le sang augmentent les risques de problèmes érectiles chez les hommes diabétiques (Romeo et coll., 2000). Quant aux femmes diabétiques, elles sont plus susceptibles que les autres d'avoir des problèmes de désir sexuel, de lubrification vaginale et d'orgasme (Herter, 1998).

Le cancer et son traitement peuvent être particulièrement dévastateurs sur la sexualité parce qu'ils dérèglent les fonctions hormonales, vasculaires et cérébrales nécessaires au fonctionnement sexuel. La chimiothérapie et la radiothérapie peuvent provoquer la perte des cheveux, des changements cutanés et de la fatigue, toutes choses qui peuvent affecter négativement les sensations et l'intérêt sexuels (Incrocci, 2006). Certaines chirurgies du cancer peuvent laisser des cicatrices permanentes, des mutilations corporelles ou des stomies (une ouverture corporelle faite par chirurgie pour permettre l'évacuation des déchets organiques après une ablation du côlon ou de la vessie), tout cela pouvant laisser une image corporelle négative (Burt, 1995). Les douleurs causées par le cancer ou son traitement peuvent aussi nuire grandement au désir et à l'excitation sexuels (Fleming et Pace, 2001).

Parmi tous les types de cancer qui peuvent affecter le fonctionnement sexuel, les cancers des organes reproducteurs ont souvent les pires impacts. Par exemple, les hommes qui ont un cancer de la prostate font souvent l'expérience d'une absence ou d'une réduction significative d'éjaculation et courent de 10 à 15 fois plus de risques d'avoir des problèmes sexuels après les traitements eux-mêmes (Glina, 2006 ; Harvard Health Publications, 2006).

La sclérose en plaques (SP) est une maladie neurologique touchant le cerveau et la moelle épinière qui endommage la gaine de myéline recouvrant les fibres nerveuses. La vision, les sensations et les mouvements volontaires sont affectés. Les études établissent que la plupart des patients atteints de SP voient leur fonctionnement sexuel altéré et que près de la moitié d'entre eux ont des problèmes sexuels (Stenager et coll., 1990). Une personne atteinte de cette maladie peut ressentir une diminution de l'intérêt sexuel, une désensibilisation de la région génitale, une diminution de l'excitation ou de l'orgasme ; la personne peut aussi, à l'inverse, avoir une hypersensibilité aux stimulations génitales (Smeltzer et Kelley, 1997).

Les ischémies ou accidents vasculaires cérébraux (AVC) surviennent lorsque le tissu cérébral est détruit à la suite d'un blocage de l'apport sanguin au cerveau ou d'une hémorragie cérébrale (rupture d'un vaisseau provoquant un saignement). Les AVC laissent souvent la personne avec une mobilité réduite, une perte ou une altération des sensations, des troubles d'élocution et un état dépressif. Les personnes qui survivent à un AVC font souvent état d'un déclin de leur vie sexuelle en termes d'intérêt, d'excitation et de fréquence de leurs activités (Giaquinto et coll., 2003).

LES EFFETS DES MALADIES INVALIDANTES

Les maladies invalidantes majeures telles que les blessures médullaires, la paralysie cérébrale, la cécité et la surdité ont une grande variété d'effets sur la réactivité sexuelle. Certaines personnes atteintes de ces maladies peuvent arriver à maintenir ou à retrouver une vie sexuelle satisfaisante, alors que d'autres voient l'expression de leur sexualité considérablement réduite, sinon détruite (Welner, 1997). Voyons quelques-uns de ces problèmes ainsi que les possibilités d'adaptation qui s'offrent aux personnes concernées.

Les personnes atteintes d'une blessure médullaire (PBM) voient leur motricité et leur sensibilité réduites par suite des dommages causés à la moelle épinière qui empêchent la communication neurale entre le corps et le cerveau. Même si les blessures médullaires n'affectent pas nécessairement le désir sexuel et l'excitation psychologique, une personne qui en est atteinte peut souffrir d'incapacité physiologique en ce qui a trait à l'excitation et à l'orgasme. Selon des études récentes, 86 % des hommes et des femmes atteints d'une blessure médullaire éprouvent du désir sexuel, plus de la moitié d'entre eux ressentent de l'excitation par stimulation physique (sensorielle), environ 30 % deviennent sexuellement excités à la suite de stimulations psychologiques et 33 % ont des orgasmes ou des éjaculations (Mathieu et coll., 2005). Le Viagra ou ses équivalents peuvent augmenter l'excitation et les érections chez les hommes (DeForge et coll., 2005).

La recherche de pointe sur les femmes ayant une lésion complète de la moelle épinière montre qu'une autostimulation vaginale / cervicale peut produire un orgasme. Les techniques d'imagerie médicale ont montré que l'activité cérébrale pendant l'orgasme est la même chez les femmes sans lésion médullaire que chez celles ayant une lésion complète de la moelle épinière. Les données physiologiques indiquent que le nerf vague constituerait alors une voie alternative menant du vagin / col de l'utérus au cerveau, contournant ainsi la moelle épinière (Whipple et Komisaruk, 2006).

Si un des partenaires du couple est un blessé médullaire, il est surtout conseillé de redéployer et de redéfinir l'expression de la sexualité. Ainsi, l'amplification sensorielle — c'est-à-dire l'accroissement de la réactivité sexuelle sur la face interne des bras, la poitrine, le cou ou une autre région qui a conservé une certaine sensibilité — peut améliorer le plaisir et l'excitation.

La paralysie cérébrale (PC) est causée par l'endommagement du cerveau qui peut survenir avant ou pendant la naissance, ou pendant les premiers âges de l'enfance. Elle se caractérise par une défaillance modérée ou sévère du contrôle musculaire volontaire. Des mouvements involontaires peuvent dégrader l'élocution, les expressions faciales, l'équilibre et les mouvements corporels. De fortes contractions musculaires peuvent causer de brusques mouvements des membres ou entraîner des positions embarrassantes. Dans certains cas, l'intelligence d'une personne peut aussi être affectée. Malheureusement, on considère souvent à tort qu'une personne atteinte de paralysie cérébrale a une faible

Une bonne communication et de la créativité peuvent aider les individus et les couples à minimiser les impacts des maladies et handicaps sur la sexualité.

intelligence en raison de sa difficulté physique à communiquer. Les sensations génitales ne sont pas affectées par la PC. Mais les spasmes et les déformations des bras peuvent rendre difficile ou même impossible la masturbation sans assistance, et des problèmes similaires avec les hanches et les genoux peuvent rendre les positions coïtales douloureuses ou difficiles (Joseph, 1991). Chez les femmes atteintes, les contractions chroniques des muscles entourant l'entrée du vagin peuvent entraîner des douleurs lors du coït.

Certaines méthodes peuvent aider les personnes atteintes de PC, notamment l'essai de différentes positions, le placement d'oreillers sous les jambes pour atténuer les spasmes et l'exploration d'autres formes d'échanges sexuels. Les partenaires peuvent s'aider mutuellement en adoptant des positions appropriées et en se concentrant sur les plaisirs génitaux, ce qui peut contribuer à faire oublier la douleur. L'adaptation sexuelle d'une personne atteinte de PC ne relève pas uniquement de facteurs physiques, mais aussi du soutien que l'environnement lui fournit sur le plan des contacts sociaux et de l'intimité. Ainsi, ces personnes peuvent avoir besoin de quelqu'un pour les aider à se placer lorsqu'elles désirent avoir des relations sexuelles.

La privation sensorielle liée à la cécité et à la surdité peut affecter la sexualité, surtout si les incapacités ne permettent pas à la personne d'acquérir l'autonomie et les diverses habiletés nécessaires à l'interaction sociale (Mona et Gardos, 2000). Cependant, les autres sens peuvent jouer un rôle encore plus important, comme cet homme aveugle de naissance l'explique.

> Pendant l'amour, mes autres sens, le toucher, l'odorat, l'ouïe, le goût, sont des canaux privilégiés par lesquels je deviens excité. Les caresses de ma partenaire et la façon dont elle me touche, c'est terriblement excitant, peut-être plus encore que pour une personne qui voit. Le contact de ses seins sur mon visage, la fermeté de ses mamelons dans mes mains, le frôlement de ses cheveux sur ma poitrine... ce ne sont que quelques-uns des moyens par lesquels j'expérimente les incroyables plaisirs du sexe. (Kroll et Klein, 1992, p. 136)

DES STRATÉGIES POUR AMÉLIORER LA VIE SEXUELLE DES PERSONNES GRAVEMENT MALADES OU HANDICAPÉES

Les personnes et les couples peuvent mieux composer avec les limitations sexuelles issues des maladies ou des incapacités chroniques en les acceptant et en développant des stratégies pour y remédier. Par exemple, les couples peuvent minimiser les effets de la douleur en choisissant les moments les plus opportuns de la journée pour avoir leurs activités sexuelles, en utilisant des moyens de contrôle de la douleur tels que la chaleur humide ou des médicaments antidouleur, en trouvant des positions confortables et en se centrant sur le plaisir génital ou sur des images érotiques de façon à ne plus être envahis par la douleur (Schover et Jensen, 1988). Comme nous le soulignons dans la section consacrée à l'épanouissement sexuel, il importe d'élargir le sens de la sexualité et d'aller au-delà de l'excitation et de la relation génitale en y ajoutant d'autres dimensions telles que les pensées érotiques et les touchers sensuels; il serait aussi utile d'insérer une certaine souplesse dans les rôles sexuels et d'innover dans les techniques sexuelles. Comme l'explique une femme atteinte de paralysie cérébrale:

> Mon handicap rend les choses plus intéressantes en quelque sorte. Il nous faut essayer plus fort et je crois que nous en tirons plus de profit puisque nous y mettons des efforts. Nous devons tous les deux être très attentifs à l'autre, nous devons prendre tout notre temps. Cela nous rend moins égoïstes et plus respectueux de l'autre, ce qui renforce notre relation dans les choses qui sont hors de la sexualité. (Shaul et coll., 1978, p. 5)

LES EFFETS DE CERTAINS MÉDICAMENTS SUR LA FONCTION SEXUELLE

Les médecins ne songent pas toujours à mentionner les effets secondaires que peuvent avoir sur la libido certains des médicaments qu'ils prescrivent. Pourtant, au moins 200 médicaments délivrés sur ordonnance ou en vente libre ont des effets négatifs sur la sexualité (Finger et coll., 2000). Pas moins de 25 % des cas de dysfonction érectile sont reliés à des effets secondaires de médicaments (T. Miller, 2000). Il est donc fortement conseillé de vérifier auprès de son médecin que les médicaments prescrits ont le moins d'effets possible sur l'orgasme, le désir et l'excitation sexuels (Kennedy et coll., 2000).

La médication psychiatrique

Les antidépresseurs amènent fréquemment une réduction de l'intérêt et de l'excitation sexuels, et retardent ou empêchent l'orgasme chez près de 60 % des utilisateurs (Kantrowitz et Wingert, 2005). Le ginkgo biloba (à raison de 240 mg à 900 mg par jour) et le Wellbutrin (buproprion) peuvent parfois contrer ces effets sur la réponse sexuelle ; pour les hommes, le Viagra joue également ce rôle (Hoffman, 2003). Les sédatifs comme le Valium et le Xanax peuvent aussi nuire à la réponse orgasmique.

Les médicaments hypotenseurs

Les médicaments contre l'hypertension artérielle peuvent eux aussi affecter le désir et l'excitation sexuels, ou encore provoquer des difficultés à atteindre l'orgasme. Certains sont plus nuisibles que d'autres sur le plan sexuel (Meston et coll., 1997).

Les médications variées

Les médicaments pour traiter les maladies gastro-intestinales et les antihistaminiques sont susceptibles de nuire au désir et à l'excitation sexuels. Quant à la méthadone, elle affaiblit souvent le désir sexuel, perturbe l'excitation, empêche l'orgasme et retarde l'éjaculation. Quelques antihistaminiques en vente libre et certains médicaments contre les dérangements gastro-intestinaux sont associés à des problèmes de désir et à des problèmes érectiles.

LES FACTEURS CULTURELS

La culture et la famille exercent une forte influence sur notre façon de percevoir et d'exprimer notre sexualité. Nous verrons ici comment certaines influences culturelles occidentales affectent notre sexualité et favorisent l'émergence de certains problèmes sexuels.

UNE PERCEPTION NÉGATIVE DE LA SEXUALITÉ DURANT L'ENFANCE

Plusieurs de nos attitudes fondamentales par rapport à la sexualité se forment durant l'enfance (Barone et Wiederman, 1998). En grandissant, les enfants reçoivent de leur famille d'importantes leçons de relations humaines. Ils observent et intègrent les modèles qu'ils voient autour d'eux. Ils remarquent la façon dont leurs parents utilisent le toucher et ce qu'ils semblent éprouver l'un pour l'autre (Bartlik et Goldberg, 2000). Ainsi, une équipe de recherche a pu établir que les femmes qui ont peu de désir sexuel interprétaient les attitudes de leurs parents envers le sexe et leurs échanges affectueux de façon plus négative que les autres femmes (Stuart et coll., 1998). Selon plusieurs chercheurs thérapeutes, les personnes qui ont des problèmes sexuels ont souvent été élevées dans un environnement d'orthodoxie religieuse où le sexe est vu comme un péché (Fox et coll., 2006 ; Richardson et coll., 2006).

La façon dont les autres réagissent à l'exploration que fait l'enfant de sa génitalité peut conditionner sa manière de considérer ses organes sexuels.

LE DOUBLE STANDARD SEXUEL

Les recherches menées à travers le monde montrent que l'égalité entre les sexes est un facteur important de satisfaction sexuelle tant pour les hommes que pour les femmes. Dans les cultures à domination masculine, telles qu'on en rencontre en Asie, en Afrique et au Moyen-Orient, les personnes qui se disent satisfaites de leur vie sexuelle sont beaucoup moins nombreuses qu'en Occident, où elles comptent pour les deux tiers de la population et où une plus grande égalité entre les sexes s'est installée à travers le temps (Laumann et coll., 2006).

Malgré tout, il semble que plusieurs personnes continuent à nourrir des attentes distinctes envers les hommes et les femmes (Greaves, 2001). Ainsi, on continue à associer les nombreuses conquêtes à la « virilité » et à la réussite sexuelle masculine, alors qu'on incite les femmes à plus de retenue en ce domaine sous peine de passer pour des « traînées » (Leitenberg et Henning, 1995 ; Morehouse, 2001).

Les productions érotiques présentent les hommes comme toujours prêts pour le sexe, leur seul problème étant de ne pas en avoir assez. Nous avons intériorisé cette règle et la plupart d'entre nous croient que nous devons toujours être capables de réagir sexuellement, n'importe où et n'importe quand, indépendamment de nos sentiments envers nous-mêmes et envers nos partenaires, ou de toute autre considération. (Zilbergeld, 1978, p. 41)

Ces attentes font en sorte que l'homme a tendance à envisager le contact sexuel en tant que « performance », sa priorité absolue étant « d'agir en homme ». Pour ce faire, il lui faut d'abord se départir de toute caractéristique « féminine », comme la tendresse ou la sensibilité. Tenu de dominer et de ne compter que sur lui-même, l'homme peut difficilement abandonner ce rôle, ne serait-ce qu'un instant, pour s'informer des préférences sexuelles de sa partenaire (Kilmartin, 1999; Tiefer, 1999). Les restrictions qu'imposent ces conceptions stéréotypées nourrissent souvent chez les deux sexes des sentiments d'impuissance, de frustration et du ressentiment (Bonierbale et coll., 2006; Sanchez, 2006a).

Au contraire, l'intimité sexuelle qui transcende les stéréotypes sexuels — quand les deux individus sont à la fois actifs et réceptifs, entreprenants et tendres, enjoués et sérieux — permet à l'homme et à la femme de réaliser tout leur potentiel d'humanité (Kasl, 1999; McCarthy, 2001). Les couples de même sexe n'ont pas à se battre contre de tels stéréotypes pour exprimer leur sexualité. Comme ils n'ont ni modèle sexuel rigide calqué sur des stéréotypes ni notion préétablie sur la façon dont un contact sexuel « devrait » se dérouler, ils bénéficient souvent d'un répertoire sexuel plus varié que les couples hétérosexuels (Nichols, 2000).

UNE DÉFINITION ÉTRIQUÉE DE LA SEXUALITÉ

L'expression de notre sexualité est aussi conditionnée par l'idée que toute relation sexuelle digne de ce nom doit se terminer par un coït et que les femmes préfèrent nettement ce contact. Cette idée, comme nous le précisons souvent dans ce livre, limite le comportement sexuel, mène à une stimulation inadéquate des femmes et fait peser de lourdes attentes sur la relation coïtale. Selon la sexothérapeute Leonore Tiefer, les espoirs effarants que l'on fonde présentement sur les traitements médicaux comme le Viagra ne font que renforcer cette obsession du coït. « Pour chaque dollar investi dans le perfectionnement du phallus, je souhaiterais qu'un dollar soit aussi consacré à aider les femmes dont le partenaire se montre inapte à les

embrasser, à leur écrire des poèmes d'amour, à leur caresser le clitoris de façon érotique, à changer les couches de bébé ou à simplement les laisser se reposer un peu » (Tiefer, 1995, p. 170).

L'ANGOISSE DE LA PERFORMANCE

En réduisant les sensations de plaisir à celles du coït uniquement, « l'angoisse de la performance » peut inhiber l'excitation et la réponse sexuelles. Les hommes, plus que les femmes, sont préoccupés et déroutés par l'idée de performer pendant l'acte sexuel, selon une étude menée par Meana et Nunnink (2006). Une situation transitoire comme l'incapacité à atteindre l'orgasme ou à maintenir une bonne érection, en raison de la fatigue ou d'un manque circonstanciel d'intérêt, peut entraîner une angoisse qui, à son tour, sera la cause d'un problème lors de la rencontre sexuelle suivante (Benson, 2003). Les problèmes érectiles débutent souvent avec l'inquiétude qui suit un premier incident, comme l'illustre cet extrait.

Alors que j'avais 20 ans, ma partenaire et moi étions dans sa chambre et avons décidé d'avoir du sexe. Elle m'a dit de faire attention de ne pas faire de bruit, car sa mère était dans la chambre voisine. Après quelques minutes d'activité, mon érection s'est amoindrie et cela m'a profondément fait paniquer. Par la suite, ma partenaire m'a passé un livre sur la sexualité humaine, j'ai pu relativiser la chose et voir que mon problème était dû à une situation défavorable. (Notes des auteurs)

L'incapacité à atteindre l'orgasme peut provenir, chez les hommes et chez les femmes, d'une pression extrême à performer et de l'obsession de sa propre excitation au lieu de se concentrer uniquement sur le plaisir de l'autre (Apfelbaum, 2000).

LES FACTEURS INDIVIDUELS

Plusieurs facteurs, en plus de ceux qui relèvent de la culture, peuvent intervenir dans la sexualité, ses expressions et ses difficultés. Ces facteurs psychologiques agissent différemment selon les personnes.

LE SAVOIR ET LES ATTITUDES À L'ÉGARD DE LA SEXUALITÉ

Nos connaissances sur la sexualité et notre rapport à celle-ci ont bien sûr une influence sur notre expression sexuelle. Même le niveau de scolarité et la classe sociale conditionnent les attitudes, les comportements et les problèmes sexuels. Nous avons vu dans les chapitres précédents que plus leur niveau de scolarité et leur statut social sont élevés, plus les couples ont tendance à varier les positions coïtales et à utiliser des méthodes de stimulation non coïtales. Ainsi, dans les cas où les difficultés découlent de l'ignorance ou d'une mauvaise compréhension des choses, les gens pourront régler leur insatisfaction sexuelle en s'informant sur des points précis. En vieillissant, les femmes apprennent à mieux se connaître et ont donc généralement de moins en moins de problèmes sexuels (Leland, 2000a).

L'IMAGE DE SOI

L'expression *image de soi* renvoie aux sentiments et aux croyances que nous entretenons sur nous-mêmes. L'image de soi influe sur nos relations et notre sexualité (Foley, 2003). Les recherches ont montré que l'estime de soi et la confiance en soi étaient en corrélation avec la satisfaction sexuelle élevée et l'absence de problèmes sexuels (Hally et Pollack, 1993). Par exemple, une femme bien dans sa peau, persuadée de son droit à la jouissance et participant activement à son propre

Avec toutes les images que nous présente la publicité, beaucoup de femmes développent une image négative de leur propre corps.

épanouissement sexuel aura probablement une vie sexuelle plus satisfaisante que celle qui n'a pas confiance en elle (Nobre et Pinto-Gouveia, 2006 ; Sanchez et coll., 2006). Inversement, un problème sexuel peut affecter l'image de soi (Alhof et coll., 2006). Ainsi, une étude sur l'utilisation du Viagra révèle qu'avant le traitement, les hommes qui avaient un trouble érectile montraient un plus faible niveau d'estime de soi, tel que mesuré par un test, que les hommes sans trouble érectile ; toutefois, après 10 semaines de traitement, leur niveau d'estime de soi était aussi élevé que celui des hommes sans trouble érectile (Capellen et coll., 2006).

L'image du corps est un aspect de l'image de soi qui peut avoir une grande influence sur la sexualité. Dans les cultures occidentales, où minceur et beauté sont souvent synonymes de désirabilité, le corps des femmes est beaucoup plus scruté, évalué et sexualisé que celui des hommes. L'obsession des femmes quant à leur poids se manifeste bien avant l'âge adulte ; les recherches ont établi que, même aux stades de la vie où garçons et filles ont le même pourcentage de graisse corporelle, les filles sont plus insatisfaites de leur poids et de leur image corporelle que les garçons (Rierdan et coll., 1998 ; Wood et coll., 1996). L'auteure des *Monologues du vagin*, Eve Ensler, précise : « Nous [...] aimons nous dire libres mais nous sommes prisonnières. Nous sommes contrôlées par des médias qui décrètent comment nous devrions paraître et déterminent ce que nous avons à acheter pour avoir et conserver cette apparence » (2006, p. 47).

L'image des femmes dans les médias, qui s'éloigne de plus en plus de celle de la femme moyenne, peut avoir contribué à accentuer l'importance de la minceur. Dans les années 1980, le poids moyen des mannequins était de 8 % inférieur au poids moyen des femmes américaines, et l'écart est maintenant de 23 % (Jeffery, 2006). En 2006, dans un geste sans précédent, Madrid Fashion Week a imposé un critère de poids minimal à ses modèles. Deux mannequins ont été exclues parce qu'elles étaient trop minces et ne répondaient pas aux normes de l'Organisation mondiale de la santé quant au ratio taille / poids. Plus de 30 % des mannequins qui avaient participé au défilé de l'année précédente ont été disqualifiées, incluant la top-modèle britannique Kate Moss. D'autres pays considèrent positivement l'établissement de critères semblables dans le but de promouvoir une image corporelle féminine plus saine (Terzieff, 2006).

Il est commun chez la femme de ressentir de la gêne par rapport à son apparence corporelle au cours d'une relation intime avec un partenaire masculin (Meana et Nunnink, 2006). Une recherche menée auprès d'étudiantes universitaires dans le Midwest américain indique que 35 % d'entre elles seraient d'accord avec des affirmations telles que « Si un partenaire mettait ses mains sur mes fesses, je me dirais qu'il peut sentir que je suis grosse » et « Je préfère que mon partenaire soit sur moi parce qu'alors il voit moins mon corps ». Cette recherche établit un lien entre l'image corporelle et la capacité d'être sexuelle. Les femmes qui se préoccupent moins de leur image corporelle se perçoivent comme de bonnes partenaires sexuelles, s'affirment plus avec leur partenaire et ont plus d'expériences hétérosexuelles que celles qui se soucient de leur apparence, et ce, même à un poids similaire (Wiederman, 2000).

Les tendances récentes suggèrent que l'image masculine véhiculée par les médias contribue aussi à rendre les hommes inquiets de leur image corporelle, avec pour conséquence que cela compromet leur vie sexuelle. Par exemple, les universitaires qui passent plus de temps à lire des magazines pour hommes, à regarder les vidéoclips musicaux et les émissions de télévision aux heures de grande écoute se sentent moins à l'aise par rapport à leur pilosité corporelle et à leur transpiration que ceux qui sont moins exposés à ces médias (Schooler et Ward, 2006). La pilosité corporelle masculine fait souvent l'objet de blagues, comme dans le film *40 ans et encore puceau*, dans lequel le protagoniste se fait épiler la poitrine à la cire chaude dans le but d'être plus attirant pour les femmes. L'insatisfaction des hommes envers leur propre corps est d'ailleurs ressortie d'une étude menée sur les préférences corporelles ; la plupart des sujets ont choisi les photos montrant des hommes ayant 14 kilos de muscles de plus qu'eux (O'Neill, 2000a). Une partie de la culture gaie met l'accent sur l'apparence physique dans le choix des partenaires.

Les figurines représentant des hommes d'action ont suivi le mouvement avec le temps. La figurine G.I. Joe originale de 1964 avait des mensurations comparables à celles de l'homme moyen actuel. En 1991, les biceps de la figurine ont augmenté (à l'échelle humaine) de 30 cm à 40 cm et le G.I. Joe Extrême apparu au milieu des années 1990 avait des biceps de près de 70 cm (toujours à l'échelle humaine).

Même en considérant que la plupart des femmes n'accordent pas une importance majeure à la taille du pénis, les inquiétudes des hommes à ce sujet affectent leur excitation et leur plaisir. Dans une enquête menée auprès de 52 000 hommes et femmes hétérosexuels, seulement 55 % des hommes se sont dit satisfaits de la taille de leur pénis, alors que 85 % des femmes étaient satisfaites de la taille du pénis de leur partenaire (Lever et coll., 2006). À l'encontre du pénis de grosseur normale représenté dans les œuvres d'art classiques telles que le célèbre *David* de Michel-Ange, la pornographie peut donner une fausse image du pénis moyen, les hommes en vedette dans ces films étant choisis en raison de leur sexe surdimensionné. Une étude menée auprès de 27 000 hommes âgés de 20 à 75 ans et répartis dans huit pays (États-Unis, Angleterre, Allemagne, France, Italie, Espagne, Mexique et Brésil) conclut de façon positive que les hommes ne perçoivent pas leur masculinité comme elle est dépeinte dans les médias populaires. Les hommes interrogés ont montré qu'ils valorisaient plusieurs qualités autres que l'attrait physique et les prouesses sexuelles. Être quelqu'un d'honorable, être indépendant et respecté de ses amis, avoir une bonne santé et une relation positive avec son épouse étaient des aspects plus importants pour eux (Michael et coll., 2005). L'Occident n'a pas l'exclusivité des préoccupations pour la beauté, comme le montre l'encadré « Les uns et les autres ».

LES DIFFICULTÉS D'ORDRE AFFECTIF

Les difficultés personnelles d'ordre affectif, comme l'anxiété ou la dépression, influent négativement sur la sexualité. L'enquête NHSLS fait ressortir que l'absence de bonheur est en corrélation avec les problèmes sexuels. Les résultats ne permettent pas de déterminer ce qui arrive en premier, mais on sait que les femmes et les hommes qui ont des problèmes sexuels sont en général beaucoup plus malheureux que ceux qui n'en ont pas (Laumann et coll., 1999). Le manque de désir sexuel et l'absence de réponse sexuelle sont d'ailleurs des symptômes cliniques de la dépression. Il est vrai cependant que certains hommes anxieux et déprimés disent ressentir un besoin accru d'intimité et de valorisation qu'ils tentent de combler par la sexualité ; cela les rend plus avides de contacts sexuels durant ces périodes de grande fragilité psychologique (Bancroft et coll., 2003). Des événements stressants comme le décès d'un proche, un divorce ou des problèmes d'ordre familial ou professionnel peuvent également annihiler l'intérêt sexuel. Le stress extrême et les traumatismes, tels que ceux rencontrés chez les anciens combattants, sont aussi susceptibles d'entraîner des problèmes sexuels (Letourneau et coll., 1997).

Les uns et les autres

Souffrir pour être belle

Le Brésil comporte 7500 km de côtes et la préférence des hommes brésiliens pour les postérieurs généreux a rendu la chirurgie esthétique des fesses très populaire dans les villes brésiliennes. L'une des deux méthodes suivantes est utilisée : prélever des cellules graisseuses dans les cuisses et les injecter dans les fesses, ou insérer des implants. En Asie, la chirurgie la plus répandue chez les femmes consiste à débrider les paupières pour leur donner une apparence plus occidentale. En Afrique du Sud, les femmes considèrent qu'une peau plus pâle est un idéal de beauté et recourent à des crèmes décolorantes et à des savons contenant une substance qui a été interdite parce qu'elle endommageait la peau et qu'elle défigurait (Jones, 2003).

Les annonces personnelles en Chine mentionnent souvent la taille — plus on est grand, mieux c'est. Des centaines de femmes n'hésitent pas à recourir à la chirurgie pour faire allonger leurs jambes de 5 cm à 10 cm. Une équipe de cinq chirurgiens passe trois heures à scier, percer et rattacher les os ; ensuite, une armature est posée autour de la jambe et vissée à travers la peau en rejoignant l'os. L'armature force la jambe à s'étirer pendant que l'os se régénère, processus qui prend au moins un an.

Les yeux, avant et après le débridage.

LES TRAUMATISMES PROVOQUÉS PAR DES ABUS SEXUELS

Les conditions essentielles à une interaction sexuelle positive — consentement mutuel, égalité, respect, confiance et sécurité — sont absentes lorsqu'il y a abus sexuel. Les garçons et les filles victimes de tels actes se voient voler la possibilité d'explorer leur sexualité d'une façon appropriée à leur âge et à leur niveau de développement (Maltz, 2003). Selon l'enquête NHSLS, 12 % des hommes et 17 % des femmes ont été sexuellement abusés avant l'adolescence (Laumann et coll., 1999). Les personnes lesbiennes, gaies et bisexuelles sont plus susceptibles d'avoir connu de tels abus durant l'enfance que les autres adultes (Balsam et coll., 2005). Il est important de noter que tous les abus sexuels ne se traduisent pas par des problèmes sexuels à l'âge adulte ; mais, de toutes les expériences de l'enfance, ce sont les abus sexuels qui ont les conséquences les plus graves sur le fonctionnement sexuel de l'adulte (Courtois, 2000a, 2000b). La recherche montre que les femmes qui ont été victimes d'abus sexuels durant l'enfance souffrent de deux à quatre fois plus de douleurs pelviennes chroniques, de dépression, d'anxiété et de faible estime de soi (Murrey et coll., 1993 ; Reiter et Milburn, 1994). Elles ressentent aussi plus de peur et de dégoût pendant les activités sexuelles que les autres femmes (Meston et coll., 2006). Les recherches sur les hommes qui ont été abusés sexuellement sont plus limitées, mais elles indiquent que ces anciennes victimes ont souvent des doutes profonds sur leur masculinité (Lew, 2004). De plus, ces hommes ressentent souvent une aversion envers les comportements sexuels qui ressemblent à ceux qu'ils ont subis. Des odeurs, des sons, des images, des émotions ou des sensations peuvent ressurgir de leur passé sexuel et empêcher toute émotion positive ou plaisir sexuel (Courtois, 2000a, 2000b ; Koehler et coll., 2000).

Même les adolescentes qui ont des relations sexuelles avec leur petit ami par crainte de l'irriter si elles lui disaient non connaîtront de l'anxiété et de la dépression par la suite. Une étude a montré qu'environ 41 % des adolescentes de 14 à 17 ans ont eu des activités sexuelles non désirées et que 10 % d'entre elles y auraient été contraintes par leur petit ami. Ces adolescentes sont aussi plus susceptibles de contracter une infection transmise sexuellement et d'avoir une grossesse non désirée, leurs partenaires étant moins portés à utiliser le condom (Blythe et coll., 2006).

La recherche fait aussi état de graves conséquences sexuelles chez les adultes qui ont des antécédents d'abus sexuels (Lutfey et coll., 2006). Une recherche menée auprès de 372 femmes victimes d'une agression sexuelle a révélé que pas moins de 59 % d'entre elles ont eu des problèmes sexuels par la suite. De ce groupe,

70 % liaient ces troubles à l'agression. Les problèmes les plus fréquemment évoqués étaient la peur du sexe et l'absence de désir ou d'excitation (Becker et coll., 1986). Et les séquelles de l'agression sont souvent durables : 60 % des victimes de viol ont souffert de problèmes sexuels pendant plus de trois ans après l'agression (Becker et Kaplan, 1991).

Soulignons enfin que les problèmes subséquents aux abus sexuels durant l'enfance et aux agressions sexuelles à l'âge adulte sont souvent difficiles à comprendre et à vivre pour les partenaires (Haansbaek, 2006).

LES FACTEURS RELATIONNELS

Outre les attitudes et les sentiments personnels, des facteurs relationnels influent sur la satisfaction sexuelle et la qualité d'une relation sexuelle (Real, 2002). Ces facteurs varient souvent en fonction des partenaires et de leurs façons particulières de réagir. Par exemple, un couple peut établir qu'une dispute se termine généralement par une relation sexuelle passionnée, alors qu'un autre décidera de faire chambre à part pendant une semaine. Aussi, lorsqu'un partenaire éprouve une difficulté sexuelle, disons un manque d'intérêt ou une difficulté érectile, l'intérêt de l'autre partenaire et sa capacité à être excité peuvent s'en trouver affectés (Fisher et coll., 2006 ; Samraj et coll., 2005).

Le ressentiment latent, le manque de respect ou de confiance, le dédain pour le corps de l'autre, l'absence d'attirance ou les piètres habiletés sexuelles peuvent entraîner le désintérêt sexuel et l'absence d'excitation ou d'orgasme. Un partenaire peut même se servir, consciemment ou non, de son propre manque d'intérêt

Ne sois pas trop déçu. Si nous avions été destinés à avoir du bon sexe, nous aurions probablement épousé quelqu'un d'autre.

pour blesser ou punir l'autre. Par ailleurs, une personne qui manque de pouvoir et de contrôle dans la relation peut étouffer en elle le désir ou la réponse sexuels et regagner ainsi un certain contrôle sexuel (LoPiccolo, 2000). Il est également possible qu'un individu que l'on presse fréquemment de se prêter à des contacts sexuels, ou qui se sent coupable de refuser, se désintéresse de ce genre de relation et voie son désir s'affaiblir de plus en plus. La trop grande dépendance ou indépendance des partenaires l'un envers l'autre peut aussi être la source de problèmes sexuels qu'on pourra régler en établissant un meilleur équilibre (DeVita-Raeburn, 2006).

Lorsque le désir sexuel est hypoactif (DSHA) et qu'il n'est pas tributaire d'un déficit hormonal, il est souvent le reflet de problèmes relationnels non résolus. Une étude a révélé que les femmes souffrant de DSHA montrent plus d'insatisfaction face aux aspects relationnels de leur vie commune que les femmes ayant d'autres types de problèmes sexuels, tels que le coït douloureux ou la difficulté à atteindre l'orgasme (Stuart et coll., 1998). Selon cette étude, la diminution du désir était reliée à quelques caractéristiques de la relation au sein du couple, dont les suivantes :

* Le partenaire de la femme ne se comportait affectueusement qu'avant le coït.

* La communication et la résolution de conflits étaient insatisfaisantes.

* Le couple ne nourrissait pas l'amour, sa dimension romantique ou l'intimité affective.

LE MANQUE DE COMMUNICATION

Sans véritable communication verbale ou non verbale, les rencontres sexuelles des couples reposent sur des présomptions, sur l'expérience passée, sur des vœux pieux ou des attentes irréalistes, toutes choses susceptibles de rendre les expériences sexuelles routinières et insatisfaisantes. Plusieurs problèmes de communication découlent des rôles sexuels stéréotypés, dont le mythe voulant que « le sexe est une responsabilité masculine et que l'affirmation de soi sur le plan sexuel n'est pas quelque chose de féminin » (Kaplan, 1974, p. 350). Ainsi, une femme qui n'a pas d'orgasme a plus de difficulté à communiquer son désir de stimulation clitoridienne directe qu'une femme qui connaît l'orgasme (Kelly et coll., 1990).

LA CRAINTE D'UNE GROSSESSE OU D'UNE ITSS

Dans les relations hétérosexuelles, la crainte d'une grossesse peut nuire au plaisir du coït, surtout en l'absence de méthode contraceptive efficace (Sanders et coll., 2003). Par ailleurs, plusieurs couples qui tentent en vain de concevoir un enfant finissent par développer de l'anxiété, spécialement s'ils ont à modifier leurs habitudes sexuelles et à planifier leurs relations coïtales pour favoriser la conception.

La crainte des ITSS et du sida peut aussi inhiber l'excitation sexuelle tant dans les relations homosexuelles qu'hétérosexuelles. Pour les personnes qui ne vivent pas une relation exclusive, le danger est bien réel. Des conseils relatifs à des pratiques sexuelles sans risque sont donnés au chapitre 12.

L'ORIENTATION SEXUELLE

Une femme ou un homme qui rêve de relations homosexuelles ne tirera probablement pas beaucoup de satisfaction d'une relation hétérosexuelle (Althof, 2000). Bien que les groupes de défense des droits des homosexuels et que les récentes modifications législatives aient beaucoup fait évoluer les mentalités, l'orientation homosexuelle est loin d'être acceptée inconditionnellement dans notre société. On s'expose donc à la désapprobation sociale, voire à la discrimination, lorsqu'on décide de s'engager dans des relations homosexuelles. Pour éviter ces conséquences, certaines personnes homosexuelles s'astreignent à des relations hétérosexuelles pour lesquelles elles n'ont aucune attirance.

Des difficultés sexuelles peuvent aussi se manifester chez une personne qui vit une relation homosexuelle, mais qui n'a pas réussi à se défaire des idées négatives qu'elle a intériorisées face à l'homosexualité (Nichols, 1989), comme l'explique cette femme.

Ça m'a pris dix ans de combat avec moi-même pour accepter mon lesbianisme. J'ai essayé des rencontres avec des hommes, mais un sentiment particulier, significatif, faisait toujours défaut. J'ai eu plusieurs relations avec des femmes qui n'ont pas abouti. Puis, j'ai rencontré Carole. Je l'appréciais, la respectais et j'étais très attirée par elle. Je cherchais une relation à long terme; nos sentiments étaient réciproques et nous étions bien ensemble. Côté sexe, c'était fantastique, jusqu'à ce qu'elle me déclare son amour. Alors, un interrupteur s'est fermé dans mon esprit, je ne ressentais plus d'intérêt pour elle. En thérapie, j'ai réalisé que c'était le poids des sentiments négatifs liés à la désapprobation de ma mère qui me refroidissait et qui m'empêchait d'être pleinement heureuse et comblée dans une relation « queer ». J'ai assumé ces sentiments et je peux maintenant avoir une vie sexuelle épanouie à l'intérieur d'une relation amoureuse stable pour la première fois de ma vie. (Notes des auteurs)

VERS L'ÉPANOUISSEMENT SEXUEL

Cette section est consacrée aux méthodes permettant d'accroître la satisfaction sexuelle. Les suggestions que nous présentons ici se sont avérées utiles à de nombreuses personnes. Toutefois, compte tenu de la diversité des individus, il sera souvent nécessaire d'adapter les exercices proposés, car ils ne peuvent s'appliquer à tous. Par ailleurs, il faut songer à faire appel à une aide professionnelle si, malgré les efforts de l'un ou l'autre des partenaires, ou des deux, on ne parvient pas aux résultats escomptés.

LA CONSCIENCE DE SOI

Pour jouir d'une vie sexuelle satisfaisante, il est essentiel de se connaître soi-même et de pouvoir s'exprimer tant physiquement qu'affectivement (Morehouse, 2001; Schwartz, 2003). Une bonne façon d'améliorer sa

conscience de soi est de bien connaître sa propre anatomie. Les exercices de masturbation représentent, tant pour les hommes que pour les femmes, un excellent moyen d'acquérir une connaissance pratique de leur réponse sexuelle. L'autostimulation et l'autoexploration sont souvent des éléments importants de l'apprentissage sexuel; elles peuvent aider les femmes à atteindre l'orgasme et les hommes à moduler leur excitation pour retarder l'éjaculation.

Chaque personne peut avoir développé un mode excitatoire (Desjardins, 2007) de masturbation qui affecte sa capacité à être excitée par un ou une partenaire. Par exemple, 65 % des hommes qui ont consulté pour un problème d'absence d'éjaculation avaient un mode excitatoire exigeant une intensité, une pression et une rapidité impossibles à reproduire durant le coït. Ainsi, certains de ces hommes se frottent le pénis contre une surface particulière et se stimulent en exerçant une pression manuelle très forte ou en effectuant des mouvements exceptionnellement rapides (Helien et coll., 2006; Desjardins, 2007). Les femmes peuvent aussi avoir un mode excitatoire qui leur est propre, comme de croiser les jambes en se balançant, ce qui est impossible à reproduire pour un partenaire. Adapter ou modifier ses modes excitatoires de façon qu'ils se rapprochent de ceux du partenaire est une étape vers l'atteinte de l'orgasme dans une relation sexuelle.

LA FOCALISATION SENSUELLE

Une des activités de couple les plus utiles pour amplifier le plaisir sexuel mutuel des partenaires est une série d'exercices tactiles appelée **focalisation sensuelle**. Masters et Johnson ont développé cette technique pour en faire un outil de base dans le traitement des difficultés sexuelles. Grâce à la focalisation sensuelle (voir la figure 10.3), on peut réduire l'angoisse de la performance et favoriser la communication, le plaisir et l'intimité (De Villers et Turgeon, 2005).

Avant de commencer une séance, il faut prendre le temps de s'installer confortablement — par exemple, on débranchera le téléphone et on créera une ambiance chaleureuse et intime, avec éclairage et musique propices à la détente. Les partenaires se déshabillent, et celui qui tient le rôle actif commence à explorer le corps de l'autre en observant rigoureusement la consigne suivante : il ne touche l'autre ni pour lui plaire ni pour l'exciter, mais pour en tirer *lui-même* plaisir et sensations. Il doit se concentrer

sur sa perception des textures, des formes et de la chaleur du corps de l'autre. Comme cette expérience tactile ne vise aucun but (ce qui pourrait inhiber l'excitation des partenaires), l'angoisse de la performance est amoindrie, voire éliminée. La personne caressée reste passive sauf si un toucher n'est pas agréable. Dans ce cas, elle décrit l'inconfort et indique comment y remédier. Elle dira par exemple : « Ça chatouille ! S'il te plaît, touche-moi plutôt de l'autre côté du bras. » Cette démarche permet à la personne qui caresse l'autre de se concentrer exclusivement sur ses propres sensations et perceptions sans craindre constamment de lui déplaire.

Dans l'exercice de focalisation sensuelle suivant, les partenaires intervertissent les rôles, en respectant les mêmes consignes. Le coït et l'attouchement des seins et des organes génitaux sont interdits. Ils ne sont permis dans l'exercice que lorsque les partenaires ont bien expérimenté les perceptions tactiles et ont pu se faire part l'un à l'autre des sensations moins agréables. Ici encore, le partenaire actif explore le corps de l'autre pour son propre plaisir, pas pour celui de l'autre. Dans l'expérience de focalisation sensuelle simultanée, les caresses sur les seins et les organes génitaux sont permises. Les partenaires se caressent alors l'un l'autre en même temps et goûtent aux sensations que procurent le fait de toucher et celui d'être touché.

Les approches thérapeutiques modernes reposent sur l'hypothèse que la communication franche, l'intimité émotionnelle et le plaisir physique des deux partenaires doivent guider le traitement et constituer le but à atteindre. Ces principes entrent cependant en conflit avec plusieurs normes culturelles (D. Goodman, 2001), comme l'explique l'encadré « Les uns et les autres ».

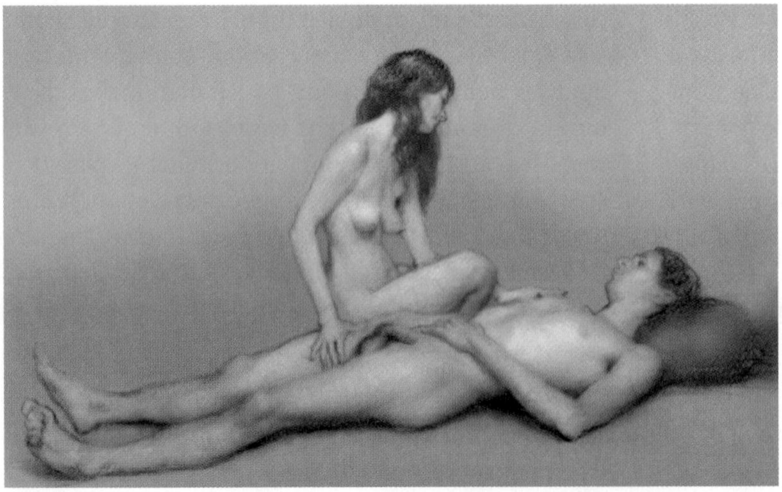

CONSEILS DESTINÉS AUX FEMMES

Dans cette section, nous présentons des techniques qui peuvent aider les femmes à augmenter leur excitation sexuelle et à atteindre l'orgasme seules ou avec un ou une partenaire. Nous donnons aussi des suggestions pour traiter le vaginisme.

APPRENDRE À ATTEINDRE L'ORGASME

Les protocoles thérapeutiques pour apprendre à atteindre l'orgasme sont

Figure 10.3 Dans la méthode de focalisation sensuelle, les partenaires explorent avec sensualité le corps de l'autre, ce qui peut contribuer à l'épanouissement sexuel du couple.

Les uns et les autres

Conflits de valeurs entre cultures et approches thérapeutiques modernes

Les croyances culturelles influencent les pratiques sexuelles, la perception de ce qu'est un problème sexuel et la façon de le traiter. Une étude conduite en Arabie saoudite, où les relations sexuelles conjugales sont basées sur les dimensions de la virilité et de la fertilité du couple, a établi que le problème le plus fréquent qui pousse les couples à consulter est le trouble érectile. Les femmes d'Arabie saoudite, qui sont éduquées à inhiber leur désir sexuel, ne vont en sexothérapie que pour traiter des douleurs intenses lors du coït. À la différence de leurs consœurs d'Occident, ces femmes ne consultent pas pour une absence de désir, d'excitation ou d'orgasme. Pour les hommes comme pour les femmes, un traitement s'avère nécessaire seulement si le coït — et non pas l'intérêt ni le plaisir sexuels — est compromis (Osman et Al-Sawaf, 1995).

Dans plusieurs traditions culturelles, il n'y a ni éducation ni communication sur la sexualité. Au Pakistan, l'absence d'éducation sexuelle formelle conduit à de fausses croyances. Par exemple, les hommes qui éjaculent rapidement croient généralement que la masturbation et l'éjaculation pendant le sommeil ont endommagé les muscles et les vaisseaux sanguins du pénis, causant ainsi le problème (Bhatti, 2005).

Les Asiatiques considèrent que parler de sexe est honteux, surtout avec quelqu'un d'extérieur à la famille. Dans les cultures où l'on s'attend que les femmes demeurent ignorantes des choses sexuelles, l'élément « éducation sexuelle » d'une thérapie entre en conflit avec les valeurs dominantes. Durant une thérapie, les musulmans disent souvent qu'ils évitent de parler de sexualité avec des personnes de l'autre sexe (incluant leur épouse). Faire l'historique de leur vie sexuelle peut causer de la détresse chez les clients qui ont de telles croyances, surtout lorsque le mari et l'épouse sont interviewés ensemble.

Des techniques sexothérapeutiques spécifiques entrent aussi souvent en conflit avec certaines valeurs culturelles. (Rosenau et coll., 2001 ; Timmerman, 2001). Par exemple, les exercices de masturbation visant à traiter l'anorgasmie, les difficultés érectiles ou l'éjaculation précoce entrent en conflit avec les interdits religieux des juifs orthodoxes et de certains chrétiens fondamentalistes. L'égalité des sexes inhérente à l'approche de focalisation sensuelle et l'évitement du coït proposé dans certains exercices heurtent souvent les valeurs de groupes religieux et ethniques.

La sexothérapie doit tenir compte des valeurs culturelles des personnes et de leurs conséquences sur les comportements intimes. Les thérapeutes doivent chercher à adapter leurs thérapies aux valeurs religieuses et ethniques de leurs clients (Richardson et coll., 2006 ; Shtarkshall, 2005). C'est probablement plus efficace que de tenter d'imposer les normes culturelles inhérentes aux thérapies occidentales (Hodge, 2004).

---

basés sur une prise de conscience progressive de son potentiel grâce à des exercices que la femme doit pratiquer chez elle entre les séances de thérapie. Au début, l'accent est mis sur des exercices d'exploration du corps, d'autoexamen des organes et sur les exercices de Kegel (voir le chapitre 2) ; ensuite, le traitement et les exercices faits à la maison s'orientent graduellement vers des techniques d'autostimulation semblables à celles décrites au chapitre 7. Par l'autostimulation, une femme qui n'a pas de partenaire peut apprendre à atteindre l'orgasme par elle-même. Et même si elle a un ou une partenaire, le fait de parvenir à un orgasme sans le concours de l'autre lui procure un sentiment d'indépendance et d'autonomie qui n'est pas sans valeur.

Les vibrateurs peuvent aider la femme anorgasmique à avoir un premier orgasme ; ils sont moins fatigants à utiliser et procurent une stimulation plus intense que les doigts. Lorsque la femme a connu quelques orgasmes par ce moyen mécanique, il est bon qu'elle revienne à la stimulation manuelle, de façon à apprendre à y réagir. Cette étape est très importante, car il sera plus facile pour son partenaire de reproduire les caresses manuelles que la stimulation d'un vibrateur. Il existe aussi un dispositif clitoridien (Eros) qui est destiné à accroître l'afflux sanguin dans le clitoris (Munarriz et coll., 2003).

APPRENDRE À ATTEINDRE L'ORGASME AVEC UN PARTENAIRE

Lorsqu'une femme a appris à atteindre l'orgasme par autostimulation, le fait de partager ce qu'elle a découvert avec son partenaire peut aider celui-ci à savoir quelles stimulations sont les plus agréables pour elle. À tour de rôle, chaque partenaire peut explorer visuellement les organes génitaux de l'autre et poursuivre par

---

Focalisation sensuelle   Série d'exercices tactiles ayant pour but d'amplifier le plaisir sexuel de chacun des partenaires.

Figure 10.4 | La masturbation en présence de l'autre est un bon moyen de lui faire voir quelles caresses nous excitent.

d'amener le partenaire à découvrir ce qui est excitant pour la femme. Si cette dernière pense qu'elle est prête à atteindre l'orgasme, elle indique à son partenaire de continuer la stimulation jusqu'à ce qu'il se déclenche. Atteindre l'orgasme peut cependant exiger plusieurs séances.

Les couples peuvent recourir à plusieurs techniques pour accroître l'excitation de la femme et les possibilités d'orgasme coïtal. Une d'elles se pratique au moment d'amorcer la pénétration. Plutôt que de se faire pénétrer dès que la lubrification est suffisante, la femme peut se laisser guider par ce que l'on pourrait appeler la «sensation d'être prête». Les femmes ne ressentent pas toutes cette sensation, mais pour celles qui y arrivent, il est bon de ne commencer la pénétration qu'à ce moment (et pas avant), car cela peut amplifier les sensations érotiques subséquentes. Bien entendu, le partenaire doit accepter de se prêter à cette expérience et ne pas tenter d'amorcer le coït avant.

La femme qui désire augmenter la stimulation pendant le coït aurait avantage à entreprendre le genre de mouvements et de pressions qu'elle trouve les plus excitants. Elle peut aussi stimuler son clitoris, soit manuellement, soit avec un vibrateur, comme le montre la figure 10.5. La stimulation du clitoris par son partenaire peut aussi augmenter l'excitation.

Le tableau 10.5 indique comment les femmes parviennent généralement à l'orgasme (Ellison, 2000).

des touchers, notant et partageant ce que chaque partie procure comme sensation. À l'étape suivante, la femme se caresse elle-même en présence de son partenaire. Elle peut le faire en partageant son excitation avec son partenaire, qui peut la tenir dans ses bras et l'embrasser, ou rester étendu à ses côtés (voir la figure 10.4). Voici comment une femme s'y est prise pour franchir cette étape souvent embarrassante.

> Lorsque j'ai voulu montrer à mon partenaire ce que j'avais appris sur moi-même en me masturbant, je me suis demandé avec anxiété comment procéder. Finalement, nous avons décidé qu'il demeurerait d'abord dans le salon, sachant que je serais dans la chambre à me masturber. Puis il viendrait s'asseoir sur le lit, mais sans me regarder. Il me prendrait ensuite dans ses bras et m'embrasserait tandis que je me caresserais. C'est ainsi que j'ai pu lui montrer comment je fais. (Notes des auteurs)

Ensuite, le partenaire commence à caresser doucement les organes génitaux de la femme. Le couple choisit la position qui lui convient le mieux. Le partenaire peut s'appuyer contre des coussins ou des oreillers; la femme s'assoit alors entre ses jambes, le dos appuyé contre sa poitrine. Elle place sa main sur celle de son partenaire et le guide, par le geste et la parole, dans l'exploration de ses organes génitaux. Le but de ces premières séances n'est pas de parvenir à l'orgasme, mais

Figure 10.5 | Utilisation d'un vibrateur pour stimuler le clitoris durant le coït.

Tableau 10.5 | Comment parvenir à l'orgasme: 2371 femmes ont complété ainsi l'énoncé « Outre certaines stimulations physiques particulières, j'ai souvent fait ce qui suit pour parvenir à l'orgasme coïtal ».

ACTIVITÉ	POURCENTAGE
Je me mets en position pour obtenir la stimulation dont j'ai besoin.	90 %
Je prête attention à ce que je ressens physiquement.	83 %
Je contracte et relâche mes muscles pelviens.	75 %
Je synchronise mes mouvements avec ceux de mon partenaire.	75 %
Je demande à mon partenaire de faire ce dont j'ai besoin ou je l'y incite.	74 %
Je me mets en condition érotiquement avant de commencer.	71 %
Je me concentre sur le plaisir de mon partenaire.	68 %
Je songe à l'amour que j'ai pour mon partenaire.	65 %

Source : Elliott et Brantley, 1997.

TRAITER LE VAGINISME

Le traitement du vaginisme débute habituellement lors d'un examen pelvien pendant lequel le professionnel de la santé montre à la femme que son vagin réagit par des spasmes. Les traitements subséquents commencent par une détente et des exercices de conscientisation, incluant un bain relaxant, une exploration globale du corps et des contacts agréables avec la main sur la partie externe des organes génitaux. Par la suite, la femme apprend à insérer un bout du doigt dans le vagin, puis un doigt, deux doigts et éventuellement trois doigts. Il est aussi possible de recourir à des dilatateurs de tailles différentes au lieu des doigts, si la femme le préfère. À chaque étape, elle procède à des exercices de relâchement et de contraction des muscles entourant le vagin, comme dans les exercices de Kegel (voir le chapitre 2). Le bio-feedback et des traitements physiologiques peuvent aussi être utilisés (Koehler, 2002). Après que la femme a terminé ces étapes, le partenaire peut à son tour participer au traitement en suivant le même cheminement. Une fois que l'homme a pu insérer trois doigts dans le vagin de la femme sans qu'il y ait de spasme musculaire, celle-ci fait pénétrer lentement en elle le pénis de son partenaire, en y allant par étapes et en se ménageant des pauses de manière à se familiariser avec cette nouvelle sensation. Les mouvements du bassin et la recherche du plaisir ne viendront que plus tard, lorsque les deux partenaires seront familiers avec la pénétration.

CONSEILS DESTINÉS AUX HOMMES

Dans les paragraphes suivants, nous présentons différents moyens de traiter des difficultés sexuelles plutôt communes, telles que l'éjaculation précoce et le trouble érectile. Nous nous intéressons aussi au trouble de l'orgasme, qui est moins répandu.

TENIR PLUS LONGTEMPS

L'éjaculation précoce est un problème courant qui peut se régler assez facilement. En effet, il est relativement simple d'apprendre les techniques de contrôle éjaculatoire et de les mettre en pratique. Mais avant toute chose, voyons quelques stratégies pour retarder l'éjaculation.

Quelques stratégies pour retarder l'éjaculation

En appliquant certaines stratégies simples, les hommes peuvent dans certains cas maîtriser beaucoup mieux leur éjaculation. Ces stratégies peuvent également être utiles aux hommes et aux femmes qui désirent simplement prolonger le coït.

Éjaculez plus fréquemment. Les hommes qui souffrent d'éjaculation précoce découvriront parfois qu'ils peuvent retarder leur éjaculation s'ils parviennent plus fréquemment à l'orgasme, en se masturbant ou en ayant une relation coïtale avec un ou une partenaire.

Reprenez la pénétration. Un couple peut essayer de recommencer la pénétration après une première éjaculation dès que l'érection redevient possible. Cette méthode fonctionne surtout pour les hommes plus jeunes, qui peuvent avoir une érection assez rapidement après une première éjaculation.

Variez les positions. Il semble que la rapidité orgasmique soit associée à la tension musculaire. S'il veut retarder son éjaculation, l'homme ne doit pas demeurer en position supérieure : c'est alors la pire position coïtale, car il doit supporter son propre poids et cela ne fait qu'augmenter sa tension musculaire. Beaucoup d'hommes recouvrent un certain contrôle en restant étendus sur le dos. En soi, cette position ne suffit pas à retarder l'éjaculation. Il faut aussi être détendu. Or, s'il effectue des mouvements pelviens énergiques dans cette posture, l'homme déplace son propre poids en plus de celui de sa partenaire, ce qui accroît encore la tension musculaire.

Parlez-vous l'un l'autre. Pour retarder l'orgasme, il est souvent essentiel de ralentir ou de cesser tout mouvement. L'homme indique à sa partenaire quand elle doit réduire ou cesser la stimulation par ses mouvements.

Envisagez des solutions de rechange. Pour diminuer l'angoisse de la performance associée à l'éjaculation précoce (et à la plupart des autres problèmes dont nous avons parlé ici), il est souvent bon de considérer le coït comme une façon parmi tant d'autres de faire l'amour.

La technique « arrêt-départ »

C'est à l'urologue James Semans que l'on doit la **technique « arrêt-départ »**, laquelle vise à prolonger les sensations précédant l'orgasme, de façon que l'homme, en se familiarisant avec son réflexe éjaculatoire, en vienne à maîtriser la montée de l'excitation. Pour ce faire, la partenaire stimule le pénis manuellement ou oralement jusqu'à ce que l'homme éprouve le désir d'éjaculer. Il faut alors cesser la stimulation jusqu'à ce que se dissipe la sensation de l'imminence de l'éjaculation (Semans, 1956). Un homme peut aussi recourir à cette méthode dans ses pratiques masturbatoires (Zilbergeld, 1992). Le couple devrait en arriver à une entente sur la stimulation sexuelle et l'orgasme de la femme. Si les deux partenaires le désirent, ils pourront se livrer à une activité sexuelle non coïtale.

Pour être efficace, cette technique doit être pratiquée de 15 à 30 minutes par jour, pendant plusieurs jours ou semaines. Durant chaque séance, le couple répète la stimulation et la technique « arrêt-départ » avant de laisser l'éjaculation se produire durant le dernier cycle.

Les traitements médicaux

Certains médicaments contre la dépression, pris à petites doses, peuvent aider à retarder l'éjaculation. Un de leurs effets secondaires est la suppression de l'orgasme chez les hommes et chez les femmes, ce qui est souvent

Technique « arrêt-départ » Technique visant à contrer l'éjaculation précoce, qui consiste en une stimulation du pénis jusqu'à l'imminence d'un orgasme, suivie d'un arrêt jusqu'à ce que disparaissent les sensations prééjaculatoires.

très utile pour le traitement de l'éjaculation précoce (Kim et Seo, 1998 ; Polonsky, 2000). D'autres médicaments visant à traiter l'éjaculation précoce sont à l'étude, comme la dapoxetine qui a été mise au point spécifiquement pour résoudre ce problème (Broderick, 2006 ; McVary et coll., 2006).

CONTRER LA DYSFONCTION ÉRECTILE

Mis à part les causes biologiques, l'anxiété est le principal obstacle à l'érection. La plupart des sexothérapeutes tentent donc de travailler avec la personne sur les moyens de réduire ou d'éliminer l'anxiété. D'abord, le couple fera les exercices de focalisation sensuelle dont nous avons parlé précédemment, en comprenant que le but du toucher n'est pas de produire une érection, une éjaculation ou le coït, mais de se centrer sur le plaisir du toucher. L'extrait suivant montre une réaction fréquente chez les gens qui font cet exercice.

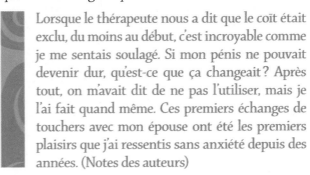

Lorsque le thérapeute nous a dit que le coït était exclu, du moins au début, c'est incroyable comme je me sentais soulagé. Si mon pénis ne pouvait devenir dur, qu'est-ce que ça changeait ? Après tout, on m'avait dit de ne pas l'utiliser, mais je l'ai fait quand même. Ces premiers échanges de touchers avec mon épouse ont été les premiers plaisirs que j'ai ressentis sans anxiété depuis des années. (Notes des auteurs)

Même si le coït et l'éjaculation sont interdits durant ces séances, cela n'empêche pas le ou la partenaire d'avoir un orgasme. Si tel est son désir, les deux partenaires peuvent s'entendre au préalable sur une stimulation extracoïtale capable de mener le ou la partenaire à l'orgasme à la fin de la séance (autostimulation, caresses par le partenaire, stimulation buccale, etc.).

Lorsque l'angoisse s'est atténuée et que le couple a suffisamment progressé pour profiter des plaisirs de l'exploration sensuelle, il est temps de passer à l'étape suivante. À ce stade, l'homme souffrant d'un trouble érectile à composante psychologique aura probablement eu des érections spontanées ; cela n'est toutefois pas essentiel pour que le couple poursuive son expérimentation. Il s'agit maintenant de se concentrer sur les types de stimulations génitales non coïtales que l'homme trouve particulièrement excitantes — stimulation manuelle, buccale ou les deux. Si l'homme obtient une érection complète, sa partenaire doit cesser toute stimulation. Les gens sont parfois effarés par cette façon de faire, car ils jugent plus logique de passer à la pénétration. Cependant, l'expérience clinique a montré qu'il est essentiel qu'il y ait perte de l'érection à ce moment-là. Pourquoi? En constatant qu'il peut perdre et regagner une érection, l'homme craindra moins d'avoir tout fait rater parce que son érection de départ s'est dissipée. Lorsque le ou la partenaire cesse la stimulation, l'homme laisse son érection s'estomper jusqu'à l'état de repos. Cela peut prendre plusieurs minutes si l'excitation était très grande. Les partenaires peuvent passer ce temps à s'étreindre ou à échanger des caresses non génitales. Lorsque l'érection est complètement disparue, le ou la partenaire recommence les caresses génitales.

Pour les couples hétérosexuels qui désirent un coït, la dernière étape comprend la pénétration. L'homme est allongé sur le dos et la femme le chevauche. Le couple commence par les exercices de focalisation sensuelle, puis passe à la stimulation génitale. Lorsque l'homme a une érection, sa partenaire fait glisser le pénis dans son vagin et poursuit la stimulation par de doux mouvements du bassin. Il est important que l'homme puisse se montrer « égoïste », qu'il se concentre exclusivement sur son plaisir (Kaplan, 1974). Il arrive que les hommes perdent leur érection en pénétrant la femme. Si cela se produit, la partenaire peut recommencer la stimulation buccale ou manuelle qui a mené à l'érection. Si le problème réapparaît, les couples disposent ensuite de suffisamment de techniques pour éviter de s'enferrer dans de nouvelles difficultés. S'il y a blocage, il vaut mieux cesser le contact génital et retourner à une focalisation sensuelle libre de toute obligation de performance.

Certains hommes dont les troubles érectiles résultent de problèmes psychologiques s'accommodent très bien de leur absence d'érection en s'adonnant à diverses formes d'échanges sexuels. Pour ceux qui ne s'en accommodent pas, il existe plusieurs types de traitements.

Les traitements médicaux

Certains hommes dont les difficultés érectiles sont liées à des facteurs physiologiques modifient avec satisfaction leur fonctionnement sexuel en mettant l'accent sur d'autres façons d'obtenir du plaisir sexuel. D'autres, par contre, peuvent compter sur différents types de traitements médicaux. Le Viagra a été lancé en 1998. D'abord mis au point pour traiter les maladies cardiovasculaires, ce médicament a connu le succès le plus foudroyant de l'histoire pharmaceutique. Près de 40 000 ordonnances pour ce médicament ont été rédigées dans les deux premières semaines suivant sa mise en marché (Holmes, 2003). Il y a maintenant d'autres médicaments aux effets similaires, tels que le Levitra et le Cialis, ce dernier ayant une durée d'action prolongée.

Les effets secondaires les plus courants de ces médicaments sont les rougeurs, les maux de tête et la congestion nasale (Goldstein, 2003). Ils peuvent aussi causer le priapisme, un état d'érection permanente qui peut endommager gravement les tissus du pénis si une intervention médicale n'est pas pratiquée dans les premières heures (Adams, 2003). Quelques hommes sont morts après avoir pris du Viagra (49 hommes pour 1 million d'ordonnances), mais la plupart de ces décès seraient attribuables à une maladie cardiovasculaire préexistante. On continue néanmoins d'enquêter sur le rôle que le Viagra aurait pu y jouer (Mitka, 2000). En octobre 2007, la Food and Drug Administration des États-Unis a émis un avis selon lequel le Viagra ou d'autres médicaments similaires pouvaient entraîner une surdité subite. Au Canada, la question était à l'étude au moment de rédiger ces lignes.

Pour des raisons inconnues, la moitié des ordonnances de Viagra ne sont pas renouvelées (Duenwald, 2003). Il est à espérer que c'est parce que le Viagra a aidé certains hommes et leur partenaire à surmonter ce qui nuisait à leurs interactions sexuelles. Pour de nombreux couples, le Viagra est le remède miracle grâce auquel ils peuvent à nouveau jouir de l'intimité du coït. De fait, les études révèlent une amélioration notable de la désirabilité, du fonctionnement sexuel et de la satisfaction chez les partenaires d'hommes qui recourent à une telle médication (Eardley et coll., 2006 ; Fisher et coll., 2006 ; McCullough et coll., 2006). Plusieurs hommes, cependant, peuvent estimer qu'une érection ferme est secondaire dans une bonne relation. Dans une relation troublée, l'utilisation de ce médicament pourrait aussi être l'occasion de prendre conscience de problèmes sous-jacents et de les affronter en en discutant ouvertement (Cooper, 2006).

Par ailleurs, le Viagra fait de plus en plus figure de drogue à usage récréatif, d'accessoire pour les aventures sans lendemain. Les petites pilules bleues sont parfois distribuées à la manière de bonbons lors des fêtes érotiques qui se donnent dans certaines sous-cultures. Ainsi, dans des rassemblements d'adolescents et de jeunes adultes comme les *raves*, le Viagra est offert et utilisé pour contrer les effets inhibiteurs de la capacité érectile qu'ont des drogues comme l'ecstasy (Boulware,

2000b). Cet usage est fortement contre-indiqué. La combinaison Viagra et drogues récréatives — le fait d'avoir des érections prolongées tout en étant dans un état de conscience modifiée — favorise les comportements sexuels à haut risque tant chez les hétérosexuels que chez les gais, comportements qui auraient été évités autrement (Adams, 2003).

Le Viagra a suscité la discussion sur les problèmes érectiles. Même les hommes qui n'ont pas de dysfonction érectile en sont venus à utiliser de telles substances pour augmenter la fermeté de l'érection et la maintenir plus longtemps. Il est tentant pour les hommes de pouvoir faire durer le coït pour plus d'une ou plusieurs éjaculations (Naughton, 2004).

Avant l'avènement du Viagra, un traitement répandu contre les troubles érectiles consistait à administrer un médicament vasoactif. Une impuissance érectile d'origine vasculaire peut en effet être traitée en injectant dans le pénis les mêmes médicaments vasoactifs que ceux utilisés pour diagnostiquer les problèmes vasculaires qui seraient à l'origine du trouble érectile (Lewis et Heaton, 2000). En relaxant les tissus musculaires lisses dans le corps spongieux du pénis, ces médicaments accélèrent la circulation sanguine, ce qui amène l'engorgement et l'érection. Un médecin apprend à l'homme à injecter le médicament dans les corps caverneux de son pénis; l'érection se produit habituellement dans les 4 à 10 minutes suivantes et peut durer de 1 à 4 heures. L'injection n'est pas très douloureuse, mais il peut y avoir des complications: l'insensibilité passagère du gland, une infection, une lésion au point d'injection et une érection prolongée. Les effets à long terme de ces injections ne sont pas connus. Pour traiter les troubles érectiles, il existe aussi un médicament sous forme de suppositoire à introduire dans l'urètre (Simon, 2003).

Les dispositifs mécaniques

Depuis le milieu des années 1980, il existe des dispositifs qui, par succion, amènent le sang dans le pénis et l'y maintiennent le temps du coït (Korenman et Viosca, 1992). Vendus sur ordonnance, ces dispositifs externes comprennent un cylindre, une pompe à vide et des bandes de constriction péniennes. On insère le pénis dans le cylindre et on y crée le vide en actionnant la pompe pour chasser l'air. Le vide entraîne un afflux de sang dans le pénis, ce qui déclenche l'érection. On ajuste alors la bande élastique à la base du pénis pour retenir le sang dans l'organe et on retire le cylindre (Levy et coll., 2000).

Autre système offert en vente libre cette fois: le Rejoyn. Il s'agit d'une gaine pénienne faite d'un matériau caoutchouteux d'une grande douceur. On y glisse le pénis qui, ainsi gainé, a toute la rigidité nécessaire au coït.

Les traitements chirurgicaux

Les hommes insensibles au Viagra ou aux autres méthodes peuvent avoir recours à une prothèse pénienne dont l'implantation nécessite une intervention chirurgicale (Carson, 2003). C'est une solution qu'il faut évaluer soigneusement en compagnie de son ou sa partenaire et de son chirurgien, car elle est coûteuse et comporte des risques d'infection (Wilson et Delk, 1994). Il y a deux principaux types de prothèse pénienne. Le premier se compose d'une paire de tiges semi-rigides recouvertes d'une gaine en silicone que le chirurgien introduit dans les corps caverneux du pénis. Cette prothèse est plus facile à implanter que celle du second type, mais elle a l'inconvénient de garder le pénis en semi-érection en permanence. Le second type de prothèse est un dispositif gonflable. Deux cylindres gonflables sont implantés dans les corps caverneux de la hampe pénienne, puis connectés à une pompe placée dans le scrotum et à un réservoir à fluide logé près de la vessie (voir la figure 10.6). Quand l'homme veut avoir une érection, il presse la pompe plusieurs fois et le fluide gonfle les cylindres, ce qui produit l'érection. Quand on désire faire cesser l'érection, on actionne la valve de retour qui permet

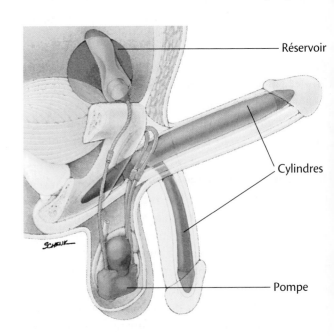

Figure 10.6 | Une prothèse pénienne gonflable.

au fluide de réintégrer le réservoir. Aucun de ces dispositifs ne restaure la sensation ou la capacité d'éjaculer, si la perte de ces facultés est d'origine physiologique. Bien plus, la chirurgie requise pour insérer l'implant peut causer une diminution des sensations. Ces appareils permettent cependant aux hommes qui le désirent de recouvrer mécaniquement la capacité d'avoir une érection, et la plupart de ceux qui y ont eu recours affirment que cela a amélioré leur vie sexuelle (Richter et coll., 2006).

La revascularisation est une autre solution chirurgicale aux difficultés érectiles. Pratiquée dans de rares institutions, la revascularisation peut aider à restaurer le fonctionnement sexuel chez une minorité d'hommes soigneusement sélectionnés (Nash, 1997).

TRAITER LES TROUBLES DE L'ORGASME MASCULIN

La thérapie sexuelle, souvent conseillée dans ces cas, débute généralement par quelques jours de focalisation sensuelle, alors que l'homme ne devrait pas avoir d'éjaculation en se masturbant ou avec l'intervention d'une ou d'un partenaire. (Si son ou sa partenaire désire un orgasme, cela peut se réaliser selon la méthode qui convient aux deux partenaires.) À la prochaine étape, l'homme doit se stimuler lui-même jusqu'à l'orgasme en présence de son ou sa partenaire. Une fois que les deux partenaires se sont habitués à cette masturbation masculine, ils peuvent passer à la phase suivante : le ou la partenaire amène l'homme à l'orgasme par la stimulation jugée la plus efficace. Cela peut demander plusieurs jours avant que le ou la partenaire parvienne à faire déclencher une éjaculation, mais il est important pour l'homme de ne pas éjaculer en se masturbant pendant cette période. La plupart des sexothérapeutes considèrent comme une étape importante le fait que l'éjaculation ait été produite par l'intervention du ou de la partenaire. Lorsque l'homme éjacule régulièrement par suite de la stimulation de l'autre, le couple peut passer à la dernière étape du traitement, celle où l'éjaculation se produit pendant la pénétration.

Après avoir nourri l'excitation par d'autres moyens, le couple essaie la pénétration. Si l'éjaculation ne survient pas rapidement après la pénétration, l'homme doit se retirer et reprendre la stimulation autrement jusqu'à ce qu'il soit sur le point d'éjaculer ; le couple reprend alors la pénétration. Le blocage psychologique généralement associé au trouble de l'éjaculation disparaît souvent après quelques expériences réussies d'éjaculation intravaginale. Enfin, une psychothérapie peut s'avérer nécessaire pour comprendre et résoudre les problèmes plus profonds, personnels ou de couple, qui sont à l'origine de la difficulté orgasmique.

TRAITER LE TROUBLE DU DÉSIR SEXUEL HYPOACTIF

Plusieurs moyens utilisés pour traiter le trouble du désir sexuel hypoactif sont similaires à ceux employés pour d'autres troubles sexuels. Ils comprennent :

* Le développement de la réponse érotique par l'auto-stimulation et les fantasmes excitants.

* La réduction de l'anxiété par de l'information appropriée et des exercices de focalisation sensuelle.

* L'amélioration des expériences sexuelles par une meilleure communication et le développement d'habiletés — en recourant à des activités sexuelles désirées et en refusant les activités sexuelles non désirées.

* L'enrichissement de son répertoire d'activités affectives et sexuelles.

La plupart des thérapeutes suggèrent une combinaison d'activités spécifiques accompagnées d'une thérapie en profondeur, laquelle peut aider une personne à comprendre et à résoudre un quelconque conflit inconscient concernant le plaisir sexuel et l'intimité. Dans les cas où le faible niveau du désir sexuel est le symptôme d'un problème relationnel non résolu, la thérapie se concentre sur les interactions entre les partenaires pouvant contribuer à l'absence du désir sexuel (Alperstein, 2001).

LES TRAITEMENTS MÉDICAUX

Les hommes ayant un faible niveau de testostérone prennent souvent cette hormone sous forme de supplément — généralement un gel transdermique — pour augmenter leur désir sexuel (Tomlinson et coll., 2006). Le nombre d'ordonnances de testostérone a triplé durant les dernières années compte tenu que de plus en plus d'hommes en prennent pour compenser la diminution normale survenant avec l'avancée en âge (Harvard Health Publications, 2006).

Une revue des études contrôlées sur les œstrogènes et la testostérone et le fonctionnement sexuel des femmes postménopausées a montré que les deux thérapies hormonales, avec œstrogènes ou avec testostérone, sont associées à une augmentation de l'intérêt sexuel, de l'excitation et de la satisfaction, tant par la masturbation que par l'activité sexuelle avec un partenaire (Goldstein et Leventhal-Alexander, 2005). La testostérone peut aussi accroître l'intérêt sexuel chez les femmes préménopausées ayant un faible niveau de cette hormone (Reinberg 2006 ; Berga et McCord, 2005). En 2004, la Food and Drug Administration (FDA) a rejeté une demande d'homologation d'un timbre épidermique, l'Intrinsa, malgré des études montrant qu'il pouvait favoriser une augmentation du désir et du plaisir (Dennerstein et Goldstein, 2005). Ainsi, les femmes ne peuvent profiter de ces avantages que si la testostérone leur est prescrite dans un autre but (Garcia-Banigan, 2005). La recherche sur les effets secondaires des thérapies à la testostérone, tant chez les hommes que chez les femmes, se poursuit pour en évaluer les risques — notamment en ce qui a trait au cancer et aux maladies cardiaques — et les avantages (Reinberg, 2006 ; Tamimi et coll., 2006).

Depuis le succès commercial instantané du Viagra, l'industrie pharmaceutique a tenté de mettre au point une pilule qui déclencherait le désir et la réponse sexuels chez la femme. La plupart des recherches qui ont testé le Viagra sur les femmes n'ont rien donné de positif. Ce médicament peut être utile à certaines femmes, mais lesquelles et jusqu'à quel point, cela n'est pas très clair (Johnson, 2003). Il n'est pas aisé de trouver un remède comparable au Viagra pour les femmes ; le problème tient en partie au fait que nos connaissances scientifiques de l'aspect physiologique du fonctionnement sexuel féminin sont plutôt limitées (Bechara et coll., 2003).

Deux produits en vente libre ont fait l'objet de recherches selon les critères de la FDA : Zestra, une huile s'appliquant sur le clitoris et la vulve, et ArginMax, un supplément nutritionnel. On a établi que Zestra améliorait la réponse sexuelle des femmes, et les participantes à l'étude ArginMax ont fait état d'un accroissement des sensations clitoridiennes, du désir sexuel, de la lubrification vaginale, de la fréquence des orgasmes et de la satisfaction sexuelle (Ferguson et coll., 2003 ; Ito et coll., 2001). Les premières études contrôlées avec placebo sur la bremelanotide, une hormone synthétique qui se prend par inhalation et agit sur des circuits nerveux, ont montré une augmentation rapide du désir sexuel, de l'excitation génitale et de la satisfaction sexuelle (Diamond et coll., 2006).

Des crèmes contenant de l'alprostadil, des prostaglandines ou de la L-arginine amino acide ont montré qu'elles pouvaient stimuler l'afflux sanguin dans les organes génitaux et accroître l'excitation, l'orgasme et la satisfaction sexuelle (Gearson, 2003 ; Gittleman et coll., 2006).

DEMANDER DE L'AIDE PROFESSIONNELLE

Bien que certains problèmes sexuels puissent se régler avec le temps, l'aide de spécialistes peut parfois être nécessaire (De Amicis et coll., 1984). Décider d'aller en thérapie est souvent une étape difficile à franchir. Dans une clinique médicale communautaire, 33 % des hommes interrogés sur leurs difficultés sexuelles ont mentionné des problèmes d'éjaculation précoce, 10 % des difficultés érectiles et 10 % un faible intérêt sexuel, mais aucun n'avait songé à aller chercher de l'aide professionnelle (Rosenberg et coll., 2006).

QUE SE PASSE-T-IL EN THÉRAPIE ?

Plusieurs personnes appréhendent d'aller voir un ou une sexothérapeute ; il peut être très utile d'avoir une idée de ce qui s'y passe. Chaque thérapeute travaille différemment, mais la plupart suivent les mêmes étapes. Lors du premier rendez-vous, le thérapeute aide le client (ou le couple) à identifier son problème (ou la perception qu'il en a) et à préciser ce qu'il attend de la thérapie. Il pose habituellement des questions pour savoir à quel moment le problème est apparu, comment il s'est développé dans le temps, quelle en est la cause et comment la personne a tenté de le solutionner. Le thérapeute peut alors se contenter de fournir au client certaines informations dont il a besoin ; il peut aussi le rassurer quant au caractère normal et inoffensif de certains sentiments, idées, fantasmes, désirs ou comportements qui augmentent sa satisfaction personnelle. En même temps, certains peuvent y trouver l'autorisation de ne pas s'engager dans des activités sexuelles qu'ils n'aiment pas.

Pendant les rencontres suivantes (la plupart des thérapies comportent une rencontre hebdomadaire d'une heure), le thérapeute pourra recueillir plus d'informations sur l'historique personnel, sexuel et relationnel de la personne (ou du couple). Il voudra probablement aussi connaître les antécédents médicaux et le fonctionnement physiologique actuel de la personne ; s'il y a lieu, il pourra ainsi l'orienter vers des services pour lui faire subir d'autres examens. Pendant ces séances, le thérapeute évaluera si le client a un mode de vie qui favorise une bonne relation affective et sexuelle, et tentera de voir s'il connaît des problèmes de toxicomanie ou de violence familiale.

Une fois que le thérapeute et la personne (ou le couple) connaissent mieux la nature de la difficulté et qu'ils ont défini les buts de la thérapie, le thérapeute consacre les rencontres suivantes à aider le client à comprendre et à surmonter les obstacles qui l'empêchent d'atteindre ces objectifs. Souvent, le thérapeute fournit des informations psychoéducatives au client et lui prescrit des exercices, tels que la masturbation ou la focalisation sensuelle, à effectuer entre les rencontres (Althof, 2006). Ce qui a bien fonctionné et ce qui a posé des difficultés dans les exercices est analysé et discuté lors de la rencontre suivante. Dans certains cas, des problèmes émotionnels et relationnels sont la cause de la difficulté sexuelle et différents types de thérapies sont nécessaires.

La thérapie prend fin lorsque le client a atteint ses objectifs. Le thérapeute et le client peuvent aussi planifier une ou plusieurs rencontres de suivi. Il est souvent utile que le client ait un plan lui permettant de maintenir ses progrès et de continuer à évoluer.

CHOISIR UN THÉRAPEUTE

Pour choisir un sexothérapeute, on peut demander conseil à un enseignant qui donne un cours sur la sexualité ou encore s'adresser à une association (ou corporation) professionnelle de thérapeutes ou de sexologues. Au Québec, vous pouvez communiquer avec l'Association des sexologues du Québec et le Regroupement professionnel des sexologues du Québec. Un projet d'incorporation professionnelle est en cours au moment d'écrire ces lignes et aura peut-être connu son dénouement lorsque vous lirez ce livre. Vous pourriez alors consulter cette corporation. Il est aussi possible de s'adresser à l'Ordre des psychologues du Québec. Une fois que vous aurez consulté ces différentes ressources, vous disposerez d'une liste de thérapeutes parmi lesquels choisir. Un sexothérapeute doit posséder minimalement une diplôme spécialisé de niveau maîtrise, en sexologie ou en psychologie, ou en travail social dans certains cas. Pour pratiquer la thérapie, il faut avoir suivi une formation spécifique en thérapie sexuelle, des supervisions et des ateliers. Il est conseillé de vous informer sur la formation et les diplômes d'un thérapeute avant d'arrêter votre choix.

Pour vous aider à savoir si un thérapeute vous convient, prêtez attention à la façon dont vous vous sentez lorsque vous lui parlez. Une thérapie n'est pas une rencontre sociale superficielle, et il peut être malaisé de parler de ses préoccupations personnelles et sexuelles. Mais, pour qu'une thérapie soit utile, il faut avoir le sentiment que la personne choisie vous écoute et cherche réellement à vous comprendre.

Après la première entrevue, vous avez le loisir de poursuivre avec ce thérapeute ou de demander qu'on vous oriente vers une autre personne, compte tenu de votre personnalité ou de vos besoins. Si en cours de thérapie vos rencontres vous laissent insatisfait, discutez-en avec votre thérapeute. Décidez, d'un commun accord si possible, de continuer la thérapie ou de chercher un autre thérapeute. En général, il est préférable d'attendre quelques rencontres avant de prendre une décision finale. Certaines personnes s'attendent à une cure miracle plutôt qu'au travail difficile mais gratifiant qu'exige une thérapie.

DES ACTES CONTRAIRES À L'ÉTHIQUE

Il est radicalement contraire à l'éthique et au code de déontologie de leur profession que des thérapeutes aient des relations sexuelles avec des clients, que ce soit pendant ou après la thérapie (Lamb et coll., 2003 ; Reamer, 2003). Il appartient au professionnel de fixer les limites qui garantissent l'intégrité de la relation thérapeutique (Norris et coll., 2003). Les psychiatres, psychologues, sexologues, travailleurs sociaux et conseillers professionnels sont tous soumis à des codes de déontologie leur interdisant les relations sexuelles avec leurs clients. Une recherche a établi que 3 % des femmes thérapeutes et 12 % des hommes thérapeutes reconnaissaient avoir des contacts sexuels avec leurs clients actuels (Berkman et coll., 2000).

Un engagement sexuel entre thérapeute et client peut avoir des effets néfastes sur celui-ci (Plaut, 1996). Une recherche a montré que les femmes qui ont eu des contacts sexuels avec leur thérapeute (qu'ils soient psychothérapeutes ou sexothérapeutes) se sentent davantage méfiantes et hostiles envers les hommes et les thérapeutes que les femmes d'un groupe contrôle. Elles ont aussi davantage de symptômes psychologiques et psychosomatiques, notamment de la colère, de la honte, de l'anxiété et de la dépression (Finger, 2000 ; Regehr et Glancy, 1995). Dès qu'un ou une thérapeute fait des avances sexuelles verbales ou physiques, le client est en droit de quitter immédiatement et de mettre un terme à la thérapie. Pour éviter que d'autres personnes soient victimes d'un abus de pouvoir professionnel, il est conseillé de rapporter l'événement à l'organisme chargé

de recevoir les plaintes relatives à des actes contraires à l'éthique de l'association ou de la corporation professionnelle du thérapeute (Schoener, 1995).

RÉSUMÉ

LA SATISFACTION SEXUELLE DANS LE COUPLE

* La santé sexuelle est un état de bien-être physique, émotionnel, mental et sexuel.

* L'enquête National Health and Social Life Survey (NHSLS) a montré que de nombreuses personnes avaient des problèmes dans leur vie sexuelle.

* Les problèmes sexuels peuvent contribuer à diminuer la satisfaction globale de la personne.

LES DIFFÉRENTS TYPES DE DIFFICULTÉS SEXUELLES

* Un problème sexuel doit se produire dans un contexte de stimulation physique et psychologique adéquat pour être considéré comme un trouble ou une difficulté.

* Le trouble du désir sexuel hypoactif (TDSH) se caractérise par l'absence ou la quasi-absence de désir avant et pendant l'activité sexuelle.

* L'insatisfaction par rapport à la fréquence de l'activité sexuelle se rencontre lorsque les différences d'intérêt sexuel entre les personnes provoquent de la détresse.

* L'aversion sexuelle est une peur ou un dégoût extrême envers l'activité sexuelle.

* Chez la femme, le trouble de l'excitation sexuelle se manifeste généralement par une inhibition de la lubrification vaginale; le trouble subjectif de l'excitation sexuelle existe lorsqu'il y a absence ou diminution des sensations subjectives de l'excitation physique. Lorsque les deux troubles sont présents, on parle de trouble combiné de l'excitation sexuelle chez la femme.

* Le trouble de l'excitation sexuelle persistante se rencontre lorsque l'excitation se produit sans aucune stimulation et qu'elle ne disparaît pas après l'orgasme.

* Le trouble érectile se définit comme l'incapacité habituelle et récurrente pendant au moins trois mois d'avoir ou de maintenir une érection.

* L'anorgasmie féminine se caractérise par l'absence d'orgasme, un délai excessif pour l'atteindre ou sa faible intensité, malgré une grande excitation subjective.

* Le trouble situationnel de l'orgasme féminin se produit lorsqu'une femme peut avoir un orgasme en se masturbant, mais pas par stimulation de la part d'un ou d'une partenaire.

* La pénétration produit une stimulation indirecte du clitoris qui, pour plusieurs femmes, ne mène pas à l'orgasme.

* L'anorgasmie masculine désigne l'incapacité de l'homme à éprouver un orgasme durant une activité sexuelle avec un ou une partenaire.

* L'éjaculation précoce se rencontre lorsqu'un homme a l'habitude d'éjaculer rapidement et est incapable de contrôler le moment de son éjaculation.

* Tant les hommes que les femmes simulent l'orgasme, mais cela est plus fréquent chez les femmes. La simulation entretient une dynamique relationnelle inefficace et nuit à l'intimité de l'expérience sexuelle.

* La dyspareunie, ou coït douloureux, réduit l'intérêt sexuel, tant chez les hommes que chez les femmes. Plusieurs causes physiques peuvent provoquer de la douleur lors du coït; la vestibulite vulvaire est la plus fréquente.

* La maladie de La Peyronie, par laquelle des tissus fibreux et des dépôts calcaires se développent dans le pénis, peut causer des douleurs et faire courber le pénis durant l'érection.

* Le vaginisme est une contraction involontaire des muscles vaginaux qui rend la pénétration douloureuse et difficile. De nombreuses femmes qui souffrent de vaginisme gardent malgré tout un intérêt pour la sexualité et apprécient les relations sexuelles.

LES CAUSES DES DIFFICULTÉS SEXUELLES

* Les facteurs physiques peuvent être la cause première des difficultés sexuelles, mais il s'agit souvent d'une combinaison de facteurs biologiques, psychologiques et sociaux. Il est important de procéder à des examens médicaux pour déterminer si les problèmes sexuels ont une cause physiologique.

* Un bon fonctionnement sexuel est corrélé avec de bonnes habitudes de vie, telles que manger sainement, faire de l'exercice, consommer peu d'alcool et ne pas fumer.

* Les maladies chroniques et leur traitement imposent des contraintes sur le plan sexuel. Les maladies neurologiques, vasculaires et endocriniennes peuvent perturber le fonctionnement sexuel.

* Le diabète peut endommager le système nerveux et le système circulatoire, ce qui nuit à l'excitation sexuelle.

* Les cancers et leur traitement peuvent perturber les fonctions hormonales, vasculaires et neurologiques nécessaires à un bon fonctionnement sexuel. Les cancers des organes reproducteurs ont les pires effets sur la vie sexuelle.

* La sclérose en plaques est une maladie du cerveau et de la moelle épinière qui peut affecter l'intérêt sexuel, les sensations génitales, l'excitation et la capacité orgasmique.

* Les personnes ayant subi un accident vasculaire cérébral parlent souvent d'un déclin de leur vie sexuelle en termes d'intérêt, d'excitation et de fréquence de leurs activités.

* La plupart des personnes atteintes de blessures médullaires conservent leur intérêt pour le sexe, et plus de la moitié d'entre elles ressentent une certaine excitation sexuelle.

* Les personnes atteintes de paralysie cérébrale, maladie qui se traduit par un déficit de coordination musculaire moyen ou sévère, peuvent avoir besoin d'aide lors de la préparation et du positionnement nécessaires à une activité sexuelle.

* Les personnes souffrant de cécité ou de surdité peuvent améliorer leurs interactions sexuelles en développant la sensibilité de leurs autres sens.

* Les médicaments qui peuvent perturber le fonctionnement sexuel incluent les substances prises pour traiter la pression artérielle, les troubles psychiatriques, la dépression et les cancers. La consommation de drogues récréatives (incluant les barbituriques, les narcotiques et la marijuana), l'alcool et le tabac peuvent affecter l'intérêt sexuel, l'excitation et l'orgasme.

* L'égalité dans les rôles sexuels apporte une plus grande satisfaction sexuelle tant aux hommes qu'aux femmes.

* Mettre l'accent sur le coït peut engendrer de l'anxiété de performance et diminuer le plaisir associé à l'acte sexuel.

* Les difficultés sexuelles peuvent être liées à des facteurs individuels comme des connaissances sexuelles limitées ou fausses, des problèmes d'image de soi et d'image corporelle ou des difficultés émotionnelles.

* Le fait d'avoir été l'objet d'un abus sexuel durant l'enfance ou d'une agression sexuelle à l'âge adulte cause souvent des problèmes sexuels. Les victimes d'abus sexuels associent souvent l'activité sexuelle à quelque chose de négatif et de traumatisant.

* Des problèmes relationnels, une mauvaise communication, la peur d'une grossesse ou la crainte d'une infection transmise sexuellement peuvent souvent nuire à la satisfaction sexuelle.

* Une femme ou un homme d'orientation homosexuelle éprouvera souvent des difficultés dans une relation hétérosexuelle, notamment en ce qui a trait au désir, à l'excitation et à l'orgasme.

VERS L'ÉPANOUISSEMENT SEXUEL

* L'exploration de son propre corps, le partage d'information avec un partenaire et une bonne communication sont des éléments importants d'une thérapie.

* La focalisation sensuelle est utilisée pour le traitement de plusieurs difficultés sexuelles.

* Se masturber en présence de l'autre peut être une excellente façon pour des partenaires de se montrer mutuellement les touchers qu'ils trouvent excitants.

* Les protocoles thérapeutiques pour traiter les troubles de l'orgasme féminin sont basés sur des activités développant progressivement une meilleure conscience de son potentiel personnel.

✱ En général, les traitements contre le vaginisme misent sur une meilleure conscience de soi et la relaxation.

✱ Plusieurs méthodes peuvent aider un homme à retarder son éjaculation; un couple peut, par exemple, recourir à la technique arrêt-départ. Certains médicaments antidépresseurs peuvent également aider à retarder l'éjaculation.

✱ Une méthode comportementale conçue pour réduire l'anxiété de performance est aussi utilisée pour traiter les problèmes érectiles d'origine psychologique.

✱ Les médicaments qui stimulent l'afflux sanguin dans le pénis sont largement utilisés dans le traitement des difficultés érectiles. Les chirurgies vasculaires, les implants et prothèses péniens, les pompes à vide externes et les injections vasoactives sont autant de possibilités lorsque la médication s'avère inefficace.

✱ Une méthode comportementale peut être utilisée pour traiter le trouble orgasmique masculin. Elle comprend l'autostimulation, la focalisation sensuelle et la stimulation manuelle par un ou une partenaire, et ce, jusqu'à ce que l'éjaculation se produise.

✱ Pour traiter le trouble du désir sexuel hypoactif, plusieurs techniques de base des thérapies sexuelles sont mises à contribution. Les thérapeutes offrent aussi régulièrement des thérapies en profondeur et du counseling de couple.

✱ La testostérone peut être utile aux hommes et aux femmes ayant un faible niveau de désir sexuel, mais son innocuité n'est pas clairement établie en raison des liens qu'elle peut avoir avec le cancer et les maladies cardiaques.

✱ Une aide professionnelle est souvent très appropriée, et parfois même nécessaire, pour la prise en charge de ses difficultés sexuelles; cependant, peu de personnes cherchent ce type d'aide en pareils cas.

✱ Un thérapeute compétent peut fournir à la personne de l'information pertinente et des méthodes de résolution de problèmes.

✱ Pour un thérapeute, il est contraire à l'éthique professionnelle d'avoir des relations sexuelles avec des clients, pendant ou après la thérapie.

La sexualité imposée

*D*ans ce chapitre, nous allons nous intéresser à trois formes particulières de sexualité imposée : le viol ou l'agression sexuelle, l'abus sexuel envers des enfants et le harcèlement sexuel. Ces trois actes font partie de ce qu'on appelle communément une « agression sexuelle ».

LES AGRESSIONS SEXUELLES

Dès le départ, une précision s'impose quant aux mots utilisés pour décrire la réalité de la sexualité imposée. Le langage populaire et un grand nombre de publications, d'études et de législations à travers le monde recourent au mot *viol* pour désigner un ensemble de phénomènes caractérisés par des comportements où le corps d'une personne est utilisé comme objet sexuel sans son consentement. Le point commun de ces comportements tels qu'on les interprète n'est pas tant la sexualité, ni même le corps pris comme objet, mais bien l'absence de consentement. D'où l'emploi actuel de l'expression **agression sexuelle** pour caractériser ce type de comportements. (Voir l'encadré « Parlons-en ».)

En fait, la distinction entre l'utilisation du corps comme objet avec et sans consentement n'est pas toujours très claire dans beaucoup d'études et d'analyses, et elle en est même souvent absente. Cela tient probablement au fait que, dans tous les cas de plaintes, de dénonciations et de conséquences négatives impliquant le corps, celui-ci a été utilisé comme objet sexuel, et ce, contre la volonté de la personne ou sans son consentement. Le point commun à ces situations est l'absence du consentement et non pas la transformation du corps de l'autre en objet.

La vie courante comporte plusieurs situations où le corps est considéré comme un objet sans que cela fasse de victimes pour autant. Pensons par exemple aux pratiques chirurgicales, à certains traitements invasifs, à certains soins d'hygiène, au conditionnement physique, à la pratique sportive, à certains travaux physiques, etc. Si, au départ, la personne consent ou donne son accord quant à l'utilisation de son corps pendant ces activités, elle n'a pas alors à réévaluer à chaque moment ce consentement. Toutefois, ces activités sont toujours temporaires et assujetties à la possibilité de retirer son consentement sans qu'il y ait des conséquences négatives.

Le consentement doit être libre et éclairé pour être valable. Sans cette condition, il est injustifiable et inadmissible que le corps soit traité comme un objet. Il s'agit alors d'une agression, et qui dit agression dit victime.

Pour tout de suite, voyons une forme particulière de sexualité imposée et certaines de ses conséquences, selon le témoignage d'une fille de 19 ans.

J'ai été agressée sexuellement par mon demi-frère pendant une grande partie de mon enfance. L'abus a débuté à l'été de mes 10 ans. Il est de trois ans et demi mon aîné et on l'avait désigné pour me garder pendant l'été. En général, il n'était pas violent. C'était davantage des exhortations, des obligations et des menaces quant à ce qui pourrait arriver si j'en parlais. Mes souvenirs les plus marquants touchent des moments qui étaient particulièrement douloureux sur le plan physique. Je me dissociais de mon corps et je ne faisais que regarder le ventilateur tourner et encore tourner au plafond. Quand j'ai eu 13 ans, j'ai vu une émission sur l'inceste et j'ai raconté à une femme de l'Église ce qui m'arrivait, et tout a alors basculé. Aussi difficile que ce soit de repenser à cette expérience qui me répugne, ce qui m'a le plus fait mal a été d'entendre mes parents dire au « Centre de protection de l'enfance » que ce n'était que des « jeux d'enfants ». Mes parents ont toujours cherché à me faire croire que j'avais voulu ce qui s'était passé et que je racontais

Agression sexuelle Geste à caractère sexuel, avec ou sans contact physique, commis par un individu sans le consentement de la personne visée ou, dans certains cas, notamment celui des enfants, par une manipulation affective ou du chantage. Il s'agit d'un acte visant à assujettir une autre personne à ses propres désirs par un abus de pouvoir, l'utilisation de la force ou la contrainte, ou sous la menace implicite ou explicite. Une agression sexuelle porte atteinte aux droits fondamentaux, notamment à l'intégrité physique et psychologique, et à la sécurité de la personne (Orientations gouvernementales en matière d'agression sexuelle, 2001, p. 22).

Parlons-en

De la vie privée à la protection sociale

Une nouvelle interprétation sociale axée sur le point de vue des victimes d'une agression a émergé. Selon cette conception, toute société doit prendre les mesures requises pour empêcher que des personnes soient victimes d'une agression sexuelle et pour procurer à celles qui en sont victimes des moyens de réparer autant que possible les dommages qu'elles ont subis. Sur cette base, des changements législatifs, sociaux et éducatifs ont été apportés. C'est ainsi que la notion de viol n'apparaît plus dans le

Code criminel canadien depuis la réforme du droit pénal du début des années 1980 : elle a été remplacée par celle d'agression sexuelle (Schabas, 1995). En sus de ce changement, c'est l'ensemble du système social et éducatif qui a été revu. D'autres lois et règlements, à tous les niveaux administratifs, ont fait leur apparition. Ces changements seront traités plus en détail dans les sections portant sur l'abus sexuel envers des enfants et sur le harcèlement sexuel.

---

cela pour avoir de l'attention. À cause de cette réaction, j'ai cru que c'était de ma faute et je me sentais comme une salope. Mon demi-frère a négocié son admission d'une version des faits et il fut mis sous probation. Pour ma part, on m'a sortie de chez moi et placée en famille d'accueil et en foyer de groupe. J'ai fait de nombreuses tentatives de suicide et j'ai été admise dans quatre hôpitaux psychiatriques sur une période de quatre ans. Je n'ai plus eu de contact avec la « famille ». Par bénédiction, j'ai été adoptée par une autre famille aimante. Mon nouveau père est celui qui m'a empêchée de détester tous les hommes à jamais. Mais je continue à avoir des problèmes en ce qui concerne le sexe. Mon « chum » n'a encore jamais pu me prendre dans ses bras de façon sexuellement amoureuse. Ce n'est que récemment que j'ai cessé d'avoir des « flash-back » et de faire des cauchemars par rapport à ce qui s'est passé. Je suis en thérapie pour la énième fois, mais cette fois-ci cela fonctionne vraiment. (Notes des auteurs)

Ce court récit a le mérite de faire ressortir des éléments qui sont souvent présents dans les agressions sexuelles : le sexe des personnes en cause, le dévoilement, la dénonciation, la réaction de l'entourage, celle de l'appareil judiciaire, le traitement social de la victime, les

séquelles de l'agression sur la victime, la thérapie éventuelle, la vie sexuelle à long terme, autant de composantes de la problématique des agressions dont il faut tenir compte. Cependant, tous ces éléments ne se retrouvent pas systématiquement dans chaque cas. Il existe une très grande diversité de situations. Comme il est impossible de présenter tous les types d'agressions, nous nous concentrerons sur les plus fréquentes.

QUELQUES CHIFFRES SUR LES AGRESSIONS SEXUELLES

Bien que l'agression sexuelle soit un problème marquant dans notre société, on en connaît mal la fréquence réelle, parce que de nombreuses victimes ne la signalent pas à la police. Certains experts affirment que l'agression sexuelle est le crime le moins souvent dénoncé aux autorités (Lonsway et Fitzgerald, 1994).

Les victimes se taisent pour plusieurs raisons : elles se reprochent ce qui leur est arrivé, craignent d'être blâmées par les autres, s'inquiètent des conséquences pour l'agresseur ou tentent simplement d'effacer ainsi le souvenir d'une expérience traumatisante (Parrot, 1991 ; Simonson et Subich, 1999). Une personne qui a été sexuellement agressée peut se sentir vulnérable et anxieuse ; le fait d'avoir à revivre ce qu'elle a vécu en le racontant peut lui sembler difficile. Il arrive aussi que les victimes gardent le silence par méfiance envers la police ou le système judiciaire, par crainte de représailles de l'agresseur ou de sa famille, ou parce qu'elles redoutent une publicité importune. Pour la plupart des gens, l'agression sexuelle est l'œuvre d'un inconnu, et non celle d'une connaissance ou d'un partenaire. Pourtant, ce sont justement les agressions sexuelles commises par des partenaires (amoureux ou sexuels)

Question d'analyse critique

Y a-t-il transformation du corps de l'autre en objet si une personne se concentre uniquement sur ses propres réactions de plaisir pour atteindre l'orgasme ? Expliquez votre réponse.

ou des connaissances qui sont les plus fréquentes; comme elles connaissent leur agresseur, un grand nombre de femmes ont ainsi l'impression de ne pas avoir fait l'objet d'un «vrai viol» (Cowan, 2000; Kahn et coll., 1994b; Rickert et Wiemann, 1998).

Les anciennes estimations du nombre de femmes agressées ou victimes d'une tentative d'agression étaient extrêmement variables et souffraient de certains problèmes méthodologiques. Pour tenter de remédier à la situation, des chercheurs ont mené une enquête téléphonique auprès de 8000 femmes et de 8000 hommes (Tjaden et Thoennes, 1998). Une femme sur six a alors dit avoir été agressée ou avoir fait l'objet d'une tentative d'agression sexuelle au cours de sa vie. La proportion était de 3 % chez les hommes. Le rapport sur la violence familiale au Canada (2008), produit par le Centre canadien de la statistique juridique, présente les données établies par les services de police pour l'année 2006:

* Par tranche de 100 000 jeunes, 334 ont été victimes de voies de fait ou d'agressions sexuelles commises par un ami ou une connaissance, 187 ont été victimes d'un membre de la famille et 101, d'un étranger.

* Ce sont les enfants et les jeunes de moins de 18 ans qui ont été le plus victimes d'agressions physiques ou sexuelles commises par des connaissances.

* Dans les cas où des enfants et des jeunes ont été victimes de violence familiale, les parents ont été le plus souvent en cause. En 2006, 107 enfants et jeunes par tranche de 100 000 ont été agressés physiquement ou sexuellement par un parent.

* Le taux de voies de fait commises par un parent était plus de trois fois supérieur au taux d'agressions sexuelles (83 victimes comparativement à 24 par tranche de 100 000 enfants et jeunes). En ce qui a trait aux voies de fait exercées par un membre de la famille, les filles de moins de 18 ans en ont été plus souvent victimes que les garçons (133 affaires par rapport à 116 pour 100 000 habitants). Le taux d'agressions sexuelles commises par des membres de la famille était quatre fois plus élevé chez les filles que chez les garçons (102 affaires par rapport à 25 pour 100 000 habitants) (Statistique Canada, 2008).

Dans ce même rapport, on fait état d'une diminution de la violence conjugale. Selon les données de l'enquête sociale générale de 2004, 7 % des femmes canadiennes qui étaient mariées ou qui vivaient en union libre ont été agressées physiquement ou sexuellement par leur conjoint au moins une fois au cours des cinq années précédentes, ce qui représente une baisse de 1 % par rapport à 1999 (Mihorean, 2005). Même s'il est difficile de cerner les raisons de cette diminution, on peut avancer que la sensibilisation et l'intolérance accrues de la société à l'égard de la violence conjugale, qu'un accès amélioré à des services sociaux de protection des victimes et qu'une intervention mieux adaptée de la justice pénale y contribuent.

Au cours des dernières décennies, des politiques pro-accusation et pro-poursuite ont été adoptées dans tous les secteurs de compétence du Canada pour rendre obligatoire la mise en accusation dans tous les cas de violence conjugale où il existe des motifs raisonnables de croire qu'une infraction a été commise (Groupe de travail fédéral-provincial-territorial spécial, 2003). Parmi les autres mesures adoptées pour améliorer l'intervention du système de justice, mentionnons les comités de coordination multiservices, les tribunaux spécialisés en violence conjugale, les lois municipales sur la violence conjugale, le plus grand nombre de services et le plus grand soutien offerts aux victimes, et les programmes de traitement pour les contrevenants.

En 2006, les agressions sexuelles représentaient 2 % des cas de violence conjugale signalés à la police; 622 femmes et 11 hommes avaient alors été victimes d'une agression sexuelle de la part de leur conjoint.

Enfin, ces données sur la prévalence des agressions physiques et sexuelles ne seraient pas complètes sans un regard sur la composition statistique des personnes qui les commettent. Pour l'année 2006, 96 % des agressions sexuelles et 71 % des voies de fait exercées contre des enfants et des jeunes ont été commises par des membres de leur famille de sexe masculin. Les pères étaient impliqués dans 35 % de ces cas d'agression, suivis des membres de la famille étendue (33 %) et des frères (28 %). Les membres de la famille de sexe féminin étaient rarement reconnus comme les auteurs de violence envers des jeunes (4 % des agressions sexuelles et 29 % des voies de fait). Parmi les enfants et les jeunes victimes de voies de fait commises par des femmes au sein de la famille, 70 % ont été agressés par leur mère, 16 % par une sœur, 13 % par un membre de la famille étendue et 1 % par une conjointe ou une ex-conjointe (Statistique Canada, 2008).

LES MYTHES
SUR LES AGRESSIONS SEXUELLES

Les mythes sur l'agression sexuelle, les agresseurs et leurs victimes abondent dans notre société (Cowan, 2000; O'Donohue et coll., 2003). Nombre de gens croient qu'il est acceptable de brutaliser une femme, que plusieurs femmes sont sexuellement excitées par la violence et qu'il est impossible de violer une femme en santé contre son gré (Gilbert et coll., 1991; Malamuth et coll., 1980). La recherche révèle que le fait de croire à de tels mythes accroît la propension d'un homme à commettre un viol (Bohner et coll., 2006). Une conséquence de ces mythes est souvent de nier et de justifier l'agression sexuelle masculine contre les femmes (Lonsway et Fitzgerald, 1994, p. 133). Une autre conséquence est de rejeter le blâme sur la victime. Plusieurs victimes d'un viol croient en effet que c'est de leur faute. Même si l'agression est due au fait qu'elles se sont trouvées au mauvais endroit au mauvais moment, elles ont souvent le sentiment d'en être responsables. Voici quelques-uns des mythes les plus répandus sur le viol.

1. *Il est impossible d'agresser sexuellement une femme contre son gré.* Les femmes peuvent repousser une tentative d'agression sexuelle, mais cela ne fonctionne pas toujours, notamment parce que les hommes sont généralement plus forts que leurs victimes. À cela s'ajoute le fait que les femmes ont été conditionnées par leur éducation à se montrer dociles et soumises, de sorte qu'elles sous-estiment souvent leurs moyens de résistance. Enfin, l'agresseur choisit le moment et l'endroit, et bénéficie ainsi de l'effet de surprise. Effrayée par l'attaque, la femme est souvent paralysée de terreur, ce qui joue en faveur de l'agresseur. En se servant d'une arme, en proférant des menaces ou en ayant recours à la force, ce dernier peut contraindre sa victime à l'obéissance.

2. *Les femmes disent non alors qu'elles pensent oui.* Certains agresseurs ont une idée fausse de leurs rapports avec les femmes qu'ils violent. Cette perception déformée, ils l'entretiennent avant, durant et même après l'agression. Ils croient parfois que les femmes veulent être contraintes au rapport sexuel, qu'elles désirent même être agressées sexuellement (Abel, 1981; Muehlenhard et Rodgers, 1998). Ils utilisent ces idées fausses pour justifier leur comportement: un violeur se dira qu'il s'est seulement livré à un jeu sexuel normal et, parce qu'il ne considère pas l'acte qu'il a commis comme un viol, il pourra très bien ne pas ressentir de culpabilité.

Question d'analyse critique

Parmi ces mythes sur le viol, lesquels vous semblent les plus dangereux, et pourquoi?

3. *Plusieurs femmes déclarent faussement avoir été agressées.* Les fausses accusations sont peu courantes et il est encore moins fréquent qu'elles soient portées devant les tribunaux. Comme il est difficile de dénoncer une agression sexuelle et d'engager des poursuites dans ce genre d'affaire, peu de femmes (ou d'hommes) pourraient mener à bien une accusation non fondée.

4. *Toutes les femmes veulent être violées.* On invoque parfois les fantasmes de viol de certaines femmes pour légitimer l'idée que toutes les femmes souhaitent être agressées sexuellement. Or, il y a un monde entre le fantasme érotique et le désir conscient d'être brutalisé. Dans un fantasme, la personne maîtrise son destin. Le fantasme ne comporte pas de risque de blessure ou de mort; le viol, oui. Par ailleurs, le fantasme du viol peut être interprété différemment. Par exemple, dans sa mise en scène imaginaire, une femme pourrait se voir dotée d'un pouvoir de séduction si fort qu'aucun homme ne lui résisterait, que tout homme aurait passionnément le goût de lui faire l'amour. Là non plus, rien à voir avec un désir d'agression. Voici les propos d'une jeune femme sur le fantasme du viol.

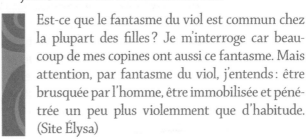

Est-ce que le fantasme du viol est commun chez la plupart des filles? Je m'interroge car beaucoup de mes copines ont aussi ce fantasme. Mais attention, par fantasme du viol, j'entends: être brusquée par l'homme, être immobilisée et pénétrée un peu plus violemment que d'habitude. (Site Élysa)

5. *Les agresseurs sexuels sont des malades mentaux et cela se voit.* On croit aussi à tort que le violeur potentiel a la « tête de l'emploi ». Cette illusion est particulièrement dangereuse, car les victimes potentielles seront moins vigilantes si elles se croient capables de détecter un agresseur (un inconnu dément) ou si elles s'imaginent en sûreté parce qu'elles sont en compagnie d'une connaissance (Cowan, 2000, p. 809). Il faut retenir que la majorité des agressions sexuelles sont commises par des individus sains d'esprit et connus de la victime.

6. *Les pulsions sexuelles masculines sont si fortes que les hommes ne peuvent souvent pas se contrôler.* Ce raisonnement est faux et dangereux, car il rend la victime responsable du crime de l'agresseur (Cowan, 2000). En triturant ainsi la réalité, on laisse croire que les femmes sont responsables de l'agression sexuelle (« Elle n'aurait pas dû porter cette robe ») ou qu'elles ont péché par naïveté ou par manque de méfiance (« À quoi s'attendait-elle ? Aller ainsi chez lui ! »).

LES FACTEURS ASSOCIÉS AUX AGRESSIONS SEXUELLES

En cherchant à comprendre les causes profondes des agressions sexuelles, les recherches ont révélé un certain nombre de facteurs psychosociaux et sociobiologiques.

LES BASES PSYCHOSOCIALES

Plusieurs chercheurs et cliniciens considèrent que l'agression sexuelle résulte plus des processus de socialisation de toute société « normale » que d'une pathologie chez l'agresseur (Hill et Fischer, 2001 ; Simonson et Subich, 1999). Cette idée selon laquelle l'agression sexuelle serait un phénomène culturel a été solidement étayée par les résultats de l'étude comparative menée par l'anthropologue Peggy Reeves Sanday (1981) sur la fréquence du viol dans 95 sociétés.

Sanday a montré que la fréquence de l'agression sexuelle dans une société donnée est influencée par plusieurs facteurs, dont les plus importants sont le genre de relations entre les sexes, le statut des femmes et les attitudes inculquées aux garçons. Sanday a découvert que, dans les sociétés où l'agression sexuelle est fréquente, on tolère ou même exalte la violence masculine, on encourage les garçons à être agressifs et compétitifs, et on considère la force physique comme un idéal naturel. Dans ces cultures, les hommes ont généralement plus de pouvoir économique et politique que les femmes et participent peu aux « tâches féminines » comme l'éducation des enfants et les travaux ménagers.

En revanche, dans les sociétés où le taux d'agressions sexuelles est faible, les relations entre les sexes sont très différentes. Les femmes et les hommes s'y partagent pouvoir et autorité, et contribuent de façon égalitaire au bien-être des enfants et des membres de la collectivité. De plus, dans ces sociétés, on apprend aux enfants des deux sexes à valoriser le bien-être des autres et à éviter les actes d'agression et de violence.

LES CARACTÉRISTIQUES DES AGRESSEURS

Y a-t-il une personnalité ou un modèle comportemental typique des violeurs ? Jusqu'à récemment, les tentatives de réponse à cette question se heurtaient à une conception étroite du viol et à des méthodes de recherche inadéquates. Ce que l'on savait des caractéristiques et des motivations des violeurs provenait surtout de l'étude d'hommes déclarés coupables de ce crime, un échantillonnage qui représente probablement moins de 1 % des violeurs. Étant donné que ces violeurs sont moins instruits, plus portés à commettre d'autres actions antisociales ou d'autres crimes et plus aliénés socialement que ceux qui échappent à la justice, on ne peut pas affirmer que tous les violeurs ont le même profil (Smithyman, 1979). Par contre, on peut dire que plusieurs des hommes incarcérés pour viol sont fortement enclins à user de violence, ce qui se reflète souvent dans leur façon de violer. Cela, combiné à certaines hypothèses sur les relations entre les hommes et les femmes, a conduit un certain nombre d'auteurs à soutenir que le viol n'est pas tant un acte sexuel qu'un acte de pouvoir et de domination (Brownmiller, 1975). Ce point de vue a prévalu pendant un certain nombre d'années au cours desquelles la composante sexuelle du viol et d'autres agressions a été délaissée en partie. Cependant, les recherches plus récentes suggèrent que, bien que le pouvoir et la domination soient souvent impliqués dans la contrainte sexuelle, celle-ci est tout autant motivée par un désir d'assouvissement sexuel. Cette façon de voir a été soutenue par de nombreuses études sur l'incidence et la nature des gestes de contrainte sexuelle commis par des hommes non incarcérés (Hickman et Muehlenhard, 1999 ; Senn et coll., 1999).

Il semble que l'agression sexuelle et la façon dont elle est commise relèvent d'une grande variété de traits de personnalité et de motivations. Les hommes qui s'identifient nettement à leur rôle sexuel traditionnel, particulièrement en ce qui a trait à la dominance masculine, sont plus susceptibles de commettre un viol que ceux qui ne se conforment pas à ce stéréotype (Ben-David et Schneider, 2005 ; Murnen et coll., 2002 ; Robinson et coll., 2004). Il est fréquent que les agresseurs sexuels ressentent de la colère envers les femmes (Anderson et coll., 1997 ; Hall et Barongan, 1997). Certains semblent éprouver des difficultés dans leurs relations sociales, notamment en termes d'attachement et de relations de confiance (Tardif et Van Gijseghem, 2001). La consommation d'alcool peut aussi favoriser la commission d'un viol. Les violeurs ont d'ailleurs souvent consommé de l'alcool juste avant d'assaillir leur victime (Abbey et coll., 1998, 2003; Muehlenhard et Linton, 1987). De plus, les viols impliquant l'alcool sont souvent associés à un degré élevé de violence (Abbey et coll., 2003).

Nombre d'agresseurs sexuels sont dotés d'une personnalité égocentrique, ce qui pourrait expliquer leur insensibilité aux autres (Dean et Malamuth, 1997; Marshall, 1993; Pithers, 1993). La recherche a accumulé des preuves à l'effet que les hommes dotés d'une personnalité narcissique ont tendance à commettre des viols et d'autres actes de coercition sexuelle (Baumeister et coll., 2002; Bushman et coll., 2003). Le DMS IV (American Psychiatric Association, 2000) décrit l'individu narcissique comme suit: il a une idée exagérée de sa propre importance, un sens déraisonnable de ses droits, un manque d'empathie envers les autres et une tendance à vouloir les exploiter. Selon la recherche, les narcissiques ont tendance à commettre des gestes violents pour se venger d'un affront réel ou imaginaire (Baumeister et coll., 2002; Bushman et Baumeister, 1998). En plus de ces tendances agressives, le sentiment excessif de leurs droits peut inciter les narcissiques à considérer que les femmes leur doivent des faveurs sexuelles. Ils peuvent, en raison de leur manque d'empathie envers les autres, nier l'importance des problèmes ou des souffrances qu'ils imposent à leurs victimes. Finalement, l'ampleur démesurée de leur ego peut les amener à rationaliser leur comportement et les aider à «se convaincre eux-mêmes que leurs victimes désiraient réellement du sexe ou qu'elles ont exprimé une forme de consentement» (Bushman et coll., 2003, p. 1028).

La colère, le désir de domination et d'assouvissement sexuel jouent tous un rôle différent dans l'agression sexuelle. Toutefois, le sentiment de colère et le besoin d'exercer son pouvoir sont généralement plus manifestes dans les agressions sexuelles commises par des inconnus, alors que le désir de gratification fantasmatique ou sexuelle semble expliquer davantage les gestes d'agression perpétrés par une connaissance ou une personne rencontrée lors d'un rendez-vous.

LES CARACTÉRISTIQUES DES VICTIMES

Les femmes peuvent être agressées sexuellement à tout âge (voir la figure 11.1 sur les statistiques américaines). Plus jeune est la victime lors de l'agression sexuelle, plus forte est la probabilité que son agresseur soit un parent ou une connaissance, comme le montrent les données de Statistique Canada présentées plus haut. Et les per-

sonnes qui ont subi une agression durant l'enfance sont beaucoup plus susceptibles de l'être de nouveau (Miner et coll., 2006). La vaste majorité des victimes d'agressions sexuelles sont des femmes, mais les recherches indiquent qu'au moins 3% des hommes ont été violés (Tjaden et Thoennes, 1998). Les gais, les détenus et les prisonniers de guerre sont ceux qui risquent le plus d'être victimes d'une agression sexuelle (Carlson, 1997).

Il est très difficile d'obtenir des données statistiques réalistes sur la fréquence des agressions sexuelles perpétrées contre des hommes, notamment parce que ceux-ci répugnent encore plus que les femmes à déclarer qu'ils ont été violés (Harney et Muehlenhard, 1990; Mitchell et coll., 1999; Scarce, 1997). Au moins une étude confirme cette appréhension (Spencer et Tan, 1999). Les auteurs ont découvert que les victimes masculines d'une agression sexuelle étaient perçues négativement, surtout par les autres hommes. Les hommes se taisent aussi parce que ce sujet semble être tabou; les médias et les revues scientifiques s'y intéressent rarement (Krahe et coll., 2000).

Selon Hodge et Canter (1998), les agressions contre les hommes d'orientation homosexuelle ou contre les transsexuels sont plus violentes que celles perpétrées contre les femmes. Mais, quel que soit le sexe de la victime, les séquelles de telles agressions sont souvent terribles.

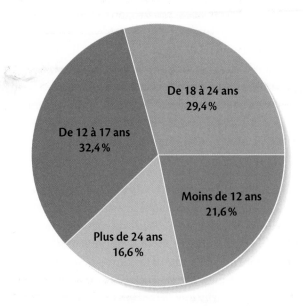

Source: Tjaden et Thoennes, 1998.

Figure 11.1 | Âge des femmes lors d'une première agression sexuelle.

L'INFLUENCE DES MÉDIAS

Les médias sont de puissants transmetteurs de normes et de valeurs culturelles. Certains romans, films, vidéoclips et jeux électroniques perpétuent l'idée que les femmes désirent être violées. Les scénarios de viol débutent souvent par une scène où une femme résiste à son attaquant pour ensuite s'y soumettre passionnément. Dans de rares cas, on montre le viol entre hommes ; dans les films *Délivrance* (1972) et *À l'ombre de Shawshank* (1994), le viol et l'humiliation y sont dépeints de façon plutôt réaliste.

De nombreux spécialistes en sciences humaines prétendent que les scènes de violence présentées dans les médias et certaines productions (films, magazines, vidéos, etc.) incitent des individus à l'agression (Boeringer, 1994 ; Hall, 1996 ; Linz et coll., 1992). Il semble aussi qu'en s'exposant à la pornographie non violente mais avilissante, les hommes corrompent leur rapport à la sexualité et aux femmes, ce qui accentue chez certains une propension à la coercition sexuelle (Check et Guloien, 1989 ; Zillmann, 1989).

Le viol serait-il donc une « érotisation » de la violence ? Rien ne permet de l'affirmer. Ainsi, dans deux études distinctes, des chercheurs ont mesuré les réactions érectiles de groupes de violeurs et de non-violeurs pendant qu'ils écoutaient les descriptions d'un viol et d'une activité sexuelle mutuellement consentie. Dans chacune des études, les violeurs se sont révélés plus excités par la description de l'agression sexuelle que les

Scénario de sexualité Façon culturellement apprise de se comporter dans des situations sexuelles.

non-violeurs (Abel et coll., 1977 ; Bernat et coll., 1999). Toutefois, cette conclusion ne s'est pas vérifiée dans d'autres études similaires où les réactions érectiles des violeurs étaient semblables à celles des non-violeurs (Eccles et coll., 1994 ; Proulx et coll., 1994). À l'évidence, il faudra que d'autres études viennent éclairer ce débat.

L'IMPORTANCE DES PERCEPTIONS ET DE LA COMMUNICATION

Plus tôt dans ce chapitre, nous avons vu la relation entre la contrainte sexuelle et les attentes en matière de rôles sexuels dans une culture. Le processus de socialisation qui incite les hommes à se battre pour obtenir ce qu'ils veulent joue indéniablement un rôle important dans l'agression et la coercition sexuelles. Comme beaucoup l'ont fait remarquer (Carpenter, 1998 ; Dworkin et O'Sullivan, 2005), il ne manque pas d'hommes et de femmes dans notre société qui approuvent des **scénarios de sexualité** exaltant l'agressivité des hommes et la passivité des femmes. Il arrive toutefois que certains cas de viol ne découlent pas de tels scénarios.

Ainsi, de nombreux hommes interprètent mal les signaux de la femme ; par exemple, pour plusieurs, le fait qu'une femme se blottisse contre eux ou les embrasse signifie qu'elle veut faire l'amour (Muehlenhard, 1988 ; Muehlenhard et Linton, 1987). Or, ce n'est pas nécessairement le cas, et la femme devrait le préciser verbalement à son compagnon. Et même lorsqu'elle annonce clairement qu'elle ne désire pas avoir de relation sexuelle, il se peut que son compagnon pense qu'elle résiste pour la forme, alors qu'au fond elle a envie de faire l'amour mais craint d'avoir l'air « trop facile » (Krahé et coll., 2000 ; Muehlenhard et Hollabaugh, 1989).

Dans certains cas, l'homme ne décode pas correctement le message de la femme parce qu'il est trop centré sur ses propres intérêts. Mais il y a certaines femmes qui disent «non», alors qu'elles pensent «oui». Une étude auprès de 610 femmes universitaires a révélé que 39,3 % d'entre elles s'étaient amusées à résister pour la forme au moins une fois. Les raisons invoquées étaient qu'elles ne voulaient pas passer pour «faciles», qu'elles étaient incertaines des sentiments de leur partenaire, que le contexte n'était pas adéquat, qu'elles ne le faisaient que par jeu (pour que leur compagnon se montre physiquement plus entreprenant) ou parce qu'ainsi elles menaient le jeu (Muehlenhard et Hollabaugh,

1989). Malheureusement, un tel double message peut mener au viol. En effet, l'homme peut se conforter dans l'idée que le refus d'une femme ne doit pas être pris au sérieux, s'il réalise, au bout du compte, que celle dont il a ignoré les protestations était, à vrai dire, consentante. (Muehlenhard et Hollabaugh, 1989). Il pourrait ainsi, en dépit des protestations et de la résistance réelle que lui opposerait une autre femme, poursuivre ses avances sexuelles et ne jamais se considérer comme coupable de viol.

Cette idée de «résistance pour la forme» montre combien le défaut de communication nuit aux interactions sexuelles et à quel point il est important d'apprendre à se parler, de façon à lever les ambiguïtés et à éviter de dangereux malentendus. Le chapitre 8 aborde des moyens d'y arriver.

Il y a des hommes qui, tout en croyant au refus de leur partenaire, considèrent quand même légitime de la forcer sexuellement s'ils ont l'impression qu'elle les a «fait marcher». Selon des études, certains hommes jugent que l'agression sexuelle se justifie ou qu'une femme a ce qu'elle mérite si elle excite un homme en se vêtant «de façon suggestive» ou en acceptant d'aller chez lui (Muehlenhard et Linton, 1987; Muehlenhard et coll., 1991; Workman et Freeburg, 1999). Les implications de ces données dans la prévention des agressions sexuelles commises par des connaissances sont présentées dans l'encadré ci-dessous.

Votre santé sexuelle

La prévention des agressions sexuelles

Tout en reconnaissant que rien ne peut véritablement nous mettre à l'abri d'une agression, nous croyons tout de même utile de présenter certaines stratégies susceptibles de réduire la fréquence des agressions sexuelles commises par des inconnus ou des connaissances.

Pour réduire le risque d'une agression sexuelle par un inconnu

Les conseils ci-dessous sont essentiellement des mesures de dissuasion. Plusieurs sont aussi applicables à la prévention de crimes autres que l'agression sexuelle.

1. Ne claironnez pas à la ronde que vous vivez seule. Remplacez votre prénom par son initiale sur votre boîte aux lettres et dans l'annuaire téléphonique; au besoin, donnez un nom fictif.

2. Installez des loquets de sûreté aux portes et aux fenêtres de votre logement. Changez les serrures des portes si vous avez perdu vos clés ou si vous venez d'emménager dans un nouvel appartement. Équipez la porte d'entrée d'un judas: cela peut s'avérer très utile.

3. N'ouvrez pas aux inconnus. Si un réparateur ou un représentant des services publics sonne à votre porte, demandez-lui d'abord de s'identifier et, avant de le laisser entrer, appelez son employeur pour vous assurer qu'il s'agit vraiment d'un employé, et, le cas échéant, qu'il est en service.

4. En présence d'inconnus, montrez par votre langage corporel et votre façon de vous exprimer que vous êtes sûre de vous et qu'on ne peut pas vous intimider facilement. Les recherches ont montré que les vio-

Lorsqu'on marche seule, le soir, mieux vaut faire un détour que d'emprunter une ruelle comme celle-ci.

leurs choisissent souvent comme victimes des femmes qui semblent passives et soumises (Richards et coll., 1991).

5. Ayez sur vous un téléphone cellulaire quand vous sortez seule.

6. Avant de prendre votre voiture, vérifiez toujours qu'il n'y a personne sur la banquette arrière. Verrouillez les portières lorsque vous la garez ou que vous êtes au volant.

7. Évitez les endroits sombres et déserts, et repérez les lieux tout en marchant. Cela pourrait vous aider si vous deviez tenter de fuir. Si un conducteur vous demande des renseignements et que vous êtes à pied, évitez de vous approcher de sa voiture. Répondez plutôt en restant à une bonne distance.

8. Soyez prête à ouvrir la porte de votre maison ou la portière de votre voiture en ayant déjà vos clés en main.

9. Si vous tombez en panne, attachez un bout de tissu blanc à l'antenne de votre voiture et enfermez-vous dans l'habitacle. Si quelqu'un d'autre qu'un policier en uniforme dans une voiture de patrouille identifiée s'arrête pour vous offrir de l'aide, demandez-lui d'appeler la police ou un garage, mais ne déverrouillez pas la portière.

10. Où que vous alliez, ayez sur vous un dispositif capable d'émettre un bruit strident. Il peut s'agir d'un sifflet ou, mieux encore, d'une sirène à air comprimé du genre de celles qui sont vendues dans les magasins de sport ou d'équipement nautique. Au premier signe de danger, actionnez l'alarme.

Plusieurs municipalités ont des services de prévention du crime. Contactez-les pour obtenir d'autres conseils de sécurité et faire inspecter votre domicile sous ce rapport.

Que faire si un ou des inconnus vous menacent ?

1. Fuyez si vous le pouvez.

2. Résistez si vous ne pouvez pas courir. Donnez du fil à retordre à celui qui vous menace. Sachez que de nombreux agresseurs tentent d'abord d'intimider leur victime potentielle et que plusieurs tentatives d'agression avortent parce que les femmes y résistent (Fischhoff, 1992 ; Heyden et coll., 1999 ; Page, 1997). En opposant une résistance farouche et bruyante — en criant, en vous débattant, en faisant du vacarme, en vous sauvant, en donnant des coups à votre agresseur, particulièrement dans les organes génitaux —, vous pourriez empêcher l'agression. C'est ce qu'a montré une étude portant sur 150 viols ou tentatives de viol. En effet, les femmes ayant opposé une résistance physique et verbale énergique avaient échappé plus fréquemment au viol que celles qui avaient essayé les supplications et les pleurs ou qui n'avaient offert que peu de résistance (Zoucha-Jensen et Coyne, 1993).

3. Oubliez les « comportement normaux ». Vomissez, criez ou jouez les détraquées : tout cela pourrait faire échouer la tentative de viol.

4. Parler peut aussi être une façon de gagner le temps nécessaire pour échafauder un plan d'évasion ou une autre stratégie. Il peut aussi être utile d'amener l'agresseur à parler : « Qu'est-ce qui s'est passé ? Pourquoi êtes-vous si en colère ? » Exprimez de l'empathie : « C'est vraiment déprimant de perdre son emploi. » Tentez de négocier : « Prenons le temps de parler de cela. » Si la parole ne réussit pas à empêcher l'agression, elle permet parfois d'en réduire la violence (Prentky et coll., 1986).

5. Restez à l'affût de toute possibilité d'évasion. Dans certaines situations, il est d'abord impossible de résister ou d'échapper à l'agresseur, mais une occasion d'empêcher l'agression et de fuir peut survenir, par exemple si l'agresseur a un moment de distraction ou qu'un passant fait irruption.

En suivant un cours d'autodéfense, vous pourrez apprendre des techniques de résistance permettant de blesser l'attaquant ou de le déconcentrer, le temps de vous enfuir.

Pour réduire le risque d'une agression sexuelle par une connaissance

1. Moins vous connaissez la personne avec qui vous sortez, plus la prudence est de mise. Par exemple, on se sert de plus en plus d'Internet pour « faire connaissance ». Or, vous devez avoir conscience que vous ne connaissez pas réellement la personne avec laquelle vous communiquez par Internet. Proposez-lui de la rencontrer dans un lieu public et demandez à des amis de vous accompagner. Cela vous permettra d'évaluer son comportement dans un environnement relativement sûr.

2. Votre compagnon de sortie a-t-il une attitude autoritaire ? Tente-t-il de vous contrôler ? Tient-il mordicus à faire ce qu'il a planifié ? Un homme qui prévoit toutes les activités et prend toutes les décisions relatives à une sortie pourrait bien se montrer dominateur et inflexible dans l'intimité.

3. Certains hommes croient que, s'ils règlent l'addition au restaurant et les diverses dépenses de la sortie, cela vous oblige à vous soumettre à leur volonté puisqu'ils ont « payé » pour vos faveurs sexuelles. Assumez certaines dépenses, vous empêcherez ainsi le recours à cette logique comptable invoquée pour justifier la coercition sexuelle (Muehlenhard et Schrag, 1991 ; Muehlenhard et coll., 1991).

4. S'il est hors de question pour vous d'avoir une relation sexuelle quelconque avec votre compagnon de sortie, ne consommez pas d'alcool ni de drogue, car ces substances font très souvent partie du tableau des viols prémédités (Gross et Billingham, 1998 ; Synovitz et Byrne, 1998). L'alcool ou la drogue peuvent en effet réduire votre capacité à repousser une agression et vous rendre moins vigilante.

5. Évitez tout ce qui pourrait passer pour de la « provocation ». Dites clairement ce que vous désirez

faire et ne pas faire sur le plan sexuel. Par exemple, si vous invitez votre compagnon de sortie à terminer la soirée chez vous, faites une mise au point de ce genre : « Je ne veux pas de malentendu entre nous. Si je t'ai invité, c'est simplement pour qu'on se détende en causant et en écoutant un peu de musique. » Si vous avez envie d'avoir certains contacts sexuels préliminaires avec votre compagnon, vous pourriez lui dire : « Ce soir, je voudrais me blottir dans tes bras et j'aimerais qu'on s'embrasse, mais je ne veux pas aller plus loin pour l'instant. » L'homme à qui on met les points sur les *i* aura beaucoup moins tendance à forcer les choses ou à croire qu'on cherche à le « faire marcher » (Muehlenhard et Andrews, 1985).

6. Si votre compagnon se montre sexuellement coercitif malgré une mise au point assez claire, passez à « l'escalade des moyens de défense — refus net, refus verbal cinglant et, si nécessaire, recours à la force » (Muehlenhard et Linton, 1987, p. 193). Selon une étude récente, les jeunes hommes comprennent que ce qu'ils considèrent comme un rendez-vous sexuel est en fait une agression sexuelle si on leur oppose un « non » catégorique (Sawyer et coll., 1998). Dans une autre étude, des hommes ont déclaré que la meilleure façon pour une femme de faire cesser des avances sexuelles importunes est de déclarer énergiquement : « C'est un viol et j'appelle la police » (Beal et Muehlenhard, 1987). Si vos protestations verbales ne suffisent pas, utilisez la force : repoussez, giflez, mordez, griffez votre agresseur et donnez-lui des coups de pied. Si cet homme ne saisit pas qu'il est en train de commettre un viol, il comprendra tout au moins que ses actions sont malvenues.

Que faire si vous êtes victime d'une agression sexuelle ?

En cas d'agression sexuelle, vous devez décider si vous déclarerez l'agression à la police ou non.

1. Il est recommandé de déclarer à la police toute agression, et même toute tentative d'agression sexuelle, car cette information pourrait empêcher qu'une autre personne en soit victime.

2. Quand vous déclarez une agression sexuelle, pensez que toute information sur l'agression peut se révéler utile : les caractéristiques physiques de l'agresseur, sa voix, ses vêtements, sa voiture, même une odeur inhabituelle.

3. Appelez la police le plus tôt possible après l'agression ; ne prenez pas de bain et ne changez pas de vêtements. Le sperme, les cheveux, les fibres et les matières demeurés sous vos ongles ou sur vos vêtements pourront servir à identifier l'agresseur.

4. N'hésitez pas à communiquer avec un centre d'aide aux victimes d'agressions sexuelles. Vous y trouverez du personnel qualifié capable de vous aider à faire face au traumatisme. La plupart des grandes villes ont de tels centres. Si vous êtes incapable de prendre contact vous-même, demandez à une amie, à un membre de votre famille ou à la police de le faire en votre nom.

5. En plus de consultations d'ordre général, ces centres offrent des traitements aux victimes de viol. Si vos symptômes n'ont pas disparu après un certain temps, songez-y. Ne souffrez pas indûment.

6. Enfin, si, comme beaucoup de femmes, vous vous sentez responsable de ne pas avoir empêché l'agression, rappelez-vous que ce n'est pas un crime d'avoir été agressée sexuellement. Par contre, il y a bien eu crime, et le coupable, c'est votre agresseur.

LES « DROGUES DU VIOL »

Au début des années 1990, on a commencé à entendre parler du Rohypnol (nom de commerce du flunitrazepam), une drogue dont on se servait de plus en plus, dans certains milieux, pour faire des conquêtes sexuelles ou réduire à l'impuissance des victimes qui étaient ensuite agressées sexuellement ou violées (O'Neill, 1997 ; Staten, 1997). Un comprimé de ce sédatif, que les adeptes appellent familièrement un *roche*, est de 7 à 10 fois plus puissant qu'un cachet de Valium. Il procure une grande relaxation musculaire et induit une amnésie légère ou prononcée. Ces effets débutent de 20 à 30 minutes après l'absorption et peuvent durer plusieurs heures. Comme cette « drogue du viol » est inodore, rapidement éliminée par l'organisme

et donc difficilement décelable, les victimes ont bien du mal à porter plainte contre leur agresseur. L'alcool décuple les effets de cette drogue et provoque chez certaines personnes une perte de conscience ; d'autres entreront dans un état d'euphorie ou un état de conscience modifié. Dans les deux cas, elles souffriront probablement d'amnésie. Cette substance s'est révélée mortelle (Bradsher, 2000). On ne dispose d'aucune statistique sur cette question au Canada.

Dans un effort pour contrer l'image négative du Rohypnol utilisé en tant que drogue du viol, le fabricant a changé la coloration et la formule de ce sédatif. Résultat : le nouveau comprimé se dissout plus difficilement et il colore le liquide en bleu. De plus, les analyses de laboratoire permettent aujourd'hui de détecter plus facilement la présence de cette drogue nouvelle formule dans les consommations (Olsen et coll., 2005).

Le Rohypnol n'est pas la seule drogue du viol; il y a aussi le gamma-hydroxybutyrate de sodium (GHB) et le chlorhydrate de kétamine (Spécial K) (Elliott et Burgess, 2005). Le GHB a été mis au point il y a plus de quarante ans et a d'abord servi d'anesthésiant. Il s'agit d'un dépresseur du système nerveux central dont la combinaison avec l'alcool peut être mortelle (Elliott et Burgess, 2005). Le GHB est facile à faire avaler à une personne peu méfiante, car il n'a ni odeur ni saveur. Il est évacué du corps dans les six à douze heures, ce qui en fait une drogue de choix pour les prédateurs sexuels, car il ne laisse aucune trace toxicologique pouvant servir de preuve dans une éventuelle poursuite.

Il est important d'être vigilant face à ce type de drogue. N'acceptez aucune consommation (alcool, café, boisson gazeuse, etc.), surtout si le contenant est déjà ouvert et si l'offre provient de quelqu'un d'autre qu'une personne de confiance. Ne perdez jamais votre verre de vue. Il se peut que votre consommation ait été contaminée si, après en avoir bu, vous ressentez un ou plusieurs des symptômes suivants : des nausées, de la somnolence, une diction molle, des problèmes de coordination ou une sensation d'euphorie. Si vous vous retrouvez dans un tel état, appelez le 911 ou demandez à quelqu'un d'autre que votre compagnon de circonstance de vous aider à obtenir des services médicaux ; si possible, conservez un échantillon de ce que vous avez bu.

LES AGRESSIONS SEXUELLES COMMISES PAR DES CONNAISSANCES

La plupart des agressions sont le fait d'une connaissance ou d'un ami de la victime, et non, comme on le croit généralement, d'un inconnu (Ben-David et Schneider, 2005 ; Fisher et coll., 2000 ; Howard et coll., 2003). Les données de recherche indiquent que dans près de trois agressions sexuelles sur quatre, les femmes connaissaient leur agresseur. Plusieurs des agressions ont lieu lors d'un rendez-vous.

La coercition sexuelle a fait l'objet de plusieurs études (Jenkens et Aube, 2002 ; Oswald et Russell, 2006 ; Shook et coll., 2000). Jusqu'à récemment, dans la plupart de ces recherches, on voyait les femmes comme les victimes et les hommes comme les agresseurs. Différentes études

ont montré que de 20 % à 35 % des adolescentes et des femmes adultes ont été victimes de contrainte sexuelle, la plupart du temps dans une situation de rendez-vous (Rhynard et coll., 1997 ; Shrier et coll., 1998 ; Small et Kerns, 1993). Mais les femmes ne sont pas les seules victimes de la coercition sexuelle. Plusieurs études ont révélé que des étudiants universitaires ou des hommes adultes ont aussi été contraints à une forme quelconque d'activité sexuelle (Archer, 2000 ; Russell et Oswald, 2001, 2002 ; Struckman-Johnson et coll., 2003). Ainsi, dans une enquête menée au Canada auprès de plusieurs centaines d'étudiants et étudiantes universitaires, environ 25 % des hommes et plus de 40 % des femmes disaient avoir subi des pressions pour avoir une activité sexuelle avec une connaissance, ou avoir été forcés à le faire au cours de la dernière année (O'Sullivan et coll., 1998). Dans une autre étude, 10 % des 4000 adolescents interrogés prétendaient avoir subi des pressions pour des activités sexuelles (Shrier et coll., 1998).

Dans une situation de rendez-vous, la contrainte sexuelle peut s'exprimer de façon verbale ou physique (par exemple, en menaçant de mettre fin à la relation ou en argumentant avec insistance), mais c'est verbalement que cela se produit le plus couramment. Dans une étude menée auprès d'étudiants universitaires, 82 % d'entre eux ont déclaré avoir recouru à l'intimidation verbale et 21 % à la contrainte physique envers un ou une partenaire lors d'un rendez-vous au cours de la dernière année (Shook et coll., 2000). Il faut noter cependant que le recours à la force physique est considérablement moins fréquent pour contraindre sexuellement les hommes (Krahe et coll., 2003 ; Struckman-Johnson et coll., 2003).

Bien que la plupart des relations amoureuses des jeunes Québécois soient exemptes de violence, 12 % d'entre elles sont minées par le désir de contrôle, qui peut s'exprimer par la violence verbale, psychologique, physique ou sexuelle (Lefort et Elliot, 2001). Fernet (2005) a recensé un très grand nombre d'études et d'enquêtes sur la violence sous toutes ses formes dans les relations amoureuses à l'adolescence. Cette chercheure a relevé que les formes de violence verbale et psychologique semblent courantes dans ces relations. Ainsi, de 11 % à 19,6 % des jeunes rapportent avoir été victimes de violence verbale à un moment de leur vie amoureuse (Bergman, 1992 ; Jaffe et coll., 1992 ; Mercer, 1988 cités dans Fernet, 2005) et ils seraient 22,2 % à avoir subi une forme de violence psychologique (Molidor, 1995 cité dans Fernet, 2005).

Les études répertoriées portant essentiellement sur les relations amoureuses présentent des taux beaucoup plus élevés. Selon ces études, de 14,9 % à 93,1 % des ados ont vécu au moins un épisode de violence psychologique au cours de l'année précédant la recherche (Bellerose et coll., 2001 ; Gagné et Lavoie, 1995 ; Lavoie et coll., 2001 cités dans Fernet, 2005) et 96,1 % d'entre eux en ont subi dans leur plus récente relation (Jezl et coll., 1996 cité dans Fernet, 2005). En ce qui a trait à la violence verbale, certaines études font état d'un plus grand nombre de victimes chez les jeunes femmes (Jaffe et coll., 1992 cité dans Fernet, 2005) alors que d'autres présentent des taux de prévalence presque équivalents chez les adolescents et les adolescentes (Symons et coll., 1994 cité dans Fernet, 2005).

LES VIOLS EN TEMPS DE GUERRE

Bien que la coercition sexuelle implique généralement deux personnes, elle a aussi servi d'arme de guerre à travers l'histoire. Les viols massifs de femmes abondent depuis la Grèce antique jusqu'aux plus récentes atrocités commises au Rwanda, au Darfour et en ex-Yougoslavie.

Durant le XXᵉ siècle, des centaines de milliers de femmes ont été victimes de viol pendant des guerres (Bergoffen, 2006 ; Polgreen, 2005 ; Van Zeijl, 2006). Dans les années 1990, les reportages sur les viols de masse perpétrés par les soldats serbes sur des milliers de femmes et de jeunes filles bosniaques et croates ont alarmé l'opinion publique et suscité des pressions pour que le viol soit considéré comme un crime de guerre. Les rapports faisant état de milliers de femmes et de filles violées durant la guerre de 1994 au Rwanda ont amplifié cette prise de conscience collective (Flanders, 1998). Plus récemment, le viol a été employé comme arme de guerre au Darfour, une région du Soudan (Polgreen, 2005), ainsi que dans la région de Kivu, en République démocratique du Congo, en 2008.

Des soldats américains ont été condamnés en cour martiale pour des viols collectifs perpétrés durant la guerre du Vietnam (Brownmiller, 1993). D'autres soldats américains ont été poursuivis pour des viols d'Iraquiennes pendant l'invasion de ce pays. En 1996, le Tribunal pénal international pour l'ex-Yougoslavie a statué que le viol en temps de guerre était un crime punissable par de sévères sanctions (pour la première fois, l'agression sexuelle était traitée distinctement comme un crime de guerre). En 2001, ce tribunal des Nations unies faisait de « l'asservissement sexuel » un crime de guerre et condamnait plusieurs Serbes bosniaques pour des viols multiples de femmes musulmanes asservies dans des « camps de viols ». Les violeurs reconnus coupables de ces crimes ont reçu des sentences allant de 12 à 28 ans d'emprisonnement (Comiteau, 2001).

Pourquoi le viol est-il si répandu pendant une guerre ? Parce qu'en plus de servir à dominer, à humilier et à contrôler les femmes, il peut aussi avoir pour but de « réduire à néant l'ennemi en détruisant les liens familiaux et la société » (Swiss et Giller, 1993, p. 612-613). Dans les guerres interethniques, comme dans l'ex-Yougoslavie et au Darfour, les viols de masse sont utilisés comme stratégie militaire pour terroriser et démoraliser la population, détruire son intégrité culturelle et parfois forcer des communautés entières à fuir leur maison et parfaire ainsi le « nettoyage ethnique » (Carlson, 1997 ; Eaton, 2004 ; Hargreaves, 2004 ; Shanks et coll., 2001). Le viol est alors un acte de guerre qui agresse non seulement la femme en tant qu'individu, mais aussi sa famille et sa communauté. Et cela va loin, comme le montre l'encadré « Les uns et les autres » à la page 332. Il explique comment les réactions sociales face au viol, en temps de guerre ou non, peuvent contribuer à accroître la souffrance des victimes.

LES AGRESSIONS SEXUELLES COMMISES CONTRE DES HOMMES

 Voilà, j'aimerais savoir si une femme peut violer un homme, je ne parle pas d'attouchements, mais d'un véritable viol. Peut-elle forcer la pénétration contre la volonté de l'autre, et dans quelles circonstances ? J'aimerais aussi savoir si l'acte est possible si l'homme est inconscient. (Site Élysa)

Les professionnels de la santé qui œuvrent auprès des victimes d'agressions sexuelles savent que les hommes peuvent aussi être violés. La vaste majorité des victimes sont des femmes, mais cela n'empêche pas les hommes d'être également des cibles pour les agresseurs sexuels (Davies et coll, 2006 ; Kassing et coll., 2005 ; Krahé et coll., 2003). L'enquête menée par Tjaden et Thoennes (1998), présentée plus haut, a établi que 3 % des répondants masculins avaient vécu un viol ou une tentative de viol.

Les statistiques sur les agressions sexuelles commises contre des hommes sont difficiles à obtenir pour plusieurs raisons, dont leur grande réticence à rapporter qu'ils en ont été victimes (Davies et coll., 2006 ; Kassing

Les uns et les autres

Punir les femmes d'avoir été violées

Qu'est-ce que cela fait d'avoir été violée par ses ennemis et d'être ensuite rejetée par sa famille et ses amis pour cette même raison ? Les femmes kosovars en savent quelque chose. Peu après la fin de la guerre du Kosovo en 1999, les médias ont évoqué les difficultés qu'ont rencontrées ces femmes lorsqu'elles sont retournées dans leur foyer et leur famille.

En plus des profondes souffrances que ces femmes avaient enduré en étant agressées sexuellement, elles couraient le risque d'être répudiées par leur famille et leurs amis si elles avouaient avoir été violées. Ainsi, au lieu de recevoir l'appui et la compassion dont elles avaient besoin, ce qui aurait pu les aider grandement à surmonter leur traumatisme, elles se voyaient obligées de garder pour elles leurs souvenirs douloureux, leurs pensées et leurs sentiments, afin d'éviter d'être rejetées par leur famille et leur communauté (Lorch et Mendenhall, 2000).

On estime qu'une femme congolaise sur trois, pendant les cinq dernières années de la guerre au Congo, a été victime de viols collectifs si violents de la part de groupes armés que des milliers d'entre elles souffrent de fistules vaginales (rupture de la paroi vaginale qui peut causer l'écoulement d'urine et la perte incontrôlée des matières fécales). Au lieu d'être soignées, bon nombre de ces femmes ont été abandonnées par leur époux et ostracisées par leur communauté (Reproductive Health Matters, 2004).

La plupart d'entre nous déplorent le fait que les victimes soient ainsi traitées. Cependant, certains pensent que nous devons accepter que d'autres cultures soient différentes de la nôtre et reconnaître qu'elles ont le droit d'avoir leurs propres valeurs. Une enquête récente suggère par contre que ce type d'attitudes et de comportements négatifs a des conséquences néfastes pour les victimes d'agressions sexuelles. Dans une étude portant sur 157 victimes de crimes violents, les chercheurs ont montré que la honte et la colère jouaient un rôle important dans le développement d'un état de stress post-traumatique et que la honte, plus particulièrement, influait sur la gravité des symptômes (Andrews et coll., 2000). Il semble donc que les valeurs culturelles (et ceux qui les défendent et les appliquent) qui blâment les femmes d'avoir été violées peuvent contribuer grandement à accroître les souffrances des victimes.

---

et coll., 2005 ; Mitchell et coll., 1999). On estime qu'un viol sur dix commis contre un homme est signalé à la police (Kassing et coll., 2005). Une proportion aussi faible peut être due au fait que les hommes craignent d'être jugés durement s'ils rapportent l'abus dont ils ont été victimes. Au moins une étude justifie cette crainte (Spencer et Tan, 1999). Les chercheurs ont montré que les hommes qui ont rapporté avoir été sexuellement abusés ont été perçus négativement, surtout par les autres hommes.

Les hommes victimes d'agressions sexuelles craignent aussi que les autorités chargées d'appliquer les lois rejettent l'idée qu'un crime a vraiment été commis ou pensent qu'ils ont d'une façon ou d'une autre provoqué ou sollicité le viol (Kassing et coll., 2005 ; Walker et coll., 2005). En outre, les hommes à qui l'on a appris à être physiquement forts et à se défendre eux-mêmes pourraient croire que le fait de se déclarer victimes reflète leur faiblesse ou leur responsabilité personnelle (Kassing et coll., 2005). Par ailleurs, les agressions sexuelles contre des hommes sont rarement rapportées dans les médias ou dans la documentation psychologique ou médicale (Stermac et coll., 1996).

Ce n'est que durant la dernière décennie que plusieurs États américains ont révisé leur code criminel pour y inclure les hommes adultes parmi les victimes dans leur définition du viol (Isely et Gehrenbeck-Shim, 1997). Au Canada, comme nous l'avons mentionné au début du chapitre, la notion de viol n'existe plus dans le Code criminel et a été remplacée par celle d'agression sexuelle. Les trois articles du Code pénal canadien qui traitent de ce type d'agression ne font pas de distinction entre les hommes et les femmes (Schabas, 1995).

Une vaste analyse de 120 études sur les victimes d'agressions sexuelles regroupant quelque 100 000 répondants a fait état d'un taux de 5,5 % pour ce qui est des viols commis par des femmes sur des hommes et d'un taux de 3,3 % pour ce qui est des tentatives de viol perpétrées par des femmes sur des hommes (Spitzberg, 1999). Plus récemment, deux études allemandes menées auprès de plusieurs centaines d'hommes hétérosexuels ont révélé des taux respectifs de 2,8 % pour les tentatives de viol perpétrées contre eux par des femmes et de 4,0 % pour les viols (étude 1), ainsi que de 5,2 % pour les tentatives de viol et de 2,6 % pour les viols (étude 2) (Krahé et coll., 2003).

Le viol d'un homme peut être perpétré par un homme hétérosexuel, qui souvent commettra son crime avec un ou plusieurs acolytes (Frazier, 1993 ; Isely et Gehrenbeck-Shim,1997). Comme dans les viols commis contre des femmes, la violence et le désir de pouvoir accompagnent l'agression sexuelle des hommes, particulièrement des gais. Bien que des hommes homosexuels soient fréquemment violés par des hommes hétérosexuels, ils sont aussi souvent victimes de leur partenaire sexuel actuel ou ancien (Hickson et coll., 1994 ; Walker et coll., 2005).

Le viol des hommes en milieu carcéral est un problème sérieux (Bell, 2006 ; Hensley et coll., 2003). Une vaste enquête menée auprès de 2000 prisonniers masculins répartis dans sept établissements pénitenciers a montré que 21 % d'entre eux avaient été sexuellement menacés ou assaillis et que 7 % reconnaissaient avoir été violés (Struckman-Johnson et Struckman-Johnson, 2000). Les auteurs de ces agressions sexuelles se considéraient eux-mêmes comme hétérosexuels. Une fois sortis de prison, ils reprenaient généralement les relations sexuelles avec des femmes. En milieu carcéral, les hommes violés le sont souvent avec brutalité par des gangs. Un homme peut ainsi devenir le partenaire sexuel d'un prisonnier dominant en échange d'une protection contre les autres détenus (Braen, 1980).

On considère aussi comme un viol le fait de forcer un homme à pénétrer le vagin, l'anus ou la bouche de quelqu'un (McCabe et Wauchope, 2005). Le nombre d'hommes qui sont contraints ou menacés de blessures par des femmes pour avoir des activités sexuelles est en augmentation (Kassing et coll., 2005). L'idée du viol d'un homme par une femme a été longtemps rejetée parce que l'on assumait qu'il ne peut fonctionner sexuellement dans des conditions de peur ou d'anxiété extrême. Cette perception est fausse. Kinsey et ses collaborateurs sont peut-être les premiers à avoir noté que les deux sexes pouvaient fonctionner dans une variété d'états émotifs extrêmes. La réponse sexuelle pendant une agression, surtout si un orgasme survient, peut être une source de grande confusion et d'anxiété chez les personnes victimes d'un viol. Philip Sarrel et William Masters (1982) ont étudié 11 cas d'hommes qui avaient été violés par des femmes. Aucun n'avait rapporté l'agression ou n'avait pu en parler jusqu'au moment où ils se sont trouvés en thérapie des années plus tard. Tous souffraient de détresse émotionnelle, d'anxiété de performance sexuelle, du sentiment d'être inadéquats et leur fonctionnement sexuel était perturbé. D'autres études ont aussi montré que, comme les femmes, les hommes qui ont été agressés sexuellement en subissent souvent des séquelles durables sur les plans émotionnel et sexuel (Kassing et coll., 2005 ; Walker et coll., 2005).

Les agressions sexuelles contre des hommes se produisent aussi pendant les guerres. Cependant, ces victimes n'ont reçu qu'une couverture médiatique limitée et n'ont pas suscité beaucoup d'intérêt chez les chercheurs. Parmi les quelques études sur le sujet, il y a celles concernant les agressions commises pendant des guerres en Grèce (Lindholm et coll., 1980), au El Salvador (Agger et Jensen, 1994) et en Croatie (Medical Center for Human Rights, 1995). La croyance largement répandue que seules les femmes peuvent être victimes d'agressions sexuelles a eu pour conséquence que plusieurs pays ont, sur le plan juridique, noyé la réalité des agressions sexuelles subies par des hommes en temps de guerre parmi les catégories plus générales de torture ou d'abus (Carlson, 1997). La réelle prise de conscience que l'homme pouvait aussi être victime d'une agression sexuelle a eu lieu lorsque le Tribunal pénal international pour l'ex-Yougoslavie a fait état de viols d'hommes et d'autres agressions sexuelles pendant le conflit qui a marqué cette région (Carlson, 1997).

LES CONSÉQUENCES DE L'AGRESSION SEXUELLE

Qu'elle soit l'œuvre d'un inconnu, d'une connaissance ou du partenaire de la victime, l'agression sexuelle est une expérience traumatisante, aux répercussions durables. Après avoir été agressée sexuellement, la personne est meurtrie physiquement et traumatisée psychologiquement, sans compter qu'elle souffrira probablement du traitement que réserve la société aux victimes d'agressions sexuelles. Il n'est donc pas étonnant que nombre d'entre elles en gardent des séquelles émotionnelles à long terme.

Les victimes éprouvent généralement de la honte, de la colère, de la peur, de la culpabilité et un sentiment d'impuissance (Draucker et Stern, 2000 ; Koss et coll., 2002 ; Vandeusen et Carr, 2003). Si certaines femmes ressentent de la culpabilité et de la honte, c'est souvent qu'on leur fait porter et qu'elles endossent la responsabilité de ne pas avoir empêché l'agression, quelles qu'aient été les circonstances. Et si elles ont éprouvé des sensations ou une certaine excitation sexuelle durant l'agression, leur culpabilité sera encore plus grande

(Desaulniers, 1998 ; Sarrel et Masters, 1982). Dans de tels cas, les victimes, quel que soit leur sexe, seront plus troublées par leur réponse sexuelle durant l'agression que par le traumatisme physique et psychologique que cette agression provoque. Pourtant, comme Kinsey et ses collaborateurs l'ont fait remarquer : « Il se pourrait que le mécanisme physiologique lié à toute réaction affective — colère, peur, douleur, etc. — soit le mécanisme de la réponse sexuelle » (1948, p. 165). Il serait donc physiologiquement normal que certaines personnes aient une réponse sexuelle même si elles sont submergées par de violentes émotions au cours de l'agression.

Les victimes d'agressions sexuelles sont perturbées psychologiquement, mais elles souffrent également de symptômes physiques, dont la nausée, des maux de tête, des troubles gastro-intestinaux, des blessures génitales et des troubles du sommeil (Hilden et coll., 2005 ; Krakow et coll., 2000 ; Ullman et Brecklin, 2003), sans compter qu'elles peuvent avoir été blessées lors de l'agression. Environ 32 % des femmes et 16 % des hommes qui ont été violés passé l'âge de 18 ans affirment avoir subi des blessures physiques pendant l'agression (Tjaden et Thoennes, 1998). Il arrive que des victimes de viol associent la sexualité au traumatisme de l'agression qu'elles ont subie, de sorte que la perspective d'une activité sexuelle suscite en elles bien plus d'angoisse que de désir ou d'excitation (Koss et coll., 2002, 2003). Une étude à long terme portant sur des victimes de viol a révélé que 40 % d'entre elles avaient renoncé aux contacts sexuels durant les 6 à 12 mois suivant leur agression, et que presque 75 % n'avaient eu qu'une

activité sexuelle réduite 6 ans plus tard (Burgess et Holmstrom, 1979).

On dit des femmes qui ont de fortes réactions affectives et physiques après avoir été violées qu'elles souffrent d'un **état de stress post-traumatique** (ÉSPT). Institué catégorie diagnostique par l'Association américaine de psychiatrie (2000), l'ÉSPT désigne la détresse psychologique de longue durée que peut ressentir une personne soumise à un ou plusieurs événements physiquement ou psychologiquement traumatisants. Après avoir vécu une expérience profondément traumatisante comme une agression sexuelle, une guerre ou un horrible accident, les personnes présentent souvent un ensemble de symptômes de détresse. Elles feront des cauchemars, souffriront de dépression, d'anxiété et se sentiront extrêmement vulnérables. Elles auront aussi des flash-back saisissants qui leur feront revivre les terreurs de l'agression (Koss et coll., 2002 ; Ullman et coll., 2005).

Les victimes trouvent souvent que le counseling, individuel ou en groupe, peut les aider à surmonter le traumatisme du viol (Symes, 2000 ; Vandeusen et Carr, 2003). Les recherches indiquent que les femmes qui ont reçu de l'aide peu de temps après l'agression souffrent moins de ses répercussions affectives que celles chez qui le traitement a tardé (Campbell, 2006 ; Duddle, 1991). La plupart des victimes de viol confirment que parler de l'agression et des terribles émotions qui les submergent leur fait du bien. C'est souvent en réexaminant l'événement qu'elles parviennent à maîtriser leurs sentiments douloureux et à entreprendre leur processus de guérison.

L'ABUS SEXUEL ENVERS DES ENFANTS

L'abus sexuel physique et psychologique (émotionnel) envers des enfants est un problème qui a pris des proportions stupéfiantes ici et partout dans le monde. Cette forme d'agression peut avoir des conséquences graves et durables. Voici deux témoignages révélateurs provenant du site Élysa.

A) Comment me débarrasser de mes « flashs » ? J'ai été abusée sexuellement par mon oncle, mon père, mon grand-père et violée par mon parrain à l'âge de 6 ans. Je ne peux pas avoir des relations stables avec un garçon. Ma vie amoureuse est nulle. Je ne peux rien y faire.

J'aime mais je ne peux être aimée. J'aimerais savoir s'il y a d'autres femmes comme moi, qui vivent les mêmes choses. En moi il y a toujours cette enfant. Mon Dieu que je voudrais lui venir en aide !

B) Je vous écris car j'aimerais avoir votre opinion. Quand j'étais un petit garçon, vers 10 ans environ, ma mère voulait systématiquement me forcer à laver mon pénis. Elle insistait violemment pour que je fasse coulisser mon prépuce afin qu'elle puisse mettre du savon dessus. Je refusais sans pouvoir lui tenir tête, cela provoquait de violents conflits ; plusieurs fois, elle est arrivée à me mettre du savon sur le gland. La douleur que j'ai ressentie à cette époque était si violente que c'est comparable à une plaie sur laquelle on verse de l'alcool à 90 degrés. Je suis persuadé que ma mère voulait me faire mal. Adulte, il m'est arrivé de revivre cela inconsciemment en me faisant moi-même mal avec du parfum. Suis-je devenu masochiste ? Ignorer à ce point la sensibilité du sexe d'un enfant, c'est être un monstre. Son obstination à vouloir me laver le sexe et à ne pas vouloir entendre ma douleur d'enfant fait-elle d'elle une violeuse ? Peut-on parler de mère incestueuse ? Merci de bien vouloir répondre. Je pense que ce sujet peut intéresser tout le monde. Les femmes aussi peuvent être des monstres avec leurs enfants.

Dans cette partie du chapitre, nous examinerons la prévalence des maltraitances envers des enfants, les effets qu'elles ont sur plusieurs victimes et les moyens à prendre pour en réduire le nombre. Nous verrons également comment on peut aider ceux qui en ont été victimes.

L'**abus sexuel envers un enfant** désigne tout contact sexuel, peu importe lequel (toucher non approprié, contact buccogénital, pénétration), toute incitation à un tel contact, toute exposition à des scènes de nature sexuelle impliquant un enfant. Au Canada, il n'y a inceste, selon le Code criminel, que dans les cas de pénétration pénis-vagin impliquant un enfant et des personnes ayant des liens de sang avec lui (père, mère, grand-père, grand-mère, frère, sœur, demi-frère, demi-sœur) (Schabas, 1995) ; sans ces conditions, le délit portera plutôt sur les contacts sexuels entre un adulte et un enfant de moins de 16 ans.

La notion d'**inceste** est souvent interprétée plus largement dans la pratique des professionnels de la santé. L'inceste comprend alors l'ensemble des activités sexuelles avec contacts impliquant des adultes et des enfants apparentés, quels que soient les liens qu'ils ont entre eux (liens d'adoption, famille reconstituée, par exemple) ; l'inceste inclut également les contacts sexuels entre frère et sœur, entre frères, entre sœurs, entre cousin et cousine, etc. La notion d'inceste varie aussi en fonction des cultures, mais c'est la relation sexuelle la plus souvent interdite, partout et à travers les âges.

On parle d'un abus sexuel envers un enfant dès que l'on estime que celui-ci ne peut pas vraiment consentir à l'activité sexuelle en raison de son jeune âge, et ce, qu'il y ait eu usage ou non de violence. Un consentement valable implique, rappelons-le, une connaissance et une compréhension suffisantes d'un acte donné et de ses conséquences, de même qu'une liberté totale et inconditionnelle d'y consentir ou non. Ce sont des conditions que les enfants ne peuvent remplir dans aucune situation de relation avec un adulte. L'exploitation de la naïveté et de la confiance des enfants par des adultes devient un problème sérieux dans le contexte des échanges sur Internet, et nous en discuterons plus loin.

La plupart des chercheurs font une distinction entre la **pédophilie** et l'inceste. L'inceste se produit dans toutes les classes socioéconomiques et est illégal au Canada, peu importe l'âge des personnes impliquées. Toutefois, les relations incestueuses entre adultes apparentés sont peu susceptibles de faire l'objet de poursuites judiciaires comparativement à celles qui impliquent un enfant et un adulte. Bien qu'il soit communément admis que l'inceste père-fille est le plus répandu, les études révèlent que l'inceste entre frère et sœur ou entre proches cousins est assez fréquent (Canavan et coll., 1992 ; Finkelhor, 1979). Dans près de 7 cas sur 10 d'abus sexuels envers des enfants, l'agresseur est un membre de la famille (Statistique Canada, 2008). Les relations sexuelles entre frère et sœur sont rarement dévoilées et, lorsqu'elles le sont, elles ne provoquent pas les réactions extrêmes que suscitent les contacts sexuels père-fille. Les abus sexuels perpétrés sous la contrainte par un frère, une sœur ou un parent ont souvent des conséquences dévastatrices pour l'enfant qui en est victime.

La relation incestueuse entre un père (ou un beau-père) et sa fille débute souvent sans que l'enfant comprenne ce que cela signifie. Au départ, il peut s'agir d'un jeu comprenant de la lutte, des chatouillements, des baisers et des touchers. Avec le temps, les actes posés peuvent inclure des touchers sur les seins et les organes

---

État de stress post-traumatique   Détresse psychologique consécutive à un ou plusieurs événements traumatisants.

Abus sexuel envers un enfant   Tout contact sexuel, incitation à un tel contact et exposition à des scènes de nature sexuelle, impliquant un enfant.

Inceste   Abus sexuel impliquant des contacts sexuels entre deux personnes ayant des liens de parenté.

Pédophilie   Abus sexuel impliquant des contacts sexuels entre un adulte et un enfant sans lien de parenté.

génitaux, parfois suivis de stimulations avec la bouche ou les mains et du coït. Dans la plupart des cas, pour arriver à ses fins, le père se sert de sa position d'autorité ou de l'intimité émotionnelle qu'il a avec l'enfant plutôt que de recourir à la force physique. Il peut inciter sa fille à avoir des activités sexuelles avec lui en l'assurant qu'il lui « enseigne » quelque chose d'important, en lui promettant des récompenses ou en exploitant son besoin d'être aimée. Lorsqu'elle se rend compte plus tard que ce comportement est inacceptable ou que les demandes de son père deviennent pénibles et traumatisantes, il peut être difficile pour elle d'y échapper. Occasionnellement, une fille peut apprécier la relation pour la reconnaissance particulière ou les privilèges qu'elle lui apporte.

La relation incestueuse peut être dévoilée lorsque la fille ressent de la colère envers son père, souvent pour des motifs non sexuels, et qu'elle désire « tout raconter sur lui ». Parfois, c'est la mère qui découvre avec horreur les relations entre son mari et sa fille. D'autres fois, la mère est au courant de l'inceste, mais le tolère pour des raisons personnelles. Cela peut être de la honte, la peur de représailles, la crainte de briser les liens familiaux, ou le fait que cela lui évite d'avoir à répondre aux demandes sexuelles de son mari.

L'abus sexuel père-fille est plus susceptible d'être dénoncé aux autorités que les autres variantes de l'inceste. Souvent, par contre, l'enfant ne voudra pas dévoiler la relation incestueuse par crainte des conséquences que cela aura sur sa famille : emprisonnement du père, difficultés économiques pour la mère, placement possible en famille d'accueil, etc. La séparation et le divorce peuvent même s'ensuivre. Parfois, la victime sera tenue responsable de tout cela, d'où la forte pression qui s'exerce pour qu'elle garde le silence. Pour toutes ces raisons, l'enfant peut se montrer très réticente à en parler à quelqu'un de sa famille ou à un autre adulte, tel un enseignant ou un voisin.

LES AUTEURS D'ABUS SEXUELS SUR DES ENFANTS

Les pédophiles qui ont été identifiés n'ont pas un profil particulier, outre que la plupart sont des hommes hétérosexuels généralement connus des victimes (Murray, 2000 ; Salter et coll., 2003). Les abuseurs sexuels d'enfants se retrouvent dans toutes les catégories de la société, en termes de classes sociales, de niveaux de scolarité, d'intelligence, de types d'emplois, d'appartenance religieuse et ethnique. Selon les données disponibles,

notamment celles tirées des procès, l'abuseur serait une personne timide, solitaire, peu informée en matière de sexualité, possédant des valeurs morales ou religieuses (Bauman et coll., 1984). Certains pédophiles auraient peu de relations interpersonnelles et sexuelles avec d'autres adultes et se sentiraient socialement inadéquats ou inférieurs (Dreznick, 2003 ; Minor et Dwyer, 1997). Il n'est pas rare pour autant de rencontrer dans la vie courante des pédophiles qui sont bien éduqués, socialement intégrés, courtois et qui ont réussi financièrement (Baur, 1995). Ceux-ci vont souvent trouver leurs victimes chez des amis de la famille, des voisins ou des connaissances (Murray, 2000). Le fait d'avoir une relation sexuelle avec ces enfants peut être une façon de compenser les forts sentiments d'inaptitude qui caractérisent leurs relations sociosexuelles avec d'autres adultes.

Parmi les autres caractéristiques présentes chez certains pédophiles, mentionnons l'alcoolisme, de graves problèmes conjugaux, des difficultés sexuelles et une immaturité émotionnelle (Johnston, 1987 ; McKibben et coll., 1994). La majorité des agresseurs sexuels adultes ont commis leur premier délit alors qu'ils étaient adolescents (McKibben et Jacob, 1993). Plusieurs d'entre eux ont été victimes d'abus sexuels pendant leur enfance (Bouvier, 2003 ; Putnam, 2003).

Comme c'est le cas pour les pédophiles, ceux qui commettent l'inceste sont surtout des hommes que l'on peut difficilement caractériser ou catégoriser sous un profil type. Ils forment plutôt « un groupe complexe et hétérogène d'individus qui peuvent ressembler à n'importe qui » (Scheela et Stern, 1994, p. 91). Cependant, l'individu incestueux peut partager quelques caractéristiques avec plusieurs pédophiles. Il est économiquement démuni et sans emploi, il boit beaucoup et il est très religieux et immature émotionnellement (Rosenberg, 1988 ; Valliant et coll., 2000). Son comportement incestueux peut être dû à une tendance générale à la pédophilie, à de profonds sentiments d'inadéquation dans ses relations avec les adultes ou à un rejet de la part d'une épouse hostile ; ses actes peuvent être le fruit de l'alcoolisme ou d'un trouble psychologique (Rosenberg, 1988). Il tend à entretenir certaines distorsions cognitives au sujet des relations sexuelles entre un adulte et un enfant. Par exemple, il peut penser qu'un enfant qui ne lui offre pas de résistance désire le contact sexuel, que les relations sexuelles entre un adulte et un enfant sont une bonne méthode d'apprentissage du sexe, que la qualité de la relation entre un père et sa fille est meilleure en ayant des contacts sexuels ou que les enfants ne dénoncent pas ce genre de contacts parce qu'ils les apprécient (Abel et coll., 1984).

LA SITUATION AU PAYS

Une étude approfondie sur l'exploitation sexuelle des enfants au Canada (Hornick et coll., 1994) indique que 562 agressions ont été perpétrées par des adolescents, contre 1908 par des adultes. Les auteurs de cette étude ont fait d'autres constats, dont voici les principaux.

* La plupart des victimes étaient des filles, que l'accusé soit un adulte (82 %) ou un jeune (68 %); toutefois, le pourcentage de victimes de sexe masculin était nettement plus élevé lorsque l'accusé était un jeune (32 % contre 18 % chez les adultes).

* Les victimes des accusés adolescents étaient plus jeunes que celles des adultes (22 % avaient moins de 5 ans contre 12 % lorsque l'accusé était un adulte).

* Les adolescents agressaient plutôt les filles (71 %), et les adolescentes, les garçons (65 %).

* La plupart des accusés adolescents et adultes (plus de 90 %) étaient des hommes; du côté des femmes, il y avait plus de délinquantes sexuelles parmi les jeunes filles (8 %) que parmi les adultes (3 %).

* Beaucoup de jeunes garçons (10 %) et de jeunes filles (13 %) accusés d'avoir commis une agression sexuelle avaient moins de 12 ans.

* Au moment de l'agression, beaucoup d'adolescentes (19 %) étaient accompagnées d'un complice, la plupart du temps de sexe masculin.

* La jeune délinquante sexuelle était en général une gardienne (40 %) ou une sœur (23 %), et le jeune délinquant sexuel, un ami (32 %), un frère (21 %) ou un gardien (15 %). Seulement 4 % des adolescentes et 8 % des adolescents ne connaissaient pas leur victime.

* Une grande proportion d'agressions touchait plus d'une victime (35 % pour les jeunes et 37 % pour les adultes).

* Les jeunes faisaient plus souvent appel à la force que les adultes (35 % contre 26 %).

* L'agression la plus courante, quels que soient l'âge et le sexe de l'accusé, était les attouchements génitaux (plus de 50 % des cas).

* Les jeunes accusés, quel que soit leur âge, avaient des comportements envahissants, pratiquant par exemple la fellation (24 %) et la pénétration anale (8 %), plus souvent que les accusés d'âge adulte (20 % et 5 % respectivement). Par contre, le taux de pénétration vaginale était similaire chez les adolescents (16 %) et chez les adultes (18 %).

* Les jeunes filles avaient pratiqué la fellation plus fréquemment que les jeunes hommes (30 % contre 24 %).

* Le taux de plaintes non fondées contre des jeunes et celui contre des adultes étaient à peu près identiques (8 % et 7 % respectivement), mais les plaintes mettant en cause des adultes étaient plus susceptibles de déboucher sur une inculpation (71 % contre 55 %).

* Les affaires impliquant des adolescentes ont été jugées sans fondement plus souvent (26 %) que celles mettant en cause des adolescents (7 %). En outre, les jeunes filles étaient moins souvent inculpées par la police que les jeunes hommes (30 % de mises en accusation contre 57 % dans le cas des garçons).

LES PÉDOPHILES DANS LE CYBERESPACE

Avant le développement d'Internet, les pédophiles se trouvaient la plupart du temps isolés les uns des autres. Une de ses applications, le réseau Usenet, est constituée de groupes de discussion permettant un anonymat total. Il existe au-delà de 110 000 groupes ayant chacun leur sujet particulier et leurs usagers intéressés. Pour introduire un sujet quelconque, il suffit de démontrer qu'il y a un groupe suffisant de personnes qui s'y intéressent. Les pédophiles ont ainsi saisi l'occasion de se regrouper à l'abri de l'identification. Ils ont introduit des sujets et constitué des groupes leur permettant d'échanger entre eux de la pornographie juvénile, de raconter les agressions qu'ils ont commises sur des enfants, d'en discuter et de les faire approuver, renforçant l'idée fausse qu'il est légitime d'avoir des activités sexuelles entre adultes et enfants (Burke et coll., 2002; Malesky et Ennis, 2004).

Internet a aussi facilité la vie des pédophiles dans leur recherche de victimes potentielles : « cachés derrière le voile de l'anonymat et se mouvant librement dans le cyberespace, ils y proposent toutes sortes de subterfuges dans le but de leurrer des victimes peu méfiantes » (Philaretou, 2005, p. 181). Ces cyberprédateurs peuvent explorer les différents sites d'affichage et s'introduire dans les sites de clavardage pour enfants et adolescents. Ces sites constituent des lieux privilégiés pour les adultes à la recherche d'enfants innocents qui ont besoin d'attention et qui ont souvent des idées confuses sur la sexualité.

L'approche typique des pédophiles est de commencer par gagner la confiance de l'enfant en se montrant vraiment emphatiques et en lui témoignant de l'intérêt pour ses problèmes et ses préoccupations. Ils peuvent ensuite essayer de convenir avec lui d'échanger des courriels, des lettres ou des appels téléphoniques. L'étape finale consistera à planifier une rencontre en personne.

LA MÉMOIRE RETROUVÉE D'ABUS SEXUELS SURVENUS DURANT L'ENFANCE

Est-ce possible de sentir qu'on a été victime d'inceste sans toutefois avoir le souvenir des actes incestueux? Dans ma vie, je me sens sexuellement abusée, sans savoir pourquoi car je n'ai pas de souvenirs précis. Ma mère pense que mon père a abusé de moi. Elle dit que mon père en arrivant du travail se mettait nu, qu'il m'amenait dans sa chambre et que je pleurais. J'avais moins de 5 ans. Une autre personne de ma famille m'a confirmé s'être présentée à la maison et avoir vu que mon père et moi étions nus quand il avait ouvert la porte. [...] (Site Élysa)

Cette question posée sur un site Web en soulève plusieurs autres sur la remémoration d'abus sexuels oubliés. Les médias ont fait état de nombreux cas de présumés agresseurs sexuels qui ont été poursuivis puis condamnés sur la base de témoignages de femmes adultes qui avaient «retrouvé» le souvenir des abus sexuels dont elles avaient été victimes dans leur enfance. Cette remémoration se produit généralement pendant une psychothérapie. Mais une personne peut-elle ainsi refouler les souvenirs d'abus sexuels qu'elle a vécus des années, voire des dizaines d'années auparavant, puis, soudainement ou graduellement, les «retrouver» sous l'effet de certains stimuli déclencheurs? Ou le «souvenir» d'un événement qui ne se serait jamais produit dans l'enfance peut-il s'insinuer chez un adulte puis être retrouvé comme s'il avait vraiment existé? Ces questions sont au cœur du débat entre cliniciens, chercheurs et avocats.

Les sceptiques de la «mémoire retrouvée» font valoir que des milliers de familles et d'individus ont été anéantis par cette tendance à considérer ces souvenirs retrouvés comme des vérités en l'absence de preuves valables. Ils citent, à l'appui de leurs réticences, les cas de personnes qui ont été faussement accusées et condamnées, puis exonérées soit par le système judiciaire, soit par la rétractation de la prétendue victime (Frazier, 2006; Gardner, 2006; Hoover, 1997).

La possibilité d'être faussement accusé d'un tel crime est cauchemardesque. Mais arrive-t-il si souvent que de telles accusations se révèlent fausses? Autrement dit, quelle est la probabilité que ces souvenirs retrouvés soient purement imaginaires? Pour se faire une meilleure idée de la question, considérons quelques données.

Plusieurs études confirment le bien-fondé des souvenirs retrouvés. Dans une recherche, on a identifié 129 femmes adultes qui avaient connu un abus sexuel dans les années 1970 et on les a interrogées au cours des années 1990. Parmi elles, 38% ne se souvenaient pas des abus qui avait été signalés et documentés 17 ans auparavant. L'auteur de la recherche en conclut que si l'absence de souvenir d'un abus sexuel est quelque chose de fréquent chez les femmes adultes, alors «la remémoration subséquente de l'abus sexuel chez certaines femmes ne doit pas étonner» (Williams, 1994, p. 1174).

Dans une autre étude, on a interrogé 45 femmes adultes qui avaient été victimes d'abus sexuels durant l'enfance; 56% d'entre elles ont affirmé n'en avoir eu aucun souvenir pendant des périodes de temps variables, et 16% ont mentionné que le souvenir de ces abus s'était manifesté pendant qu'elles étaient en psychothérapie (Rodriguez et coll., 1997). Selon une enquête menée auprès de centaines d'étudiants et étudiantes universitaires, 20% des 111 personnes qui avaient été victimes d'abus sexuels durant leur enfance prétendaient avoir retrouvé le souvenir de ces abus (Melchert et Parker, 1997). Enfin, dans une enquête nationale menée auprès d'un échantillon de psychologues, environ 25% des répondants ont mentionné avoir été sexuellement abusés durant leur enfance et 40% de ces victimes ont dit qu'elles avaient oublié l'abus pendant des périodes variables (Feldman-Summers et Pope, 1994).

D'un autre côté, plusieurs chercheurs ont exprimé leur scepticisme envers les souvenirs retrouvés d'abus sexuels survenus durant l'enfance. Certains ont prétendu que les «souvenirs refoulés» avaient été involontairement inculqués à des clients réceptifs par des psychothérapeutes trop zélés, ou insuffisamment formés, qui croient que la plupart des problèmes psychologiques des gens proviennent d'abus sexuels survenus durant l'enfance (Gardner, 2006; Gross, 2004; Yapko, 1994). De nombreuses études ont démontré la facilité relative avec laquelle des «souvenirs» d'événements qui ne se sont jamais produits peuvent être créés dans des laboratoires de recherche (Brainerd et Reyna, 1998; Loftus et coll., 1994; Porter et coll., 1999). Dans une étude s'étalant sur 11 semaines, par exemple, de jeunes enfants ont été interrogés à intervalles d'une semaine pour savoir s'ils avaient vécu cinq événements distincts. Quatre des événements étaient réels et un — avoir reçu des soins à l'hôpital pour une blessure à un doigt — était fictif. Les enfants ont reconnu correctement les événements réels. Mais plus d'un tiers d'entre eux en sont venus graduellement à croire, au bout des 11 semaines, qu'un de leurs doigts avait été réellement blessé. Certains se sont même souvenus de détails précis à propos de leur blessure. Plusieurs ont continué de soutenir que leurs faux souvenirs étaient vrais même après qu'on leur eût prouvé le contraire (Ceci et coll., 1994).

Le concept de suggestibilité des clients est devenu l'argument principal des sceptiques des souvenirs retrouvés. La recherche a montré que tant les enfants que les adultes étaient vulnérables à la suggestion (Gross, 2004). Les résultats d'une étude posent cependant un défi à ceux qui voudraient écarter, sur la base de la suggestibilité, les témoignages de souvenirs retrouvés. Dans cette étude, la suggestibilité était mesurée chez 44 femmes qui avaient des souvenirs retrouvés d'abus sexuels survenus durant l'enfance et 31 femmes sans historique d'abus sexuel. Celles-ci ont été plus enclines à modifier leurs souvenirs à la suite de suggestions que les femmes ayant des souvenirs retrouvés (Leavitt, 1997). D'un autre côté, une étude différente a révélé que les femmes qui soutenaient avoir retrouvé des souvenirs d'abus sexuels survenus durant leur enfance étaient plus susceptibles de commettre des erreurs de mémoire que celles qui avaient été sexuellement abusées enfants et qui s'en étaient toujours souvenues (Clancy et coll., 2000).

Alors, où en sommes-nous maintenant avec cette controverse? L'Association américaine des psychologues, l'Association psychiatrique américaine et l'Association médicale américaine ont toutes défendu l'idée que des souvenirs peuvent être réactivés plus tard dans la vie. Ces organisations professionnelles acceptent aussi qu'un «souvenir» puisse être suggéré et considéré comme vrai par la suite. Comme la controverse perdure, il est important de ne pas perdre de vue que, malgré l'attention que les médias accordent aux accusés qui se disent faussement accusés, l'abus sexuel envers des enfants demeure un fait, non une question théorique. Le débat sur la mémoire retrouvée ne doit pas nous ramener au temps où les victimes d'abus sexuels ne dévoilaient pas leur expérience traumatisante de peur de ne pas être crues. De la même façon, nous avons la responsabilité de protéger la personne innocente contre des accusations fondées sur de faux souvenirs.

LES CONSÉQUENCES POUR LES VICTIMES

Il est rare que les enfants parlent spontanément de l'agression sexuelle dont ils sont victimes. Toutefois, certains indices peuvent révéler une situation anormale. Ainsi, chez les enfants d'âge scolaire, on pourra observer une peur injustifiée, une augmentation importante de l'anxiété, de l'irritabilité, un comportement agressif et des cauchemars. Il se peut que l'enfant éprouve des difficultés scolaires et qu'il ait des problèmes de comportement ou d'hyperactivité. Son appétit risque d'être perturbé et des signes de dépression comme la tristesse, le repli sur soi et la culpabilité peuvent apparaître. L'enfant dont on a abusé a souvent tendance à s'isoler et à ne plus faire confiance aux gens qui l'entourent; parallèlement, son estime de soi périclite. Il arrive aussi fréquemment qu'il adopte des conduites sexuelles explicites tout à fait inappropriées à son âge. Enfin, il se peut que l'enfant éprouve des douleurs au niveau des organes génitaux ou qu'il ait contracté une ITSS (Agence de santé publique du Canada — Kathleen Babcock, M.S.S., et Arijana Tomicic, M.S.S., s.d.).

De nombreuses recherches suggèrent que les abus sexuels que subissent les enfants peuvent être des expériences très traumatisantes et perturbatrices émotionnellement et laisser d'importantes séquelles à long terme chez plusieurs victimes (Dong et coll., 2003; Miner et coll., 2006; Noll et coll., 2003). Dans les rencontres cliniques, les adultes qui ont été agressés sexuellement durant leur enfance ont gardé de celle-ci le souvenir d'une période remplie de détresse et de confusion. Ils parlent de perte de leur innocence d'enfant, de contamination et d'interruption de leur développement sexuel normal, et expriment un fort sentiment de trahison de la part d'un parent, d'un ami de la famille, d'un prêtre ou d'un membre du clergé, ou d'un leader de la communauté.

Plusieurs facteurs influent sur la gravité des séquelles de l'abus sexuel chez la victime. Plus cette situation a duré longtemps, moins la victime aura de chances de surmonter le traumatisme lié à l'abus (Vandeusen et Carr, 2003). Les sentiments d'impuissance et de trahison peuvent être particulièrement profonds s'il y a eu usage de force et si la victime avait un lien étroit avec son agresseur. Ces deux derniers facteurs jouent probablement un rôle très important dans la gravité des séquelles qu'en gardent les victimes (Hanson et coll., 2001 ; Rind et Tromovitch, 1997).

Nombre de personnes agressées sexuellement durant l'enfance ont de la difficulté à nouer des relations intimes à l'âge adulte (Rumstein-McKean et Hunsley, 2001 ; Vandeusen et Carr, 2003). Lorsque des relations s'établissent, elles sont souvent pauvres sur le plan affectif et rarement épanouissantes sur le plan sexuel (Jackson et coll., 1990 ; Rumstein-McKean et Hunsley, 2001). Chez les deux sexes, les difficultés sexuelles à l'âge adulte sont fortement liées à l'abus sexuel subi durant l'enfance (Najman et coll., 2005 ; Vandeusen et Carr, 2003). Parmi les autres symptômes souvent observés chez les victimes d'abus sexuels durant l'enfance, on note une faible estime de soi, la culpabilité, la honte, la dépression, un manque de confiance envers les autres, la répugnance à être touchées, l'abus d'alcool et de drogues, l'obésité, de fortes tendances suicidaires, une prédisposition générale à la victimisation, des problèmes de santé persistants, tels que des douleurs pelviennes chroniques et des troubles gastro-intestinaux (Miner et coll., 2006 ; Saewyc et coll., 2004 ; Thomas, 2005 ; Vandeusen et Carr, 2003). En outre, les victimes connaissent des ruptures amoureuses fréquentes et se sentent coupées de la réalité pendant de longues périodes.

La recherche montre que les hommes et les femmes peuvent être affectés différemment par des abus sexuels durant l'enfance. Deux méta-analyses d'études basées sur des échantillons d'étudiants universitaires (Rind et coll., 1998) et sur des échantillons probabilistes de la population nationale (Rind et Tromovitch, 1997) révèlent que les hommes tendent à être moins affectés que les femmes par de tels abus. Cependant, ce ne sont pas toutes les recherches qui en arrivent à cette conclusion. Par exemple, une recherche portant sur quelque 1500 adolescents de 12 à 19 ans a révélé que les garçons avaient plus de problèmes émotionnels et de comportement que les filles (Garnefski et Diekstra, 1997).

De nouvelles approches thérapeutiques ont été développées pour aider les victimes d'abus sexuels durant l'enfance à surmonter les difficultés liées à cette expérience (Putnam, 2003 ; Vandeusen et Carr, 2003 ; Wolfsdorf et Zlotnick, 2001). Ces approches utilisent des thérapies individuelles, de groupe ou de couple. (Les personnes qui aimeraient avoir plus d'information sur l'aide professionnelle disponible peuvent se référer au chapitre 10).

Il existe également des ressources publiques destinées à offrir un soutien aux victimes. Au Québec, il y a les centres d'écoute et de référence comme Tel-jeunes et les Centres d'aide et de lutte contre les agressions à caractère sexuel (CALACS). Mais surtout, il existe une institution publique vouée à contrer les mauvais traitements envers les enfants et à leur procurer tout le soutien nécessaire : la Direction de la protection de la jeunesse (DPJ). Chaque province canadienne a également mis en place des services de protection de l'enfance.

LA PRÉVENTION DES ABUS SEXUELS ENVERS LES ENFANTS

Les mesures visant à prévenir les délits sexuels contre les enfants consistent essentiellement à punir les agresseurs, à les tenir éloignés des enfants et à apprendre aux jeunes à se protéger. Jusqu'à présent, malgré beaucoup de recherches, aucun traitement n'arrive à empêcher la récidive à long terme (Dewhurst et Nielsen, 1999). Certains critiquent le système judiciaire et demandent que les sanctions soient plus sévères envers les pédophiles reconnus coupables (Vachss, 1999). La plupart des délits sexuels perpétrés contre des enfants sont l'œuvre d'individus connus de la victime. Certains professionnels de la santé croient donc qu'on pourrait protéger beaucoup d'enfants si on leur apprenait qu'ils ont le droit de dire non, si on leur montrait la différence entre les « bons » touchers et les « mauvais », et si on leur enseignait comment repousser un adulte qui tente de les forcer à avoir des contacts intimes.

Les parents peuvent aussi parler de sexualité avec leur enfant et ainsi découvrir certains indices montrant que l'enfant vit ou aurait vécu des situations d'abus. Mais il serait illusoire de croire que le seul dialogue parents-enfants soit suffisant pour prévenir les abus sexuels contre ces derniers, d'autant plus que certains abuseurs sont précisément les parents de ces enfants. Là où c'est possible, les parents peuvent aussi demander à l'école de mettre en place des programmes de prévention. La liste qui suit, construite à partir de différentes sources, présente à cet effet des suggestions qui peuvent être utiles aux parents, éducateurs et autres personnes qui s'occupent des enfants.

1. Il importe d'utiliser un matériel de prévention approprié, tenant compte que 25 % des enfants sexuellement abusés le sont avant l'âge de 7 ans (Finkelhor, 1984a). On ne doit pas négliger la prévention auprès des garçons, car eux aussi peuvent être des victimes.

2. Les éducateurs et les parents seront d'autant plus efficaces s'ils savent présenter la notion d'abus sexuel dans des termes appropriés au monde des enfants (Finkelhor, 1984b, p. 3)

3. Évitez de présenter les abus sexuels de façon trop effrayante. Il est important que les enfants soient conscients du fait qu'ils pourraient être la cible d'un abuseur sexuel adulte. Cependant, ils doivent aussi avoir suffisamment confiance en leur capacité à éviter ce genre de situation.

4. Prenez le temps de bien expliquer aux enfants la différence entre les bons touchers qui sont plaisants, et les mauvais touchers qui les rendent mal à l'aise et confus. Les mauvais touchers peuvent être illustrés par des exemples comme se faire toucher sous les vêtements ou les sous-vêtements, ou sous le maillot de bain. Assurez-vous que les enfants comprennent qu'ils n'ont jamais à toucher un adulte en ces endroits même si celui-ci leur dit que c'est correct. C'est aussi une bonne idée de mettre en garde les enfants contre les mauvais baisers (contact prolongé des lèvres ou introduction de la langue dans la bouche).

5. Enseignez aux enfants qu'ils ont des droits : le droit de disposer de leur corps et le droit de dire non lorsque quelqu'un les touche et que cela les rend mal à l'aise.

6. Encouragez les enfants à avertir tout de suite quelqu'un s'ils sont touchés d'une façon qui les rend mal à l'aise ou si un adulte leur demande de faire quelque chose qui les met mal à l'aise. Insistez sur le fait que vous ne serez pas fâché contre eux s'ils vous en parlent ; dites-leur que c'est correct d'agir ainsi même si l'agresseur leur dit que cela leur causera des problèmes. Faites-leur bien comprendre que ce genre de situation n'est pas de leur faute et qu'ils n'ont pas à être blâmés pour cela. Avisez-les que certains adultes ne les croiront pas. Dites-leur de continuer à en parler jusqu'à ce qu'ils trouvent une personne qui les croira.

7. Parlez avec eux des stratagèmes que les adultes peuvent utiliser pour amener des enfants à participer à des activités sexuelles. Par exemple, dites-leur de se fier à leur impression lorsqu'ils sentent que quelque chose n'est pas correct, même si un adulte qui est un ami ou un parent leur dit que c'est correct et qu'il veut leur « montrer » quelque chose d'utile. Étant donné que beaucoup d'adultes leur diront que c'est « leur secret à eux », ce pourrait être très indiqué de leur expliquer la différence entre un secret (quelque chose que personne ne doit jamais dire — une mauvaise idée) et une surprise (quelque chose qui rendra une personne heureuse lorsqu'on le lui dira).

8. Discutez de la façon de se sortir d'une situation qui les rend mal à l'aise ou qui est dangereuse. Que les enfants sachent que c'est correct de crier au secours, de hurler, de se sauver ou de chercher de l'aide auprès d'un ami ou d'un adulte de confiance.

9. Encouragez les enfants à dire à quelqu'un qui les touche qu'ils iront le raconter à un adulte responsable. Les entrevues menées avec des abuseurs sexuels d'enfants nous apprennent que plusieurs d'entre eux auraient renoncé à commettre l'abus si l'enfant leur avait dit qu'il irait en parler à un adulte en particulier (Budin et Johnson, 1989 ; Daro, 1991).

10. Enfin — peut-être la chose la plus importante à leur transmettre, surtout de la part des parents —, leur dire que les attouchements intimes peuvent être très agréables et qu'ils pourront les apprécier avec une personne qu'ils aiment lorsqu'ils seront plus vieux. Ce message doit aussi faire partie de la prévention. Autrement, l'enfant risque de développer une vision négative de tous les contacts sexuels entre des personnes, quel que soit le contexte de la relation.

Un dernier point. Dans les méthodes de prévention, il est important d'inciter les enfants à signaler des abus réels dont ils pourraient être victimes. Toutefois, des précautions s'imposent en raison du caractère influençable des enfants en présence d'adultes. La tristement célèbre affaire d'Outreau, en France, dans laquelle plusieurs enfants ont inventé de toutes pièces des abus dont ils auraient été victimes, en grande partie sous l'influence d'adultes bien intentionnés mais maladroits, nous incite à la prudence. Dans cette affaire judiciaire, plusieurs erreurs ont été commises au nom du respect absolu de la parole d'enfants prétendument « victimes » d'un réseau de pédophiles d'une cinquantaine de personnes. Malgré des incohérences et des invraisemblances dans les témoignages, des intervenants «spécialisés» ont continué à monter un lourd dossier sur les accusés. Or, la réalité était tout autre : aucun des supposés abus n'avait été commis par les «notables» accusés, et la vérité a fini par éclater. L'affaire a été classée comme étant sans fondement. Entre-temps, un des accusés s'était suicidé, incapable de supporter la pression sociale qui s'exerçait contre lui (Iacub et Mainiglier, 2005, p. 136).

LORSQUE LES ENFANTS RACONTENT L'ABUS

La recherche révèle que les enfants qui ont été sexuellement abusés attendent un certain temps avant de le dire à un parent ou à un autre adulte, ou ne le disent à personne (Goodman-Brown et coll., 2003). C'est un fait que plusieurs enfants ne dévoilent pas l'agression dont ils ont été victimes avant d'être devenus adultes, s'ils le font (Berliner et Conte, 1995 ; Goodman-Brown et coll., 2003). «La peur d'être puni, abandonné, le sentiment d'avoir été complice, la culpabilité, la honte vont se conjuguer pour confiner l'enfant au silence et l'empêcher de dévoiler l'abus» (Goodman-Brown et coll., 2003, p. 526). Une étude portant sur 218 enfants sexuellement abusés a montré que plusieurs facteurs interagissent dans la décision de l'enfant de ne pas raconter tout de suite l'abus, dont : 1) la peur des conséquences négatives que cela pourrait avoir sur lui et les autres, 2) le sentiment d'être responsable de l'abus, 3) le lien avec l'agresseur (l'enfant attend plus longtemps lorsque l'agresseur est un membre de la famille), 4) l'âge de l'enfant (les enfants plus âgés craignent plus les conséquences négatives du dévoilement et attendent plus pour le faire) (Goodman-Brown et coll., 2003). Ces craintes ne font que s'ajouter à l'abus et en aggravent les conséquences.

Certaines études se sont penchées sur les réactions des parents, amis, intervenants et enseignants à qui des enfants avaient confié avoir été agressés sexuellement. Les intervenants (infirmières, enseignants, éducateurs spécialisés, travailleurs sociaux, etc.) sont les plus enclins à croire l'enfant, à l'écouter, à lui offrir du soutien. Ce sont également eux qui ont la meilleure connaissance du phénomène et des différentes démarches à entreprendre pour aider l'enfant. Comme ces délits sexuels ont généralement lieu au sein de la famille, c'est, dans la majorité des cas, à des personnes de l'extérieur que l'enfant dévoile sa situation (St-Vincent, 2002).

Selon les données canadiennes, le dévoilement se fait généralement lorsque l'enfant subit une forme d'agression sexuelle depuis 6 à 15 mois, souvent accompagnée d'autres mauvais traitements, ce qui contribue à l'apparition de séquelles durables chez la victime (Statistique Canada, 2001). Certains enfants qui sont fréquemment agressés par la même personne finissent par éprouver un sentiment de responsabilité mêlé de culpabilité (Oxman-Martinez et coll., 1997). Si les victimes gardent très souvent le silence, c'est la plupart du temps pour une des raisons suivantes : l'agresseur les y oblige en recourant à des menaces ou au chantage ; elles ont honte et se sentent coupables ; elles ont peur des réactions de leurs proches ou craignent que le dévoilement n'entraîne l'éclatement de leur famille. Il faut aussi se rappeler que l'agresseur est souvent un membre de la famille ou un proche pour lequel l'enfant éprouvait jusque-là de l'amour ; l'agression brouillera les relations affectives et l'enfant ne saura plus quelle attitude adopter. Il peut aussi arriver que la victime considère l'agression comme une manière de se rapprocher de l'agresseur, qui est en d'autres circonstances distant, absent ou violent.

Si une victime d'inceste décide de dévoiler la situation à son autre parent, ce dernier peut avoir une réaction excessive qui viendra amplifier son traumatisme affectif (Davies, 1995). Lorsqu'un enfant révèle ce qui lui est arrivé, ce n'est parfois que pour signaler le malaise qu'il ressent par rapport à une situation qui lui échappe en grande partie. L'effroi des adultes est compréhensible, mais ils doivent se maîtriser pour éviter d'affoler l'enfant en lui donnant l'impression de s'être prêté à une abomination dont il devrait se sentir extrêmement coupable. Cependant, même en l'absence d'une réaction outrée de la part d'un adulte, l'enfant agressé pourra se sentir coupable par contagion, parce qu'il aura perçu le sentiment de culpabilité de son agresseur.

Aucun adulte responsable ne peut laisser se produire ou perdurer une situation d'agression contre un enfant. Il faut néanmoins réagir calmement à la révélation et voir à ce que l'enfant ne se trouve plus jamais seul avec son agresseur. Il est essentiel de prendre les moyens requis pour assurer sa protection et empêcher l'agresseur de s'en prendre à d'autres. En effet, il est rare qu'un agresseur sexuel se contente d'une seule victime. Au Québec, la DPJ s'occupe de ce genre de situations. Cet organisme est régi par une loi spéciale dont un article, l'article 39, oblige toute personne qui a un motif de croire qu'un enfant est victime de mauvais traitements, y compris l'abus sexuel, à le signaler sans délai à la DPJ locale. Les règles du secret professionnel ne permettent pas d'échapper à cette obligation, ce qui fait qu'un thérapeute se doit aussi de dénoncer une personne qui a commis une agression, même si celle-ci est en processus de thérapie. Toute information est traitée confidentiellement par la DPJ et il n'est pas nécessaire de connaître les noms des personnes impliquées pour signaler un cas possible d'agression.

Pour les provinces autres que le Québec, nous incitons nos lecteurs et lectrices à consulter le site Web du Centre d'excellence pour le bien-être des enfants.

LE HARCÈLEMENT SEXUEL

Que ce soit dans le milieu du travail ou le milieu scolaire, le **harcèlement sexuel** est fréquent dans notre société. Cela ne se limite pas à des avances sexuelles indésirables. Il peut aussi s'agir d'actions qui instaurent un climat de travail hostile et désagréable. Le témoignage suivant en fait foi.

> Dans l'entreprise, j'étais la première femme à accéder à ce poste. J'étais fière de mes réalisations et prête à relever le défi. Mais cela a été beaucoup plus difficile que prévu. J'ai été sidérée et dégoûtée par les blagues et les remarques ordurières que me faisaient certains hommes. On me faisait parvenir des courriels tout à fait abjects, et des messages obscènes encombraient quotidiennement ma boîte vocale. Je me suis plainte à mon patron en lui expliquant combien cela me dérangeait, mais il m'a dit d'être « bonne joueuse », que les gars m'accueillaient à leur manière. Je ne devrais peut-être pas tant m'en faire, mais cela nuit à mon travail. J'ai de la difficulté à me concentrer et je suis anéantie lorsque j'écoute mes messages. (Notes des auteurs)

Il y a deux formes principales de harcèlement sexuel. Dans la première, la personne accepte des avances sexuelles non souhaitées pour obtenir un emploi, de bonnes notes ou de l'avancement; c'est un type de harcèlement qui implique un jeu de pouvoir ou l'abus d'autorité (Pierce, 1994). Le harcèlement devient souvent plus explicite lorsque des représailles font suite au refus de se soumettre (Charney et Russell, 1994).

Dans sa seconde forme, le harcèlement sexuel est moins net, mais probablement plus répandu. Il s'exerce par l'instauration d'un milieu hostile et désagréable, ce qui est certainement plus fréquent que le chantage. Dans ce cas, par leurs comportements outrageants et persistants, un ou plusieurs directeurs, collègues, professeurs ou étudiants créent un environnement hostile, mena-çant et généralement insupportable. À la différence de la première forme, ce type de harcèlement n'implique pas nécessairement une relation d'autorité ou de pouvoir. Il peut, par contre, constituer une façon de défendre un statut (ou une position) que l'on sent menacé. Ainsi, certains hommes y recourent souvent pour empêcher des femmes d'accéder aux derniers bastions du pouvoir et des privilèges masculins (Dall'Ara et Maass, 1999).

Dans de nombreux débats portant sur des affaires de harcèlement de ce genre, on a tenté de définir ce qui constitue un environnement hostile et désagréable. Est considéré comme hostile un environnement dans lequel toute personne raisonnable, dans les mêmes circonstances ou dans des circonstances similaires, trouverait la conduite du ou des harceleurs menaçante, hostile ou outrageante.

LE HARCÈLEMENT SEXUEL EN MILIEU DE TRAVAIL

Le harcèlement sexuel peut prendre plusieurs formes au travail. Il peut toucher aussi bien des hommes que des femmes, quelle que soit leur orientation sexuelle. Cela peut commencer par des remarques de nature sexuelle, des commentaires sexistes, des avances importunes, des commentaires explicites sur le physique d'une personne ou sa compétence sexuelle, des violations de l'espace personnel, des invitations insistantes et malvenues, des remarques cinglantes et une attitude de dénigrement, des clins d'œil ou des sifflements, ou les deux, un langage cru ou obscène, l'exhibition d'objets ou d'images à caractère sexuel, créant un environnement hostile ou offensant. Certains de ces actes s'inscrivent en quelque sorte

---

Harcèlement sexuel   Avances sexuelles non désirées, demandes de faveurs sexuelles et autres conduites de nature sexuelle menaçantes, outrageantes ou hostiles se produisant dans le milieu professionnel ou scolaire.

Le harcèlement sexuel engendre tension et anxiété au travail.

dans une zone grise, car tous n'y verront pas obligatoirement du harcèlement sexuel. Toutefois, ils deviennent clairement du harcèlement s'ils persistent une fois que la personne qui en fait les frais a demandé qu'on y mette fin. Le harcèlement sera particulièrement grave si, pour conserver son emploi ou obtenir de l'avancement, une personne doit satisfaire les exigences sexuelles de quelqu'un en position d'autorité, subir des avances sexuelles explicites ou des contacts physiques non désirés.

Le rapport d'enquête de Statistique Canada (Johnson, 1994) sur la violence faite aux femmes nous renseigne sur le harcèlement sexuel qu'elles ont subi au travail pendant la période couverte par la cueillette des données. Cette enquête, au cours de laquelle plus de 12 000 femmes choisies aléatoirement dans les 10 provinces ont été interrogées, révèle que 6 % de ces femmes qui occupent un emploi ont été victimes de harcèlement sexuel pendant une période de douze mois. Parmi celles-ci, ce sont les jeunes femmes et les femmes célibataires qui se sont révélées les plus vulnérables. La proportion de victimes de harcèlement variait selon qu'elles travaillaient à temps plein ou à temps partiel. Le revenu personnel des travailleuses ou le revenu du ménage n'avait pas d'influence sur la probabilité de subir une forme de harcèlement. Soulignons que la proportion de femmes victimes de harcèlement sexuel au travail pendant leur vie active est beaucoup plus élevée que celle relevée au cours de l'année précédant l'enquête. Plus de deux millions de femmes ont dit en avoir été victimes au moins une fois durant leur vie active (Johnson, 1994).

Selon d'autres auteurs, 56 % des femmes âgées de 18 à 65 ans ont déclaré avoir été harcelées sexuellement durant l'année précédente et 77 % à un moment ou l'autre de leur vie (Crocker et Kalemba, 1999, cité dans Hyde, Delamater et Byers, 2006). Le harcèlement sexuel en milieu de travail peut compromettre sérieusement la situation économique de la victime, nuire à son rendement professionnel, à son avancement, à sa santé psychologique et physique ainsi qu'à ses relations personnelles (Rhode, 1997 ; Woodzicka et LaFrance, 2005). Les conséquences financières du refus de se soumettre peuvent être particulièrement lourdes pour les personnes occupant des postes subalternes, qu'elles peuvent difficilement abandonner si elles sont le seul soutien de leur famille. Plusieurs personnes trouveront extrêmement difficile de chercher un autre emploi tout en occupant leur emploi actuel, surtout en période économique instable. Si elles sont congédiées pour avoir résisté au harcèlement sexuel, elles peuvent ne recevoir aucune allocation de chômage et même si elles en obtiennent une, celle-ci ne correspond qu'à une fraction de leur revenu d'emploi.

Diverses études indiquent que la vaste majorité des victimes de harcèlement sexuel en milieu de travail (entre 75 % et 90 %) souffrent de troubles psychologiques. Elles sont sujettes aux crises de larmes. Leur estime de soi est minée. Elles éprouvent de la colère, se sentent humiliées, honteuses, embarrassées, nerveuses, irritables, aliénées, vulnérables, sans défense et démotivées (Harned et Fitzgerald, 2002 ; Jorgenson et Wahl, 2000 ; Sev'er, 1999). Les sentiments de dégradation et d'impuissance dont se plaignent nombre d'entre elles sont similaires à ceux que décrivent des victimes de viol (Safran, 1976).

Beaucoup de femmes se taisent quand elles sont harcelées. Certaines ne veulent pas compromettre leur carrière (Becker, 2000), d'autres craignent qu'une dénonciation en bonne et due forme ne leur nuise ou ne leur attire la réprobation des autres (Marin et Guadagno, 1999). L'encadré ci-dessous présente différents moyens de se défendre en pareille situation.

LE HARCÈLEMENT SEXUEL EN MILIEU SCOLAIRE

Il n'est pas rare que les étudiants de niveaux collégial et universitaire soient l'objet d'avances sexuelles importunes de la part de professeurs. Les étudiants des deux sexes y sont exposés, mais les jeunes femmes sont plus communément la cible de professeurs de sexe masculin (Bingham, et Battey, 2005 ; Kelley et Parsons, 2000).

Le harcèlement sexuel en milieu scolaire diffère du harcèlement sexuel en milieu de travail parce que les moyens de pression ou de chantage du harceleur y sont moindres. Il est la plupart du temps possible pour la personne harcelée de changer de professeur ou d'instructeur. Les professeurs peuvent tout de même exercer un certain chantage sur les étudiants qui leur résistent, par exemple, en refusant de leur attribuer de bonnes notes, de leur fournir des lettres de recommandation, de leur donner le coup de pouce nécessaire à l'obtention d'un emploi ou d'un stage convoités.

Le harcèlement sexuel peut entraîner de moins bons résultats scolaires et avoir un impact négatif sur le cheminement de la victime, la forçant parfois à changer d'orientation, ce qui ressemble aux conséquences du harcèlement sexuel en milieu de travail (Bingham et Battey, 2005 ; Bruns et Bruns, 2005).

Par ailleurs, les étudiants évaluent mal le danger de s'engager sexuellement avec une personne dont pourraient

Votre santé sexuelle

Comment lutter contre le harcèlement sexuel en milieu de travail

Vous êtes victime de harcèlement sexuel au travail ? Voici des moyens de vous défendre.

1. Si la personne qui vous harcèle s'est rendue jusqu'au viol, à la tentative de viol ou aux voies de fait, vous pouvez porter des accusations criminelles contre elle.

2. Si le harcèlement reste en deçà de la tentative de viol ou des voies de fait, indiquez sans équivoque à la personne qui vous harcèle qu'elle est coupable de harcèlement sexuel envers vous, que vous ne le tolérerez pas et que, si cela continue, vous vous plaindrez à qui de droit. Mais vous préférerez peut-être procéder par écrit. Si tel est le cas, décrivez en détail les formes de harcèlement que vous avez subies, spécifiez que vous vous opposez fermement à toute avance sexuelle et précisez les dispositions que vous prendrez si le harcèlement ne cesse pas immédiatement. Envoyez cette lettre par courrier recommandé et gardez-en une copie.

3. Si le harcèlement ne prend pas fin, parlez-en à votre supérieur hiérarchique, à celui de la personne qui vous harcèle ou aux deux.

4. Si vos protestations demeurent lettre morte, que ni votre harceleur ni les supérieurs n'en tiennent

compte, tentez de rallier le soutien de vos collègues. Vous constaterez peut-être avec surprise que vous n'êtes pas la seule personne harcelée dans l'entreprise. La sympathie que l'on recueille en parlant aux autres du harcèlement dont on fait l'objet suffit parfois à le faire cesser. Tenez-vous-en cependant rigoureusement aux faits, de façon à éviter toute possibilité de poursuite en diffamation.

5. Si vos tentatives de régler le problème à l'interne ont échoué, qu'on vous congédie, qu'on vous rétrograde ou qu'on vous refuse de l'avancement parce que vous résistez au harcèlement, vous pouvez déposer une plainte auprès de la Commission de la santé et de la sécurité du travail (CSST) (dans le cas des résidents du Québec). Vous pouvez aussi demander à la Commission des droits de la personne et des droits de la jeunesse du Québec de faire enquête.

6. Enfin, vous voudrez peut-être entreprendre des procédures judiciaires pour régler votre problème de harcèlement sexuel. La cour se montre généralement favorable aux victimes de harcèlement qui ont d'abord tenté de résoudre le problème à l'interne avant d'en appeler aux tribunaux.

dépendre la suite de leurs études et leur carrière future. Fort de son autorité et de son prestige, le professeur a beau jeu de profiter de l'admiration qu'il suscite. Mais une telle situation n'est pas sans conséquences. Ainsi, les victimes de ce genre de harcèlement finissent par se demander « si leur réussite scolaire est attribuable à leur talent ou à l'intérêt sexuel qu'elles suscitent chez leur professeur » (Satterfield et Muehlenhard, 1990, p. 1).

Que faire quand on est victime de harcèlement sexuel durant ses études ? Pour y échapper, certains étudiants abandonnent le cours ou changent d'institution. Toutefois, nous croyons qu'il vaut mieux dénoncer le harcèlement dont on fait l'objet : on aide ainsi à limiter ces actions importunes et on empêche que d'autres ne soient la proie du même professeur (les harceleurs ayant généralement plusieurs victimes). Il peut aussi être bon d'avertir le directeur du département ou le recteur. Si la réaction de ces autorités ne semble pas adéquate, on peut faire appel à l'ombudsman. La plupart des universités et des collèges ont une politique ferme à l'égard du harcèlement sexuel et offrent des services aux victimes. Cette démarche peut-elle influer sur les notes de l'étudiant ? Sachez que la Charte des droits et libertés de la personne interdit les représailles contre toute personne qui, en toute bonne foi, a déposé une plainte pour harcèlement sexuel. De plus, un professeur coupable de telles actions sera généralement surveillé de près et aura donc beaucoup moins de latitude pour continuer à harceler ses victimes.

RÉSUMÉ

LES AGRESSIONS SEXUELLES

* L'agression sexuelle est définie comme « un geste à caractère sexuel, avec ou sans contact physique, commis par un individu sans le consentement de la personne visée ou, dans certains cas, notamment celui des enfants, par une manipulation affective ou du chantage ».

* Il est difficile d'obtenir des données statistiques sur le nombre réel d'agressions sexuelles.

* De nombreux mythes sur le viol tendent à alourdir la responsabilité de la victime pour mieux alléger celle de l'auteur du crime.

* Dans les sociétés où le viol est répandu, ce crime est souvent le fruit de processus de socialisation qui glorifient la violence masculine, enseignent aux garçons à se montrer agressifs et minimisent la participation des femmes à la vie économique et politique.

* La majorité des victimes de viol sont des femmes ; seulement 3 % des victimes sont des hommes.

* La majorité des viols sont commis par une connaissance de la victime.

* La coercition sexuelle s'exerce fréquemment lors de rendez-vous. Les femmes sont plus souvent contraintes physiquement à des activités sexuelles que les hommes.

* Il n'existe pas de personnalité typique du violeur, de grandes différences ayant été observées entre les agresseurs.

* Les violeurs qui sont en prison ont une grande tendance à la violence. Les hommes qui adoptent les rôles traditionnels liés à la virilité sont plus susceptibles de commettre un viol que ceux qui ne les adoptent pas.

* L'attitude de certains violeurs est fortement imprégnée de colère envers les femmes. Certains violeurs ont des personnalités de type égocentrique ou narcissique, ce qui les rend souvent insensibles aux émotions exprimées par les personnes qu'ils agressent.

* La violence sexuelle diffusée dans les médias peut contribuer à désensibiliser les gens face au viol et même à accroître l'agressivité envers les femmes.

* Des individus sans scrupules utilisent les diverses « drogues du viol » pour multiplier leurs conquêtes sexuelles ou soumettre à leur pouvoir les personnes avec lesquelles ils sortent.

* Le viol est utilisé comme stratégie de guerre. En plus de servir à humilier et à contrôler les femmes, les viols commis en temps de guerre ont aussi pour but de détruire la famille et la société.

* Les hommes qui ont été agressés sexuellement subissent souvent les mêmes séquelles à long terme que les femmes.

✳ Les victimes de viol souffrent généralement de graves difficultés émotionnelles et physiques. On qualifie d'état de stress post-traumatique les troubles affectifs et physiques graves dont elles sont affligées.

✳ Le counseling individuel ou de groupe peut aider les victimes de viol à combattre le traumatisme qui en résulte.

L'ABUS SEXUEL ENVERS DES ENFANTS

✳ Un abus sexuel envers un enfant est un contact sexuel entre un adulte et un enfant. Lorsque l'adulte n'a pas de lien de parenté avec l'enfant, on parle de pédophilie ; dans le cas contraire, on parle d'inceste.

✳ La majorité des abuseurs sexuels d'enfants sont des hommes. Ce sont pour la plupart des proches, des amis ou des voisins dont la jeune victime n'est pas portée à se méfier.

✳ Il n'y a pas de profil type du pédophile en dehors du fait que la plupart sont hétérosexuels et connus de la victime. Ceux qui sont poursuivis en justice sont généralement timides, solitaires, conservateurs et souvent imprégnés de valeurs morales ou religieuses. Ils ont souvent de la difficulté avec les autres adultes et ont tendance à se sentir inadéquats et inférieurs socialement.

✳ La pédophilie en ligne est très répandue. Comme il n'existe toujours pas de moyens techniques efficaces pour protéger les enfants contre ce fléau, les parents doivent faire preuve d'une très grande vigilance.

✳ Les enfants victimes d'abus sexuels sont privés de leur innocence. Ils éprouvent un profond sentiment de trahison et sont perturbés dans leur développement sexuel. À l'âge adulte, ils peuvent souffrir d'une faible estime de soi et avoir de la difficulté à établir des relations affectives et sexuelles satisfaisantes.

✳ Il existe une grande controverse à l'effet qu'une personne puisse avoir refoulé ses souvenirs relatifs à un abus sexuel et se les rappeler subitement ou graduellement si elle est exposée à certains stimuli déclencheurs.

✳ Il existe de nombreux traitements pour les personnes qui ont été victimes d'abus sexuels durant leur enfance, allant de la thérapie individuelle à la thérapie de groupe ou de couple.

✳ Il est important d'expliquer aux enfants comment se protéger contre les abus sexuels. Ils doivent savoir faire la différence entre un bon toucher et un mauvais toucher, savoir comment faire face à une situation qui les rend mal à l'aise, et savoir qu'ils ont des droits et qu'ils peuvent dénoncer l'abus sans crainte d'être blâmés.

LE HARCÈLEMENT SEXUEL

✳ On qualifie de harcèlement sexuel en milieu de travail tout comportement sexuel indésirable qui suscite le malaise ou qui nuit au travail d'une personne.

✳ On distingue deux types de harcèlement sexuel. Le premier implique un jeu de pouvoir. Lorsque la victime refuse de se soumettre à des avances sexuelles, cela nuit à son travail ou à son avancement. Dans le second, des propos ou des gestes à caractère sexuel de la part de supérieurs hiérarchiques ou de collègues transforment le milieu de travail en un environnement hostile.

✳ Le harcèlement sexuel peut avoir des conséquences d'ordre économique, affectif et physique pour la victime.

✳ Le harcèlement sexuel a aussi cours en milieu scolaire. La plupart du temps, ce sont des professeurs de sexe masculin qui harcèlent des étudiantes.

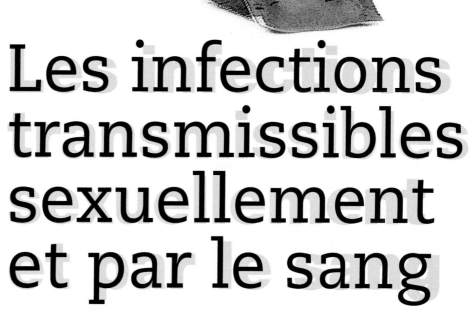

CHAPITRE 12

Les infections transmissibles sexuellement et par le sang

LES INFECTIONS LIÉES À L'ACTIVITÉ SEXUELLE

* Quelques données épidémiologiques
* Les infections bactériennes
* Les infections virales
* Les infections vaginales les plus répandues
* Les infections ectoparasitaires
* Le syndrome d'immunodéficience acquise

LA PRÉVENTION DES ITSS

* Les mesures à prendre

*D*ans ce chapitre, nous nous pencherons sur les infections liées à l'activité sexuelle. Nous verrons également les moyens à prendre pour éviter de les contracter ou de les transmettre. Une attention particulière sera accordée à l'ennemi public numéro un qu'est le VIH/sida.

Le but de ce chapitre n'est pas de vous décourager de vivre votre sexualité. Il s'agit plutôt de vous montrer les mesures à prendre pour pouvoir en jouir tout en préservant votre santé. La première chose à faire, à cet égard, est de vous dresser un portrait réaliste des risques liés à l'activité sexuelle.

LES INFECTIONS LIÉES À L'ACTIVITÉ SEXUELLE

La majorité des infections des organes génitaux sont aujourd'hui regroupées, au même titre que le sida, sous le nom d'**infections transmissibles sexuellement et par le sang (ITSS)**. Cette nouvelle appellation est préférable à «maladies transmissibles sexuellement» ou, plus anciennement encore, à «maladies vénériennes», car elle souligne qu'une personne peut être infectée par un virus ou une bactérie et être contagieuse, mais sans être malade, c'est-à-dire en ne présentant aucun symptôme de maladie. Certaines de ces infections se traitent et se guérissent, d'autres sont incurables.

QUELQUES DONNÉES ÉPIDÉMIOLOGIQUES

Les conséquences de certaines ITSS sont graves et l'augmentation de leur incidence dans une population est une grande source d'inquiétude. Les données sur les ITSS montrent que certaines infections sont en augmentation après avoir régressé ou avoir été stables. L'encadré ci-dessous expose la situation au Québec et la compare brièvement à celle qui prévaut dans le reste du Canada.

Infections transmissibles sexuellement et par le sang (ITSS) Infections pouvant se transmettre par des contacts sexuels et, pour certaines, par contact avec du sang contaminé.

Parlons-en

L'incidence des ITSS

Il existe plusieurs types d'infections transmissibles sexuellement et par le sang (ITSS). Voyons quelle est leur incidence au Québec et au Canada pour l'année 2007.

Les infections les plus courantes

Chlamydiose génitale On estime à environ 15 000 le nombre de cas déclarés. L'incidence de la chlamydiose génitale a doublé de 1997 à 2004, tout comme c'est le cas dans le reste du Canada (110 % d'augmentation de 1997 à 2007), puis s'est stabilisée de 2004 à 2006. Très répandue au Québec, cette infection touche particulièrement les adolescents et les jeunes adultes de 15 à 24 ans; ce groupe représente 73 % des cas féminins et 48 % des cas masculins. Chaque année, cette infection atteint 1,4 % des filles de ce groupe d'âge. Les hommes sont moins touchés que les femmes, qui constituent près de 75 % des cas.

En 2007, dans les autres provinces canadiennes, le taux de chlamydiose génitale était légèrement plus élevé qu'au Québec, spécialement chez les hommes. À 176 cas pour 100 000, le taux de chlamydiose au Québec se situait près de ceux de l'Ontario (181 pour 100 000), de la Colombie-Britannique (227), du Nouveau-Brunswick (167) et de la Nouvelle-Écosse (191).

Infection gonococcique La hausse de son incidence de 2004 à 2007 est évaluée à environ 100 % du nombre de cas par année. Cette hausse est cinq fois plus importante chez les femmes (288 %) que chez les hommes (55 %), et elle est particulièrement forte chez les femmes de 15 à 24 ans (335 %). Les hommes constituaient toujours la majorité des cas de ce type d'infection en 2007 (26,3 pour 100 000), alors que le taux de femmes atteintes (10,8 pour 100 000) est passé de 18 % à 30 % de l'ensemble des cas de 2004 à 2007. Dans la région de Montréal, le taux d'incidence de l'infection gonococcique est quatre fois supérieur à celui établi ailleurs dans la province. Le taux québécois est le plus bas au Canada, après celui des provinces de l'Atlantique.

Le taux d'infection gonococcique au Québec en 2007 (18 pour 100 000) était le plus bas au Canada et presque deux fois moins élevé que celui des autres provinces regroupées (31 pour 100 000), lequel a connu une hausse de 157 % entre 1997 et 2007. Contrairement à ce qui est observé dans d'autres provinces, le taux d'infection chez les hommes québécois (26,3 pour 100 000 en 2007) est supérieur à celui chez les femmes (10,8 pour 100 000).

Lymphogranulomatose vénérienne   Neuf cas de cette infection apparue en 2004 ont été déclarés en 2007 et 44 en 2006. Une telle diminution a été enregistrée dans d'autres provinces canadiennes et en Europe. Ici, tous les cas déclarés touchent des hommes ayant eu des relations sexuelles avec d'autres hommes. Les prévisions indiquent que la situation devrait rester stable en 2008, mais on sait que des éclosions de lymphogranulomatose vénérienne peuvent survenir après une période d'accalmie.

Syphilis infectieuse   Au Québec, en 2007, le taux de syphilis infectieuse était de 3,2 pour 100 000. Cinq cas de syphilis infectieuse ont été déclarés chez les 15-19 ans en 2007 et on estime qu'il y en aura sept en 2008. C'est en 2005 que les deux premiers cas ont été signalés dans ce groupe d'âge depuis le début de l'actuelle épidémie de syphilis.

Le taux du Québec en 2007 était comparable à celui du Canada à l'exclusion du Québec (2,9 pour 100 000), lequel a augmenté de 157 % entre 1997 et 2007. Le taux du Québec était légèrement supérieur à celui de l'Ontario (2,8 pour 100 000), mais nettement inférieur à ceux de l'Alberta et de la Colombie-Britannique, les deux provinces les plus fortement touchées avec un taux de 6,8 pour 100 000 chacune. L'infection atteint des populations hétérosexuelles dans ces deux provinces et on y a déclaré 22 cas de syphilis congénitale de 2005 à 2007.

Hépatite B   Sur une période de 15 ans, on a enregistré une diminution de 54 % du nombre de cas d'hépatite B (de stade aigu, chronique ou non précisé). Depuis cinq ans, la situation s'est stabilisée et environ 1000 nouveaux cas sont diagnostiqués chaque année. La chute de près de 100 % du nombre de cas d'hépatite B aiguë en 15 ans (45 cas déclarés en 2007) est sans doute attribuable à l'implantation, en 1994, du programme universel de vaccination offert en 4e année du primaire et de la vaccination gratuite des groupes à risque.

Hépatite C   Le taux de cas déclarés au Québec en 2007 était de 24 pour 100 000. La diminution constante du nombre de cas d'hépatite C, estimée à 20 % entre 2003 et 2007, reflète la fin du rattrapage faisant suite à l'implantation, en 2002, de nouvelles modalités de déclaration. Le plus souvent, l'hépatite C est liée à l'utilisation de drogues par injection.

Pour l'année 2007, le taux de cas déclarés au Québec était plus faible que le taux canadien sans le Québec (39 pour 100 000), lequel a connu une baisse d'environ 40 % de 1997 à 2007. Les taux les plus élevés au Canada étaient détenus par la Saskatchewan (50 cas pour 100 000) et la Colombie-Britannique (65 cas pour 100 000).

Infection par le virus d'immunodéficience acquise chez l'humain (VIH)   Par rapport à 2006, le nombre de nouveaux cas d'infection par le VIH a diminué de 27 % en 2007 (une baisse de 31 % chez les femmes et de 25 % chez les hommes). Toujours en 2007, on a enregistré une baisse du nombre de nouveaux cas chez les quatre principaux groupes à risque : les hommes ayant des relations avec d'autres hommes (61 % des nouveaux cas), les individus originaires d'un pays où le VIH est endémique (13 %), les personnes ayant eu des relations hétérosexuelles non protégées (12 %) et les utilisateurs de drogues intraveineuses (8 %). Chez les femmes, le VIH est transmis principalement lors de relations hétérosexuelles.

Au Québec, le nombre de personnes atteintes du VIH (incluant les personnes ayant développé le sida) augmente, puisqu'aux nouveaux cas s'ajoutent tous ceux qui reçoivent un traitement (introduit en 1996) qui prolonge la vie en repoussant le diagnostic du sida. Pour l'année 2007, le taux de mortalité associé au sida était près de sept fois plus faible que celui de 1995. Selon les plus récentes estimations, de 500 à 1400 personnes ont contracté le VIH en 2005 et on évalue que de 13 300 à 19 600 personnes étaient alors atteintes du VIH.

Au Canada, on a signalé 2432 tests positifs pour le VIH en 2007, une diminution de 5 % par rapport à l'année précédente. Plus de 80 % de ces tests positifs provenaient de trois provinces : 44,0 % de l'Ontario (10,1 pour 100 000), 21,5 % du Québec (8,1 pour 100 000) et 16,3 % de la Colombie-Britannique (10,8 pour 100 000). Le taux le plus élevé était celui de la Saskatchewan (13,6 pour 100 000). À la fin de l'année 2005, selon les estimations de l'Agence de la santé publique du Canada, de 48 000 à 68 000 Canadiens étaient atteints du VIH (incluant les personnes qui ont développé le sida).

Les groupes les plus à risque

Parmi la population, les groupes les plus susceptibles de contracter une ITSS sont les jeunes âgés de 15 à 24 ans, les jeunes de la rue, les hommes ayant des relations sexuelles avec des hommes, les utilisateurs de drogues intraveineuses, les personnes originaires des pays où le VIH est endémique et les populations autochtones.

Les jeunes âgés de 15 à 24 ans   En 2007, on rattachait à ce groupe 65 % des cas de chlamydiose génitale déclarés, 41 % des cas d'infection gonococcique, 9 % des cas d'hépatite B, 7 % des cas de syphilis infectieuse et 6 % des cas d'hépatite C. Les jeunes de 15 à 24 ans représentent aussi 5 % de l'ensemble des cas déclarés d'infection au VIH depuis l'implantation du programme québécois de surveillance du VIH en 2002.

Pour l'année 2005-2006, les données indiquent que 72 % des cégépiens montréalais ont eu au moins une fois une relation sexuelle orale, vaginale ou anale. Elles révèlent aussi que 68 % des cégépiens sexuellement actifs ont toujours utilisé un condom. Pour leur part, le tiers des femmes sexuellement actives ont utilisé au moins une fois une contraception d'urgence (pilule du lendemain).

Les jeunes de la rue En 2002, la chlamydiose touchait 13,6 % des filles et 7,4 % des garçons de ce groupe (9 % chez les 14-20 ans et 4,1 % chez les 21-25 ans). On estime que 46 % des jeunes de la rue se sont déjà injecté des drogues.

Les hommes ayant des relations sexuelles avec des hommes (dont les personnes en milieu de détention) L'ensemble des cas de lymphogranulomatose qui ont été déclarés ces derniers temps au Québec, 90 % des cas de syphilis infectieuse et 60 % des cas d'infection gonococcique chez les hommes sont liés à ce groupe. Ces hommes représentent aussi 21 % des nouveaux cas d'infection par le VIH de 2006 à 2007 et 46 % de tous les cas reconnus depuis l'implantation du programme québécois de surveillance du VIH.

Selon les estimations, 1,3 % des hommes de ce groupe contractent le VIH chaque année, alors que 12,5 % en seraient infectés (soit 20 % de ceux âgés de 40 à 49 ans).

Au cours des six derniers mois de 2005, 68 % des hommes gais et bisexuels sexuellement actifs ont toujours utilisé un condom lors de relations anales avec un partenaire considéré comme à risque. On rapporte qu'environ le quart des hommes de ce groupe qui sont infectés par le VIH l'ignorent.

Les utilisateurs de drogues intraveineuses (UDI) Ce groupe représente 18 % des cas d'infection par le VIH déclarés depuis 2002, ou 22 % si l'on prend en compte les hommes utilisateurs de drogues intraveineuses qui ont des relations avec des hommes.

En ce qui concerne le virus de l'hépatite C, on estime que 62 % des UDI québécois et 80 % de ceux âgés de 40 ans et plus en sont infectés. Les données indiquent que près du tiers des UDI infectés par le virus de l'hépatite C ou le VIH (ou les deux) l'ignorent. Parmi les gens infectés uniquement par le virus de l'hépatite C, moins de la moitié (44 %) font l'objet d'un suivi médical.

Dans les centres de détention de compétence provinciale, 28 % des hommes et 43 % des femmes ont déjà utilisé des drogues intraveineuses.

Les personnes originaires de pays où le VIH est endémique Depuis 2002, 16 % des cas d'infection par le VIH déclarés au Québec touchent des personnes originaires d'Haïti et de pays de l'Afrique subsaharienne. Au cours des dernières années, le nombre de nouveaux diagnostics est stable à l'intérieur de ce groupe.

Les populations autochtones En 2007, les taux de chlamydiose et d'infection gonococcique chez les populations autochtones des Terres-Cries-de-la-Baie-James et du Nunavik étaient de 12 et 16 fois plus élevés que le taux moyen partout ailleurs au Québec. Le nombre de cas d'infection gonococcique déclarés était plus grand chez les femmes que chez les hommes, à l'inverse du reste du Québec. Des taux élevés de ces infections ont aussi été relevés au Nunavut et dans les Territoires du Nord-Ouest. Soulignons enfin que les populations autochtones présentent moins de 1 % des cas d'infection par le VIH déclarés au Québec depuis 2002.

(*Source*: Adapté du ministère de la Santé et des Services sociaux du Québec, 2008.)

Les infections sont soit d'origine bactérienne, soit d'origine virale. Certaines sont des conséquences de parasites ou de champignons. Le tableau 12.1 à la page 356 présente les infections bactériennes et virales les plus courantes ainsi que leurs modes de transmission, les symptômes et le traitement de chacune.

LES INFECTIONS BACTÉRIENNES

Plusieurs ITSS sont d'origine bactérienne. Celles-ci comprennent notamment la chlamydiose, l'une des plus répandues et des plus graves, la gonorrhée, l'urétrite non gonococcique et la syphilis. La vaginose bactérienne sera vue plus loin dans ce chapitre.

LA CHLAMYDIOSE

La chlamydiose, souvent appelée *chlamydia*, est causée par la bactérie *Chlamydia trachomatis* qui se développe dans les cellules du corps. Ce micro-organisme est maintenant reconnu comme responsable de différents types d'infections génitales et d'une forme de cécité évitable.

La chlamydiose est la plus répandue des ITSS bactériennes diagnostiquées au Canada (Agence de la santé publique du Canada, 2008, p. 4). Au Québec, on a rapporté 12 851 cas en 2007, touchant 6416 femmes et 1846 hommes de 15 à 24 ans (Ministère de la Santé et des Services sociaux du Québec, 2008, p. 10).

L'URÉTRITE NON GONOCOCCIQUE

Lorsqu'une inflammation de l'urètre n'est pas causée par la gonorrhée, elle porte le nom d'*urétrite non gonococcique*. Le plus souvent, cette infection est causée soit par la bactérie responsable de la chlamydiose, la *Chlamydia trachomatis*, soit par le *Mycroplasma genitalium* (Bradshaw et coll., 2006 ; Handsfield, 2006). L'urétrite non gonococcique peut aussi être due à d'autres agents infectieux, à une allergie aux sécrétions vaginales ou à une réaction à un savon, à un contraceptif intravaginal ou à un déodorant. Nous n'avons trouvé aucune donnée officielle sur son incidence au Canada.

LA GONORRHÉE OU GONOCOCCIE

La gonorrhée est causée par la bactérie *Neisseria gonorrheae* (nommée aussi *gonocoque*). Au Canada, cette infection vient au second rang parmi les ITSS déclarées et touche deux fois plus d'hommes que de femmes ; elle est en hausse chez les hommes ayant des relations sexuelles avec d'autres hommes (HARSAH), et les cas de résistance au traitement traditionnel sont 15 fois plus nombreux qu'au début des années 1990 (Agence de la santé publique du Canada, 2006). Au Québec, on a relevé 1391 cas en 2007, dont 235 chez les femmes de 15 à 24 ans et 295 chez les hommes de ce même groupe d'âge (Ministère de la Santé et des Services sociaux du Québec, 2008).

LE LYMPHOGRANULOME VÉNÉRIEN

Le lymphogranulome vénérien (LGV), aussi appelé *lymphogranulomatose*, est une infection transmise sexuellement qui a fait son apparition il y a peu de temps au Canada. Cette infection est causée par une bactérie de type chlamydia. Le LGV peut causer de graves problèmes de santé et doit être traité (Agence de la santé publique du Canada, 2008). Nous ne disposons pas de données sur son incidence au Canada dans son ensemble. Nous savons toutefois qu'il touche principalement les hommes ayant des relations sexuelles avec des hommes. Au Québec, on a relevé 44 cas en 2008 (Ministère de la Santé et des Services sociaux du Québec, 2008).

La bactérie se transmet lors de relations sexuelles orales, vaginales ou anales. Une plaie ou une enflure indolore peut apparaître à l'endroit où la bactérie a pénétré dans l'organisme. La lésion est souvent invisible (située à l'intérieur du corps) et elle disparaît sans traitement. Une personne peut être infectée sans le remarquer. Au deuxième stade de l'infection, des symptômes sembla-bles à ceux de la grippe peuvent apparaître (fièvre, fatigue, douleurs musculaires). Il est possible que les ganglions lymphatiques enflent et qu'il y ait un écoulement dans la région génitale ou anale. S'il n'est pas traité, le LGV peut laisser au niveau des organes génitaux et de l'anus des cicatrices qui nécessiteront une intervention chirurgicale. Dans de rares cas, le LGV peut même causer la mort (Agence de la santé publique du Canada, 2008).

LA SYPHILIS INFECTIEUSE

La syphilis est causée par la bactérie *Treponema pallidum* (nommée aussi *spirochète*). Elle était rare au Canada autrefois. Les personnes touchées sont surtout les HARSAH (VIH négatif et VIH positif) du groupe des 30 à 39 ans ainsi que les travailleurs de l'industrie du sexe et leurs clients (Agence de la santé publique du Canada, 2008, p. 4). Au Québec, on a relevé 204 cas en 2007 (Ministère de la Santé et des Services sociaux du Québec, 2008, p. 10).

LES INFECTIONS VIRALES

Comme dans le cas des ITSS d'origine bactérienne, il y a plusieurs infections d'origine virale. À la différence d'une bactérie, un virus se loge dans les cellules de l'organisme où il se reproduit, altérant ainsi leur fonctionnement. La plupart des virus se transmettent par contact direct avec du sang ou un liquide corporel infectés. Nous verrons en premier l'herpès, suivi des condylomes acuminés et de l'hépatite virale.

L'HERPÈS

L'herpès est causé par un virus nommé *Herpes simplex*. Il existe huit différents types de virus herpétiques chez l'humain, les plus répandus étant le virus *Varicella-zoster*, à l'origine de la varicelle, le virus *Herpes simplex* de type 1 (VHS-1) et le virus *Herpes simplex* de type 2 (VHS-2). Nous ne retiendrons ici que ces deux derniers virus, car ce sont les plus largement transmis par contact sexuel. Le VHS-1, aussi appelé *feu sauvage* au Québec, provoque en général des lésions ou papules autour de la bouche ou des lèvres (herpès buccal ou labial). Le VHS-2 provoque habituellement des lésions dans la région génitale (herpès génital).

Même si l'herpès buccal et l'herpès génital proviennent de virus différents, la contamination croisée est possible. Le VHS-1 peut toucher la zone génitale et, inversement,

Tableau 12.1 | **Modes de transmission, symptômes et traitements des ITSS les plus courantes.**

INFECTIONS	DÉCLARATION OBLIGATOIRE/ RECHERCHE DE CONTACTS	MODES DE TRANSMISSION	SIGNES ET SYMPTÔMES	DÉTECTION	TRAITEMENT
Infections bactériennes					
CHLAMYDIOSE (CHLAMYDIA)	Déclaration obligatoire. Il faut aviser les partenaires sexuels des trois derniers mois, car ces personnes peuvent être infectées sans le savoir.	• Transmissible lors de relations sexuelles vaginale, buccogénitale ou anale sans condom; peut attaquer les yeux si on y porte les mains après avoir touché des organes génitaux infectés. • À la naissance du bébé, lors du passage dans le vagin d'une mère infectée.	• Chez la femme: miction fréquente et sensation de brûlure en urinant, inflammation et douleur dans le bas-ventre, écoulement vaginal, saignements entre les menstruations ou après une relation sexuelle. • Chez l'homme: symptômes similaires à ceux de la gonorrhée, bien que moins prononcés — sensation de brûlure et miction douloureuse, écoulement du pénis. À noter: La plupart des hommes et des femmes ne présentent aucun symptôme. Un mal de gorge peut indiquer une infection à la suite d'un rapport buccogénital. Complications: Chez la femme, salpingite (infection des trompes de Fallope) qui peut mener à la stérilité, grossesse ectopique. Chez l'homme, balanite (infection du pénis) qui peut toucher la prostate et les testicules. Le bébé peut avoir une conjonctivite ou une pneumonie dans les semaines qui suivent sa naissance.	Analyse d'un prélèvement au niveau du col de l'utérus ou du liquide sécoulant du pénis, ou par culture d'urine.	Doxycycline pendant 7 jours, ou une dose d'azithromycine.
GONORRHÉE	Déclaration obligatoire (âge et localité)	Transmissible lors de relations sexuelles vaginale, buccogénitale ou anale, ou encore de la mère au bébé à la naissance.	• Chez l'homme: écoulement du pénis, jaunâtre et épais, sensation de brûlure lors de la miction. • Chez la femme: augmentation de l'écoulement vaginal, sensation de brûlure lors de la miction, menstruations irrégulières. La plupart des femmes ne montrent aucun symptôme au début de l'infection.	Examen des organes génitaux et culture de l'écoulement.	Double traitement d'une dose de ceftriaxone, cefixime, ciprofloxacine, levofloxacine ou ofloxacine plus une dose d'azithromycine (ou doxycycline pendant 7 jours).
SYPHILIS	Déclaration obligatoire	Transmissible lors de relations sexuelles vaginale, buccogénitale ou anale, ou en touchant un chancre infectieux.	• Stade primaire: apparition d'un chancre rond, indolore, de deux à quatre semaines après un contact avec une personne infectée; peut progresser au stade secondaire et tertiaire si non traitée. • Stade secondaire: éruptions cutanées généralisées; durant la phase latente, qui dure plusieurs années, il n'y a pas de symptômes apparents. • Stade tertiaire: problèmes cardiovasculaires, cécité, paralysie, ulcères cutanés, dommages au foie et troubles mentaux.	• Stade primaire: examen clinique et examen de l'écoulement du chancre. • Stade secondaire: test sanguin (VDRL).	Pénicilline G ou érythromycine, benzathine, doxycycline, ceftriaxone.
VAGINITE BACTÉRIENNE	Non	Peut survenir à la suite d'une prolifération de la bactérie dans le vagin ou lors d'une réaction allergique; aussi transmissible par contact sexuel.	• Chez la femme: écoulement vaginal, odeur caractéristique, irritation des muqueuses et miction douloureuse. • Chez l'homme: inflammation du prépuce et du gland, douleur à la miction, urétrite et cystite. Peut ne présenter aucun symptôme chez les deux sexes.	Culture et examen de la bactérie.	Métronidazole, clindamycine.
Infections virales					
CONDYLOMES ACUMINÉS	Non. Il est important que les partenaires sexuels d'une personne infectée soient informés pour se faire examiner et traiter au besoin.	Transmissibles par contact sexuel ou à la suite d'un contact avec des vêtements ou des serviettes infectées par le virus.	• Apparition de verrues indolores ressemblant à un chou-fleur. • Chez l'homme: sur le pénis, le prépuce, le scrotum ou dans l'urètre. • Chez la femme: sur la vulve, les lèvres, les parois vaginales et le col de l'utérus; parfois autour de l'anus et dans le rectum.	Examen des organes génitaux.	Cryothérapie ou utilisation de crème contenant des agents qui détruisent la verrue. Les verrues peuvent être brûlées ou extirpées chirurgicalement.

Infections virales (suite)

Infection	Déclaration	Mode de transmission	Symptômes	Diagnostic	Traitement
HERPÈS GÉNITAL (VHS-2)	Non	Presque toujours par contact vaginal, buccogénital ou anal; contagiosité surtout lors de « l'éruption » de la maladie.	• Petits boutons rougeâtres douloureux sur les organes génitaux, les cuisses, les fesses; chez la femme, parfois dans le vagin et sur le col de l'utérus. Petites taches rouges qui, en un jour ou deux, se transforment en boutons jaunâtres qui éclatent et laissent des ulcères douloureux. Il faut attendre 10 jours pour que ces ulcères sèchent. • Autres symptômes possibles: fièvre, perte d'appétit, fatigue générale, sensation de brûlure lors de la miction; glandes enflées, douleurs et courbatures; écoulement vaginal. • Pour l'herpès de type 1, apparition de papules sur les lèvres et parfois à l'intérieur de la bouche, sur la langue et dans la gorge. Les lésions disparaissent entre 10 et 16 jours. Les virus de l'herpès ne disparaissent pas, ils restent dans des cellules nerveuses et les crises peuvent revenir.	Examen clinique des plaies; culture de l'écoulement d'une plaie.	Aucun traitement connu – Réduction des symptômes avec acyclovir oral, valacyclovir, famicyclovir ou une crème à base de docosanol.
HÉPATITE (Virus de l'hépatite de types A, B et C)	Déclaration obligatoire	Transmissible par contact sexuel, surtout lors de relations sexuelles anales, selles contaminées en contact avec la bouche (hépatite A); contact avec matières fécales infectieuses; transfusion de sang contaminé (B et C); salive, sécrétions vaginales et sperme contaminés (B). L'hépatite C est transmise surtout par l'usage de seringues contaminées et plus rarement par des produits sanguins contaminés ou par contact sexuel; peut aussi être transmise de la mère au fœtus et de la mère à l'enfant.	Peut être asymptomatique ou présenter des symptômes semblables à ceux d'un rhume ou des symptômes plus graves incluant fièvre, douleur abdominale, vomissement et ictère (jaunisse) de la peau et des yeux.	Test sanguin pour détecter les anticorps de l'hépatite; biopsie du foie.	Repos au lit, ingestion de liquides et parfois des antibiotiques pour prévenir toute infection. Dans le cas de l'hépatite C, on utilise parfois l'interféron et de la ribaflavine.
VIH/SIDA	Déclaration obligatoire	Par contact sexuel, transfusion de sang contaminé, de la mère au fœtus durant la grossesse, lors de la naissance ou de l'allaitement.	• Premier stade (VIH): aucun symptôme ou symptômes semblables à ceux d'un léger rhume qui disparaissent pendant plusieurs années avant le développement du sida. • Sida: fièvre, perte de poids, fatigue, diarrhée et infections opportunistes comme la pneumonie.	Test d'urine, de salive ou de sang pour détecter les anticorps VIH.	Traitement combinant trois médicaments antiviraux ou plus lorsque le nombre de CD4 baisse de façon significative. Des traitements spécifiques supplémentaires en fonction des infections et tumeurs opportunistes.

Infections à champignon

Infection	Déclaration	Mode de transmission	Symptômes	Diagnostic	Traitement
VAGINITE À CANDIDA	Non	Peut survenir à la suite d'une prolifération de ce champignon dans le vagin; peut également être transmissible par contact sexuel ou lors de l'utilisation d'une débarbouillette ou serviette utilisée par une personne infectée.	• Chez la femme: démangeaisons vulvaires, écoulement blanc, texture fromagée et mauvaise odeur; douleur et inflammation des tissus de la vulve et du vagin. • Chez l'homme: démangeaisons et brûlure lors de la miction; rougeur sur le pénis.	Diagnostic basé sur les symptômes.	Dose simple de fluconazole, suppositoires de miconazole ou autres médicaments semblables.
VAGINITE À TRICHOMONAS	Non	Presque toujours transmise par contact sexuel.	• Chez la femme: écoulement jaunâtre, mousseux et malodorant; démangeaisons ou sensation de brûlure à la vulve. Plusieurs femmes ne présentent aucun symptôme. • Chez l'homme: souvent asymptomatique, mais possibilité de légère urétrite.	Culture d'un prélèvement de sécrétions vaginales.	Métronidazole

Infections ectoparasitaires

Infection	Déclaration	Mode de transmission	Symptômes	Diagnostic	Traitement
GALE	Non	Transmissible par contact sexuel (poils) ou à la suite d'un contact avec literie, serviettes, vêtements infectés par le parasite.	Démangeaisons intenses, sillons rougeâtres, pustules dans les régions affectées.	Examen clinique.	Lindane (Kwell)
MORPIONS	Non	Transmissibles par contact sexuel ou à la suite d'un contact avec literie, vêtements, serviettes ou autres tissus infectés.	Démangeaisons intenses dans la région pubienne et autre région poilue du corps où les morpions peuvent s'accrocher.	Examen clinique.	Lindane (Kwell)

le VHS-2 peut causer des plaies buccales (Engelberg et coll., 2003). Il reste néanmoins que la plupart des infections buccales sont dues au VHS-1 et celles de la région génitale au VHS-2 (Singh et coll., 2005). L'incidence de l'herpès au Canada n'est pas connue, cette infection n'étant pas à déclaration obligatoire. Cependant, on estime que près de 20 % des personnes en sont atteintes, surtout des femmes (Agence de la santé publique du Canada, 2008, p. 4).

Il est maintenant reconnu que l'herpès peut se transmettre même en l'absence de symptômes apparents (éruptions). Le risque est faible, mais il existe, particulièrement si des manifestations annonciatrices d'une crise sont présentes, telles que des démangeaisons, des fourmillements, des sensations de brûlure, des picotements dans les zones qui ont déjà été infectées, et parfois des douleurs localisées aux jambes, aux cuisses ou dans la région des fesses. Pendant les périodes où ces manifestations se produisent, il faut éviter que de la peau saine entre en contact avec celle qui est atteinte.

LES CONDYLOMES ACUMINÉS

Les condylomes acuminés sont causés par le virus du papillome humain (VPH). Avec les techniques récentes d'analyse, plus de 100 types de VPH ont été identifiés, dont la moitié environ provoquent des infections génitales (Centers for Disease Control, 2006f). L'infection n'étant pas à déclaration obligatoire, nous ne disposons pas de statistiques sur son incidence. On estime par contre que 70 % de la population aura au moins une infection génitale au VPH dans sa vie (Agence de la santé publique du Canada, 2008, p. 4).

Le VPH est responsable de divers cancers, en particulier celui du col de l'utérus. Une controverse existe à propos de la nécessité d'une vaccination préventive, au Canada notamment. À la suite de la mise au point d'un vaccin, les autorités en santé publique ont fait campagne pour qu'il soit administré aux filles (et éventuellement aux garçons) avant leur puberté, avec une dose de rappel ultérieur. Certains groupes ont alors manifesté leur inquiétude et leur opposition à une telle campagne. Du côté des partisans de la vaccination, on invoque l'efficacité d'une telle mesure et la nécessité d'agir face à l'augmentation des cas de cancer du col de l'utérus. Du côté des opposants, hormis les arguments anti-vaccination habituels, on est d'avis que l'absence d'études sur de possibles conséquences ou sur l'efficacité à long terme d'une telle mesure devrait inciter à la prudence étant donné la dépense que cela représente (300 millions). De

plus, les opposants font valoir que le traditionnel test PAP suffit comme outil de prévention du cancer du col de l'utérus.

L'HÉPATITE VIRALE

L'hépatite virale est une maladie du foie causée par des virus. Trois variantes sont surtout en lien avec les ITSS ; elles sont désignées par les lettres A, B et C, qui correspondent à l'ordre de leur découverte. Chaque type d'hépatite est causé par un virus différent. Au Canada, on relève environ 700 cas aigus d'hépatite par année. Deux fois plus d'hommes que de femmes en sont atteints. Le groupe d'âge le plus souvent affecté est celui des 30 à 39 ans (Agence de la santé publique du Canada, 2008, p. 4). Les chiffres pour le Québec, en 2007, étaient de 994 cas d'hépatite B (les deux sexes réunis) auxquels s'ajoutaient 2203 cas d'hépatite C (hommes et femmes réunis) (Ministère de la Santé et des Services sociaux du Québec, 2008, p. 10).

LES INFECTIONS VAGINALES LES PLUS RÉPANDUES

Il existe plusieurs types d'infections vaginales. Celles-ci peuvent être transmises par contact sexuel ou autrement. Les termes *vaginite* et *leucorrhée* désignent un ensemble d'infections vaginales caractérisées par des pertes vaginales blanchâtres. Le liquide peut aussi être jaunâtre ou verdâtre en raison de la présence de cellules de pus et il a souvent une odeur désagréable.

Pratiquement toutes les femmes auront une ou plusieurs infections vaginales au cours de leur vie. C'est l'un des motifs de consultation médicale les plus fréquents (Calvert, 2003 ; Karasz et Anderson, 2003). Dans des conditions normales, plusieurs des organismes qui causent les infections vaginales sont relativement inoffensifs. Le vagin abrite normalement une bactérie (*lactobacillus*) qui aide à maintenir un milieu sain (Jeavons, 2003). Le pH du vagin est en temps normal suffisamment acide pour empêcher la plupart des infections. Toutefois, il arrive que ce pH soit modifié et que le vagin devienne moins acide, ce qui favorise alors l'éclosion d'infections. Parmi les facteurs qui peuvent accroître les risques d'infection vaginale, mentionnons la prise d'antibiotiques, l'usage de contraceptifs oraux, les menstruations, la grossesse, le port de sous-vêtements en nylon, une faible résistance au stress et le manque de sommeil (Jeavons, 2003 ; Priestly et coll., 1997). Les douches vaginales augmentent également les risques d'infection vaginale, notamment celles qui sont causées par des bactéries (Centers for Disease Control, 2006h ; Ness et coll., 2003). L'alcalinité du liquide séminal pourrait aussi être un facteur de modification du pH et contribuer à accroître les risques d'infection (Priestly et coll., 1997).

Les infections vaginales les plus courantes sont la vaginite bactérienne, la vaginite à champignon (*Candida albicans*) et la vaginite à protozoaire (*Trichomonas vaginalis*). La vaginite bactérienne est la plus répandue.

LA VAGINITE BACTÉRIENNE

La vaginite bactérienne (VB) est une infection causée par la prolifération de micro-organismes qui viennent remplacer les lactobacilles normalement présents dans le vagin. Ces micro-organismes peuvent comporter des bactéries anaérobiques (qui vivent sans oxygène), la bactérie *Mycoplasma* et une bactérie connue sous le nom de *Gardnerella vaginalis*.

LA VAGINITE À CHAMPIGNON ET LA VAGINITE À PROTOZOAIRE

Deux autres infections vaginales sont causées par des organismes microscopiques. La première est la vaginite à champignon (*Candida albicans*) qui toucherait 75 % des femmes à un moment ou l'autre de leur vie (Centers for Disease Control, 2006i) et la seconde, la vaginite à protozoaire (*Trichomonas vaginalis*), toucherait de 8 à 9 millions de Nord-Américaines.

LES INFECTIONS ECTOPARASITAIRES

Les infections ectoparasitaires sont causées par des parasites vivant sur la peau des humains et des animaux (*ecto* veut dire « en dehors de »). Deux de ces parasites sont relativement répandus : les morpions et la gale.

LES MORPIONS

Les morpions, ou poux du pubis, appartiennent à un groupe d'insectes parasites appelés *poux broyeurs*. Leur nom scientifique est *Phthirus pubis*. Très petits, ils sont tout de même visibles à l'œil nu. Ils sont de couleur jaune-gris et, vus sous la loupe, ils ressemblent à des crabes. Ils s'agrippent à un poil pubien pour pouvoir enfoncer leur tête sous la peau et se nourrir de notre sang à partir de petits vaisseaux sanguins. Ils sont assez répandus, notamment chez les personnes de 15 à 25 ans, et sont souvent associés à une autre ITSS (Varela et coll., 2003).

LA GALE

La gale est causée par une mite parasite en forme de tortue appelée *Sarcoptes scabiei*. À la différence des poux du pubis, les mites sont trop minuscules pour être vues à l'œil nu. L'infection commence par l'action de la femelle qui, une fois fécondée, creuse sous la peau pour y pondre ses œufs qui éclosent peu de temps après. Les larves qui en résultent atteignent leur taille adulte au bout de 10 à 20 jours et se mettent alors à creuser à leur tour près du lieu de leur naissance pour se nourrir. Une personne qui a la gale peut abriter en moyenne de 5 à 10 mites femelles vivantes (Closidow, 2006). Bien que la gale ne fasse pas partie des maladies répertoriées par les organismes de santé, on estime que 300 millions de personnes en sont atteintes chaque année à travers le monde (Closidow, 2006). La gale est hautement contagieuse et peut se transmettre par contact sexuel ou par un contact étroit. De plus, les mites parasites peuvent survivre jusqu'à 72 heures sur des vêtements ou de la literie (Centers for Disease Control, 2006k). Enfin, en plus des personnes sexuellement actives, les enfants fréquentant l'école, les personnes habitant des maisons de repos et les personnes indigentes risquent davantage d'avoir la gale.

LE SYNDROME D'IMMUNODÉFICIENCE ACQUISE

Le syndrome d'immunodéficience acquise (sida) est maintenant reconnu comme la plus grave pandémie de notre temps. Le sida résulte d'une infection par le **virus de l'immunodéficience acquise chez l'humain (VIH)**. Le VIH fait partie d'une catégorie spéciale de virus appelés *rétrovirus*, parce qu'ils inversent l'ordre usuel de la reproduction à l'intérieur des cellules qu'ils infectent. On appelle ce processus *transcription inverse*.

Deux variantes du VIH sont associées au développement du **sida** : le VIH-1 et le VIH-2. Le premier à avoir été identifié est le VIH-1, celui qui cause le plus grand nombre de cas de sida en Amérique et dans le monde. Le VIH-2 se rencontre dans quelques pays d'Afrique en

Virus de l'immunodéficience acquise chez l'humain (VIH) Virus de la famille des rétrovirus qui a un effet destructeur sur les défenses de l'organisme contre les infections (système immunitaire).

Sida Syndrome de l'immunodéficience acquise. Comporte des maladies comme des infections, mais aussi certains cancers qui ne seraient pas apparus sans l'action du VIH.

sus du VIH-1. Le VIH-1 est la variante la plus virulente et pose un défi de taille en raison de ses mutations constantes et du fait qu'il se présente sous plusieurs types. Pour simplifier notre présentation, nous parlerons indistinctement des deux variantes en utilisant le terme VIH.

On a échafaudé de nombreuses hypothèses et conjectures sur l'origine de la maladie. On a tour à tour fait remonter l'origine du VIH à des ressortissants africains puis haïtiens, à des moustiques, à des singes, à des porcs, et même à l'expérimentation d'un vaccin contre la polio, en Afrique, dans les années 1950. Il semble cependant que l'énigme de l'origine du VIH soit à présent résolue, comme en témoigne la publication d'une étude récente. Deux équipes internationales de scientifiques ont établi que le VIH avait été transmis à l'humain par des chimpanzés. On a en effet décelé un virus apparenté au VIH chez une sous-espèce de chimpanzés vivant en Afrique centrale et en Afrique du Sud ouest (Gao et coll., 1999 ; Keele et coll., 2006). L'analyse génétique a révélé que cette sous-espèce, appelée *Pan troglodytes troglodytes*, est l'hôte d'un virus de l'immunodéficience simienne (VIS), qui est à l'origine du VIH-1, le type de virus responsable de la très grande majorité des cas de sida chez les humains dans le monde. Les chercheurs croient que le VIS s'est génétiquement converti en VIH soit depuis l'organisme même d'un chimpanzé, soit après qu'un humain eut été infecté par le VIS, en entrant par exemple en contact avec le sang d'un chimpanzé durant une partie de chasse ou en en manipulant la viande lors de la préparation d'un repas.

Détenant désormais les preuves que cette sous-espèce de chimpanzés est à l'origine du VIH, une autre équipe de scientifiques a donc pu, en mesurant le taux d'altération génétique du VIH par rapport au VIS dont ces chimpanzés étaient porteurs, estimer que le VIH est apparu entre 1915 et 1941, 1931 étant la date la plus probable (Korber et coll., 2000). Mais alors, comment expliquer qu'il ait fallu attendre 1983 pour que le VIH soit reconnu comme le virus responsable du sida ? Selon les scientifiques, lorsque le VIS s'est transformé en virus mortel pour l'humain au début des années 1930, il est probablement demeuré confiné à la population restreinte d'un village reculé, jusqu'à ce que la migration vers les grandes villes et la multiplication des voyages internationaux aient favorisé sa propagation dans le monde entier. La preuve que le VIH existait bien avant son identification en 1983 est d'ailleurs établie, car on a récemment découvert la présence de ce virus dans un échantillon de sang gelé, prélevé en 1959 sur un Afri-

cain (Zhu et coll., 1998). Tout porte donc à croire que le VIH est né, au début du XXe siècle, d'une transmission hétérospécifique d'une sous-espèce de chimpanzés à l'humain et qu'il s'est propagé beaucoup plus tard dans le monde, quand l'Afrique est sortie de son isolement.

Dans l'organisme humain, le VIH s'attaque spécifiquement aux lymphocytes CD4, aussi appelés *cellules T facilitantes* ou *cellules T4*, et les détruit. Chez l'individu sain, ces cellules coordonnent la réponse du système immunitaire à l'infection. Quand le système de défense est affaibli par les attaques du VIH, l'organisme devient vulnérable à une foule de cancers et d'infections opportunistes (des infections qui ne se seraient pas déclarées sans l'affaiblissement du système immunitaire).

Dans les années 1980, on n'établissait un diagnostic de sida que lorsque le système immunitaire du porteur de VIH était si gravement affaibli que l'individu développait une ou plusieurs maladies graves et débilitantes, comme une pneumonie ou un cancer. Toutefois, depuis le 1er janvier 1993, le Centre américain de contrôle des maladies (CDC) a adopté une définition du sida qui englobe toute personne infectée par le VIH dont le système immunitaire est gravement affaibli. Désormais, quiconque est infecté par le VIH et a 200 lymphocytes CD4 ou moins par millimètre cube de sang est considéré comme atteint du sida, sans autre distinction. (Le nombre normal de lymphocytes CD4 dans un organisme sain est de 600 à 1200 par millimètre cube de sang.)

C'est chez le chimpanzé que fut découvert le virus à l'origine du VIH-1.

L'INCIDENCE DU VIH

Les données publiées en 2008 par ONUSIDA sont révélatrices de la situation actuelle de l'épidémie. Selon eux, bien que l'épidémie mondiale se stabilise, le niveau demeure inacceptable. On estime qu'en 2007 entre 30 et 36 millions de personnes vivaient avec le VIH. Le nombre de nouvelles infections annuelles est passé de 3 millions en 2001 à 2,7 millions en 2007. Le pourcentage de femmes infectées dans le monde s'est stabilisé à 50 % depuis plusieurs années. On estime également que 370 000 enfants de moins de 15 ans ont été infectés en 2007 (ONUSIDA, 2008).

La situation au Canada est cependant moins alarmante, comme l'indiquent les données provenant de l'Agence de santé publique du Canada (2007). On estime qu'il y a actuellement près de 58 000 individus, dont 11 800 femmes, porteurs du VIH ou qui ont développé le sida. Les femmes représentent environ 20 % de tous les cas de sida rapportés au pays. Le nombre de nouvelles infections serait compris entre 2300 et 4500 pour l'année 2005. On croit également qu'environ 15 800 de ces porteurs ignorent leur condition. Pour l'année 2007, les personnes atteintes du sida âgées de 15 à 24 ans totalisaient 0,4 % de la population canadienne (ONUSIDA, 2008).

Plusieurs personnes sidéennes ont été infectées pendant leur adolescence (Aronowitz et coll., 2006). Le problème particulier de l'infection au VIH chez les adolescents peut s'expliquer par plusieurs facteurs, dont :

* la multiplicité des partenaires, qui accroît le risque de contracter l'infection ;
* le faible taux d'utilisation du condom ;
* l'accès aux condoms moins facile que pour les adultes ;
* des taux élevés d'ITSS en général, ce qui est souvent associé à l'infection au VIH ;
* l'abus d'alcool ou de drogues, qui est relativement répandu parmi ce groupe (situation qui entraîne plus de comportements à risque) ;
* un sentiment d'invulnérabilité particulièrement présent à cet âge.

Alors que les hétérosexuels ne représentaient que 8 % des personnes infectées au VIH entre 1985 et 1995, leur proportion est passée à 27 % en 2005 (Agence de la santé publique du Canada, 2007). La proportion d'utilisateurs de drogues injectables a, quant à elle, décru parmi les personnes infectées, passant de 34 % en 1996 à 17 % en 2005. Par contre, la proportion représentée par les hommes qui ont eu des relations sexuelles avec d'autres hommes est passée de 37 % des personnes nouvellement infectées en 2001 à 51 % en 2005.

Le VIH se transmet moins facilement d'une femme à un homme que d'un homme à une femme (Betts, 2001 ; Eschenbach et coll., 2001 ; Ray et Quinn, 2000). Conséquemment, la femme qui a un rapport sexuel avec un homme infecté au VIH risque davantage d'être infectée qu'un homme qui a un rapport sexuel avec une femme infectée. On peut expliquer cette différence par le fait que le sperme contient une plus grande concentration de VIH que les sécrétions vaginales, et que la muqueuse vaginale demeure plus longtemps en contact avec le VIH contenu dans le sperme que ne l'est le pénis avec les sécrétions vaginales infectées. Aussi, les muqueuses vaginales et vulvaires sont plus fragiles que le pénis (Lamptey et coll., 2006 ; Ray et Quinn, 2000). De plus, certaines femmes ont des pénétrations anales sans protection et cette pratique présente un risque de transmission du VIH dix fois plus élevé que la pénétration vaginale sans protection (Abner et coll., 2005). De fait, la pénétration anale passive est reconnue comme présentant le plus haut risque de transmission du VIH tant entre hommes qu'entre un homme et une femme (Abner et coll., 2005). Enfin, sur le plan biologique, les adolescentes sont particulièrement vulnérables à une infection au VIH en raison de l'immaturité de leurs voies génitales, principalement le col de l'utérus, qui sont particulièrement sensibles aux ITSS (Lamptey et coll., 2006 ; Wiesenfeld et coll., 2003).

La proportion totale de femmes infectées par le VIH/sida est beaucoup plus élevée en Afrique, en Asie et dans les Caraïbes qu'en Amérique du Nord. En Afrique subsaharienne, l'épicentre du VIH/sida, il y a plus de femmes que d'hommes qui sont infectées par le VIH (ONUSIDA, 2008). Environ 75 % des cas d'infection au VIH chez les jeunes Africains sont des femmes (Vickerman et coll., 2006). On y observe aussi une augmentation spectaculaire du nombre de femmes enceintes infectées au VIH, avec un taux de 20 % parmi la population de six pays africains (ONUSIDA, 2008). La figure 12.1 donne un aperçu de cette réalité.

LA TRANSMISSION DU VIH

Le VIH se trouve dans le sperme, le sang, les sécrétions vaginales, la salive, l'urine et le lait maternel de personnes infectées. On peut aussi en trouver dans n'importe quel autre liquide corporel tels que le liquide cérébrospinal

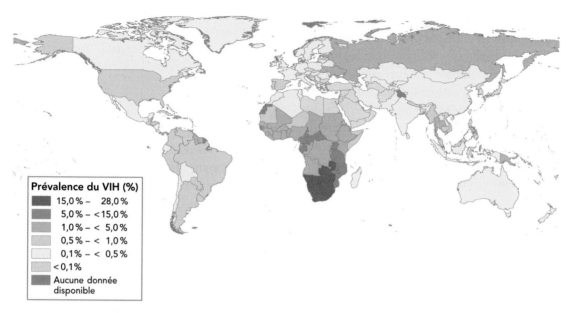

Prévalence du VIH (%)

- 15,0 % – 28,0 %
- 5,0 % – <15,0 %
- 1,0 % – < 5,0 %
- 0,5 % – < 1,0 %
- 0,1 % – < 0,5 %
- < 0,1 %
- Aucune donnée disponible

Source : Rapport sur l'épidémie mondiale de sida, ONUSIDA, 2008. p. 33.

Figure 12.1 | La prévalence du VIH dans le monde en 2007.

et le liquide amniotique. La plus forte concentration de VIH se rencontre dans le sang, le sperme et les sécrétions vaginales des personnes infectées. Les contaminations les plus fréquentes se font par l'échange de liquides corporels pendant une relation vaginale ou anale sans protection ou par contact buccogénital avec une personne infectée. La transmission par contact sexuel représente environ 80 % des cas d'infection à travers le monde selon les estimations. Le VIH peut aussi se transmettre par les seringues contaminées que se partagent les utilisateurs de drogues par injection.

Le VIH peut aussi se transmettre au fœtus avant ou pendant la naissance, ou au bébé lors de l'allaitement par une mère contaminée (Richardson et coll., 2003a ; Rousseau et coll., 2003). La transmission mère-enfant est la principale source de contamination chez les enfants infectés par le VIH (Lamprey et coll., 2006).

Le risque de transmission du VIH pendant un contact sexuel dépend à la fois de la quantité de virus transmis et du mode de transmission. La quantité de virus transmis dépend de la **charge virale**, c'est-à-dire de la concentration du virus dans le sang d'une personne infectée. La charge virale est une mesure couramment utilisée pour évaluer le nombre de virus dans un millilitre de sang.

Charge virale Le nombre de virus présents dans un millilitre de sang.

En général, plus la charge virale est importante, plus les risques de transmettre l'infection sont élevés. Comme le suggère le bon sens, lorsqu'une personne se trouve dans les derniers stades du VIH/sida, elle est hautement contagieuse. Plusieurs seront probablement étonnés d'apprendre que, entre le moment de la contamination et l'apparition d'anticorps du VIH dans le sang (la période dite d'infection primaire qui dure habituellement quelques mois), la charge virale de la personne infectée peut être extrêmement élevée, la rendant ainsi très contagieuse (Pilcher et coll., 2004 ; Wawer et coll., 2005). Cette phase aiguë de contagiosité du VIH, qui est relativement courte, est particulièrement inquiétante parce que la plupart des personnes infectées ont peu de chances de savoir qu'elles ont contracté le VIH. Certains experts sont d'avis que la transmission du VIH pendant la période de l'infection primaire est responsable d'une grande partie des cas d'infection à travers le monde (Cohen et Pilcher, 2005 ; Wawer et coll., 2005).

Le risque d'infection pendant une activité sexuelle est plus grand lorsque le VIH passe directement dans le sang (par exemple, par des microlésions des tissus du rectum ou de la paroi vaginale) plutôt qu'à travers une muqueuse. Les chercheurs prennent de plus en plus conscience du rôle que la circoncision du pénis peut jouer dans la prévention d'une infection au VIH. Le prépuce du pénis non circoncis est fragile et plus susceptible de subir de petites lacérations qui peuvent permettre au

Les uns et les autres

Le sida en Afrique : mort et espoir dans un continent à l'agonie

À ce jour, 80 % des décès dus au sida ont eu lieu sur le continent africain (Lamptey et coll., 2006 ; ONUSIDA, 2008). Même si dans des pays comme l'Inde, la Chine et la Russie l'épidémie de VIH/sida est en forte augmentation, c'est dans des pays africains qu'on rencontre les pires ravages de cette épidémie terrifiante. Plus de 12 millions d'enfants sont des orphelins du sida — leurs parents sont morts de cette maladie —, et 90 % d'entre eux se trouvent en Afrique subsaharienne (Summers et coll., 2002). Les projections pour 2010 donnent 18 millions d'orphelins du sida (Lamptey et coll., 2006).

C'est une tragédie qui dépasse l'entendement, le VIH/sida frappant un continent déjà dévasté par la pauvreté et la guerre. Si nous n'agissons pas vite et mieux, les dommages actuels nous paraîtront bien petits par rapport à ce qui se prépare. Le sida est en train de rayer une grande partie de toute une génération d'Africains. Les familles risquent d'être détruites et les travailleurs qualifiés — le moteur d'une nation — risquent d'être décimés dans une proportion encore jamais vue.

Dans plusieurs pays subsahariens, près de 15 % de la population serait infectée par le VIH (Summers et coll., 2002 ; ONUSIDA, 2008). Le Botswana, qui compte 1,6 million d'habitants, est l'un des pays les plus touchés dans le monde avec plus d'un adulte sur trois porteur du VIH (Paz-Bailey et coll., 2006). Avoir 15 ans, au Botswana, signifie courir à 80 % le risque de mourir du sida, en raison du taux actuel d'infection dans ce pays et de l'absence de vaccin efficace (Summers et coll., 2002). L'Afrique du Sud connaît maintenant l'épidémie de sida qui augmente le plus rapidement dans le monde et qui compte le plus grand nombre de personnes infectées par le VIH, soit 6 millions (Lamptey et coll., 2006). Une enquête auprès de femmes enceintes fréquentant une clinique sud-africaine a révélé que plus de 22 % d'entre elles étaient porteuses du VIH comparativement à 1 % seulement 9 ans auparavant (Sherfer et coll., 2002). Environ un Sud-Africain sur cinq âgé de 15 à 24 ans est infecté au VIH (Hartwell, 2005).

Plusieurs facteurs concourent à cette large dissémination du sida en Afrique, où le VIH se transmet par voie hétérosexuelle surtout. Évidemment, la pauvreté générale et le manque de soins médicaux sont des conditions qui contribuent à la pandémie africaine du VIH/sida. Un autre facteur d'importance est que les ITSS qui causent des ulcères génitaux atteignent des niveaux endémiques en Afrique. Les ulcères génitaux peuvent accroître la vulnérabilité au VIH chez les personnes qui ne l'ont pas et augmentent l'infectiosité de celles qui l'ont (Celum et coll., 2005 ; Todd et coll., 2006). S'ajoute à cela une ignorance généralisée (surtout chez les jeunes) sur la façon de

se protéger, même si la prise de conscience concernant le VIH/sida augmente en Afrique et chez les nations en émergence dans le monde (Hartwell, 2005 ; ONUSIDA, 2001a).

Des facteurs culturels peuvent jouer un rôle encore plus important dans la perpétuation du sida en Afrique. Les pays africains comportent des sociétés à domination masculine dans lesquelles la plupart des femmes se retrouvent elles-mêmes dans des relations de dépendance économique et de subordination socioculturelle envers les hommes. Ces relations inégalitaires se traduisent par une plus grande vulnérabilité des femmes au VIH, en raison du peu de droit qu'elles possèdent dans leurs relations maritales et de leur difficulté à négocier des pratiques sexuelles sécuritaires avec un partenaire qui n'aime pas utiliser le condom et qui, généralement, refuse de discuter de ses relations sexuelles non protégées avec d'autres personnes (Lamptey et coll., 2006 ; Hoffman et coll., 2006). Les conventions sociales de ces pays demandent aux hommes de pourvoir aux besoins matériels de leur femme, mais pas de leur être sexuellement fidèles. Le port du condom est peu répandu au sein de ces mariages où la culture fait de la fécondité un élément central de l'identité personnelle. Le condom est aussi rarement utilisé par les hommes qui ont des relations extraconjugales avec des travailleuses ou travailleurs du sexe ou avec leur maîtresse (Ezzell, 2000 ; Kesby, 2000). Plusieurs études ont révélé de hauts taux d'infection au VIH chez les travailleuses et les travailleurs du sexe en Afrique (Ghani et Aral, 2005).

Un autre facteur culturel qui contribue à répandre le VIH en Afrique est le phénomène du « sugar daddy » où des hommes plus vieux et plus riches, dont plusieurs sont porteurs du VIH, recherchent de jeunes adolescentes pour le sexe. Cette tendance culturelle est renforcée par la croyance, dans quelques sociétés africaines, qu'un homme porteur du VIH peut en être guéri en ayant des rapports sexuels avec une vierge (Bartholet, 2000). Enfin, dans quelques pays de la partie sud de l'Afrique, il est courant que les femmes assèchent leur paroi vaginale avec un tissu, du papier ou du coton, juste avant et pendant le coït, une pratique connue sous le nom de « dry sex » qui est la préférence de plusieurs hommes (Ezzell, 2000). Le « dry sex » augmente le risque de transmission du VIH aux femmes en perturbant l'équilibre normal de la flore vaginale en lactobacilles, en augmentant les risques de rupture du condom et en causant de petites ulcérations et inflammations aux parois vaginales qui permettent au VIH d'entrer dans le système sanguin.

Beaucoup de nations africaines ravagées par le VIH/sida sont paralysées par un sentiment de désespoir qui souvent empêche les gens d'adopter des pratiques sexuelles sécuritaires. Les Africains sont souvent influencés par un discours social selon lequel le parcours de vie normal comprend un mariage précoce, des rapports sexuels sans protection, des naissances multiples, l'infection au VIH, la mort prématurée et des enfants laissés sans aucune sorte de soutien (Mill et Anarfi, 2002). Les individus sont des otages de cette vision fataliste de la vie qui, souvent, les paralyse et les démotive de changer de comportements. De surcroît, plusieurs des programmes de prévention du VIH implantés dans des pays africains n'ont eu jusqu'à présent qu'un succès limité. Ces programmes étaient basés sur l'idée que le seul pouvoir des mots venant « d'experts » devait réussir à persuader les personnes de prendre des décisions rationnelles conduisant à des changements de comportements.

Avec cette toile de fond, y a-t-il de l'espoir pour l'Afrique ? La réponse est un oui prudent. Il y a eu des cas de succès. Ces dernières années, un certain nombre de programmes ont été conçus et mis en œuvre pour combattre les effets néfastes du désespoir et aller plus loin que les programmes traditionnels basés sur l'information. Ces méthodes d'intervention innovent en formant des membres des communautés locales pour qu'ils deviennent des éducateurs partenaires et puissent ainsi mieux rejoindre les autres membres de leur communauté ; cet effort d'éducation populaire facilite la discussion des questions sexuelles et crée un contexte favorable à des changements de comportements. Un certain nombre d'études ont montré que ce type de programmes ancrés dans la culture populaire augmente la probabilité que les gens adoptent des comportements sains (Campbell et Mzaidume, 2001 ; Crooks et Tucker, 2006 ; Wheeler, 2003).

Un programme basé sur l'éducation par les pairs a été mis en œuvre dans la région de Makindu dans la partie sud-ouest du Kenya, avec une planification et une direction assumées par plusieurs citoyens kényans avec l'assistance d'une ONG allemande. Ce programme a employé plus de quarante Kényans. Le mandat comporte le développement d'une méthodologie d'évaluation des retombées de ce programme d'intégration locale, la conception et l'implantation d'une stratégie éducative par les pairs et une session de formation de

pairs-éducateurs d'une durée de deux semaines. En plus d'implanter des centres de traitement d'ITSS où les personnes peuvent obtenir gratuitement des conseils et un test de dépistage du VIH en toute confidentialité et sur une base volontaire, le programme Makindu offre un enseignement communautaire assumé par des pairs-éducateurs issus de la population locale.

Les pairs-éducateurs rencontrent des groupes de 12 à 18 personnes en divers endroits de la région de Makindu, à raison de deux rencontres par semaine pendant six semaines. Le contenu des rencontres porte sur les comportements à risque à l'égard du VIH et le mode de transmission du virus, les moyens d'éviter l'infection, les habiletés de communication (par exemple, comment s'affirmer et négocier le port du condom), les rapports entre les sexes et autres sujets susceptibles d'amener un changement de comportements et des pratiques sexuelles plus sécuritaires. Les rencontres comportent des discussions en petit et en grand groupe, des jeux de rôles, du théâtre, des jeux et des activités de groupe, ainsi que des séances d'exercices pratiques (par exemple, les participants s'exercent à mettre correctement un condom sur un pénis en bois). Jusqu'à maintenant, plusieurs milliers d'adultes et de jeunes ont participé à ces ateliers d'éducation communautaire, incluant des membres de coopératives, des équipes sportives, des groupes d'entraide féminine, des organisations religieuses et des travailleuses du sexe. Plus récemment, le programme a été étendu pour inclure des écoles élémentaires et ainsi permettre à des enfants de 9 à 18 ans, à leurs parents et aux enseignants de participer à des ateliers de formation donnés par des pairs-éducateurs. Les données de la recherche obtenues par l'administration d'un questionnaire anonyme avant et après les ateliers montrent une conscience accrue des comportements à risque en ce qui a trait au VIH/sida, une meilleure connaissance des stratégies de prévention et l'adoption de comportements sexuels sécuritaires chez les participants de toutes les catégories (Crooks et Tucker, 2006).

Peut-être le meilleur espoir de l'Afrique réside-t-il dans le développement d'une arme antivirale totale, d'un vaccin préventif efficace. Mais les progrès dans ce domaine sont lents et la probabilité de disposer bientôt d'un tel vaccin est plutôt faible dans la meilleure des hypothèses.

VIH d'entrer plus facilement dans le système sanguin. En plus, le prépuce contient une concentration élevée de CD4 et de cellules de Langerhans, les cellules du système immunitaire qui sont les cibles typiques du VIH (Reynolds et coll., 2004 ; Seppa 2004, 2005). Alors que les professionnels de la santé continuent à discuter des aspects médicaux et éthiques de la circoncision, son rôle préventif dans la transmission du VIH a été de plus en plus mis en évidence, comme le montre l'encadré « Pleins feux sur la recherche ».

La recherche suggère aussi que le VIH peut se transmettre par relation buccogénitale alors que le virus présent dans le sperme ou les sécrétions vaginales entre en contact avec les tissus de la muqueuse de la bouche (X. Liu et coll., 2003). Malheureusement, plusieurs font l'erreur de considérer ce type de relation comme une pratique sécuritaire. Les responsables de la santé publique recommandent de plus en plus l'usage de la digue dentaire pour le cunnilingus et le port du condom pour la fellation afin de prévenir la

La circoncision comme moyen de prévenir l'infection au VIH

Un certain nombre de professionnels de la santé et de chercheurs ont suggéré que la circoncision peut réduire les risques d'infection au VIH de façon significative en éliminant une porte d'entrée du virus : le prépuce, avec sa peau mince et sa haute concentration de cellules qui peuvent facilement être infectées par le VIH. Une étude assez récente menée en Afrique du Sud tend à confirmer cette opinion.

Sous la gouverne du médecin et scientifique français Bertran Auvert, une équipe internationale de chercheurs a recruté 3274 hommes âgés de 18 à 24 ans, hétérosexuels et non circoncis, dans une région où environ 20 % des hommes étaient circoncis. Tous les participants ont accepté d'être circoncis soit au début, soit à la fin de l'étude qui devait durer 21 mois. Les participants ont été répartis aléatoirement en deux groupes. Les 50 % qui ont été circoncis au début de l'étude ont été invités à s'abstenir de toute relation sexuelle pendant 6 semaines pour permettre une guérison complète. Tous les hommes, qu'ils aient été circoncis au début ou à la fin de l'étude, ont reçu des conseils en matière de pratiques sexuelles sécuritaires et ont subi des tests de dépistage du VIH à plusieurs reprises au cours de l'étude.

Le projet a pris fin au bout de 18 mois, lorsqu'il est devenu évident que la circoncision réduisait de façon significative les risques d'infection au VIH. Pendant ces 18 mois, seulement 20 hommes circoncis ont contracté une infection au VIH contre 49 parmi les hommes non circoncis. Bien que la circoncision ait réduit de 60 % les risques d'infection au VIH, elle n'assure pas une protection totale. La différence de taux d'infection entre les circoncis et les non circoncis n'était pas attribuable à des niveaux différents d'activité sexuelle. En fait, le niveau d'activité sexuelle des hommes circoncis avait été de 18 % plus élevé que celui des hommes non circoncis (Auvert et coll., 2005). D'autres études confirment le caractère préventif de la circoncision à l'égard du VIH. Une étude menée auprès de 2298 hommes en Inde a montré que les hommes circoncis couraient six fois moins de risques de contracter le VIH que les hommes non circoncis (Reynolds et coll., 2004). Une étude menée auprès de Kényans a aussi révélé que les hommes non circoncis couraient deux fois plus de risques que les hommes circoncis de contracter le VIH lors d'une relation coïtale avec une femme infectée (Baeten et coll., 2005).

Les principaux organismes internationaux impliqués dans la lutte contre le VIH/sida, l'OMS et l'ONUSIDA, recommandent de considérer la circoncision comme un autre moyen important de réduire le risque de transmission hétérosexuelle de l'infection au VIH chez l'homme.

La circoncision semble avoir aussi un effet préventif contre un autre virus qui fait des ravages, soit le virus du papillome humain (VPH). Publié en France le 5 août 2008, un dossier de presse produit conjointement par l'Institut national de la santé et de la médecine familiale (INSERM) et par l'Agence nationale de recherches sur le sida et les hépatites virales (ANRS) rapporte les résultats d'une étude menée auprès de 1264 hommes âgés de 18 à 24 ans, dont la moitié a accepté d'être circoncis ; 21 mois après la circoncision, la prévalence du VPH était inférieure de 40 % dans le groupe « circoncis » par rapport au groupe « non circoncis ».

---

transmission du VIH. Mais il est extrêmement rare que les personnes utilisent le condom pendant une fellation (Torassa, 2000). Si vous avez des relations buccogénitales non protégées avec une personne sans savoir si elle a le VIH ou non, il serait sage de prendre certaines précautions. Assurez-vous que vos gencives sont en bon état (de petites plaies ou lésions du tissu des gencives facilitent le passage du VIH dans le sang), n'utilisez pas la soie dentaire juste avant ou juste après la relation (la soie dentaire peut endommager les tissus de la bouche et causer des saignements) et évitez d'avoir du sperme dans la bouche. De plus, compte tenu des concentrations souvent substantielles de VIH dans les sécrétions vaginales (Money et coll., 2003), il faut également faire preuve de prudence avant de pratiquer le cunnilingus avec une femme dont on ne

connaît pas bien le passé ou qui n'a pas obtenu un résultat négatif à un test de dépistage du VIH.

Au début des années 1980, avant que les banques de sang ne fassent l'objet d'un dépistage systématique du VIH, du sang et des produits sanguins contaminés ont infecté un certain nombre de personnes. Plusieurs pays ont été impliqués. Au Canada, plus de 1200 personnes ont été contaminées lors de transfusions sanguines, ce qui a déclenché un véritable scandale et entraîné une enquête publique, suivie d'accusations de négligence et de condamnations. Une conséquence directe de cette affaire a été la perte de confiance envers la Croix-Rouge canadienne, ce qui a entraîné la dissolution de celle-ci et la création, en 1998, de Héma-Québec, un organisme distinct chargé de prendre la relève de l'organisme fédéral. Depuis cet épisode dramatique, tous les dons de sang, partout au Canada, font l'objet d'un dépistage systématique et les donneurs doivent répondre à un questionnaire sur leurs antécédents sexuels.

Les tests de dépistage disponibles ne garantissent toutefois pas des résultats parfaits. Un problème tient au fait que les tests ne détectent pas le virus lui-même, mais les anticorps que l'organisme produit pour le combattre. Et comme cela peut prendre des mois ou des années avant que les anticorps ne soient détectables dans le sang, des unités de sang contaminé peuvent se faufiler, quoique rarement. Il n'est désormais plus dangereux d'être contaminé en donnant du sang. Les protocoles en place lors des collectes de sang exigent que l'on prenne une nouvelle aiguille pour chaque personne donneuse.

La recherche montre qu'un faible pourcentage de la population semble résister à l'infection au VIH (Misrahi et coll., 1998 ; Royce et coll., 1997). Il y a des cas documentés de travailleurs et travailleuses du sexe et d'homosexuels qui ne sont jamais contaminés malgré de nombreuses pratiques sexuelles non protégées avec des partenaires porteurs du VIH (Cohen, 1998 ; Dean et coll. 1996 ; Fowke et coll., 1996). Nous pouvons

espérer que la recherche percera un jour le mystère de cette immunité, pavant ainsi la voie à de meilleurs traitements et méthodes de prévention.

On croit que le risque de transmettre le VIH par la salive, les larmes et l'urine est extrêmement faible. En outre, rien n'indique que les contacts ordinaires avec une personne infectée, comme la serrer dans ses bras, lui donner la main, cuisiner ou manger avec elle, comportent des risques de transmission (Courville et coll., 1998). Toutes les recherches menées jusqu'à maintenant indiquent que ce sont les contacts sexuels avec une personne infectée ou l'échange de seringues contaminées qui présentent des risques de transmission du VIH. Certains comportements sont plus à risque : par exemple, avoir plusieurs partenaires sexuels, avoir des relations sexuelles non protégées, avoir des contacts sexuels avec des personnes reconnues comme étant à haut risque (les travailleurs et travailleuses du sexe, les personnes qui s'injectent des drogues, celles qui ont de nombreux partenaires), partager le matériel d'injection de drogues avec d'autres personnes, consommer des drogues non injectables comme la cocaïne, la marijuana et l'alcool, lesquelles peuvent altérer le jugement.

LA PRÉVENTION DES ITSS

Les autorités sanitaires ont préconisé plusieurs stratégies pour endiguer la propagation des ITSS. Il s'agissait tantôt de dissuader les jeunes de s'adonner aux contacts sexuels, tantôt de diffuser abondamment l'information sur les symptômes des ITSS et d'assurer la gratuité des traitements médicaux. Malheureusement, les efforts des organismes de santé publique n'ont pas vraiment réussi à freiner la rapide progression des ITSS. Il est donc doublement important d'insister sur les différentes mesures de prévention à la disposition des individus ou des couples.

Évidemment, quiconque renonce aux relations sexuelles avec autrui se dote d'un moyen infaillible d'éviter les ITSS. De même, les couples strictement monogames et non infectés sont plutôt à l'abri. Par contre, il est souvent très difficile d'évaluer le risque de transmission que représentent des partenaires actuels ou éventuels. Ainsi, une étude menée auprès de 119 couples d'étudiants a révélé que la plupart des participants ne connaissaient pas le passé de leur partenaire et ignoraient s'il avait un comportement sexuel à risque

parallèlement à leurs activités sexuelles communes (Seal, 1997).

LES MESURES À PRENDRE

Nous présentons ici plusieurs méthodes de prévention — des précautions à prendre avant, durant ou peu après un rapport sexuel — pour réduire les risques de contracter une ITSS. Certaines de ces méthodes sont efficaces contre la transmission d'une variété de maladies. Plusieurs s'appliquent tant aux rapports buccogénitaux et anaux qu'aux coïts. Aucune n'est efficace à 100 %, mais chacune réduit considérablement les risques d'infection.

On ne le dira jamais assez, l'adoption de mesures préventives peut aider à endiguer la propagation galopante des ITSS. En effet, comme de nombreuses personnes infectées ont des contacts sexuels avec un partenaire ou plus avant de se rendre compte de leur état et de se faire traiter, il est clair que la réduction des dangers liés à l'expression sexuelle dépend davantage de l'amélioration de la prévention que de celle du traitement.

ÉVALUER SON FACTEUR DE RISQUE ET CELUI DE SON OU SA PARTENAIRE

En tant que personne bien informée sur la transmission des ITSS, vous comprenez la nécessité d'évaluer le niveau de risque que représente un éventuel partenaire sexuel. Si vous le faites, vous devriez trouver aussi important d'évaluer si vous êtes vous-même un partenaire à risque ou non. Si vous avez déjà eu des activités sexuelles avec d'autres personnes, y a-t-il une possibilité que vous ayez alors contracté une ITSS ? Avez-vous déjà subi des tests de dépistage pour une ITSS en particulier, ou pour toutes ? N'oubliez pas que plusieurs des ITSS vues dans ce chapitre ne présentent que peu ou pas de symptôme chez une personne porteuse d'une infection. Si vous envisagez de partager votre intimité sexuelle avec une autre personne, n'est-il pas normal que vous acceptiez aussi de partager l'information sur votre propre santé sexuelle ?

Certains experts soutiennent que l'un des meilleurs moyens de prévenir les ITSS est d'amener les gens à prendre le temps, idéalement quelques mois, de connaître leur éventuel partenaire sexuel avant d'avoir des rapports sexuels avec elle ou lui. Malheureusement, les études indiquent que les couples qui savent établir une saine communication sur les facteurs de risque et les comportements sexuels sûrs sont très rares (Buysse et Ickes, 1999, p. 121). Nous vous conseillons vivement de prendre le temps de développer une relation intime fondée sur l'empathie et la confiance mutuelles. Profitez de ce temps pour transmettre à votre partenaire toute information pertinente sur vos antécédents sexuels et votre niveau de risque — et pour vous informer de son comportement passé et présent en matière de sexualité et d'usage de drogues injectables. Comme nous l'avons vu au chapitre 8, s'ouvrir à l'autre peut être une bonne façon de l'amener à en faire autant. Vous pourriez amorcer un dialogue sur ces questions en expliquant qu'à l'ère du sida, vous considérez cet échange d'information comme vital. Poursuivez en exposant vos antécédents sexuels.

Il faut avoir eu l'occasion d'évaluer l'honnêteté et l'intégrité d'une personne dans diverses situations pour savoir si on peut ajouter foi aux réponses qu'elle donne à ces questions. Si vous constatez que votre partenaire dupe ses amis, les membres de sa famille ou vous ment sur d'autres questions, il est légitime de douter de la véracité de ses réponses aux questions par lesquelles vous tentez d'évaluer son niveau de risque sur le plan sexuel.

Les recherches indiquent qu'on aurait tort de croire que les partenaires sexuels potentiels dévoileront franchement leur risque de transmission des ITSS. Une étude a révélé qu'un pourcentage considérable d'hommes et de femmes ont déclaré ne pas tout dire lorsqu'on leur pose des questions sur leurs antécédents sexuels et sur l'usage qu'ils font des drogues. Dans une enquête menée auprès de plus de 400 étudiants d'une grande université américaine, environ 35 % des répondants et 10 % des répondantes ont avoué avoir menti sur les risques qu'ils représentent en termes de grossesse ou d'ITSS afin d'avoir des relations sexuelles. De plus, 47 % des étudiants et 42 % des étudiantes ont déclaré avoir eu un nombre de partenaires sexuels supérieur à celui qu'ils avaient avoué. Enfin, 20 % des répondants et 4 % des répondantes ont dit avoir déjà déclaré que leur test de dépistage du VIH était négatif alors que c'était faux (Cochran et Mays, 1990). Dans une autre enquête menée auprès de 169 étudiants d'une grande université américaine, environ 30 % des répondants et 6 % des répondantes ont avoué avoir menti afin d'avoir des relations sexuelles. De plus, près de la moitié des femmes et le tiers des hommes croient qu'on leur a déjà menti pour la même raison (Stebleton et Rothenberger, 1993).

Dans une autre étude, les chercheurs ont découvert que 40 % des 203 personnes séropositives interrogées n'avaient pas, dans les six mois précédents, informé tous leurs partenaires qu'elles étaient porteuses du VIH. Et c'est à leur partenaire unique que la moitié de ces individus avaient caché leur état. De plus, parmi ceux-ci, 42 % n'utilisaient pas le condom sur une base régulière (Stein et coll., 1998).

PASSER UN EXAMEN MÉDICAL

Même si les gens exposent sincèrement leurs antécédents sexuels, comment savoir si leurs partenaires précédents ont été aussi honnêtes avec eux ? Ces derniers, d'ailleurs, ont-ils même été interrogés sur leur risque de transmission d'une ITSS ? Nous conseillons donc vivement aux couples désireux d'amorcer une relation sexuelle de s'abstenir de toute activité susceptible de les exposer à l'infection, jusqu'à ce qu'un examen médical et des tests de laboratoire leur confirment l'absence d'ITSS, incluant le VIH. Procéder ainsi permet non seulement de réduire les risques de contamination, mais contribue aussi à établir un climat d'intimité, de confiance et de sécurité dans le

Les centres de santé offrent souvent les tests de dépistage et le traitement des ITSS.

couple. Si le coût de ces examens vous freine, sachez que de nombreuses cliniques offrent sans frais les tests de dépistage et parfois aussi des traitements.

UTILISER LE CONDOM ET UN SPERMICIDE

La plus récente enquête canadienne sur la sexualité des jeunes a été effectuée en 2005 ; il s'agit de l'Enquête sur la santé dans les collectivités canadiennes de Statistique Canada. En analysant les données de cette enquête, Rotterman (2008) dresse un portrait de l'utilisation du condom. Les trois quarts des 15 à 19 ans non mariés ni en union libre qui avaient eu au moins deux partenaires au cours de la dernière année avaient utilisé un condom lors de leurs dernières relations sexuelles. Les garçons sont plus enclins que les filles à l'utiliser : de 2003 à 2005, la proportion est passée de 65 % à 70 % chez les filles et s'est maintenue autour de 80 % chez les garçons. Il en va de même chez les plus jeunes. Ils étaient 81 % à l'avoir utilisé lors de leurs dernières relations chez les 15 à 17 ans, contre 70 % chez les 18 et 19 ans. Les recherches montrent que l'utilisation du condom diminue avec l'âge, qu'elle est moins

répandue lorsque les filles prennent des contraceptifs oraux et qu'elle est plus fréquente dans les aventures sans lendemain.

Les jeunes qui ont le sentiment de pouvoir choisir d'être sexuellement actifs font un meilleur usage du condom, et ce, tant chez les garçons que chez les filles (Fernet et coll., 2001).

Bien que l'on sache depuis des décennies que les condoms utilisés correctement et régulièrement aident à prévenir la transmission de plusieurs ITSS, ils sont grandement sous-utilisés dans les interactions sexuelles. Les condoms masculins sont efficaces pour prévenir la transmission du VIH et d'autres ITSS comme la chlamydiose, la gonorrhée, l'urétrite non gonococcique, la vaginite bactérienne et la vaginite à Trichomonas, infections qui sont aussi transmises par les liquides des muqueuses. Les condoms sont moins efficaces pour prévenir les infections qui se transmettent par contact de la peau comme la syphilis, l'herpès et le VPH, et ne valent rien pour empêcher les morpions et la gale. Les condoms faits de membrane de mouton (ou de « membrane naturelle ») contiennent de petits pores qui peuvent laisser passer certains virus, dont le VIH et les virus de l'herpès et de l'hépatite.

Les tests de laboratoire indiquent que le condom féminin (voir le chapitre 13) offre une barrière protectrice efficace contre les virus, dont le VIH. S'il est utilisé correctement et régulièrement, le condom féminin peut réduire de façon substantielle les risques de transmission de certaines ITSS et remplacer adéquatement le condom masculin lorsque ce dernier ne peut être utilisé. Le condom féminin est une solution très intéressante pour les femmes sexuellement actives qui courent le risque de contracter une ITSS parce que leurs partenaires ne veulent pas utiliser de condom masculin.

Autre point à signaler : il est maintenant prouvé que les spermicides vaginaux contenant du nonoxynol-9 (N-9) ne protègent pas contre la transmission de la chlamydiose, de la gonorrhée ou du VIH (Roddy et coll., 2002). En fait, l'usage fréquent du N-9 a été corrélé avec la présence de lésions vaginales, ce qui augmente le risque d'infection au VIH pendant le coït (van Damme, 2000). De plus, la recherche sur les animaux a montré que le N-9 peut endommager les tissus du rectum et créer une porte d'entrée pour le VIH ou autres ITSS pathogènes (Philipps et coll., 2000). Les autorités de la santé publique recommandent de ne pas utiliser de spermicide au N-9.

Pour les femmes, les moyens actuels de protection contre la transmission des ITSS ont un inconvénient majeur : ils dépendent du contrôle des hommes (le condom masculin) ou ils nécessitent leur coopération (le condom féminin). Pour améliorer la prévention des ITSS, il faut donc développer des méthodes que les femmes pourraient maîtriser. Ces efforts de recherche sont décrits dans l'encadré ci-dessous.

Pleins feux sur la recherche

La prévention des ITSS : à la recherche de microbicides vaginaux efficaces

Les barrières contraceptives qui servent également de nos jours à empêcher la transmission des ITSS échappent souvent au contrôle des femmes. Bien que les condoms en latex constituent une excellente protection contre plusieurs ITSS, ils ne sont malheureusement pas utilisés assidûment ni correctement. Même l'utilisation du condom féminin — un préservatif prometteur pour empêcher la grossesse et la transmission des ITSS — dépend dans une certaine mesure de la coopération et de l'assentiment des partenaires masculins. Dans plusieurs pays en émergence où les ressources sont limitées et où sévissent des épidémies de VIH et d'autres ITSS, les femmes sont souvent contraintes à des contacts sexuels non protégés avec des hommes qui refusent d'utiliser le condom.

Parce que les femmes sont souvent victimes de relations inégalitaires et ont un choix limité de méthodes de prévention des maladies, il est impératif de mettre au point des méthodes de prévention des ITSS dont elles auraient entièrement la maîtrise (Koo et coll., 2005 ; Lamptey et coll., 2006 ; Mantell et coll., 2006). Se contenter de dire aux femmes d'insister pour que leur partenaire utilise le condom est une solution vaine lorsqu'elles ne sont pas en situation égalitaire ou n'ont pas le savoir-faire nécessaire pour utiliser correctement le préservatif.

Jusqu'à maintenant, les recherches se sont surtout concentrées sur l'analyse des crèmes, gelées, mousses et suppositoires microbicides que l'on peut insérer dans le vagin ou le rectum pour prévenir ou réduire le risque d'infection au VIH et autres ITSS. Ces produits pourraient être appliqués avant la relation coïtale, mais ils ne peuvent pas se substituer au condom. Ils seraient plutôt une protection supplémentaire à faible coût. Dans les pays en émergence où les ressources financières sont limitées et où les femmes ne peuvent compter sur la collaboration des hommes, les **microbicides** pourraient être une option particulièrement intéressante pour prévenir les ITSS. Idéalement, il faudrait que ces produits soient accessibles à un coût minimal, qu'ils soient très efficaces dans la prévention d'une grande variété d'ITSS, qu'ils n'irritent pas ou n'endommagent pas le vagin ou le rectum et ne nuisent pas à la protection qu'apportent les lactobacilles présents dans le vagin. Techniquement, le mot *microbicide* veut dire « qui détruit les microbes ».

Mais il existe plusieurs façons dont un tel produit peut agir pour prévenir les ITSS. Certains microbicides pourraient tuer ou détruire l'agent pathogène présent dans le sperme ou les sécrétions vaginales. D'autres, qui sont en développement, pourraient agir non pas en détruisant cet agent pathogène, mais en l'empêchant de pénétrer dans l'organisme ou de se lier aux cellules cibles, ou encore de se reproduire à l'intérieur des cellules (Lamptey et coll., 2006). Plus de 30 microbicides sont à l'essai dans des études cliniques sur de grandes populations à haut risque d'infection dans les pays en émergence (Dhawan et Mayer, 2006). Certains produits à l'étude ont des effets à la fois spermicides et antimicrobiens. Les responsables des services de santé espèrent que les deux types de produits seront disponibles, parce que certains utilisateurs voudront se protéger à la fois contre les ITSS et les grossesses non désirées, alors que d'autres chercheront seulement une protection contre les maladies. Nous avons espoir qu'un ou plusieurs de ces produits essentiels seront disponibles sous peu.

Plusieurs études ont montré qu'il arrive plus fréquemment qu'un condom glisse du pénis ou se rompt lors d'une pénétration anale que lors d'une pénétration vaginale (Silverman et Gross, 1997). Les personnes qui pratiquent la pénétration anale devraient faire preuve d'une grande prudence en évitant les poussées trop énergiques, en s'assurant d'une lubrification adéquate et en prenant bien soin d'éviter que le condom glisse du pénis, même partiellement. Pour jouer son rôle protecteur efficacement, le condom doit être utilisé correctement à chaque relation sexuelle, ce qui peut être difficile à assurer dans le feu de l'action et de la passion, la tendance à délaisser le condom étant plus élevée dans ces moments-là (Strong et coll., 2005). C'est pourquoi nous vous encourageons fortement à intégrer dans votre vie sexuelle vos connaissances sur les avantages du condom en matière de prévention des ITSS et des grossesses non désirées.

Microbicide Gel topique ou crème que les femmes peuvent appliquer dans leur vagin afin de prévenir la transmission du VIH et d'autres ITSS, ou d'en réduire le risque.

Voici une liste de conseils à suivre quant à l'utilisation du condom masculin :

* Conservez les condoms dans un endroit frais et sec, à l'abri de la lumière.

* Jetez ceux dont l'emballage est endommagé, ainsi que ceux qui sont fragiles, collants, décolorés ou qui semblent éventés.

* Manipulez les condoms avec précaution de façon à ne pas les perforer.

* Mettez un condom avant tout rapport sexuel pour ne pas être exposé aux fluides susceptibles de contenir des agents infectieux.

* Assurez-vous que le condom est correctement lubrifié. Si vous devez ajouter du lubrifiant, n'utilisez que des produits à base d'eau comme un spermicide ou un gel. En effet, la résistance du latex peut être altérée par les lubrifiants contenant du pétrole ou de l'huile (comme la vaseline, l'huile pour bébé, les huiles alimentaires, le shortening ou de nombreuses lotions pour le corps).

* Ne mettez pas le condom à l'épreuve avant son utilisation en le gonflant à la manière d'un ballon ou en le remplissant d'eau. En affaiblissant le latex, ce genre d'étirement accroît le risque de rupture du condom durant son utilisation.

* Sur un pénis non circoncis, rétractez le prépuce avant de mettre le condom.

* Ne déroulez pas le condom pour ensuite le passer à la manière d'un bas ; cela a tendance à affaiblir le latex et à accroître les risques de rupture lors de son utilisation. La bonne façon de mettre un condom est de le dérouler directement sur le pénis en érection (tout en pinçant l'extrémité du réservoir ou en en serrant le bout avec les doigts afin de laisser un espace pour l'éjaculat).

* Si un condom se déchire, remplacez-le tout de suite.

* Après l'éjaculation, prenez garde que le condom ne glisse du pénis. Il faut se retirer du vagin tandis que le pénis est encore en érection en maintenant fermement le condom par son anneau de base, de façon à éviter qu'il glisse.

* Ne réutilisez jamais un condom.

ÉVITER D'AVOIR DE NOMBREUX PARTENAIRES SEXUELS

Vous pourriez souhaiter réévaluer l'importance d'avoir des activités sexuelles avec plusieurs partenaires, la preuve étant faite que cette pratique comporte des risques élevés de contracter le VIH, l'herpès, la chlamydiose, le VPH et nombre d'autres ITSS. Vous pourriez aussi décider de ne pas avoir de relations sexuelles avec des personnes qui ont ou semblent avoir de nombreux partenaires. Les personnes qui ont beaucoup de partenaires sexuels ne les connaissent probablement pas très bien, de sorte qu'il leur est difficile d'éviter ceux qui ont des comportements à haut risque ou de s'en protéger. La recherche montre que, même si les risques associés à une telle pratique sont prouvés, une forte majorité des étudiants et des étudiantes universitaires rapportent avoir des activités sexuelles avec de nombreux partenaires et n'utilisent le condom que de façon irrégulière (LaBrie et coll., 2005).

EXAMINER LES ORGANES GÉNITAUX DE SON OU SA PARTENAIRE

En examinant les organes génitaux de votre partenaire avant de vous livrer à une relation buccogénitale ou à un coït vaginal ou anal, vous pourriez découvrir des symptômes d'une ITSS. En effet, les cloques de l'herpès, les écoulements vaginaux ou urétraux, les chancres ou les éruptions cutanées associées à la syphilis, aux condylomes acuminés et à la gonorrhée sont visibles. Dans la plupart des cas, les symptômes sont plus apparents chez l'homme. (Si l'homme n'est pas circoncis, prenez soin de rétracter le prépuce.) Si vous constatez un écoulement, une odeur désagréable, des plaies, des cloques, des éruptions cutanées, des verrues ou tout autre indice suspect, il y a lieu de vous inquiéter. Une façon particulièrement efficace de déterminer s'il y a écoulement suspect est de « pomper » le pénis. Tenez fermement le pénis et tirez la peau plusieurs fois de haut en bas en imprimant une pression à la base du gland. Écartez ensuite le méat pour voir s'il contient ou non un liquide trouble.

Il est souvent difficile de se résoudre à ce genre d'examen avant une relation sexuelle. Cependant, en disant simplement « Laisse-moi te déshabiller », vous aurez l'occasion d'examiner les organes génitaux de votre partenaire. La technique de focalisation sensuelle présentée au chapitre 10 peut fournir l'occasion de procéder à un examen visuel plus détaillé. Certaines personnes recommandent de profiter d'une douche commune pour jeter discrètement un coup d'œil sur le ou la partenaire avant de passer aux ébats. Cette façon de faire permet en effet de repérer les cloques, les plaies, etc., mais le savon et l'eau peuvent aussi éliminer les indices visuels ou olfactifs associés à un écoulement.

Si vous détectez des signes d'infection, vous ferez preuve de jugement et de prudence en vous refusant au contact sexuel. Comme votre partenaire n'a pas nécessairement conscience de ses symptômes, il est essentiel que vous exprimiez vos inquiétudes. Quant aux gens qui décident de poursuivre l'interaction sexuelle malgré la probabilité d'une ITSS chez le ou la partenaire, ils auraient avantage à se limiter au baiser, à l'étreinte, aux touchers et à la stimulation manuelle des organes génitaux.

SE LAVER AVANT ET APRÈS LE CONTACT SEXUEL

Les opinions diffèrent quant aux bénéfices que peut apporter le nettoyage à l'eau savonneuse des organes génitaux avant une activité sexuelle. Par contre, il y a peu de doutes que se laver soit une bonne chose. Le fait de laver le pénis apporte plus de protection contre les infections que de laver la vulve, mais cela reste une bonne mesure à prendre.

Peut-être hésiterez-vous à demander à votre partenaire de laver ses organes génitaux avant un contact sexuel. Toutefois, vous pouvez contourner la difficulté en incluant cette activité dans des jeux sexuels sous la douche ou dans la baignoire. Rien ne vous empêche non plus de déclarer franchement à votre partenaire que vous allez nettoyer ses organes génitaux et les vôtres dans un but de protection mutuelle.

Après le contact sexuel, il est vivement recommandé de bien laver ses organes génitaux et les zones avoisinantes, à l'eau et au savon, pour empêcher toute propagation éventuelle. Toutefois, nous ne croyons pas que cela soit nécessaire pour les amants de longue date qui sont strictement monogames.

Pour les autres, hommes ou femmes, il est important de bien se nettoyer immédiatement après la relation en utilisant une débarbouillette savonneuse. Toutefois, par crainte de rompre l'harmonie et l'intimité du moment, certaines personnes n'auront pas envie de sauter du lit immédiatement pour se laver. D'autres préféreront que leur partenaire ignore qu'elles prennent des précautions ; il suffit alors de prétexter le besoin d'aller aux toilettes (très fréquent après une relation sexuelle). Uriner après le coït peut constituer une mesure prophylactique, surtout pour les hommes. Plusieurs agents infectieux ne peuvent survivre dans le milieu acide de l'urètre au passage de l'urine. Uriner peut aussi aider à évacuer des organismes pathogènes.

SE SOUMETTRE À UN EXAMEN MÉDICAL PÉRIODIQUE

Les autorités sanitaires recommandent aux gens qui ont de nombreux partenaires sexuels de consulter régulièrement leur médecin et de demander un bilan de santé périodique, même s'ils ne présentent pas de symptômes évidents de maladie (Pace et Glass, 2001). Étant donné le nombre élevé de porteurs et de porteuses asymptomatiques d'ITSS, cela semble un bon conseil. Combien d'examens de ce genre doit-on passer annuellement ? Cela dépend. Nous conseillons aux individus sexuellement actifs et ayant plusieurs partenaires sexuels de le faire tous les trois mois.

PRÉVENIR SES PARTENAIRES SI L'ON A UNE ITSS

Comme de nombreuses infections sont asymptomatiques, il est essentiel que les individus contaminés avertissent leur(s) partenaire(s) sexuel(s) dès qu'ils obtiennent un diagnostic d'ITSS (Hoxworth et coll., 2003 ; Potterat, 2003). De façon générale, cela contribue à réduire la propagation des ITSS. Dans le cas du VIH, il s'agit d'une nécessité absolue. L'information peut être le fait de la personne infectée elle-même ou d'un professionnel de la santé. L'encadré «Parlons-en» (p. 370) fournit des suggestions qui peuvent être très utiles pour qui choisit de divulguer qu'il a une ITSS.

Plusieurs études ont montré que le fait d'informer l'autre de la situation favorise souvent plusieurs changements positifs dans les comportements, comme un usage accru du condom, la réduction du nombre de partenaires sexuels, ce qui contribue à diminuer l'incidence des ITSS par la suite (Kissinger et coll., 2003 ; Niccolai et coll., 2006 ; Semaan et coll., 2004). Même si la divulgation d'une ITSS à son partenaire représente une bonne stratégie de prévention, nous ne pouvons tenir pour acquis que la personne sera disposée à le faire avec un prochain partenaire sexuel. Par exemple, une étude portant sur 92 personnes atteintes du virus des condylomes a révélé que, si la plupart en avaient averti leur partenaire principal du moment, il en allait autrement six mois après le diagnostic. En effet, 60 % des sujets interrogés avaient alors changé de partenaire sexuel et, de ce nombre, moins du tiers avaient révélé à leur nouveau partenaire être porteurs du virus avant d'avoir des contacts sexuels avec lui (Keller et coll., 2000).

Une enquête américaine portant sur 1421 personnes recevant des soins médicaux pour une infection au

VIH a révélé que 42 % des hommes gais ou bisexuels, 19 % des hommes hétérosexuels et 17 % des femmes de l'échantillon avaient eu des interactions sexuelles sans informer leur(s) partenaire(s) de leur infection. Cette non-divulgation survenait surtout dans les cas où la relation n'était pas exclusive (Ciccarone et coll., 2003). En général, les études indiquent que les individus atteints d'une ITSS ont tendance à prévenir leur partenaire principal de leur situation et à laisser leurs autres partenaires sexuels dans l'ignorance (Niccolai et coll., 2006).

Parlons-en

Informer son ou sa partenaire

Vous devez informer votre amant ou amante que vous lui avez peut-être transmis une ITSS. La difficulté vous semble insurmontable ? Il en serait ainsi pour la plupart des gens. Vous craindrez peut-être que cette révélation ne compromette une relation qui compte pour vous. Vous aurez peur d'être jugé sur votre hygiène. De plus, si votre relation est réputée monogame, ce genre de révélation peut compromettre le lien de confiance mutuelle dans votre couple. Par contre, malgré tous ces obstacles, il est beaucoup plus dangereux à long terme de taire l'existence d'une infection transmissible sexuellement.

En omettant d'avertir un ou une partenaire des risques d'ITSS, on met en danger sa santé. En effet, comme plusieurs ITSS n'ont aucun symptôme, les personnes infectées ne se rendront souvent compte de leur état que lorsqu'elles auront développé de sérieuses complications. De plus, si vous taisez votre état et que l'autre n'est pas traité, vous pourriez être de nouveau victime d'une infection après la guérison.

Contrairement à certaines maladies, comme les oreillons ou la varicelle, les ITSS ne vous immunisent pas contre de futures infections. Vous pouvez contracter une infection, la transmettre à votre partenaire, en guérir, et la contracter de nouveau si l'autre n'a pas été traité.

Voici quelques conseils pour vous aider à informer votre partenaire que vous souffrez d'une ITSS. N'hésitez pas à les adapter à votre situation. La question est délicate et nécessite réflexion et planification.

1. Faites preuve de franchise. Vous ne gagnez rien à minimiser vos symptômes d'ITSS. Assurez-vous que votre partenaire a compris qu'il lui faut se soumettre à un examen médical.

2. Même si vous soupçonnez que l'infection vous a été transmise par votre partenaire, évitez le blâme. Cela ne vous mènera nulle part. Déclarez simplement que vous avez cette infection et que vous désirez que votre partenaire se prête au traitement médical approprié.

3. La réaction de votre partenaire à la nouvelle pourrait dépendre de votre attitude. Si vous montrez beaucoup d'anxiété, de culpabilité, de crainte ou de dégoût, l'autre pourrait réagir de même. Tâchez de présenter les faits aussi clairement et calmement que possible.

4. Faites preuve d'empathie. Attendez-vous à de la colère ou à du ressentiment. Ce sont là des réactions compréhensibles. C'est en étant compréhensif et en écoutant sans vous tenir sur la défensive que vous réussirez le mieux à désamorcer les réactions négatives.

5. Lorsqu'une infection est diagnostiquée, il est évidemment exclu de vous adonner à des ébats sexuels avant d'avoir obtenu la confirmation médicale que vous ne présentez plus de risques de propagation.

6. Dans les cas d'herpès, où les récidives sont imprévisibles et les risques d'infecter un nouveau partenaire, constants, il vaut mieux faire état de sa condition avant d'avoir des relations intimes. Dites simplement à votre partenaire : « Il y a quelque chose dont nous devrions discuter d'abord. »

Bien que cela soit difficile, il est très important d'informer tous ses partenaires sexuels des six derniers mois lorsqu'on a contracté une ITSS.

RÉSUMÉ

* L'incidence élevée des ITSS découle de plusieurs facteurs : le grand nombre de gens ayant des rapports sexuels non protégés avec plusieurs partenaires, l'usage accru des contraceptifs oraux, l'accès limité à des méthodes efficaces de prévention et de traitement des ITSS, le caractère asymptomatique de plusieurs de ces infections, la non-révélation de leur état par les personnes infectées, etc.

LES INFECTIONS LIÉES À L'ACTIVITÉ SEXUELLE

* La chlamydiose compte parmi les ITSS les plus répandues et celles qui causent le plus de dommages. Elle se transmet surtout par contact sexuel. Elle peut aussi s'étendre à une autre partie du corps de la personne infectée à l'aide des doigts, depuis les parties génitales aux yeux, par exemple.

* La chlamydiose est souvent asymptomatique, surtout chez les hommes. Elle est responsable de divers types d'infections génitales et d'une forme de cécité évitable.

* La chlamydiose est quatre fois plus fréquente chez les femmes que chez les hommes.

* La gonorrhée est en hausse au Québec, selon les derniers chiffres disponibles.

* La gonorrhée provoque certains symptômes similaires chez les deux sexes, dont des écoulements accrus et des sensations de brûlure à la miction. Souvent, chez les femmes, elle passe inaperçue au début.

* Au Canada, la gonorrhée est en augmentation chez les hommes ayant des rapports sexuels avec des hommes.

* L'urétrite non gonococcique est une infection du passage urinaire qui affecte principalement les hommes. Elle est assez répandue et se transmet surtout par le coït.

* La syphilis est moins répandue que la gonorrhée, mais peut causer de plus grands dommages. Elle se transmet surtout par contact sexuel.

* L'herpès se rencontre surtout en deux variantes de virus, le VHS-1 et le VHS-2. Le type 2 touche surtout les organes génitaux et le type 1, la bouche, mais tous deux peuvent aussi toucher les deux endroits.

* Les virus de l'herpès ne sont jamais totalement détruits par la médication et ils peuvent provoquer des irruptions (crises) récurrentes.

* Le virus du papillome humain (VPH) est le principal responsable des verrues génitales. Il peut aussi provoquer le cancer du col de l'utérus.

* Les infections vaginales sont surtout causées par le *Candida albicans* et le *Trichomonas vaginalis*. Les hommes infectés par ces micro-organismes n'ont en général aucun symptôme. La transmission par le coït est fréquente.

* Il y a deux types d'infections ectoparasitaires : les morpions et la gale.

* Le sida est une infection causée par un virus (VIH) qui détruit le système immunitaire et rend ainsi l'organisme vulnérable à une variété d'infections et de cancers.

* Le VIH est né en Afrique, au début du XXe siècle, d'une transmission hétérospécifique d'une sous-espèce de chimpanzés à l'humain et il s'est propagé dans le monde, beaucoup plus tard, quand l'Afrique est sortie de son isolement.

* La période d'incubation du sida est de 8 à 11 ans.

* Le sang et le sperme sont les principaux agents de propagation du VIH, lequel se transmettrait avant tout par contact sexuel et, chez les utilisateurs de drogues injectables, par l'emploi de seringues ayant servi à des personnes infectées.

* Les comportements à haut risque par lesquels on s'expose à l'infection au VIH comprennent les rapports sexuels non protégés, les multiples partenaires sexuels, les rapports sexuels avec des gens dont le facteur de risque est élevé et l'utilisation du matériel d'injection intraveineuse d'autrui.

* Les infections par le VIH peuvent être dépistées par des tests sanguins.

* Le meilleur espoir d'endiguer l'épidémie d'infections au VIH/sida passe par l'éducation et les changements de comportements.

LA PRÉVENTION DES ITSS

* La meilleure stratégie de prévention des ITSS consiste probablement à évaluer attentivement son propre risque de transmission d'une ITSS et celui de son ou sa partenaire.

* Les nouveaux couples devraient s'assurer qu'ils n'ont pas d'ITSS en se soumettant à des examens médicaux et à des tests de dépistage avant de se livrer à toute activité sexuelle.

* Les personnes qui ont de nombreux partenaires sexuels devraient se soumettre périodiquement à un examen médical au cabinet d'un médecin ou dans une clinique de dépistage d'ITSS, même si elles n'ont aucun symptôme de maladie.

* Il est impératif que les individus infectés préviennent leur(s) partenaire(s) sexuel(s) de leur état dès qu'ils se savent atteints d'une ITSS.

CHAPITRE 13

La contraception et la conception

LA CONTRACEPTION

* Aspects historiques et sociaux
* Responsabilité partagée et choix d'une méthode de contraception
* Les contraceptifs hormonaux
* Les barrières contraceptives
* Les dispositifs intra-utérins
* Les méthodes fondées sur la connaissance de la fertilité
* La stérilisation
* Les méthodes inefficaces
* Les nouvelles avenues en contraception

LA GROSSESSE ET LA PARENTALITÉ

* Devenir enceinte
* L'avortement spontané et l'interruption volontaire de grossesse
* L'expérience de la grossesse
* Une saine grossesse
* L'accouchement
* Après l'accouchement

*A*voir un enfant ? Ou plus d'un ? Ou ne pas en avoir, tout en ayant une vie sexuelle active ? Quelles que soient les réponses que l'on donne à ces questions, il faut qu'elles relèvent d'un véritable pouvoir de décision, que ce pouvoir soit partagé équitablement à l'intérieur du couple, ainsi que les responsabilités personnelles et sociales qui accompagnent ce type de décision. Dans ce chapitre, nous verrons d'abord les moyens qui permettent à ce choix d'exister et de s'exercer. Ensuite, nous verrons ce qui se passe lorsque le processus menant à l'enfantement se met en place.

LA CONTRACEPTION

Pour planifier les naissances, on dispose aujourd'hui d'un éventail de moyens efficaces qui peuvent être utilisés selon les besoins particuliers, l'étape de vie et le désir de chacun de former une famille ou non.

ASPECTS HISTORIQUES ET SOCIAUX

Des documents anciens témoignent du souci de nos ancêtres de limiter les naissances (McLaren, 1990). Déjà, dans l'Égypte ancienne, les femmes se servaient d'une pâte d'excréments de crocodile préalablement trempée dans du lait caillé comme pessaire, un ancêtre du diaphragme. En Grèce, au VIᵉ siècle, on recommandait de boire des potions composées de racines de mandragore, de safran ou de miel, ou de manger l'utérus, les testicules ou les rognures de sabots d'une mule. Au XVIIIᵉ siècle, Giovanni Casanova, le célèbre aventurier italien, se servait de préservatifs faits de membranes d'intestins d'animaux et il conseillait aux femmes d'utiliser un demi-citron pressé comme diaphragme. Parmi les autres moyens contraceptifs utilisés à cette époque, il y avait le retrait avant l'éjaculation et les éponges imbibées de préparations diverses.

LA CONTRACEPTION EN AMÉRIQUE DU NORD

L'éventail de méthodes contraceptives dont nous disposons aujourd'hui est le fruit d'une longue lutte, car

Question d'analyse critique

Pourquoi ne croit-on plus aujourd'hui que l'abstinence est la seule méthode de contraception moralement acceptable ?

leur utilisation a longtemps été réprimée par la loi. Si les choses ont évolué en Amérique du Nord, c'est grâce à l'opiniâtreté de femmes telles que Margaret Sanger, une Américaine ayant vécu au siècle dernier. Horrifiée par la misère de ses compatriotes qui, n'ayant aucune maîtrise de leur fécondité, étaient condamnées à mettre au monde un grand nombre d'enfants indigents, elle ouvrit illégalement en 1915 une clinique où les femmes pouvaient obtenir des diaphragmes qu'elle importait d'Europe. Accusée d'avoir contrevenu à la loi en publiant de l'information sur la régulation des naissances dans son journal *The Woman Rebel*, elle dut s'enfuir en Europe pour échapper à la justice. Elle revint plus tard pour promouvoir la recherche scientifique sur la contraception hormonale, un projet financé par sa riche amie Katherine Dester McCormack.

Ces deux militantes voulaient que soit mise au point une méthode fiable pour permettre aux femmes de contrôler leur fécondité (Tone, 2002). Toutefois, ce n'est qu'en 1960, à la suite de travaux de recherche et d'expérimentation effectués à Porto Rico, que la première pilule anticonceptionnelle fut mise sur le marché. Désormais, le contrôle de la fécondité passerait par la contraception plutôt que par l'abstinence. C'était là un changement profond qui ouvrait de toutes nouvelles perspectives aux femmes, une force libératrice de leur expression sexuelle (D'Emilio et Freedman, 1988 ; Harer, 2001).

LA CONTRACEPTION, UNE QUESTION ACTUELLE

Le recours à la contraception a considérablement augmenté dans le monde durant les dernières décennies : on estime que 60 % des couples actuels utilisent un moyen de contraception comparativement à 10 % en

Question d'analyse critique

Quel rôle, s'il y en a un, la religion a-t-elle joué dans la décision de vos parents de recourir ou non à des moyens contraceptifs ? Et dans vos propres décisions ?

1970 (David et Russo, 2003). En Occident, 95 % des femmes ont eu recours à la contraception à un moment ou l'autre. En outre, la femme hétérosexuelle type peut avoir besoin d'une forme quelconque de contraception durant au moins 30 ans, car les moments où elle cherchera à devenir enceinte, ou le sera effectivement, ne représentent qu'une petite partie de sa **vie reproductive** (Reape, 2005). L'augmentation de la contraception chez les adolescentes est une très bonne nouvelle. La différence est marquante entre les résultats de deux sondages, l'un mené en 1990 et l'autre en 2006, où 20 % de plus d'adolescentes disent avoir utilisé le condom lors de leur dernière relation sexuelle ; en outre, elles sont aujourd'hui moins nombreuses à utiliser la méthode du coït interrompu comme moyen contraceptif (Santelli et coll., 2006).

Il y a plusieurs raisons de souhaiter que le contrôle des naissances soit plus accessible et plus répandu. D'abord et avant tout, la contraception permet aux couples hétérosexuels de jouir de l'intimité sexuelle avec un risque minimal de grossesse non désirée. Les enfants, de leur côté, ont plus de chances d'avoir des parents qui sont préparés à les élever, et la possibilité d'espacer les naissances d'au moins 18 mois augmente les chances d'avoir des nouveau-nés en santé (Conde-Agudelo et coll., 2006). L'accès à des méthodes contraceptives efficaces a permis aux femmes de devenir des partenaires égales aux hommes dans notre société moderne. Avec pour résultat que les hommes ont aujourd'hui des possibilités que n'avaient pas leurs pères en ce qui a trait à l'exercice de leur rôle parental.

Plusieurs groupes religieux contemporains approuvent et même encouragent le contrôle des naissances. Mais certaines croyances religieuses peuvent aussi amener des individus ou des couples à ne pas utiliser de moyens de régulation des naissances. Selon la doctrine officielle de l'Église catholique romaine (et de certaines autres confessions), les moyens de contraception autres que l'abstinence et les méthodes fondées sur l'observation du cycle menstruel sont en effet immoraux (voir le chapitre 1).

Le fait de rendre les moyens contraceptifs accessibles aux femmes et aux hommes qui désirent les utiliser peut aider à combattre la surpopulation. Au tournant du millénaire, la population mondiale se chiffrait à 6,5 milliards d'êtres humains, alors qu'en 1950 elle n'était que de 2,3 milliards. Les projections des Nations unies sont de 8,9 milliards d'êtres humains en 2050. L'augmentation se fera à 95 % dans les pays les plus pauvres, où l'on a déjà de la difficulté à subvenir aux besoins élémentaires de la population en termes de nourriture, de logement et de combustible. Quand les familles pauvres comptent plusieurs enfants, elles ne peuvent garantir la nourriture, les soins et l'éducation à chacun. De plus, la surpopulation (combinée à

Vie reproductive   Désigne la période de fertilité comprise entre le 15e et le 45e anniversaire de la femme.

Nirmala Palsamy a été proclamée « héroïne de la planète » par le *Time Magazine* pour son travail d'éducation auprès des femmes en matière de contrôle des naissances et de planification familiale.

la surconsommation des ressources mondiales par les pays développés) menace sérieusement l'écologie de la planète. Le contrôle des niveaux de population passe nécessairement par un accès accru des femmes à l'éducation (Douglas, 2006). À l'échelle mondiale, il s'avère en effet que plus les femmes sont instruites, moins elles ont d'enfants (Morgan, 2003).

RESPONSABILITÉ PARTAGÉE ET CHOIX D'UNE MÉTHODE DE CONTRACEPTION

En s'informant sur les différents moyens de contraception, en discutant de leurs effets secondaires, de leurs avantages et de leurs inconvénients, les partenaires d'un couple peuvent choisir celui qui leur semble le plus approprié. Nous croyons fermement que les couples qui partagent la responsabilité de la régulation des naissances s'assurent de relations sexuelles plus satisfaisantes et d'une contraception plus efficace.

ÇA SE DÉCIDE À DEUX

La recherche montre que les décisions en matière de contraception sont de plus en plus partagées au sein des couples (Grady et coll., 2000). Ne pas en parler dans le couple peut amener les femmes à croire que les hommes leur laissent toute la responsabilité en la matière et qu'ils s'en lavent les mains. En plus, il est stupide de la part de l'homme de présumer que la femme « a fait ce qu'il faut parce que c'est elle qui serait mal prise ». Comme un étudiant le demandait :

> Si vous avez une relation sexuelle avec une fille et qu'elle vous dit qu'elle prend la pilule, comment pouvez-vous savoir si elle dit vrai ? (Notes des auteurs)

Bien des femmes n'emploient pas la contraception de façon régulière, surtout si elles ne sont pas dans une relation durable ; certaines aussi ne l'utilisent pas de façon correcte et avec l'assiduité requise (Trussel et coll., 1999). Ne pas recourir à la contraception peut avoir des effets négatifs sur la sexualité du couple et son bien-être général, et il peut être difficile de composer avec une grossesse non désirée (Brooks, 2002). Il est dans le meilleur intérêt du couple que les deux partenaires

participent au choix et à l'utilisation d'une méthode contraceptive.

Le premier pas vers un partage des responsabilités en matière de contraception peut être de demander à l'autre si il ou elle utilise une méthode de régulation des naissances. La recherche montre que les étudiants des deux sexes ont besoin de développer leurs habiletés à parler de contraception.

LE CHOIX D'UNE MÉTHODE DE CONTRACEPTION

Plusieurs méthodes de contrôle des naissances sont disponibles pour les couples. Mais la méthode idéale, celle qui serait efficace à 100 %, sans aucun danger, sans effets secondaires, réversible, indépendante de l'activité sexuelle, peu coûteuse, facile à se procurer, utilisable par les deux sexes et qui ne dépendrait pas de la mémoire des utilisateurs-utilisatrices, n'existe pas et n'existera pas dans un avenir prévisible (Mills et Barclay, 2006). Chaque méthode a ses avantages et ses inconvénients sur le plan de l'efficacité, de la fiabilité, des coûts et de la facilité d'utilisation. Il est important d'en connaître quelques-unes, car la plupart des gens utiliseront plus d'une méthode contraceptive au cours de leur vie sexuelle active. Les caractéristiques des différentes méthodes contraceptives sont présentées au tableau 13.1 (p. 391-400).

L'EFFICACITÉ

La meilleure façon de mesurer l'efficacité d'une méthode contraceptive est de regarder son **taux d'échec**, taux qui représente le nombre de grossesses par groupe de 100 femmes qui utilisent la méthode en question. Le tableau 13.1 (p. 391-400) indique pour chaque méthode son taux d'efficacité lorsqu'elle est utilisée ou appliquée correctement et assidûment ; il indique aussi le taux de grossesses « accidentelles » lorsque la méthode n'est pas utilisée adéquatement. La variable qui joue le plus sur l'efficacité d'une méthode est l'erreur humaine. L'ignorance quant à la façon de l'utiliser, les idées négatives à son propos, le manque de participation de la part du ou de la partenaire, l'oubli régulier ou le fait de se dire « qu'une petite fois ne causera pas de problème », tout cela réduit l'efficacité d'une méthode et augmente les risques de grossesse. De plus, les personnes qui ressentent de la culpabilité envers la sexualité ont davantage tendance à ne pas utiliser efficacement la contraception (Strassberg et Mahoney, 1988). Les hommes et

---

Taux d'échec   Nombre de grossesses se produisant par groupe de 100 femmes utilisant une méthode contraceptive pendant un an.

les femmes qui ne sont pas à l'aise dans leur sexualité tendent à adopter une attitude passive dans les décisions sur le contrôle des naissances, ce qui les rend dépendants de ce que l'autre partenaire fait ou ne fait pas en ce domaine. Une femme peut aussi se demander si elle passera pour une «fille facile» aux yeux de son partenaire. Une façon simple de donner l'image d'une «bonne fille» est de ne pas prévoir de méthodes contraceptives (Angier, 1999); toutefois, cela ne protège en rien contre une grossesse non désirée.

En fait, près de la moitié des femmes qui ont une grossesse non désirée utilisent déjà une méthode de contraception (Speroff et Fritz, 2005). Ce genre d'accident risque plus de se produire chez les célibataires de moins de 30 ans que chez les femmes mariées de 30 ans et plus. Les femmes à faible revenu ont un taux d'échec plus élevé que les femmes plus fortunées, possiblement parce qu'elles ont moins accès aux soins de santé (Fu et coll., 1999).

UNE DOUBLE PROTECTION EN CONCOMITANCE

Dans certaines circonstances, il peut être indiqué de recourir à des méthodes en concomitance — c'est-à-dire d'utiliser plus d'un moyen de contraception à la fois. Le condom, la mousse spermicide et le diaphragme peuvent s'utiliser en même temps qu'une autre méthode à titre de protection complémentaire dans les circonstances suivantes :

* durant le premier cycle d'utilisation d'un contraceptif oral ;

* jusqu'à la fin d'un cycle si l'on a oublié de prendre une ou plusieurs pilules contraceptives ou si l'on a souffert de diarrhée ou de vomissements durant plusieurs jours tandis qu'on prenait la pilule ;

* durant le premier mois d'utilisation d'une nouvelle marque de contraceptif oral ;

* lorsqu'on prend des médicaments, tel un antibiotique, qui réduisent l'efficacité des contraceptifs oraux ;

* durant un à trois mois après la mise en place d'un dispositif intra-utérin (DIU) ;

* lorsqu'on expérimente une méthode de contraception qu'on ne connaît pas ;

* lorsqu'un couple désire une protection accrue (par exemple, en combinant condom et mousse spermicide).

QUELLE MÉTHODE CONTRACEPTIVE VOUS CONVIENT LE MIEUX ?

En plus de l'efficacité, de nombreux facteurs, dont le coût, la facilité d'utilisation et les effets secondaires potentiels, entrent en ligne de compte lorsqu'on choisit une méthode de contraception. Vous trouverez dans le tableau 13.1 (p. 391-400) les principaux facteurs à considérer. Outre ces considérations, il est important que les partenaires optent pour une méthode de régulation des naissances qui leur convient à tous deux (Ranjit et coll., 2001). Le questionnaire présenté dans l'encadré «Votre santé sexuelle» a été conçu pour aider les couples à prendre cette décision très personnelle en tenant compte de leurs préoccupations, de leur situation, de leur condition physique et de leurs caractéristiques individuelles.

LES CONTRACEPTIFS HORMONAUX

Dans cette section, nous verrons les contraceptifs hormonaux les plus répandus, soit les contraceptifs oraux, l'anneau vaginal, le timbre transdermique et les contraceptifs injectables.

LES CONTRACEPTIFS ORAUX

Les contraceptifs oraux ont évolué depuis leur apparition il y a plus de 40 ans. Ils se présentent maintenant sous différentes compositions chimiques et à des dosages variés, ce qui permet de choisir parmi un large éventail (Calderoni et Coupey, 2005). Ils comptent parmi les méthodes contraceptives réversibles les plus répandues en Amérique, notamment chez les étudiantes des collèges et des universités. Plus de 100 millions de femmes dans le monde les utilisent (Blackburn et coll., 2000). On retrouve sur le marché quatre types de contraceptifs oraux : la pilule combinée à dose constante, la pilule triphasique, la pilule continue et la pilule microprogestative.

Chez la plupart des femmes, l'utilisation d'un contraceptif oral améliore l'état général de santé (Speroff et Fritz, 2005). Mais il y a des femmes pour qui la pilule est contre-indiquée ; c'est le cas de celles qui souffrent d'hypertension artérielle, de problèmes cardiovasculaires, qui ont eu la jaunisse, un cancer du sein ou de l'utérus, ou qui ont des problèmes de coagulation sanguine ou des saignements vaginaux inexpliqués. De plus, les femmes qui ont une maladie du foie et celles qui se croient ou se savent enceintes ne devraient pas prendre la pilule. Enfin, les femmes qui fument la cigarette ou

Votre santé sexuelle

Quelle est la meilleure méthode contraceptive pour vous ?

Répondez à chaque énoncé par oui ou non, selon qu'il s'applique ou pas à vous ou à votre partenaire.

1. Vous faites de l'hypertension artérielle ou souffrez d'une maladie cardiovasculaire.

2. Vous fumez la cigarette.

3. Vous avez une nouvelle ou un nouveau partenaire sexuel.

4. Une grossesse non désirée serait catastrophique pour vous.

5. Vous avez une bonne mémoire.

6. Vous ou votre partenaire avez plusieurs partenaires sexuels.

7. Vous préférez une méthode sans soucis, ou presque.

8. Vous ou votre partenaire avez des menstruations abondantes et douloureuses.

9. Vous avez besoin de protection contre les ITSS.

10. Vous avez des raisons de craindre le cancer de l'endomètre et le cancer de l'ovaire.

11. Vous avez tendance à oublier.

12. Vous avez besoin d'une méthode contraceptive efficace immédiatement.

13. Vous ne répugnez pas à toucher vos organes génitaux et ceux de votre partenaire.

14. Votre partenaire est d'un naturel coopératif.

15. Vous appréciez un peu de lubrification vaginale supplémentaire.

16. Vous faites l'amour à des moments et à des endroits imprévus.

17. Vous vivez une relation monogame stable et avez déjà au moins un enfant.

Résultats

Les recommandations sont fondées sur les réponses affirmatives aux énoncés précédents.

Oui à 4, 5, 6, 8, 16 : Pilule combinée à dose constante

Oui à 1, 2, 5, 7, 16 : Pilule microprogestative

Oui à 1, 2, 3, 6, 9, 12, 13, 14 : Condom

Oui à 1, 2, 4, 7, 11, 16 : Implants sous-cutanés Norplant et Depo-Provera

Oui à 1, 2, 13, 14 : Diaphragme ou cape cervicale

Oui à 1, 2, 7, 11, 13, 16, 17 : DIU

Oui à 1, 2, 12, 13, 14, 15 : Spermicide et éponge

---

qui souffrent de migraines, de dépression, d'épilepsie, de diabète ou de symptômes prédiabétiques, d'asthme ou de varices devraient évaluer sérieusement le risque que la pilule contraceptive représente pour elles et ne l'utiliser que sous étroite surveillance médicale. Le tableau 13.1 (p. 391-400) présente les effets secondaires possibles des contraceptifs oraux.

Les quatre principaux types de contraceptifs oraux

La **pilule combinée à dose constante** a fait son apparition au début des années 1960 et elle est le contraceptif oral le plus répandu actuellement en Amérique. Elle contient deux hormones, un œstrogène de synthèse et un progestatif (une substance comparable à la progestérone). Le dosage de ces hormones demeure le même pendant la durée totale du cycle menstruel. Il existe plus de 32 sortes de pilule combinée, chacune ayant son propre dosage des deux hormones. De 175 microgrammes dans les années 1960, la quantité d'œstrogène contenue dans un comprimé a diminué à une moyenne de 25 microgrammes avec le temps (Ritter, 2003).

La **pilule triphasique**, qui est arrivée sur le marché en 1984, est un autre type de contraceptif oral. Contrairement à la pilule combinée à dose constante, la pilule triphasique contient des doses d'œstrogène et de progestérone qui varient durant le cycle menstruel. Elle a pour but de réduire la quantité totale d'hormones absorbées ainsi que les effets secondaires tout en maintenant l'efficacité contraceptive.

La **pilule continue** est un autre contraceptif à dose constante disponible sur le marché ; on l'appelle ainsi parce qu'elle est prise pendant trois mois sans arrêt, sans pilule placebo. La seule marque de commerce sur le marché est la Seasonale. Cette pilule réduit le nombre de cycles menstruels à quatre durant l'année au lieu des treize habituels, ce qui apporte un soulagement appréciable aux femmes qui ont des symptômes menstruels désagréables durant la phase placebo associée à la prise d'une pilule combinée (Kripke, 2006).

La **pilule microprogestative**, apparue sur le marché en 1973, ne contient que 0,35 milligramme de progestatif — une dose représentant environ le tiers de la quantité moyenne que l'on retrouve dans les pilules combinées à dose constante. La pilule microprogestative ne contient pas d'œstrogène et constitue une option intéressante pour les femmes qui préfèrent ne pas prendre de cette hormone (Burkett et Hewitt, 2005).

Le mode d'action des contraceptifs

Les pilules qui contiennent de l'œstrogène agissent surtout en empêchant l'ovulation. Le progestatif apporte un effet contraceptif supplémentaire en épaississant et en modifiant la composition de la glaire cervicale, ce qui nuit au passage des spermatozoïdes. Le progestatif modifie aussi l'endomètre (paroi utérine) en le rendant moins réceptif à l'implantation des ovules fécondés (Larimore et Stanford, 2000). Le progestatif peut également empêcher l'ovulation. La pilule microprogestative agit un peu différemment. La plupart des femmes qui en prennent continuent d'ovuler au moins de façon occasionnelle. L'effet principal de cette pilule est de modifier la glaire cervicale en l'épaississant et en la rendant gluante, ce qui bloque de fait l'entrée des spermatozoïdes dans l'utérus. Et comme la pilule combinée à dose constante, un de ses effets secondaires est de modifier la surface interne de l'utérus de façon à la rendre impropre à l'implantation de l'ovule.

Comment utiliser les contraceptifs oraux

Pour celles qui prennent des contraceptifs oraux pour la première fois, il est important de suivre scrupuleusement les conseils de leur médecin, car il existe différentes façons de procéder. À la différence des autres contraceptifs oraux qui se prennent pendant 28 jours, la pilule Seasonale se prend quotidiennement pendant une période de trois mois, suivie de la prise d'un placebo pendant sept jours, avant de recommencer un autre cycle de trois mois. Certains médicaments réduisent l'efficacité des contraceptifs oraux : les barbituriques, l'ampicilline, la tétracycline, le tégrétol, le dilantin, la rifampine (contre la tuberculose), le phénylbutazone (contre l'arthrite). Si une femme prend l'un ou l'autre de ces médicaments, elle doit en informer son médecin et utiliser une méthode contraceptive complémentaire, par exemple un spermicide et un condom.

Oublier de prendre la pilule une ou plusieurs fois réduit sensiblement son efficacité, tout comme la prendre à des heures irrégulières de jour en jour. Cela abaisse le taux d'hormones et une ovulation peut alors avoir lieu. Un nombre significatif de femmes oublient de prendre leur pilule chaque jour. De plus, les femmes sous-estiment le nombre de pilules qu'elles oublient de prendre. Selon les résultats d'une étude où l'on a enregistré électroniquement l'heure et la date de la prise de la pilule à l'aide d'un dispositif intégré dans la boîte plutôt que de se fier à ce que les femmes déclaraient, jusqu'à 50 % des utilisatrices ont oublié de prendre trois pilules et plus par cycle, réduisant ainsi de beaucoup l'efficacité de la méthode (Potter et coll., 1996). Pour prévenir les oublis, une femme peut recourir à un contenant intégrant une horloge et une alarme qui se déclenche chaque jour à la même heure si elle n'a pas pris la pilule du jour.

Si vous prenez un contraceptif oral et que vous l'oubliiez, il faut le prendre dès que vous vous en apercevez et prendre la pilule suivante comme d'habitude. Si vous en oubliez plus qu'une, mieux vaut aller en parler à votre médecin. Il est alors recommandé d'utiliser une méthode contraceptive complémentaire, par exemple une mousse spermicide ou un condom, ou les deux.

LA CONTRACEPTION POST-COÏTALE

Il existe deux méthodes contraceptives post-coïtales. La première, connue sous le nom de pilule contraceptive d'urgence (PCU) ou contraceptif d'urgence (CU) (pilule du lendemain ou Plan B, au Canada), est un contraceptif contenant œstrogène et progestatif, comme la pilule régulière, mais en plus grandes doses. Son mode d'action est le même, empêchant la nidation d'un ovule fécondé. Elle se prend après un rapport sexuel à risque de grossesse. Son efficacité dépend du temps écoulé depuis le rapport sexuel ; idéalement, il faut la prendre dans les trois jours qui suivent. Passé cinq jours, le contraceptif d'urgence n'a plus assez d'efficacité.

Les Québécoises peuvent désormais se procurer la PCU en pharmacie sans ordonnance médicale, ou encore l'obtenir gratuitement par l'entremise d'un médecin dans un hôpital, un CLSC, une clinique jeunesse ou auprès d'une infirmière scolaire. Cette grande accessibilité profite particulièrement aux adolescentes, aucun rendez-vous n'étant nécessaire.

Pilule combinée à dose constante   Pilule contraceptive qui fournit la même dose d'œstrogène et de progestatif pendant tout le cycle menstruel.

Pilule triphasique   Pilule contraceptive dont la composition en œstrogène et en progestatif varie au cours du cycle menstruel.

Pilule continue   Pilule qui réduit le nombre de périodes menstruelles à quatre par année.

Pilule microprogestative   Pilule contraceptive qui contient une faible dose de progestatif et aucun œstrogène.

Si plus de trois jours se sont écoulés depuis la relation sexuelle, il est possible d'augmenter la protection en utilisant un **dispositif intra-utérin** (DIU, appelé aussi stérilet) en cuivre dans les sept jours suivants. Le dispositif intra-utérin doit être posé par un médecin et il est efficace à 99 %.

L'ANNEAU VAGINAL ET LE TIMBRE TRANSDERMIQUE

NuvaRing et Orhto Evra sont deux contraceptifs à base hormonale qui ne nécessitent pas de prendre une pilule. Les deux méthodes contiennent des hormones de synthèse, œstrogène et progestatif, enchâssées dans un anneau transparent d'environ deux fois la largeur d'une pièce de 25 cents (NuvaRing) ou dans un timbre transdermique de couleur beige, comme le montre la figure 13.1.

Mode d'action

L'anneau vaginal comme le timbre transdermique font passer les hormones qu'ils contiennent à travers la paroi du vagin ou la peau, et elles sont absorbées dans le flux sanguin. Celles-ci agissent alors de la même façon que les contraceptifs oraux.

Comment les utiliser

L'anneau s'insère dans le vagin entre le jour 1 et le jour 5 des menstruations. On le laisse à l'intérieur du vagin pendant trois semaines ; on l'enlève ensuite pour une semaine, puis on en place un nouveau. L'anneau peut demeurer en place pendant le coït ou il peut être retiré durant une période de une heure à trois heures sans que son efficacité contraceptive soit compromise (Long, 2002).

Dans le cas du timbre transdermique, la femme choisit un jour précis de la semaine du début de ses menstruations et l'identifie comme étant « le jour du changement de timbre ». Elle remplace l'ancien timbre par un nouveau le même jour de la semaine pendant trois semaines, la quatrième semaine en étant une sans timbre. Le timbre peut se placer sur les fesses, l'abdomen, en haut des bras du côté externe ou en haut du dos, derrière l'épaule (P. Murphy, 2003b).

LES CONTRACEPTIFS INJECTABLES

Le Depo-Provera et le Lunelle sont des contraceptifs injectables. Le Depo-Provera est un progestatif qui inhibe la sécrétion de gonadotrophine et bloque la maturation folliculaire et l'ovulation. Cela provoque l'amincissement de la muqueuse utérine et empêche l'implantation de tout ovule fécondé. Le Lunelle, pour sa part, contient un progestatif et un œstrogène, comme les pilules contraceptives.

Un professionnel de la santé (médecin ou infirmière) injecte du Depo-Provera une fois toutes les 12 semaines, idéalement avant le sixième jour du début des menstruations. Après l'arrêt du Depo-Provera, cela prend habituellement 10 mois pour qu'une femme puisse devenir enceinte (Galewitz, 2000). Pour le Lunelle, l'injection est mensuelle et la fécondité revient dès sa cessation.

L'IMPLANT CONTRACEPTIF

Le Norplant est formé de six bâtonnets de 34 mm de long. Il est inséré sous la peau, sur la face interne du bras. Il libère progressivement un progestatif, et son action est identique à celle de la pilule microprogestative. Il est mis en place sous anesthésie locale par un médecin qui pratique une petite incision. Il est efficace pendant trois à cinq ans, selon le poids de la femme.

LES BARRIÈRES CONTRACEPTIVES

On a vu que les méthodes de contraception hormonales induisent dans l'organisme féminin des changements qui empêchent

Figure 13.1 | Avec l'anneau vaginal (à gauche) et le timbre transdermique (à droite), on n'a pas à se demander chaque jour si on a oublié de prendre la pilule.

l'ovulation ou l'implantation d'un ovule fécondé. Le principe des barrières contraceptives est plutôt d'empêcher les spermatozoïdes d'atteindre l'ovule. Examinons brièvement quelques-unes de ces barrières : le condom (préservatif), le diaphragme et la cape cervicale. Nous incluons ici les spermicides vaginaux, car ils sont souvent utilisés avec les barrières contraceptives et empêchent également les spermatozoïdes de se rendre à l'ovule. À part le condom, les barrières contraceptives ne protègent ni des ITSS ni de l'infection au VIH.

LE CONDOM MASCULIN

Le condom (préservatif masculin, ou capote) est une membrane qui se pose sur le pénis en érection (voir la figure 13.2). C'est l'anatomiste italien Gabriel Fallopius (le même qui a donné son nom aux trompes de Fallope) qui serait l'inventeur du « fourreau d'étoffe légère, fait sur mesure, pour protéger des maladies vénériennes ». C'est à partir des années 1840 que la production de masse de condoms à faible coût a débuté par suite du développement du caoutchouc vulcanisé.

Le condom est le seul contraceptif temporaire pour les hommes qui est aussi une méthode préventive contre les ITSS les plus répandues, y compris le VIH (voir le chapitre 12). C'est aussi une des méthodes contraceptives les plus utilisées en Amérique. Une étude montre que l'usage du condom est corrélé avec le niveau d'éducation chez les hommes. Lorsqu'on a demandé à des hommes non mariés, âgés entre 15 et 44 ans, s'ils avaient utilisé le condom lors de leur dernière relation sexuelle coïtale, 38 % des hommes possédant un diplôme de niveau secondaire ont répondu oui, contre 58 % des diplômés de collèges ou d'universités (Martinez et coll., 2006). De six à neuf millions de condoms seraient utilisés chaque année dans le monde, selon une estimation (Gardner et coll., 1999). En dépit du fait qu'une utilisation à grande échelle du condom protégerait à la fois des grossesses non désirées et des ITSS, des groupes faisant la promotion de l'abstinence comme seule méthode contraceptive ont répandu des faussetés à son sujet et travaillent à restreindre son utilisation. On raconte, notamment sur les sites du Vatican et de Pro-Vie, que tous les condoms laisseraient passer le VIH et d'autres agents infectieux et propageraient ainsi les ITSS. Sous l'administration du président américain George W. Bush, des millions de dollars ont été dépensés dans des campagnes de désinformation pour faire la promotion de l'abstinence et faire croire que le condom ne protégeait pas des grossesses ni des ITSS (Shorto, 2006).

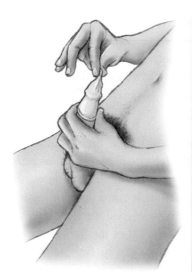

Figure 13.2 | Le bout du condom doit être pincé avant de le dérouler sur le pénis de façon qu'il y ait un espace libre pour recueillir l'éjaculat. Cela ne s'applique pas aux condoms qui possèdent déjà un réservoir.

Les condoms sont faits de latex de qualité chirurgicale, de polyuréthane ou d'une membrane naturelle (intestin de mouton). Certains condoms ont des caractéristiques particulières de forme, de couleur, d'épaisseur et même de saveur. On en trouve qui contiennent un agent anesthésiant censé aider à prolonger la durée de l'érection en retardant l'éjaculation. Certains possèdent un petit réservoir à leur extrémité, d'autres sont nervurés ou ont une surface texturée. La plupart viennent enveloppés dans un sachet, et certains sont lubrifiés, d'autres non. Les condoms lubrifiés sont moins fragiles que les non lubrifiés et, selon certains utilisateurs, ils affecteraient moins les sensations péniennes durant la pénétration. Les condoms faits de membrane naturelle sont plus chers que ceux en latex, mais ils atténuent moins les sensations péniennes. Toutefois, ils possèdent de petits pores qui peuvent permettre le passage de plusieurs virus, dont ceux du sida, de l'herpès génital et de l'hépatite.

Les condoms sont disponibles dans les pharmacies et dans de nombreux autres points de vente, dans des centres de planification familiale, par la poste, dans des machines distributrices et dans les écoles où existent des programmes de promotion du condom. On peut les conserver pendant cinq ans, et il est important de

Dispositif intra-utérin   Petit dispositif que l'on introduit dans l'utérus comme moyen de contraception.

vérifier la date de péremption. Les condoms faits de latex doivent être protégés de la chaleur pour éviter que le latex se dégrade. Ils ne doivent donc pas être conservés dans la boîte à gants d'une automobile ou dans la poche arrière d'un pantalon, par exemple.

Posé correctement et avant toute pénétration, le condom empêche le sperme, le liquide pré-éjaculatoire, le sang et les agents infectieux de passer dans un sens ou dans l'autre. Après l'éjaculation, comme le pénis perd de son volume et qu'alors le condom peut laisser couler l'éjaculat, il faut tenir le condom à la base du pénis avec la main et ne le relâcher qu'après la sortie complète du pénis du vagin ou du rectum. L'encadré ci-dessous aborde l'importance du condom et prodigue quelques conseils de communication lors de son utilisation.

LE CONDOM FÉMININ

Le condom féminin est fait de polyuréthane ou de latex. Il est semblable au condom masculin (voir la figure 13.3), mais il se pose à l'intérieur du vagin. Un premier anneau de plastique flexible permet de le placer de manière qu'il entoure le col de l'utérus sans l'enserrer, contrairement au diaphragme. Un autre anneau entoure la région des lèvres. Bien que ce condom épouse les contours du vagin, le pénis peut s'y mouvoir librement, la membrane étant enduite d'un lubrifiant à base de silicone. Ce condom, utilisé correctement, peut réduire de façon importante les risques de transmission de quelques ITSS (Minnis et Padian, 2001).

L'emploi du condom féminin suscite des avis partagés chez les femmes qui l'utilisent et leurs partenaires. Lors d'une étude menée par la Food and Drug Agency (É.-U.),

Parlons-en

On n'entre pas sans caoutchouc !

Les étudiants utilisent couramment le condom comme moyen de contraception et de protection contre les ITSS. Les femmes accueillent maintenant plus favorablement l'utilisation des préservatifs; ce sont elles qui achètent 50 % de la production de condoms. Au Canada, de 24 % à 33 % des femmes interrogées sont très favorables au condom; au Québec, ce taux est de 42 % (CCIÉS, 1999). Cette nouvelle attitude est pleine de sens, car les femmes courent beaucoup plus de risques que les hommes en n'utilisant pas le condom. En effet, en plus de s'exposer à une grossesse non désirée, elles sont plus susceptibles que les hommes de contracter une ITSS. Et comme les

ITSS d'origine bactérienne affectent beaucoup plus leur appareil reproducteur que celui de l'homme, elles compromettent du coup leur fécondité future.

Une étude a révélé que c'est en refusant systématiquement de faire l'amour si le partenaire ne porte pas de condom que les étudiantes incitent le plus souvent leur copain à en faire usage (De Bro et coll., 1994).

Le site du ministère de la Santé et des Services sociaux du Québec « J't'aime, j'capote » suggère des façons d'aborder efficacement la question du condom. Le tableau suivant présente quelques échanges types.

Échanges types pour aborder la question du condom.

PROPOS DU OU DE LA PARTENAIRE	VOTRE RÉPONSE
« Je prends la pilule. Tu n'as pas besoin de mettre un condom. »	« Je le mets quand même; comme ça, nous serons doublement protégés. »
« Ce n'est pas aussi bon avec un condom. »	« Mais c'est bien meilleur que ne rien faire et le contact est plus long avec un condom. »
« Ce n'est pas très romantique. »	« La grossesse ou une ITSS n'ont rien de spécialement romantique non plus. »
« Tu sais bien que je ne ferais rien qui puisse te nuire. »	« Fantastique. Je vais t'aider à le mettre. »
« Je préfère ne pas faire l'amour si je dois mettre un condom. »	« Pas de problème. Qu'aimerais-tu faire plutôt ? »

a)

b)

Figure 13.3 | Il existe une grande variété de condoms : a) Condom masculin ; b) Condom féminin.

de suppositoire ou comprimé, d'éponge, de crème, de gelée et de pellicule (voir la figure 13.4). Sous forme de mousse, le produit ressemble à de la crème à raser blanche. Il se vend en aérosol accompagné d'un applicateur en plastique. Le suppositoire ou comprimé vaginal a une forme ovale ; quant à l'éponge, elle ressemble à un beignet qui absorbe les spermatozoïdes et les détruit. Enfin, la pellicule spermicide est une mince pellicule de 5 cm sur 5 cm enduite de spermicide et vendue dans des boîtes de 10 ou 12 unités.

Les spermicides sont moins efficaces que la plupart des autres méthodes pour prévenir les grossesses ; aussi faut-il les utiliser de concert avec un condom. Le mode d'emploi est indiqué sur l'emballage de chaque spermicide. Pour une protection maximale, il faut le suivre rigoureusement. On doit aussi utiliser le spermicide avant chaque rapport sexuel. Par contre, sous forme

> **Spermicides vaginaux** Mousse, crème, gelée, suppositoire et pellicule qui contiennent une substance chimique détruisant les spermatozoïdes.

seulement 7 % des hommes et 8 % des femmes ont dit ne pas aimer le condom féminin (F. Stewart, 1998c). Dans une autre étude, les femmes ont dit qu'elles appréciaient de pouvoir insérer le condom avant l'activité sexuelle et de ne pas être obligées de le retirer tout de suite après l'éjaculation ; le fait d'avoir des relations sexuelles avec un homme qui ne veut pas porter de condom est moins susceptible de mal tourner. D'autres appréciaient de disposer d'une autre méthode que le condom masculin pour se protéger des grossesses non désirées et des ITSS. Par contre, certaines femmes ont évoqué des difficultés à insérer le condom dans leur vagin, une diminution de leur plaisir sexuel et une résistance de leur partenaire envers cette méthode (Choi et coll., 2003a).

LES SPERMICIDES VAGINAUX

Plusieurs types de **spermicides vaginaux** sont disponibles sans ordonnance ; on en trouve sous forme de mousse,

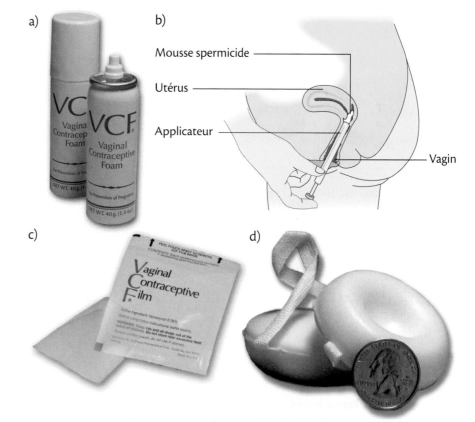

Figure 13.4 | Les spermicides vaginaux sont en vente libre dans les pharmacies : a) Mousse spermicide ; b) L'applicateur rempli de spermicide est introduit dans le vagin et la mousse est déposée au fond ; c) Pellicule contraceptive vaginale ; d) Éponge contraceptive.

d'éponge, le produit est efficace pendant 24 heures. Il est préférable de prendre une douche plutôt qu'un bain après l'usage d'un spermicide comme contraceptif, car il y a un risque que l'eau en réduise l'efficacité.

LES BARRIÈRES CERVICALES

La pratique consistant à couvrir le col de l'utérus comme moyen de protection contre les grossesses existe depuis des siècles. Au XVIIIᵉ siècle, Casanova recommandait aux femmes d'utiliser la moitié d'un citron pressé pour couvrir le col de l'utérus, et les femmes européennes modelaient de la cire d'abeille dans le même but. En 1838, un gynécologue allemand eut l'idée de fabriquer des capes en caoutchouc pour accommoder ses patientes.

La figure 13.5 montre le diaphragme, la cape cervicale, le FemCap et le contraceptif Lea, quatre exemples de barrières cervicales utilisées de pair avec des spermicides afin d'empêcher que des spermatozoïdes vivants atteignent le col de l'utérus. Le diaphragme et la cape cervicale doivent être installés par un médecin, qui pourra aussi enseigner aux femmes à les insérer correctement afin qu'elles puissent ensuite le faire en toute confiance

chez elles (Hollander, 2006 ; McNaught et Jamieson, 2005). Par contre, le FemCap et le contraceptif Lea n'ont pas besoin d'être ajustés au col. Ces deux dispositifs ne doivent jamais être utilisés avec des lubrifiants à base d'huile, car cela risque de les détériorer. Chaque dispositif ayant ses particularités, il faut soigneusement lire et suivre son mode d'emploi.

LES DISPOSITIFS INTRA-UTÉRINS

Les dispositifs intra-utérins, que l'on appelle communément DIU, sont de petits appareils contraceptifs que le médecin introduit dans l'utérus par l'orifice cervical (voir la figure 13.6). Ce sont les contraceptifs réversibles les plus répandus dans les pays développés (Salem 2006 ; Speroff et Fritz, 2005).

Les trois dispositifs intra-utérins les plus connus sont le Nova-T et le Flexi-T, qui sont un T en plastique muni d'un filament de cuivre, et le Mirena, également en forme de T ; chaque dispositif libère lentement l'hormone qu'il contient. Ces trois dispositifs sont munis de fils de plastique fins qui sortent légèrement du col de l'utérus afin d'être accessibles à l'intérieur du vagin.

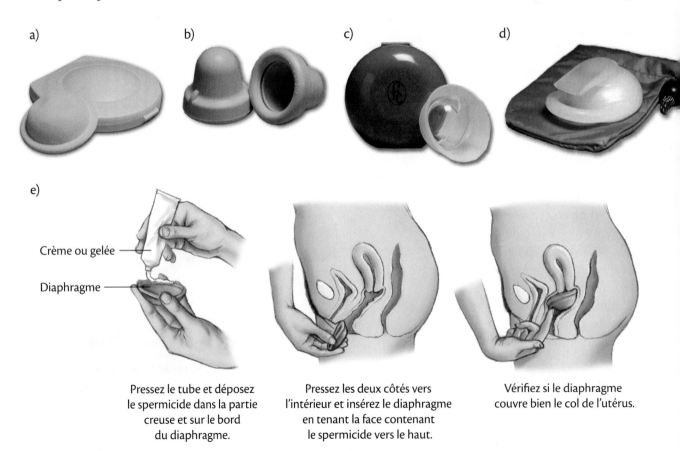

a) b) c) d)

e)

Crème ou gelée

Diaphragme

Pressez le tube et déposez le spermicide dans la partie creuse et sur le bord du diaphragme.

Pressez les deux côtés vers l'intérieur et insérez le diaphragme en tenant la face contenant le spermicide vers le haut.

Vérifiez si le diaphragme couvre bien le col de l'utérus.

Figure 13.5 | a) Diaphragme ; b) Cape cervicale ; c) FemCap ; d) Contraceptif Lea ; e) Insertion du diaphragme et vérification.

a)
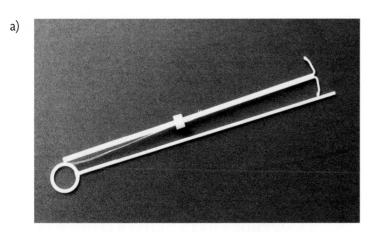

b)
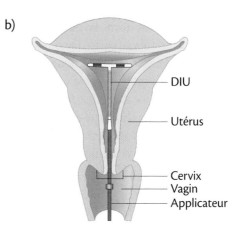

DIU

Utérus

Cervix
Vagin
Applicateur

Figure 13.6 | a) Dispositif intra-utérin en T ; b) Insertion du DIU.

LES MÉTHODES FONDÉES SUR LA CONNAISSANCE DE LA FERTILITÉ

Les **méthodes fondées sur la connaissance de la fertilité** sont appréciées par de nombreux couples parce qu'elles sont économiques et sans effets secondaires. Ces méthodes naturelles reposent sur le principe qu'on peut éviter la conception ou, au contraire, la favoriser si l'on sait reconnaître les signes, parfois subtils, parfois évidents, qu'une femme fertile est en phase de fécondité. Ces méthodes sont les seules autorisées par le Vatican. Les quatre méthodes que nous présentons ici — celle des jours types, celle de la glaire cervicale, celle du calendrier et celle de la température basale — s'avèrent plus efficaces si elles sont utilisées conjointement.

LA MÉTHODE DES JOURS TYPES

La **méthode des jours types** est la dernière approche développée en planning des naissances. Elle convient aux femmes dont le cycle menstruel se situe entre 26 et 32 jours. Les couples évitent d'avoir des relations coïtales entre les jours 8 et 19 de chaque cycle menstruel. Cette « fenêtre de fertilité » dure 12 jours afin de tenir compte des jours entourant l'ovulation puisque le moment où elle se produit peut varier d'un cycle à l'autre. La méthode des jours types a été reconnue cliniquement comme celle qui a le plus haut taux d'efficacité parmi les méthodes naturelles (Arevalo et coll., 2002).

LA MÉTHODE DE LA GLAIRE CERVICALE

La **méthode de la glaire cervicale**, aussi appelée *méthode Billings*, se fonde sur les modifications cycliques de la glaire cervicale. En examinant attentivement ces variations naturelles, une femme peut reconnaître ses périodes fertiles. Elle doit pour cela faire une « lecture » de la quantité et de la texture de ses sécrétions vaginales et tenir un relevé quotidien des modifications. Elle observe donc ses sécrétions sur le papier hygiénique chaque fois qu'elle va aux toilettes :

* Dans les jours suivant les menstruations, il n'y a habituellement pas de sécrétions vaginales sur la vulve.

* Quand on note la présence d'une glaire jaunâtre ou laiteuse plus collante, il faut éviter le coït sans contraception.

Le collier de perles de couleur de la méthode des jours types aide la femme à suivre son cycle menstruel et à savoir quand elle peut ou ne peut pas devenir enceinte. Chaque jour, elle déplace l'anneau noir sur une des 32 perles de ce collier dont les deux couleurs représentent les jours de haute ou de basse fertilité.

Méthodes fondées sur la connaissance de la fertilité Méthodes basées sur l'observation des signes indiquant les périodes de fertilité afin de prévenir ou de planifier les grossesses.

Méthode des jours types Méthode demandant aux couples d'éviter les relations coïtales durant une période de 12 jours au milieu du cycle menstruel.

Méthode de la glaire cervicale Méthode contraceptive reposant sur l'observation des changements cycliques de la glaire cervicale pour déterminer la période d'ovulation.

✳ Quelques jours plus tard, la glaire d'ovulation est sécrétée. Elle a l'apparence d'une pellicule claire, filante, d'une consistance élastique, et ressemble à du blanc d'œuf. Si on en prélève une goutte, on peut l'étirer entre le pouce et l'index. Ce type de sécrétion, dont la composition chimique et la texture facilitent le transit des spermatozoïdes vers l'utérus, se produit dans un milieu vaginal humide et lubrifié.

✳ On peut recommencer à pratiquer des activités sexuelles non protégées environ quatre jours après le début des sécrétions de l'ovulation et 24 heures après que ces sécrétions ont perdu leur transparence.

Pour la majorité des femmes, l'ovulation, ou phase fertile, de chaque cycle dure habituellement de 9 à 15 jours. Pour mieux la reconnaître, on utilise souvent conjointement la méthode de la glaire cervicale et celle de la température, que nous décrirons plus loin.

LA MÉTHODE DU CALENDRIER

La **méthode du calendrier**, qu'on appelle aussi *méthode de l'abstinence périodique* ou *méthode Ogino-Krauss*, consiste à déterminer sur le calendrier les jours d'ovulation et de fertilité du cycle menstruel. Pour y arriver, la femme doit d'abord dresser un tableau de la durée de ses cycles, idéalement durant une période d'un an. (Elle ne peut pas utiliser de contraceptifs oraux pendant qu'elle dresse ce tableau, parce que le cycle qu'ils induisent pourrait différer de son cycle naturel.)

✳ Pour établir le nombre de jours que comprend son cycle, la femme considère le premier jour de ses menstruations comme le premier jour du cycle; le dernier jour correspond donc à la veille des menstruations suivantes.

✳ Pour déterminer les jours « à risque élevé » durant lesquels elle devrait éviter tout contact coïtal non protégé, elle soustrait 18 du nombre de jours de son cycle le plus court.

✳ Pour déterminer à quel moment elle peut de nouveau avoir des rapports non protégés, elle soustrait 10 du nombre de jours de son cycle le plus long.

Méthode du calendrier   Méthode de contraception reposant sur l'absence de relations sexuelles durant la période de fertilité estimée à partir de l'observation des cycles menstruels antérieurs.

Méthode de la température basale   Méthode de contraception reposant sur l'observation des variations de la température du corps avant et après l'ovulation.

Stérilisation transcervicale   Méthode de stérilisation féminine qui consiste à placer un petit ressort dans chaque trompe de Fallope.

Par exemple, chez la femme dont le cycle le plus court est de 26 jours et le cycle le plus long, de 32 jours, le huitième jour sera le premier jour à risque élevé, et le contact sexuel non protégé sera possible à partir du vingt-deuxième jour. Cette femme devra donc s'abstenir de rapport coïtal du huitième au vingt-deuxième jour de son cycle, à moins de recourir durant cette période à une autre méthode de contraception. Bien sûr, rien n'interdit les ébats amoureux autres que le contact coïtal durant les jours à risque élevé.

LA MÉTHODE DE LA TEMPÉRATURE BASALE

La **méthode de la température basale** consiste à prendre sa température tous les matins avant le lever. La femme doit d'abord dresser un tableau de ces « lectures » afin d'en faire un graphique pour lire les variations de son cycle. Quelques heures avant l'ovulation, la température basale s'élève de quelques dixièmes de degré à un degré.

LA STÉRILISATION

L'amélioration des techniques chirurgicales et les changements de mentalité ont contribué à faire de la stérilisation une méthode de contraception de plus en plus populaire. Après l'abstinence coïtale, c'est la méthode de régulation des naissances la plus efficace. Bien qu'on poursuive les recherches sur les moyens de rendre la stérilisation réversible, cette intervention reste compliquée et ses chances de succès demeurent incertaines (Liang, 2000). La stérilisation ne s'adresse donc qu'à ceux et celles qui désirent une méthode de contraception définitive (Sandlow et coll., 2001).

Comme il vaut mieux considérer la stérilisation comme irréversible, les personnes qui choisissent cette méthode ne devraient le faire qu'après mûre réflexion. Les questions suivantes peuvent guider leur réflexion :

✳ Se pourrait-il que je veuille un jour avoir un (autre) enfant (par exemple, si mon enfant venait à mourir ou s'il m'arrivait de m'engager envers une nouvelle personne) ?

✳ Le sentiment que j'ai de ma virilité ou de ma féminité est-il lié à la fertilité ?

✳ À quelles autres solutions que la stérilisation pourrais-je avoir recours ?

✳ Qu'en pense mon ou ma partenaire ?

Dans les paragraphes qui suivent, nous traiterons brièvement des méthodes chirurgicales de stérilisation féminine et masculine.

a) **Coupe transversale**

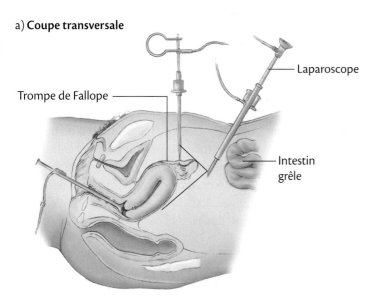

Laparoscope

Trompe de Fallope

Intestin grêle

b) **Vue de face**

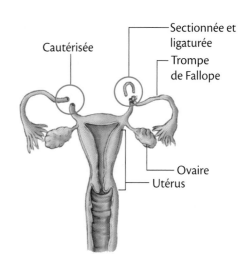

Cautérisée

Sectionnée et ligaturée

Trompe de Fallope

Ovaire

Utérus

Figure 13.7 | a) Ligature des trompes de Fallope par laparoscopie ; b) Vue de face des trompes après la ligature.

LA STÉRILISATION FÉMININE

La stérilisation féminine est aujourd'hui une intervention chirurgicale relativement sûre, simple et économique. Les différentes techniques de stérilisation ne requièrent que de légères incisions et se pratiquent sous anesthésie locale ou générale (Robinson et coll., 2001).

La ligature des trompes peut se faire de plusieurs manières. Un de ces procédés, la laparoscopie, est illustré à la figure 13.7. Sous anesthésie locale ou générale, on pratique une ou deux petites incisions sur l'abdomen, généralement juste au-dessus de la ligne de poils pubiens, et l'on y insère un instrument d'optique très étroit appelé *laparoscope*. Parfois, on utilise une technique appelée *culpotomie*, qui consiste à pratiquer l'incision à travers l'arrière de la paroi vaginale. Les trompes sont alors ligaturées, attachées à l'aide d'une agrafe ou cautérisées pour empêcher les spermatozoïdes de rencontrer les ovules. Les incisions sont habituellement si petites que l'on utilise du ruban adhésif au lieu d'agrafes pour les refermer.

Une nouvelle technique est maintenant utilisée qui ne requiert ni salle d'opération, ni anesthésie générale, ni autant de temps de récupération (Kerin et coll., 2003). L'intervention dure une demi-heure et se fait sous anesthésie locale. Pendant une **stérilisation transcervicale**, un médecin insère, par le vagin et le col de l'utérus, un petit ressort appelé Essure (voir la figure 13.8) dans chaque trompe de Fallope. Une fois placés, les ressorts se détendent et s'ancrent par eux-mêmes. L'implant

Essure est fait de fibre de polyester et d'un alliage de nickel-titane, le même matériel que celui utilisé pour les valves cardiaques artificielles. Les ressorts stimulent la croissance de tissus qui, au bout de trois mois, obstruent les trompes de Fallope et empêchent ainsi les spermatozoïdes d'atteindre les ovules. En attendant que ces trois mois soient écoulés, on doit utiliser une autre méthode contraceptive (Ritter, 2003). Les effets secondaires les plus fréquents sont des crampes ; dans de rares cas, les ressorts sont expulsés des trompes ou les perforent.

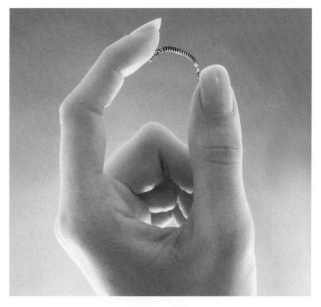

Figure 13.8 | L'implant Essure est un petit ressort qui est utilisé pour la stérilisation féminine.

La stérilisation n'affecte pas le système reproducteur et sexuel de la femme, puisque les ovaires continueront à libérer des ovules jusqu'à la ménopause. Ceux-ci se désintègrent simplement, comme le font quotidiennement des millions d'autres cellules. L'opération n'influe pas plus sur les niveaux hormonaux de la femme ni sur le déclenchement de la ménopause. Sa sexualité ne change pas physiologiquement, mais il se peut que son désir sexuel s'accroisse parce qu'elle n'aura plus à craindre la grossesse ni à s'inquiéter de la contraception. D'après des études, la stérilisation n'a pas d'effets négatifs sur la satisfaction sexuelle de la femme (Stewart et Carignan, 1998).

LA STÉRILISATION MASCULINE

Aussi efficace que la stérilisation féminine, la stérilisation masculine comporte en général moins de dangers, moins de complications postopératoires et est considérablement moins coûteuse. Au Québec, selon les données de l'Institut de la statistique du Québec, le nombre de vasectomies dépasse celui des ligatures de trompes depuis 1988 et, durant l'année 2005, il s'est pratiqué 13 519 vasectomies contre 5557 ligatures de trompes (Duchesne, 2006).

Habituellement pratiquée en clinique externe, la **vasectomie** est une intervention chirurgicale mineure qui consiste à sectionner et à refermer les canaux déférents pour empêcher les spermatozoïdes de passer (voir la figure 13.9). Sous anesthésie locale, on fait une courte incision sur le côté du scrotum, bien au-dessus des testicules. Une technique permet de ne pratiquer qu'une seule incision. On sort le canal déférent, on le sectionne et l'on en retranche un petit segment. Chaque extrémité est ligaturée, refermée à l'aide d'une agrafe ou cautérisée pour empêcher tout raccord. On fait de même de l'autre côté du scrotum, puis on referme l'incision (ou les incisions). L'opération prend généralement moins de 20 minutes. Le patient peut s'attendre à de brefs et légers malaises postopératoires comme de l'enflure, de l'inflammation ou des contusions qui peuvent durer d'une journée à deux semaines. Environ 25 % des hommes éprouvent des douleurs passagères après avoir subi une vasectomie (Rasheed et coll., 1997).

La vasectomie empêche les spermatozoïdes produits dans les testicules de se mêler aux liquides que fabriquent les organes reproducteurs internes. Toutefois, comme une bonne quantité de spermatozoïdes sont emmagasinés au-delà du lieu d'incision, l'homme peut demeurer fertile plusieurs mois après l'opération. Il faut donc utiliser une méthode de contraception efficace durant 6 à 12 semaines, soit jusqu'à ce qu'une analyse de sperme, ou spermogramme, indique que le liquide séminal ne contient plus de spermatozoïdes. De nombreux médecins recommandent d'ailleurs aux hommes vasectomisés de faire analyser leur sperme trois mois après l'intervention (Shah et Fisch, 2006). On signale de rares cas où les deux extrémités sectionnées du canal déférent se sont raccordées d'elles-mêmes (c'est ce qu'on appelle la *recanalisation*) (Stewart et Carignan, 1998).

La vasectomie n'empêche ni la production des hormones sexuelles mâles par les testicules ni l'absorption

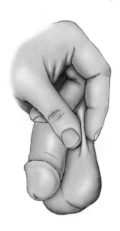  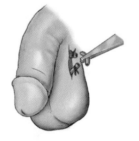  

1. Localisation du canal déférent

2. Incision minime du scrotum pour en extraire le canal déférent

3. Coupe d'une petite section du canal déférent et cautérisation ou ligature de ses extrémités

4. Fermeture de l'incision

5. Répétition des étapes 1 à 4 de l'autre côté du scrotum

Figure 13.9 | La stérilisation masculine par vasectomie.

de ces hormones par le sang. Un homme vasectomisé continue également à produire des spermatozoïdes et son organisme les absorbe et les élimine. Ses éjaculations contiennent presque autant de liquide après l'opération qu'avant, car les spermatozoïdes constituent moins de 1 % de l'éjaculat total. L'odeur et la texture de l'éjaculat demeurent inchangées. La plupart des hommes vasectomisés considèrent que la stérilisation n'a rien changé à leur fonctionnement sexuel (Stewart et Carignan, 1998). Certains disent même que leur vie sexuelle s'est épanouie, car ils sont plus spontanés depuis qu'ils se sentent libérés de la crainte de féconder leur partenaire.

La déstérilisation

La **réanastomose** et la **vasovasostomie** sont des opérations chirurgicales qui visent à redonner leur fertilité aux personnes stérilisées. Au Québec, en 2005, 966 personnes (583 hommes et 383 femmes) ont tenté un renversement de leur stérilisation en regard de 897 personnes en 2004. Depuis le début des années 1990, le nombre de réanastomoses a diminué de plus de la moitié (921 en 1991), tandis que celui des vasovasostomies augmente ces dernières années. D'après Marcil-Gratton (1987), ce sont les femmes qui ont été stérilisées jeunes ou qui ont changé de partenaire, ou les deux, qui regrettent leur stérilisation (Duchesne, 2006, p. 83).

LES MÉTHODES INEFFICACES

À côté des méthodes contraceptives que nous venons de voir, il en existe d'autres qui sont peu efficaces, mais très répandues. Nous en mentionnons ici quelques-unes, car les gens peuvent s'illusionner sur leur efficacité. Notre regard portera sur l'allaitement, le coït interrompu et la douche vaginale.

L'ALLAITEMENT

Il est vrai que l'allaitement peut retarder le retour à la fécondité après l'accouchement. Cependant, il est impossible de savoir de façon précise à quel moment l'ovulation reprendra. En effet, même si l'allaitement entraîne généralement l'aménorrhée (l'absence de menstruations), presque 80 % des femmes allaitantes ovulent avant les premières règles suivant l'accouchement. Et plus l'allaitement est de longue durée, plus il est probable que l'ovulation reprendra entre-temps (Kennedy et Trussell, 1998).

LE COÏT INTERROMPU

Le coït interrompu ou retrait consiste pour l'homme à se retirer du vagin avant d'éjaculer. Cette méthode est inefficace parce que le liquide pré-éjaculatoire produit par les glandes de Cooper peut contenir des spermatozoïdes susceptibles de féconder un ovule. En outre, il peut être difficile pour un homme d'estimer exactement le moment où il doit se retirer, particulièrement s'il est éjaculateur précoce. Le plaisir de la pénétration peut aussi l'inciter à demeurer le plus longtemps possible à l'intérieur du vagin. Ensuite, un peu de sperme peut se déposer sur les lèvres au moment du retrait, permettant ainsi à des spermatozoïdes d'entrer dans le vagin et de rejoindre un ovule. Enfin, les deux partenaires peuvent voir leur plaisir atténué par la peur de ne pas arrêter à temps la pénétration.

LA DOUCHE VAGINALE

La douche vaginale que s'administrent certaines femmes après une relation sexuelle n'a aucun pouvoir contraceptif, d'une part parce que certains spermatozoïdes atteignent l'intérieur de l'utérus une minute ou deux après l'éjaculation et, d'autre part, parce que la douche, en poussant de l'eau dans le vagin, peut aider les spermatozoïdes à atteindre plus rapidement l'entrée du col de l'utérus. Rappelons qu'il n'est pas recommandé de recourir fréquemment aux douches vaginales ; en modifiant le pH du milieu vaginal, elles peuvent entraîner une prolifération de certaines bactéries susceptibles d'engendrer une irritation des parois vaginales.

LES NOUVELLES AVENUES EN CONTRACEPTION

Comme nous venons de le voir, chaque méthode contraceptive présente des inconvénients et a parfois des effets indésirables sur la santé. Des naissances non désirées surviennent chaque année en raison des ratés des méthodes contraceptives ou de leur mauvaise utilisation. Il faut donc poursuivre la recherche et le développement pour améliorer la sécurité, la fiabilité et la

Vasectomie Stérilisation masculine obtenue en sectionnant et en refermant chacun des canaux déférents.

Réanastomose Reconnexion chirurgicale des trompes de Fallope afin de rétablir la fertilité féminine.

Vasovasostomie Reconnexion chirurgicale des canaux déférents afin de rétablir la fertilité masculine.

commodité des méthodes contraceptives (Nass et Strauss, 2004 ; Schwartz et Gabelnick, 2002). Mais la recherche coûte cher, et plusieurs essais cliniques se déroulent dans les pays en voie de développement, financés par des fonds américains (Benagiano et Cottingham, 1997). En plus des maigres budgets alloués par l'État, les compagnies pharmaceutiques ont réduit leurs efforts de recherche en matière de méthodes contraceptives en raison des coûts élevés qu'engendrent les essais cliniques intensifs exigés pour obtenir l'approbation de la Food and Drug Administration (Tone, 2002). Compte tenu de cette situation, jetons un œil sur les possibilités futures en matière de contraception masculine et féminine.

DE NOUVELLES VOIES POUR LES HOMMES

Des études révèlent que la majorité des hommes prendraient volontiers une pilule contraceptive (Upadhyay, 2005). Si une pilule masculine existait, on peut tout de même se demander si les femmes s'en remettraient sans crainte à leur partenaire, compte tenu des conséquences que l'échec de la contraception aurait pour elles. La plupart des femmes interrogées sur le sujet ont répondu qu'elles feraient confiance à leur partenaire ; seulement 2 % ont déclaré qu'elles ne se fieraient pas à lui. De plus, elles se sont dites favorables à l'idée d'une pilule pour hommes, car elles estiment qu'on confie trop souvent la responsabilité de la contraception aux femmes (Nieschlag et Henke, 2005 ; Upadhyay, 2005).

Présentement, les moyens de contraception masculine se limitent au condom, à la vasectomie et au coït interrompu. Cependant, des recherches en cours se concentrent sur l'inhibition de la production, de la motilité ou de la maturation des spermatozoïdes. Il n'y a pas de solution simple, car toute substance susceptible d'inhiber la production de spermatozoïdes demanderait d'être utilisée au moins 10 semaines avant le coït, cette durée étant celle du cycle de production (N. Alexander, 2003). De plus, les médicaments qui affectent la production de spermatozoïdes agissent aussi sur le désir et la fonction sexuels, et ont plusieurs autres effets secondaires.

La voie la plus prometteuse se trouve chez les chercheurs qui tentent de mettre au point des dérivés de la testostérone ou des substances à base de progestatifs sous forme d'implants. Certaines études ont montré

Question d'analyse critique

Selon vous, les femmes seraient-elles naïves de faire confiance aux hommes qui leur diraient qu'ils ont pris une pilule contraceptive ? Expliquez votre réponse.

un retour à la fertilité de quatre à cinq mois après leur utilisation (Liu et coll., 2006). Deux méthodes de vasectomie réversible sont en essai clinique. L'une consiste à injecter un gel dans les canaux déférents pour les obstruer, le gel pouvant être dissous pour annuler le blocage. L'autre utilise un contraceptif appelé IVD (*Intra Vas Device*) ou dispositif intra-canal déférent qui consiste à insérer deux bouchons dans chaque canal déférent, ceux-ci pouvant être retirés éventuellement. La mise en place et le retrait des implants ne prennent que 20 minutes chacun.

DE NOUVELLES VOIES POUR LES FEMMES

Un vaccin contraceptif sans hormones pourrait constituer une forme tout à fait nouvelle de contrôle des naissances (Williams et coll., 2006). Cependant, d'autres voies de développement sont possibles à partir de modifications des méthodes actuelles. Dans le cas des contraceptifs oraux, de nouveaux progestatifs sont à l'essai et des études sont menées en vue de prolonger la période d'utilisation de la pilule continue (Edelman et coll., 2006 ; Miller, 2006). Des chercheurs étudient de nouvelles formes de DIU et on pense ajouter un contraceptif en aérosol aux contraceptifs transdermiques existants. Une seconde génération de diaphragmes et de condoms féminins est en développement. Dans l'espoir d'offrir aux femmes des moyens de se protéger de façon autonome contre les infections transmises sexuellement, des chercheurs tentent de mettre au point des spermicides qui seraient aussi capables de détruire les agents infectieux des ITSS et du VIH (Dhawan et Mayer, 2006).

Depuis l'avènement de la pilule contraceptive, les possibilités en contraception ont beaucoup évolué. Cependant, la méthode efficace à 100 %, réversible tant chez les hommes que chez les femmes, qui de plus n'aurait pas d'effets secondaires et protégerait des ITSS n'apparaît pas réalisable dans un proche avenir.

Tableau 13.1 | **Les facteurs à considérer dans le choix d'une méthode de contraception.**

DISPOSITIFS INTRA-UTÉRINS (DIU)

MÉTHODES	DESCRIPTION	EFFICACITÉ	UTILISATION ET COÛT	POUR QUI ?	AVANTAGES	INCONVÉNIENTS, COMPLICATIONS, PRÉCAUTIONS À PRENDRE	CONTRE-INDICATIONS
Stérilet Nova-T ou Flexi-T	Dispositif en forme de T entouré d'un filament de cuivre, inséré dans l'utérus. Le cuivre est toxique pour les spermatozoïdes. De plus, il produit une inflammation de l'endomètre, ce qui empêche l'implantation de l'ovule fécondé.	• De 98 % à 98,2 % • Efficacité durant environ 5 ans	• Doit être inséré par un médecin. • Nova-T coûte environ 170 $ et Flexi-T de 80 $ à 100 $. • N'est pas couvert par la RAMQ et peu d'assurances privées le remboursent.	• Pour les femmes ayant des règles normales ou peu abondantes et peu douloureuses. • Pour celles qui ont déjà eu un ou plusieurs enfants. • Pour celles qui ont besoin d'une contraception post-coïtale. • Non recommandé aux adolescentes et aux femmes qui ont plusieurs partenaires.	• Bonne efficacité. • Réversibilité. • Peu dispendieux. • Non médicamenté. • Peut être utilisé pendant l'allaitement. • Rien à prendre chaque jour.	• Augmentation du saignement menstruel. • Risque de rejet. • Grossesse ectopique : 1,5 pour 100 femmes/année.	Déconseillé si : – saignement utérin de cause inconnue ; – certaines anomalies utérines ; – allergie au cuivre ; – dysménorrhée, ménorragie, anémie ; – immunité réduite ; – cancer de l'utérus ou du col de l'utérus.
Stérilet Mirena	• Dispositif en forme de T avec réservoir contenant un progestatif. • Produit un épaississement de la glaire cervicale et inhibe l'ovulation (chez certaines femmes). • Provoque un changement de l'endomètre ne permettant pas l'implantation de l'ovule fécondé.	• 99,91 % • Efficacité durant environ 5 ans	• Doit être inséré par un médecin. • Coûte de 330 $ à 360 $. • Est couvert par la RAMQ et est remboursé par les assurances privées.	• Pour toutes les femmes, surtout celles ayant des règles abondantes ou douloureuses. • Pour celles qui suivent une hormonothérapie substitutive (protection de l'endomètre).	• Excellente efficacité. • Réversibilité. • Nette diminution de la dysménorrhée, de la ménorragie (90 % après 1 an), de l'aménorrhée (25 % après 1 an) et de l'anémie due aux pertes sanguines. • Peut être utilisé pendant l'allaitement. • Diminution des risques de grossesse ectopique et d'infection pelvienne. • Offre une certaine protection contre les infections pelviennes à cause de l'épaississement de la glaire cervicale.	• Saignement irrégulier au début. • Effets secondaires possibles : céphalée, mastalgie, nausée, acné, œdème et douleur pelvienne. • Risque de rejet. • Grossesse ectopique : 0,2 % pour 1000 femmes/année.	Déconseillé si : – infection pelvienne aiguë ; – saignement utérin de cause inconnue ; – certaines anomalies utérines ; – immunité réduite ; – cancer de l'utérus ou du col de l'utérus.

Tableau 13.1 | **Les facteurs à considérer dans le choix d'une méthode de contraception. (suite)**

MÉTHODES CHIRURGICALES

MÉTHODES	DESCRIPTION	EFFICACITÉ	UTILISATION ET COÛT	POUR QUI?	AVANTAGES	INCONVÉNIENTS, COMPLICATIONS, PRÉCAUTIONS À PRENDRE	CONTRE-INDICATIONS
Stérilisation féminine : ligature des trompes	• Contraception permanente. • Ligature des trompes de Fallope pour empêcher l'ovule d'atteindre l'utérus.	97,5 % à 99 %	• Pratiquée par un gynécologue. • Signature d'un formulaire de consentement. • Coût assumé par les régimes provinciaux d'assurance-maladie.	Pour les femmes qui sont certaines de ne plus vouloir d'enfant et qui ne désirent pas utiliser d'autres méthodes.	• Méthode la plus fiable après l'abstinence. • Libère les partenaires de la responsabilité de la contraception à chaque relation sexuelle. • Aucun effet sur le cycle ovulatoire et menstruel, ni sur le désir sexuel et la capacité à atteindre l'orgasme.	• N'offre aucune protection contre les ITSS et le VIH. • Parfois réversible. • Il est important de compter sur l'accord et l'appui du partenaire pour éviter les regrets.	Déconseillée si la femme n'est pas certaine de vouloir une méthode contraceptive définitive.
Stérilisation masculine : vasectomie	• Contraception permanente. • Sectionnement ou ligature des canaux déférents pour empêcher les spermatozoïdes de se mêler à l'éjaculat.	98,8 % à 100 %	• Pratiquée par un urologue. • Signature d'un formulaire de consentement. • Environ 100 $, coût assumé par les régimes provinciaux d'assurance-maladie. • En cabinet privé, un supplément de 75 $ à 200 $.	Pour les hommes qui ne veulent plus d'enfant et qui souhaitent une méthode contraceptive définitive.	• Méthode contraceptive très fiable. • Libère les partenaires de la responsabilité de la contraception à chaque relation sexuelle. • Intervention simple qui comporte peu de risques et d'effets secondaires.	• Il faut utiliser une autre méthode de contraception pendant les trois premiers mois suivant l'intervention. • Rarement réversible.	Déconseillée si l'homme n'est pas certain de vouloir une méthode contraceptive définitive.

Tableau 13.1 | **Les facteurs à considérer dans le choix d'une méthode de contraception. (suite)**

MÉTHODES	DESCRIPTION	EFFICACITÉ	UTILISATION ET COÛT	POUR QUI?	AVANTAGES	INCONVÉNIENTS, COMPLICATIONS, PRÉCAUTIONS À PRENDRE	CONTRE-INDICATIONS
MÉTHODES FONDÉES SUR L'OBSERVATION DU CYCLE ET ABSTINENCE PÉRIODIQUE							
Calendrier	• Tenir un calendrier menstruel pendant quelques mois. • Soustraire 19 jours du cycle le plus court et 10 jours du cycle le plus long. Par exemple, si les résultats sont 24 − 19 = 5 et 30 − 10 = 20, vous devriez vous abstenir de relations sexuelles non protégées entre le 5ᵉ et le 20ᵉ jour du cycle menstruel.	• Toutes les méthodes visant à déterminer la période de fécondité sont très peu efficaces comme moyen de contraception. • Taux de grossesse allant jusqu'à 20% pendant la première année d'utilisation d'une de ces méthodes.	Ces méthodes exigent: – une discipline personnelle; – la connaissance de son corps et de son cycle menstruel et ovulatoire.	• Pour celles qui souhaitent investir temps et efforts pour se familiariser avec l'une des méthodes. • Pour les partenaires disposés à respecter la période de fertilité, c'est-à-dire à s'abstenir de relations sexuelles pendant la période de fertilité ou à utiliser une autre méthode pendant ce temps.	Peuvent servir à planifier le moment de la grossesse lorsque les partenaires en auront pris la décision.	• Supposent une bonne connaissance de soi et de son corps (cycle menstruel et ovulatoire) et exigent la collaboration des deux partenaires. • Le cycle peut être modifié par certains événements: le stress, la maladie, la puberté et la périménopause.	Déconseillées si: – il y a nécessité de se protéger des ITSS et du VIH; – le partenaire ne veut pas collaborer; – la routine n'est pas souhaitée; – on ne veut pas investir le temps ni les efforts nécessaires; – le cycle n'est pas encore bien établi ni régulier, comme c'est le cas à l'adolescence.
Température basale	• La température basale augmente le jour de l'ovulation et demeure plus élevée d'au moins 0,5 degré pendant les 2 jours suivants. • Prendre sa température avant le lever et consigner les données sur un graphique.		Pour la méthode de la température basale: un thermomètre basal qui coûte de 7 $ à 10 $ (de 13 $ à 20 $ pour un thermomètre numérique).	• Pour celles qui préfèrent les méthodes dites naturelles sans effets secondaires.			
Glaire cervicale	La glaire cervicale change au cours du cycle. Un jour avant l'ovulation, le jour même et le lendemain, le mucus provenant du col de l'utérus devient glissant, élastique et clair (comme du blanc d'œuf).						

Tableau 13.1 | **Les facteurs à considérer dans le choix d'une méthode de contraception. (suite)**

CONTRACEPTIFS HORMONAUX

MÉTHODES	DESCRIPTION	EFFICACITÉ	UTILISATION ET COÛT	POUR QUI?	AVANTAGES	INCONVÉNIENTS, COMPLICATIONS, PRÉCAUTIONS À PRENDRE	CONTRE-INDICATIONS
Pilule œstrogène-progestatif, Seasonale	• Comprimé à prendre quotidiennement qui renferme des hormones (œstrogène et progestatif seulement) et qui remplace le cycle naturel de la femme par un cycle artificiel. • Empêche la production d'ovules ou la nidation.	• 99,9 % • Efficacité réelle d'environ 97 %, selon l'utilisation qui en est faite.	• Requiert une ordonnance médicale. • Coûte entre 15 $ et 18 $ par mois, habituellement couverte par les régimes privés et la RAMQ.	Pour celles qui recherchent un moyen simple et efficace qui permet la spontanéité des relations sexuelles.	• Une des méthodes contraceptives les plus efficaces. • Apporte des avantages supplémentaires : réduction du flux menstruel, diminution de l'acné et protection contre certains cancers.	• Effets secondaires possibles : prise de poids, nausée, vomissements et diarrhée, absence de menstruations, maux de tête, taches brunâtres sur la peau, troubles de la vision, sautes d'humeur, sensibilité des seins, saignements autres que les règles. • La femme qui présente un ou plusieurs de ces symptômes doit en parler à son médecin avant de décider d'arrêter de prendre la pilule. Une autre sorte de pilule peut faire diminuer ou disparaître ces symptômes. • Précaution : utiliser une méthode contraceptive d'appoint pendant le premier mois d'utilisation (condom par exemple).	Déconseillée si : – saignements vaginaux anormaux ; – maladies cardiovasculaires ; – on est une fumeuse de plus de 35 ans ; – possibilité de cancer du sein ou de cancer du foie ; – difficulté de prendre la pilule tous les jours, à la même heure.
Anneau vaginal, timbre transdermique	• NuvaRing et Orhto Evra sont deux contraceptifs à base hormonale qui ne nécessitent pas de prendre une pilule chaque jour. Les deux contiennent des hormones de synthèse, œstrogène et progestatif, enchâssées soit dans un anneau transparent d'environ deux fois la largeur d'une pièce de vingt-cinq cents (NuvaRing) ou dans un timbre transdermique de couleur beige. • Empêche la production d'ovules ou la nidation.	• 99,9 % • Efficacité réelle d'environ 97 %, selon l'utilisation qui en est faite.	• Requiert une ordonnance médicale. • Coûte environ 24 $ pour un anneau, habituellement couvert par les régimes privés et la RAMQ. Coûte environ 24 $ pour 3 timbres transdermiques, couverts par les régimes privés et la RAMQ.	Pour celles qui recherchent un moyen simple et efficace qui ne nécessite pas de prise quotidienne.	Une des méthodes contraceptives les plus efficaces.	L'anneau peut ressortir.	Anneau inefficace pour les femmes de plus de 90 kg.

Tableau 13.1 | **Les facteurs à considérer dans le choix d'une méthode de contraception. (suite)**

MÉTHODES	DESCRIPTION	EFFICACITÉ	UTILISATION ET COÛT	POUR QUI?	AVANTAGES	INCONVÉNIENTS, COMPLICATIONS, PRÉCAUTIONS À PRENDRE	CONTRE-INDICATIONS
CONTRACEPTIFS HORMONAUX (SUITE)							
Depo-Provera	• Injection, aux 12 semaines, d'une hormone similaire à la progestérone naturelle. • Il empêche la maturation des ovules, rend le revêtement utérin impropre à l'implantation d'un ovule fécondé et provoque l'épaississement des sécrétions du col de l'utérus, ce qui rend le passage des spermatozoïdes dans l'utérus plus difficile.	• 99,7 % • Efficacité durant 3 mois. • Efficace 24 heures après l'injection.	• Voir le médecin aux 3 mois pour l'injection. • Peut être gratuit dans les cliniques des jeunes. • Coûte de 32 $ à 45 $ l'injection, couverte par les régimes privés et la RAMQ.	• Pour celles qui veulent une méthode simple et efficace. • Pour celles qui oublient souvent de prendre la pilule. • Pour celles qui fument. • Pour celles qui veulent réduire l'abondance de leurs menstruations. • Pour les femmes qui ne peuvent pas prendre d'œstrogène.	• Rien à prendre quotidiennement. • Méthode contraceptive réversible parmi les plus fiables. Peut être approprié pour les femmes susceptibles d'avoir des maladies cardiovasculaires.	• Retour à la fertilité plus long (6 à 8 mois). • Saignements imprévisibles au cours des 3 à 6 premiers mois. • Prise de poids. • Ostéoporose.	Déconseillé si : – crainte d'une prise de poids; – saignements vaginaux anormaux; – on ne peut se rendre chez le médecin toutes les 12 semaines pour l'injection.
Norplant	• Norplant ne contient que du progestatif. • Il empêche la maturation des ovules, rend le revêtement utérin impropre à l'implantation d'un ovule fécondé et provoque l'épaississement des sécrétions du col de l'utérus, ce qui rend le passage des spermatozoïdes dans l'utérus plus difficile.	• 99,8 % • Efficace durant 5 ans. • Selon la SOGC, le taux d'échec ne dépasse pas 2 grossesses sur 1000 au cours de la première année d'utilisation.	Coûte environ 450 $.	• Pour celles qui ne peuvent pas prendre la pilule à cause des œstrogènes ou qui ont de la difficulté à prendre la pilule contraceptive tous les jours. • Pour celles qui désirent une méthode fiable et de très longue durée mais réversible.	• Ne demande pas de prise quotidienne. • Simple et très efficace. • Ne présente aucun des effets secondaires des œstrogènes. • Rend les menstruations moins abondantes.	• Effets secondaires possibles : dépression, kystes ovariens, sensibilité des seins, acné, saignements imprévisibles ou absence de saignement, maux de tête, prise de poids. • Retour à la fertilité de 1 à 3 mois après le retrait de l'implant.	Déconseillé si : – crainte d'une prise de poids; – saignements vaginaux anormaux; – crainte des interventions chirurgicales, car ces implants doivent être insérés et retirés chirurgicalement.

Tableau 13.1 | **Les facteurs à considérer dans le choix d'une méthode de contraception. (suite)**

MÉTHODES	DESCRIPTION	EFFICACITÉ	UTILISATION ET COÛT	POUR QUI?	AVANTAGES	INCONVÉNIENTS, COMPLICATIONS, PRÉCAUTIONS À PRENDRE	CONTRE-INDICATIONS
BARRIÈRES PHYSIQUES							
Condom masculin	• Gaine de latex, de membrane de boyau d'agneau ou de polyuréthane qui recueille le sperme et empêche ainsi les spermatozoïdes de se rendre à l'ovule. Le condom empêche également l'échange des liquides biologiques et du sperme. • Les condoms devraient être utilisés avec un spermicide. Éviter d'utiliser des lubrifiants tels que la vaseline, le beurre et toutes les huiles car ils rongent le latex. Utiliser plutôt un lubrifiant à base d'eau (gelée K-Y, Aqua-lube, Duragel, mousses contraceptives, etc.).	• 97 %, si utilisé correctement. • Taux habituel de 88 %. • Taux d'échec de 12 % (grossesse non désirée) au cours de la première année d'utilisation.	• Disponible dans les distributrices, les pharmacies, les condomeries, certains dépanneurs et Internet. • Coûte de 0,75 $ à 4,00 $ chacun, mais peut être obtenu gratuitement dans les CLSC, les maisons des jeunes, etc.	• Pour les couples dont la femme présente des risques de maladies cardiovasculaires. • Pour ceux et celles qui ont plusieurs partenaires. • Souvent le premier choix des adolescents.	• Bonne méthode si intégrée à la vie sexuelle. • Facile à obtenir et relativement peu coûteux. • Large éventail, ce qui peut rendre la méthode plus plaisante. • Peut améliorer la relation sexuelle en retardant une éjaculation trop rapide. • Protège contre le cancer du col de l'utérus et la stérilité. • Peut être utilisé en combinaison avec d'autres méthodes comme double protection. • Seuls les condoms en latex et en polyuréthane protègent contre la plupart des ITSS et le VIH.	• Problèmes de pose en raison du manque de pratique. • Certains se plaignent d'une perte de sensibilité. • Rupture du condom possible si usage abusif, utilisation de lubrifiant à base d'huile ou utilisation du condom après la date de péremption. • Allergie au latex. • Peut interrompre les préliminaires. • Exige de la motivation, de la pratique et le sens des responsabilités. • Peut nuire à l'érection et au plaisir. • Précaution : utiliser un condom sec (sans lubrifiant ni spermicide) ou un condom à saveur pour les contacts bouche-pénis. • Peut être difficile à insérer.	Déconseillé si : – allergie au latex (le condom en polyuréthane pour homme ou pour femme peut être une excellente solution de rechange); – le couple risque de mal l'utiliser ou de ne pas l'utiliser systématiquement.
Condom féminin	Gaine en polyuréthane comportant deux anneaux et portée par les femmes. L'anneau interne à l'extrémité fermée du condom s'insère dans le vagin. L'anneau se place derrière l'os pubien et sert d'ancre au condom. L'anneau extérieur demeure à l'extérieur du vagin; il couvre partiellement les lèvres. Le condom féminin bloque l'entrée du sperme dans le vagin et empêche l'échange des liquides biologiques.	95 %, si utilisé correctement.	• Disponible dans les pharmacies, les cliniques de planification des naissances et Internet. • Coûte 15 $ (emballage de 3 condoms).	Pour celles qui souhaitent une protection contre les ITSS et le VIH.	• 40 % plus résistant aux déchirures que le condom en latex. • Ne serre pas le pénis. • Lubrifié à l'extérieur et à l'intérieur. • Peut être inséré des heures avant la relation sexuelle et permet plus de spontanéité. Pas nécessaire de retirer le condom immédiatement après la relation sexuelle. • Seul moyen contraceptif qui protège des ITSS et du VIH, et dont l'utilisation est contrôlée par la femme.	Peut être difficile à insérer.	Déconseillé s'il y a risque de ne pas l'utiliser à chaque relation sexuelle.

Tableau 13.1 | **Les facteurs à considérer dans le choix d'une méthode de contraception. (suite)**

MÉTHODES	DESCRIPTION	EFFICACITÉ	UTILISATION ET COÛT	POUR QUI?	AVANTAGES	INCONVÉNIENTS, COMPLICATIONS, PRÉCAUTIONS À PRENDRE	CONTRE-INDICATIONS
BARRIÈRES PHYSIQUES (SUITE)							
Diaphragme	• Coupole en caoutchouc souple bordée d'un anneau. Il couvre le col de l'utérus et bloque ainsi l'entrée des spermatozoïdes dans l'utérus. • Doit être enduit de spermicide avant l'insertion, pour une protection supplémentaire puisqu'il n'est pas toujours étanche.	De 92 % à 96 %, si utilisé correctement.	• Examen médical nécessaire. • Peut être inséré quelques heures avant la relation sexuelle et doit rester en place jusqu'à 6 heures après. • Coûte environ 60 $ + spermicide.	Pour celles qui ne craignent pas de toucher leurs organes génitaux.	• Peut protéger contre le cancer du col de l'utérus. • Ne nuit pas à la relation sexuelle. • Aucun effet sur l'allaitement. • Réutilisable.	• Peut être difficile à insérer. • Peut être de la mauvaise taille. • Peut se déplacer pendant la pénétration. • Taille à réévaluer après un accouchement, un avortement ou toute autre intervention chirurgicale pelvienne. • Risque de syndrome du choc toxique si laissé en place trop longtemps.	Déconseillé si : – allergie au latex et aux spermicides; – infections urinaires fréquentes.
Cape cervicale	• Petite calotte profonde en latex bordée d'un anneau flexible, qui couvre le col et bloque l'entrée des spermatozoïdes dans l'utérus. • Il faut s'en servir avec une crème ou une gelée spermicide. • Il faut enfoncer la cape avec les doigts dans le vagin et la placer devant le col avant la relation sexuelle; elle est maintenue en place par succion.	De 87 % à 90 %, si utilisée correctement.	• Requiert un examen médical. • Coûte environ 50 $ + spermicide.	Pour celles qui sont motivées et déterminées à l'utiliser pour toutes leurs relations sexuelles.	• Pas d'interruption des activités sexuelles puisqu'on peut la placer plusieurs heures avant la relation sexuelle. • Réutilisable.	• Problème possible d'insertion. • Peut se déplacer pendant la relation sexuelle. • Si laissée en place trop longtemps, possibilité de mauvaise odeur, de sécrétions et de syndrome du choc toxique.	Déconseillée si : – un des deux partenaires est allergique au latex ou aux spermicides; – la femme vient d'accoucher ou a subi un avortement ou une autre intervention chirurgicale pelvienne.

Tableau 13.1 | **Les facteurs à considérer dans le choix d'une méthode de contraception. (suite)**

BARRIÈRES PHYSIQUES (SUITE)

MÉTHODES	DESCRIPTION	EFFICACITÉ	UTILISATION ET COÛT	POUR QUI ?	AVANTAGES	INCONVÉNIENTS, COMPLICATIONS, PRÉCAUTIONS À PRENDRE	CONTRE-INDICATIONS
Spermicide	• Produit chimique contenant du nonoxynol-9. Disponible sous de multiples formes : gelée, crème, mousse, pellicule ou suppositoire. • Doit être utilisé en combinaison avec une autre méthode de contraception.	• De 79 % à 94 %, si utilisé seul. • Devient très efficace lorsqu'il est utilisé en combinaison avec une autre méthode.	• À appliquer au fond du vagin avant la relation sexuelle. • Disponible dans les pharmacies. • Son coût varie selon la marque. • Advantage 24 (emballage de 3) : environ 12 $. • Delfen (20 à 25 applications) : environ 18 $.	Pour ceux et celles qui utilisent le condom, la cape cervicale ou le diaphragme et qui souhaitent une double protection.	• Offre une protection contre les infections bactériennes. • Peut être utilisé comme méthode contraceptive postcoïtale. • Lubrifie le vagin et facilite la pénétration. • Advantage 24 offre une protection pendant 24 heures.	• Possibilité de sensation de brûlure ou d'irritation à la vulve ou au pénis. • Odeur ou goût désagréable. • Dégrade le latex. • Allergie.	Déconseillé si allergie au nonoxynol-9.
Éponge contraceptive	• Barrière jetable en mousse de polyuréthane qui recouvre le col. • Elle absorbe et emprisonne les spermatozoïdes. • Elle est imprégnée d'une combinaison de 3 spermicides qui détruisent les spermatozoïdes.	89 %, si utilisée correctement.	• Disponible dans les pharmacies, les cliniques de planification familiale et Internet. • Environ 12 $ pour une boîte de 4 éponges Today.	Pour celles qui veulent un moyen contraceptif qui n'interrompt pas les jeux sexuels.	• Méthode barrière et spermicide en un seul produit. • Facile à transporter. • Ni ajustement ni intervention médicale nécessaires. • L'insertion n'interrompt pas les jeux sexuels. • Peu d'écoulement de sperme hors du vagin après l'éjaculation, car l'éponge l'absorbe.	• Infection aux levures. • Odeur. • Allergie aux spermicides. • Syndrome du choc toxique.	Déconseillée si : – allergie à la mousse ou aux spermicides; – utilisée sans condom lorsque la femme a plusieurs partenaires.
Contraceptif Lea	• Dispositif doux et souple en silicone qui recouvre le col. • Empêche l'entrée des spermatozoïdes dans l'utérus.	• 91,3 %, si utilisé avec spermicide. • 86 %, si utilisé sans spermicide.	• Disponible dans les pharmacies, les cliniques de planification familiale et Internet. • Coûte environ 50 $. • Doit rester en place 8 heures après la relation sexuelle.	• Pour celles qui ne peuvent pas utiliser de méthodes hormonales. • Pour celles qui se sentent à l'aise de toucher leurs organes génitaux.	• Peut être utilisé pendant 6 mois. • Facile à obtenir et à transporter. • Aucun ajustement requis, pas besoin de voir de médecin. • Peut servir durant les menstruations. • N'interrompt pas les jeux sexuels.	• Demande un peu de pratique pour réussir à l'insérer et à le retirer correctement. • Si le contraceptif Lea n'est pas bien inséré, le partenaire peut le sentir durant la relation sexuelle. • Possibilité de syndrome du choc toxique : il ne faut jamais le laisser en place plus de 24 heures.	Déconseillé si allergie aux spermicides.

Tableau 13.1 | **Les facteurs à considérer dans le choix d'une méthode de contraception. (suite)**

MÉTHODES	DESCRIPTION	EFFICACITÉ	UTILISATION ET COÛT	POUR QUI?	AVANTAGES	INCONVÉNIENTS, COMPLICATIONS, PRÉCAUTIONS À PRENDRE	CONTRE-INDICATIONS
AUTRES MÉTHODES							
Retrait (coït interrompu)	L'interruption de la relation sexuelle, c'est-à-dire que l'homme doit se retirer avant d'éjaculer.	Très faible, car des spermatozoïdes peuvent se retrouver dans le liquide prééjaculatoire. Le taux d'échec est de 19%.	Aucun	• Pour les couples qui peuvent accepter un certain risque de concevoir un enfant. • Pour les partenaires qui collaborent.	• Ne coûte rien. • Méthode acceptable s'il n'y en a pas d'autres.	• Frustration liée à l'interruption des jeux sexuels. • Durant les élans de passion, possibilité qu'il y ait relation sexuelle.	Déconseillé si: – les partenaires s'emportent facilement pendant les ébats sexuels; – l'homme ne peut pas prévoir l'éjaculation (éjaculateurs précoces s'abstenir); – les partenaires sont inexpérimentés.
Relation sexuelle non coïtale et abstinence	Relation sexuelle sans pénétration et sans échange de liquides biologiques.	C'est la méthode la plus sûre.	Aucun	• Pour les couples qui veulent: – utiliser la méthode naturelle la plus efficace et sans effets secondaires; – se protéger contre les ITSS et le VIH. • Pour les couples dont l'un des partenaires n'a pas confiance en l'autre.	• Excellente méthode à pratiquer au début d'une relation amoureuse. Amène les partenaires à se parler et à s'entendre. • Encourage d'autres pratiques érotiques qui peuvent enrichir une relation (baisers, étreintes, masturbation mutuelle, massage, frottement, stimulation des seins, etc.). • Permet aux partenaires d'apprivoiser le corps de l'autre et de mieux connaître ses réactions.	S'assurer que l'éjaculat ne peut pas entrer en contact avec la vulve.	Déconseillée si: – les partenaires ne sont pas certains de ce choix; – un des partenaires refuse de pratiquer cette méthode.

Tableau 13.1 | **Les facteurs à considérer dans le choix d'une méthode de contraception. (suite)**

CONTRACEPTION POST-COÏTALE

MÉTHODES	DESCRIPTION	EFFICACITÉ	UTILISATION ET COÛT	POUR QUI ?	AVANTAGES	INCONVÉNIENTS, COMPLICATIONS, PRÉCAUTIONS À PRENDRE	CONTRE-INDICATIONS
Pilule du lendemain ou Plan B	• Sert à prévenir une grossesse après une relation sexuelle non protégée. • Retarde ou empêche l'ovulation.	• Dépend du temps passé depuis la relation coïtale. • Très efficace dans les 72 premières heures. • Inefficace passé 5 jours.	• Coûts variables. • Gratuite dans certaines cliniques des jeunes. • Environ 40 $ en pharmacie.	• Pour les couples qui ont oublié de prendre un contraceptif oral ou qui ont utilisé inadéquatement leur moyen contraceptif habituel. • Pour les victimes d'agressions sexuelles en l'absence d'un moyen contraceptif.	Moyen simple et sûr d'empêcher une grossesse lorsqu'un incident s'est produit.	Nausées chez 25 % des utilisatrices et vomissements chez 6 % d'entre elles.	Déconseillée si : – la relation a eu lieu il y a plus de 72 heures ; – la femme souffre d'une maladie thromboembolique ; – il y a absence de menstruations depuis plus de 4 semaines.
Dispositif intra-utérin (DIU) en cuivre	Utilisable comme contraception post-coïtale. Voir p. 391.	99 %, si posé dans la semaine qui suit la relation.	• Doit être inséré par un médecin. • Coûte de 45 $ à 100 $.	• Pour les couples qui ont oublié de prendre un contraceptif oral ou qui ont utilisé inadéquatement leur moyen contraceptif habituel. • Pour les victimes d'agressions sexuelles en l'absence d'un moyen contraceptif.	Remplacement de méthodes efficaces dans des cas d'exceptionnelle nécessité.	Voir p. 391.	Voir p. 391.

LA GROSSESSE ET LA PARENTALITÉ

Dans la section précédente, nous avons vu diverses méthodes ayant pour but d'empêcher la conception. Certaines de ces méthodes — presque toutes en fait — peuvent aussi aider à choisir le moment où l'on désire avoir des enfants. D'autre part, on peut décider de ne pas empêcher la conception à quelque moment que ce soit. Nous allons maintenant nous pencher sur la conception.

DEVENIR ENCEINTE

Dans cette section, nous examinerons les changements, les expériences et les sentiments inhérents au processus physiologique de la procréation, en commençant par la grossesse. Cette première étape est parfois difficile pour certains couples.

AUGMENTER LES CHANCES DE CONCEVOIR

Choisir le bon moment de faire l'amour durant le cycle menstruel est un facteur important pour améliorer les chances de concevoir. La conception est plus probable durant les six jours qui suivent l'ovulation (Wilcox et coll., 1995). Il est difficile de prévoir précisément le moment de l'ovulation, mais plusieurs méthodes permettent de le déterminer avec une approximation raisonnable. Les tests indicateurs de l'ovulation, dans lesquels on mesure l'augmentation de l'hormone lutéinisante (LH) dans l'urine qui survient avant l'ovulation, donnent de bons résultats, et on peut se les procurer en pharmacie sans ordonnance (Perris, 2000). Autrement, on peut utiliser les méthodes de la glaire cervicale, de la température basale et du calendrier pour estimer le moment de l'ovulation.

Certaines personnes et certains couples aimeraient aussi avoir la possibilité de concevoir un enfant d'un sexe précis, comme le montre l'encadré « Les uns et les autres ».

L'INFERTILITÉ

Soixante pour cent des couples conçoivent un enfant dans les trois premiers mois de tentatives, mais si la grossesse ne survient pas après six mois d'essais, un couple devrait consulter un médecin. On estime à 10 % la proportion de couples qui ne réussissent pas à concevoir un enfant après un an d'essais (Oliwenstein, 2005). Étant donné que près de 50 % des cas d'infertilité sont dus à des facteurs proprement masculins, il importe

que les deux partenaires se fassent évaluer (Jegalian et Lahn, 2001b). On considère habituellement l'infertilité comme l'incapacité de concevoir un enfant ; c'est pourquoi on appelle *infertilité secondaire* l'incapacité de concevoir un second enfant, difficulté que rencontrent 10 % des couples (Diamond et coll., 1999).

L'infertilité est un problème complexe entraînant de la détresse. Elle peut avoir des effets démoralisants sur l'image de soi et l'unité du couple (Scharf et Weinshel, 2000). Ses causes sont parfois difficiles à cerner et demeurent inconnues dans 15 % des cas (Nilsson et coll., 1994). De plus, la plupart des couples qui se font traiter pour infertilité le font ultimement sans succès malgré leurs efforts, et ce, quelles que soient les méthodes de traitement utilisées (Toner, 2002). Plus encore, la recherche montre que la plupart des femmes à travers le monde, tant dans les pays développés qu'en voie de développement, ignorent les données élémentaires relatives à leur infertilité, comme le révèle une enquête menée auprès de 17 500 femmes réparties dans 10 pays (The American Fertility Association, 2006).

L'infertilité et la sexualité

La plupart des gens grandissent avec l'idée qu'ils pourront concevoir des enfants lorsqu'ils décideront de fonder une famille. Se heurter à l'infertilité crée donc un choc et une crise (Wilkes, 2006). Au fur et à mesure que son infertilité devient évidente et indéniable, un couple peut ressentir un fort sentiment d'isolement face aux autres couples lorsqu'il est question de grossesse, d'enfants et d'éducation des enfants. Voici les propos d'une femme qui a été dans l'incapacité de concevoir :

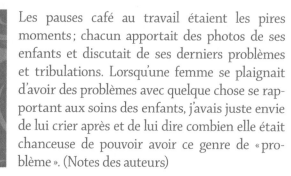

> Les pauses café au travail étaient les pires moments ; chacun apportait des photos de ses enfants et discutait de ses derniers problèmes et tribulations. Lorsqu'une femme se plaignait d'avoir des problèmes avec quelque chose se rapportant aux soins des enfants, j'avais juste envie de lui crier après et de lui dire combien elle était chanceuse de pouvoir avoir ce genre de « problème ». (Notes des auteurs)

Les problèmes d'infertilité peuvent avoir des effets profondément négatifs sur la relation de couple et son fonctionnement sexuel (Schmidt, 2006). Les partenaires peuvent aussi se détourner l'un de l'autre et se sentir incompris. Chaque partenaire pourra aussi mettre

Les uns et les autres

Choisir d'avance le sexe du bébé : considérations technologiques et transculturelles

Le désir d'avoir un enfant de tel sexe existe depuis les temps anciens, la sélection se faisant alors une fois l'enfant né. Par exemple, chez les Romains de l'Antiquité, l'infanticide était pratiqué contre les bébés féminins non désirés (Faerman et coll., 1997). Les superstitions quant à la façon d'influer sur le sexe éventuel de l'enfant pendant le coït font partie de la culture occidentale : par exemple, l'homme qui porte un chapeau pendant le coït engendrera un garçon et celui qui suspend son pantalon sur la colonne gauche du lit concevra une fille.

En Chine, en Inde et en Corée du Sud, la préférence pour les garçons est particulièrement forte, et les infanticides de bébés filles ainsi que les avortements sélectifs de fœtus féminins sont monnaie courante (Chung, 2006 ; Coontz, 2005). En Inde, une femme peut payer 12 $ pour passer une échographie afin de connaître le sexe du fœtus qu'elle porte et, si c'est une fille, se faire avorter pour 35 $ (Power, 2006). La fondation Bill et Melinda Gates a financé une étude dans une région rurale de l'Inde qui comptait 628 filles par 1000 garçons chez les moins de 6 ans. Des facteurs économiques et culturels contribuent à favoriser les garçons. Ce sont les fils qui s'occupent de leurs parents une fois que ceux-ci sont devenus âgés et qui leur apportent la sécurité que le gouvernement ne peut leur assurer. En Asie, dans les traditions hindouiste et confucianiste, seuls les fils peuvent allumer le bûcher funéraire lors du décès de leurs parents et prier pour la libération de leur âme. Les fils seront éventuellement une source de revenus pour leurs parents, tandis que les filles seront une charge financière pour eux lorsqu'ils devront pourvoir à leur dot. En outre, le travail de la femme ne profitera qu'à la famille qu'elle rejoindra en se mariant. La politique chinoise de l'enfant unique a considérablement fait baisser le taux de natalité du pays, passant de 4,8 enfants par famille en 1970 à 1,8 enfant maintenant (Power, 2006 ; Robinson, 1999).

Une technique efficace de sélection du sexe de l'enfant consiste à choisir un embryon du sexe souhaité parmi des embryons conçus en laboratoire. Le sexe de l'embryon est vérifié puis un médecin l'implante dans l'utérus de la femme. Le procédé coûte 20 000 $ US et le sexe de l'enfant est garanti à presque 100 % (Ulick, 2004). Une autre méthode qui donne des résultats moins certains est celle qui consiste à séparer les spermatozoïdes porteurs du chromosome X de ceux qui sont porteurs du chromosome Y. Une fois ce procédé effectué en laboratoire, il s'agit d'implanter ceux du lot du sexe désiré dans l'utérus. Les taux de succès sont de 90 % pour les bébés filles et de 70 % pour les bébés garçons. Mais le côté peu romantique de la collecte de sperme et de l'insémination artificielle limitera probablement le recours à ces techniques, à moins que les parents n'aient de bonnes raisons de vouloir un enfant d'un sexe précis (Berkowitz, 2000). La présélection du sexe de l'enfant peut s'avérer utile pour les couples qui risquent de transmettre une maladie liée au chromosome X.

en doute sa propre masculinité ou féminité en raison de sa difficulté à concevoir. Chacun pourra vivre de la colère et de l'anxiété et se demander « Pourquoi moi ? ». Finalement, les deux partenaires pourront éprouver du chagrin à l'idée qu'ils ne connaîtront jamais des expériences telles que la grossesse, l'accouchement et l'éducation de leurs propres enfants (Miller, 2003).

Les relations coïtales peuvent devenir plus douloureuses que plaisantes à cause de l'anxiété et de la tristesse de ne pouvoir concevoir (Salonia et coll., 2006). Les études ont montré que la plupart des couples infertiles vivent des insatisfactions ou des dysfonctions sexuelles d'une manière ou d'une autre (Zoldbrod, 1993). De plus, les techniques médicales de diagnostic et de traitement de l'infertilité nuisent à la spontanéité et à l'intimité du couple. Les relations sexuelles deviennent une source de stress intense et se déroulent « mécaniquement », produisant une anxiété de performance qui nuit à l'excitation sexuelle et à l'intimité affective (Pawson, 2003).

On rapporte que 20 % des hommes contre 25 % des femmes mentionnent que l'infertilité a aidé leur mariage. Dans ces cas, l'élément déterminant était la capacité de l'homme à communiquer activement ses sentiments plutôt que d'éviter de discuter de grossesse et de fuir dans le travail. En outre, dans le processus de rapprochement affectif, les couples qui discutaient de l'infertilité diminuaient en même temps leur stress global.

L'infertilité féminine

Il y a plusieurs raisons qui font qu'une femme ne peut concevoir. Les problèmes liés à l'ovulation comptent pour environ 20 % des cas d'infertilité (Urman et Yakin, 2006). L'avancée en âge réduit la fertilité de façon significative. La fertilité de la femme est à son maximum entre 20 et 24 ans, et elle commence à décroître rapidement à partir de 30 ans. Entre 35 et 39 ans, la fertilité diminue de 46 % par rapport à son maximum et ce pourcentage passe à 95 % entre 40 et 45 ans (Speroff et Fritz, 2005).

Les déséquilibres hormonaux, les déficiences graves en vitamines, les dérèglements métaboliques, une alimentation pauvre, les facteurs génétiques, les stress émotionnels ou des conditions médicales peuvent être impliqués dans les problèmes d'ovulation (Marx et Mehta, 2003). L'ovulation, et donc la possibilité de grossesse, peut aussi être inhibée par un pourcentage de gras corporel sous la normale, qui peut être le résultat d'une diète trop sévère ou d'un excès d'exercices physiques. Il suffit d'avoir un poids de 10 % à 15 % inférieur à la normale pour inhiber l'ovulation. Les fumeuses de cigarettes sont moins fertiles et prennent plus de temps pour devenir enceintes que les non-fumeuses. La consommation excessive d'alcool ou de drogues réduit la fertilité des femmes et les toxines présentes dans l'environnement peuvent également y nuire (Isaacs, 2006). Les problèmes d'ovulation peuvent parfois être traités au moyen d'une variété de médicaments stimulant l'ovulation. Bien qu'ils soient généralement efficaces et

Certains spécialistes en fertilité pensent que les célébrités qui deviennent mères tard dans leur vie, comme Susan Sarandon, donnent la fausse impression que la conception est facile à tout âge.

sans danger, ces médicaments peuvent entraîner certaines complications, notamment un risque plus grand de naissances multiples (Filicori, 2003).

Si les tests concluent que l'ovulation de la femme se fait normalement et que le sperme de son partenaire est de qualité suffisante, la prochaine étape consiste souvent à effectuer un test postcoïtal pour voir si les spermatozoïdes demeurent vivants et gardent leur motilité à travers la glaire cervicale (Chretien, 2003). La glaire cervicale peut contenir des anticorps qui attaquent les spermatozoïdes du partenaire, ou elle peut former un bouchon qui empêche leur passage (Ginsburg et coll., 1997). L'insémination intra-utérine, qui consiste à déposer les spermatozoïdes directement dans l'utérus, peut s'avérer utile dans certains cas.

Les infections et les anormalités du col de l'utérus, du vagin, de l'utérus, des trompes de Fallope ou encore des ovaires peuvent détruire les spermatozoïdes ou les empêcher de féconder l'ovule (Rebar, 2004). Les tissus cicatriciels d'anciennes ITSS peuvent causer ces problèmes. Les problèmes tubaires peuvent parfois être réglés en enlevant chirurgicalement les tissus cicatriciels autour des trompes de Fallope et des ovaires.

L'infertilité masculine

La plupart des causes d'infertilité masculine sont liées à des anomalies dans le nombre de spermatozoïdes ou dans leur motilité (leur vigueur à se déplacer par eux-mêmes). Une cause majeure d'infertilité masculine est la présence d'une veine endommagée ou hypertrophiée dans les testicules ou les canaux déférents, trouble qui porte le nom de **varicocèle** (Ehrenfeld, 2002). La varicocèle provoque une accumulation de sang dans le scrotum, ce qui élève la température de la région ambiante et affecte la production de spermatozoïdes (Villanueva-Diaz et coll., 1999). Par exemple, les oreillons, lorsqu'ils surviennent à l'âge adulte, peuvent affecter les testicules et diminuer la production de spermatozoïdes ; une infection du canal déférent peut bloquer le passage des spermatozoïdes. Les ITSS sont également une cause majeure d'infertilité. L'abus de cigarettes, d'alcool et de drogues réduit la fertilité (Kunzle et coll., 2003 ; Sandlow, 2000). La consommation de cocaïne entrave la spermatogénèse et la marijuana affecte la motilité des spermatozoïdes (Leibowitz et Hoffman, 2000). Les éléments toxiques

Varicocèle   Veine endommagée ou hypertrophiée dans les testicules ou les canaux déférents.

présents dans l'environnement, comme des produits chimiques, des polluants et des radiations, peuvent aussi réduire le nombre de spermatozoïdes et les rendre anormaux (Duty et coll., 2003 ; Hampton, 2005). Les spermatozoïdes absorbent et métabolisent les toxines environnementales plus facilement que les autres cellules du corps, ce qui peut aussi entraîner des anomalies congénitales (Tanenbaum, 1997).

Pour augmenter la concentration de spermatozoïdes dans les cas où la quantité est faible, l'éjaculation doit avoir lieu, idéalement, tous les deux jours, en commençant six jours avant l'ovulation jusqu'à la fin de la semaine où l'ovulation se produit (Speroff et coll., 1989). Un homme dont le nombre de spermatozoïdes est faible devrait aussi éviter de prendre des bains chauds, de porter des vêtements et des sous-vêtements trop ajustés, de faire de la bicyclette sur de longues distances, tout cela créant un contexte susceptible d'augmenter la température des testicules à un niveau supérieur à la normale.

LES TECHNIQUES DE PROCRÉATION ASSISTÉE

Plusieurs méthodes ont été développées pour aider les couples à surmonter les problèmes de fertilité. Lorsque les spermatozoïdes sont en quantité insuffisante ou de faible qualité, la technique de **fécondation in vitro avec micro-injection** (ICSI) peut donner lieu à une grossesse. Cette technique consiste à injecter un seul spermatozoïde dans chaque ovule prélevé.

L'insémination artificielle est une option à considérer dans certains cas. Cette technique consiste à introduire les spermatozoïdes dans le vagin ou le col de l'utérus à l'aide d'un instrument et, dans certains cas, directement dans l'utérus, un processus appelé *insémination intra-utérine*. Si le partenaire masculin ne produit pas des spermatozoïdes de bonne qualité ou si la femme n'a pas de partenaire masculin, l'insémination peut se faire à l'aide du sperme d'un donneur.

Les avancées technologiques en matière de procréation artificielle sont appelées **techniques de procréation (médicalement) assistée** (PMA). Le premier bébé éprouvette dans le monde est né en Angleterre en 1978. En **fécondation in vitro** (FIV), les ovaires sont stimulés au moyen de médicaments inducteurs de l'ovulation. Plusieurs ovules sont produits en même temps. Les ovules matures sont retirés des ovaires et fécondés en laboratoire en les mettant en contact avec les spermatozoïdes dans un contenant approprié. Au bout de deux ou trois jours, plusieurs ovules fécondés comportant de deux à huit cellules sont introduits dans l'utérus. Les embryons en surplus sont souvent congelés pour pouvoir être utilisés au cas où la première tentative échouerait (Fosas et coll., 2003). Si cela fonctionne, alors il y a au moins un ovule qui s'implante et qui se développe. Le taux de succès atteint désormais près de 30 % après 30 ans de développements médicaux. Les probabilités d'avoir des naissances vivantes sont plus grandes lorsque la femme a moins de 30 ans et moins grandes lorsqu'on utilise des ovules ou des embryons congelés (Kelley, 2005 ; King, 2006 ; Speroff et Fritz, 2005).

Une variante de la fécondation in vitro consiste à implanter les ovules fécondés dans les trompes de Fallope au lieu de l'utérus, une technique appelée **transfert intratubaire de zygotes** (ZIFT). Le **transfert intratubaire de gamètes** (GIFT) est le nom que porte la technique consistant à déposer à la fois les spermatozoïdes et les ovules directement dans les trompes de Fallope, là où se produit normalement la fécondation.

Le don d'ovules est indiqué lorsque la femme n'a pas d'ovaires, ne peut pas produire d'ovules par elle-même ou peut transmettre une tare génétique. Les donneuses sont généralement des femmes dans la vingtaine, souvent une sœur ou une amie de la personne qui demande une fécondation in vitro pour elle-même. Dans les cas où les deux partenaires sont infertiles, la FIV peut se faire en recourant aux dons de sperme et d'ovules (Kingsberg et coll., 2000).

Les tests de dépistage génétique pré-implantation sont de plus en plus courants et il en sera bientôt de même

---

Fécondation in vitro avec micro-injection   Procédé consistant à injecter un spermatozoïde unique dans un ovule.

Insémination artificielle   Technique médicale qui consiste à déposer des spermatozoïdes dans le vagin, le col de l'utérus ou l'utérus lui-même.

Techniques de procréation (médicalement) assistée   Techniques de fécondation à l'extérieur de l'utérus.

Fécondation in vitro   Procédé par lequel des ovules à maturité sont prélevés des ovaires et fécondés par des spermatozoïdes en laboratoire dans des éprouvettes.

Transfert intratubaire de zygotes   Procédé par lequel un ovule est fécondé en laboratoire, puis déposé dans une trompe de Fallope.

Transfert intratubaire de gamètes   Procédé par lequel un spermatozoïde et un ovule sont déposés dans une trompe de Fallope.

pour la transformation génétique des cellules avant leur implantation (Geary et Moon, 2006). Les parents porteurs de tares génétiques connues (prédispositions à la maladie d'Alzheimer, au cancer du sein, à la fibrose kystique, etc.) pourront ainsi faire enlever de leurs ovules ou de leurs spermatozoïdes les gènes responsables de ces maladies avant la fécondation et l'implantation (Begley, 2001). Neuf mois plus tard naîtrait le bébé du couple sans tare génétique. Plusieurs bioéthiciens encouragent ce genre de développement qui protègerait l'enfant de déficiences et de tares génétiques graves. D'autres s'opposent à de telles technologies parce qu'ils craignent qu'on les utilise de manière irresponsable pour produire génétiquement des « bébés sur mesure » (Begley, 1998).

Coûts et risques pour la santé associés aux techniques de procréation assistée

La procréation assistée coûte cher. Par exemple, une fécondation in vitro coûte entre 12 000 $ et 14 000 $ par essai, et davantage si plus d'un essai est nécessaire, ce qui se produit souvent. Si la technique choisie demande un don d'ovules ou de sperme, l'ICSI ou d'autres techniques

supplémentaires, les coûts en sont d'autant augmentés. Au Québec, il a été question en 2008 que la Régie de l'assurance maladie défraie une partie des coûts.

Lors d'une FIV, plusieurs embryons sont implantés dans l'utérus de la femme de façon à augmenter les chances de procréation, et environ 30 % des grossesses donnent lieu à des naissances multiples (Gorman, 2002). Par naissances multiples, il ne faut pas entendre que des jumeaux ou des triplés, mais souvent plus de cinq bébés. Pour ce qui est des bébés, la grossesse multiple augmente les risques de mortalité périnatale, de prématurité, de faible poids et d'anomalies congénitales (Cheung, 2006). Dans certains cas, un ou plusieurs fœtus sont sacrifiés pendant la grossesse pour augmenter les chances qu'il y en ait un ou deux autres qui survivent. Pour ce qui est de la mère, la grossesse multiple augmente les risques de césarienne, d'hypertension et d'autres complications lors de l'accouchement, incluant la mort (Dickey, 2003 ; MacKay et coll., 2006). Dans l'encadré ci-dessous, nous présentons les divers problèmes que soulèvent les techniques de procréation assistée.

Au-delà des frontières

Les problèmes soulevés par les techniques de procréation assistée

L'utilisation des techniques de procréation assistée soulève des problèmes éthiques et juridiques sans précédent dans notre société (Haines et Miller, 2003). Le surplus d'embryons qui résulte souvent de ces techniques en amène certains à les offrir généreusement en adoption pour qu'ils soient implantés dans d'autres femmes (Stolberg, 2001). D'autres situations soulèvent la controverse, comme ces ex-conjoints qui ne s'entendent pas sur ce qu'il faut faire des embryons qui ont été congelés avant la fin de leur mariage. En l'an 2000, plus de 20 000 embryons congelés faisaient l'objet de litiges (Silverten, 2000).

Grâce aux techniques de procréation assistée, des femmes ménopausées peuvent maintenant devenir enceintes, mener une grossesse à terme et accoucher. Jusqu'à présent, la plus vieille femme à avoir eu un enfant par procréation assistée avait près de 67 ans (Milbourn, 2006). Les ovules d'une femme ménopausée n'étant plus viables, ce sont ceux d'une femme plus jeune que l'on féconde in vitro à l'aide du sperme du mari. Pour que son utérus puisse soutenir une grossesse, la femme est soumise à un traitement hormonal.

Le milieu de la science et le public en général ne voient pas du même œil la femme d'âge mûr qui aspire à avoir

des enfants. Les sexagénaires, septuagénaires et même octogénaires qui deviennent pères essuient peu de critiques. Cependant, même si l'espérance de vie en Occident permet à une femme en santé d'avoir un enfant dans la cinquantaine ou au début de la soixantaine et de l'élever jusqu'à ce qu'il soit adulte, les attitudes à l'égard de ce type de maternité sont généralement négatives. Les médecins qui offrent de tels services à des femmes de cet âge sont souvent accusés de faire preuve d'irresponsabilité, de travestir la nature et de se prendre pour Dieu (Ethics Committee, American Society for Reproductive Medecine, 1997). Par contre, il y a des gens qui estiment contraire à l'éthique de refuser aux femmes le droit d'avoir un enfant uniquement à cause de leur âge (Paulson, 2000).

Il y a cinquante ans, les techniques de procréation assistée relevaient de la science-fiction. Maintenant, aux États-Unis seulement, on dénombre près de 340 cliniques offrant ce type de services (Andrews et Elster, 2000). L'imagination des scientifiques et les avancements technologiques ne cesseront d'accroître les possibilités en ce domaine, soulevant autant de nouvelles questions éthiques et juridiques (Gibbs, 2001).

LES SIGNES DE GROSSESSE

Les premiers signes d'une grossesse peuvent provoquer de la joie ou de la détresse selon le désir de la femme d'être enceinte, les sentiments de son partenaire et un ensemble de circonstances environnantes. Bien que certaines femmes puissent observer de légers saignements ou des traces de sang, le premier signe de la grossesse est habituellement l'absence de menstruations au moment attendu. La sensibilité des seins, des nausées, des vomissements ou d'autres symptômes non spécifiques, par exemple une grande fatigue ou un changement d'appétit, peuvent aussi apparaître pendant les premières semaines ou les premiers mois de la grossesse.

Chacun de ces indices peut amener une femme à soupçonner une grossesse. Des tests médicaux tels que l'analyse du sang ou de l'urine et un examen pelvien peuvent le confirmer ou non. Le sang et donc l'urine d'une femme enceinte contient une hormone appelée **gonadotrophine chorionique**, souvent désignée par les lettres HGC, qui est sécrétée par le placenta. Grâce à des tests sanguins de détection de la HGC, il est possible de déceler une grossesse aussi tôt que sept jours après la fécondation (G. Stewart, 1998). Les tests d'urine ou de salive que les femmes peuvent se procurer et utiliser par elles-mêmes permettent de détecter une grossesse peu de temps après une absence de menstruations (Carmichael, 2002). Ces tests pouvant donner de faux résultats positifs et de faux résultats négatifs, il importe de les faire valider par un professionnel de la santé.

L'AVORTEMENT SPONTANÉ ET L'INTERRUPTION VOLONTAIRE DE GROSSESSE

Les grossesses ne sont pas toutes menées à terme. Beaucoup se terminent par un avortement spontané ou par une interruption volontaire de grossesse.

L'AVORTEMENT SPONTANÉ

Lorsque la grossesse est confirmée, il arrive qu'elle ne puisse pas être menée à terme à cause de complications. Une **fausse couche** est un avortement spontané qui intervient dans les 20 premières semaines de la grossesse (Stephenson, 2006). Au moins une grossesse sur sept se termine par une fausse couche (Springen, 2005b). La majorité des fausses couches se produisent au cours des 13 premières semaines, souvent même avant que la femme sache qu'elle est enceinte. Le tableau 13.2 donne les principales causes des fausses couches quoique, dans

Tableau 13.2 | **Les principales causes des fausses couches.**

Mère âgée de plus de 35 ans
Consommation de plus de 5 boissons alcoolisées par semaine
Consommation de plus de 375 mg de caféine par jour (2 ou 3 tasses de café)
Rejet d'un fœtus anormal
Consommation de cocaïne
Col de l'utérus endommagé
Inflammation chronique des reins
Utérus anormal
Infection
Glande thyroïde hypoactive
Réaction auto-immune
Diabète
Choc émotionnel
Consommation d'aspirine et d'anti-inflammatoire non stéroïdien en début de grossesse

Source : D. Li et coll. (2003) et Speroff et Fritz (2005).

de nombreux cas, les médecins s'avèrent incapables de déterminer une cause précise (Thompson, 2003a).

Les fausses couches précoces peuvent ressembler à des menstruations plus abondantes que d'habitude, alors que les fausses couches tardives peuvent provoquer des crampes inconfortables et des saignements abondants. Heureusement pour les femmes qui désirent avoir un enfant, une fausse couche est rarement le signe qu'une autre grossesse ne pourra pas être menée à terme.

Une fausse couche peut représenter une perte importante pour la femme ou le couple. Si les éventuels parents désiraient fortement la grossesse, s'ils tentaient depuis un bon moment de procréer ou s'ils avaient connu d'autres fausses couches auparavant, l'impact émotionnel peut être particulièrement grand. Les parents peuvent avoir besoin de vivre le deuil de ce bébé si désiré et attendre des mois avant de tenter à nouveau de procréer (Salisbury, 1991). Les parents d'un enfant mort-né trouvent parfois important de donner un nom au bébé ou de lui dédier un service funèbre (Beck et coll., 1988).

L'INTERRUPTION VOLONTAIRE DE GROSSESSE

Contrairement à la fausse couche, l'**interruption volontaire de grossesse** implique la décision de mettre fin à la grossesse par un procédé médical. En 2005, au Québec, on comptait 21 interruptions volontaires de grossesse pour 1000 femmes chez les 15 à 19 ans, et 36 pour 1000 femmes chez les 20 à 24 ans. La même année, pour l'ensemble des groupes d'âge de 15 à 44 ans, il y a eu 37 avortements pour 100 naissances vivantes au Québec (Institut de la statistique du Québec, 2006). Les chiffres canadiens (incluant ceux du Québec) étaient de 28,3 avortements pour 100 naissances vivantes pour l'ensemble de ces groupes d'âge.

Lorsqu'une femme acquiert la certitude d'être enceinte et qu'elle n'a pas désiré cette grossesse, elle doit décider si elle va poursuivre sa grossesse et garder l'enfant, le donner en adoption, ou encore se faire avorter. L'avortement est le dernier recours pour une femme aux prises avec une grossesse non désirée (Wind, 2006). La recherche montre que ce sont des considérations pratiques et affectives qui l'amènent à résoudre le dilemme.

La crainte de ne pas être capable d'assumer ses responsabilités envers l'enfant est un facteur décisif dans le choix de se faire avorter. Pour appuyer leur décision, les jeunes femmes disent souvent qu'elles ne sont pas prêtes pour la maternité tandis que les femmes plus âgées invoquent leurs difficultés à remplir leurs obligations envers leurs enfants actuels.

Une responsabilité partagée

Les partenaires peuvent décider ensemble s'il y aura avortement ou non et, s'ils optent pour celui-ci, le partage des responsabilités peut prendre différentes formes. Tout d'abord, l'homme peut aider sa partenaire à clarifier ses sentiments face à la grossesse non désirée et lui exprimer les siens tout en cherchant avec elle la meilleure façon d'y faire face. Tous deux doivent considérer certains éléments importants pour en arriver à une décision : la situation personnelle de chacun au moment présent, leurs sentiments envers la grossesse et l'un envers l'autre, le pour et le contre des différentes options et leurs projets personnels et de couple. Si un désaccord persiste entre eux sur ce qu'il convient de prendre comme décision, c'est à la femme de trancher. Sur le plan juridique, son partenaire masculin ne peut ni lui imposer ni lui refuser l'avortement.

Les réactions psychologiques à l'avortement

Choisir l'avortement est une décision généralement difficile pour la femme et son partenaire. Cela implique de soupeser et de considérer des valeurs et des circonstances profondément personnelles. Une fois prise, la décision garde habituellement une part d'ambivalence. Même lorsque la grossesse n'est pas désirée, l'un ou l'autre des partenaires (ou les deux) peut se sentir perdu et triste. Chacun peut aussi ressentir du regret, se sentir déprimé, anxieux, coupable, ou éprouver de la colère face à l'avortement et à ce qui l'a rendu nécessaire.

Un grand nombre de facteurs peuvent influer sur les réactions émotionnelles de chacun face à l'avortement. Le moment où l'avortement a lieu est important : plus l'intervention est précoce, moins il sera difficile pour la femme sur les plans médical et émotif. Les réactions des amis proches et de la famille, l'attitude du personnel médical et du médecin au cours de l'avortement, l'opinion du partenaire sur l'avortement, la pression extérieure exercée pour renverser la décision, la nature et la solidité de la relation du couple sont autant d'éléments qui peuvent influer sur la réaction positive ou négative de chacun des partenaires. Les femmes qui décident d'avorter vivent souvent une certaine anxiété ou dépression, mais, une fois que l'avortement a eu lieu, elles se sentent généralement soulagées. Selon les études conçues expressément pour évaluer les impacts psychologiques de l'avortement, celui-ci comporte peu de risques pour la femme sur ce plan (Adler et coll., 2003), et la plupart des femmes voient une amélioration marquée de leur qualité de vie après l'avortement (Westhoff et coll., 2003).

LES FACTEURS DE RISQUE D'UNE GROSSESSE NON PLANIFIÉE

Dans de nombreux cas, la grossesse non désirée résulte indiscutablement d'un échec de la contraception. Selon une étude, plus de la moitié des femmes ayant subi un avortement utilisaient une forme quelconque de contraception au moment de devenir enceintes (Hutti, 2003). Chez d'autres femmes ou couples qui demandent l'avortement, la grossesse peut être une

Gonadotrophine chorionique Hormone sécrétée par le placenta que l'on retrouve dans le sang et l'urine des femmes enceintes.

Fausse couche (avortement spontané) Expulsion spontanée du fœtus hors de l'utérus avant qu'il ne soit viable.

Interruption volontaire de grossesse Acte médical destiné à mettre fin à la grossesse.

conséquence des risques qui ont été pris en matière de contraception, c'est-à-dire le fait de ne pas utiliser les contraceptifs de façon régulière ou adéquate, parfois en raison des inconvénients ou des effets secondaires de la méthode choisie, ou à cause d'une mauvaise évaluation du risque de grossesse (Jones et coll., 2002a). De même, à moins d'être protégée par la pilule ou par un dispositif intra-utérin, la femme qui consomme de l'alcool ou des stupéfiants joue avec le feu, car ces substances altèrent son jugement et l'incitent à prendre davantage de risques en matière de contraception.

Les jeunes femmes qui ont un fort sentiment de culpabilité face à la sexualité sont moins susceptibles d'utiliser efficacement la contraception que celles qui sont plus émancipées (Strassberg et Mahoney, 1988). Une femme peut hésiter à se montrer proactive dans l'utilisation des moyens contraceptifs de crainte que son partenaire la voie comme une « fille facile ». Des femmes de tout âge se privent de moyens contraceptifs par crainte de déplaire à un partenaire en lui demandant de coopérer à la planification et à l'utilisation d'une méthode de contraception. Ces femmes redoutent davantage la rupture de la relation que la grossesse non désirée. Malheureusement, ce sont généralement ces femmes qui sont abandonnées par leur partenaire lorsqu'elles se retrouvent enceintes (Malloy et Patterson, 1992).

Enfin, les femmes ayant subi dans leur jeune âge de mauvais traitements psychologiques, physiques ou sexuels, ou les trois, risquent deux fois plus d'avoir une grossesse non désirée que celles dont l'enfance n'a pas été marquée par ce genre de traumatismes. Il est aussi plus courant que la première grossesse d'une femme dont la mère a été régulièrement victime de violence conjugale soit non désirée. Ces traumatismes de l'enfance réduiraient la motivation ou la capacité des femmes à prendre des moyens efficaces d'empêcher une première grossesse non désirée (Dietz, 1999).

LES MÉTHODES D'AVORTEMENT

Les méthodes d'avortement varient selon les stades de la grossesse. Les plus courantes sont l'avortement médical, l'aspiration-curetage, la dilatation-extraction et l'injection de prostaglandines.

L'avortement médical consiste à bloquer la progestérone, ce qui adoucit le col de l'utérus ; la membrane de l'utérus est alors expulsée et le saignement débute. Quelques jours plus tard, la femme prend un second médicament qui provoque des contractions de l'utérus et l'expulsion du sac, de la grosseur d'un raisin, qui contient l'embryon (Jain et coll., 2002). Les effets secondaires possibles sont des crampes, des maux de tête, des nausées ou vomissements, mais plusieurs femmes ne subissent aucun effet secondaire physique (Hausknecht, 2003).

On pratique l'avortement par **aspiration-curetage** de 7 à 13 semaines après les dernières menstruations. Dans cette intervention, sous anesthésie locale, on introduit un petit tube en plastique dans l'utérus. Cette canule est rattachée à un appareil de succion qui aspire hors de l'utérus les tissus fœtaux, le placenta et la membrane utérine. L'intervention dure environ 10 minutes. Les rares risques de cette méthode sont l'infection ou la perforation de l'utérus, des hémorragies ou l'évacuation incomplète du contenu utérin (Speroff et Fritz, 2005). Certaines études indiquent que les avortements qui ont lieu durant le premier trimestre de la grossesse ont peu d'effet sur la fécondité et les grossesses futures ; par contre, d'autres études révèlent une plus forte incidence de fausses couches ou de grossesses ectopiques chez les femmes qui ont eu deux avortements ou plus (Tharaux-Deneux et coll., 1998).

Si la grossesse dépasse 12 semaines, l'avortement par aspiration n'est pas conseillé, car la paroi de l'utérus est alors plus mince, ce qui augmente les risques de perforation et de saignement. Pour l'interruption d'une grossesse de 13 à 21 semaines, on procède par **dilatation-extraction**. On dilate davantage le col de l'utérus qu'on ne le fait pour un avortement par aspiration-curetage et on utilise une combinaison d'instruments d'aspiration, des forceps spéciaux et une curette (un instrument servant à gratter la paroi utérine). Cette intervention, pratiquée sous anesthésie générale, est plus risquée. Environ 8,9 femmes sur 100 000 meurent d'un avortement pratiqué après 20 semaines de grossesse, ce qui demeure moins que les 11,8 sur 100 000 qui meurent au terme d'une grossesse (Boonstra et coll., 2006 ; Zielinski, 2006).

On effectue aussi des avortements pendant le deuxième trimestre de la grossesse en administrant des substances comme les **prostaglandines**, des hormones qui provoquent des contractions utérines. Les prostaglandines sont insérées sous forme de suppositoires dans le vagin ou sont injectées dans le sac amniotique à l'aide d'une aiguille que l'on passe à travers l'abdomen. Le fœtus et le placenta s'évacuent généralement par le vagin dans les 24 heures. Outre des nausées, des vomissements et de la diarrhée, ces méthodes qui induisent des contractions peuvent causer le déchirement du col de l'utérus, des saignements excessifs, un état de choc, et même la mort.

LES AVORTEMENTS CLANDESTINS

À travers le monde, environ 25 % des femmes vivent dans des pays où l'interruption volontaire de grossesse est illégale. Voulant à tout prix mettre fin à une grossesse non désirée, certaines tentent de s'avorter elles-mêmes au moyen de lavements, de laxatifs, de pilules, d'herbes médicinales, de savon ou d'une variété d'autres substances. Les avorteurs clandestins introduisent généralement un cathéter ou un instrument pointu dans l'utérus dans l'espoir de provoquer des contractions. De tels avortements risqués sont responsables de 13 % des décès maternels à travers le monde (Boonstra et coll., 2006 ; Thomas, 2006). Au Brésil, un pays à prédominance catholique, les avortements clandestins sont la quatrième cause de décès chez les femmes (Johnson, 2006). Le Brésil compte parmi les pays d'Amérique latine qui envisagent de légaliser l'avortement (Barroso, 2006).

L'EXPÉRIENCE DE LA GROSSESSE

La grossesse est une expérience unique et significative pour une femme et son partenaire. Dans les pages suivantes, nous verrons comment se vit une grossesse et les effets qu'elle entraîne chez les individus et le couple. Plusieurs de ces expériences se rencontrent autant chez les couples hétérosexuels que lesbiens.

L'EXPÉRIENCE FÉMININE

Les réactions émotives et physiques à la grossesse diffèrent selon les femmes, et une même femme pourra se comporter différemment d'une grossesse à l'autre. Voici deux réactions se situant chacune à une extrémité du continuum.

> J'ai aimé être enceinte. Mon visage était rayonnant pendant neuf mois. Je me sentais comme communiant à une sorte de spiritualité présente chez toutes les femelles mammifères et je découvrais un nouveau respect envers mon corps et sa capacité à donner la vie. Plus j'étais grosse, plus j'aimais cela. (Notes des auteurs)

> Si j'avais pu avoir des bébés sans passer par la grossesse, je l'aurais fait. Avoir l'air grosse et ralentie est profondément ennuyeux. (Notes des auteurs)

La manière dont la femme vivra sa grossesse peut être conditionnée par la façon dont la décision d'avoir un enfant a été prise, par les changements que la gestation entraînera dans son mode de vie présent et futur, par ses relations avec autrui, par ses ressources financières, son image de soi et les changements hormonaux qu'elle vit. Sa conception de la maternité, ce qu'elle en sait, de même que les espoirs et les craintes qu'elle entretient quant à son rôle de mère modulent aussi son expérience. La femme qui jouit du soutien de son partenaire a bien des chances d'avoir une grossesse heureuse.

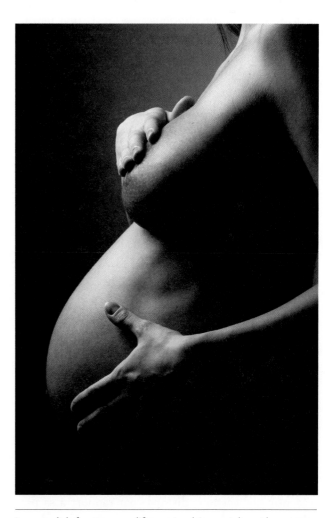

Le corps de la femme se modifie spectaculairement durant la grossesse.

Avortement médical Méthode appliquée avant le 49e jour de la grossesse et basée sur l'utilisation de médicaments.

Aspiration-curetage Méthode qui consiste à dilater le col de l'utérus au moyen de dilatateurs métalliques gradués, puis à insérer dans l'utérus un petit tube en plastique rattaché à un aspirateur qui aspire les tissus fœtaux, le placenta et la membrane utérine.

Dilatation-extraction Procédé abortif dans lequel une curette et un équipement de succion sont employés.

Prostaglandines Hormones utilisées pour déclencher des contractions utérines et provoquer l'expulsion du fœtus hors de l'utérus pendant le second trimestre de la grossesse.

Les femmes s'imaginent parfois qu'elles ne devraient éprouver que des émotions positives lorsqu'elles sont enceintes. Mais la grossesse s'accompagne souvent d'une gamme d'émotions contradictoires. Une étude portant sur 1000 femmes a révélé une large palette de sentiments envers la grossesse : 35 % ont aimé être enceintes, 40 % étaient ambivalentes, 8 % ont détesté cela et les autres ont vécu des expériences différentes d'une grossesse à l'autre. Les chercheurs ont conclu que le degré d'inconfort physique que vivait une femme pendant les neuf mois de grossesse déterminait fortement ses sentiments envers cette expérience (Genevie et Margolies, 1987). Les sensations physiques et les réactions affectives sont très liées au cours de la grossesse. Le degré de malaise physique conditionne la façon dont la femme considère sa grossesse et sa vie, et vice versa (Genevie et Margolies, 1987). Dans certains cas, la grossesse s'avère difficile ; environ 20 % des femmes vivent une dépression durant leur grossesse (Miller et Underwood, 2006).

L'EXPÉRIENCE MASCULINE

Un père « en devenir » n'éprouve évidemment pas les mêmes sensations physiques qu'une femme enceinte (quoiqu'il arrive qu'un « père enceint » ait des symptômes psychosomatiques comme les nausées ou la fatigue que connaît sa partenaire). Mais, assez souvent, le père vit profondément les expériences de la grossesse et de la naissance. Comme la femme, l'homme présente fréquemment une bonne dose d'ambivalence. Il peut être ravi, mais aussi s'inquiéter du bien-être de sa partenaire et du bébé. Il n'est pas rare qu'il soit effrayé par la naissance prochaine et qu'il se demande s'il « tiendra le coup ». Il aura tendance à se montrer plus tendre et prévenant envers sa compagne. Il pourra également ressentir une certaine distance par rapport à sa partenaire, à cause des changements physiques qu'elle est seule à vivre. Toutefois, l'échographie fœtale, en donnant au père l'occasion de « voir » le fœtus dans l'utérus, peut stimuler son sentiment d'inclusion dans l'expérience (Sandelowski, 1994). L'homme pourra être fier de devenir père, mais douter de ses aptitudes à la paternité. Il pourra craindre de perdre l'affection et l'attention de sa partenaire au profit de la grossesse et du bébé (Brown, 1994). La plupart des hommes s'inquiètent des responsabilités financières accrues. Pour tout dire, le futur père a des besoins spéciaux, tout autant que la future mère, et il est important que sa compagne en prenne conscience et qu'elle soit disposée à y répondre. Une étude sur les futurs pères indique que la relation de couple s'enrichit lorsque les hommes parlent de leurs sentiments à leur partenaire (Shapiro, 1987).

LES RAPPORTS SEXUELS DURANT LA GROSSESSE

Si la grossesse n'est pas à risque, la femme et son partenaire peuvent continuer d'avoir des activités sexuelles et des orgasmes autant qu'ils le veulent jusqu'au déclenchement du travail (Schaffer, 2006). L'appétit et le désir sexuels de la femme peuvent changer pendant la grossesse. Durant le premier trimestre, son intérêt en ce domaine peut diminuer à cause des nausées, de la tension mammaire et de la fatigue. Certaines femmes éprouvent un regain de désir et d'excitation sexuels durant le deuxième trimestre, mais la plupart des études indiquent que la fréquence des contacts sexuels diminue graduellement durant les neuf mois de la grossesse, et que le désir sexuel est généralement minime durant le dernier trimestre (Bogren, 1991). Les femmes expliquent cette réduction de leurs activités sexuelles par l'inconfort physique, le sentiment d'être moins séduisantes et la crainte de blesser leur enfant (Colino, 1991).

Par ailleurs, la grossesse apporte à certaines femmes une conscience plus aiguë de leur corps et une plus grande sensualité. D'autres se sentent intensément « femmes » et sont moins inhibées sexuellement. La vasocongestion des organes sexuels durant la grossesse peut amplifier leur désir et leur réponse sexuels. Celles qui ont déjà un bon rapport à la sexualité auront vraisemblablement une vie sexuelle plus active et satisfaisante durant leur grossesse que celles dont l'attitude est négative (Fisher et Gray, 1988).

Les sentiments du partenaire influent aussi sur la vie sexuelle du couple durant la grossesse. Le corps de la femme change et le couple doit nécessairement modifier sa façon de faire l'amour. Certains hommes seront stimulés par la nouveauté, d'autres ne s'y retrouveront pas. En fin de grossesse surtout, quand le bébé semble omniprésent, les partenaires peuvent se sentir à l'étroit :

Il faut beaucoup d'humour pour faire l'amour durant le troisième trimestre : le bébé est partout. Peu importe où vous caressez votre femme, vous recevez des petits coups de pied ou des petits coups de poing, et c'est assez déconcertant de penser à ces pieds et à ces poings minuscules qui sont si près de vous. (Stern, 1987, p. 78)

Durant la gestation, il est souvent nécessaire que le couple modifie ses positions sexuelles. À mesure que la grossesse avance, les positions latérales, celles avec la femme au-dessus et la pénétration par l'arrière sont généralement plus commodes que la position du missionnaire. La stimulation buccale et manuelle des organes génitaux, les caresses sur tout le corps et les étreintes peuvent se poursuivre. En fait, le couple peut profiter de la grossesse pour explorer et développer pleinement ces aspects des ébats amoureux; même si on n'a pas envie de coït, on peut jouir de son intimité en s'adonnant à l'érotisme et au plaisir sexuel. Pour la plupart des couples, la grossesse est une période de changements émotionnels et physiques importants. La communication franche, l'information juste, le soutien mutuel et la souplesse à l'égard des activités sexuelles et de leur fréquence peuvent aider à maintenir et à renforcer les liens entre les partenaires.

UNE SAINE GROSSESSE

Lorsqu'une femme devient enceinte, son mode de vie et sa condition physique jouent un rôle important dans le développement d'un fœtus en santé.

LE DÉVELOPPEMENT DU FŒTUS

On répartit généralement la période de 9 mois (40 semaines) que dure la grossesse en trois parties de 13 semaines. Chaque trimestre se caractérise par des changements précis.

Le premier trimestre de la grossesse

Comme la vie de tous les mammifères, celle de l'humain débute par un **zygote**, c'est-à-dire par la fusion d'un spermatozoïde et d'un ovule. Cette union s'accomplit dans les trompes de Fallope. Le zygote se développe ensuite en un **blastocyste** multicellulaire qui va s'implanter dans la muqueuse utérine, environ une semaine après la conception (voir la figure 13.10). La croissance progresse régulièrement. De 9 à 10 semaines après les dernières menstruations de la femme, on peut entendre battre le cœur du fœtus à l'aide d'un stéthoscope à ultrasons appelé Doppler. Au début du deuxième mois, le fœtus mesure de 1,2 à 2,5 cm et a l'aspect d'un croissant grisâtre. Durant le même mois, le canal rachidien se forme, les rudiments des bras et des jambes apparaissent et l'on commence à distinguer des yeux, des doigts et des orteils. Durant le troisième mois, des organes internes du fœtus, tels que le foie, les reins, les intestins et les poumons, commencent à fonctionner partiellement. Le fœtus mesure maintenant 7 cm.

Le deuxième trimestre de la grossesse

Au quatrième mois de grossesse, on peut souvent distinguer le sexe du fœtus. Ses membres sont nettement formés, de même que ses ongles, ses sourcils et ses cils. Sa peau est couverte d'une sorte de fin duvet. Désormais, le fœtus prendra du volume et ses traits s'affineront. À la fin de ce quatrième mois, le fœtus remue et ses mouvements commencent à se faire sentir. À la fin du cinquième mois, il pèse un demi-kilo. Les cheveux peuvent alors faire leur apparition, et la graisse dermique se développe. À la fin du deuxième trimestre, le fœtus a ouvert les yeux.

> **Zygote**   Cellule non encore divisée résultant de l'union du spermatozoïde et de l'ovule.
>
> **Blastocyste**   Résultat multicellulaire de l'union du spermatozoïde et de l'ovule qui s'implante sur la paroi utérine.

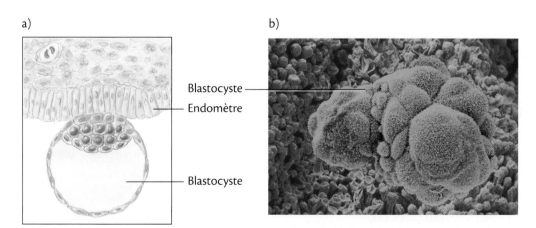

a)   b)

Blastocyste
Endomètre

Blastocyste

Figure 13.10 | a) Le blastocyste accroché à la paroi utérine montré sous forme de diagramme; b) Photo d'un blastocyste prise au moyen d'un microscope électronique.

Le développement d'un fœtus à neuf semaines. Le fœtus est relié au placenta par le cordon ombilical.

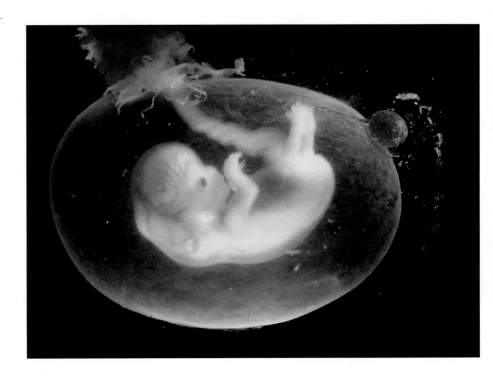

Le troisième trimestre de la grossesse

Durant le troisième trimestre, le fœtus continue à croître et à se développer pour atteindre la taille et le degré de vitalité dont il aura besoin pour vivre par lui-même (voir la figure 13.11). Il pèse environ 1,8 kg au septième mois et près de 3,3 kg à la naissance. Le duvet qui couvre son corps disparaît et ses cheveux continuent à pousser. Sa peau devient lisse, moins ridée. Elle est couverte d'une substance protectrice graisseuse et cireuse qu'on appelle *vernix caseosa*.

LES SOINS PRÉNATAUX

Certains problèmes de développement du fœtus sont génétiques et impossibles à prévenir. Toutefois, dans la plupart des cas, la santé de la mère et son alimentation jouent un rôle majeur dans le développement du fœtus et la capacité de mener à terme sa grossesse dans les meilleures conditions. C'est pourquoi une femme devrait obtenir un bilan de santé avant de devenir enceinte. Elle devrait aussi passer un test d'immunité contre la rubéole, une maladie qui peut causer de graves dommages au fœtus si la mère la contracte pendant la grossesse. Un test de dépistage du VIH devrait aussi être passé avant ou pendant la grossesse. Le VIH peut se transmettre au fœtus, et il existe des traitements visant à améliorer la santé de la mère et du fœtus en pareil cas.

Des soins adéquats sont essentiels pour la santé de la mère et du fœtus. Les éléments entrant dans une

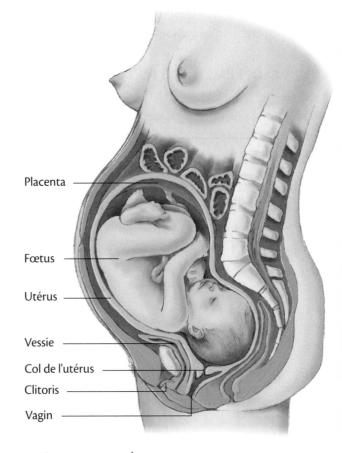

Placenta

Fœtus

Utérus

Vessie

Col de l'utérus

Clitoris

Vagin

Figure 13.11 | La grossesse au neuvième mois. L'utérus et l'abdomen ont augmenté de volume pour pouvoir contenir le fœtus.

Des exercices modérés contribuent généralement à une grossesse et à un accouchement sains. Une femme enceinte devrait consulter un professionnel de la santé pour obtenir des conseils spécifiques à sa condition.

stratégie optimale de soins prénataux peuvent inclure une saine nutrition, du repos, des soins de santé réguliers, de l'exercice et des cours prénataux (Thompson, 2003a). Malheureusement, plusieurs femmes ne reçoivent pas de soins prénataux adéquats, ce qui augmente les risques de problèmes chez les bébés, incluant un faible poids à la naissance, des maladies pulmonaires, des dommages cérébraux et un mode de croissance anormal. Les séquelles de ces problèmes pourront se faire sentir durant toute la vie de l'enfant (Hack, 2002).

LES RISQUES POUR LE DÉVELOPPEMENT DU FŒTUS

La croissance rapide du fœtus dépend de la mère pour ce qui est des éléments nutritifs, de l'oxygène et de l'élimination des déchets à travers le **placenta** (un organe en forme de disque relié à la paroi utérine, comme le montre la figure 13.12). Le fœtus est relié au placenta par le cordon ombilical. Le sang du fœtus a son propre système circulatoire indépendant dans la partie intérieure du placenta. Le sang maternel circule dans la partie externe du placenta. Le sang du fœtus et celui de la mère ne se mélangent pas normalement. Tous les échanges de substances entre le système circulatoire de la mère et celui du fœtus passent à travers les parois des vaisseaux sanguins. Les éléments nutritifs et l'oxygène provenant de la mère entrent dans les vaisseaux sanguins du fœtus; le gaz carbonique et les déchets provenant du fœtus passent dans les vaisseaux sanguins de la mère pour y être évacués dans son système circulatoire.

Le placenta empêche certains types de bactéries et de virus de pénétrer dans le système sanguin du fœtus, mais il ne les bloque pas tous. Plusieurs, dont le VIH, réussissent à passer. Certains médicaments prescrits, certaines drogues légales comme le tabac et l'alcool et les drogues illégales nuisent au développement du fœtus. Les données statistiques indiquent qu'un enfant sur trois a été exposé à l'alcool ou à d'autres drogues alors qu'il était dans l'utérus de sa mère (Andrews et Patterson, 1995). En ce domaine, l'alcool et le tabac font annuellement beaucoup plus de ravages que les substances illégales (Pirie et coll., 2000 ; Yuan et coll., 2001).

La consommation de cigarettes par la mère réduit l'apport en oxygène dans le système circulatoire et constitue ainsi un sérieux danger pour la santé du fœtus. La cigarette augmente aussi les risques de fausse couche et de complications durant la grossesse, pouvant aller jusqu'à la mort du fœtus ou du bébé (Lain et coll., 2006). Par rapport aux enfants de mères non fumeuses, ceux des mères qui fument durant la grossesse ont souvent un poids plus faible, ont plus de problèmes respiratoires, ont de 50 % à 70 % plus de risques d'avoir une fente labiale ou du palais et ont une croissance significativement plus lente (Olds et coll., 1994 ; Williams, 2000).

L'alcool traverse facilement les membranes du placenta et pénètre dans les tissus du fœtus, surtout ceux du cerveau. Le **syndrome d'alcoolisme fœtal** (SAF) est la principale cause des anomalies de naissance et des

Placenta Organe en forme de disque qui est rattaché à la paroi utérine et relié au fœtus par le cordon ombilical. Les éléments nutritifs, l'oxygène et les déchets produits par le fœtus sont transférés à la mère à travers les parois cellulaires du placenta.

Syndrome d'alcoolisme fœtal Syndrome présent chez les nouveau-nés causé par une consommation intensive d'alcool par la mère durant la grossesse. Il est caractérisé par des anomalies cardiaques congénitales, des dommages au cerveau et au système nerveux, diverses malformations physiques du fœtus et un quotient intellectuel sous la normale.

a)   b)

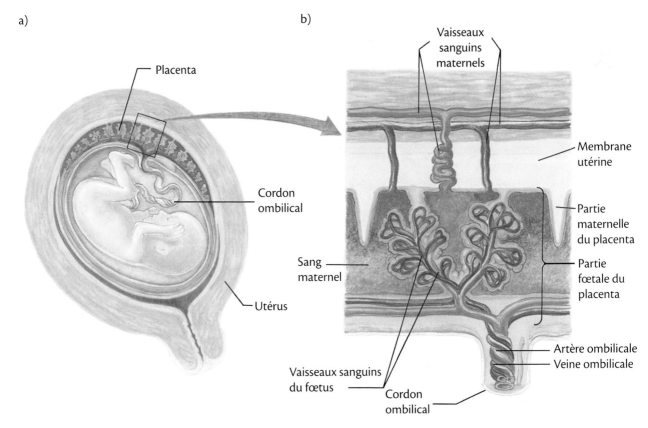

Figure 13.12 | Le placenta permet l'échange des éléments nutritifs, de l'oxygène et des déchets entre le système circulatoire du fœtus et celui de la mère. a) Le placenta attaché à la paroi utérine; b) Gros plan détaillant le placenta.

problèmes de croissance en Amérique (Walling, 2005). Depuis près de 30 ans, les autorités en santé recommandent aux mères de s'abstenir de toute consommation d'alcool pendant la grossesse afin d'éviter des dommages à leur bébé. Même une seule consommation par jour peut causer des problèmes, ce qui a été corrélé avec des effets secondaires à la naissance.

La consommation occasionnelle d'alcool en grande quantité (cinq consommations ou plus) est extrêmement dommageable au fœtus. L'alcool peut provoquer la mort du fœtus et une fausse couche, la naissance prématurée, des anomalies cardiaques congénitales, des dommages au cerveau et au système nerveux ainsi que plusieurs malformations physiques. Le bébé peut naître avec une dépendance à l'alcool et, par conséquent, vivre un sevrage pendant plusieurs jours après sa naissance. Les séquelles du syndrome d'alcoolisme fœtal persistent pendant l'enfance, et ceux qui en sont atteints demeurent plus petits que la normale, connaissent des retards dans leur développement et ont des problèmes comportementaux (Willford et coll., 2006).

Les mères qui, durant leur grossesse, ont consommé de façon régulière des drogues génératrices de dépendance, telles que des amphétamines et des opiacés, ont souvent des bébés prématurés et de faible poids (Sprauve et coll., 1997). De plus, ces bébés vivent un sevrage après leur naissance: ils ont des spasmes, des problèmes d'alimentation et de sommeil, une tension musculaire anormale et se retrouvent souvent dans les unités de soins intensifs en néonatalité. Outre les anomalies congénitales, ils peuvent aussi connaître des déficits de leurs capacités sensorielles, motrices et cognitives au-delà de leur enfance (Zambrana et Scrimshaw, 1997).

Dans nombre de situations tragiques, les dommages causés à l'enfant sont dus à des médicaments, prescrits ou non, que la mère a pris durant sa grossesse. Par exemple, la thalidomide, qui était prescrite comme sédatif aux femmes enceintes au début des années 1960, a causé de graves déformations des membres chez les nouveau-nés. Certains enfants de femmes qui ont pris du diethylstibestrol (DES) pendant leur grossesse ont développé des anomalies du tractus génital, dont le cancer (Mitka, 2003a). Les antibiotiques doivent être pris avec prudence pendant la grossesse. La tétracycline, un antibiotique souvent prescrit, peut affecter les dents du nourrisson et causer le rachitisme s'il est pris après la 14ᵉ semaine de grossesse (Lynch et coll., 1991). Plusieurs médicaments en vente libre, tels que l'ibuprofène, l'aspirine et les antihistaminiques, peuvent être dommageables au fœtus, et les effets de plusieurs autres médicaments et plantes disponibles sans ordonnance sont inconnus (Glover et coll., 2003). Les substances toxiques présentes dans un environnement pollué peuvent aussi nuire au développement du fœtus (Haney, 1994).

Nous connaissons mal les effets de la plupart des drogues et autres substances consommées par les femmes enceintes (Janssen et Genta, 2000). Mais nous découvrons de plus en plus leur danger potentiel. C'est pourquoi la femme enceinte ne devrait prendre aucun médicament, sauf par stricte nécessité et sous surveillance médicale.

LA GROSSESSE PASSÉ L'ÂGE DE 35 ANS

Un nombre croissant de femmes ont des enfants passé l'âge de 35 ans. Au Canada, de 1996 à 2005, on a observé une hausse de 45 % des femmes de 35 ans et plus qui ont donné naissance à un enfant (Statistique Canada, 2008). Le principal risque encouru par les couples qui décident d'avoir des enfants lorsque la femme aura atteint la mi-trentaine est que sa fertilité sera moins grande.

Les femmes plus âgées ne courent pas plus de risques d'avoir des enfants avec des anomalies congénitales non reliées à des chromosomes anormaux. Cependant, le taux d'anomalies fœtales résultant d'anomalies chromosomiques (comme le syndrome de Down) augmente avec l'âge de la mère. On estime que le risque d'avoir un fœtus anormal est de 2,6 sur 1000 avant 30 ans, de 5,6 à 35 ans, de 15,8 à 40 ans et de 53,7 à 45 ans. Chez les femmes âgées de 35 à 44 ans, le recours à des tests prénataux et à l'interruption volontaire de grossesse réduit ce risque d'anomalies congénitales à un niveau comparable à celui des femmes plus jeunes (Yuan et coll., 2000).

Au-delà de 35 ans, la grossesse comporte des risques supplémentaires pour la mère et le fœtus. On observe dans ces cas des taux légèrement supérieurs de mortalité maternelle, de naissances prématurées, de césariennes et de bébés de faible poids (London, 2004). La plupart des médecins pensent que la grossesse chez une femme en santé de plus de 35 ans est sans danger et qu'elle n'est pas difficile à encadrer médicalement. Les maladies chroniques telles que le diabète et l'hypertension peuvent poser plus de problèmes que l'âge lui-même pour ce qui est de l'accouchement et de la santé du nourrisson (Yuan et coll., 2000).

L'ACCOUCHEMENT

La durée d'une grossesse est habituellement de 40 semaines après les dernières menstruations, bien qu'il y ait certaines variations. Certaines femmes ont des grossesses plus longues, d'autres donnent naissance à des bébés complètement développés quelques semaines avant que les neuf mois soient passés. L'expérience de la grossesse varie aussi grandement selon la physiologie de la mère, son état émotionnel, la grosseur et la position du bébé, les pratiques lors de l'accouchement et le type de soutien donné.

LES NAISSANCES CONTEMPORAINES

De nos jours, les futurs parents peuvent compter sur la collaboration étroite d'intervenants spécialisés pour se préparer physiquement et psychologiquement à la naissance de leur enfant. Les futurs parents participent de plus en plus à des **cours prénataux** qui leur donnent l'information essentielle sur le travail de la femme et l'accouchement proprement dit. Les cours aident aussi la femme à faire face aux douleurs de l'accouchement grâce à des exercices de respiration et de relaxation ; cette formation s'adresse également à la personne qui l'accompagnera durant l'accouchement (son ou sa partenaire, un membre de la famille ou une amie). La recherche indique que les femmes accompagnées de quelqu'un qui les supporte durant l'accouchement nécessitent moins souvent une césarienne, prennent moins de médicaments contre la douleur, ont un travail qui dure moins longtemps et sont plus satisfaites de leur expérience d'accouchement (Campbell et coll. 2006 ; McNiven et coll., 1992).

Cette façon de se préparer à bien vivre l'accouchement provient des idées exprimées par les docteurs Grantly Dick-Read et Fernand Lamaze à la fin des années 1930 et au début des années 1940. Ces derniers pensaient que

Cours prénataux Formation à l'intention de la femme enceinte et d'une personne accompagnatrice, comportant de l'information, des exercices de respiration et de relaxation, en vue de se préparer à l'accouchement et à la naissance d'un enfant.

Les cours prénataux aident les futurs mères et pères à se préparer à l'accouchement et à la naissance de leur enfant.

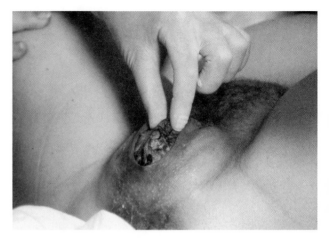

La deuxième phase du travail constitue habituellement le point culminant de l'accouchement.

la plus grande partie des douleurs de l'accouchement étaient liées à la tension musculaire causée par la peur. Pour diminuer cette anxiété, ils prônèrent une éducation axée sur le processus de la naissance, la relaxation et le calme, le soutien constant de la femme durant le travail, des exercices respiratoires et des exercices de relaxation des muscles abdominaux et du périnée.

LES PHASES DE L'ACCOUCHEMENT

Même s'il y a des variations dans le processus de l'accouchement, celui-ci comporte généralement trois phases identifiables (voir la figure 13.13). Une femme peut souvent dire que le travail débute lorsque les contractions de l'utérus deviennent régulières. Un autre indice du début de la **première phase du travail**, pendant laquelle le col de l'utérus se dilate jusqu'à 10 cm, est l'expulsion du bouchon cervical. Le sac amniotique peut se rompre pendant cette phase, c'est ce qu'on appelle parfois la « perte des eaux ». Avant que ne commence la première phase, l'**effacement** du col de l'utérus a déjà

eu lieu et sa dilatation a été amorcée. Le col de l'utérus continue de se dilater pendant toute la durée de la première phase, qui est la plus longue des trois phases de l'accouchement ; celle-ci peut durer de 10 à 16 heures lors d'un premier accouchement et de 4 à 8 heures lors des accouchements subséquents.

La **deuxième phase du travail** débute lorsque le col de l'utérus est pleinement dilaté et que le bébé s'engage dans le vagin. En général, celui-ci se présente la tête en premier, tel que le montre la figure 13.13b. La deuxième phase dure en moyenne entre une demi-heure et deux heures. Au cours de cette phase, la femme peut donner des poussées pour aider le bébé à sortir ; plusieurs femmes disent que ces poussées volontaires sont la meilleure partie du travail :

 J'ai su ce que le « travail » voulait dire lorsque j'ai été finalement prête à pousser. Je n'avais jamais travaillé aussi fort et aussi volontairement. (Notes des auteurs)

La deuxième phase se termine avec la naissance du bébé.

La **troisième phase du travail** comprend la période entre la sortie du bébé et l'expulsion du placenta, comme le montre la figure 13.13c. À la suite d'une ou deux contractions utérines, le placenta se décolle de la paroi de l'utérus et est expulsé du vagin, la plupart du temps dans la demi-heure qui suit la naissance.

LA NAISSANCE PAR CÉSARIENNE

Une **césarienne** est une opération qui consiste à retirer le bébé en pratiquant une incision dans la paroi

a) **Première phase**

Dilatation du col de l'utérus, suivie d'une période de transition au cours de laquelle la tête du bébé traverse le col de l'utérus.

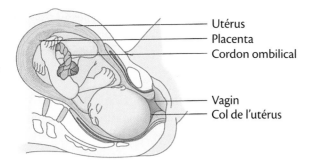

Utérus
Placenta
Cordon ombilical

Vagin
Col de l'utérus

b) **Deuxième phase**

Passage du bébé par le vagin et son arrivée dans le monde.

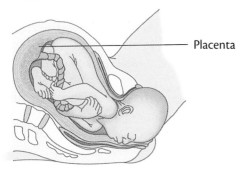

Placenta

c) **Troisième phase**

Expulsion du placenta, du sang et des liquides.

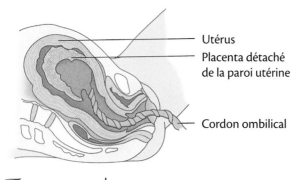

Utérus
Placenta détaché de la paroi utérine

Cordon ombilical

Figure 13.13 | Les trois phases de l'accouchement.

abdominale et l'utérus de la mère, ce qui peut sauver la vie de la mère et du bébé. Recourir à une césarienne peut se justifier dans plusieurs situations, notamment lorsque la tête du bébé est trop grosse pour passer par les voies naturelles, lorsqu'il y a des signes de détresse fœtale pendant le travail, lorsqu'il y a des complications durant l'accouchement, lorsque la mère est malade, ou dans d'autres situations problématiques (par exemple,

lorsque le bébé se présente par les pieds). Les femmes qui accouchent par césarienne reçoivent souvent un type d'anesthésie qui leur permet de demeurer conscientes et d'accueillir leur bébé dès qu'il est sorti. Dans plusieurs hôpitaux, les pères peuvent demeurer présents dans la salle pendant la naissance par césarienne.

Une femme peut accoucher plus d'une fois par césarienne, bien que les risques médicaux augmentent d'une fois à l'autre (Getahun et coll., 2006 ; Silver et coll., 2006). Une femme peut accoucher par voie naturelle après une première césarienne (AVAC), selon les circonstances de cette césarienne et les conditions dans lesquelles se déroule le nouvel accouchement. Même si les femmes qui ont accouché par césarienne sont moins satisfaites de leur expérience d'enfantement que celles qui ont accouché par voie vaginale, l'adaptation post-accouchement est la même dans les deux cas (Padawer et coll., 1988).

APRÈS L'ACCOUCHEMENT

Les premières semaines qui suivent l'accouchement sont appelées **période postpartum**. C'est une période d'adaptation à la fois physique et psychologique pour chaque membre de la famille, et sans doute une période de hauts et de bas émotionnels. Le nouveau bébé modifie les rôles et les interactions au sein de la famille. Les parents peuvent vivre une plus forte intimité comme ils peuvent ressentir certains malaises affectifs. Un partenaire peut parfois ressentir de la jalousie face à la relation privilégiée qui s'établit entre la mère et son enfant. Chacun des partenaires peut avoir besoin d'un plus grand soutien émotionnel de la part de l'autre, mais chacun peut en avoir moins à donner qu'à l'accoutumée.

Première phase du travail Phase initiale de l'accouchement pendant laquelle les contractions deviennent régulières et le col de l'utérus se dilate.

Effacement Amincissement du col de l'utérus qui se produit pendant l'accouchement

Deuxième phase du travail Phase intermédiaire du travail pendant laquelle le bébé sort du vagin.

Troisième phase du travail Dernière phase de l'accouchement pendant laquelle le placenta se détache de l'utérus et est expulsé du vagin.

Césarienne Méthode d'accouchement par laquelle le bébé est retiré en pratiquant une incision dans la paroi abdominale et l'utérus de la mère.

Période postpartum Premières semaines qui suivent l'accouchement.

L'énergie et le temps qu'exigent les soins du bébé peuvent générer de l'épuisement et du stress. La répartition des tâches domestiques peut aussi créer des difficultés pendant les premiers mois et les premières années de la vie de l'enfant (Cowan et Cowan, 1992). Un bon réseau d'entraide peut s'avérer très utile pour les nouveaux parents. Le fait de comprendre que leurs sentiments représentent une réaction courante chez les nouveaux parents peut les aider à s'adapter au stress que comporte leur nouvelle situation.

La **dépression postpartum** (DPP) touche 15 % des mères (Routh, 2000). À la différence du syndrome du troisième jour (*baby blues*), qui est plus fréquent (goût de pleurer et humeur labile pouvant durer jusqu'à 10 jours que 75 % des nouvelles mamans vivent), la DPP comprend les symptômes classiques de la dépression, incluant l'insomnie, l'anxiété, les crises de panique et le désespoir. Dans sa forme extrême, les femmes souffrant de DPP se désintéressent de leur bébé ou développent des idées obsédantes de se blesser ou de blesser leur bébé. De telles réactions peuvent être attribuables aux soudains changements émotionnels, physiques et hormonaux qui se produisent après l'accouchement. Le manque de sommeil dû aux soins du nouveau-né est aussi une cause de grand stress et d'épuisement des réserves émotionnelles et physiques. Heureusement, la dépression postpartum peut être traitée (Beck, 2006).

L'ALLAITEMENT MATERNEL

Après (parfois avant) l'accouchement, les seins de la mère commencent à sécréter un liquide jaunâtre, appelé **colostrum**, qui contient des anticorps et des protéines. De un à trois jours après l'accouchement, la production de lait, ou lactation, débute. La succion exercée sur les mamelons par le bébé déclenche la production d'hormones hypophysaires qui, à leur tour, stimulent la production de lait par les glandes mammaires. Si une mère n'allaite pas, ou veut cesser de le faire, la production de lait s'arrête au bout de quelques jours.

L'allaitement au sein comporte plusieurs avantages sur les plans physique et émotionnel. Le lait maternel procure au bébé une nourriture facilement digestible qui contient des anticorps et d'autres agents qui stimulent le système immunitaire (Wold et Adlerberth, 1998). La recherche montre que les bébés nourris au sein sont moins affectés par la douleur et le stress que les autres (Shah et coll., 2006). La lactation déclenche aussi des contractions de l'utérus qui accélèrent le retour de celui-ci à sa taille d'avant la grossesse. L'allaitement au

Question d'analyse critique

Quelle différence voyez-vous entre le plaisir sexuel que certaines femmes ressentent en allaitant et celui provoqué par les caresses d'un partenaire ?

sein peut être pour la mère une expérience positive sur les plans affectif et sensuel. Il constitue un moment privilégié de contact intime avec le bébé.

J'aime beaucoup voir l'expression de satisfaction s'installer graduellement sur le visage de mon bébé pendant qu'elle se remplit le ventre du lait de mes seins. C'est une façon formidable de poursuivre le lien physique que nous avions durant la grossesse que de la voir, avec ses joues bien rondes, se développer grâce à la nourriture que mon corps lui fournit. (Notes des auteurs)

Ce contact se teinte parfois d'une sensualité qui peut troubler la mère. Certaines parlent même dans ce cas d'excitation ou d'érotisation, avec les questions que cela soulève.

Je voudrais savoir pourquoi je lubrifie intensément avec une sensation de plaisir pendant l'allaitement de mon fils ? Je n'ai pas éprouvé cela avec ma fille, et je me demande, en deuxième lieu, si les garçons tètent différemment ? (Site Élysa)

L'allaitement est pour la mère une occasion privilégiée de contact intime avec son bébé.

Il n'y a pas lieu d'interpréter cette réaction autrement que comme la manifestation d'un lien neurologique entre les mamelons de la femme et sa région génitale. Cela s'apparente à un réflexe.

L'allaitement peut inhiber temporairement l'ovulation, surtout chez les femmes qui nourrissent leur bébé uniquement avec leur lait (Perez et coll., 1992). Par contre, comme nous l'avons vu précédemment, l'allaitement n'est pas une méthode contraceptive fiable. Les contraceptifs contenant des œstrogènes ne doivent pas être pris pendant l'allaitement parce que ces hormones diminuent la quantité de lait et en modifient la qualité. Par ailleurs, les contraceptifs ne contenant que des progestatifs peuvent être utilisés à ce moment parce qu'ils n'affectent ni la quantité ni la qualité du lait (Salisbury, 1991). Certains couples préfèrent recourir au condom et à la mousse spermicide afin d'éviter un surplus d'hormones pendant l'allaitement.

L'allaitement a aussi des désavantages à court terme. De un, il abaisse le niveau d'œstrogène, lequel est nécessaire au maintien des tissus vulvaires et aide à la lubrification. Il est donc possible que la femme qui allaite soit moins intéressée par les activités sexuelles et que ses organes génitaux deviennent douloureux pendant le coït. Le lait peut sortir spontanément lors de stimulations sexuelles — une source d'amusement ou d'embarras. Il est souvent plus facile de partager les responsabilités liées aux soins du bébé en le nourrissant à la bouteille qu'en l'allaitant; le père peut alors jouer un plus grand rôle s'il tient et nourrit lui-même le bébé. Par contre, la mère qui allaite a la possibilité d'utiliser une pompe pour extraire le lait de ses seins, qui peut alors être mis en bouteille; le père ou toute autre personne s'occupant du bébé sera alors en mesure de le nourrir.

L'allaitement est recommandé par diverses sources médicales et par l'Organisation mondiale de la santé comme la seule méthode à utiliser pour nourrir l'enfant pendant ses six premiers mois. Cette pratique est en hausse au Canada, mais nous ne disposons pas de chiffres récents à ce sujet, les statistiques officielles ne précisant pas toujours la durée de l'allaitement exclusivement au sein. Le Québec s'étant doté d'une politique d'accès à la parentalité qui se compare à celle de la Suède, il serait intéressant de voir si le taux d'allaitement suit la même tendance qu'en ce pays, où l'on enregistre le plus haut taux d'allaitement maternel dans le monde industrialisé.

LA SEXUALITÉ DU COUPLE APRÈS L'ACCOUCHEMENT

On dit souvent aux couples qu'ils pourront reprendre les relations sexuelles une fois que les écoulements utérins rougeâtres, appelés **lochies**, auront cessé et que les incisions de l'**épisiotomie** ou les déchirures du vagin seront guéries, soit en général au bout de trois à quatre semaines. Mais la plupart des couples attendent de six à huit semaines après l'accouchement (Volm, 1997). En effet, pour reprendre les activités sexuelles, il faut que la femme se sente physiquement à l'aise. Cela dépendra du type d'accouchement qu'elle a eu, de la grosseur du bébé et de la façon dont il s'est présenté, de l'importance de l'épisiotomie ou des déchirures qu'elle a subies et de la rapidité de leur guérison. La baisse hormonale qui caractérise le postpartum, particulièrement marquée chez la femme qui allaite, peut rendre le coït désagréable. Après une césarienne, le couple doit attendre que la cicatrisation soit assez avancée pour que le coït ne soit pas douloureux pour la femme. En attendant, toutes les autres activités sexuelles et démonstrations d'affection peuvent continuer.

L'arrivée d'un nouveau-né change beaucoup la vie quotidienne d'un couple et cela peut perturber son intimité sexuelle (Botros et coll., 2006). Une recherche a montré un fort taux de difficultés sexuelles chez les sujets interrogés après la naissance d'un enfant. Avant la grossesse, 38 % des personnes interrogées disaient connaître des difficultés sexuelles, et ce taux passait à 80 % au cours des trois premiers mois après l'accouchement. Après six mois, 64 % des sujets continuaient d'avoir des difficultés. Les problèmes les plus courants étaient la baisse du désir sexuel, la sécheresse vaginale et les douleurs coïtales. Selon une chercheuse qui a écrit plusieurs livres sur la grossesse et la première année de la maternité, les couples doivent s'attendre à ce que leur vie sexuelle soit « vraiment misérable » durant au moins un an : « Mère Nature se sert de tout son arsenal de moyens, des hormones à l'humilité, pour vous garder centrée sur votre bébé et vous empêcher de devenir de nouveau enceinte » (Iovine, 1997a, p. 158).

Dépression postpartum Symptômes de dépression parfois accompagnés d'idées obsédantes de faire mal au bébé.

Colostrum Liquide jaunâtre sécrété par les seins vers la fin de la grossesse et pendant les premiers jours suivant l'accouchement.

Lochies Écoulement rougeâtre provenant de l'utérus qui se produit après l'accouchement.

Épisiotomie Incision du périnée pratiquée lors de certains accouchements.

L'épuisement peut aussi affecter la sexualité après une naissance. Les soins qu'exige le nouveau-né peuvent faire en sorte qu'il ne reste plus au couple suffisamment de temps ou d'énergie pour exprimer sa sexualité (Gearhart et Robboy, 2005). Avec les horaires des parents et celui du bébé, faire l'amour relève pratiquement d'un défi. Les préoccupations liées au bébé peuvent aussi interférer.

 On dirait que chaque fois que nous tentons de faire l'amour, le bébé se met à pleurer. Même si je sais qu'il n'a pas faim et qu'il est au sec, je ne peux

 me concentrer sur mes sensations sexuelles : quand je n'entends rien, je m'inquiète de savoir s'il est mort ! Mon mari réagit de la même façon. Alors, la plupart du temps, on ne peut plus poursuivre ensemble. (Notes des auteurs)

Les couples qui voient leurs activités sexuelles perturbées par la grossesse et la naissance peuvent se sentir frustrés par cette situation. Il peut alors être utile de reprendre ses contacts sexuels sans hâte en adoptant une attitude exploratoire.

RÉSUMÉ

LA CONTRACEPTION

❊ Aussi loin qu'on remonte dans l'histoire, on trouve chez les humains une volonté de régulation des naissances.

❊ Certaines religions s'objectent à la contraception non naturelle.

❊ Le partenaire masculin devrait partager la responsabilité de la contraception avec sa compagne.

❊ Pour choisir une méthode de contraception appropriée, on compare la commodité, l'efficacité et le coût des différents moyens.

❊ Les gens qui voient leur sexualité d'un œil négatif ou coupable utilisent généralement la contraception de façon moins efficace.

❊ Les contraceptifs oraux ont l'avantage d'être très efficaces et de ne pas interférer avec l'activité sexuelle.

❊ Disponible depuis 1991, le progestatif Norplant est un implant sous-cutané efficace pendant cinq ans.

❊ Le Depo-Provera est un contraceptif injectable d'une durée de trois mois.

❊ Les barrières contraceptives comprennent :
   – les préservatifs, dont certains sont enduits de nonoxynol-9, un lubrifiant spermicide ;
   – le diaphragme ;
   – la cape cervicale ;
   – les spermicides vaginaux (mousses, éponges, suppositoires, crèmes, gelées et films contraceptifs).

❊ Les dispositifs intra-utérins (DIU) sont entourés d'un filament de cuivre ou pourvus d'un réservoir contenant une hormone.

❊ La pilule contraceptive d'urgence et le stérilet de cuivre peuvent être utilisés comme moyen de contraception après qu'une femme a eu un rapport coïtal non protégé.

❊ Les méthodes fondées sur le cycle menstruel (méthode de la glaire cervicale, méthode du calendrier, méthode de la température basale) permettent de planifier les rapports coïtaux en dehors des périodes de fécondité de la femme.

❊ La ligature des trompes est le mode de stérilisation féminine le plus courant. L'intervention ne modifie ni les niveaux hormonaux de la femme, ni son cycle menstruel, pas plus qu'elle ne déclenche la ménopause.

❊ La vasectomie, le mode de stérilisation masculine, n'est efficace qu'après 8 à 12 semaines.

❊ L'allaitement, les douches vaginales et le coït interrompu ne sont pas des méthodes de contraception fiables.

❊ La recherche sur les futures méthodes contraceptives masculines vise la mise au point d'un inhibiteur hormonal capable de réduire le nombre de spermatozoïdes et d'amoindrir leur motilité.

LA GROSSESSE ET LA PARENTALITÉ

* La synchronisation des relations coïtales avec l'ovulation augmente les probabilités de concevoir.

* L'absence d'ovulation et le blocage des trompes de Fallope sont les causes habituelles de l'infertilité féminine. Le faible nombre de spermatozoïdes est la cause la plus commune de l'infertilité masculine.

* L'alcool, la toxicomanie, le tabagisme et les ITSS réduisent la fécondité des hommes et des femmes.

* La stérilité est une source de problèmes sexuels, car elle suscite un stress affectif dans le couple et trouble son harmonie sexuelle.

* Les questions juridiques et éthiques liées à l'insémination artificielle et aux techniques de procréation assistée sont complexes et n'ont pas fini de susciter la controverse.

* L'insémination artificielle avec le sperme d'un donneur est pratiquée lorsque l'époux est infertile.

* Le premier signe de grossesse est habituellement l'absence de menstruations au moment prévu. Le diagnostic de grossesse s'établit par un test d'urine, un test sanguin ou un examen pelvien.

* L'avortement spontané, ou fausse couche, se produit dans environ une grossesse sur sept, généralement durant les trois premiers mois.

* Les méthodes d'avortement varient selon les stades de la grossesse. Les plus courantes sont l'avortement médical, l'aspiration-curetage, l'injection de prostaglandines et la dilatation-extraction.

* Les échecs sur le plan de la contraception sont la principale cause des avortements à répétition.

* La prise de risque sur le plan contraceptif entraîne souvent une grossesse non désirée et, par conséquent, un avortement.

* Il y a une grande variété de réactions psychologiques féminines face à la grossesse. On compte entre autres 20 % de cas de dépression.

* Les hommes s'engagent de plus en plus dans les processus prénataux, l'accouchement et l'éducation des enfants.

* Sauf dans certains cas de complications médicales, et malgré que des adaptations de position puissent s'avérer nécessaires, les échanges sensuels et sexuels peuvent se poursuivre pendant la grossesse.

* La grossesse comporte trois trimestres, chacun étant caractérisé par des changements chez le fœtus.

* L'échange de nutriments, d'oxygène et de déchets entre la mère et son fœtus se fait à travers le placenta.

* Le tabagisme, l'alcool, les drogues et certains médicaments peuvent nuire gravement au développement du fœtus.

* De plus en plus de femmes décident d'enfanter après l'âge de 35 ans. Ces femmes ont une fertilité un peu plus faible et risquent davantage de concevoir un enfant ayant des anomalies chromosomiques. Cependant, grâce à un encadrement approprié au cours de la grossesse et de l'accouchement, ces risques peuvent être ramenés au même niveau que ceux des femmes plus jeunes.

* L'accouchement planifié, popularisé par Fernand Lamaze et Grantly Dick-Read, a changé les pratiques lors de l'accouchement.

* La deuxième phase du travail se termine par la naissance. Le placenta est expulsé lors de la troisième phase.

* Le taux de césariennes a augmenté de façon significative en Amérique et le débat se poursuit à propos de ce type d'intervention.

* L'arrivée d'un bébé implique des adaptations sur les plans physique, émotionnel et familial. La dépression postpartum touche 15 % des nouvelles mères.

* L'allaitement maternel et l'allaitement à la bouteille ont chacun ses avantages et ses inconvénients.

* Les relations coïtales après l'accouchement peuvent reprendre lorsque les lochies sont arrêtées et que toute déchirure vaginale ou incision d'épisiotomie sont guéries. Cela peut prendre plus de temps, par contre, pour que l'intérêt sexuel et l'excitation reviennent à la normale.

BIBLIOGRAPHIE

Aaronson, L. (2005). « The mend of the affair », *Psychology Today*, septembre-octobre, p. 48.

AAUW (American Association of University Women) (1992). *Shortchanging Girls, Shortchanging America*, Washington (D.C.), AAUW.

Abbey, A., Clinton-Sherrod, A., McAuslan, P., Zawacki, T., et Buck, P. (2003). « The relationship between the quantity of alcohol consumed and the severity of sexual assaults committed by college men », *Journal of Interpersonal Violence*, vol. 18, p. 831-833.

Abbey, A., McAuslan, P., et Ross, L. (1998). « Sexual assault perpetuation by college men: The role of alcohol, misperception of sexual intent, and sexual beliefs and experiences », *Journal of Social and Clinical Psychology*, vol. 17, p. 167-195.

Abbott, E. (2000). *A History of Celibacy*. New York, Scribner.

Abel, G. (1981). « The evaluation and treatment of sexual offenders and their victims », communication donnée au St. Vincent Hospital and Medical Center, Portland (Oregon), 15 octobre.

Abel, G., Barlow, D., Blanchard, E. et Guild, D. (1977). « The components of rapists' sexual arousal », *Archives of General Psychiatry*, vol. 34, p. 895-903.

Abel, G., Becker, J., et Cunningham-Ratder, J. (1984). « Complications, consent, and cognitions in sex between children and adults », *International Journal of Law and Psychiatry*, vol. 7, p. 89-103.

Abel, G., et Osborn, C. (2000). « The paraphilias » (sous la direction de M. Gelder, J. Lopez-Ibor, et N. Andreasen), *New Oxford Textbook of Psychiatry*, Oxford, Oxford University Press.

Abner, S.R., Guenthner, P.C., Guarner, J., et coll. (2005). « A human colorectal explant culture to evaluate topical microbicides for the prevention of HIV infection », *Journal of infectious diseases*, vol. 192, p. 1545-1556.

Absi-Semaan, N., Crombie, G. et Freeman, C. (1993). « Masculinity and femininity in middle childhood: Developmental and factor analysis », *Sex Roles*, vol. 28, p. 187-202.

Acker, M., et Davis, M. (1992). « Intimacy, passion, and commitment in adult romantic relationships: A test of the triangular theory of love », *Journal of Social and Personal Relationships*, vol. 9, p. 21-50.

Ackerman, M., Montague, D. et Morganstern, S. (1994). « Impotence: help for erectile dysfunction », *Patient Care*, mars, p. 22-56.

Adams, B. (2003). « Keeping it up », *The Advocate*, 11 novembre, p. 38-40.

Adams, S., Jr., Dubbert, P., Chupurdia, K., Jones, A., Jr., Lofland, K. et Leermakers, E. (1996). « Assessment of sexual beliefs and information in aging couples with sexual dysfunction », *Archives of Sexual Behavior*, vol. 25, p. 249-260.

Adamson, A. (2003). *Scents to Raise Your... Blood Pressure*. http://www.philly.com/mld/philly/living/food/5161648.htm. (Consultation en ligne le 5 avril 2003).

Addiego, F., Belzer, E., Comolli, J., Moger, W., Perry, J. et Whipple, B. (1981). « Female ejaculation: A case study », *Journal of Sex Research*, vol. 17, p. 13-21.

Addis, I., Van Den Eeden, S., Wassel-Fyr, C., et Vittinghoff, E. (2006). « Sexual activity and function in middle-aged and older women », *Obstetrics and Gynecology*, vol. 107, p. 755-764.

Adelman, W. et Joffe, A. (2000). « Revisiting the adolescent male genital examination », *Patient Care*, 29 février, p. 83-98.

Adler, N., Hendrick, S. et Hendrick, C. (1989). « Male sexual preference and attitudes toward love and sexuality », *Journal of Sex Education and Therapy*, vol. 12, p. 27-30.

Adler, N., Ozer, E., et Tschann, J. (2003). « Abortion among adolescents », *American Psychologist*, vol. 58, p. 211-217.

Afifi, W., et Faulkner, S. (2000) « On being "just friends": The frequency and impact of sexual activity in cross-sex friendships », *Journal of Social and Personal Relationships*, vol. 17, p. 205-222.

Agence de la santé publique du Canada (2007). *Actualités en épidémiologie sur le VIH/sida*, novembre 2007, Division de la surveillance et de l'évaluation des risques, Centre de prévention et de contrôle des maladies infectieuses, Ottawa, http://www.phac-aspc.gc.ca/aids-sida/publication/epi/pdf/epi2007_f.pdf.

Agence de la santé publique du Canada (2008). *Les infections transmissibles sexuellement*, http://www.phac-aspc.gc.ca/publicat/std-mts/index-fra.php (consultation en ligne le 24 mars 2009).

Agger, I., et Jensen, S. (1994). « Sexuality as a tool of political repression » (sous la direction de H. Riguelme), *Era in Twilight: Psychocultural Situation Under State Terrorism in Latin America*, Bilbao, Espagne, Instituto Horizonte.

Ainsworth, M. (1979). « Infant-mother attachment », *American Psychologist*, vol. 34, p. 932-937.

Ainsworth, M. (1989). « Attachments beyond infancy », *American Psychologist*, vol. 44, p. 709-716.

Ainsworth, M., Blehar, M., Waters, E., et Walls, S. (1978). *Patterns of Attachment: A Psychological Study of the Strange Situation*. Hillsdale, NJ, Erlbaum.

Alan Guttmacher Institute (2006). *Top 10 Ways Sexual and Reproductive Health Suffered in 2004*. http://www.guttmacher.org. (Consultation en ligne le 2 février 2006).

Alberoni, F. (1993). *Le choc amoureux*, Paris, Presse Pocket.

Albertsen, P., Aaronson, N., Muller, M., Keller, S. et Ware, J. (1997). « Health-related quality of life among patients with metastatic prostate cancer », *Urology*, vol. 49, p. 207-217.

Alexander, B. (17 août 2006). *Will technology revolutionize boinking?* http://www.msnbc.msn.com/id/14292504/print/1/displaymode/1098/. (Consultation en ligne le 21 août 2006).

Alexander, B. (9 juin 2005). *Plastic surgery on private parts*. http://www.msnbc.msn.com/id/8132227/print/1/displaymode/1098/. (Consultation en ligne le 9 juin 2005).

Alexander, G. (2003). « An evolutionary perspective of sex-typed toy preferences: Pink, blue, and the brain », *Archives of Sexual Behavior*, vol. 32, p. 7-14.

Alexander, N. (2003). « No pill, but other male birth control likely in not-too-distant future », *Contemporary Sexuality*, 8 janvier.

Alfano, P. (2006). « The shadowy world of sex tours: Critics say businesses like the one run by a Fort Worth man promote prostitution. He says he is merely taking men to "night-life areas." », *Fort Worth Star-Telegram*, 6 août, pNA.

Ali, A. (2006). *The Caged Virgin: An Emancipation Proclamation for Women and Islam*, New York, Free Press.

Ali, L. et Miller, L. (2004). The secret lives of wives. *Newsweek*, 12 juillet, p. 47-54.

Al-Krenawi, A. et Wiesel-Lev, R. (1999). « Attitudes toward and perceived psychosocial impact of female circumcision as practiced among the Bedouin-Arabs of the Negev », *Family Process*, vol. 38, p. 431-443.

Allen, L. et Gorski, R. (1990). « Sex difference in the bed nucleus of the stria terminalis of the human brain », *Journal of Comparative Neurology*, vol. 302, p. 697-706.

Allen, L., Hines, M., Shryne, J. et Gorski, R. (1989). « Two sexually dimorphic cell groups », *Journal of Neurosciences*, vol. 9, p. 497-506.

Allgeier, A.R. et Allgeier, E.R. *Sexualité humaine, dimensions et interactions*, Montréal, CEC collégial et universitaire, 765 p.

Alonzo, D. (2003). « Dancing in the Autumn Light: Gay Men, Sexuality, and the Mid-Life Transition », communication donnée à la Western Region Annual Conference Society for the Scientific Study of Sexuality, Los Angeles, avril.

Alperstein, L. (2001). « For two: Some basic perspectives and skills for couples therapy », communication donnée à la XXXIII Annual Conference of the American Association of Sex Educators, Counselors, and Therapists, San Francisco, 2-6 mai.

Althaus, F. (1994). «Age at which young men initiate intercourse is tied to sex education and mother's presence in the home», *Family Planning Perspectives*, vol. 26, p. 141-143.

Althof, S. (2000). «Erectile dysfunction: Psychotherapy with men and couples», *Principles and Practice of Sex Therapy* (sous la direction de S. Leiblum et R. Rosen), New York, The Guilford Press.

Althof, S. (2006). «The psychology of premature ejaculation: Therapies and consequences», *The Journal of Sexual Medicine*, vol. 3, p. 324-331.

Althof, S., Dean, J., Derogatis, L., et Rosen, R. (2005). «Current perspectives on the clinical assessment and diagnosis of female sexual dysfunction and clinical studies of potential therapies: A statement of concern», *The Journal of Sexual Medicine*, vol. 2, p. 146-153.

Althof, S., Rowland, D., McNulty, P., et Rothman, M. (2006). «Evaluation of the impact of premature ejaculation on a man's self-esteem, confidence, and overall Relationship», communication donnée à la Sexual Medicine Society of North America Fall Meeting, New York, novembre.

Altman, C. (1999). «Gay and lesbian seniors: Unique challenges of coming out in later life», *SIECUS Report*, vol. 27, p. 14-17.

Alzate, H. (1990). «Vaginal erogeneity, the "G spot" and "female ejaculation"», *Journal of Sex Education and Therapy*, vol. 16, p. 137-140.

Amato, P., Johnson, D., Booth, A., et Rogers, S. (2003). «Continuity and change in marital quality between 1980 and 2000», *Journal of Marriage and the Family*, vol. 65, p. 1-22.

American Academy of Pediatrics (2006). *Adolescent Pregnancy: Current Trends and Issues.* http://www.Pediatrics.org. (Consultation en ligne le 2 février 2006).

American Fertility Association (20 juin 2006). Survey of 17,500 women in 10 countries shows global lack of awareness of basic facts about fertility. http://www.prnewswire.com/cgi-bin/stories.pl?ACCT=104etSTORY=/www/story/ 06-20-2006/0004383938etEDATE. (Consultation en ligne le 26 juin 2006).

American Psychiatric Association (2000). *Diagnostic and Statistical Manual of Mental Disorders* (4e éd., texte révisé). Washington, DC, American Psychiatric Association.

Amnistie internationale. (13 mars 2003). *Egypt: Free Those Imprisoned for Their Sexual Orientation.* http://web.amnesty.org/library/index/ENG-MDE120092003. (Consultation en ligne le 6 mai 2003).

Amodio, D., et Showers, C. (2005). «"Similarity breeds liking" revisited: The moderating role of commitment», *Journal of Social and Personal Relationships*, vol. 22, p. 817-836.

Anand, M. (1992). *L'art de l'extase sexuelle : la voie de la sexualité sacrée et du tantra pour les couples occidentaux*, Paris, G. Trédaniel.

Anderson, K., Cooper, H., et Okamura, L. (1997). «Individual differences and attitudes toward rape: A meta-analytic review», *Personality and Social Psychology Bulletin*, vol. 23, p. 295-315.

Anderson, S., et Holliday, M. (2003). «Normative Passing in the Lesbian Community: An Exploratory Study», communication donnée au Portland State University symposium «Constructing Solutions: Blueprints for Social Work Practice», Tualatin, Oregon, mai.

Anderson-Hunt, M., et Dennerstein, L. (1994). «Increased female sexual response after oxytocin», *British Medical Journal*, vol. 309, p. 929.

Andreas, P. (2005). «Female exotic dancing: An exploratory investigation of intrapersonal and interpersonal dynamics», communication donnée au World Congress of Sexology, Montréal, Canada, 10-15 juillet.

Andrews, A. et Patterson, E. (1995). «Searching for solutions to alcohol and other drug abuse during pregnancy: Ethics, values, and constitutional principles», *Journal of the National Association of Social Workers*, vol. 40, p. 55-63.

Andrews, B., Brewin, C., Rose, S., et Kirk, M. (2000). «Predicting PTSD symptoms in victims of violent crime: The role of shame, anger, and childhood abuse», *Journal of Abnormal Psychology*, vol. 109, p. 69-73.

Andrews, L. et Elster, N. (2000). «Regulating reproductive technologies», *The Journal of Legal Medicine*, vol. 21, p. 35-65.

Angier, N. (1999). *Woman: An Intimate Geography*, Boston, Houghton Mifflin.

AOL (2007). http://hightech.aol.fr/l%92industrie-du-sexe-sur-internet-les-chiffres-du-porno-en-ligne/PTFR_49525/p-p_p/article_id/article.html (consultation en ligne le 6 août 2008).

Apfelbaum, B. (2000). «Retarded ejaculation: A much misunderstood syndrome», *Principles and Practice of Sex Therapy* (sous la direction de S. Leiblum et R. Rosen), New York, The Guilford Press.

Aponte, R. et Machado, M. (2006). «Marital aspects associated with sexual satisfaction», *The Journal of Sexual Medicine*, vol. 3, p. 382-452.

Apperloo, M., Van Der Stege, J., Hoek, A., et Schultz, W. (2003). «In the mood for sex: The value of androgens», *Journal of Sex and Marital Therapy*, vol. 29, p. 87-102.

Archer, J. (2000). «Sex differences in aggression between heterosexual partners: A meta-analytic review», *Psychological Bulletin*, vol. 126, p. 651-680.

Ards, A. (2000). «Dating and mating», *Ms.*, juin-juillet, p. 10.

Arevalo, M., Jenning, V., et Sinai, I. (2002). «Efficacy of a new method of family planning: The standard days method», *Contraception*, vol. 65, p. 333-338.

Argiolas, A. (1999). «Neuropeptides and sexual behavior», *Neuroscience Biobehavioral Review*, vol. 23, p. 1127-1142.

Arndt, W. (1991). *Gender Disorders and the Paraphilias*, Madison (Connecticut), International Universities Press.

Arnold, A. (2003). «The gender of the voice within; the neural origin of sex differences in the brain», *Current Opinion in Neurobiology*, vol. 13, p. 759-764.

Arnold, A. (2004). «Sex chromosomes and brain gender», *Nature Reviews Neuroscience*, vol. 5, p. 701-708.

Arnow, B., Desmond, J., Banner, L., Glover, G., et coll. (2002). «Brain activation and sexual arousal in healthy, heterosexual males», *Brain*, vol. 125, p. 1014-1023.

Aronowitz, T., Rennells, R., et Todd, E. (2006). «Ecological influences of sexuality on early adolescent African American females», *Journal of Community Health Nursing*, vol. 23, p. 113-122.

Aspelmeier, J., et Kerns, K. (2003). «Love and school: Attachment/exploration dynamics in college», *Journal of Social and Personal Relationships*, vol. 20, p. 5-30.

Athanasiou, R., Shaver, P. et Tavris, C. (1970). «Sex», *Psychology Today*, juillet, p. 39-52.

Atkins, D., Yi, J., Baucom, D., et Christensen, A. (2005). «Infidelity in couples seeking marital therapy», *Journal of Family Psychology*, vol. 19, p. 470-473.

Atwood, J. et Seifer, M. (1997). «Extramarital affairs and constructed meanings: A social constructionist therapeutic approach», *American Journal of Family Therapy*, vol. 25, p. 55-75.

Auvert, B. Taljaard, D., et coll. (2005). «Impact of male circumcision on the female-to-male transmission of HIV: Results of the intervention trial: ANRS 1265 », communication donnée à l'IAS Conference on HIV Pathogenesis and Treatment, Rio de Janeiro, Brésil, juillet.

Bachmann, G. (1991). «Sexual dysfunction in the older woman», *Medical Aspects of Human Sexuality*, février, p. 42-45.

Bacon, C., Mittleman, M., Kawachi, I., et Giovannucci, E. (2006). «A prospective study of risk factors for erectile dysfunction», *The Journal of Urology*, vol. 176, p. 217-221.

Badeau, D. (1998). «La cinquantaine au masculin en regard de l'expression de la sexualité : pistes pour une intervention sexologique», *Contrasexion*, vol. 15, n° 1, p. 5-22.

Baeten, J., Richardson, B., Lavreys, L., Rakwar, J., Kishorchandra, M., et coll. (2005). «Female-to-male infectivity of HIV-1 among circumcised and uncircumcised Kenyan men», *Journal of Infectious Diseases*, vol. 191, p. 546-553.

Bailey, J. et Bell, A. (1993). « Familiality of female and male homosexuality », *Behavior Genetics*, vol. 23, p. 313-322.

Bailey, J. et Benishay, D. (1993). « Familial aggregation of female sexual orientation », *American Journal of Psychiatry*, vol. 150, p. 272-277.

Bailey, J., Bobrow, D., Wolfe, M., et Mikach, S. (1995). « Sexual orientation of adult sons of gay fathers », *Developmental Psychology*, vol. 31, p. 124-129.

Bailey, J., Dunne, M. et Martin, N. (2000). « Genetic and environmental influences on sexual orientation and its correlates in an Australian twin sample », *Journal of Personality and Social Psychology*, vol. 78, p. 524-536.

Bailey, J., Gaulin, S., Agyei, Y., et Gladue, B. (1994). « Effects of gender and sexual orientation on evolutionarily relevant aspects of human mating psychology », *Journal of Personality and Social Psychology*, vol. 66, p. 1081-1093.

Bailey, J.M. et Zucker, K. (1995). « Childhood sex-typed behavior and sexual orientation: A conceptual analysis and quantitative review », *Developmental Psychology*, vol. 31, p. 43-55.

Bain, J. (2001). « Andropause: Testosterone replacement therapy for aging men », *Canadian Family Physician*, vol. 47, p. 91-97.

Baker, J. (1990). « Lesbians: Portrait of a community », *Newsweek*, 12 mars, p. 24.

Baldwin, J., et Baldwin, J. (2000). « Heterosexual anal intercourse », *Archives of Sexual Behavior*, vol. 29, p. 357-373.

Ball, H. (2005). « Extensive genital cutting elevates risk of infertility among Sudanese women », *International Family Planning Perspectives*, vol. 31, p. 154-156.

Balsam, K., Rothblum, E., et Beauchaine, T. (2005). « Victimization over the life span: A comparison of lesbian, gay, bisexual, and heterosexual siblings », *Journal of Consulting and Clinical Psychology*, vol. 73, p. 477-487.

Bancroft, J. (2002a). « Biological factors in human sexuality », *Journal of Sex Research*, vol. 39, p. 15-21.

Bancroft, J. (2002b). « The medicalization of female sexual dysfunction: The need for caution », *Archives of Sexual Behavior*, vol. 31, p. 451-455.

Bancroft, J. (sous la direction de) (2003). *Sexual Development in Childhood*. Bloomington, Indiana University Press.

Bancroft, J., Herbenick, D., et Reynolds, M. (2003a). « Masturbation as a marker of sexual development » (sous la direction de J. Bancroft), *Sexual Development in Childhood*, Bloomington, Indiana University Press.

Bancroft, J., Janssen, E., Strong, D., Carnes, L., Vukadinovic, Z. et Long, J.S. (2003). « The Relation Between Mood and Sexuality in Heterosexual Men », *Archives of Sexual Behavior*, vol. 32, n° 3, p. 217-230.

Bancroft, J., Loftus, J. et Long, J.S. (2003b). « Distress About Sex: A National Survey of Women in Heterosexual Relationships », *Archives of Sexual Behavior*, vol. 32, vol. 3, p. 193-208.

Bancroft, J., et Vukadinovic, Z. (2004). « Sexual addiction, sexual compulsivity, sexual impulsivity, or what? Toward a theoretical model », *Journal of Sex Research*, vol. 41, p. 225-234.

Banerjee, N. (2006). « Episcopal Church picks woman as leader », *Oregonian*, 19 juin, p. A1 et A6.

Barbach, L. (1975). *For Yourself: The Fulfillment of Female Sexuality*. Garden City, NY, Doubleday.

Barbach, L. (1982). *For Each Other: Sharing Intimacy*. New York, Anchor Press/Doubleday.

Barbaree, H., Marshall, W., et Lanthier, R. (1979). « Deviant sexual arousal in rapists », *Behavior Research and Therapy*, vol. 17, p. 215-222.

Bardoni, B., Zanaria, E., Guioli, S., Floridia, G., Worley, K., Tonini, G., Ferrante, E., Chiumello, G., McCabe, E., Fraccaro, M., Zuffardi, O., et Camerino, G. (1994). « A dosage sensitive locus at chromosome Xp21 is involved in male to female sex reversal », *Nature Genetics*, vol. 7, p. 497-501.

Barfield, R., Wilson, C., et McDonald, P. (1975). « Sexual behavior: Extreme reduction of postejaculatory refractory period by midbrain lesions in male rats », *Science*, vol. 189, p. 147-149.

Barker, R. (1987). *The Green-Eyed Marriage: Surviving Jealous Relationships*, New York, Free Press.

Barnhart, K., Furman, I., et Devoto, L. (1995). « Attitudes and practice of couples regarding sexual relations during the menses and spotting », *Contraception*, vol. 51, p. 93-98.

Baron, R., Markman, G., et Bollinger, M. (2006). « Exporting social psychology: Effects of attractiveness on perceptions of entrepreneurs, their ideas for new products, and their financial success, » *Journal of Applied Social Psychology*, vol. 36, p. 467-492.

Barone, N. et Wiederman, M. (1998). « Young women's sexuality as a function of perceptions of maternal sexual communication during childhood », *Journal of Sex Education and Therapy*, vol. 22, n° 3, p. 33-38.

Barovick, H. (2002). « Rainbow network », *Families*, avril, p. F10.

Barron, M., et Kimmel, M. (2000). « Sexual violence in three pornographic media: Toward a sociological explanation », *The Journal of Sex Research*, vol. 37, p. 161-178.

Barroso, C. (2006). « Reproductive repercussions », *The Baltimore Sun*, 2 janvier, pNA.

Barstow, A. (1994). *Witchcraze*. San Francisco, Pandora.

Bartels, A., et Zeki, S. (2004). « The neural correlates of maternal and romantic love », *Neuroimage*, vol. 21, p. 1155-1166.

Barth, R. et Kinder, B. (1987). « The mislabeling of sexual impulsivity », *Journal of Sex and Marital Therapy*, vol. 13, p. 15-23.

Bartlik, B. et Goldberg, J. (2000). « Female sexual arousal disorder », *Principles and Practice of Sex Therapy* (sous la direction de S. Leiblum et R. Rosen), New York, The Guilford Press.

Bartlik, B., Kaplan, P., Kaminetsky, J., Roentsch, G. et Goldberg, J. (1999b). « Medications with the potential to enhance sexual responsivity in women », *Psychiatric Annals*, vol. 29, p. 46-52.

Basow, S. (1992). *Gender: Stereotypes and Roles*, 3ᵉ éd., Pacific Grove (Californie), Brooks/Cole.

Basow, S.A. et Rubenfeld, K. (2003). « Troubles Talk: Effects of Gender and Gender-typing », *Sex Roles*, vol. 48, n° 3/4, p. 183-187.

Basson, R. (2000). « The female sexual response: A different model », *Journal of Sex and Marital Therapy*, vol. 26, p. 51-65.

Basson, R. (2002). « A model of women's sexual arousal », *Journal of Sex and Marital Therapy*, vol. 28, p. 1-10.

Basson, R., Leiblum, S., Brotto, L., et Derogatis, L. (2004). « Revised definitions of women's sexual dysfunction », *The Journal of Sexual Medicine*, vol. 1, p. 40-48.

Basson, R., Leiblum, S., Brotto, L., Derogatis, L., Fourcroy, J., Fugl-Meyer, K., Graziottin, A., Heiman, J., Laan, E., Meston, C., Schover, L., van Lankveld, J., et Schultz, W. (2003). « Definitions of women's sexual dysfunction reconsidered: Advocating expansion and revision », *Journal of Psychosomatic Obstetrics and Gynecology*, vol. 24, p. 221-229.

Bauman, R., Kasper, C., et Alford, J. (1984). « The child sex abusers », *Corrective and Social Psychiatry*, vol. 30, p. 76-81.

Baumeister, R. (1988). « Masochism as escape from self », *Journal of Sex Research*, vol. 25, p. 28-59.

Baumeister, R. (1997). « The enigmatic appeal of sexual masochism: Why people desire pain, bondage, and humiliation in sex », *Journal of Social and Clinical Psychology*, vol. 16, p. 133-150.

Baumeister, R. (2000). « Gender differences in erotic plasticity: The female sex drive as socially flexible and responsive », *Psychological Bulletin*, vol. 126, p. 347-374.

Baumeister, R., Catanese, K., et Wallace, H. (2002). « Conquest by force: A narcissistic reactance theory of rape and sexual coercion », *Review of General Psychology*, vol. 6, p. 92-135.

Baumeister, R., et Leary, M. (1995). « The need to belong: Desire for interpersonal attachments as a fundamental human motivation », *Psychological Bulletin*, vol. 11, p. 497-529.

Baumeister, Roy F. et Leary, Mark R. (1995). « The need to belong: Desire for interpersonal attachments as a fundamental human motivation », *Psychological Bulletin*, vol. 117, n° 3, mai 1995, p. 497-529.

Baur, K. (1995). « Socioeconomic and personality traits of nonadjudicated child sex offenders in a clinical practice ». Non publié.

Beal, G. et Muehlenhard, C. (1987). « Getting sexually aggressive men to stop their advances : Information for rape prevention programs », communication donnée à l'Annual Meeting of the Association for Advancement of Behavior Therapy, Boston, novembre.

Beauchamp, Diane (2004). *L'orientation sexuelle et la victimisation.* « La victimisation des gais, des lesbiennes et des bisexuels », Centre canadien de la statistique juridique, Statistique Canada, http://www.statcan.ca/francais/research/85F0033MIF/2008016/findings/victimization-fr.htm).

Bechara, A., Bertolino, M., Casabe, A., Munarriz, R., Goldstein, I., Morin, A., Secin, F., Literat, B., Pesaresi, M., et Fredatovich, N. (2003). « Duplex Doppler ultrasound assessment of clitoral hemodynamics after topical administration of Alprostadil in women with arousal and orgasmic disorders », *Journal of Sex and Marital Therapy*, vol. 29 (suppl.), p. 1-10.

Beck, C. (2006). « Postpartum depression : It isn't just the blues », *American Journal of Nursing*, vol. 106, p. 40-49.

Beck, M., Wickelgren, I., Quade, V., et Wingert, P. (1988). « Miscarriages », *Newsweek*, 15 août, p. 46-49.

Becker, E. (2000). « Women in military say silence on harassment protects careers », *New York Times*, 12 mai, p. AI.

Becker, J. et Kaplan, M. (1991). « Rape victims : Issues, theories, and treatment », *Annual Review of Sex Research*, vol. 2, p. 267-272.

Becker, J., Skinner, L., Abel, G. et Axelrod, R. (1986). « Level of postassault sexual functioning in rape and incest victims », *Archives of Sexual Behavior*, vol. 15, p. 37-49.

Beckman, N., Waern, M., et Skoog, I. (2006). « Determinants of sexuality in 70-year-olds », *Journal of Sex Research*, vol. 43, p. 876.

Beech, H. (2005). « Sex, please—We're young and Chinese », *Time*, décembre, p. 61.

Begley, S. (1998). « Designer babies », *Newsweek*, 9 novembre, p. 61-62.

Begley, S. (1999). « From both sides now », *Newsweek*, 14 juin, p. 52-53.

Begley, S. (2001). « Brave new monkey », *Newsweek*, 22 janvier, p. 50-52.

Bell, A. et Weinberg, M. (1978). *Homosexualities : A Study of Diversity Among Men and Women*, New York, Simon & Schuster.

Bell, A., Weinberg, M. et Hammersmith, S. (1981). *Sexual Preference : Its Development in Men and Women*, Bloomington, Indiana University Press.

Bell, D. (2006). « They deserve it », *The Nation*, 10 juillet, p. 18-24.

Beller, M., et Gafni, N. (2000). « Can item format (multiple choice vs. open-ended) account for gender differences in mathematics achievement ? », *Sex Roles*, vol. 42, p. 1-21.

Belsey, E. et Pinol, A. (1997). « Menstrual bleeding patterns in untreated women », *Contraception*, vol. 55, p. 57-65.

Belzer, E., Whipple, B. et Moger, W. (1984). « A female ejaculation », *Journal of Sex Research*, vol. 20, p. 403-406.

Bem, S. (1974). « The measurement of psychological androgyny », *Journal of Consulting and Clinical Psychology*, vol. 42, p. 155-162.

Bem, S. (1993). *The Lenses of Gender*. New Haven, CT, Yale University Press.

Benagiano, G., et Cottingham, J. (1997). « Contraceptive methods : Potential for abuse », *International Journal of Gynecology and Obstetrics*, vol. 56, p. 39-46.

Ben-David, S., et Schneider, O. (2005). « Rape perceptions, gender role attitudes, and victim-perpetrator acquaintance », *Sex Roles : A Journal of Research*, vol. 53, p. 385-399.

Bennett, B. (2006). « Stolen away : As criminal gangs run amuck in Iraq, hundreds of girls have gone missing. Are they being sold for sex ? », *Time*, 1er mai, p. 37-38.

Bennion, J. (19 juillet 2005). *Rough Cut : The Women's Kingdom*. http://www.pbs.org/frontlineworld/rough/2005/07/ introduction_togen.html. (Consultation en ligne le 28 juin 2006).

Benotsch, E., Kalichman, S., et Cage, M. (2002). « Men who have sex partners via the Internet : Prevalence, predictors, and implications for HIV prevention », *Archives of Sexual Behavior*, vol. 31, p. 177-183.

Benson, E. (2003). « The science of sexual arousal », *Monitor on Psychology*, vol. 34, p. 50-52.

Ben-Ze'ev, A. (2003). « Privacy, emotional closeness, and openness in cyberspace », *Computers in Human Behavior*, vol. 19, p. 451-467.

Berga, S., et McCord, J. (2005). « Circulating androgen levels and self-reported sexual function in women », *OB/GYN Clinical Alert*, 1er août, pNA.

Berger, R. (1996). *Gay and Gray : The Older Homosexual Man*, New York, The Haworth Press.

Bergeron, A. et Badeau, D. (1991). *La santé sexuelle après 60 ans*, Montréal, Édition du Méridien.

Bergoffen, D. (2006). « From genocide to justice : Women's bodies as a legal writing pad », *Feminist Studies*, vol. 32, p. 11-37.

Berkman, C., Turner, S., et Cooper, M. (2000). « Sexual contact with clients : Assessment of social workers' attitudes and educational preparation », *Social Work*, vol. 45, p. 223-235.

Berkman, C. et Zinberg, G. (1997). « Homophobia and heterosexism in social workers », *Journal of the National Association of Social Workers*, vol. 42, n° 4, p. 319-332.

Berkowitz, B. (2006). *How to Sell to Men*. http://www.womensbiz.us/archives/histurn1105.asp. (Consultation en ligne le 4 mai 2006).

Berkowitz, J. (2000). « Personal view : Two boys and a girl please and hold the mustard », *Public Health*, vol. 114, p. 5-7.

Berliner, L., et Conte, J. (1995). « The effects of disclosure and intervention on sexually abused children », *Child Abuse and Neglect*, vol. 27, p. 525-540.

Berman, J. et Berman, L. (2001). *For Women Only : A Revolutionary Guide to Overcoming Sexual Dysfunction and Reclaiming Your Sex Life*, New York, Henry Holt and Company.

Berman, L. (2004). *The Health Benefits of Sexual Aids and Devices*, Evanston, IL, Northwestern University.

Bernat, J., Calhoun, K. et Adams, H. (1999). « Sexually aggressive and nonaggressive men : Sexual arousal and judgments in response to acquaintance rape and consensual analogues », *Journal of Abnormal Psychology*, vol. 108, p. 662-673.

Bernstein, W., Stephenson, B., Snyder, M., et Wicklund, R. (1983). « Causal ambiguity and heterosexual affiliation », *Journal of Experimental Social Psychology*, vol. 19, p. 78-92.

Best, D. et Davis, S. (1997). « Testicular cancer education : Differences in approaches », *American Journal of Health Behavior*, vol. 21, p. 83-87.

Betts, A. (2001). « Role of semen in female-to-male transmission of HIV », *Annals of Epidemiology*, vol. 11, p. 154-155.

Bhatti, F. (2005). « The role of non availability of sex education on the prevalence of sexual dysfunction in conservative Muslim society like Pakistan », communication donnée au World Congress of Sexology, Montréal, Canada, 10-15 juillet.

Bibby, R.W. (2001). *Canada's teens : Today, yesterday, and tomorrow*, Toronto, Irwing Publishing.

Bieber, I., Dain, H., Dince, P., Drellich, M., Grand, H., Gundlach, R., Kremer, M., Rifkin, A., Wilbur, C. et Bieber, T. (1962). *Homosexuality*, New York, Vintage Books.

Bierce, A. (1943). *The Devil's Dictionary*. New York, World.

Bingham, S., et Battey, K. (2005). « Communication of social support to sexual harassment victims : Professors' responses to a student's narrative of unwanted sexual attention », *Communication Studies*, vol. 56, p. 131-155.

Binik, Y., Bergeron, S. et Khalife, S. (2000). « Dyspareunia », *Principles and Practice of Sex Therapy* (sous la direction de S. Leiblum et R. Rosen), New York, The Guilford Press.

Bjorklund, D., et Pellegrini, A. (2000). « Child development and evolutionary psychology », *Child Development*, vol. 71, p. 1687-1708.

Black, A. (1994). « Perverting the diagnosis : The lesbian and the scientific basis of stigma », *Historical Reflections*, vol. 20, p. 201-216.

Blackburn, R., Cunkelman, J., et Zlidar, V. (2000). « Oral contraceptives : An update », *Population Reports*, vol. 28, p. 1-39.

Blackless, M., Charuvastra, A., Derryck, A., Fausto-Sterling, A., Lauzanne, K., et Lee, E. (2000). « How sexually dimorphic are we? Review and synthesis », *American Journal of Human Biology*, vol. 12, p. 151-166.

Blackmun, M. (1996a). « The tie that binds knots later in life », *The Oregonian*, 13 mars, p. A9.

Blackwell, D. et Lichter, D. (2000). « Mate selection among married and cohabiting couples », *Journal of Family Issues*, vol. 21, p. 275-302.

Blaicher, W., Gruber, D., Bieglmayer, C., Blaicher, A., Knogler, W., et Huber, J. (1999). « The role of oxytocin in relation to female sexual arousal », *Gynecology and Obstetrics Investigations*, vol. 47, p. 125-126.

Blair, C. et Lanyon, R. (1981). « Exhibitionism: Etiology and treatment », *Psychological Bulletin*, vol. 89, p. 439-463.

Blanchard, R., et Bogaert, A. F. (1996). « Homosexuality in men and number of older brothers », *American Journal of Psychiatry*, vol. 153, p. 27-31.

Block, J. (1983). « Differential premises arising from differential socialization of the sexes: Some conjectures », *Child Development*, vol. 54, p. 1335-1354.

Blue, V. (2003). *The Ultimate Guide to Adult Videos: How to Watch Adult Videos and Make Your Sex Life Sizzle*. San Francisco, Cleis Press.

Blythe, M., Fortenberry, D., Temkit, M., et Tu, W. (2006). « Incidence and correlates of unwanted sex in relationships of middle and late adolescent women », *Archives of Pediatric and Adolescent Medicine*, vol. 160, p. 591-595.

Bockting, W. (2005). « Biological reductionism meets gender diversity in human sexuality », *Journal of Sex Research*, vol. 42, p. 267-270.

Boekhout, B., Hendrick, S., et Hendrick, C. (1999). « Relationship infidelity: A loss of perspective », *Journal of Personal and Interpersonal Loss*, vol. 4, p. 97-124.

Boeringer, S. (1994). « Pornography and sexual aggression: Association of violent and nonviolent depictions with rape and rape proclivity », *Deviant Behavior*, vol. 15, p. 289-304.

Bogaert, A. (2004). « Asexuality: Prevalence and associated factors in a national probability sample », *The Journal of Sex Research*, vol. 41, p. 279-288.

Bogaert, A. (2005). « Sibling sex ratio and sexual orientation in men and women: New tests in two national probability samples », *Archives of Sexual Behavior*, vol. 34, p. 111-117.

Bogaert, A., Friesen, C., et Klentrou, P. (2002). « Age of puberty and sexual orientation in a national probability sample », *Archives of Sexual Behavior*, vol. 31, p. 73-81.

Bogren, L. (1991). « Changes in sexuality in women and men during pregnancy », *Archives of Sexual Behavior*, vol. 20, p. 35-46.

Bohner, G., Siebler, F., et Schmelcher, J. (2006). « Social norms and the likelihood of raping: Perceived rape myth acceptance of others affects men's rape proclivity », *Personality and Social Psychology Bulletin*, vol. 32, p. 286-297.

Bolin, A. (1997). « Transforming transvestism and transsexualism: Polarity, politics, and gender », *Gender Blending* (sous la direction de B. Bullough, V. Bullough et J. Elias), New York, Prometheus Books.

Bonet, L., Bimbi, D., et Tomassilli, J. (2006). « Behind closed doors: An exploration of specialized sexual behaviors in urban women who have sex with women », *Journal of Sex Research*, février, NA.

Bonierbale, M., Clement, A., Loundou, A., et Simeoni, M. (2006). « A new evaluation of concept and its measurement: "Male sexual anticipating cognitions." », *The Journal of Sexual Medicine*, vol. 3, p. 96-103.

Boonstra, H., Gold, R., Richards, C., et Finer, L. (2006). *Abortion in Women's Lives*, New York, Guttmacher Institute.

Bornstein, R. (1989). « Exposure and effect: Overview and meta-analysis of research, 1968-1987 », *Psychological Bulletin*, vol. 106, p. 265-289.

Boschert, S. (2004). « Majority of circumcisions are performed without analgesia », *Family Practice News*, vol. 34, p. 63.

Boss, S. et Maltz, W. (2001). *Private Thoughts: Exploring the Power of Women's Sexual Fantasies*, Novato (Californie), New World Library.

Boswell, J. (1980). *Christianity, Social Tolerance, and Homosexuality*, Chicago, University of Chicago Press.

Botros, S., Abramov, Y., Miller, J., et Sand, P. (2006). « Effect of parity on sexual function », *Obstetrics and Gynecology*, vol. 107, p. 765-770.

Boulware, J. (2000b). *Viagra Rave*, http://www.salon1999.com/sex/world/2000/05/30/viagra_rave/index.html (consultation en ligne le 30 mai 2000).

Bouvier, P. (2003). « Child sexual abuse: Vicious circles of fate or paths to resilience? », *Lancet*, vol. 361, p. 446.

Bowen, A. (2005). « Internet sexuality research with rural men who have sex with men: Can we recruit and retain them? », *Journal of Sex Research*, vol. 42, p. 317-323.

Boyer, D. et Fine, D. (1992). « Sexual abuse as a factor in adolescent pregnancy and child maltreatment », *Family Planning Perspectives*, vol. 24, p. 4-11.

Boynton, P. (2003). « "I'm just a girl who can't say no"? Women, consent, and sex research », *Journal of Sex and Marital Therapy*, vol. 29 (suppl.), p. 23-32.

Brackett, N., Bloch, W., et Abae, M. (1994). « Neurological anatomy and physiology of sexual function » (sous la direction de C. Singer et W. Weiner), *Sexual Dysfunction: A Neuromedical Approach*. New York, Futura.

Bradford, J. (1998). « Treatment of men with paraphilia », *New England Journal of Medicine*, vol. 338, p. 464-465.

Bradford, J., Boulet, J. et Pawlak, A. (1992). « The paraphilias: A multiplicity of deviant behaviors », *Canadian Journal of Psychiatry*, vol. 37, p. 104-107.

Bradley, S., Oliver, G., Chernick, A., et Zucker, K. (1998). « Experiment of nurture: Ablatio penis at 2 months, sex reassignment at 7 months, and a psychosexual follow-up in young adulthood », *Pediatrics*, vol. 102, p. E91-E95.

Bradley, S., et Zucker, K. (1997). « Gender identity disorder: A review of the past 10 years », *Journal of the American Academy of Child and Adolescent Psychology*, vol. 36, p. 872-880.

Bradshaw, C., Tabrizi, S., Read, T., Garland, S., et coll. (2006). « Etiologies of nongonococcal urethritis: bacteria, viruses, and the association with orogenital exposure », *Journal of Infectious Diseases*, vol. 193, p. 333-345.

Bradsher, K. (2000). « Four Get Prison Time in Death of Girl from Date Rape Drug », *New York Times*, 31 mars, p. A15.

Braen, G. (1980). « Examination of the accused: The heterosexual and homosexual rapist » (sous la direction de C. Warner), *Rape and Sexual Assault*. Germantown, MD, Aspen Systems.

Brainerd, C., et Reyna, V. (1998). « When things that were never experienced are easier to "remember" than things that were », *Psychological Science*, vol. 9, p. 484-489.

Braverman, P. et Strasburger, V. (1993). « Adolescent sexual activity », *Clinical Pediatrics*, vol. 32, p. 658-668.

Brecher, E. M. (1969). *Les sexologues*, Montréal, Éd. du Jour.

Brehm, S., Miller, R., Perlman, D., et Campbell, S. (2002). *Intimate Relationships*, Boston, McGraw-Hill.

Bremer, J. (1959). *Asexualization*, New York, Macmillan.

Bretschneider, J., et McCoy, N. (1988). « Sexual interest and behavior in healthy 80 to 102-year-olds », *Archives of Sexual Behavior*, vol. 17, p. 109.

Briddell, D. et Wilson, G. (1976). « Effects of alcohol and expectancy set on male sexual arousal », *Journal of Abnormal Psychology*, vol. 85, p. 225-234.

Bringle, R. et Buunk, B. (1991). « Extradyadic relationships and sexual jealousy », *Sexuality in Close Relationships* (sous la direction de K. McKinney et S. Sprecher), Hillsdale (New Jersey), Erlbaum.

Britton, G., et Lumpkin, M. (1984). « Battle to imprint fot the 21st century », *Reading Teacher*, vol. 37, p. 724-733.

Brockman, J. (2006). « Child sex as Internet fare, through eyes of a victim », *The New York Times*, 5 avril, p. A20.

Broderick, G. (2006). *Premature Ejaculation*. http://www.medscape.com/viewarticle/507262. (Consultation en ligne le 4 septembre 2006).

Brook, C. (1999a). « Mechanism of puberty », *Hormone Research*, vol. 51 (suppl.), p. 52-54.

Brooke, J. (2000). « Gay and lesbian scouts received with open arms in tolerant Canada », *San Francisco Chronicle*, p. D2.

Brooks, D., et Goldberg, S. (2001). « Gay and lesbian adoptive and foster care placements: Can they meet the needs of waiting children? », *Social Work*, vol. 46, p. 147-157.

Brooks, J. et Watkins, M. (1989). « Recognition memory and the mere exposure effect », *Journal of Experimental Psychology: Learning, Memory, and Cognition*, vol. 15, p. 968-976.

Brooks, T. (2002). « Association of adolescent risk behaviors with mental health symptoms in high school students », *Journal of Adolescent Health*, vol. 31, p. 240-246.

Brotto, L., Chik, H., Ryder, A., et Gorzalka, B. (2005). « Acculturation and sexual function in Asian women », *Archive of Sexual Behavior*, vol. 34, p. 613-627.

Brown, E. (1988). « Affairs: The hidden meanings have major impact on therapeutic approach », *Behavior Today*, 24 octobre, p. 3-4.

Brown, G. (1990). « The transvestite husband », *Medical Aspects of Human Sexuality*, juin, p. 35-42.

Brown, J. (février 2002). *Mass Media Influences on Sexuality*. http://www.findarticles.com/cf_0/m2372/1_39/87080439/print.jhtml. (Consultation en ligne le 11 avril 2003).

Brown, J., L'Engle, K., Pardun, C., et Kenneavy, K. (2006). « Sexy media matter: Exposure to sexual content in music, movies, television, and magazines predicts black and white adolescents' sexual behavior », *Pediatrics*, vol. 117, p. 1018-1027.

Brown, M. (1994). « Marital discord during pregnancy: A family systems approach », *Family Systems Medicine*, vol. 12, p. 221-234.

Brown, M., Perry, A., Cheesman, A., et Pring, T. (2000). « Pitch change in male-to-female transsexuals: Has phonosurgery a role to play? », *International Journal of Language and Communications Disorders*, vol. 35, p. 129-136.

Brown. S. (2003). « Relationship quality dynamics of cohabiting unions », *Journal of Family Issues*, vol. 24, p. 583-601.

Brown, T., et Fee, E. (2003). « Alfred Kinsey: A pioneer of sex research », *American Journal of Public Health*, vol. 93, p. 896-897.

Brownmiller, S. (1975). *Against Our Will: Men, Women, and Rape*. New York, Simon & Schuster.

Brownmiller, S. (1993). « Making female bodies the battlefield », *Newsweek*, 4 janvier, p. 37.

Bruns, D., et Bruns, J. (2005). « Sexual harassment in higher education », *Academic Exchange Quarterly*, vol. 9, p. 201-204.

Bryant, S. et Demian, N. (1998). « Terms of same-sex endearment », *SIECUS Report*, vol. 26, n° 4, p. 10-13.

Budd, K. (1999). « The facts of life: Everything you wanted to know about sex (after 50) », *Modern Maturity*, septembre-octobre, p. 86-87.

Budhos, M. (1997). « Putting the heat on sex tourism », *Ms.*, mars-avril, p. 12-16.

Budin, L., et Johnson, C. (1989). « Sex abuse prevention programs: Offenders' attitudes about their efficacy », *Child Abuse and Neglect*, vol. 13, p. 77-87.

Bullough, B., et Bullough, V. (1997). « Are transvestites necessarily heterosexual? », *Archives of Sexual Behavior*, vol. 26, p. 1-12.

Bullough, V., et Bullough, B. (1993). *Cross Dressing, Sex and Gender*. Philadelphie, University of Pennsylvania Press.

Bureau, J. (1998). « Devenir garçon, devenir fille : une construction complexe », *PRISME*, vol. 8, n° 1-3.

Burgess, A. et Holmstrom, L. (1979). « Rape: Sexual disruption and recovery », *American Journal of Orthopsychiatry*, vol. 49, p. 648-657.

Burke, A., Sowerbutts, S., Blundell, B., et Sherry, M. (2002). « Child pornography and the Internet: Policing and treatment issues », *Psychiatry, Psychology and Law*, vol. 9, p. 79-84.

Burkett, A. et Hewitt, G. (2005). « Progestin only contraceptives and their use in adolescents: Clinical options and medical indications », *Adolescent Medicine*, vol. 16, p. 553-567.

Burr, T. (2006). « "Heading South" sheds some light on sexual tourism », *Chicago Sun-Times*, 18 août, p. B1.

Burt, K. (1995). « The effects of cancer on the body image and sexuality », *Nursing Times*, vol. 91, n° 7, p. 36-37.

Bushman, B., et Baumeister, R. (1998). « Threatened egoism, narcissism, self-esteem, and direct and displaced aggression: Does self-love of self-hate lead to violence? », *Journal of Personality and Social Psychology*, vol. 43, p. 372-384.

Bushman, B., Bonacci, A., Dijk, M., et Baumeister, R. (2003). « Narcissism, sexual refusal, and aggression: Testing a narcissistic reactance model of sexual aggression », *Journal of Personality and Social Psychology*, vol. 84, p. 1027-1040.

Bush, C., Bush, J. et Jennings, J. (1988). « Effects of jealousy threats on relationship perceptions and emotions », *Journal of Social and Personal Relationships*, vol. 5, p. 285-303.

Buss, D. (1994). *The Evolution of Desire: Strategies of Human Mating*, New York, Basic Books.

Buss, D. (1999). *Evolutionary Psychology: The New Science of the Mind*, Boston, Allyn and Bacon.

Buss, D. (2000). *The Dangerous Passion: Why Jealousy Is as Necessary as Love and Sex*. New York, Free Press.

Buss, D. (2003). « The dangerous passion: Why jealousy is as necessary as love and sex », *Archives of Sexual Behavior*, vol. 32, p. 79-80.

Buss, D. (2003). *The Evolution of Desire*. New York, Basic Book.

Buss, D., et Schmitt, D. (1993). « Sexual strategies theory: An evolutionary perspective on human mating », *Psychological Review*, vol. 100, p. 204-232.

Butcher, K. (2003). « Confusion between prostitution and sex trafficking », *The Lancet*, vol. 361, p. 1983.

Butler, K. (2006). « Many couples must negotiate terms of "brokeback" marriages », *The New York Times*, 7 mars, p. F5.

Buunk, B. et Bringle, R. (1987). « Jealousy in love relationships », *Intimate Relationships* (sous la direction de D. Perlman et S. Duck), Newbury Park (Californie), Sage.

Buysse, A. et Ickes, W. (1999). « Communication patterns in laboratory discussions of safer sex between dating versus nondating partners », *Journal of Sex Research*, vol. 36, p. 121-134.

Byers, E. (2005). « Relationship satisfaction and sexual satisfaction: A longitudinal study of individuals in long-term relationships », *Journal of Sex Research*, vol. 42, p. 113-118.

Byers, E. et Demmons, S. (1999). « Sexual satisfaction and sexual self-disclosure within dating relationships », *Journal of Sex Research*, vol. 36, p. 180-189.

Byrd, J., Hyde, J., DeLamater, J., et Plant, E. (1998). « Sexuality during pregnancy and the year postpartum », *Journal of Family Practice*, vol. 47, p. 305-308.

Byrne, D. (1997). « An overview (and underview) and research and theory within the attraction paradigm », *Journal of Social and Personal Relationships*, vol. 14, p. 417-431.

Byrne, D., Clore, G. et Smeaton, G. (1986). « The attraction hypothesis: Do similar attitudes affect anything? », *Journal of Personality and Social Psychology*, vol. 51, p. 1167-1170.

Byrne, D. et Murnen, S. (1988). « Maintaining loving relationships », *The Psychology of Loving* (sous la direction de R. Sternberg et M. Barnes), New Haven (Connecticut), Yale University Press.

Cado, S. et Leitenberg, H. (1990). « Guilt reactions to sexual fantasies during intercourse », *Archives of Sexual Behavior*, vol. 19, p. 49-71.

Calderoni, M.E., et Coupey, S.M. (2005). « Combined Hormonal Contraception », *Adolescence Medicine*, vol. 16, p. 517-537.

Caldwell, J. (2005). « Sheath that scalpel: the only way to be sure of an intersex baby's gender is to wait until you can ask them, researchers say », *The Advocate*, 12 avril, p. 44.

Caldwell, J. (25 mars 2003b). *The Trouble with «Gay».* http://www.advocate.com/html/stories/886/886_sogay.asp. (Consultation en ligne le 6 mai 2003).

Califia, P. (2002). «Whoring in utopia» (sous la direction de A. Soble), *The Philosophy of Sex: Contemporary Readings.* Lanham, MD, Rowman & Littlefield.

Campbell, C., et Mzaidume, Z. (2001). «Grassroots participation, peer education, and HIV prevention by sex workers in South Africa», *American Journal of Public Health*, vol. 91, p. 1978-1986.

Campbell, D., Lake, M., Falk, M., et Backstrand, J. (2006). «A randomized control trial of continuous support in labor by a lay doula», *Journal of Obstetric, Gynecologic, and Neonatal Nursing*, vol. 35, p. 456.

Campbell, R. (2006). «Rape survivors' experiences with the legal and medical systems: Do rape victim advocates make a difference», *Violence Against Women*, vol. 12, p. 30-45.

Campo, J., Nijman, H., Merckelbach, H., et Evers, C. (2003). «Psychiatric comorbidity of gender identity disorders: A survey among Dutch psychiatrists», *American Journal of Psychiatry*, vol. 160, p. 1332-1336.

Canary, D. et Dindia, K. (sous la direction de) (1998). *Sex Differences and Similarities in Communication*, Mahwah (New Jersey), Erlbaum.

Canavan, M., Meyer, W., et Higgs, D. (1992). «The female experience of sibling incest», *Journal of Marital and Family Therapy*, vol. 18, p. 129-142.

Capellen, J., Bell, S., et Althof, S. (2006). «Comparison between sildenafil-treated subjects with erectile dysfunction and control subjects on the self-esteem and relationship questionnaire», *The Journal of Sexual Medicine*, vol. 3, p. 274-282.

Carael, M., Slaymaker, E., Lyerla, R., et Sarkar, S. (2006). «Clients of sex workers in different regions of the world: Hard to count», *Sexually Transmitted Infections*, vol. 82 (suppl. 3), p. iii26-iii33.

Carlson, E. (1997). «Sexual assault on men in war», *The Lancet*, vol. 349, p. 129.

Carmichael, M. (2002). «How to make a baby», *Newsweek*, 15 juillet, p. 9.

Carnes, P. (1983). *Out of the Shadows: Understanding Sexual Addiction.* Minneapolis, Compcare Publications.

Carnes, P. (1991). *Don't Call It Love*, New York, Bantam Books.

Carnes, P. (2000). «Cybersex: The scope of the problem», *The Carnes Update*, été, p. 11.

Carpenter, L. (1998). «From girls into women: Scripts for sexuality and romance in *Seventeen* magazine», *Journal of Sex Research*, vol. 35, p. 158-168.

Carroll, R. (1999). «Outcomes of treatment for gender dysphoria», *Journal of Sex Education and Therapy*, vol. 24, p. 128-136.

Carson, C. (2003). «To circumcise or not to circumcise? Not a simple question», *Contemporary Urology*, vol. 15, p. 11.

Carter, C. (1998). «Neuroendocrine perspectives on social attachment and love», *Psychoneuroendocrinology*, vol. 13, p. 779-818.

Carter, S. (2000). «Math skill, confidence multiplying for girls», *The Oregonian*, 4 mars, p. A1, A11.

Carter, V. (2003). «Prostitution = slavery» (sous la direction de R. Morgan), *Sisterhood Is Forever*, New York, Washington Square Press.

Cassell, C. (2002). «Let it shine: Promoting school success, life aspirations to prevent school-age parenthood», *SIECUS Report*, vol. 30, p. 7-16.

Castleman, M. (2005). «XXX Harmful: How pornography misleads men about women's sexuality and their own and contributes to sex problems», communication donnée à What's New and What Works: Pioneering Solutions for Today's Sexual Issues (AASECT 37th Annual Conference), Portland, OR, mai.

Castro, P., Vallejo, L., Lopez, R., et Curado, A. (2003). «Combined treatment with vitamin E and colchicines in the early stages of Peyronie's disease», *British Journal of Urology International*, vol. 91, p. 522-524.

Catania, J. (1999b). «A framework for conceptualizing reporting bias and its antecedents in interviews assessing human sexuality», *Journal of Sex Research*, vol. 36, p. 25-38.

Catania, J., Gibson, D., Marin, B., Coates, T. et Greenblatt, R. (1990). «Response bias in assessing sexual behaviors relevant to HIV transmission», *Evaluation and Program Planning*, vol. 13, p. 19-29.

Caufriez, A. (1997). «The pubertal spurt: Effects of sex steroid on growth hormone and insulin-like growth factor I», *European Journal of Obstetrics and Gynecology and Biology*, vol. 71, p. 215-217.

CCIÉS (1999). «L'Étude canadienne sur la contraception», *Journal of Human Sexuality*, vol. 8, n° 3.

Ceci, S., Loftus, E., Leichtman, M., et Bruck, M. (1994). «The role of source misattributions in the creation of false beliefs among preschoolers», *International Journal of Clinical and Experimental Hypnosis*, vol. 42, p. 304-320.

Celum, C., Robinson, N., et Cohen, M. (2005). «Potential effect of HIV type 1 antiretroviral and herpes simplex virus type 2 antiviral therapy on transmission and acquisition of HIV type 1 infection», *Journal of Infectious Diseases*, vol. 191, p. S107-S114.

Centers for Disease Control (2006f). *Genital HPV Infection—CDC Fact Sheet.* http://www.cdc.gov/std/HPVSTD Fact-HPV.htm. (Consultation en ligne le 17 janvier 2006).

Centers for Disease Control (2006i). *Genital Candidiasis—CDC Fact Sheet.* http://www.cdc.gov/ncidod/dbmd/diseaseinfo/candidiasis_gen_g. (Consultation en ligne le 17 janvier 2006).

Centers for Disease Control (2006k). *Fact Sheet Scabies.* http://www.cdc.gov/ncidod/dpd/parasites/scabies/factsht_scabies.htm. (Consultation en ligne le 18 janvier 2006).

Cercone, K. (2006). «Fulla flap: A Muslim Barbie has her own trendy accessories and cultural baggage», *Utne*, septembre-octobre, p. 11.

Chapkis, W. (1997). *Live Sex Acts: Women Performing Erotic Labor*, New York, Routledge.

Chappell, K., et Davis, K. (1998). «Attachment, partner choice, and perception of romantic partners: An experimental test of the attachment-security hypothesis», *Personal Relationships*, vol. 5, p. 327-342.

Charney, D. et Russell, R. (1994). «An overview of sexual harassment», *American Journal of Psychiatry*, vol. 151, p. 10-17.

Chase. C. (2003). «What is the agenda of the intersex advocacy movement?», *Endocrinologist*, vol. 13, p. 240-242.

Check, J. et Guloien, T. (1989). «Reported proclivity for coercive sex following repeated exposure to sexually violent pornography, nonviolent dehumanizing pornography, and erotica», *Pornography: Research Advances and Policy Considerations* (sous la direction de D. Zillman et J. Bryant), Hillsdale (New Jersey), Erlbaum.

Chen, X., Gong, X., Liang, G. et Zhang, G. (2000). «Epidemiologic trends of sexually transmitted diseases in China», *Sexually Transmitted Diseases*, vol. 27, p. 138-142.

Cheung, A. (2006). «Assisted reproductive technology: Both sides now», *The Journal of Reproductive Medicine*, vol. 51, p. 283-292.

Chiasson, M., Hirshfield, S., et Humberstone, M. (2003). «The Internet and high-risk sex among men who have sex with men», communication donnée à la 10th Conference on Retroviruses and Opportunistic Infection. Boston, février.

Chigbo, M. (2003). «The fight for her life», *Ms.*, été, p. 26.

Chivers, M.L. et Bailey, J.M. (2005). «A sex difference in features that elicit genital response», *Biological Psychology*, vol. 70, n° 2, p. 115-120.

Choi, K., Gregorich, S., Anderson, K., et Grinstead, O. (2003a). «Patterns and predictors of female condom use among ethnically diverse women attending family planning clinics», *Sexually Transmitted Diseases*, janvier, p. 91-97.

Chretien, F. (2003). «Involvement of the glycoproteic meshwork of cervical mucus in the mechanism of sperm orientation», *Acta Obstetricia et Gynecologica Scandinavica*, vol. 82, p. 449-461.

Chrisler, J., Johnston, I., Champagne, N., et Preston, K. (1994). «Menstrual joy», *Psychology of Women Quarterly*, vol. 18, p. 375-387.

Chrisler, J., et Levy, K. (1990). «The media construct a menstrual monster: A content analysis of PMS articles in the popular press», *Women and Health*, vol. 16, n° 2, p. 89-104.

Chumlea, W., Schubert, M., Roche, A., Kulin, H., Lee, P., Himes, J., et Sun, S. (2003). « Age at menarche and racial comparisons in U.S. girls », *Pediatrics*, vol. 111, p. 110-113.

Chung, P. (14 juillet 2006). *Government to Expand Childbirth Incentives*. http://times.hankooki.com/service/print/Print.php?po=times.hankooki.com/lpage/nation/20 (Consultation en ligne le 24 juillet 2006).

Chung, W., De Vries, G., et Schaab, D., (2002). « Sexual differentiation of the bed nucleus of the stria terminalis in humans may extend into adulthood », *Journal of Neurosciences*, vol. 22, p. 1027-1033.

Ciccarone, D., Kanouse, D., Collins, R., Miu, A., Chen, J., Morton, S., et Stall, R. (2003). « Sex without disclosure of positive HIV serostatus in a U.S. probability sample of persons receiving medical care for HIV infection », *American Journal of Public Health*, vol. 93, p. 949-954.

Clancy, S., Schacter, D., McNally, R., et Pitman, R. (2000). « False recognition in women reporting recovered memories of sexual abuse », *Psychological Science*, vol. 11, p. 26-31.

Clanton, G. et Smith, L. (1977). *Jealousy*, Englewood Cliffs (New Jersey), Prentice Hall.

Clark, J., Smith, E., et Davidson, J. (1984). « Enhancement of sexual motivaton in male rats by yohimbine », *Science*, vol. 225, p. 847-849.

Clark, S., Bruce, J., et Dude, A. (2006). « Protecting young women from HIV/AIDS: The case against child and adolescent mariage », *International Family Planning Perspectives*, vol. 32, p. 79-88.

Clarnette, T., Sugita, Y. et Hutson, J. (1997). « Genital anomalies in human and animal models reveal the mechanisms and hormones governing testicular descent », *British Journal of Urology*, vol. 79, p. 99-112.

Clements, M. (1994). « Sex in America today », *Parade*, 7 août, p. 4-6.

Clementson, L. (2000b). « A search for God's welcome », *Newsweek*, 20 mars, p. 60-61.

Closidow, O. (2006). « Scabies ». *New England Journal of Medicine*, vol. 354, p. 1718–1727.

Cloud, J. (2005). « The battle over gay teens », *Time*, 10 octobre, p. 43-51.

CMEC (2003). *Étude sur les jeunes, la santé sexuelle, le VIH et le sida au Canada*, Conseil des ministres de l'Éducation du Canada, Ottawa, http://www.cmec.ca/publications/aids/indexf.html.

Cobb, N., Larson, J., et Watson, W. (2003). « Development of the attitudes about romance and mate selection scale », *Family Relations*, vol. 52, p. 222-231.

Cochran, S., et Mays, V. (1990). « Sex, lies, and HIV », *New England Journal of Medicine*, vol. 322, p. 774.

Cochran, S. et Mays, V. (2000). « Relation between psychiatric syndromes and behaviorally defined sexual orientation in a sample of the US population », *American Journal of Epidemiology*, vol. 151, p. 516-523.

Cocores, J. et Gold, M. (1989). « Substance abuse and sexual dysfunction », *Medical Aspects of Human Sexuality*, février, p. 22-31.

Coe, C., Lulbach, G., et Schneider, M. (2002). « Prenatal disturbance alters the size of the corpus callosum in young monkeys », *Development Psychobiology*, vol. 41, p. 178-185.

Cohen, J. (1998). « Uninfectable », *The New Yorker*, 6 juillet, p. 34-39.

Cohen, M., et Pilcher, C. (2005). « Amplified HIV transmission and new approaches to HIV prevention », *Journal of Infectious Diseases*, vol. 191, p. 1391-1393.

Cohen-Kettenis, P. (2005). « Gender change in 46, XY persons with 5[alpha]-reductase-2 deficiency and 17[beta]-hydroxysteroid dehydrogenase-3 deficiency », *Archives of Sexual Behavior*, vol. 34, p. 399-410.

Cohen-Kettenis, P., et Gooren, L. (1999). « Transsexualism: A review of etiology, diagnosis, and treatment », *Journal of Psychosomatic Research*, vol. 46, p. 315-333.

Colapinto, J. (2000). *As Nature Made Him: The Boy who was Raised as a Girl*, New York, HarperCollins.

Cole, C., et Cole, A. (1999). « Marriage enrichment and prevention really works: Interpersonal competence training to maintain and enhance relationships », *Family Relations: Interdisciplinary Journal of Applied Family Studies*, vol. 48, p. 273-275.

Cole, C., O'Boyle, M., Emory, L. et Meyer, W. (1997). « Comorbidity of gender dysphoria and other major psychiatric diagnoses », *Archives of Sexual Behavior*, vol. 26, p. 13-26.

Cole, S., Denny, D., Eyler, A., et Samons, S. (2000). « Issues of transgender » (sous la direction de L. Szuchman et F. Muscarella), *Psychological Perspectives on Human Sexuality*. New York, Wiley.

Coleman, E. (1990). « The obsessive-compulsive model for describing compulsive sexual behavior », *American Journal of Preventive Psychiatry and Neurology*, vol. 2, p. 9-14.

Coleman, E. (1991). « Compulsive sexual behavior: New concepts and treatments », *Journal of Psychology and Human Sexuality*, vol. 4, p. 37-51.

Coleman, E. (1999). « Revolution », *Contemporary Sexuality*, septembre, p. 1-4.

Coleman, E. (2003). « Compulsive sexual behavior: What to call it, how to treat it? », *SIECUS Report*, vol. 31, p. 12-16.

Coles, R. et Stokes, G. (1985). *Sex and the American Teenager*, New York, Harper & Row.

Coley, R. et Chase-Lansdale, P. (1998). « Adolescent pregnancy and parenthood », *American Psychologist*, vol. 53, p. 152-166.

Colino, S. (1991). « Sex and the expectant mother », *Parenting*, février, p. 111.

Colino, S. (2006). « Your period: What's normal, what's not; Changes in your cycle can be nothing—or signal a serious health problem. Here's how to tell the difference », *Shape*, mars, p. 88-92.

Collins, N., Ford, M., Guichard, A., et Allard, L. (2006). « Working models of attachment and attribution processes in intimate relationships », *Personality and Social Psychology Bulletin*, vol. 32, p. 201-219.

Collins, S. et Missing, C. (2003). « Vocal and visual attractiveness are related in women », *Animal Behaviour*, vol. 65, n° 5, mai 2003, p. 997-1004.

Comfort, A. (1967). *L'origine des obsessions sexuelles*, Paris, Marabout Université.

Comfort, A. (1972). *The Joy of Sex*, New York, Crown.

Comiteau, L. (2001). « "Sexual enslavement" established as a war crime », *USA Today*, 23 février, p. A10.

Conde-Agudelo, A., Rosas-Bermudex, A., et Kafury-Goeta, A. (2006). « Birth spacing and risk of adverse perinatal outcomes », *Journal of the American Medical Association*, vol. 295, p. 1809-1823.

Connor, J. et Robinson, B. (2006). « Vulvar vestibulitis syndrome: Implications for sex therapy », communication donnée au Gumbo Sexualite Upriver: Spicing Up Education and Therapy (AASECT 38th Annual Conference), St. Louis, juin-juillet.

Contemporary Sexuality. (1998). « Children and healthy sexuality », vol. 32, p. 1-2.

Contemporary Sexuality. (1999b). « Playful language », vol. 33, p. 1-2.

Contemporary Sexuality (2002a). « Pediatricians group backs gay parents », vol. 36, p. 10.

Cook, I. (2006). « Western heterosexual masculinity, anxiety, and web porn », *The Journal of Men's Studies*, vol. 14, p. 47-64.

Cook, L. Kamb, M. et Weiss, N. (1997). « Perineal powder exposure and the risk of ovarian cancer », *American Journal of Epidemiology*, vol. 145, p. 459-465.

Coontz, S. (2005). « The heterosexual revolution », *The New York Times*, 5 juillet, p. A17.

Coontz, S. (2006). « Three "rules" that don't apply », *Newsweek*, 5 juin, p. 49.

Cooper, A. (1996). « Autoerotic asphyxiation: Three case reports », *Journal of Sex and Marital Therapy*, vol. 22, p. 47-53.

Cooper, A. (2003). «Cybersex Addictions: How to Identify and Treat the Affects of Aberrant Online Sexual Pursuits», communication donnée à l'American Society of Professional Education, Portland, Oregon, décembre.

Cooper, A. (2004). «Online sexual activity in the new millennium», *Contemporary Sexuality*, vol. 38, p. i-vii.

Cooper, A. (sous la direction de) (2002). *Sex and the Internet.* Philadelphie, Brunner-Routledge.

Cooper, A., Scherer, C., Boies, S. et Gordon, B. (1999). « Sexuality on the internet: From sexual exploration to pathological expression », *Professional Psychology: Research and Practice*, vol. 30, p. 154-164.

Cooper, A., et Sportolari, L. (1997). « Romance in cyberspace: Understanding online attraction », *Journal of Sex Education and Therapy*, vol. 22, p. 7-14.

Cooper, G. (2006). « Viagra's false promise », *Psychotherapy Networker*, mars-avril, p. 21.

Corliss, R., et Steptoe, S. (2004). *Time Special Issue*, 19 janvier, p. 117-122.

Cornwell, R.E. Boothroyd, L., Burt, D.M., Feinberg, D.R., Jones, B.C., Little, A.C., Pitman, R. Whiten S. et Perrett, D.I. (2004). « Concordant preferences for opposite-sex signals? Human pheromones and facial characteristics », *Proceedings of The Royal Society of London B*, vol. 271, p. 635-640.

Corona, G., Petrone, L., Mannucci, E., et Forti, G. (2006). « Difficulties in achieving versus maintaining erection: Organic, psychogenic and relational determinants », *The Journal of Sexual Medicine*, vol. 3 (suppl. 3), p. 224-286.

Cosgray, R., Hanna, V., Fawley, R., et Money, M. (1991). « Death from autoerotic asphyxiation in long-term psychiatric setting », *Perspectives in Psychiatric Care*, vol. 27, p. 21-24.

Cottrell, B. (2003). « Vaginal douching », *Journal of Obstetrical, Gynecological, and Neonatal Nursing*, vol. 32, p. 12-18.

Courtois, C. (2000a). « The aftermath of child sexual abuse: The treatment of complex posttraumatic stress reactions » (sous la direction de L. Szuchman et F. Muscarella), *Psychological Perspectives on Human Sexuality*. New York, Wiley.

Courtois, C. (2000b). « The sexual after-effect of incest/child sexual abuse », *SIECUS Report*, vol. 29, p. 11-16.

Courville, T., Caldwell, B., et Brunell, P. (1998). « Lack of evidence of transmission of HIV-1 to family contacts of HIV-1 infected children », *Clinical Pediatrics*, vol. 37, p. 175-178.

Coventry, M. (2000), « Making the cut », *Ms.*, octobre-novembre, p. 52-60.

Cowan, G. (2000). « Beliefs about the causes of four types of rape », *Sex Roles*, vol. 42, p. 807-823.

Cowan, G. et Campbell, R. (1994). « Racism and sexism in interracial pornography », *Psychology of Women Quarterly*, vol. 18, p. 323-338.

Cowan, P. et Cowan C. (1992). *When Partners Become Parents*, New York, HarperCollins.

Crawford, M., et Popp, D. (2003). « Sexual double standards: A review and methodological critique of two decades of research », *Journal of Sex Research*, vol. 40, p. 13-26.

Creighton, S., et Liao, L. (2004). « Changing attitudes to sex assignment in intersex », *British Journal of Urology International*, vol. 93, p. 659-664.

Crenshaw, T. (1996). *The Alchemy of Love and Lust*, New York, Putnam.

Crenshaw, T. et Goldberg, J. (1996). *Sexual Pharmacology: Drugs That Affect Sexual Function*, New York, Norton.

Crépault, C. (2004). « Nouvelles hypothèses en sexoanalyse », *Sexologies*, vol. XIII, n° 48, p. 12-19.

Crépault, C., et Lévy, J.J. (sous la direction de) (2005) *Nouvelles perspectives en sexoanalyse*. Sainte-Foy, Presses de l'Université du Québec.

Crépault, C. et Samson, C. (1999). « Fantasmes et rêves sexuels », *Imaginaire sexuel* (sous la direction de C. Crépault et H. Côté), Montréal, Éditions IRIS, p. 127-134.

Crisp, C. (2006). « The gay affirmative practice scale (GAP): A new measure for assessing cultural competence with gay and lesbian clients », *Social Work*, vol. 51, p. 115-126.

Crooks, R., et Tucker, S. (2006). *A Peer-Educator Based HIV/AIDS Prevention Program in Kenya*. Non publié.

Crowe, D. (2005). « Adult content projected to drive video podcasting, cellular sales », *Los Angeles Business Journal*, vol. 27, p. 14-15.

Cui, J. (2006). « China's cracked closet », *Foreign Policy*, mai-juin, p. 90-92.

Cullen, L. (2006). « Sex in the syllabus », *Time*, 3 avril, p. 80-81.

Cunningham, M.R., Roberts, A.R., Barbee, A. P., Duren P.B., et Wu, C.H. (1995). « Their ideas of beauty are, on the whole, the same as ours: Consistency and Variability in the cross cultural perception of female physical attractiveness », *Journal of Personality & Social Psychology*.

Curtis, R. et Miller, K. (1988). « Believing another likes or dislikes you: Behavior making the beliefs come true », *Journal of Personality and Social Psychology*, vol. 51, p. 284-290.

Cutler, W. (1999). « Human sex-attractant pheromones: Discovery, research, development, and application in sex therapy », *Psychiatric Annals*, vol. 29, p. 54-59.

Cutler, W., Preti, G., Krieger, A., Huggins, G., Garcia, C., et Lawley, H. (1986). « Human axillary secretions influence women's menstrual cycles: The role of donor extract from men », *Hormones and Behavior*, vol. 20, p. 463-473.

Cwikel, J., et Hoban, E. (2005). « Contentious issues in research on trafficked women working in the sex industry: Study design, ethics, and methodology », *The Journal of Sex Research*, vol. 42, p. 306-317.

Czuczka, D. (2000). « The twentieth century: An American sexual history », *SIECUS Report*, vol. 28, p. 15-18.

Dabbs, J. (2000). *Heroes, Rogues, and Lovers: Testosterone and Behavior.* New York, McGraw-Hill.

Dall'Ara, E. et Maass, A. (1999). « Studying sexual harassment in the laboratory: Are egalitarian women at higher risk? », *Sex Roles*, vol. 41, p. 681-704.

Daly, M., Wilson, M. et Weghorst, S. (1982). « Male sexual jealousy », *Ethology and Sociobiology*, vol. 3, p. 11-27.

Daniluk, J. (1998). *Women's Sexuality Across The Life Span: Challenging Myths, Creating Meanings*, New York, The Guilford Press.

Darling, C., Davidson, J. et Conway-Welch, C. (1990). « Female ejaculation: Perceived origins, the Grafenberg spot/area, and sexual responsiveness », *Archives of Sexual Behavior*, vol. 19, p. 29-47.

Daro, D. (1991). « Child sexual abuse prevention: Separating fact from fiction », *Child Abuse and Neglect*, vol. 15, p. 1-4.

Dauvergne, M., Scrim, K. et Brennan, S. (2006). *Les crimes motivés par la haine au Canada*, Centre canadien de la statistique juridique, Statistique Canada, http://www.statcan.ca/francais/research/85F0033MIF/2008017/highlights-fr.htm.

David, H., et Russo, N. (2003). « Psychology, population, and reproductive behavior », *American Psychologist*, vol. 58, p. 193-196.

Davies, M. (1995). « Parental distress and ability to cope following disclosure of extra-familial sexual abuse », *Child Abuse and Neglect*, vol. 19, p. 399-408.

Davies, M., Pollard, P., et Archer, J. (2006). « Effects of perpetrator gender and victim sexuality on blame toward male victims of sexual assault », *Journal of Social Psychology*, vol. 146, p. 275-291.

Davis, B., et Noble, M. (1991). « Putting an end to chronic testicular pain », *Medical Aspects of Human Sexuality*, avril, p. 26-34.

Davis, K., et Latty-Mann, H. (1987). « Love styles and relationship quality: A contribution to validation », *Journal of Social and Personal Relationships*, vol. 4, p. 409-428.

Davis, S. (1999). « The therapeutic use of androgens in women », *Journal of Steroid Biochemistry and Molecular Biology*, vol. 69, p. 177-184.

Davis, S. (2000). « Testosterone and sexual desire in women », *Journal of Sex Education and Therapy*, vol. 25, p. 25-32.

Davison, G. et Neale, J. (1993). *Abnormal Psychology*, 6ᵉ éd., New York, Wiley.

Dawkings, R. (2006). *Pour en finir avec Dieu*. Paris, Robert Laffont.

De Amicis, L, Goldberg, D., LoPiccolo, J., Friedman, J., et Davies, L. (1984). « Three-year follow-up of couples evaluated for sexual dysfunction », *Journal of Sex and Marital Therapy*, vol. 10, p. 215-228.

De Bro, S., Campbell, S. et Peplau, L. (1994). « Influencing a partner to use a condom », *Psychology of Women Quarterly*, vol. 18, p. 165-182.

De Cuypere, G., T'sjoen, G., Beerten, R., Selvaggi, G., De Sutter, P., et coll. (2005). « Sexual and physical health after sex reassignment surgery », *Archives of Sexual Behavior*, vol. 34, p. 679-690.

De Lacoste, M., Adesanya, T., et Woodward, D. (1990). « Measures of gender differences in the human brain and their relationship to brain weight », *Biological Psychiatry*, vol. 28, p. 931-942.

De Villers, L., et Turgeon, H. (2005). « The uses and benefits of "sensate focus" exercises », *Contemporary Sexuality*, vol. 39, p. i-vii.

Dean, K. et Malamuth, N. (1997). « Characteristics of men who aggress sexually and men who imagine aggressing: Risk and moderating variables », *Journal of Personality and Social Psychology*, vol. 72, p. 449-455.

Dean, M., Carrington, M., et Winkler, C. (1996). « Genetic restriction of HIV-1 infection and progression to AIDS by a deletion allele of the CKR5 structural gene », *Science*, vol. 273, p. 1856-1862.

DeForge, D., et Blackmer, J. (2005). « Male sexuality following spinal cord injury. A systematic review », communication donnée au World Congress of Sexology, Montréal, Canada, 10-15 juillet.

Degler, C. (1980). *At Odds: Women and the Family in America from the Revolution to the Present*, Oxford, Oxford University Press.

DeLamater, J., et Friedrich, W. (2002). « Human sexual development », *Journal of Sex Research*, vol. 39, p. 10-14.

DeLamater, J., et Sill, M. (2005). « Sexual desire in later life », *The Journal of Sex Research*, vol. 42, p. 138-150.

DeMartino, M. (1970). « How women want men to make love », *Sexology*, octobre, p. 4-7.

D'Emilio, J. et Freedman, E. (1988). *Intimate Matters*, New York, Harper & Row.

Dempsey, C. (1994). « Health and social issues of gay, lesbian, and bisexual adolescents », *Families in Society*, mars, p. 160-167.

Dennerstein, L., et Goldstein, I. (2005). *Postmenopausal Female Sexual Dysfunction: At a Crossroads*. http://www.blackwell-synergy.com/doi/full/10.1111/j.1743-6109.2005.00127.x. (Consultation en ligne le 15 avril 2006).

Dennis, C. (2004). « The most important sexual organ », *Nature*, vol. 427, p. 390-392.

Denny, D. (1999). « Transgender in the United States: A brief discussion », *SIECUS Report*, vol. 27, p. 8-13.

Derlego, V., Metts, S., Petronia, S. et Margulis, S. (1993). *Self-Disclosure*, Newbury Park (Californie), Sage.

Desaulniers, M.-P. (1998). *Plaisir honteux*. Montréal, Éditions du remue-ménage.

Deshotels, T., et Forsyth, C. (2006). « Strategic flirting and the emotional tab of exotic dancing », *Deviant Behavior*, vol. 27, p. 223-241.

Desjardins, J.-Y. (2007). « Approche sexocorporelle. La compétence érotique à la portée de tous », *La sexothérapie, quelle thérapie choisir en sexologie clinique*, (sous la direction de Mansour El Feki), Bruxelles, de Boeck, p. 61-97.

Dessens, A., Cohen-Kettenis, P., Mellenbergh, G., Poll, N., Kopper, J., et Boer, K. (1999). « Prenatal exposure to anticonvulsants and psychosexual development », *Archives of Sexual Behavior*, vol. 28, p. 31-44.

Dessens, A., Slijper, F., et Drop, S. (2005). « Gender dysphoria and gender change in chromosomal females with congenital hyperplasia », *Archives of Sexual Behavior*, vol. 34, p. 389-397.

Deveny, K. (2003). « We're not in the mood », *Newsweek*, 30 juin, p. 40-46.

Devi, K. (1977). *The Eastern Way of Love: Tantric Sex and Erotic Mysticism*, New York, Simon & Schuster.

DeVita-Raeburn, E. (2006). « Lust for the long haul », *Psychology Today*, janvier-février, p. 1-5.

Dew, B., et Chaney, M. (2004). « Sexual addiction and the Internet: Implications for gay men », *Journal of Addictions and Offender Counseling*, vol. 24, p. 101-114.

Dewhurst, A. et Nielsen, K. (1999). « A resiliency-based approach to working with sexual offenders », *Sexual Addiction and Compulsivity*, vol. 6, p. 271-279.

Dhawan, D. et Mayer, K. (2006). « Microbicides to prevent HIV transmission: Overcoming obstacles to chemical barrier protection », *Journal of Infectious Diseases*, vol. 193, p. 36-45.

Diamond, L. (2003a). « Was it a phase? Young women's relinquishment of lesbian/bisexual identities over a 5-year period », *Journal of Personality and Social Psychology*, vol. 84, p. 352-364.

Diamond, L. (2003b). « What does sexual orientation orient? A biobehavioral model distinguishing romantic love and sexual desire », *Psychological Review*, vol. 110, p. 173-192.

Diamond, L., Earle, D., Heiman, J., et Rosen, R. (2006). « An effect on the subjective sexual response in premenopausal women with sexual arousal disorder by Bremelanotide (PT-141), a Melanocortin receptor agonist », *The Journal of Sexual Medicine*, vol. 3, p. 628-638.

Diamond, M. (1991b). « Hormonal effects on the development of cerebral lateralization », *Psychoneuroendocrinology*, vol. 16, p. 121-29.

Diamond, M. (1997). « Sexual identity and sexual orientation in children with traumatized or ambiguous genitalia », *Journal of Sex Research*, vol. 34, p. 199-211.

Diamond, M. (2004). « Pediatric management of ambiguous and traumatized genitalia », *Contemporary Sexuality*, vol. 38, vol. 9, p. i-viii.

Diamond, M. et Sigmundson, H. (1997). « Sex reassignment at birth: Long-term review and clinical implications », *Archives of Pediatric and Adolescent Medicine*, vol. 151, p. 298-304.

Diamond, R., Kezur, D., Meyers, M., Scharf, C. et Weinshel, M. (1999). *Couple Therapy For Infertility*, New York, The Guilford Press.

Dibbell, J. (2005). « Is the world ready for libido in a nasal spray? », *New York Magazine*, novembre, p. 1-15.

Dickey, R. (2003). « It has really been 15 years of inaction on high-order multiple pregnancies due to ovulation induction », *Fertility and Sterility*, vol. 79, p. 28-29.

Dietz, P.M., Spitz, A.M., Anda, R.F., Williamson, D.F., McMahon, P.M., Santelli, J.S., Nordenberg, D.F., Felitti, V.J. et Kendrick, J.S. (1999). « Unintended pregnancy among adult women exposed to abuse or household dysfunction during their childhood », *Journal of the American Medical Association*, vol. 282, p. 1359-1364.

Dittman, M. (2003). « Sex: Worth the risk? », *Monitor on Psychology*, vol. 34, p. 58-60.

Dittus, P. et Jaccard, J. (2000). « Adolescents' perceptions of maternal disapproval of sex: Relationships to sexual outcomes », *Journal of Adolescent Health*, vol. 26, p. 268-278.

Doctor, R. et Prince, V. (1997). « Transvestism: A survey of 1,032 cross-dressers », *Archives of Sexual Behavior*, vol. 26, p. 589-605.

Dodson, B. (1974). *Liberating Masturbation*. New York, Betty Dodson.

Doheny, K. (2006). « A new cure for serious PMS », *Shape*, février, p. 84.

Dong, M., Anda, R., Dube, S., Giles, W., et Felitti, V. (2003). « The relationship of exposure to childhood sexual abuse to other forms of abuse, neglect, and household dysfunction during childhood », *Child Abuse and Neglect*, vol. 27, p. 625-639.

Donnelly, P. et White, C. (2000). « Testicular dysfunction in men with primary hypothyroidism; reversal of hypogonadotrophic hypogonadism with replacement thyroxine », *Clinical Endocrinology*, vol. 52, p. 197-201.

Dorais, M. (2001). *Mort ou fif*, Montréal, VLB éditeur.

Douglas, C., Verna, P., Goktepe, K., et Nixon, L. (2005). « United States: Men coerce women into vaginal cosmetic surgery », *Off Our Backs*, vol. 35, p. 9.

Douglas, T. (2006). « The new world is on the ascent », *Education News*, 14 août, p. 27.

Dow, M., Hart, D. et Forrest, C. (1983). « Hormonal treatments of unresponsiveness in post-menopausal women: A comparative study », *British Journal of Obstetrics and Gynecology*, vol. 90, p. 361-366.

Doyle, A. (12 octobre 2006). *Homosexual animals exhibit opens*. http://www.news.com.au/story/0,23599,20571062-1702,00.html. (Consultation en ligne le 8 novembre 2006).

Doyle, J. et Paludi, M. (1991). *Sex and Gender*, 2e éd. Dubuque (Iowa), Brown and Benchmark.

Draucker, C. et Stern, P. (2000). « Women's responses to sexual violence by male intimates », *Western Journal of Nursing Research*, vol. 22, p. 385-406.

Dreger, A. (2003). *Notes on the Treatment of Intersex*. http://www.isna.org. (Consultation en ligne le 19 février 2003).

Dreznick, M. (2003). « Heterosocial competence of rapists and child molesters: A meta-analysis », *Journal of Sex Research*, vol. 40, p. 170-178.

Drigotas, S., Rusbult, C., et Verette, J. (1999). « Level of commitment, mutuality of commitment, and couple well-being », *Personal Relationships*, vol. 6, p. 389-409.

Druzin, P., Shrier, I., Yacowar, M. et Rossignol, M. (1998). « Discrimination against gay, lesbian and bisexual family physicians by patients », *Canadian Medical Association Journal*, vol. 158, n° 5, p. 593-597.

Dubé, E. (2000). « The role of sexual behavior in the identification process of gay and bisexual males », *The Journal of Sex Research*, vol. 37, p. 123-132.

Duchesne, L. (2006). *La situation démographique du Québec, bilan 2006*, Institut de la statistique du Québec.

Duddle, M. (1991). « Emotional Sequelae of Sexual Assault », *Journal of the Royal Society of Medicine*, vol. 84, p. 26-28.

Duenwald, M. (2003). « Effort to make sex drug for women challenges experts », *New York Times*, 25 mars, p. D5.

Duffy, J., Warren, K., et Walsh, M. (2001). « Classroom interactions: Gender of teacher, gender of student and classroom subject », *Sex Roles*, vol. 45, p. 579-593.

Dunn, M., Bartee, R., et Perko, M. (2003). « Self-reported alcohol use and sexual behaviors of adolescents », *Psychological Reports*, vol. 92, p. 339-348.

Dunn, M. et Cutler, N. (2000). « Sexual issues in older adults », *AIDS Patient Care and STDs*, vol. 14, p. 67-69.

Dunn, M. et Trost, J. (1989). « Male multiple orgasms: A descriptive study », *Archives of Sexual Behavior*, vol. 18, p. 377-388.

Dupanloup, I., Pereira, L., Bertorelle, G., Calafell, F., Prata, M.J., Amorim, A. et Barbujani, G. (2003). « A Recent Shift from Polygyny to Monogamy in Humans Is Suggested by the Analysis of Worldwide Y-Chromosome Diversity », *Journal of Molecular Evolution*, vol. 57, n° 1, p. 85-97.

Dupras, A. (sous la direction de) (1989). *La sexologie au Québec*, Longueuil, IRIS.

Duquet, F. (2002). *La violence et le sexisme dans les vidéoclips : du sexisme « ordinaire » à la banalisation de la violence sexuelle*, Ministère de l'Éducation du Québec, Coordination de la condition féminine.

Durand, V. et Barlow, D. (2000). *Abnormal Psychology: An Introduction*, Belmont (Californie), Wadsworth/Thomson Learning.

Durex (2006). « Global sex survey », http://www.wasvisual.com/lecture.html?lecture=182 (consultation en ligne le 24 mars 2009).

Dutton, G, et Aron, A. (1974). « Some Evidence for Heightened Sexual Attraction Under Conditions of High Anxiety », *Journal of Personnaliy and Social Psychology*, vol. 30, n° 4, p. 510-517.

Duty, S., Silva, M., Barr, D., et Brock, J. (2003). « Phthalate exposure and human semen parameters », *Epidemiology*, vol. 14, p. 269-277.

Dworkin, S., et O'Sullivan, L. (2005). « Actual versus desired initiation patterns among a sample of college men: Tapping disjunctures within traditional male sexual scripts », *Journal of Sex Research*, vol. 42, p. 150-158.

Dwyer, M. (1988). « Exhibitionism/voyeurism », *Journal of Social Work and Human Sexuality*, vol. 7, p. 101-112.

Dykes, B. (2000). « Problems in defining cross-culture "kinds of homosexuality"—and a solution », *Journal of Homosexuality*, vol. 38, p. 1-18.

Eardley, I., Collins, O., Hackett, G., et Edwards, D. (2006). « Partners of heterosexual men with erectile dysfunction, treated with vardenafil, feel themselves to be sexually more desirable », *The Journal of Sexual Medicine*, vol. 3 (suppl. 3), p. 224-286.

Eaton, S. (2004). « Sierra Leone: The proving ground for prosecuting rape as a war crime », *Georgetown Journal of International Law*, vol. 35, p. 873-919.

Ebadi, Shirin (2006). *IRAN AWAKENING - A Memoir of Revolution and Hope*, Random House.

Eccles, A., Marshall, W. et Barbaree, H. (1994). « Differentiating rapists and non-rapists using the rape index », *Behaviour Research and Therapy*, vol. 32, p. 539-546.

Eccles, J., Barber, E., et Jozefowicz, D. (1999). « Linking gender to educational, occupational, and recreational choices: Applying the Eccles et al. model of achievement-related choices » (sous la direction de W. Swann et J. Langlois), *Sexism and Stereotypes in Modern Society: The Gender Science of Janet Taylor Spence*. Washington, DC, American Psychological Association.

Ecker, N. (1993). « Culture and sexual scripts out of Africa », *SIECUS Report*, vol. 22, p. 16.

Edelman, A., Koontz, S., Nichols, M., et Jensen, J. (2006). « Continuous oral contraceptives: Are bleeding patterns dependent on the hormones given? », *Obstetrics & Gynecology*, vol. 107, p. 657–665.

Edwards, T. (2000). « Flying solo », *Time*, 28 août, p. 47-53.

Egan, R. (2008). « Rôle des œstrogènes dans l'organogenèse », *Eawag News*, juin 2008.

Ehrenfeld, T. (2002). « Infertility: A guy thing », *Newsweek*, 25 mars, p. 60-61.

Ehrenreich, B. (1999). « The real truth about the female body », *Time*, 8 mars, p. 57-71.

Eisner, T., Conner, J., et Carrel, J. (1990). « Systemic retention of ingested cantharidin by frogs », *Chemoecology*, vol. 1, p. 57-62.

Eitzen, D., et Zinn, M. (2000). *Social Problems*, 8e éd., Boston, Allyn and Bacon.

Eke, N. et Nkanginieme, K. (2006). « Female genital mutilation and obstetric outcome », *The Lancet*, vol. 367, p. 1799-1800.

Elder, S. (2005). « The lock box », *Psychology Today*, mars-avril, p. 42-46.

Elias, J. et Gebhard, P. (1969). « Sexuality and sexual learning in childhood », *Phi Delta Kappan*, vol. 50, p. 401-405.

Eliason, M. et Morgan, K. (1998). « Lesbians define themselves: Diversity in lesbian identification », *Journal of Gay, Lesbian, and Bisexual Identity*, vol. 3, n° 1, p. 47-63.

Eliasson, R., et Lindholmer, C. (1976). « Functions of male accessory genital organs (sous la direction de E. Hafez), *Human Semen and Fertility Regulations in Men*. St. Louis, Mosby.

Elkind, D. (1967). « Egocentrism in adolescence », *Child Development*, vol. 38, p. 1025-1034.

Elliott, L. et Brantley, C. (1997). *Sex on Campus*, New York, Random House.

Elliott, S., et Burgess, V. (2005). « The presence of gamma-hydroxybutyric acid (GHB) and gammabutyrolactone (GBL) in alcoholic and nonalcoholic beverages », *Forensic Science International*, vol. 151, p. 289-292.

Ellis, H. (1920). *On Life and Sex*. Garden City, NY, Garden City Publishing.

Ellis, L., Robb, B., et Burke, D. (2005). « Sexual orientation in United States and Canadian college students », *Archives of Sexual Behavior*, vol. 34, p. 569-582.

Ellison, C. (2000). *Women's Sexualities*, Oakland (Californie), New Harbinger Publications.

El-Noshokaty, A. (2006). *Sex and the City*. http://weekly.ahram.org.eg/print/2006/813/lil.htm. (Consultation en ligne le 26 septembre 2006).

El-Rouayheb, K. (2006). « Before homosexuality in the Arab-Islamic world », *The Gay and Lesbian Review Worldwide*, vol. 13, p. 43-45.

El-Zanaty, F. et Way, A. (2006). *Egypt Demographic and Health Survey 2005*. Caire, Égypte, Ministry of Health and Population, National Population Council, El-Zanaty and Associates, and ORC Macro.

Engelberg, R., Carrell, D., Krantz, E., Corey, L, et Wald, A. (2003). « Natural history of genital herpes simplex virus type 1 infection », *Sexually Transmitted Diseases*, vol. 30, p. 174-177.

Epp, S. (1997). « The diagnosis and treatment of athletic amenorrhea », *Physician Assistant*, mars, p. 129-144.

Epstein, R. (2006). « Do gays have a choice? », *Scientific American Mind*, février-mars, p. 51-57.

Ernst, E., et Pittler, M. (1998). « Yohimbine for erectile dysfunction: A systematic review and meta-analysis of randomized clinical trials », *Journal of Urology*, vol. 159, p. 433-436.

Eschenbach, D., Patton, D., Hooton, T., Meier, A., Stapleton, A., Aura, J., et Agnew, K. (2001). « Effects of vaginal intercourse with and without a condom on vaginal flora and vaginal epithelium », *Journal of Infectious Diseases*, vol. 183, p. 913-918.

Escobar-Chaves, S., Tortolero, S., Markham, C., et Low, B. (2005). « Impact of the media on adolescent sexual attitudes and behaviors », *Pediatrics*, vol. 116, p. 303-326.

Eskeland, B., Thom, E. et Svendsen, K. (1997). « Sexual desire in men: Effects of oral ingestion of a product derived from fertilized eggs », *Journal of International Medical Research*, vol. 25, p. 62-70.

Ethics Committee, American Society for Reproductive Medicine (1997). « Ethical considerations of assisted reproductive medicine », *International Journal of Gynecology and Obstetrics*, vol. 67, n° 5, p. 15-95.

Ezzell, C. (2000). « Care for a dying continent », *Scientific American*, mai, p. 96-105.

Faerman, M., Kahila, G. et Smith, P. (1997). « DNA analysis reveals the sex of infanticide victims », *Nature*, vol. 385, p. 212.

Fan, M. (20 septembre 2006). *On China's Airwaves, a Discourse on Sex Ed: Radio Show Caters to Young Audience*. http://www.boston.com/news/world/asia/articles/2006/09/20/on_chinas_airwaves_ a_discourse_ on_sex_ed. (Consultation en ligne le 26 septembre 2006).

Farber, N. (1992). « Sexual standards and activity: Adolescents' perceptions », *Child and Adolescent Social Work*, vol. 9, p. 53-76.

Farley, M. (2004). *Prostitution, trafficking and traumatic stress*, Binghamton, NY, Haworth, Maltreatment & Trauma Press.

Farley, M. (sous la direction de) (2003). « Prostitution and the invisibility of harm », *Women & Therapy*, vol. 26, n° 3/4, p. 247-280.

Farr, K. (2004). *Sex Trafficking: The Global Market in Women and Children*. New York, W. H. Freedman.

Fauntleroy, G. (2005). « Whose decision is it? The long-term legal implications of informed consent », *Mothering*, septembre-octobre, p. 58-61.

Fausto-Sterling, A. (2000). *Sexing the Body: Gender Politics and the Construction of Sexuality*. New York, Basic Books.

Federman, D. (2006). « The biology of human sex differences », *The New England Journal of Medicine*, vol. 354, p. 1507-1514.

Fedora, O., Reddon, J., Morrison, J., et Fedora, S. (1992). « Sadism and other paraphilias in normal controls and aggressive and nonaggressive sex offenders », *Archives of Sexual Behavior*, vol. 21, p. 1-15.

Fedoroff, J.P., Fishell, A., et Fedoroff, B. (1999). « A case series of women evaluated for paraphilic sexual disorders », *Canadian Journal of Human Sexuality*, vol. 8, p. 127-140.

Feeney, J., et Noller, P. (1996). *Adult Attachment*. Thousand Oaks, CA, Sage.

Feldman-Summers, S., et Pope, K. (1994). « The experience of "forgetting" childhood abuse: A national survey of psychologists », *Journal of Consulting and Clinical Psychology*, vol. 62, p. 636-639.

Ferguson, D., Steidle, C., Singh, G., et Alexander, S. (2003). « Randomized placebo-controlled, double blind, crossover design trial of the efficacy and safety of Zestra for women in women with and without female sexual arousal disorder », *Journal of Sex and Marital Therapy*, vol. 29, p. 33-44.

Fernet, M. (2005). *Amour, violence et adolescence*, Québec, Presses de l'Université du Québec.

Fernet, M., Imbleau, M. et Pilote, F. (2001). « Sexualité et mesures préventives contre les MTS et la grossesse », dans Institut de la Statistique du Québec, *Enquête sociale et de santé auprès des enfants et des adolescents québécois en 1999*, Québec, Publications du Québec.

Feroli, K.L. et Burstein, G.R. (2003). « Adolescent Sexually Transmitted Diseases: New Recommendations for Diagnosis, Treatment, and Prevention », *American Journal of Maternal Child Nursing*, vol. 28, p. 113-118.

Ferrer, F. et McKenna, P. (2000). « Current approaches to the undescended testicle », *Contemporary Pediatrics*, vol. 17, p. 106-112.

Ferroni, P. et Jaffee, J. (1997). « Women's emotional well-being: The importance of communicating sexual needs », *Sexual and Marital Therapy*, vol. 12, p. 127-138.

Filicori, M. (2003). « Use of luteinizing hormone in the treatment of infertility: Time for reassessment? », *Fertility and Sterility*, vol. 79, p. 253-255.

Fillion, K. (1996). « This is the sexual revolution? », *Saturday Night*, février, p. 36-41.

Fineman, H. (1993). « Marching to the mainstream », *Newsweek*, 3 mai, p. 42-45.

Finger, W. (2000). « Avoiding sexual exploitation: Guidelines for therapists », *SIECUS Report*, vol. 28, p. 12-13.

Finger, W., Lund, M. et Slagle, M. (1997). « Medications that may contribute to sexual disorders », *Journal of Family Practice*, vol. 44, p. 33-43.

Finger, W., Quillen, J. et Slagle, M. (2000). « They can't all be viagra: Medications causing sexual dysfunctions », communication donnée au XXXII Annual Conference of the American Association of Sex Educators, Counselors, and Therapists, Atlanta (Géorgie), 10-14 mai.

Finkelhor, D. (1979). *Sexually Victimized Children*, New York, Free Press.

Finkelhor, D. (1984a). *Child Sexual Abuse: Theory and Research*, New York, Free Press.

Finkelhor, D. (1984b). « The prevention of child sexual abuse: An overview of needs and problems », *SIECUS Report*, vol. 13, p. 1-5.

Fischer, M.-L. et Voracek, M. (2006). « The shape of beauty: determinants of female physical attractiveness », *Journal of Cosmetic Dermatology*, vol. 5, n° 2, juin 2006, p. 190-194(5).

Fischhoff, B. (1992). « Giving advice: Decision theory perspectives on sexual assault », *American Psychologist*, vol. 47, p. 577-588.

Fisher, B., Cullen, F., et Turner, G. (2000). *The Sexual Victimization of College Women*. Washington, DC, National Institutes of Justice, Bureau of Justice Statistics.

Fisher, H. (1999). *The First Sex: The Natural Talents of Women and How They Will Change the World*, New York, Random House.

Fisher, J., et Heesacker, M. (1995). « Men's and women's preferences regarding sex-related and nurturing traits in dating partners », *Journal of College Student Development*, vol. 36, p. 260-269.

Fisher, W. et Gray, J. (1988). « Erotophobia erotophilia and sexual behavior during pregnancy and postpartum », *Journal of Sex Research*, vol. 25, p. 379-396.

Fisher-Thompson, D. (1990). « Adult sex typing of children's toys », *Sex Roles*, vol. 23, p. 291-303.

Flanders, L. (1998). « Rwanda's living casualties », *Ms.*, mars-avril, p. 27-30.

Flannery, D., Ellingson, L., Votaw, K., et Schaefer, E. (2003). « Anal intercourse and sexual risk factors among college women, 1993-2000 », *American Journal of Health Behavior*, vol. 27, p. 228-234.

Fleming, M., et Pace, J. (2001). « Sexuality and chronic pain », *Journal of Sex Education and Therapy*, vol. 26, p. 204-214.

Fleming, M., et Rickwood, D. (2004). « Teens in cyberspace: Do they encounter friend or foe? », *Youth Studies Australia*, vol. 23, p. 46-52.

FNEEQ (2002). *Homosexualité et éducation*. http://www.fneeq.qc.ca/fr/accueil/publications/grands_dossiers/grandDossier-homosexualite2.rtf.

Foa, U., Anderson, B., Converse, J., et Urbanski, W. (1987). « Gender-related sexual attitudes: Some cross-cultural similarities and differences », *Sex Roles*, vol. 16, p. 511-519.

Folb, K. (2000). « "Don't touch that dial!" TV as a—what!—positive influence », *SIECUS Report*, vol. 28, p. 16-18.

Foley, D. (2006). « Spice up your love life », *Prevention*, vol. 58, p. 172.

Foley, S. (2003). « Women in sex therapy: Developing a sexual identity », *Contemporary Sexuality*, vol. 37, p. 7-13.

Folkes, V. (1982). « Forming relationships and the matching hypothesis », *Personality and Social Psychology Bulletin*, vol. 9, p. 631-636.

Follingstad, D. et Kimbrell, D. (1986). « Sex fantasies revisited: An expansion and further clarification of variables affecting sex fantasy production », *Archives of Sexual Behavior*, vol. 15, p. 475-486.

Fone, B. (2000). *Homophobia: A History*, New York, Metropolitan Books.

Forbes, G. (1992). « Body size and composition of perimenarchal girls », *American Journal of Diseases in Children*, vol. 146, p. 63-66.

Forbes, G., Adams-Curtis, L., White, K., et Holmgren, K. (2003). « The role of hostile and benevolent sexism women's and men's perceptions of the menstruating women », *Psychology of Women Quarterly*, vol. 27, p. 58-63.

Ford, C. et Beach, F. (1951). *Patterns of Sexual Behavior*, New York, Harper & Row.

Forsyth, C. (1996). « The structuring of vicarious sex », *Deviant Behavior: An Interdisciplinary Journal*, vol. 17, p. 279-295.

Fosas, N., Marina, F., Torres, P., et Jove, I. (2003). « The births of five Spanish babies from cryopreserved donated oocytes », *Human Reproduction*, vol. 18, p. 1417-1421.

Foster, M. (1992). « Aberrant puberty », *Obstetrics and Gynecology Clinics of North America*, vol. 19, p. 59-70.

Fowke, K., Nagelkerke, N., Kiman, J., Simonsen, J., Anzala, A., Bwayo, J., MacDonald, K., Nguigi, E., et Plummer, F. (1996). « Resistance to HIV-1 infection among persistently seronegative prostitutes in Nairobi, Kenya », *The Lancet*, vol. 348, p. 1347-1351.

Fox, R. (1990). « Bisexuality and Sexual Orientation Self-Disclosure », communication donnée à la Society for the Scientific Study of Sex Annual Western Region Conference, San Diego, 25 avril.

Fox, R., Burton, D., et Lawson, D. (2006). « The effect of spiritual attitudes on hypoactive sexual desire disorder », communication donnée au Gumbo Sexualite Upriver: Spicing Up Education and Therapy (AASECT 38th Annual Conference), St. Louis, juin-juillet.

Fox, T. (1995). *Sexuality and Catholicism*, New York, George Braziller.

Francoeur, R. (2001). « Challenging collective religious/social beliefs about sex, marriage, and family », *Journal of Sex Education and Therapy*, vol. 26, p. 281-290.

Frankowski, B. (2004). « Sexual orientation and adolescents », *Pediatrics*, vol. 113, p. 1827-1832.

Franzen, R. (2001). « No place for a child », *The Sunday Oregonian*, 11 mars, p. A1.

Frayser, S. (1994). « Defining normal childhood sexuality: An anthropological approach », *Annual Review of Sex Research*, vol. 5, p. 173-217.

Frazier, K. (2006). « Memory wars and monster stories », *Skeptical Inquirer*, vol. 30, p. 4.

Frazier, P. (1993). « A comparative study of male and female victims seen at hospital-based rape crises programs », *Journal of Interpersonal Violence*, vol. 8, p. 65-79.

Freeman, E., Bloom, D., et McGuire, E. (2001). « A brief history of testosterone », *Journal of Urology*, vol. 165, p. 371-373.

Freud, S. (1905). *Trois essais sur la théorie de la sexualité*, Paris, Gallimard, 1964.

Freund, K. et Blanchard, R. (1993). « Erotic target location errors in male gender dysphorics, paedophiles, and fetishists », *British Journal of Psychiatry*, vol. 162, p. 558-563.

Freund, K., Seto, M., et Kuban, M. (1997). « Frotteurism and the theory of courtship disorder » (sous la direction de D. Laws et W. O'Donohue), *Sexual Deviance: Theory, Assessment, and Treatment*. New York, Guilford Press.

Freund, K., Watson, R., et Rienzo, D. (1988). « The value of self-reports in the study of voyeurism and exhibitionism », *Annals of Sex Research*, vol. 1, p. 243-262.

Freund, M., Lee, N. et Leonard, T. (1991). « Sexual behavior of clients with street prostitutes in Camden », N.J. *Journal of Sex Research*, vol. 28, p. 579-591.

Friday, N. (1980). *Les fantasmes masculins, de l'imaginaire érotique des hommes à la réalité*. Paris, Robert Laffont.

Friedman, M. (2003). *Strapped for Cash: A History of American Hustler Culture*. Los Angeles, Aylson Publications.

Friedman, S. (1994). *Secret Lives: Women With Two Lives*, New York, Crown.

Friedrich, W., Fisher, J., Broughton, D., Houston, M. et Shafran, C. (1998). « Normative sexual behavior in children: A contemporary sample », *Pediatrics*, vol. 101, p. 1-13, http://www.pediatircs.org/cgi/content/full/101/4/e9 (consultation en ligne le 30 mai 2000).

Friedrich, W., Grambsch, P., Broughton, D., Kuiper, J., et Beilke, R. (1991). « Normative sexual behavior in children », *Pediatrics*, vol. 88, p. 456-464.

Friess, S. (2003). « Jews oy, two boys? », *Newsweek*, 24 mars, p. 8.

Frohlich, P., et Meston, C. (2005). « Tactile sensitivity in women with sexual arousal disorder », *Archives of Sexual Behavior*, vol. 34, p. 207-218.

Fromm, E. (1965). *The Ability to Love*, New York, Farrar, Straus & Giroux.

Fu, H., Darroch, J., Hass, T., et Ranjit, N. (1999). « Contraceptive failure rates: New estimates from the 1995 National Survey of Family Growth », *Family Planning Perspectives*, vol. 31, p. 56-63.

Fugl-Meyer, K., Oberg, K., Lundberg, P., et Lewin, B. (2006). « On orgasm, sexual techniques, and erotic perceptions in 18- to 74-year-old Swedish women », *The Journal of Sexual Medicine*, vol. 3, p. 56-68.

Furnham, A., et Mak, T. (1999). « Sex-role stereotyping in television commercials : A review and comparison of fourteen studies done on five continents over 25 years », *Sex Roles*, vol. 41, p. 413-437.

Gaby, A. (2005). « Vitamin E relieves menstrual pain », *Townsend Letter for Doctors and Patients*, décembre, p. 46.

Gager, C., et Sanchez, L. (2003). « Two as one? », *Journal of Family Issues*, vol. 24, p. 21-50.

Gagnon, J. (1977). *Human Sexualities*, Glenview (Illinois), Scott, Foresman.

Galewitz, P. (2000). *New Birth Control Method Approved*. http://www.salon.com/mwt/wire/2000/10/06/birth_control/index.html (consultation en ligne le 6 octobre 2000).

Gallo, L., et Smith, T. (2001). « Attachment style in marriage: Adjustment and responses to interaction », *Journal of Social and Personal Relationships*, vol. 18, p. 263-289.

Gange, S. (1999). *When is Adult Circumcision Necessary?* http://www.cnn.com/HEALTH/men/circumcision.adult/index.html (consultation en ligne le 20 septembre 1999).

Gangestad, S., et Simpson, J. (2000). « The evolution of human mating: Trade-offs and strategic pluralism », *Behavioral and Brain Sciences*, vol. 23, p. 573-587.

Gao, F., Bailes, E., Robertson, D., Chen, Y., Rodenburg, C., Michael, S., Cummings, L., Arthur, L., Peeters, M., Shaw, G., Sharp, P. et Hahn, B. (1999). « Origin of HIV-1 in chimpanzee *Pantroglodytes troglodytes* », *Nature*, vol. 397, p. 436-441.

Garcia-Banigan, D., et Guay, A. (2005). « Testosterone treatment in women », *Contemporary Sexuality*, vol. 39, p. i-vii.

Gardner, M. (2006). « The memory wars: Part I », *Skeptical Inquirer*, vol. 30, p. 28-31.

Gardner, R., Blackburn, M., et Ushma, D. (1999). « Closing the condom gap », *Population Reports*, vol. 27, p. 1-35.

Garnefski, N., et Diekstra, R. (1997). « Child sexual abuse and emotional and behavioral problems in adolescence: Gender differences », *Journal of the Academy of Child and Adolescent Psychiatry*, vol. 36, p. 323-329.

Garos, S. (1994). « Autoerotic asphyxiation: A challenge to death educators and counselors », *Omega: Journal of Death and Dying*, vol. 28, p. 85-99.

Garza-Leal, J., et Landron, F. (1991). « Autoerotic asphyxial death initially misinterpreted as suicide and review of the literature », *Journal of Forensic Science*, vol. 36, p. 1753-1759.

Geadah, Y. (2003). *La prostitution : un métier comme un autre ?*, Montréal, VLB éditeur.

Gearhart, P., et Robboy, A. (2005). « Sex and sexuality in pregnancy », communication donnée à What's New and What Works: Pioneering

Solutions for Today's Sexual Issues (AASECT 37th Annual Conference), Portland, OR, mai.

Gearson, C. (2003). *The Search for a Female Viagra*. http://health.discovery.com/centers/womens/viagra/viagra_print.html. (Consultation en ligne le 3 août 2003).

Geary, S., et Moon, Y. (2006). «The human embryo in vitro: Recent progress», *The Journal of Reproductive Medicine*, vol. 51, p. 293-302.

Gebhard, P. (1971). «Human sexual behavior: A summary statement» (sous la direction de D. Marshall et R. Suggs), *Human Sexual Behavior: Variations in the Ethnographic Spectrum*. Englewood Cliffs, NJ, Prentice Hall.

Gebhard, P. Gagnon, J. Pomery, W. et Christenson, C. (1965). *Sex Offenders: An Analysis of Types*, New York, Harper & Row.

Geer, J., et Manguno-Mire, G. (1997). «Gender differences in cognitive processes in sexuality», *Annual Review of Sex Research*, vol. 7, p. 90-124.

Gelfand, M. (2000). «The role of androgen replacement therapy for postmenopausal women», *Contemporary Obstetrics and Gynecology*, février, p. 107-116.

Genevie, L. et Margolies, E. (1987). *The Motherhood Report: How Women Feel About Being Mothers*, New York, Macmillan.

Genuis, S., et Genuis, S. (2005). «Implications of cyberspace communication», *Southern Medical Journal*, vol. 98, p. 451-455.

Gertler, P., Shah, M., et Bertozzi, S. (2005). «Risky business: The market for unprotected commercial sex», *Journal of Political Economy*, vol. 113, p. 518-551.

Getahun, D., Oyelese, Y., Slihu, H., et Ananth, C. (2006). «Previous cesarean delivery and risks of placenta previa and placental abruption», *Obstetrics and Gynecology*, vol. 107, p. 771-778.

Ghani, J., et Aral, S. (2005). «Patterns of sex worker-client contacts and their implications for the persistence of sexually transmitted infections», *Journal of Infectious Diseases*, vol. 191, p. 534-541.

Ghizzani, A. et Montomoli, M. (2000). «Anorexia nervosa and sexual behavior in women: A review», *Journal of Sex Education and Therapy*, vol. 25, p. 80-88.

Gholami, S., Gonzalez-Cadavid, N., Lin, C., et Rajfer, J. (2003). «Peyronie's disease: A review», *Journal of Urology*, vol. 169, p. 1234-1241.

Giaquinto, S., Buzzelli, S., Di Francesco, L., et Nolfe, G. (2003). «Evaluation of sexual changes after stroke», *Journal of Clinical Psychiatry*, vol. 64, p. 302-307.

Giargiari, T., Mahaffey, A., Craighead, W., et Hutchison, K. (2005). «Appetitive responses to sexual stimuli are attenuated in individuals with low levels of sexual desire», *Archives of Sexual Behavior*, vol. 34, p. 547-557.

Gibbons, A. (1991). «The brain as a "sexual organ"», *Science*, vol. 253, p. 957-959.

Gibbs, N. (2001). «Renegade scientists say they are ready to start applying the technology of cloning to human beings», *Time*, 19 février, p. 47-57.

Gierhart, B. (2006). «When does a "less than perfect" sex life become female sexual dysfunction?»,*Obstetrics and Gynecology*, vol. 107, p. 750-751.

Gilbert, B., Heesacker, M., et Gannon, L. (1991). «Changing the sexual aggression-supportive attitudes of men: A psychoeducational intervention», *Journal of Counseling Psychology*, vol. 38, p. 197-203.

Ginsburg, K., Wolf, N., et Fidel, P. (1997). «Potential effects of midcycle cervical mucus on mediators of immune reactivity», *Fertility and Sterility*, vol. 67, p. 46-56.

Girard, C. (2007). *Le bilan démographique du Québec, édition 2007*, Institut de la statistique du Québec, Gouvernement du Québec.

Girman, A., Lee, R., et Kligler, B. (2003). «An integrative medicine approach to premenstrual syndrome», *American Journal of Obstetrics and Gynecology*, vol. 188, p. S56-S63.

Gittleman, M., Liao, Q., Song, X., et Geng, L. (2006). «A placebo-controlled, double-blind study of the efficacy and safety of an alprostadil topical cream in patients with female sexual arousal disorder», *The Journal of Sexual Medicine*, vol. 3 (suppl. 3), p. 224-286.

Glei, D. (1999). «Measuring contraceptive use patterns among teenage and adult women», *Family Planning Perspectives*, vol. 31, p. 73-80.

Glennon, L. (1999). *The 20th Century: An Illustrated History of Our Lives and Times*. North Dighton, MA, JG Press.

Glick, P., et Fiske, S. (2001). «An ambivalent alliance: Hostile and benevolent sexism as complementary justifications for gender inequality, *American Psychologist*, février, p. 109-118.

Glina, S. (2006). «What to say to the couple regarding their future sex life at the time of working out the treatment strategy? », *The Journal of Sexual Medicine*, vol. 3 (suppl. 2), p. 85.

Glover, D., Amonkar, M., Rybeck, B., et Tracy, T. (2003). «Prescription, over-the-counter, and herbal medicine use in a rural obstetric population», *American Journal of Obstetrics and Gynecology*, vol. 188, p. 1039-1045.

Godow, A. (1999). «Playful sexuality», *Contemporary Sexuality*, vol. 33, p. 1-2.

Gold, D., Balzano, B. et Stamey, R. (1991). «Two studies of females' sexual force fantasies», *Journal of Sex Education and Therapy*, vol. 17, p. 15-26.

Goldberg, H. (1990). *L'homme sans masque*, Montréal, Le jour éditeur.

Goldberg, M. (2006). *Kingdom Coming: The Rise of Christian Nationalism*, New York, W.W. Norton et Company.

Goldman, H. (1992). *Review of General Psychiatry*, Norwalk (Connecticut), Appleton & Lange.

Goldman, R. et Goldman, J. (1982). *Children's Sexual Thinking: A Comparative Study of Children Aged 5 to 15 Years in Australia, North America, Britain, and Sweden*, Londres, Routledge & Kegan Paul.

Goldstein, A., Klingman, D., Christopher, K., et Johnson, C. (2006). «Surgical treatment of vulvar vestibulitis syndrome: Outcome assessment derived from a postoperative questionnaire», *The Journal of Sexual Medicine*, vol. 3, p. 923-931.

Goldstein, I., et Leventhal-Alexander, J. (2005). «Practical aspects in the management of vaginal atrophy and sexual dysfunction in perimenopausal and postmenopausal women», *The Journal of Sexual Medicine*, Suppl. 3, p. 154-165.

Golombok, S. et Fivush, R. (1995). «Gender is determined biologically and socially», *Human Sexuality: Opposing Viewpoints* (sous la direction de D. Bender et B. Leone), San Diego (Californie), Greenhaven Press.

Golombok, S., Perry, B., Burston, A., et Murray, C. (2003). «Children with lesbian parents: A community study», *Developmental Psychology*, vol. 39, p. 20-33.

Golombok, S. et Tasker, F. (1996). «Do parents influence the sexual orientation of their children? Findings from a longitudinal study of lesbian families», *Developmental Psychology*, vol. 32, p. 3-11.

Goodman, D. (2001). «Communicating with Strangers... or How to Become More Culturally Competent Sex Educators and Counselors», communication donnée au 33e Annual Conference of the American Association of Sex Educators, Counselors, and Therapists, San Francisco, 2-6 mai.

Goodman-Brown, T., Edelstein, R., Goodman, G., Jones, D., et Gordon, D. (2003). «Why children tell: A model of children's disclosure of sexual abuse», *Child Abuse and Neglect*, vol. 27, p. 525-540.

Goodrum, J. (2000). *A Transgender Primer*. http://www.ntac.org/tg101.html (consultation en ligne le 16 février 2000).

Goodyear, R., Newcomb, M., et Allison, R. (2000). «Predictors of Lativol. men's paternity in teen pregnancy: A test of a mediational model of childhood experiences, gender role attitudes, and behaviors», *Journal of Counseling Psychology*, vol. 47, p. 116-128.

Gordon, S., Brenden, J., Wyble, J. et Ivey, C. (1997). «When the Dx is penile cancer», *RN*, mars, p. 41-44.

Gordon, S. et Gordon, J. (1989). *Raising a Child Conservatively in a Sexually Permissive World*, New York, Simon & Schuster.

Gore, A. (1998). «The genetic moral code», *The Advocate*, 31 mars, p. 9.

Gorman, C. (2002). «The limits of science», *Time*, 15 avril, p. 52.

Gorski, E. (2002). «New Bible: Revised gender version», *The Oregonian*, 9 février, p. C7.

Gottman, J. (1993). *What Predicts Divorce*, Hillsdale (New Jersey), Lawrence Erlbaum.

Gottman, J. (1994). *Why Marriages Succeed or Fail*, New York, Simon & Schuster.

Gottman, J., Coan, J., Carrere, S. et Swanson, C. (1998). « Predicting marital happiness and stability from newlywed interactions », *Journal of Marriage and the Family*, vol. 60, p. 5-22.

Gottman, J.M. et Silver, N. (2001). *Les couples heureux ont leurs secrets - Les sept lois de la réussite*, Pocket.

Gouvernement du Québec (2001). *Orientations gouvernementales en matière d'agression sexuelle*, Québec, Ministère de la Santé et des Services Sociaux.

Gowen, L. (2005). « Normative use of online sexual activities », *The Oregon Psychologist*, novembre-décembre, p. 5-6.

Grady, W., Klepinger, D., et Nelson-Wally, A. (2000). « Contraceptive characteristics: The perceptions and priorities of men and women », *Family Planning Perspectives*, vol. 31, p. 168-175.

Grafenberg, E. (1950). « The role of urethra in female orgasm », *International Journal of Sexology*, vol. 3, p. 145-148.

Grannis, K. (2005). « Bi and invisible », *The Advocate*, 22 novembre, p. 24.

Gravholt, C. Juul, S. Naeraa, R. et Hansen, J. (1998). « Morbidity in Turner syndrome », *Journal of Clinical Epidemiology*, vol. 51, p. 147-158.

Gray, J. et Wolfe, L. (1992). « An anthropological look at human sexuality », dans Masters, W. Johnson, V. et Kolodny, R., *Human Sexuality*, 4e éd., New York, HarperCollins.

Greaves, K. (2001). « The social construction of sexual activity in heterosexual relationships: A qualitative analysis », communication donnée au XXXIII Annual Conference of the American Association of Sex Educators, Counselors, and Therapists, San Francisco, 2-6 mai.

Green, B., DeBacker, T., Ravindron, B., et Krows, A. (1999). « Goals, values, and beliefs as predictors of achievement and effort in high-school mathematics classes », *Sex Roles*, vol. 40, p. 421-458.

Green, G. et Clunis, D. (1989). « Married lesbians », *Women and Therapy*, vol. 8, p. 41-49.

Green, J. (2000). « A killer on land and sea? », *Newsweek*, 24 avril, p. 65.

Green, L., Fein, D., Modahl, C., Feinstein, C., Waterhouse, L., et Morris, M. (2001). « Oxytocin and autistic disorder: Alterations in peptide forms », *Biological Psychiatry*, vol. 50, p. 609-613.

Green, R. (1974). *Sexual Identity Conflict in Children and Adults*, New York, Basic Books.

Green, R. (1987). *The "Sissy Boy" Syndrome and the Development of Homosexuality*, New Haven (Connecticut), Yale University Press.

Greenberg, B., et Woods, M. (1999). « The soaps: Their sex, gratifications, and outcomes », *Journal of Sex Research*, vol. 36, p. 150-157.

Greene, K., et Faulkner, S. (2005). « Gender, belief in the sexual double standard, and sexual talk in heterosexual dating relationships », *Sex Roles: A Journal of Research*, vol. 53, p. 239-251.

Greenfield, D. (2005). « The net effect: Internet addiction and compulsive Internet use », *The Oregon Psychologist*, novembre-décembre, p. 15-17.

Greenstein, A. Plymate, S. et Katz, G. (1995). « Visually stimulated erection in castrated men », *Journal of Urology*, vol. 153, p. 650-652.

Greenwald, E., et Leitenberg, H. (1989). « Long-term effects of sexual experiences with siblings and nonsiblings during childhood », *Archives of Sexual Behavior*, vol. 18, p. 389-400.

Gregersen, E. (1996). *The World of Human Sexuality: Behaviors, Customs, and Beliefs*. New York, Irvington.

Gregorian, R., Golden, K., Bahce, A., Goodman, C., Kwong, W., et Khan, Z. (2002). « Antidepressant-induced sexual dysfunction », *Annals of Pharmacotherapy*, vol. 36, p. 1577-1589.

Gron, G., Wunderlich, A., Spitzer, M., Tomczak, R., et Riepe, M. (2000). « Brain activation during human navigation: Gender-different neural networks as substrate of performance », *Nature Neuroscience*, vol. 3, p. 404-408.

Gross, B. (2004). « Sleeping dogs—dreams and repressed memories », *Annals of the American Psychotherapy Association*, vol. 7, p. 43-44.

Gross, B. (2006). « The pleasure of pain », *The Forensic Examiner*, vol. 15, p. 56-61.

Gross, L. (2001). *Up from Invisibility: Lesbians, Gay men, and the Media in America*. New York, Columbia University Press.

Gross, M. (2003a). « The second wave will drown us », *American Journal of Public Health*, vol. 93, p. 872-881.

Gross, W. et Billingham, R. (1998). « Alcohol consumption and sexual victimization among college women », *Psychological Reports*, vol. 82, p. 80-82.

Groupe de travail fédéral-provincial-territorial spécial (2003). *Les politiques et les dispositions législatives concernant la violence conjugale*. www.justice.gc.ca/fra/pi/vf-fv/pub/index.html (consultation en ligne le 25 août 2008).

Gruszecki, L., Forchuk, C., et Fisher, W. (2005). « Factors associated with common sexual concerns in women: New findings from the Canadian contraception study », *The Canadian Journal of Human Sexuality*, vol. 14, p. 1-14.

Gu, G., Cornea, A., et Simerly, R. (2003). « Sexual diffferentiation of projections from the principal nucleus of the bed nuclei of the stria terminalis », *Journal of Comparative Neurology*, vol. 460, p. 542-562.

Gur, R., Mozley, L., Mozley, P., Resnick, S., Karp, J., Alavi, A., Arnold, S. et Gur, R. (1995). « Sex differences in regional cerebral glucose metabolism during a resting state », *Science*, vol. 267, p. 528-531.

Haansbaek, T. (2006). « Partner to a rape victim: How is he doing? », *The Journal of Sex Research*, vol. 43, p. 18-19.

Hack, M. (2002). « Outcomes in young adulthood for very-low-birthweight infants », *New England Journal of Medicine*, vol. 346, p. 149-157.

Haffner, D. (1993). « Toward a new paradigm of adolescent sexual health », *SIECUS Report*, vol. 21, p. 26-30.

Haffner, D. (2004). « Sexuality and scripture », *Contemporary Sexuality*, vol. 38, p. 7-13.

Hagan, P. et Knott, P. (1998) « Diagnosing and treating polycystic ovary syndrome », *The Practitioner*, vol. 242, p. 98-106.

Hagen, R. (2006). « At your service », *The Advocate*, 15 août, p. 26.

Hahn, J., et Blass, T. (1997). « Dating partner preferences: A function of similarity of love styles », *Journal of Social Behavior and Personality*, vol. 12, p. 595-610.

Hall, G. (1996). *Theory-Based Assessment, Treatment, and Prevention of Sexual Aggression*, New York, Oxford University Press.

Hall, G. et Barongan, C. (1997). « Prevention of sexual aggression: Sociocultural risk and protective factors », *American Psychologist*, vol. 52, p. 5-14.

Hally, C. et Pollack, R. (1993). « The effects of self-esteem, variety of sexual experience, and erotophilia on sexual satisfaction in sexually active heterosexuals », *Journal of Sex Education and Therapy*, vol. 19, n° 3, p. 183-192.

Halpern, C., Joyner, K., Udry, R. et Suchindran, C. (2000). « Smart teens don't have sex (or kiss much either) », *Society for Adolescent Medicine*, vol. 26, p. 213-225.

Halpern, D., et LaMay, M. (2000). « The smarter sex: A critical review of sex differences in intelligence », *Educational Psychology Review*, vol. 12, p. 229-246.

Halpern-Felsher, B., Cornell, J., Kropp, R., et Tschann, J. (2005). « Oral versus vaginal sex among adolescents: Perceptions, attitudes, and behavior », *Pediatrics*, vol. 44, n° 115, p. 845-851 et 1023-1024.

Halpern-Felsher, B., Kropp, B., Boyer, C., Tschann, J., et Ellen, J. (2004). « Adolescents' self-efficacy to communicate about sex: its role in condom attitudes, commitment, and use », *Adolescence*, vol. 39, p. 443-456.

Hamilton, E. (1978). *Sex, with Love*. Boston, Beacon Press.

Hamilton, T. (2002). *Skin Flutes and Velvet Gloves*. New York, St. Martin's Press.

Hampton, T. (2005). « Researchers discover a range of factors undermine sperm quality, male fertility », *Journal of the American Medical Association*, vol. 294, p. 2829-2830.

Handsfield, H. (2006). « Nongonococcal urethritis: A few answers but mostly questions », *Journal of Infectious Diseases*, vol. 193, p. 333-335.

Haney, D. (1994). « Study strongly ties environment to birth defects », *San Francisco Examiner*, 7 juillet, p. A7.

Hanrahan, S. (1994). « Historical review of menstrual toxic shock syndrome », *Women and Health*, vol. 21, p. 141-157.

Hanson, R., Saunders, B., Kilpatrick, D., Resnick, H., Crouch, J. et Duncan, R. (2001). « Impact of childhood rape and aggravated assault on mental health », *American Journal of Orthopsychiatry*, vol. 71, p. 108-118.

Hanus, J. (2006b). « The culture of pornography is shaping our lives, for better and for worse », *Utne*, septembre-octobre, p. 58-60.

Harer, W. (2001). « A look back at women's health and ACOG, a look forward to the challenges of the future », *Obstetrics and Gynecology*, vol. 97, p. 1-4.

Hargreaves, S. (2004). « Recognizing rape as torture: Legal and therapeutic challenges », *Lancet*, vol. 363, p. 1916.

Hari, J. (2006). « What we can learn from female sex tourists », *The Independent* (Londres), 13 juillet, p. C7.

Harley, V., Jackson, D., Hextall, P., Hawkins, J., Berkovitz, G., Sockanathan, S., Lovell-Badge, R., et Goodfellow, P. (1992). « DNA binding activity of recombinant *SRY* from normal males and XY females », *Science*, vol. 255, p. 453-456.

Harlow, H. et Harlow, M. (1962). « The effects of rearing conditions on behavior », *Bulletin of the Menninger Clinic*, vol. 26, p. 13-24.

Harned, M., et Fitzgerald, L. (2002). « Understanding a link between sexual harassment and eating disorder symptoms: A mediational analysis », *Journal of Consulting and Clinical Psychology*, vol. 70, p. 1170-1181.

Harney, P. et Muehlenhard, C. (1990). « Rape », *Sexual Coercion: A Sourcebook on Its Nature, Causes, and Prevention* (sous la direction de E. Grauerholz et M. Korlewski), Lexington (Massachussetts), Lexington Books.

Harris, C. (2003). « A review of sex differences in sexual jealousy, including self-report data, psychophysiological responses, interpersonal violence, and morbid jealousy », *Personality and Social Psychology Review*, vol. 7, p. 102-128.

Harrison, T. (2003). « Adolescent homosexuality and concerns regarding disclosure », *Journal of School Health*, vol. 73, p. 107-112.

Hartwell, C. (2005). « HIV/AIDS in South Africa: A review of sexual behavior among adolescents », *Adolescence*, vol. 40, p. 171-181.

Harvard Health Publications (mars 2006a). *Life After 50: A Harvard Study of Male Sexuality*. http://health.msn.com/ centers/mensexualhealth/articlepage.aspx? cp-documentid=100127818. (Consultation en ligne le 9 août 2006).

Haslam, N., et Levy, S. (2006). « Essentialist belief about homosexuality: Structure and implications for prejudice », *Personality and Social Psychology Bulletin*, vol. 32, p. 471-485.

Hass, A. (1979). *Teenage Sexuality*. New York, Macmillan.

Hatfield, E., et Sprecher, S. (1986a). « Measuring passionate love in intimate relationships », *Journal of Adolescence*, vol. 9, p. 383-410.

Hatfield, R. (1994). « Touch and sexuality », *Human Sexuality: An Encyclopedia* (sous la direction de V. Bullough et B. Bullough), New York, Garland.

Hausknecht, R. (2003). « Mifepristone and misoprostol for early medical abortion: 18 months experience in the United States », *Contraception*, vol. 67, p. 463-465.

Hayes, R., Bennett, C., Fairley, C., et Dennerstein, L. (2006). « What can prevalence studies tell us about female sexual difficulty and dysfunction? », *The Journal of Sexual Medicine*, vol. 3, p. 589-595.

Hayez, J.-Y. (2004). *La sexualité des enfants*. Paris, Odile Jacob.

Haynes, J., et Miller, J. (2003). « Introduction » (sous la direction de J. Haynes et J. Miller), Inconceivable Conceptions: Psychological Aspects of Infertility and Reproductive Technology. Hove, Royaume-Uni, Brunner-Routledge.

Hays, M. (2004). « Unveiling Islam », *The Advocate*, 2 mars, p. 27.

Hazan, C., et Shaver, P. (1987). « Love conceptualized as attachment process », Journal of Personality and Social Psychology, vol. 52, p. 511-524.

Hazan, C., et Zeifman, D. (1999). « Pair bonds as attachment : Evaluating the evidence » (sous la direction de J. Cassidy et P. Shaver), Handbook of Attachment: Theory, Research, and Clinical Applications. New York, Guilford Press.

Heath, D. (1984). « An investigation into the origins of a copious vaginal discharge during intercourse "enough to wet the bed" that is not urine », *Journal of Sex Research*, vol. 20, p. 194-215.

Heath, R. (1972). « Pleasure and brain activity in man », *Journal of Nervous and Mental Disease*, vol. 154, p. 3-18.

Heim, N. (1981). « Sexual behavior of castrated sex offenders », *Archives of Sexual Behavior*, vol. 10, p. 11-19.

Heinlein, R. (1961). *Stranger in a Strange Land*. New York, Putnam.

Hellstrom, W., Nehra, A., Shabsigh, R., et Sharlip, I. (2006). « Premature ejaculation: The most common male sexual dysfunction », communication donnée à la Sexual Medicine Society of North America Fall Meeting, New York, novembre.

Hendrick, C. et Hendrick, S. (1986). « A theory and method of love », *Journal of Personality and Social Psychology*, vol. 50, p. 392-402.

Hendrick, C., et Hendrick, S. (2003). « Romantic love: Measuring cupid's Arrow » (sous la direction de S. Lopez et C. Snyder), *Positive Psychological Assessment: A Handbook of Models and Measures*. Washington, DC, American Psychological Association.

Hendrick, C., Hendrick, S. et Adler, N. (1988). « Romantic relationships: Love, satisfaction, and staying together », *Journal of Personality and Social Psychology*, vol. 54, p. 980-988.

Hendrick, S. et Hendrick, C. (1992). *Liking, Loving, and Relating*, 2e éd., Pacific Grove (Californie), Brooks/Cole.

Hendrick, S. et Hendrick, C. (1995). « Gender differences and similarities in sex and love », *Personal Relationships*, vol. 2, p. 5-65.

Henry, N. (2000). « Voulez-vous pacser avec moi ? », *Ms.*, février-mars, p. 32.

Hensley, C., Tewksbury, R., et Castle, T. (2003). « Characteristics of prison sexual assault targets in male Oklahoma's correctional facilities », Journal of Interpersonal Violence, vol. 18, p. 595-606.

Herek, G. et Capitanio, J. (1999). « Sex differences in how heterosexuals think about lesbians and gay men: Evidence from survey context effects », *The Journal of Sex Research*, vol. 36, p. 348-360.

Herek, G., Cogan, J. et Gillis, J. (1999). « Psychological sequelae of hate-crime victimization among lesbian, gay, and bisexual adults », *Journal of Consulting and Clinical Psychology*, vol. 67, p. 945-951.

Herter, C. (1998). « Sexual dysfunction in patients with diabetes », *Journal of the American Board of Family Practice*, vol. 11, p. 327-330.

Hesketh, R., et Xing, A. (2006). « Abnormal sex ratios in human populations: Causes and consequences », *Proceedings of the National Academy of Sciences*, vol. 103, p. 13271-13275.

Heyden, M., Anger, B., Tiel, T. et Ellner, T. (1999). « Fighting back works: the case for advocating and teaching self-defense against rape », *Journal of Physical Education, Recreation and Dance*, vol. 70, p. 31-34.

Hickman, S. et Muehlenhard, C. (1999). « "By the semi-mystical appearance of a condom": How young women and men communicate sexual consent in heterosexual situations », *Journal of Sex Research*, vol. 36, p. 258-272.

Hickson, F., Davies, P., Hunt, A., Weatherburn, P., McManus, T. et Coxon, A. (1994). « Gay men as victims of nonconsensual sex », *Archives of Sexual Behavior*, vol. 23, p. 281-294.

Hilden, M., Schei, B., et Sidenius, K. (2005). « Genitoanal injury in adult female victims of sexual assault », *Forensic Science International*, vol. 154, p. 200-205.

Hill, M. et Fischer, A. (2001). « Does entitlement mediate the link between masculinity and rape-related variables? », *Journal of Counseling Psychology*, vol. 48, p. 39-50.

Hillis, S. (1994). « PID prevention: Clinical and societal stakes », *Hospital Practice*, vol. 29, p. 121-130.

Hines, M. (2004). *Brain Gender*, New York, Oxford University Press.

Hines, M., Ahmed, S., et Hugues, I. (2003). « Psychological outcomes and gender-related development in complete androgen insensivity syndrome », *Archives of Sexual Behavior*, vol. 32, p. 93-101.

Hines, M., Brook, C., et Conway, G. (2004). « Androgen and psychosexual development: Core gender identity, sexual orientation, and recalled childhood gender role behavior in women and men with congenital adrenal hyperplasia », *Journal of Sex Research*, vol. 41, p. 75-81.

Hingson, R., Heeren, T », Winter, M., et Wechsler, H. (2003). « Early age of first drunkenness as a factor in college students' unplanned and unprotected sex attributable to drinking », *Pediatrics*, vol. 111, p. 34-41.

Hirokawa, K., Yagi, A., et Miyata, Y. (2004). « An experimental examination of the effects of sex and masculinity/femininity on psychological, physiological, and behavioral responses during communication situations », *Sex Roles: A Journal of Research*, vol. 51, p. 91-99.

Hite, S. (1976). *The Hite Report: A Nationwide Study of Female Sexuality*, New York, Dell Books.

Hitt, J., Hendericks, S., Ginsberg, S. et Lewis, J. (1970). « Disruption of male but not female sexual behavior in rats by medial forebrain bundle lesions », *Journal of Comparative and Physiological Psychology*, vol. 73, p. 377-384.

Hodge, D. (2004). « Working with Hindu clients in a spiritually sensitive manner », *Social Work*, vol. 49, p. 27-38.

Hodge, S. et Carter, D. (1998). « Victims and perpetrators of male sexual assault », *Journal of Interpersonal Violence*, vol. 13, p. 222-239.

Hoffman, R. (2003). « An argument against routine prostate cancer screening », *Archives of Internal Medicine*, vol. 163, p. 663-664.

Hoffman, S., O'Sullivan, L., Harrison, A., Dolezal, C., et Monroe-Wise, A. (2006). « HIV risk behaviors and the context of sexual coercion in young adults' sexual interactions: Results from a diary study in rural South Africa », *Sexually Transmitted Diseases*, vol. 33, p. 52-58.

Hoggard, L. (2006). « Women who travel for sun and sex », *The Sunday Independent*, 16 juillet, p. A5.

Holder, D., Durant, R., Harris, T., Daniel, J., Obeidallah, D., et Goodman, E. (2000). « The association between adolescent spirituality and voluntary sexual activity », *Society for Adolescent Medicine*, vol. 26, p. 295-302.

Hollander, D. (2006). « Skills-oriented counseling holds promise for increasing women's use of barrier methods », *Perspectives on Sexual and Reproductive Health*, vol. 38, p. 58-59.

Holmes, S. (2003). « Tadalafil: A new treatment for erectile dysfunction », *British Journal of Urology International*, vol. 92, p. 466-468.

Holstege, G., Georgiadis, J., Paans, A., Meiners, L., et coll. (2003). « Brain activation during human male ejaculation », *Journal of Neuroscience*, vol. 23, p. 9185-9193.

Hongo, J. (2006). *Porn « Anime » Boasts Big U.S. Beachhead*. http://search. japantimes.co.jp/print/nn20060711fl.html. (Consultation en ligne le 19 juillet 2006).

Hoover, E. (1997). « Memory therapy turns woman's life into nightmare », *The Oregonian*, 13 avril, p. A1 et A12.

Hornick, J.P., Bolitho, F. et LeClaire, D. (1994). *Young Offenders and the Sexual Abuse of Children*, Ottawa, Ministère de la Justice du Canada.

Horton, M. (2005). « Circumcision shouldn't hurt », *Fit Pregnancy*, vol. 12, p. 25.

Horvath, M., et Ryan, A. (2003). « Antecedents and potential moderators of the relationship between attitudes and hiring discrimination on the basis of sexual orientation », *Sex Roles*, vol. 48, p. 115-125.

Horwitz, A., White, H., et Howell-White, S. (1996). « Becoming married and mental health: A longitudinal study of a cohort of young adults », *Journal of Marriage and the Family*, vol. 58, p. 895-907.

Howard, A., Riger, S., Campbell, R., et Wasco, S. (2003). « Counseling services for battered women: A comparison of outcomes for physical and sexual assault survivors », *Journal of Interpersonal Violence*, vol. 18, p. 717-734.

Howard, C., Howard, F., Garfunkel, L., de Blieck, E., et Weitzman, M. (1998). « Neonatal circumcision and pain relief: Current training practices », *Pediatrics*, vol. 101, p. 423-428.

Howey, N. et Samuels, E. (2000). *Out of the Ordinary: Essays on Growing Up with Gay, Lesbian, and Transgender Parents*, New York, St. Martin's Press.

Hoxworth, T., Spencer, N., Peterman, T., Craig, T., Johnson, S., et Maher, J. (2003). « Changes in partnerships and HIV risk behavior after partner notification », *Sexually Transmitted Diseases*, vol. 30, p. 83-88.

Hudson, Walter W. (1990). *The WALMYR Assessment Scale Scoring Manual*. Tempe, WALMYR Publishing Co.

Hughes, M., Morrison, K., et Asada, K. (2005). « What's love got to do with it? Exploring the impact of maintenance rules, love attitudes, and network support on friends with benefits relationships », *Journal of Sex Research*, vol. 42, p. 113-118.

Hull, E., Lorrain, D., Du, J., Matuszewich, L., Lumley, L., Putnam, S., et Moses, J. (1999). « Hormone-neurotransmitter interactions in the control of sexual behavior », *Behavioral Brain Research*, vol. 105, p. 105-116.

Hunt, M. (1974). *Sexual Behavior in the 1970s*, Chicago, Playboy Press.

Hunter, J. (1990). « Violence against lesbian and gay male youths », *Journal of Interpersonal Violence*, vol. 5, p. 295-300.

Hurlbert, D. et Whittaker, K. (1991). « The role of masturbation in marital and sexual satisfaction: A comparative study of female masturbators and nonmasturbators », *Journal of Sex Education and Therapy*, vol. 17, p. 272-282.

Hutti, M. (2003). « New and emerging contraceptive methods », *Association of Women's Health, Obstetric, and Neonatal Nurses Lifelines*, vol. 7, p. 32-39.

Hyde, J. (2004). *Half the Human Experience: The Psychology of Women*, 6e éd., Boston, MA, Houghton Mifflin.

Hyde, J. S., DeLamater, J. D., et Byers, E. S. (2006). *Understanding human sexuality: Third Canadian edition*. Toronto, McGraw-Hill Ryerson.

Iasenza, S. (2000). « Lesbian Sexuality Post-Stonewall to Post-Modernism: Putting the "Lesbian Bed-Death" Concept to Bed », *Journal of Sex Education and Therapy*, vol. 25, n° 1, p. 59-69.

Iervolino, A., Hines, M., Golombok, S., Rust, J., et Plomin, R. (2005). « Genetic and environmental influences on sex-typed behavior during preschool years », *Child Development*, vol. 76, p. 826-840.

Imperato-McGinley, J., Peterson, R., Gautier, T. et Sturla, E. (1979). « Androgens and the evolution of male-gender identity among male pseudohermaphrodites with 5-alpha-reductase deficiency », *New England Journal of Medicine*, vol. 300, p. 1233-1237.

Incrocci, L. (2006). « The effect of cancer on sexual function », *The Journal of Sexual Medicine*, vol. 3 (suppl. 2), p. 73.

Internet World Stats (2006). *World Internet Usage and Population Statistics*. http://www.InternetWorldStats.com. (Consultation en ligne le 12 octobre 2006).

Intersex Society of North America (2006). *Frequency: How Common Are Intersex Conditions?* http://www.isna.org/faq/frequency.html. (Consultation en ligne le 4 janvier 2006).

Iovine, V. (1997a). *The Girlfriends' Guide to Pregnancy*. New York, Perigee.

Ireland, D. (2006a). « Iraqi exile », *The Advocate*, 9 mai, p. 12.

Ireland, D. (2006b). « Iran's solution for gays », *The Advocate*, 23 mai, p. 31.

Isaacs, J. (2006). « Ask the pro/infertility », *Newsweek*, 13 mars, p. 66.

Isay, R. (1989). *Being Homosexual: Gay Men and Their Development*, New York, Farrar, Straus, & Giroux.

Isely, P., et Gehrenbeck-Shim, D. (1997). « Sexual assault of men in the community », *Journal of Community Psychology*, vol. 25, p. 159-166.

Israel, E. (3 juillet 2006). *Castro's Niece Fights for New Revolution*. http://news.yahoo.com/s/nm/20060703/od_nm/cuba_sex_cdetprinter=1. (Consultation en ligne le 10 juillet 2006).

Ito, T., Trant, A., et Polan, M. (2001). « A double-blind placebo-controlled study of ArginMax, a nutritional supplement for enhancement of female sexual function », *Journal of Sex and Marital Therapy*, vol. 27, p. 541-549.

Iuliano, A., Speizer, I., Santelli, J., et Kendall, C. (2006). « Reasons for contraceptive nonuse at first sex and unintended pregnancy », *American Journal of Health Behavior*, vol. 30, p. 92-102.

Jaccard, J., Dittus, P. et Gordon, V. (1996). « Maternal correlates of adolescent sexual and contraceptive behavior », *Family Planning Perspectives*, vol. 28, p. 159-165.

Jackson, G., Rosen, R., Kloner, R., et Kostis, J. (2006). « The second Princeton consensus on sexual dysfunction and cardiac risk: New guidelines for sexual medicine », *The Journal of Sexual Medicine*, vol. 3, p. 28-36.

Jackson, J., Calhoun, K., Amick, A., Maddever, H. et Habif, V. (1990). « Young adult women who report childhood intrafamilial sexual abuse: Subsequent adjustment », *Archives of Sexual Behavior*, vol. 19, p. 211-221.

Jacoby, S. (1999). « Great sex: What's age got to do with it? », *Modern Maturity*, septembre-octobre, p. 43-45.

Jain, J., Dutton, C., Harwood, B., et Meckstroth, K. (2002). « A prospective randomized, double-blinded, placebo-controlled trial comparing mifepristone and vaginal misoprostol to vaginal misoprostol alone for elective termination of early pregnancy », *Human Reproduction*, vol. 17, p. 1477-1482.

Jakobsen, J., et Pellegrini, A. (2003). *Love the Sin: Sexual Regulation and the Limits of Religious Tolerance (Sexual Cultures)*. New York, New York University Press.

James, T., et Cinelli, B. (2003). « Exploring gender-based communication styles », *Journal of School Health*, vol. 73, p. 41-42.

Jancin, B. (2005). « Teen addiction to cybersex called pervasive », *Family Practice News*, vol. 35, p. 36-37.

Janssen, N., et Genta, M. (2000). « The effects of immunosuppressive and anti-inflammatory medications on fertility, pregnancy, and lactation », *Archives of Internal Medicine*, vol. 160, p. 610-619.

Janus, S. et Janus, C. (1993). *The Janus Report on Sexual Behavior*, New York, Wiley.

Jarrell, A. (2000). « Model maturity », *The Sunday Oregonian*, 16 avril, p. L13.

Jay, D. (28 mai 2005). *Asexual: A Person Who Does Not Experience Sexual Attraction*. http://www.asexuality.org/home/. (Consultation en ligne le 29 mai 2006).

Jeavons, H. (2003). « Prevention and treatment of vulvovaginal candidiasis using exogenous lactobacillus », *Journal of Obstetrical, Gynecological, and Neonatal Nursing*, vol. 32, p. 287-296.

Jefferson, D. (2005). « Party, play—and pay », *Newsweek*, 28 février, p. 38-39.

Jeffery, C. (2006). « Why women can't win for trying », *Mother Jones*, janvier/février, p. 22-23.

Jegalian, K., et Lahn, B. (2001b). « Why the Y is so weird », *Scientific American*, février, p. 56-61.

Jehl, D. (1998). « Western masterpieces locked away from Iranian view », *The Oregonian*, 4 octobre, p. A7.

Jenkins, S., et Aube, J. (2002). « Gender differences and gender-related constructs in dating aggression », *Personality and Social Psychology Bulletin*, vol. 28, p. 1106-1118.

Johnson, D., et Nelson, M. (2003). « Gays in church and state », *Newsweek*, 18 août, p. 34.

Johnson, H. (1994). « Le harcèlement sexuel et le travail », *StatCan*, vol. 6, n° 4.

Johnson, H., Weerakoon, P., et Stricker, P. (2002). « The incidence, aetiology, and presentation of Peyronie's disease in Sydney, Australia », *Sexuality and Disability*, vol. 20, p. 109-113.

Johnson, J.G. (1988). *The Book in the Americas: The Role of Books & Printing in the Development of Culture & Society in Colonial Latin America*, Brown University (John Carter Brown Library).

Johnson, K. (2002). « Time, patience needed to find right testosterone level with HRT », *Family Practice News*, vol. 32, p. 31.

Johnson, K. (2003). « Viagra may ease women's sexual arousal disorder », *Internal Medicine News*, vol. 36, p. 29.

Johnson, P. (1998). « Pornography Drives Technology: Why Not to Censor the Internet », *Pornography: Private Right of Public Menace?* (sous la direction de R. Baird et S. Rosenbaum), Amherst (New York), Prometheus Books.

Johnson, S.D., Phelps, D. et Cottier, L. (2004). « The Association of Sexual Dysfunction and Substance Use Among a Community Epidemiological Sample », *Archives of Sexual Behavior*, vol. 33, p. 55-64.

Johnson, T., et Stahl, C. (2004). « Sexual experiences associated with participation in drinking games », *Journal of General Psychology*, vol. 131, p. 304-320.

Johnston, S. (1987). « The mind of the molester », *Psychology Today*, février, p. 60-63.

Jones, L. (2006). « Sexuality shift », *Men's Health*, janvier-février, p. 38.

Jones, R. (2003). « The height of vanity: in China, height equals more than beauty. It can land you a job, and even a husband. Richard Jones investigates the growth of a painful beauty trend—and its often tragic consequences », *Marie Claire*, vol. 10, p. 92-98.

Jones, R., Darroch, J., et Henshaw, S. (2002a). « Contraceptive use among U.S. women having abortions in 2000-2001 », *Perspectives on Sexual and Reproductive Health*, vol. 34, p. 294-303.

Jones, R., Purcell, A., et Singh, S. (2005). « Adolescents' reports of parental knowledge of adolescents' use of sexual health services and their reactions to mandated parental notification for prescription contraception », *Journal of the American Medical Association*, vol. 93, p. 340-348.

Jong, E. (2003). « The zipless fallacy », *Newsweek*, 30 juin, p. 48.

Jorgenson, L. et Wahl, K. (2000). « Psychiatrists as expert witnesses in sexual harassment cases under Daubert and Kumho », *Psychiatric Annals*, vol. 30, p. 390-396.

Joseph, R. (1991). « A case analysis in human sexuality: Counseling to a man with severe cerebral palsy », *Sexuality and Disability*, vol. 9, n° 2, p. 149-159.

Junginger, J. (1997). « Fetishism: Assessment and treatment » (sous la direction de D. Laws et W. O'Donohue), *Sexual Deviance: Theory, Assessment, and Treatment*, New York, Guilford Press.

Kaestle, C., Morisky, D., et Wiley, D. (2002). « Sexual intercourse and age difference between adolescent females and their romantic partners », *Perspectives on Sexual and Reproductive Health*, vol. 34, p. 304-309.

Kagan-Krieger, S. (1998). « Women with Turner syndrome: A maturational and developmental perspective », *Journal of Adult Development*, vol. 5, p. 125-135.

Kahn, A., Mathie, V. et Torgler, C. (1994b). « Rape scripts and rape acknowledgment », *Psychology of Women Quarterly*, vol. 18, p. 53-66.

Kaiser Family Foundation (2007). *Employer Health Benefits 2006 Annual Survey*, http://www.kff.org/insurance/7527/upload/7527.pdf (consultation en ligne le 24 mars 2009).

Kalb, C. (2003a). « Farewell to "Aunt Flo" », *Newsweek*, 3 février, p. 48.

Kalb, C., et Murr, A. (2006). « Battling a black epidemic », *Newsweek*, 15 mai, p. 41-48.

Kalick, M., Zebowitz, L., Langlois, J. et Johnson, R. (1998). « Does human facial attractiveness honestly advertise health? Longitudinal data on an evolutionary question », *Psychological Science*, vol. 9, p. 8-13.

Kane, E. (2006). « "No way my boys are going to be like that!" Parents' responses to children's gender noncomformity », *Gender and Society*, vol. 20, p. 149-176.

Kantor, M. (1998). *Homophobia: Description, Development, and Dynamic of Gay Bashing*, New York, Praeger.

Kantrowitz, B. (1992). « Sexism in the schoolhouse », *Newsweek*, 24 février, p. 62-70.

Kantrowitz, B. (1996). « Parents come out », *Newsweek*, 4 novembre, p. 51-57.

Kantrowitz, B., et Wingert, P. (2005). « Sex, drugs and hope », *Newsweek*, 28 novembre, p. 48.

Kaplan, H. (1974). *The New Sex Therapy: Active Treatment of Sexual Dysfunction*, New York, Brunner/Mazel.

Kaplan, H. (1979). *Disorders of Sexual Desire*, New York, Brunner/Mazel.

Kaplan, M., et Krueger, R. (1997). « Voyeurism: Psychopathology and theory » (sous la direction de D. Laws et W. O'Donohue), *Sexual Deviance: Theory, Assessment, and Treatment*, New York, Guilford Press.

Kapoor, D., et Jones, T. (2005). « Smoking and hormones in health and endocrine disorders », *European Journal of Endocrinology,* vol. 152, p. 491-499.

Karama, S., Lecours, A., Leroux, J., Blurgovin, P., et coll. (2002). « Areas of brain activation in males and females during viewing of erotic film excerpts », *Human Brain Mapping,* vol. 16, p. 1-13.

Karasz, A., et Anderson, M. (2003). « The vaginitis monologues: Women's experiences of vaginal complaints in a primary care setting », *Social Science and Medicine,* vol. 56, p. 1013-1021.

Karney, B., et Bradbury, T. (1995). « The longitudinal course of marital quality and stability: A review of theory, method, and research », *Psychological Review,* vol. 118, p. 3-34.

Karofsky, P., Zeng, L., et Kosorok, M. (2000). « Relationship between adolescent-parental communication and initiation of first intercourse by adolescents », *Journal of Adolescent Health,* vol. 28, p. 41-45.

Kasl, C. (1999). *If the Buddha Dated: Handbook for Finding Love on a Spiritual Path.* New York, Penguin/Arkana.

Kassabian, V. (2003). « Sexual function in patients treated for benign prostatic hyperplasia », *The Lancet,* vol. 361, p. 60-62.

Kassing, L., Beesley, D., et Frey, L. (2005). « Gender role conflict, homophobia, age, and education as predictors of male rape myth acceptance », *Journal of Mental Health Counseling,* vol. 27, p. 311-328.

Katz, J. (1995). *The Invention of Heterosexuality,* New York, Dutton.

Keele, B., Van Heuverswyn, F., Li, Y., et coll. (2006). *Chimpanzee Reservoirs of Pandemic and Nonpandemic HIV-1.* http://www. sciencexpress.org. (Consultation en ligne le 22 juin 2006).

Keller, J. (2002). « Blatant stereotype threat and women's math performance », *Sex Roles,* vol. 47, p. 193-198.

Keller, M., Sadovszky, V., Pankratz, B. et Hermsen, J. (2000). « Self-disclosure of HPV infection to sexual partners », *Western Journal of Nursing Research,* vol. 22, p. 285-302.

Kellett, J. (2000). « Older adult sexuality », *Psychological Perspectives on Human Sexuality* (sous la direction de L. Szuchman et F. Muscarella), New York, John Wiley & Sons.

Kelley, M. et Parsons, B. (2000). « Sexual harassment in the 1990s », *Journal of Higher Education,* vol. 71, p. 548.

Kelley, R. (2005). « Going straight for IVF », *Newsweek,* 4 juillet, p. 55.

Kellogg-Spadt, S. (2006). « Innovative treatments for vulvar and sexual pain », communication donnée au Gumbo Sexualite Upriver: Spicing Up Education and Therapy (AASECT 38th Annual Conference), St. Louis, juin-juillet.

Kelly, M. (1998). « View from the field out in education: Where the personal and political collide », *SIECUS Report,* vol. 26, n° 4, p. 14-15.

Kelly, M., et McGee, M. (1999). « Teen sexuality education in the Netherlands, France, and Germany », *SIECUS Report,* vol. 27, p. 11-14.

Kelly, M., Strassberg, D. et Kircher, J. (1990). « Attitudinal and experiental correlates of anorgasmia », *Archives of Sexual Behavior,* vol. 19, p. 165-181.

Kelsberg, G., Bishop, R., et Morton, J. (2006). « When should a child with an undescended testis be referred to a urologist? », *Journal of Family Practice,* vol. 55, p. 336-337.

Kemena, B. (2000). « Changing homosexual orientation? Considering the evolving activities of change programs in the United States », *Journal of the Gay and Lesbian Medical Association,* vol. 4, p. 85-93.

Kempner, M. (2005). « Sex workers: A glimpse into public health perspectives », *SIECUS Report,* vol. 33, p. 2.

Kennedy, K. et Trussell, J. (1998). « Postpartum contraception and lactation », *Contraceptive Technology* (sous la direction de R. Hatcher, J. Trussell, F. Stewart, W. Cates, G. Stewart, F. Guest et D. Kowal), New York, Ardent Media, Inc.

Kennedy, S. (2006). « Lesbian, for now », *The Advocate,* 10 octobre, p. 26.

Kennedy, S., Eisfeld, B. et Dickens, S. (2000). « Antidepressant-induced sexual dysfunction during treatment with moclobemide, paroxetine, sertraline, and venlafaxine », *Journal of Clinical Psychiatry,* vol. 61, p. 276-281.

Kerin, J., Copper, J., Price, T., et Van Herendael, B. (2003). « Hysteroscopic sterilization using a micro-insert device: Results of a multicenter Phase II study », *Human Reproduction,* vol. 18, p. 1223-1230.

Kesby, M. (2000). « Participatory diagramming as a means to improve communication about sex in rural Zimbabwe: A pilot study », *Social Science and Medicine,* vol. 50, p. 1723-1741.

Kessler, S. (1998). *Lessons from the Intersexed,* New Brunswick (New Jersey), Rutgers University Press.

Kilmartin, C. (1999). « Pleasure and performance: Male sexuality », *Sexuality: A Reader* (sous la direction de K. Lebacqz et D. Sinacore-Guinn), Cleveland (Ohio), The Pilgrim Press.

Kim, E. et Lipshultz, L. (1997). « Advances in the treatment of organic erectile dysfunction », *Hospital Practice,* 15 avril, p. 101-120.

Kim, S., et Seo, K. (1998). « Efficacy and safety of fluoxetine, sertraline, and clomipramine in patients with premature ejaculation: A double-blind, placebo controlled study », *Journal of Urology,* vol. 159, p. 425-427.

Kimura, D. (1992). « Sex differences in the brain », *Scientific American,* vol. 267, p. 118-125.

King, W. (2006). « Success rates climb as "test-tube" technology improves », *The Seattle Times,* 10 mars, pNA.

Kingsberg, S. (2002). « The impact of aging on sexual function in women and their partners », *Archives of Sexual Behavior,* vol. 31, p. 431-437.

Kingsberg, S., Applegarth, L., et Janata, J. (2000). « Embryo donation programs and policies in North America: Survey results and implications for health and mental health professionals », *Fertility and Sterility,* vol. 73, p. 215-220.

Kinkade, S., Meadows, S., et Garcia-Trujillo, J. (2005). « Does neonatal circumcision decrease morbidity? », *Journal of Family Practice,* vol. 54, p. 81-82.

Kinnish, K., Strassberg, D., et Turner, C. (2005). « Sex differences in the flexibility of sexual orientation: A multidimensional retrospective assessment », *Archives of Sexual Behavior,* vol. 34, p. 173-184.

Kinsey, A., Pomeroy, W. et Martin, C. (1948). *Sexual Behavior in the Human Male,* Philadelphie, Saunders.

Kinsey, A., Pomeroy, W., Martin, C. et Gebhard, P. (1953). *Sexual Behavior in the Human Female,* Philadelphie, Saunders.

Kipnis, L. (1996). *Bound and Gagged: Pornography and the Politics of Fantasy in America,* New York, Grove Press.

Kirkpatrick, L., et Davis, K. (1994). « Attachment style, gender, and relationship stability: A longitudinal analysis », *Journal of Personality and Social Psychology,* vol. 66, p. 502-512.

Kissinger, P., Niccolai, L., Magnus, M., Farley, T., Maher, J., Richardson-Alston, G., Dorst, D., Myers, L., et Peterman, T. (2003). « Partner notification for HIV and syphilis », *Sexually Transmitted Diseases,* vol. 30, p. 75-82.

Kissling, E. (janvier 2002). *On the Rag on Screen: Menarche in Film and Television.* http://www.findarticles.com/cf_0/m2294/2002_Jan/90333581/p1/article.jhtml. (Consultation en ligne le 25 mai 2003).

Kitch, M. (2006). « Perceptions of gays undergoing an evolution », *The Sunday Oregonian,* 13 août, p. F2.

Kite, M., et Whitley, B. (1998a). « Do heterosexual women and men differ in their attitudes toward homosexuality? A conceptual and methodological analysis » (sous la direction de G. Herek), *Stigma and Sexual Orientation: Understanding Prejudice Against Lesbians, Gay Men, and Bisexuals.* Thousand Oaks, CA, Sage.

Kite, M., et Whitley, B. (1998b). « Heterosexuals' attitudes toward homosexuality (sous la direction de G. Herek), *Stigma and Sexual Orientation: Understanding Prejudice Against Lesbians, Gay Men, and Bisexuals.* Thousand Oaks, CA, Sage.

Kitts, R. (2005). « Gay adolescents and suicide: Understanding the association », *Adolescence,* vol. 40.

Klein, J. (2005). « Adolescent pregnancy: Current trends and issues », *Pediatrics,* vol. 116, p. 281-286.

Klein, M. (1991). « Why there's vol. such thing as sexual addiction and why it really matters », *Taking Sides: Clashing Views of Controversial*

Issues in Human Sexuality (sous la direction de R. Francoeur), 3ᵉ éd., Guilford (Connecticut), Dushkin.

Klein, M. (2003). «Sex addiction: A dangerous clinical concept», *SIECUS Report*, vol. 31, p. 8-11.

Kleinplatz, P., et Moser, C. (2004). «Toward clinical guidelines for working with BDSM clients», *Contemporary Sexuality*, vol. 38, p. 1 et 4.

Klinger, K. (2003). «Prostitution, humanism, and a woman's choice», *The Humanist*, janvier-février, p. 16-19.

Kluger, J. (2004). «The power of love», *Time*, 19 janvier, p. 62-65.

Knafo, D., et Jaffe, Y. (1984). «Sexual fantasizing in males and females», *Journal of Research in Personality*, vol. 19, p. 451-462.

Knight, K. (2006). *Men For Sale?* http://www.dailymail.co.uk/pages/test/print.hrml?in_article_id=400187etin_page_id=1879. (Consultation en ligne le 16 août 2006).

Kobrin, S. (15 avril 2006). *More Women Seek Vaginal Plastic Surgery.* http://www.womensenews.org/article.cfm/dyn/aid/2067/ context/archive. (Consultation en ligne le 15 avril 2006).

Koch-Straube, U. (1982). «Attitude toward sexuality in old age», *Zeitschrift für Gerontologie*, vol. 15, p. 220-227.

Koehler, J. (2002). «Vaginismus: Diagnosis, etiology, and intervention», *Contemporary Sexuality*, vol. 36, p. i-viii.

Koehler, J., Zangwill, W. et Lotz, L. (2000). «Integrating the power of EMDR into sex therapy», communication donnée à la XXXII Annual Conference of the American Association of Sex Educators, Counselors, and Therapists, Atlanta (Géorgie), 10-14 mai.

Kohl, J. (2002). *The Scent of Eros: Mysteries of Odor in Human Sexuality.* Lincoln, NE, iUniverse Inc.

Kollin, C., Hesser, U., Ritzen, M., et Karpe, B. (2006). «Testicular growth from birth to two years of age, and the effect of orchidopexy at age nine months: A randomized, controlled study», *Acta Paediatrica*, vol. 95, p. 318-324.

Kolodny, R. (1980). «Adolescent sexuality», communication donnée au Michigan Personnel and Guidance Association Annual Convention, Detroit, novembre.

Komisaruk, B.R. et Whipple, B. (2005). «Functional MRI of the brain during orgasm in women», *Annual Review of Sex Research*, vol. 16, p. 62-86.

Koo, H., Woodsong, C., Dalberth, B., Viswanathan, M., et Simons-Rudolph, A. (2005). «Context of acceptability of topical microbicides: Sexual relationships», *Journal of Social Issues*, vol. 61, p. 67-93.

Korber, B., Muldoon, M., Theiler, J., Gao, F., Gupta, R., Lapedes, A., Hahn, B., Wolinsky, S. et Bhattacharya, T. (2000). «Timing the ancestor of the HIV-1 pandemic strains», *Science*, vol. 288, p. 1789-1796.

Korenman, S. et Viosca, S. (1992). «Use of a vacuum tumescence device in the management of impotence in men with a history of penile implant or severe pelvic disease», *Journal of the American Geriatric Society*, vol. 40, p. 61-64.

Kort, J. (2004). «Queer eye for the straight therapist», *Psychotherapy Networker*, mai-juin, p. 56-61.

Kosnik, A., Carroll, W., Cunningham, A., Modras, R. et Schulte, J. (1977). *Human Sexuality: New Directions in American Catholic Thought*, New York, Paulist Press.

Koss, M., Bailey, J., Yuan, N., Herrera, V., et Lichter, E. (2003). «Depression and PTSD in survivors of male violence: Research and training initiatives to facilitate recovery», *Psychology of Women Quarterly*, vol. 27, p. 130-142.

Koss, M., Figueredo, A., et Prince, R. (2002). «Cognitive mediation of rape's mental, physical, and social health impact: Tests of four models in cross-sectional data», *Journal of Consulting and Clinical Psychology*, vol. 70, p. 926-941.

Koukounas, E. et McCabe, M. (1997). «Sexual and emotional variables influencing sexual response to erotica», *Behavior Research and Therapy*, vol. 35, p. 221-231.

Krahé, B., Scheinberger-Olwig, R. et Bieneck, S. (2003). «Men's Reports of Nonconsensual Sexual Interactions with Women: Prevalence and Impact», *Archives of Sexual Behavior*, vol. 32, nº 2, p. 165-175.

Krahé, B., Scheinberger-Olwig, R. et Kolpin, S. (2000). «Ambiguous communication of sexual intentions as a risk marker of sexual aggression», *Sex Roles*, vol. 42, p. 313-337.

Krakow, B., Germain, A., Tandberg, D., Koss, M., Schrader, R., Hollifield, M., Cheng, D. et Edmond, T. (2000). «Sleep breathing and sleep movement disorders masquerading as insomnia in sexual-assault survivors», *Comprehensive Psychiatry*, vol. 41, p. 49-56.

Kreahling, L. (2005). «The perils of needles to the body», *The New York Times*, 1ᵉʳ février, p. F5.

Kripke, C. (2006). «Cyclic vs. continuous or extended-cycle combined contraceptives», *American Family Physician*, vol. 73, p. 803.

Kroll, K., et Klein E. (1992). *Enabling Romance.* New York, Harmony Books.

Krujiver, F., Zhou, J., Pool, C., Hoffman, N., Gooren, L., et Swaab, D. (2000). «Male-to-female transsexuals have female neuron member in a limbic nucleus», *Journal of Clinical Endocrinology*, vol. 85, p. 2034-2040.

Ku, L., Sonenstein, F., et Pleck, J. (1993). «Young men's risk behaviors for HIV infection and sexually transmitted diseases, 1988 through 1991», *American Journal of Public Health*, vol. 83, p. 1609-1615.

Kuipers. H. (1998). «Anabolic steroids: Side effects», *Encyclopedia of Sports Medicine and Science*, 7 mars, pNA.

Kulin, H., Frontera, M., Deuers, L., Bartholomew, M. et Lloyd, T. (1989). «The onset of sperm production in pubertal boys», *American Journal of Diseases of Children*, vol. 143, p. 190-193.

Kunzle, R., Mueller, M., Hanggi, W., et Birkhauser, M. (2003). «Semen quality of male smokers and nonsmokers in infertile couples», *Fertility and Sterility*, vol. 79, p. 287-291.

Kurdek, L. (1995a). «Developmental changes in relationship quality in gay and lesbian cohabiting couples», *Developmental Psychology*, vol. 31, p. 86-94.

Kurdek, L. (1995b). «Lesbian and gay couples» (sous la direction de A. D'Augelli et C. Patterson), *Lesbian, Gay, and Bisexual Identities over the Lifespan.* New York, Oxford University Press.

Kuriansky, J. (1996). «Sexuality and television advertising: An historical perspective», *SIECUS Report*, vol. 24, p. 13-15.

Kuriansky, J., et Simonson, H. (2005). «What is tantra?», communication donnée au What's New and What Works: Pioneering Solutions for Today's Sexual Issues (AASECT 37th Annual Conference), Portland, OR, mai.

Kyes, K. et Tumbelaka, L. (1994). «Comparison of Indonesian and American college students' attitudes toward homosexuality», *Psychological Reports*, vol. 74, p. 227-237.

Laan, E., et Everaerd, W. (1996). «Determinants of female sexual arousal: Psychophysiological theory and data», *Annual Review of Sex Research*, vol. 6, p. 32-76.

LaBrie, J., Earleywine, M., Schiffman, J., Pedersen, E., et Marriot, C. (2005). «Effects of alcohol, expectancies, and partner type on condom use in college males: Event-level analyses», *Journal of Sex Research*, vol. 42, p. 259-266.

Lacey, R., Reifman, A., Scott, J., Harris, S., et Fitzpatrick, J. (2004). «Sexual-moral attitudes, love styles, and mate selection», *Journal of Sex Research*, vol. 41, p. 121-128.

Lagana, L (1999). «Psychological correlates of contraceptive practices during late adolescence», *Adolescence*, vol. 34, p. 463-482.

Lain, K., Luppi, P., McGonigal, S., et Roberts, J. (2006). «Intracellular adhesion molecule concentrations in women who smoke during pregnancy», *Obstetrics and Gynecology*, vol. 107, p. 588-594.

Lamb, D., Catanzaro, S., et Moorman, A. (2003). «Psychologists reflect on their sexual relationships with clients, supervisees, and students: Occurrence, impact, rationales, and collegial intervention», *Professional Psychology: Research and Practice*, vol. 34, p. 102-107.

Lambe, E. (1999). «Dyslexia, gender, and brain imaging», *Neuropsychologia*, vol. 37, p. 521-536.

Lambert, E., Dykeman, M. et Rankin, A. (2001). «There is such a thing as a free lunch: A model work-site parent education program», *SIECUS Report*, vol. 7, p. 7-9.

Lambert, K. et Lilienfeld, S. (2008). « La mémoire violée », *Cerveau & psycho*, vol. 27.

Lambert, T., Kahn, A., et Apple, K. (2003). « Pluralistic ignorance and hooking up », *Journal of Sex Research*, vol. 40, p. 129-133.

Lammers, C., Ireland, M., Resnick, M. et Blum, R. (2000). « Influences on adolescents' decisions to postpone onset of sexual intercourse: A survival analysis of virginity among youths ages 13 to 18 years », *Journal of Adolescent Health*, vol. 26, p. 42-48.

Lamptey, P., Johnson, J., et Khan, M. (2006). « The global challenge of HIV and AIDS », *Population Bulletin*, vol. 61, p. 3-24.

Landen, M., Walinder, J. et Lundstrom, B. (1998). « Clinical characteristics of a total cohort of female and male applicants for sex reassignment: A descriptive study », *Acta Psychiatrica Scandinavica*, vol. 97, p. 189-194.

Lane, F. (2000). *Obscene Profits: The Entrepreneurs of Pornography in the Cyber Age*, New York, Routledge.

Langevin, R. (2003). « A study of the psychosexual characteristics of sex killers: Can we identify them before it is too late? », *International Journal of Offender Therapy and Comparative Criminology*, vol. 47, p. 366-382.

Langevin, R., Paitich, D., et Ramsay, G. (1979). « Experimental studies of the etiology of genital exhibitionism », *Archives of Sexual Behavior*, vol. 8, p. 307-331.

Larimore, W., et Stanford, J. (2000). « Postfertilization effects of oral contraceptives and their relationship to informed consent », *Archives of Family Medicine*, vol. 9, p. 126-133.

Larouche, J.-M. (1991). *Éros et Thanatos sous l'oeil des nouveaux clercs*. Montréal, Coll. Études québécoises, VLB éditeur, 202 p.

Larsson, I., et Svedin, C. (2002). « Sexual experiences in childhood: Young adults' recollections », *Archives of Sexual Behavior*, vol. 31, p. 263-273.

LaSala, M. (2006). « Cognitive and environmental interventions for gay males: Addressing stigma and its consequences », *Families in Society*, vol. 87, p. 181-189.

Latty-Mann, H., et Davis, K. (1996). « Attachment theory and partner choice: Preference and actuality », *Journal of Social and Personal Relationships*, vol. 13, p. 5-23.

Lauer, J., et Lauer, R. (1985). « Marriages made to last », *Psychology Today*, juin, p. 22-26.

Lauersen, N., et Graves, Z. (1984). « Pretended orgasm », *Medical Aspects of Human Sexuality*, vol. 18, p. 74-81.

Laumann, E., Gagnon, J., Michael, R. et Michaels, S. (1994). *The Social Organization of Sexuality: Sexual Practices in the United States*, Chicago, University of Chicago Press.

Laumann, E., Masi, C. et Zuckerman, E. (1997). « Circumcision in the United States: Prevalence, prophylactic effects, and sexual practice », *Journal of the American Medical Association*, vol. 277, p. 1052-1057.

Laumann, E., Paik, A., Glasser, D., et Kang, J. (2006). « A cross-national study of subjective sexual well-being among older women and men: Findings from the global study of sexual attitudes and behaviors », *Archives of Sexual Behavior*, vol. 35, p. 143-159.

Laumann, E., Paik, A. et Rosen, R. (1999). « Sexual dysfunction in the United States », *Journal of the American Medical Association*, vol. 281, p. 537-544.

Laurent, B. (1995). « Intersexuality: A plea for honesty and emotional support », *AHP Perspective*, novembre-décembre, p. 8-9, 28.

Lavallée, S. (2001). *Au lit toi et moi nous sommes six, l'influence parentale sur nos vies*. Montréal, Éditions TVA.

Lawrence, A. (2003). « Factors associated with satisfaction or regret following male-to-female sex reassignment surgery », *Archives of Sexual Behavior*, vol. 32, p. 299-316.

Lawrence, A. (2005). « Sexuality before and after male-to-female sex reassignment surgery », *Archives of Sexual Behavior*, vol. 34, p. 147-166.

Leaper, C., Anderson, K. et Sanders, P. (1998). « Moderators of gender effects on parents' talk to their children: A meta-analysis », *Developmental Psychology*, vol. 34, p. 3-27.

Leavitt, F. (1997). « False attribution of suggestibility to explain recovered memory of childhood sexual abuse following extended amnesia », *Child Abuse and Neglect*, vol. 21, p. 265-272.

Lee, J. (1974). « The styles of loving », *Psychology Today*, vol. 8, p. 43-51.

Lee, J. (1988). « Love-styles » (sous la direction de R. Sternberg et M. Barnes), *The Psychology of Love*. New Haven, CT, Yale University Press.

Lee, J. (1998). « Ideologies of lovestyle and sexstyle », *Romantic Love and Sexual Behavior* (sous la direction de V. de Munck), Westport (Connecticut), Praeger.

Lee, M., Donahoe, P., Silverman, B., Hasegawa, T., Hasegawa, Y., Gustafson, M., Chang, Y., et MacLaughlin, D. (1997). « Measurements of serum Mullerian inhibitory substance in the evaluation of children with nonpalpable gonads », *New England Journal of Medicine*, vol. 336, p. 1480-1486.

Lefort, L. et Elliot, M. (2001). « Le couple à l'adolescence : enquête auprès des jeunes Montréalais », *Rapport-synthèse de la Direction de la Santé publique*, vol. 5, n° 3, p. 1-4.

Leibenluft, E. (1996). « Sex is complex », *American Journal of Psychiatry*, vol. 15, p. 969-972.

Leiblum, S. (2000). « Vaginismus: A most perplexing problem » (sous la direction de S. Leiblum et R. Rosen), *Principles and Practice of Sex Therapy*. New York, The Guilford Press.

Leiblum, S., et Bachmann, G. (1988). « The sexuality of the climacteric woman » (sous la direction de B. Eskin), *The Menopause: Comprehensive Management*. New York, Yearbook Medical Publications.

Leiblum, S., et Nathan, S. (2002). *Persistent Sexual Arousal Syndrome in Women*. http://www.femalepatient.com/html/ arc/sel/april02/article03.asp. (Consultation en ligne le 31 août 2006).

Leibowitz, D., et Hoffman, J. (2000). « Fertility drug therapies: Past, present, and future », *Journal of Obstetrical Gynecologic, and Neonatal Nursing*, vol. 29, p. 201-210.

Leigh, B. (1989). « Reasons for having and avoiding sex: Gender, sexual orientation, and relationship to sexual behavior », *Journal of Sex Research*, vol. 26, p. 199-208.

Leitenberg, H., Detzer, M. et Srebnik, D. (1993). « Gender differences in masturbation and the relation of masturbation experience in pre-adolescence and/or early adolescence to sexual behavior and sexual adjustment in young adulthood », *Archives of Sexual Behavior*, vol. 22, p. 87-98.

Leitenberg, H. et Henning, K. (1995). « Sexual fantasy », *Psychological Bulletin*, vol. 117, n° 3, p. 469-496.

Leland, J. (2000a). « The science of women et sex », *Newsweek*, 29 mai, p. 46-53.

Leland, J. (2000b). « Shades of gay », *Newsweek*, 20 mars, p. 46-49.

Lemay M. (1997). « La dépendance affective ou sexuelle a-t-elle un sens ? », *Revue Sexologique*, vol. 5, n° 1, Édition I.R.I.S., Montréal, p. 161-202.

Lemonick, M. (2000). « Teens before their time », *Time*, 30 octobre, p. 65-74.

Lepowsky, M. (1994). *Fruit of the Motherland: Gender in an Egalitarian Society*. New York, Columbia University Press.

Lerman, S., McAleer, I. et Kaplan, G. (2000). « Sex assignment in cases of ambiguous genitalia and its outcome », *Urology*, vol. 55, p. 8-12.

Letourneau, E., Schewe, P. et Frueh, B. (1997). « Preliminary evaluation of sexual problems in combat veterans with PTSD », *Journal of Traumatic Stress*, vol. 10, p. 125-132

Leuchtag, A. (2003). « Human rights, sex trafficking, and prostitution », *The Humanist*, janvier-février, p. 10-15.

Levant, R. (1997). *Men and Emotions: A Psychoeducational Approach*, New York, Newbridge Communications.

Lever, J. (1994). « Sexual revelations », *The Advocate*, 23 août, p. 17-24.

Lever, J., Frederick, D., et Peplau, L. (2006). « Does size matter? Men's and women's views on penis size across the lifespan », *Psychology of Men and Masculinity*, vol. 7, p. 127.

Levin, R. (2002). « The physiology of sexual arousal in the human female: A recreational and procreational synthesis », *Archives of Sexual Behavior*, vol. 31, p. 405-411.

Levin, R. (2003). « Is prolactin the biological "off switch" for human sexual arousal? », *Sexual and Relationship Therapy*, vol. 18, p. 237-243.

Levin, R.J. (2003). « The G-spot- reality or illusion? », *Sexual and Relationship Therapy*, vol. 18, n° 1.

Levine, M. et Troiden, R. (1988). « The myth of sexual compulsivity », *Journal of Sex Research*, vol. 25, p. 347-363.

Levine, R., Sato, S., Hashomoto, T., et Verman, J. (1995). « Love and marriage in eleven cultures », *Journal of Cross-Cultural Psychology*, vol. 26, p. 554-571.

Levy, A., Crowley, T. et Gingell, C. (2000). « Nonsurgical management of erectile dysfunction », *Clinical Endocrinology*, vol. 52, p. 253-260.

Levy, J. (2001). « HIV and AIDS in people over 50 », *SIECUS Report*, vol. 30, p. 10-15.

Lew, M. (2004). « Adult male survivors of sexual abuse: Sexual issues in treatment and recovery », *Contemporary Sexuality*, vol. 38, p. i-v.

Lewis, R. et Heaton, J. (2000). « A novel strategy for individualizing erectile dysfunction treatment », *Patient Care*, 30 janvier, p. 91-99.

Leye, E., Powell, R., Nienhuis, G., et Claeys, P. (2006). « Health care in Europe for women with genital mutilation », *Health Care for Women International*, vol. 27, p. 362-378.

Li, D., Liu, L., et Odouli, R. (2003). « Exposure to nonsteroidal anti-inflammatory drugs during pregnancy and risk of miscarriage: Population based cohort study », *British Medical Journal*, vol. 327, p. 368-374.

Liang, L. (2000). « Most popular birth control? Sterilization », *The Sunday Oregonian*, 24 septembre, p. L13.

Lidster, C. et Horsburgh, M. (1994). « Masturbation—Beyond myth and taboo », *Nursing Forum*, vol. 29, n° 3, p. 18-26.

Liebowitz, M. (1983). *The Chemistry of Love*, Boston, Little, Brown.

Lief, h. et Hubschman, L. (1993). « Orgasm in the postoperative transsexual », *Archives of Sexual Behavior*, vol. 22, p. 145-155.

Lim, L. (1998). *The Sex Sector*, Genève, International Labour Office.

Lindholm, J., Lunde, I., Rasmussen, O., et Wagner, G. (1980). « Gonadal and sexual functions in tortured Greek men », *Danish Medical Bulletin*, vol. 27, p. 243-245.

Linskey, A. (2006). « Police target Internet-advertised prostitution », *Balimore Sun*, 9 août, pNA.

Linz, D., Wilson, B. et Donnerstein, E. (1992). « Sexual violence in the mass media: Legal solutions, warnings, and mitigation through education », *Journal of Social Issues*, vol. 48, p. 145-171.

Lippa, R. (2002). « Gender-related traits of heterosexual and homosexual men and women », *Archives of Sexual Behavior*, vol. 31, p. 83-98.

Lippa, R. (2003). « Handedness, sexual orientation, and gender-related personality traits in men and women », *Archives of Sexual Behavior*, vol. 32, p. 103-115.

Lippa, R. (2006). « Is high sex drive associated with increased sexual attraction to both sexes? It depends on whether you're male of female », *Psychological Science*, vol. 17, p. 46-52.

Lips, H.M. (1997). *Sex and Gender : An introduction*, Californie, Mayfield Publishing Company.

Lisotta, C. (2006). « Radical Islam in your backyard », *The Advocate*, 23 mai, p. 30-32.

Liu, C. (2003). « Does quality of marital sex decline with duration? », *Archives of Sexual Behavior*, vol. 32, p. 55-60.

Liu, M. et Meyer, M. (2000). « Out into the open », *Newsweek*, 4 décembre, p. 40-42.

Liu, P., Swerdloff, R., Christenson, P., et Gandelsman, D. (2006). « Rate, extent, and modifiers of spermatogenic recovery after hormonal male contraception: An integrated analysis », *The Lancet*, vol. 367, p. 1412-1421.

Liu, X., Zha, J., Chen, H., Nishitani, J., Camargo, P., Cole, S., et Zack, J. (2003). « Human immunodeficiency virus type I infection and replication in normal human oral keratinocytes », *Journal of Virology*, vol. 77, p. 3470-3476.

Lively, V. et Lively, E. (1991). *Sexual Development of Young Children*, Albany (New York), Delmar.

Loftus, D. (2002). *Watching Sex*. New York, Thunder's Mouth Press.

Loftus, E., Polonsky, S., et Fullilove, M. (1994). « Memories of childhood sexual abuse: Remembering and repressing », *Psychology of Women Quarterly*, vol. 18, p. 67-84.

London, S. (2004). « Risk of pregnancy-related death is sharply elevated for women 35 and older », *Perspectives on Sexual and Reproductive Health*, vol. 36, p. 87-88.

Long, J., et Serovich, J. (2003). « Incorporating sexual orientation into MFT training programs: Infusion and inclusion », *Journal of Marital and Family Therapy*, vol. 29, p. 59-67.

Long, V. (2002). « Contraceptives choices: New options in the U.S. market », *SIECUS Report*, vol. 31, p. 13-18.

Lonsway, K. et Fitzgerald, L. (1994). « Rape myths », *Psychology of Women Quarterly*, vol. 18, p. 133-164.

Looy, H., et Bouma, H. (2005). « The nature of gender: Gender identity in persons who are intersexed or transgendered », *Journal of Psychology and Theology*, vol. 33, p. 166-178.

LoPiccolo, J. (1989). « Sexual dysfunctions: Advances in diagnosis and treatment », atelier donné par l'Oregon Division of The American Association for Marriage and Family Therapy, Portland (Oregon), avril.

LoPiccolo, J. (2000). « Post-modern sex therapy: An integrated approach », communication donnée à la XXXII Annual Conference of the American Association of Sex Educators, Counselors, and Therapists, Atlanta (Géorgie), 10-14 mai.

Lorber, J. (1995). « Gender is determined by social practices », *Human Sexuality: Opposing Viewpoints* (sous la direction de D. Bender et B. Leone), San Diego (Californie), Greenhaven Press.

Lorch, D., et Mendenhall, P. (2000). « A war's hidden tragedy », *Newsweek*, août, p. 35-36.

Louderback, L. et Whitley, B. Jr. (1997). « Perceived erotic value of homosexuality and sex-role attitudes as mediators of sex differences in heterosexual college students' attitudes toward lesbians and gay men », *Journal of Sex Research*, vol. 34, n° 2, p. 175-182.

Loulan, J. (1984). *Lesbian Sex*, San Francisco, Spinsters Ink.

Love, P. (2001). *The Truth About Love*. New York, Simon & Schuster.

Lowenstein, L. (2002). « Fetishes and their associated behavior », *Sexuality and Disability*, vol. 20, p. 135-147.

Lown, J., et Dolan, E. (1988). « Financial challenges in remarriage », *Lifestyles: Family and Economic Issues*, vol. 9, p. 73-88.

Lucentini, J. (2005). « Love is like an addiction: Looking for correlates in human and animal attraction », *The Scientist*, vol. 19, p. 20-21.

Lue, T., Basson, R., Rosen, R., et Giuliano, F. (2004a). *Second International Consultation on Sexual Medicine: Sexual Dysfunctions in Men and Women*, Paris, Health Publications.

Lue, T., Giuliano, F., Montorsi, F., et Rosen, R. (2004b). « Summary of the recommendations on sexual dysfunctions in men », *The Journal of Sexual Medicine*, vol. 1, p. 6-23.

Lutfey, K., Link, C., et McKinlay, F. (2006). « Prevalence and predictors of female sexual dysfunction: Results from the Boston Area Community Health (Back) Survey », communication donnée à la Sexual Medicine Society of North America Fall Meeting, New York, novembre.

Lynch, C., Sinnott, J., Holt, D., et Herold, A. (1991). « Use of antibiotics during pregnancy », *American Family Physician*, vol. 43, p. 1365-1368.

Lynch, D., Krantz, S., Russell, J., Hornberger, L., et Van Ness, C. (2000). « HIV infection: A retrospective analysis of adolescent high-risk behaviors », *Journal of Pediatric Health Care*, vol. 14, p. 20-25.

Lynch, F. (1992). « Nonghetto gays: An ethnography of suburban homosexuals » (sous la direction de G. Herdt), *Gay Culture in America*, Boston, Beacon Press.

Lytton, H. et Romney, D. (1991). « Parents' differential socialization of boys and girls: A meta-analysis », *Psychological Bulletin*, vol. 109, p. 267-296.

Maccoby, E. (1988). « Gender as a social category », *Developmental Psychology*, vol. 26, p. 755-765.

Maccoby, E. (1990). « Gender and relationships: A developmental account », *American Psychologist*, vol. 45, p. 513-520.

Maccoby, E. (1998). *The Two Sexes: Growing Up Apart, Coming Together*. Cambridge, Harvard University Press.

Maccoby, E. et Jacklin, C. (1987). « Gender segregation in childhood », *Advances in Child Development and Behavior*, vol. 20, p. 239-287.

MacDonald, A. Jr. (1981). « Bisexuality: Some comments on research and theory », *Journal of Homosexuality*, vol. 6, p. 21-35.

MacDonald, T., MacDonald, G., Zanna, M., et Fong, G. (2000). « Alcohol, sexual arousal, and intentions to use condoms in young men: Applying alcohol myopia theory to risky sexual behavior », *Health Psychology*, vol. 19, p. 290-298.

MacGeorge, E., Graves, A., Feng, B., et Gillihan, S. (2004). « The myth of gender cultures: Similarities outweigh differences in men's and women's provision of and responses to supportive communication », *Sex Roles: A Journal of Research*, vol. 50, p. 143-175.

MacKay, A., Berg, C., King, J., et Duran, C. (2006). « Pregnancy-related mortality among women with multifetal pregnancies », *Obstetrics and Gynecology*, vol. 107, p. 563-568.

Mah, K. et Binik, Y.M. (2001). « The Nature of Human Orgasm: A critical review of Major trends », *Clinical Psychology Review*, vol. 21, n° 6, p. 823-856.

Mah, K., et Binik, Y. (2002). « Do all orgasms feel alike? Evaluating a two-dimensional model of orgasm experience across gender and sexual context », *Journal of Sex Research*, vol. 39, p. 104-113.

Mahaffey, A., Bryan, A., et Hutchison, K. (2005). « Sex differences in affective responses to homoerotic stimuli: Evidence for an unconscious bias among heterosexual men, but not heterosexual women », *Archives of Sexual Behavior*, vol. 34, p. 537-546.

Mahoney, S. (2003). « Seeking love: The 50-plus dating game has never been hotter », *AARP*, novembre-décembre, p. 57-66.

Majewska, M. (1996). « Sex differences in brain morphology and pharmacodynamics » (sous la direction de M. Jensvold et U. Harbreich), *Psychopharmacology and Women: Sex, Gender, and Hormones*, Washington, DC, American Psychiatric Press.

Malamuth, N., et Check, J. (1981). « The effects of mass media exposure on acceptance of violence against women: A field experiment », *Journal of Research in Personality*, vol. 15, p. 436-446.

Malamuth, N., Haber, S., et Feshback, S. (1980). « Testing hypotheses regarding rape: Exposure to sexual violence, sex differences, and the normality of rapists », *Journal of Research in Personality*, vol. 14, p. 121-137.

Malesky, L., et Ennis, L. (2004). « Supportive distortions: An analysis of posts on a pedophile Internet message board », *Journal of Addictions & Offender Counseling*, vol. 24, p. 92-100.

Mallis, D., Moisidis, K., Kirana, P., et Papaharitou, S. (2006). « Moderate and severe erectile dysfunction equally affects life satisfaction », *The Journal of Sexual Medicine*, vol. 3, p. 442-449.

Mallon, G. (1996). « Don't ask, don't tell: Gay and lesbian adolescents in residential treatment », *Treatment Today*, printemps, p. 19-20.

Malloy, K. et Patterson, M. (1992). *Birth or Abortion? Private Struggles in a Political World*, New York, Plenum Press.

Maltz, W. (2001c). *The Sexual Healing Journey: A Guide for Survivors of Sexual Abuse*. New York, Quill.

Maltz, W. (2003). « Treating the sexual intimacy concerns of sexual abuse », *Contemporary Sexuality*, vol. 37, p. i-vii.

Maltz, W., et Boss, S. (1997). *In the Garden of Desire*. New York, Broadway Books.

Mandoki, M., Sumner, G., Hoffman, R. et Riconda, D. (1991). « A review of Klinefelter's syndrome in children and adolescents », *Journal of the American Academy of Child and Adolescence Psychiatry*, vol. 30, p. 167-172.

Manecke, R. et Mulhall, J. (1999). « Medical treatment of erectile dysfunction », *Annals of Medicine*, vol. 31, p. 388-398.

Manji, I. (2006). « My Islam », *The Advocate*, 23 mai, p. 33.

Manlove, J., Ryan, S., et Franzetta, K. (2004). « Contraceptive use and consistency in U.S. teenagers' most recent sexual relationships », *Perspectives on Sexual and Reproductive Health*, vol. 36, p. 265-275.

Mannino, D., Klevens, R. et Flanders, W. (1994). « Cigarette smoking: An independent risk factor for impotence? », *American Journal of Epidemiology*, vol. 140, p. 1003-1008.

Mansfield, P., Voda, A. et Koch, P. (1995). « Predictors of sexual response changes in heterosexual midlife women », *Health Values: The Journal of Health Behavior, Education and Promotion*, vol. 19, p. 10-20.

Mantell, J., Morar, N., Myer, L., et Ramjee, G. (2006). « "We have our protector": misperceptions of protection against HIV among participants in a microbicide efficacy trial », *American Journal of Public Health*, vol. 96, p. 1073-1077.

Margolis, L. (2000). « Ethical principles for analyzing dilemmas in sex research », *Health Education and Behavior*, vol. 27, p. 24-27.

Marin, A.J. et Guadagno, R.E. (1999). « Perceptions of Sexual Harassment Victims as a Function of Labeling and Reporting », *Sex Roles*, vol. 41, n°s 11-12, p. 921-940.

Marin, B., Kirby, D., Hudes, E., Coyle, K., et Gomez, C. (2006). « Boyfriends, girlfriends and teenagers' risk of sexual involvement », *Perspectives on Sexual and Reproductive Health*, vol. 38, p. 76-83.

Marshall, D. (1971). « Sexual behavior on Mangaia », *Human Sexual Behavior: Variations in the Ethnographic Spectrum* (sous la direction de D. Marshall et R. Suggs), Englewood Cliffs (New Jersey), Prentice Hall.

Marshall, W. (1988). « The use of sexually explicit stimuli by rapists, child molesters, and nonoffenders », *Journal of Sex Research*, vol. 25, p. 267-288.

Marshall, W. (1993). « A revised approach to the treatment of men who sexually assault adult females », *Sexual Aggression: Issues in Etiology, Assessment, and Treatment* (sous la direction de G. Hall, R. Hirschman, J. Graham et M. Zaragoza), Washington (D.C.), Taylor & Francis.

Marshall, W., Eccles, A. et Barbaree, H. (1991). « The treatment of exhibitionists: A focus on sexual deviance versus cognitive and relationship features », *Behaviour Research and Therapy*, vol. 29, p. 129-135.

Marsiglio, W. (1993). « Adolescent males' orientation toward paternity and contraception », *Family Planning Perspectives*, vol. 25, p. 22-31.

Martin, D., et Lyon, P. (1972). *Lesbian-Woman*. New York, Bantam Books.

Martinson, F. (1994). *The Sexual Life of Children*, Westport (Connecticut), Bergin & Garvey.

Marvan, M., Ramirez-Esparza, D., Cortes-Iniestra, S., et Chrisler, J. (2006). « Development of a new scale to measure beliefs about and attitudes toward menstruation (BATM): Data from Mexico and the United States », *Health Care for Women International*, vol. 27, p. 453-473.

Marx, J., et Hopper, F. (2005). « Faith-based versus fact-based social policy: The case of teenage pregnancy prevention », *Social Work*, vol. 50, p. 280-282.

Marx, T., et Mehta, A. (2003). « Polycystic ovary syndrome: Pathogenesis and treatment over the short and long term », *Cleveland Clinic Journal of Medicine*, vol. 70, p. 31-41.

Masters, W. et Johnson, V. (1966). *Human Sexual Response*, Boston, Little, Brown.

Masters, W. et Johnson, V. (1970). *Human Sexual Inadequacy*, Boston, Little, Brown.

Masters, W. et Johnson, V. (1976). *The Pleasure Bond*, New York, Bantam Books.

Matchock, R.L. et Susman, E.J. (2006). « Family composition and menarcheal age: anti-inbreeding strategies », *American journal of human biology, the official journal of the Human Biology Council*.

Matek, O. (1988). « Obscene phone callers », *Journal of Social Work and Human Sexuality*, vol. 7, p. 113-30.

Mathes, E. et Verstraete, C. (1993). « Jealous aggression: Who is the target, the beloved or the rival? », *Psychological Reports*, vol. 72, p. 1071-1074.

Mathieu, C., Courtois, F., et Noreau, L. (2005). « Sexual activities, desire and sensations in 227 paraplegic and tetraplegic men and women », communication donnée au World Congress of Sexology, Montréal, Canada, 10-15 juillet.

Maticka-Tyndale, E., Lewis, J., et Street, M. (2005). « Making a place for escort work: A case study », *The Journal of Sex Research*, vol. 42, n° 1, p. 46-53.

Matteo, S., et Rissman, E. (1984). « Increased sexual activity during the midcycle portion of the human menstrual cycle », *Hormones and Behavior*, vol. 18, p. 249-255.

Maurer, L. (1999). « Trangressing sex and gender: Deconstruction zone ahead? », *SIECUS Report*, vol. 27, p. 14-21.

May, R. (1969). *Love and Will*. New York, Norton.

Mazur, T. (2005). « Gender dysphoria and gender change in androgen insensitivity or micropenis », *Archives of Sexual Behavior*, vol. 34, p. 411-421.

McBride, C., Paikoff, R., et Holmbeck, G. (2003). « Individual and familial influences on the onset of sexual intercourse among urban African American adolescents », *Journal of Consulting and Clinical Psychology*, vol. 71, p. 159-167.

McBride, K. (2005). « Bisexuality: Research, relationships, and representation », communication donnée au What's New and What Works: Pioneering Solutions for Today's Sexual Issues (AASECT 37th Annual Conference), Portland, OR, mai.

McCabe, M. (1999). « The interrelationship between intimacy, relationship functioning, and sexuality among men and women in committed relationships », *Canadian Journal of Human Sexuality*, vol. 8, p. 31-39.

McCabe M., et Wauchope, M. (2005). « Behavioral characteristics of men accused of rape: Evidence for different types of rapists », *Archives of Sexual Behavior*, vol. 34, p. 241-253.

McCaghy, C. et Hou, C. (1994). « Family affiliation and prostitution in a cultural context: Career onsets of Taiwanese prostitutes », *Archives of Sexual Behavior*, vol. 23, p. 251-265.

McCarthy, B. (2001). « Primary and secondary prevention of sexual problems and dysfunction », communication donnée à la XXXIII Annual Conference of the American Association of Sex Educators, Counselors, and Therapists, San Francisco, 2-6 mai.

McCarthy, B. (2006). « Male inhibited sexual desire », communication donnée au Gumbo Sexualite Upriver: Spicing Up Education and Therapy (AASECT 38th Annual Conference), St. Louis, juin-juillet.

McCoy, N.L. et Pitino, L. (2002). « Related Articles, Links Pheromonal Influences on Sociosexual Behavior in Young Women, *Physiol. Behav.*, vol. 75, n° 3, p. 367-375.

McCullough, A., Tsend, L., et Seigel, R. (2006). « Women's satisfaction with sexual intercourse is associated with their partner's improved erectile function and satisfaction after treatment of erectile dysfunction with Viagra (sildenafil citrate) », *The Journal of Sexual Medicine*, vol. 3 (suppl. 3), p. 224-286.

McDougall (1993). « L'addiction à l'autre : réflexion sur les néo-sexualités et la sexualité addictive », *Les troubles de la sexualité* (sous la direction d'Alain Fine), Paris, Presses Universitaires de France, p. 139-157.

McElroy, W. (1995). *A Woman's Right to Pornography*, New York, St. Martin's Press.

McEwen, B. (1997). « Meeting report: Is there a neurobiology of love? », *Molecular Psychiatry*, vol. 2, p. 15-16.

McEwen, B. (2001). « Estrogen effects on the brain: Multiple sites and molecular mechanisms », *Journal of Applied Physiology*, vol. 91, p. 2785-2801.

McFarlane, J., Martin, C. et Williams, T. (1988). « Mood fluctuations: Women versus men and menstrual versus other cycles », *Psychology of Women Quarterly*, vol. 12, p. 201-224.

McFarlane, M., Bull, S., et Reitmeijer, C. (2002). « Young adults on the Internet: Risk behaviors for sexually transmitted diseases and HIV », *Journal of Adolescent Health*, vol. 31, p. 11-16.

McGinn, S., et Skipp, C. (2002). « Does Gran get it on? », *Newsweek*, 3 juin, p. 10.

McKay, A. (2005). « Sexuality and substance use: The impact of tobacco, alcohol, and selected recreational drugs on sexual function », *Canadian Journal of Human Sexuality*, vol. 14, p. 47-56.

McKeown, L. et Underhill, C. (2007). « Apprentissage en direct : Facteurs associés à l'utilisation d'internet à des fins éducatives », http://www. statcan.ca/francais/freepub/81-004-XIF/2007004/internet-fr.htm (consultation en ligne le 24 mars 2009).

McKibben, A. et Jacob, M. (1993). « Les adolescents », *Les agresseurs sexuels : Théorie, évaluation et traitement* (sous la direction de J. Aubut et coll.), Montréal, Les Éditions de la Chenelière, p. 267-279.

McKibben, A., Proulx, J. et Lusignan, R. (1994). « Relationships between conflict, affect, and deviant sexual behaviors in rapists and pedophiles », *Behavior Research and Therapy*, vol. 32, p. 571-575.

McLaren, A. (1990). *A History of Contraception: From Antiquity to the Present Day*, Cambridge (Massachussetts), Basil Blackwell.

McNaught, J., et Jamieson, M. (2005). « Barrier and spermicidal contraceptives in adolescence », *Adolescent Medicine*, vol. 16, p. 495-515.

McNicholas, T., Dean, J., Mulder, H., Carnegie, C., et Jones, N. (2003). « Andrology », *British Journal of Urology International*, vol. 91, p. 69-74.

McNiven, P., Hodnett, E., et O'Brien-Pallas, L. (1992). « Supporting women in labor: A work sampling study of the activities of labor and delivery nurses », *Birth*, vol. 19, p. 3-8.

McRoberts, K. et Postgate, D. (1983). *Développement et modernisation du Québec*, Montréal, Boréal Express.

McVary, K., Rosen, R., Ho, K., et Kell, S. (2006). « Effect of Dapoxetine on intravaginal ejaculatory latency time in men with lifelong or acquired premature ejaculation », communication donnée à la Sexual Medicine Society of North America Fall Meeting, New York, novembre.

Mead, M. (1969). *Mœurs et sexualité en Océanie*, Paris, Plon.

Meana, M., et Nunnink, S. (2006). « Gender differences in the content of cognitive distraction during sex », *The Journal of Sex Research*, vol. 43, p. 59-68.

Means-Christensen, A.J., Snyder, D.K. et Negy, C. (2003). « Assessing Nontraditional Couples: Validity of the Marital Satisfaction Inventory Revised with Gay, Lesbian, and Cohabiting Heterosexual Couples », *Journal of Marital and Family Therapy*, vol. 29, n° 1, p. 69-83.

Medical Center for Human Rights (1995). *Characteristics of Sexual Abuse of Men During War in the Republic of Croatia and Bosnia*. Zagreb, Croatie, Medical Center for Human Rights.

Melby, T. (2002a). « Intersex interrupted », *Contemporary Sexuality*, vol. 36, p. 1-6.

Melby, T. (2002b). « Pain and (possibly) a loss of pleasure », *Contemporary Sexuality*, vol. 36, p. 1-6.

Melchert, T., et Parker, R. (1997). « Different forms of childhood abuse and memory », *Child Abuse and Neglect*, vol. 21, p. 125-135.

Meldrum, K., et Rink, R. (2005). « Nonspecific penile anomalies: Practical management in infants and children », *Contemporary Urology*, vol. 17, p. 13-20.

Meltzer, D. (2005). « Complications of body piercing », *American Family Physician*, vol. 72, p. 2029.

Mensah, N. M. (2007). *Décriminalisation de la prostitution, s'assurer du respect des droits humains des travailleuses du sexe*, communication et diaporama. Montréal, Université du Québec à Montréal.

Menvielle, E. (2004). « Parents struggling with their child's gender issues », *The Brown University Child and Adolescent Behavior Letter*, vol. 20, p. 1-3.

Merkin, D. (2006). « Our vaginas, ourselves », *The New York Times Magazine*, 1er janvier, p. 13.

Meschke, L., Bartholomae, S. et Zentall, S. (2000). « Adolescent sexuality and parent-adolescent processes: Promoting healthy teen choices », *Family Relations*, vol. 49, p. 143-154.

Messenger, J. (1971). « Sex and repression in an Irish folk community », *Human Sexual Behavior: Variations in the Ethnographic Spectrum* (sous la direction de D. Marshall et R. Suggs), Englewood Cliffs (New Jersey), Prentice Hall.

Meston, C., et Worcel, M. (2002). « The effects of yohimbine plus L-arginine glutamate on sexual arousal in postmenopausal women with sexual arousal disorder », *Archives of Sexual Behavior*, vol. 31, p. 323-332.

Meston, C., Gorzalka, B. et Wright, J. (1997). « Inhibition of subjective and physiological sexual arousal in women by clonidine », *Psychosomatic Medicine*, vol. 59, p. 399-407.

Meston, C., Rellini, A., et Heiman, J. (2006). « Women's history of sexual abuse, their sexuality, and sexual self-schemas », *Journal of Consulting Clinical Psychology*, vol. 74, p. 229-236.

Meston, C.M. (2006). « The effects of state and trait self-focused attention on sexual arousal in sexually functional and dysfunctional women », *Behaviour Research and Therapy*, vol. 44, n° 4, p. 515-532.

Metz, M., et McCarthy, B. (2004). « A biopsychosocial approach to evaluating and treating premature ejaculation », *Contemporary Sexuality*, vol. 38, p. i-vii.

Meyer, P. (2006). « Former sex worker hopes for fresh start back in Korea », *Dallas Morning News*, 15 mai, pNA.

Meyer, S. et Schwitzer, A. (1999). « Stages of identity development among college students with minority sexual orientations », *Journal of College Student Psychotherapy*, vol. 13, p. 41-65.

Meyer, W., Webb, A., Stuart, C., Finkelstein, J., Lawrence, B. et Walker, P. (1986). « Physical and hormonal evaluation of transsexual patients: A longitudinal study », *Archives of Sexual Behavior*, vol. 15, p. 121-138.

Meyer-Bahlburg, H. (2005). « Introduction: Gender dysphoria and gender change in persons with intersexuality », *Archives of Sexual Behavior*, vol. 34, p. 371-373.

Meyer-Bahlburg, H., Gruen, R., New, M., Bell, J., Morishima, A., Shimski, M., Bueno, Y., Vargas, I., et Baker, S. (1996). « Gender change from female to male in classical congenital adrenal hyperplasia », *Hormones and Behavior*, vol. 30, p. 319-322.

Michael, R., Gagnon, J., Laumann, E. et Kolata, G. (1994). *Sex in America*, Boston, Little, Brown.

Michaels, D. (1997). « Cyber-rape: How virtual is it? », *Ms.*, mars-avril, p. 68-72.

Michelson, D., Kociban, K., Tamura, R., et Morrison, M. (2002). « Mirtazapine, yohimbine, or olanzapine augmentation therapy for serotonin reuptake-associated female sexual dysfunction: A randomized, placebo controlled study », *Journal of Psychiatric Research*, vol. 36, p. 147-152.

Migeon, C., Wisniewski, A., Gearhart, J., Meyer-Bahlburg, H., Rock, J., Brown, T., Casella, S., Maret, A., Ngai, K., et Money, J. (2002). « Ambiguous genitalia with perineoscrotal hypospadias in 46,XY individuals: Long-term medical, surgical, and psychosexual outcome », *Pediatrics*, vol. 110, p. 616-621.

Mihorean, K. (2005). « Tendance des actes de violence conjugale signalés à la police par les victimes », *La violence familiale au Canada : un profil statistique*, Ottawa, Statistique Canada, Centre canadien de la statistique juridique.

Milbourn, T. (2006). « Great-grandma, 62, has baby; she says, "Age is a number." », *The Sacramento Bee*, 19 février, pNA.

Milhausen, R. et Herold, E. (1999). « Does the sexual double standard still exist? Perceptions of university women », *Journal of Sex Research*, vol. 36, p. 361-368.

Mill, J., et Anarfi, J. (2002). « HIV risk environment for Ghanaian women: Challenges to prevention », *Social Science and Medicine*, vol. 54, p. 325-337.

Miller, G., Joshua, M. et Jordan, B.D. (2007). « Ovulatory cycle effects on tip earnings by lap dancers: Économic evidence for human estrus? », *Evolution and Human Behavior*, vol. XXVIII, n° 6, novembre 2007.

Miller, J. (2003). « Mourning the never born and the loss of the angel » (sous la direction de J. Haynes et J. Miller), *Inconceivable Conceptions: Psychological Aspects of Infertility and Reproductive Technology*. Hove, Royaume-Uni, Brunner-Routledge.

Miller, K. (2006). « Correct and consistent use of condoms in preventing STDs », *American Family Physician*, vol. 73, p. 703–706.

Miller, L. (2001). « Continuous administration of 100µg levonorgestrel and 20µg ethinyl estradiol for elimination of menses: A randomized trial », *Obstetrics and Gynecology*, vol. 97, p. 16S.

Miller, L., et Underwood, A. (2006). « Not always "the Happiest Time." », *Newsweek*, 24 avril, p. 80-82.

Miller, T. (2000). « Diagnostic evaluation of erectile dysfunction », *American Family Physician*, vol. 61, p. 95-104.

Mills, A., et Barclay, L. (2006). « None of them were satisfactory: Women's experiences with contraception », *Health Care for Women International*, vol. 27, p. 379-398.

Mills, T., Paul, J., Stall, R., et Pollack, L. (2004). « Distress and depression in men who have sex with men: The Urban Men's Health Study », *American Journal of Psychiatry*, vol. 161, p. 278-285.

Milne, C. (2005). *Naked Ambition: Women Pornographers and How They Are Changing the Sex Industry*, Berkeley, CA, Pub Group West.

Milow, V. (1983). « Menstrual education: Past, present and future », *Menarche* (sous la direction de S. Golub), Lexington (Massachussetts), Lexington Books.

Miner, M., Flitter, J., et Robinson, B. (2006). « Association of sexual revictimization with sexuality and psychological function », *Journal of Interpersonal Violence*, vol. 21, p. 503-524.

Ministère de la Santé et des Services sociaux du Québec (2008). *Portrait des infections transmissibles sexuellement et par le sang (ITSS) au Québec*, Québec.

Minnis, A., et Padian, N. (2001). « Choice of female-controlled barrier methods among young women and their male sexual partners », *Family Planning Perspectives*, vol. 33, p. 28-34.

Minor, M., et Dwyer, S. (1997). « The psychosocial development of sex offenders: Differences between exhibitionists, child molesters, and incest offenders », *International Journal of Offenders Therapy and Comparative Criminology*, vol. 41, p. 36-44.

Misrahi, M., Teglas, J., N'Go, N., Burgard, M., Mayaux, M., Rouzioux, C., Delfraissy, J., et Blanche, S. (1998). « CCR5 chemokine receptor variant in HIV-1 mother-to-child transmission and disease progression in children », *Journal of the American Medical Association*, vol. 279, p. 277-280.

Mitchell, D., Hirschman, R. et Hall, G. (1999). « Attributions of victim responsibility, pleasure, and trauma in male rape », *Journal of Sex Research*, vol. 36, p. 369-373.

Mitka, M. (2000). « Some men who take Viagra die—Why? », *Journal of the American Medical Association*, vol. 283, p. 590-593.

Mitka, M. (2003a). « CDC resource focuses on DES exposure », *Journal of the American Medical Association*, vol. 289, p. 1624-1627.

Mok, F. (2006). « A haven for homeless youths », *The Advocate*, 29 août, p. 26-27.

Moller, L., Hymel, S. et Rubin, K. (1992). « Sex typing in play and popularity in middle childhood », *Sex Roles*, vol. 26, p. 331-335.

Mona, L., et Gardos, P. (2000). « Disabled sexual partners » (sous la direction de L. Szuchman et F. Muscarella), *Psychological Perspectives on Human Sexuality*, New York, Wiley.

Money, D., Arikan, Y., Remple, V., Sherlock, C., Craib, K., Birch, P., et Burdge, D. (2003). « Genital tract and plasma human immunodeficiency virus viral load throughout the menstrual cycle in women who are infected with ovulatory human immunodeficiency virus », *American Journal of Obstetrics and Gynecology*, vol. 188, p. 122-128.

Money, J. (1961). « Sex hormones and other variables in human eroticism », *Sex and Internal Secretions* (sous la direction de W. Young), 3e éd., Baltimore, Williams & Wilkins.

Money, J. (1965). « Psychosocial differentiation », *Sex Research, New Developments* (sous la direction de J. Money), New York, Holt, Rinehart, & Winston.

Money, J. (1968). *Sex Errors of the Body: Dilemmas, Education, Counseling*, Baltimore, Johns Hopkins University Press.

Money, J. (1981). « Paraphilias: Phyletic origins of erotosexual dysfunction », *International Journal of Mental Health*, vol. 10, p. 75-109.

Money, J. (1983). « Food, fitness, and vital fluids: Sexual pleasure from Graham crackers to Kellogg's Cornflakes », communication donnée au Sixth World Congress of Sexology, 27 mai.

Money, J. (1990). « Forensic sexology: Paraphilic serial rape (biastophilia) and lust murder (erotophonophilia) », *American Journal of Psychotherapy*, vol. 44, p. 26-37.

Money, J. (1994b). « The concept of gender identity disorder in childhood and adolescence after 39 years », *Journal of Sex and Marital Therapy*, vol. 20, p. 163-177.

Money, J. (2004). *Au cœur de nos rêveries érotiques*. Paris, Payot.

Money, J. et Ehrhardt, A. (1972). « Prenatal hormonal exposure: Possible effects on behavior in man », *Endocrinology and Human Behavior* (sous la direction de R. Michael), Londres, Oxford University Press.

Mongeau, P., Ramirez, A., et Vorrell, M. (2003). « Friends with benefits: Initial exploration of sexual, non-romantic relationships », communication donnée à l'Annual meeting of the Western Communication Association, Salt Lake City, Utah, février.

Montagu, A. et Matson, F. (1979). *The Human Connection*, New York, McGraw-Hill.

Montgomery, M. et Sorell, G. (1997). « Differences in love attitudes across family life stages », *Family Relations*, vol. 46, p. 55-61.

Montorsi, P., Ravagnani, P., Galli, S., et Briganti, A. (2006). « Erectile dysfunction predicts extension of coronary artery disease in acute coronary syndromes », *The Journal of Sexual Medicine*, vol. 3 (suppl. 3), p. 176-198.

Morales, A. (2003). « The andropause: Bare facts for urologists », *British Journal of Urology International*, vol. 91, p. 311-313.

Morehouse, R. (2001). « Using the Crucible approach to enhance women's sexual potential », communication donnée à la XXXIII Annual Conference of the American Association of Sex Educators, Counselors, and Therapists, San Francisco, 2-6 mai.

Morgan, E. (1978). « The Puritans and sex », *The American Family in Social-Historical Perspective* (sous la direction de M. Gordon), New York, St. Martin's Press.

Morgan, R. (2003). « Saving the world », *Ms.*, été, p. 95.

Morgan, R. (2006). « The burning time », *Ms.*, printemps, p. 67-70.

Morin, J. (1981). *Anal Pleasure and Health*, Burlingame (Californie), Down There Press.

Morrell, M., Dixen, J., Carter, C., et Davidson, J. (1984). « The influence of age and cycling status on sexual arousability in women », *American Journal of Obstetrics and Gynecology*, vol. 148, p. 66-71.

Morris, G. (2003). « Is it a boy or a girl? », *Just Out*, 17 janvier, p. 22-25.

Mosher, C. et Levitt, E. (1987). « An exploratory-descriptive study of a sadomasochistically oriented sample », *Journal of Sex Research*, vol. 23, p. 322-337.

Mosher, C. et Tomkins, S. (1988). « Scripting the macho man: Hypermasculine socialization and enculturation », *Journal of Sex Research*, vol. 25, p. 60-84.

Mosher, D. et MacIan, P. (1994). « College men and women respond to X-rated videos intended for male or female audiences: Gender and sexual scripts », *Journal of Sex Research*, vol. 31, p. 99-113.

Mosher, W. (2005). « Sexual behavior and selected health measures: Men and women 15-44 years of age, United States, 2002 », *Vital and Health Statistics 2005*, p. 362.

Muehlenhard, C. (1988). « Misinterpreting dating behaviors and the risk of date rape », *Journal of Social and Clinical Psychology*, vol. 6, p. 20-37.

Muehlenhard, C. et Andrews, S. (1985). « Open communication about sex: Will it reduce risk factors related to rape? », communication donnée à l'Annual Meeting of the Association for Advancement of Behavior Therapy, Houston, novembre.

Muehlenhard, C. et Hollabaugh, L. (1989). « Do women sometimes say vol. when they mean yes? The prevalence and correlates of women's token resistance to sex », *Journal of Personality and Social Psychology*, vol. 54, p. 872-879.

Muehlenhard, C. et Linton, M. (1987). « Date rape and sexual aggression in dating situations: Incidence and risk factors », *Journal of Consulting Psychology*, vol. 34, p. 186-196.

Muehlenhard, C. et Rodgers, C. (1998). « Token resistance to sex: New perspectives on an old stereotype », *Psychology of Women Quarterly*, vol. 22, p. 443-463.

Muehlenhard, C. et Schrag, J. (1991). « Nonviolent sexual coercion », *Acquaintance Rape: The Hidden Crime* (sous la direction de A. Parrot et L. Bechhofer), New York, Wiley.

Muehlenhard, C., Goggins, M., Jones, J. et Satterfield, A. (1991). « Sexual violence and coercion in close relationships », *Sexuality in Close Relationships* (sous la direction de K. McKinney et S. Sprecher), Hillsdale (New Jersey), Erlbaum.

Muehlenhard, C., Peterson, Z., Karwoski, L., Bryan, T., et Lee, R. (2003). « Gender and sexuality: An introduction to the Special Issue », *Journal of Sex Research*, vol. 40, p. 1-3.

Munarriz, R., Maitland, S., Garcia, S., Talkakoub, L., et Goldstein, I. (2003). « A prospective duplex Doppler ultrasonographic study in women with sexual arousal disorder to objectively assess genital engorgement induced by EROS therapy », *Journal of Sex and Marital Therapy*, vol. 29, p. 85-94.

Munger, P. (1995). « Une économie du sexe ou la pornographie, c'est de l'érotique rare et mal vu », *Revue Sexologique/Sexological Review*, p. 155-161.

Munger, P. (1997). « Intervention-éducation sexologique par le recours à Internet : l'expérience du site *Élysa* », *Revue Sexologique/Sexological Review*. p. 155-161.

Munger, P. (2008). « *Élysa* », *Questions de sexualité au Québec* (sous la direction de Joseph Lévy et André Dupras), Montréal, Édition Liber, p. 111-114.

Murnen, S. et Stockton, M. (1997). « Gender and self-reported sexual arousal in response to sexual stimuli: A meta-analytic review », *Sex Roles*, vol. 37, p. 135-154.

Murnen, S., Wright, C., et Kaluzny, G. (2002). « If "boys will be boys" then girls will be victims? A meta-analytic review of the research relates masculine ideology to sexual aggression », *Sex Roles*, vol. 46, p. 359-375.

Murphy, D., Sarr, M., Durako, S., Moscicki, A., Wilson, C., et Muenz, L. (2003). « Barriers to HAART adherence among human immunodeficiency virus-infected adolescents », *Archives of Pediatric and Adolescent Medicine*, vol. 157, p. 249-255.

Murphy, E. (2003a). « Being born female is dangerous for your health », *American Psychologist*, vol. 58, p. 205-209.

Murphy, P. (2003b). « New methods of hormonal contraception », *Nurse Practitioner*, vol. 28, p. 11-21.

Murphy, W. (1997). « Exhibitionism: Psychopathology and theory » (sous la direction de D. Laws et W. O'Donohue), *Sexual Deviance: Theory, Assessment, and Treatment*. New York, Guilford Press.

Murray, J., (2000). « Psychological profile of pedophiles and child molesters », *Journal of Psychology*, vol. 134, p. 211-224.

Murray, L. (1992). « Love and Longevity », *Longevity*, août, p. 64.

Murrey, G., Bolen, J., Miller, N., Simensted, K., Robbins, M. et Truskowski, F. (1993). « History of childhood sexual abuse in women with depressive and anxiety disorders: A comparative study », *Journal of Sex Education and Therapy*, vol. 19, n° 1, p. 13-19.

Murstein, B., et Mercy, T. (1994). « Sex, drugs, relationships, contraception, and fears of disease on a college campus over 17 years », *Adolescence*, vol. 29, p. 303-322.

Murstein, B., et Tuerkheim, A. (1998). « Gender differences in love, sex, and motivation for sex », *Psychological Reports*, vol. 82, p. 425-450.

Mustanski, B. (2001). « Getting wired: Exploiting the Internet for the collection of valid sexuality data », *Journal of Sex Research*, vol. 38, p. 292-302.

Mwai, E. (2006). *Health Workers Performing FGM Secretly, Says Report*. http://www.eastandard.net/print/news.php? articleid=1143955619. (Consultation en ligne le 31 juillet 2006).

Nadeau, J.-G. et Geadah, Y., « Faut-il décriminaliser la prostitution ? », *Relations*, janvier-février 2001, vol. 66, p. 26-27.

Nadler, R. (1968). « Approach to psychodynamics of obscene telephone calls », *New York Journal of Medicine*, vol. 68, p. 521-526.

Najman, J., Dunne, M., Purdie, D., Boyle, F., et Coxeter, P. (2005). « Sexual abuse in childhood and sexual dysfunction in adulthood: An Australian population-based study », *Archives of Sexual Behavior*, vol. 34, p. 517-526.

Namnoum, A.B. et Hatcher, R.A. (1998). « The Menstrual Cycle », *Contraceptive Technology* (sous la direction de R.A. Hatcher et coll.). New York, Ardent Media, Inc.

Nash, J. (1997). Communication privée.

Nass, S., et Strauss, F. (2004). *New Frontiers in Contraceptive Research: A Blueprint for Action*. Washington, DC, National Academy Press.

National Gay and Lesbian Task Force (23 avril 2003). *National Gay and Lesbian Task Force Slams Santorum's "Gutter Language" Comparing Homosexuality to Pedophilia, Bestiality.* http://www.ngltf.org/news/printed.cfm?releaseID=534 (consultation en ligne le 26 avril 2003).

Naughton, K. (2004). « The soft sell », *Newsweek*, 2 février, p. 46-47.

Navarro, M. (2004). « The most private of makeovers », *The New York Times*, 28 novembre, p. 1-2.

Nelson, A. (2006). « Extended-regimen contraception: Effects on menstrual symptoms and quality of life », *Journal of Family Practice*, vol. 55, p. S1-S9.

Nelson, J. (1985). « Male sexuality and masculine spirituality », *SIECUS Report*, vol. 13, p. 1-4.

Ness, R., Hillier, S., Richter, R., Soper, D., Stamm, C., Bass, D., Sweet, R., Rice, P., Downs, J., et Aral, S. (2003). « Why women douche and why they may or may not stop », *Sexually Transmitted Diseases*, vol. 30, p. 71-74.

Nettle, D. (2002). « Height and reproductive success in a cohort of British men », *Human Nature*.

Nevid, J. (1984). « Sex differences in factors of romantic attraction », *Sex Roles*, vol. 11, p. 401-411.

Nguyen, D. (2006). « My life away from Exodus », *The Advocate*, 15 août, p. 22.

Niccolai, L., Ethier, K., Kershaw, T., Lewis, J., et IcKovics, J. (2003). « Pregnant adolescents at risk: Sexual behaviors and sexually transmitted disease prevalence », *American Journal of Obstetrics and Gynecology*, vol. 188, p. 63-70.

Niccolai, L., King, E., D'Entremont, D., et Pritchett, N. (2006). « Disclosure of HIV serostatus to sex partners: A new approach to measurement », *Sexually Transmitted Diseases*, vol. 33, p. 102-105.

Nichols, M. (1989). « Sex therapy with lesbians, gay men, and bisexuals » (sous la direction de S. Leiblum et R. Rosen), *Principles and Practice of Sex Therapy*, New York, Guilford Press.

Nichols, M. (2000). « Therapy with sexual minorities », *Principles and Practice of Sex Therapy* (sous la direction de S. Leiblum et R. Rosen), New York, The Guilford Press.

Nicolosi, J., Byrd, A., et Potts, R. (2000a). « Beliefs and practices of therapists who practice sexual reorientation psychotherapy », *Psychological Reports*, vol. 86, p. 689-702.

Nicolosi, J., Byrd, A., et Potts, R. (2000b). « Retrospective self-reports of changes in homosexual orientation: A consumer survey of conversion therapy clients », *Psychological Reports*, vol. 86, p. 1071-1088.

Nielson, J., et Wohlert, M. (1991). « Chromosome abnormalities found among 34,910 newborn children: Results from a 13-year incidence study in Arhus, Denmark », *Human Genetics*, vol. 87, p. 81-83.

Nieschlag, E., et Henke, A. (2005). « Hopes for male contraception », *The Lancet*, vol. 365, p. 554.

Nilsson, L., Bergh, C., Bryman, I., et Thorburn, J. (1994). « How do we treat unexplained infertility? », *Acta Obstetricia et Gynecologica Scandinavia*, vol. 73, p. 174-175.

Nobre, P., et Pinto-Gouveia, J. (2006). « Dysfunctional sexual beliefs as vulnerability factors for sexual dysfunction », *The Journal of Sex Research*, vol. 43, p. 68-76.

Noll, J., Trickett, P., et Putnam, F. (2003). « A prospective investigation of the impact of childhood sexual abuse on the development of sexuality », *Journal of Consulting and Clinical Psychology*, vol. 71, p. 575-586.

Norris, D., Gutheil, T., et Strasburger, L. (2003). « This couldn't happen to me: Boundary problems and sexual misconduct in the psychotherapy relationship », *Psychiatric Services*, vol. 54, p. 517-522.

Nour, N. (2000). « Female circumcision and genital mutilation: A practical and sensitive approach », *Contemporary OB/GYN*, mars, p. 50-55.

Nour, N. (2006). « Female genital cutting », *Internal Medicine News*, vol. 39, p. 16.

Nusbaum, M., Lenahan, P., et Sadovsky, R. (2005). « Sexual health in aging men and women: Addressing the physiologic and psychological sexual changes that occur with age », *Geriatrics*, vol. 60, p. 18-28.

Nussbaum, E. (2000). « A question of gender », *Discover*, janvier, p. 92-99.

Nuttin, J. (1987). « Affective consequences of mere ownership: The name letter effect in twelve European languages », *European Journal of Social Psychology*, vol. 17, p. 381-402.

Nystrom, N., et Jones, T. (2003). « Community building with aging and old lesbians », *American Journal of Community Psychology*, vol. 31, p. 293-299.

O'Brien, P. Wyatt, K. et Dimmock, P. (2000). « Premenstrual syndrome is real and treatable », *The Practitioner*, vol. 244, p. 185-189.

O'Donnell, L., Stueve, A., Wilson-Simmons, R., Dash, K., Agronick, G., et JeanBaptiste, V. (2006). « Heterosexual risk behaviors among urban adolescents », *Journal of Early Adolescence*, vol. 26, p. 87-109.

O'Donohue, W., Yeater, E., et Fanetti, M. (2003). « Rape prevention with college males: The role of rape myth acceptance, victim empathy, and outcome expectancies », *Journal of Interpersonal Violence*, vol. 18, p. 513-531.

Ofman, U. (2000). « Guest editor's note », *Journal of Sex Education and Therapy*, vol. 25, p. 3-5.

Ogden, J. (1989). « Visuospatial and other "right-hemispheric" functions after long recovery periods in left-hemispherectomized subjects », *Neuropsychologia*, vol. 27, p. 765-776.

Olds, D., Henderson, C., et Tatelbaum, R. (1994). « Intellectual impairment in children of women who smoke cigarettes during pregnancy », *Pediatrics*, vol. 93, n° 2, p. 221-227.

Olivera, A. (1994). « Sexual dysfunction due to Clomipramine and Sertraline: Nonpharmacological resolution », *Journal of Sex Education and Therapy*, vol. 20, n° 2, p. 119-122.

Oliwenstein, L. (2005). « On fertile ground », *Psychology Today*, novembre-décembre, p. 62-66.

Olsen, V., Gustavsen, I., Bramness, J., Hasvold, I., Karinen R., et coll. (2005). « The concentrations, appearance and taste of nine sedating drugs dissolved in four different beverages », *Forensic Science International*, vol. 151, p. 171-174.

Olsson, S., et Moller, A. (2003). « On the incidence and sex ratio of transsexualism in Sweden », *Archives of Sexual Behavior*, vol. 32, p. 381-386.

O'Neill, P. (1997). « Date-rape drug may be in Oregon », *The Oregonian*, 26 évrier, p. B1 et B7.

O'Neill, P. (2000a). « Hormone Replacement Therapies: A Treatment Worse than the Cure? » *The Sunday Oregonian*, 29 octobre, p. L11.

Ono, A. (1994). Communication privée.

ONUSIDA (2008). *Rapport sur l'épidémie mondiale de sida*.

Osman, A., et Al-Sawaf, M. (1995). « Cross-cultural aspects of sexual anxieties and the associated dysfunction », *Journal of Sex Education and Therapy*, vol. 21, p. 174-181.

O'Sullivan, L., Byers, E., et Finkelman, L. (1998). « A comparison of male and female college students' experiences of sexual coercion », *Psychology of Women Quarterly*, vol. 22, p. 177-195.

O'Sullivan, S. (1999). « I don't want you anymore: Butch/femme disappointments », *Sexualities*, vol. 2, p. 465-474.

Oswald, D., et Russell, B. (2006). « Perceptions of sexual coercion in heterosexual dating relationships: The role of aggressor gender and tactics », *Journal of Sex Research*, vol. 43, p. 87-96.

Oswald, R., et Culton, L. (2003). « Under the rainbow: Rural gay life and its relevance for family providers », *Family Relations*, vol. 52, p. 72-81.

Otis, M., Rostosky, S., Riggle, E., et Hamrin, R. (2006). « Stress and relationship quality in same-sex couples », *Journal of Social and Personal Relationships*, vol. 23, p. 81-99.

Ott, M., Adler, N., Millstein, S., Tschann, J., et Ellen, J. (2002). « The trade-off between hormonal contraceptives and condoms among adolescents », *Perspectives on Sexual and Reproductive Health*, vol. 34, p. 6-14.

Otto, H. (1999). « A short history of sex toys with an extrapolation for the new century », *Porn 101: Eroticism, Pornography, and the First Amendment* (sous la direction de J. Elias, V. Elias, V. Bullough, G. Brewer, J. Douglas et W. Jarvis), Amherst (New York) : Prometheus Books.

Owen, J. (12 février 2006). *The More They Like Sex, the More Women Like Women.* http://www.findarticles.com/p/articles/ mi_qn4159/ is_20060212/ai_n16059717/print. (Consultation en ligne le 27 mai 2006).

Oxman-Martinez, J., Straka, S., Rowe, W., et Thibault, Y. (1997). « La baisse de l'incidence et le dévoilement tardif dans les cas d'enfants victimes d'abus sexuels », *Revue québécoise de psychologie*, vol. 18, n° 3.

Pace, B. et Glass, R. (2001). « Screening and prevention of sexually transmitted diseases », *Journal of the American Medical Association*, vol. 285, p. 124.

Padawer, J., Fagan, C., Janoff-Bulman, R., Strickland, B., et Chorowski, M. (1988). « Women's psychological adjustment following emergency cesarean versus vaginal delivery », *Psychology of Women Quarterly*, vol. 12, p. 25-34.

Page, D., Mosher, R., Simpson, E., Fisher, E., Mardon, G., Pollack, J., McGillivray, B., Chapelle, A., et Brown, L. (1987). « The sex-determining region of the human Y chromosome encodes a finger protein », *Cell*, vol. 51, p. 1091-1104.

Page, R. (1997). « Helping adolescents avoid date rape: The role of secondary education », *High School Journal*, vol. 80, p. 75-80.

Pam, A., Plutchik, R., et Conte, H. (1975). « Love: A psychometric approach », *Psychological Reports*, vol. 37, p. 83-88.

Paradis, A.-F. et Lafond, J.S. (1990). *La réponse sexuelle et ses perturbations.* Éditions G. Vermette Inc.

Paredes, R. et Baum, M. (1997). « Role of the medial preoptic area/anterior hypothalamus in the control of masculine sexual behavior », *Annual Review of Sex Research*, vol. 8, p. 68-101.

Parker, C., et Dearnaley, D. (2003). « Hormonal therapy as an adjuvant to radical radiotherapy for locally advanced prostate cancer », *British Journal of Urology International*, vol. 91, p. 6-8.

Parker, L. (1998). « Ambiguous genitalia: Etiology, treatment, and nursing implications », *Journal of Obstetrics, Gynecology, and Neonatal Nursing*, vol. 27, p. 15-22.

Parks, C. (1999). « Lesbian Identity Development: An Examination of Differences Across Generations », *American Journal of Orthopsychiatry*, vol. 69, p. 347-361.

Parks, K., Pardi, A., et Bradizza, C. (2006). « Collecting data on alcohol use and alcohol-related victimization: A comparison of telephone and Web-based survey methods », *Journal of Studies on Alcohol*, vol. 67, p. 318-324.

Parrot, A. (1991). « Institutionalized response: How can acquaintance rape be prevented? », *Acquaintance Rape: The Hidden Crime* (sous la direction de A. Parrot et L. Bechhofer), New York, Wiley.

Parrott, D., et Zeichner, A. (2006). « Effect of psychopathy on physical aggression toward gay and heterosexual men », *Journal of Interpersonal Violence*, vol. 21, p. 390-410.

Parsons, J. (1983). « Sexual socialization and gender roles in childhood », *Changing Boundaries: Gender Roles and Sexual Behavior* (sous la direction de E. Allgeier et N. McCormick), Palo Alto (Californie), Mayfield.

Parsons, J.T. (sous la direction de) (2005). *Contemporary Research in Sex Work*, Binghamton, NY, Haworth Press.

Pasini, W. (1979). « Sexualité de la femme âgée », *Pathologie génitale de la femme du troisième âge*, Paris, Masson.

Pasini, W. et Crépault, C. (1987). *L'Imaginaire en sexologie clinique*, Paris, Presses Universitaires de France.

Passariello, C. (2002). « A new approach to the oldest profession: More countries are trying to regulate—and tax—brothels », *Business Week*, 7 octobre, p. 34.

Pathfinder International (2006). « Creating partnerships to prevent early marriage in the Amhara region », *Pathfinder International*, juillet, pNA.

Pattatucci, A. et Hamer, D. (1995). « Development and familiality of sexual orientation in females », *Behavior Genetics*, vol. 25, p. 407-420.

Patterson, C. (1995). « Sexual orientation and human development: An overview », *Developmental Psychology*, vol. 31, p. 3-11.

Patz, A. (2000). « Will your marriage last? », *Psychology Today*, janvier-février, p. 58-65.

Paukku, M., Kilpikari, R., Puolakkainen, M., Oksanen, H., Apter, D., et Paavonen, J. (2003a). « Criteria for selective screening for chlamydia trachomatis », *Sexually Transmitted Diseases*, vol. 30, p. 120-123.

Paul, L. et Galloway, J. (1994). « Sexual jealousy: Gender differences in response to partner and rival », *Aggressive Behavior*, vol. 20, p. 203-211.

Paul, P. (2004). « The porn factor », *Time*, numéro spécial, 19 janvier, p. 99-100.

Paul, P. (2005). *Pornified: How Pornography is Transforming Our Lives, Our Relationships, and Our Families*, New York, Times Books.

Pauls, R., Mutema, G., Segal, J., Silva, A., Kleeman, S., Dryfhout, V., et Karram, M. (2006). « A prospective study examining the anatomic distribution of nerve density in the human vagina », *The Journal of Sexual Medicine*, vol. 3, p. 979-987.

Paulson, R. (2000). « Should we help women over 50 conceive with donor eggs? », *Contemporary OB/GYN*, janvier, p. 36-46.

Pawson, M. (2003). « The battle with mortality and the urge to procreate » (sous la direction de J. Haynes et J. Miller), *Inconceivable Conceptions: Psychological Aspects of Infertility and Reproductive Technology.* Hove, Royaume-Uni, Brunner-Routledge.

Paz-Baily, G., Rahman, M., Chen, C., et coll. (2006). « Changes in the etiology of sexually transmitted diseases in Botswana between 1993 and 2002: Implications for the clinical management of genital ulcer disease », *Clinical Infectious Diseases*, vol. 41, p. 1304-1312.

Pearlman, S. (2005). « When mothers learn a daughter is a lesbian: Then and now », *Journal of Lesbian Studies*, vol. 9, p. 117-137.

Pearson, H. (2000). « So that's why you can't fit into your jeans... », *New Scientist*, 8 avril, p. 6.

Pedersen, C. (1992). *Oxytocin in Maternal, Sexual, and Social Behavior.* New York, New York Academy of Sciences.

Penley, C. (1996). « From NASA to the 700 Club (with a detour through Hollywood): Cultural studies in the public sphere » (sous la direction de C. Nelson et D. Gaonkar), *Disciplinarity and Dissent in Cultural Studies.* New York, Routledge.

Peplau, L. (1981). « What homosexuals want in relationships », *Psychology Today*, vol. 15, n° 3, p. 28-38.

Perel, E. (2003). « Erotic intelligence », *Psychotherapy Networker*, mai-juin, p. 24-31.

Perel, E. (2006). *L'intelligence érotique, faire vivre le désir dans le couple.* Paris, Robert Laffont.

Perelman, M. (2001). « Integrating Sildenafil and Sex Therapy: Unconsummated Marriage Secondary to Erectile Dysfunction and Retarded Ejaculation », *Journal of Sex Education and Therapy*, vol. 26, p. 13-21.

Perez, A., Labbok, M., et Queenan, J. (1992). « Clinical study of the lactational amenorrhoea method for family planning », *The Lancet*, vol. 339, p. 968-970.

Perris, A. (2000). *At the Pharmacy: OTC.* http://www.fertilitext.org/p3_ pharmacy/OTCproducts.html (consultation en ligne le 1er décembre 2000).

Perry, J. et Whipple, B. (1981). « Pelvic muscle strength of female ejaculators: Evidence in support of a new theory of orgasm », *Journal of Sex Research*, vol. 17, p. 22-39.

Petitti, D., et Reingold, A. (1988). « Tampon characteristics and menstrual toxic shock syndrome », *Journal of the American Medical Association*, vol. 259, p. 686-687.

Philaretou, A. (2005). « Sexuality and the Internet », *Journal of Sex Research*, vol. 42, p. 180-181.

Phillips, D., Taylor, C., Zacharopoulos, U., et Maguire, R. (2000). « Nonoxynol-9 causes rapid exfoliation of sheets of rectal epithelium », *Contraception*, vol. 62, p. 149-154.

Picker, L. (2005). «And now, the hard part», *Newsweek*, 25 avril, p. 46-50.

Pickett, M., Bruner, D., Joseph, A. et Burggraf, V. (2000). «Prostate cancer elder alert: Living with treatment choices and outcomes», *Journal of Gerontological Nursing*, février, p. 22-34.

Pierce, P. (1994). «Sexual harassment: Frankly, what is it?», *Journal of Intergroup Relations*, vol. 20, p. 3-12.

Pike, J., et Jennings, N. (2005). «The effects of commercials on children's perceptions of gender appropriate toy use», *Sex Roles: A Journal of Research*, vol. 52, p. 83-91.

Pilcher, C., Tien, H., Eron, J., et coll. (2004). «Brief but efficient: Acute HIV infection and the sexual transmission of HIV», *Journal of Infectious Diseases*, vol. 189, p. 1785-1792.

Pirie, P., Lando, H. et Curry, S. (2000). «Tobacco, alcohol, and caffeine use and cessation in early pregnancy», *American Journal of Preventive Medicine*, vol. 18, p. 54-61.

Pithers, W. (1993). «Treatment of rapists: Reinterpretation of early outcome date and exploratory constructs to enhance therapeutic efficacy», *Sexual Aggression: Issues in Etiology, Assessment, and Treatment* (sous la direction de G. Hall, R. Hirschman, J. Graham et M. Zaragoza), Washington (D.C.), Taylor & Francis.

Planned Parenthood Federation of America (2002). *Masturbation: From Stigma to Sexual Health*. White Paper. New York, Katherine Dexter McCormick Library.

Planned Parenthood Federation of America (2003a). «Masturbation: From myth to sexual health», *Contemporary Sexuality*, vol. 37, p. i-vii.

Plant, E., Hyde, J., Keltner, D., et Devine, P. (2000). «The gender stereotyping of emotions», *Psychology of Women Quarterly*, vol. 24, p. 81-92.

Plaud, J., Gaither, G., Hegstad, H. et Rowan, L. (1999). «Volunteer bias in human psychophysiological sexual arousal research: To whom do our research results apply?», *Journal of Sex Research*, vol. 36, p. 171-179.

Plaut, S. (1996). «Sexual Exploitation by Health Professionals: The Victim's Perspective», communication donnée à la 21st Annual Meeting of the Society of Sex Therapy and Research, Miami, mars.

Plummer, D. (2005). «Young men most homophobic», *Youth Studies Australia*, vol. 24, p. 9-10.

Pokorny, S. (1997). «Pediatric and adolescent gynecology», *Comprehensive Therapy*, vol. 23, n° 5, p. 337-344.

Polgreen, L. (2005). «Casualities of Sudan's war: Rape is a weapon in the fight over land and ethnicity in Darfur», *Oregonian*, 18 février, p. A19.

Polonsky, D. (2000). «Premature ejaculation», *Principles and Practice of Sex Therapy* (sous la direction de S. Leiblum et R. Rosen), New York, The Guilford Press.

Pomeroy, W. (1965). «Why we tolerate lesbians», *Sexology*, mai, p. 652-654.

Porter, S., Yuille, J., et Lehman, D. (1999). «The nature of real, implanted, and fabricated childhood emotion events: Implications for the recovered memory debate», *Law and Human Behavior*, vol. 23, p. 517-537.

Potdar, R., et Koenig, M. (2005). «Does audio-CASI improve reports of risky behavior? Evidence from a randomized field trial among young urban men in India», *Studies in Family Planning*, vol. 36, p. 107-116.

Potter, L., Oakley, D., et de Leon-Wong, E. (1996). «Measuring compliance among oral contraceptive users», *Family Planning Perspectives*, vol. 28, p. 154-158.

Potterat, J. (2003). «Partner notification for HIV: Running out of excuses», *Sexually Transmitted Diseases*, vol. 30, p. 89-90.

Potts, M. (1997). «Social support and depression among older adults living alone: The importance of friends within and outside of a retirement community», *Journal of the National Association of Social Workers*, vol. 42, n° 3, p. 348-362.

Power, C. (1998a). «The new Islam», *Newsweek*, 16 mars, p. 35-38.

Power, C. (1998b). «Now it's the gay nineties?», *Newsweek*, 23 novembre, p. 35.

Power, C. (2006). «A generation of women wiped out?», *Glamour*, août, p. 172-175.

Powlishta, K., Serbin, L. et Moller, L. (1993). «The stability of individual differences in gender typing: Implication for understanding gender segregation», *Sex Roles*, vol. 29, p. 723-737.

Prentky, R., Burgess, A. et Carter, D. (1986). «Victim responses by rapist type: An empirical and clinical analysis», *Journal of Interpersonal Violence*, vol. 1, p. 73-98.

Prescott, J. (1975). «Body pleasure and the origins of violence», *The Futurist*, avril, p. 64-74.

Preston, P. (2005). «Nonverbal communication: Do you really say what you mean?», *Journal of Healthcare Management*, vol. 50, p. 83-86.

Pridal, C. et LoPiccolo, J. (2000). «Multielement treatment of desire disorders: Integration of cognitive, behavioral, and systemic therapy», *Principles and Practice of Sex Therapy* (sous la direction de S. Leiblum et R. Rosen), New York, The Guilford Press.

Priestly, C., Jones, B., Dhar, J., et Goodwin, L. (1997). «What is normal vaginal flora?», *Genitourinary Medicine*, vol. 73, p. 23-28.

Prince-Gibson, E. (2000). «Success story», *Ms.*, avril-mai, p. 22-23.

Prior, P., et Hayes B. (2003). «The relationship between marital status and health», *Journal of Family Issues*, vol. 24, p. 124-148.

Proctor, F., Wagner, N., et Butler, J. (1974). «The differentiation of male and female orgasm: An experimental study» (sous la direction de N. Wagner), *Perspectives on Human Sexuality*, New York, Behavioral Publications.

Propst, A. et Laufer, M. (1999). «Diagnosing and treating adolescent endometriosis», *Contemporary OB/GYN*, décembre, p. 52-59.

Proulx, J., Aubut, J., McKibben, A. et Cote, M. (1994). «Penile responses of rapists and nonrapists to rape stimuli involving physical violence or humiliation», *Archives of Sexual Behavior*, vol. 23, p. 295-310.

Puente, S., et Cohen, D. (2003). «Jealousy and the meaning (or nonmeaning) of violence», *Personality and Social Psychology Bulletin*, vol. 29, p. 449-460.

Pukall, C. (2005). «Vulvodynia: A hidden women's health issue», *SIECUS Report*, vol. 33, p. 25.

Putnam, F. (2003). «Ten-year research update review: Child sexual abuse», *Journal of the American Academy of Child and Adolescent Psychiatry*, vol. 42, p. 269-278.

Quackenbush, D., Strassberg, D. et Turner, C. (1995). «Gender effects of romantic themes in erotica», *Archives of Sexual Behavior*, vol. 24, p. 21-35.

Quittner, J. (2003). «Addicted to dot.com sex», *The Advocate*, 4 février, p. 34-36.

Rabock, J., Mellon, J. et Starka, L. (1979). «Klinefelter's syndrome: Sexual development and activity», *Archives of Sexual Behavior*, vol. 8, p. 333-340.

Radar, B. (2003). Communication privée.

Rahman, Q., et Wilson, G. (2003). «Sexual orientation and the 2nd to 4th finger length ratio: Evidence for organizing effects of sex hormones or developmental instability?», *Psychoneuroendocrinology*, vol. 28, p. 288-303.

Rako, S. (1996). *The Hormone of Desire*, New York, Harmony Books.

Rako, S. (1999). «Testosterone deficiency and supplementation for women: Matters of sexuality and health», *Psychiatric Annals*, vol. 29, p. 23-26.

Rako, S., et Friebely, J. (2004). «Pheromonal influences on sociosexual behavior in postmenopausal women», *Journal of Sex Research*, vol. 41, p. 372-380.

Ramakrishnan, K., et Scheid, D. (2006). «Ectopic pregnancy: Forget the "classic presentation" if you want to catch it sooner», *The Journal of Family Practice*, vol. 55, p. 388-395.

Ranjit, N., Bankole, A. et Darroch, J. (2001). «Contraceptive failure in the first two years of use: Differences across socioeconomic subgroups», *Family Planning Perspectives*, vol. 33, p. 19-27.

Rasheed, A., White, C. et Shaikh, N. (1997). «The incidence of postvasectomy chronic testicular pain and the role of nerve stripping (denervation) of the spermatic cord in its management», *British Journal of Urology*, vol. 79, p. 269-270.

Rathus, Neveid, Fischner-Rathus, Herold, McKenzie. (2007) *Human Sexuality: In a world of diversity*, 2ᵉ éd. canadienne, Toronto, Pearson Education.

Ray, S., et Quinn, T. (2000). «Sex and the genetic diversity of HIV-1», *Nature Medicine*, vol. 6, p. 23-25.

Real, T. (2002). *How Can I Get Through to You? Reconnecting Men and Women*. New York, Screbuer.

Reamer, F. (2003). «Boundary issues in social work: Managing dual relationships», *Social Work*, vol. 48, p. 121-133.

Reape, K. (2005). «Current contraceptive research and development», *Adolescent Medicine*, vol. 16, p. 617-633.

Rebar, R. (2004). «Assisted reproductive technology in the United States», *New England Journal of Medicine*, vol. 350, p. 1603-1604.

Redmond, G. (1999). «Hormones and sexual function», *International Journal of Fertility*, vol. 44, p. 193-197.

Regan, P. (1998). «Of lust and love: Beliefs about the role of sexual desire in romantic relationships», *Personal Relationships*, vol. 5, p. 139-157.

Regan, P. et Berscheid, E. (1995). «Gender differences about the causes of male and female sexual desire», *Personal Relationships*, vol. 2, p. 345-358.

Regehr, C., et Glancy, G. (1995). «Sexual exploitation of patients: Issues for colleagues», *American Journal of Orthopsychiatry*, vol. 65, nº 2, p. 194-202.

Regnerus, M., et Luchies, L. (2006). «The parent-child relationship and opportunities for adolescents' first sex», *Journal of Family Issues*, vol. 27, p. 159-183.

Reinberg, S. (2006). *Testosterone Offers Women Benefits, Risks: Higher Levels May Boost Sexual Function, but Increase Heart Trouble, Studies Find.* http://health.msn.com/healthnews/articlepage.aspx?cp-documen-tid=100138390. (Consultation en ligne le 10 juillet 2006).

Reiner, W. (1997a). «Sex assignment in the neonate with intersex or inadequate genitalia», *Archives of Pediatric and Adolescent Medicine*, vol. 151, p. 1044-1045.

Reiner, W. (1997b). «To be male or female—that is the question», *Archives of Pediatric and Adolescent Medicine*, vol. 151, p. 224-225.

Reiner, W. (2000). «Gender and "sex reassignment"», communication donnée à la Lawson Wilkins Pediatric Endocrine Society meeting, Boston, 12 mai, http://mayohealth.org/mayo/headline/htm/hw000516.htm (consultation en ligne le 19 août 2000).

Reinisch, J. et Beasley, R. (1990). *The Kinsey Institute's New Report on Sex*, New York, St. Martin's Press.

Reiter, R. et Milburn, A. (1994). «Exploring effective treatment for chronic pelvic pain», *Contemporary OB/GYN*, mars, p. 84-103.

Rempel, J.K et Baumgartner, B. (2003). «The relationship between attitudes towards menstruation and sexual attitudes, desires and behaviour in women», *Archives of Sexual Behaviour*, vol. 32, nº 2, p. 155-163.

Renshaw, D. (1990). «Short-term therapy for sexual dysfunction: Brief counseling to manage vaginismus», *Clinical Practice in Sexuality*, vol. 6, nº 5, p. 23-29.

Renzetti, C., et Curran, D. (1992). *Women, Men, and Society*, 2ᵉ éd., Boston, Allyn et Bacon.

Reproductive Health Matters (2004). «Destruction of the vagina in violent rape a war crime in Congo», vol. 12, p. 181-182.

Resnick, M., Bearman, P., Blum, R., Bauman, K., Harris, K., Jones, J., Tabor, J,. Beuhring, T., Sieving, R., Shew, M., Ireland, M., Bearinger, L. et Udry, J. (1997). «Protecting adolescents from harm: Findings from the National Longitudinal Study on Adolescent Health», *Journal of the American Medical Association*, vol. 278, p. 823-832.

Reynolds, J. (2006). «Sex, secrets and cyberspace: Area prostitution flourishes via Web», *Monterey County Herald*, 9 juillet, pNA.

Reynolds, S., Shepherd, M., Risbud, A., Gangakhedkar, R., Brookmeyer, R., et coll. (2004). «Male circumcision and risk of HIV-1 and other transmitted infections in India», *Lancet,* vol. 363, p. 1039-1040.

Rhode, D. (1997). «Harassment is alive and well and living at the water cooler», *Ms.*, novembre-décembre, p. 28-29.

Rhodes, S., Bowie, D., et Hergenrather, K. (2003). «Collecting behavioral data using the World Wide Web: Considerations for researchers», *Journal of Epidemiology and Community Health*, vol. 57, p. 68-73.

Rhodes, S., DiClemente, R., Yee, I., et Hergenrather, K. (2001a). «Correlates of hepatitis B vaccination in a high-risk population: An Internet sample», *American Journal of Medicine*, vol. 110, p. 628-632.

Rhodes, S., DiClemente, R., Yee, I., et Hergenrather, K. (2001b). «Factors associated with testing hepatitis C in an Internet-recruited sample of men who have sex with men», *Sexually Transmitted Diseases*, vol. 28, p. 515-520.

Rholes, W., Simpson, J., et Friedman, M. (2006). «Avoidant attachment and the experience of parenting», *Personality and Social Psychology Bulletin*, vol. 32, p. 275-285.

Rhynard, J., Krebs, M. et Glover, J. (1997). «Sexual assault in dating relationships», *Journal of School Health*, vol. 67, p. 89-93.

Ribadeneira, D. (1998). «More women step up to pulpit, but they still take a back pew», *The Oregonian*, 19 avril, p. G3.

Richard, D. (2002). «Tantra 101», *Contemporary Sexuality*, vol. 36, p. 1 et 4-7.

Richards, L., Rollerson, B. et Phillips, J. (1991). «Perceptions of submissiveness: Implications for victimization», *Journal of Psychology*, vol. 125, p. 407-411.

Richardson, B., John-Stewart, G., Hughes, J., Nduati, R., Mbori-Ngacha, D., Overbaugh, J., et Kreiss, J. (2003a). «Breast-mild infectivity in human immunodeficiency virus type I-infected mothers», *Journal of Infectious Diseases*, vol. 187, p. 736-740.

Richardson, D., Wood, K., et Goldmeier, D. (2006). «A qualitative pilot study of Islamic men with lifelong premature (rapid) ejaculation», *The Journal of Sexual Medicine*, vol. 3, p. 337-343.

Richter, S., Leibovitch, I., et Alkalay, R. (2006). «Anejaculation and orgasmic disorders in men after penile implant surgery», *The Journal of Sexual Medicine*, vol. 3 (suppl. 3), p. 224-286.

Rickert, V., Sanghvi, R., et Wiemann, C. (2002). «Is lack of sexual assertiveness among adolescent and young adult women a cause for concern?», *Perspectives on Sexual and Reproductive Health*, vol. 34, p. 178-183.

Rickert, V. et Wiemann, C. (1998). «Date rape: Office-based solutions», *Contemporary OB/GYN*, vol. 43, p. 133-153.

Rider, E. (2000). *Our Voices: Psychology of Women*, Belmont (Californie), Wadsworth/Thomson Learning.

Ridgeway, J. (1996). *Inside the Sex Industry*, New York, Powerhouse Books.

Ridley, M. (2003). *Genes, Experience, and What Makes Us Human.* New York, HarperCollins.

Rienzo, B., Button, J., Sheu, J., et Li, Y. (2006). «The politics of sexual orientation issues in American schools», *Journal of School Health*, vol. 76, p. 93-97.

Rierdan, J., Koff, E. et Stubbs, M. (1998). «Gender, depression and body image in early adolescents», *Journal of Early Adolescence*, vol. 8, p. 109-117.

Riley, A., et Riley, E. (2000). «Controlled studies on women presenting with sexual drive disorder. I. Endocrine status», *Journal of Sex and Marital Therapy*, vol. 26, p. 269-283.

Rind, B., et Tromovitch, P. (1997). «A meta-analytic review of findings from national samples on psychological correlates of child sexual abuse», *Journal of Sex Research*, vol. 34, p. 237-255.

Rind, B., Tromovitch, P., et Bauserman, R. (1998). «A meta-analytic examination of assumed properties of child sexual abuse using college samples», *Psychological Bulletin*, vol. 124, p. 22-53.

Ring, W. (2001). *Vermont Teens Drawn to Prostitution.* http://www.salon.com/mwt/wire/2001/02/09/prostitution//index.html (consultation en ligne le 9 février 2001).

Rios, D. (1996). «The gone girls», *The Oregonian*, 17 novembre, p. E1-E3.

Ritter, J. (2003). *More Choices Available for Birth Control.* http://www.sun-times.com/output/news/cst-nwsbirth06.html (consultation en ligne le 11 avril 2003).

Robinson, D., Gibson-Beverly, G., et Schwartz, J. (2004). « Sorority and fraternity membership and religious behaviors: Relation to gender attitudes », *Sex Roles: A Journal of Research*, vol. 50, p. 871-877.

Robinson, D., Stewart, S. et Gist, R. (2001). « Laparoscopic pomeroy: A comparison with tubal cauterization in a teaching hospital », *Obstetrics and Gynecology*, vol. 97, p. 16S-17S.

Robinson, G. (1999). « China: Surfeit of bachelors predicted in China », *World Press Review*, mars, p. 18.

Rochman, S. (2003). « Dragging us down », *The Advocate*, 8 juillet, p. 43-44.

Roddy, R., Zekeng, K., Ryan, A., Tamoufe, U., et Tweedy, K. (2002). « Effect of nonoxynol-9 gel on urogenital gonorrhea and chlamydial infection: A randomized controlled trial », *Journal of the American Medical Association*, 6 mars, p. 1117-1122.

Rodriguez, N., Ryan, S., Vande Kemp, H., et Foy, D. (1997). « Posttraumatic stress disorder in adult female survivors of childhood sexual abuse: A comparison study », *Journal of Consulting and Clinical Psychology*, vol. 65, p. 53-59.

Roffman, D. (2005). « Lakoff for sexuality educators: The power and magic of "framing." », *SIECUS Report*, vol. 33, p. 20-25.

Rogers, C. (1951). *Client-Centered Therapy: Its Current Practice, Implications, and Theory*. Boston, Houghton Mifflin.

Romano, A. (2006). « Walking a new beat », *Newsweek*, 24 avril, p. 48.

Romeo, J., Seftel, A., Madhun, Z., et Aron, D. (2000). « Sexual function in men with diabetes type 2: Association with glycemic control », *Journal of Urology*, vol. 163, p. 788-791.

Rosario, M., Schrimshaw, E., Hunter, J., et Braun, L. (2006). « Sexual identity development among lesbian, gay, and bisexual youths: Consistency and change over time », *The Journal of Sex Research*, vol. 43, p. 46-59.

Rosario, M., Schrimshaw, E., Hunter, J., et Gwadz, M. (2002). « Gay-related stress and emotional distress among gay, lesbian, and bisexual youths: A longitudinal examination », *Journal of Consulting and Clinical Psychology*, vol. 70, p. 967-975.

Rose, S. (27 avril 2006). *Stop the Antigay Iraqi Killings Now!* http://www.advocate.com/exclusive_detail_ektid30412.asp. (Consultation en ligne le 24 mai 2006).

Rosen, R. et Ashton, A. (1993). « Prosexual drugs: Empirical status of the "new aphrodisiacs." », *Archives of Sexual Behavior*, vol. 22, p. 521-541.

Rosenau, D., Taylor, D., Sytsma, M., et McClusky, C. (2001). « Conducting Sex Therapy with Conservative Christian Couples », communication donnée à la 33rd Annual Conference of the American Association of Sex Educators, Counselors, and Therapists, San Francisco, 2-6 mai.

Rosenberg, M. (1988). « Adult behaviors that reflect childhood incest », *Medical Aspects of Human Sexuality*, mai, p. 114-124.

Rosenberg, M., Hazzard, M., Tallman, C., et Ohl, D. (2006). « Evaluation of the prevalence and impact of premature ejaculation in a community practice using the men's sexual health questionnaire », communication donnée à la Sexual Medicine Society of North America Fall Meeting, New York, novembre.

Rosenbluth, S. (1997). « Is sexual orientation a matter of choice? », *Psychology of Women Quarterly*, vol. 21, p. 595-610.

Rosenthal, D., Smith, A. et de Visser, R. (1999). « Personal and social factors influencing age at first intercourse », *Archives of Sexual Behavior*, vol. 28, p. 319-333.

Rosenthal, E. (2006). « Study finds genital cutting can be deadly », *The New York Times*, 2 juin, p. F4.

Rosler, A., et Witztum, E. (1998). « Treatment of men with paraphilia with a long-acting analogue of gonadotropin releasing hormone », *New England Journal of Medicine*, vol. 338, p. 416-422.

Rosman, J. et Resnick, P. (1989). « Sexual attraction to corpses: A psychiatric review of necrophilia », *Bulletin of the American Academy of Psychiatry and the Law*, vol. 17, p. 153-163.

Ross, M. (2005). « Typing, doing, and being: Sexuality and the Internet », *Journal of Sex Research*, vol. 42, p. 342-353.

Ross, M., Essien, J., Williams, M., et Fernandez-Esquer, M. (2003). « Concordance between sexual behavior and sexual identity in street outreach samples of four racial/ethnic groups », *Sexually Transmitted Diseases*, vol. 30, p. 110-113.

Rothblum, E. (2000). « Comments on "lesbians' sexual activities and efforts to reduce risks for sexually transmitted diseases." », *Journal of the Gay and Lesbian Medical Association*, vol. 4, p. 39.

Rotterman, M. (2008). *Tendances du comportement sexuel et de l'utilisation du condom à l'adolescence*. Composante du produit vol. 82-003-X au catalogue de Statistique Canada, Rapports sur la santé.

Rousseau, C., Nduati, R., Richardson, B., Steele, M., John-Stewart, G., Mbori-Ngacha, D., Kreiss, J., et Overbaugh, J. (2003). « Longitudinal analysis of human immunodeficiency virus type I RNA in breast milk and its relationship to infant infection and maternal diseases », *Journal of Infectious Diseases*, vol. 187, p. 741-747.

Routh, L. (2000). « Inside the mind of a women: Neuropsychiatric disorders and the impact of hormones throughout the female lifecycle », communication donnée lors d'un atelier organisé par The Amen Clinic For Behavioral Medicine, Inc., Fairfield (Californie).

Rowland, D., Kallan, K. et Slob, A. (1997a). « Yohimbine, erectile capacity, and sexual response in men », *Archives of Sexual Behavior*, vol. 26, p. 49-62.

Rowland, D., Strassberg, D., de Gouveia Brazao, C., et Slob, A. (2000). « Ejaculatory latency and control in men with premature ejaculation: An analysis across sexual activities using multiple sources of information », *Journal of Psychosomatic Research*, vol. 48, p. 69-77.

Royce, R., Sena, A., Cates, W. et Cohen, M. (1997). « Sexual transmission of HIV », *New England Journal of Medicine*, vol. 336, p. 1072-1078.

Rubin, J., Provenzano, F. et Luria, Z. (1974). « The eye of the beholder: Parents' views on sex of newborns », *American Journal of Orthopsychiatry*, vol. 44, p. 512-519.

Rubin, L. (1990). *Erotic Wars*, New York, Farrar, Straus & Giroux.

Rubin, Z. (1970). « Measurement of romantic love », *Journal of Personality and Social Psychology*, vol. 16, p. 265-273.

Rubin, Z. (1973). *Liking and Loving*. New York, Holt, Rinehart & Winston.

Rubinsky, H., Eckerman, D., Rubinsky, E. et Hoover, C. (1987). « Early-phase physiological response patterns to psychosexual stimuli: Comparisons of male and female patterns », *Archives of Sexual Behavior*, vol. 16, p. 45-55.

Rumstein-McKean, O. et Hunsley, J. (2001). « Interpersonal and family functioning of female survivors of childhood sexual abuse », *Clinical Psychology Review*, vol. 21, p. 471-490.

Russell, B., et Oswald, D. (2001). « Strategies and dispositional correlates of sexual coercion perpetrated by women: An exploratory investigation », *Sex Roles*, vol. 45, p. 103-115.

Russell, B., et Oswald, D. (2002). « Sexual coercion and victimization of college men: The role of love styles », *Journal of Interpersonal Violence*, vol. 17, p. 273-285.

Russell, S. (2001). « LGBTQ youth are at risk in U.S. school environment », *SIECUS Report*, vol. 29, p. 19-21.

Ryan, C. et Futterman, D. (1997). « Lesbian and gay youth: Care and counseling », *Adolescent Medicine, State of the Art Reviews*, vol. 8, p. 221.

Ryan, C., et Futterman, D. (2001). « Social and developmental challenges for lesbian, gay, and bisexual youth », *SIECUS Report*, vol. 29, p. 5-6.

Ryan, G. (2000). « Childhood sexuality: A decade of study. Part I—Research and curriculum development », *Child Abuse and Neglect*, vol. 24, p. 33-48.

Ryan, G. Miyoshi, T., et Krugman, R. (1988). « Early Childhood Experience of Professionals Working in Child Abuse », communication donnée au 17th Annual Symposium on Child Sexual Abuse and Neglect, Keystone, Colorado.

Saario, T., Jacklin, C., et Tittle, C. (1973). « Sex role stereotyping in public schools », *Harvard Educational Review*, vol. 43, p. 386-416.

Sadker, M. et Sadker, D. (1994). *Failing at Fairness: How America's Schools Cheat Girls*, New York, Scribners.

Sadovsky, R. (2005). « Androgen therapy for effects of aging in older men », *American Family Physician*, vol. 72, p. 170-171.

Sadovsky, R., et Nusbaum, M. (2006). « Sexual health inquiry and support is a primary care priority », *The Journal of Sexual Medicine*, vol. 3, p. 3-11.

Saewyc, E., Magee, L., et Pettingell, S. (2004). « Teenage pregnancy and associated risk behaviors among sexually abused adolescents », *Perspectives on Sexual and Reproductive Health*, vol. 36, p. 98-105.

Safran, C. (1976). « What men do to women on the job: A shocking look at sexual harassment », *Redbook*, novembre, p. 148.

Safren, S. et Heimberg, R. (1999). « Depression, hopelessness, suicidality, and related factors in sexual minority and heterosexual adolescents », *Journal of Consulting and Clinical Psychology*, vol. 67, p. 859-866.

Saigal, C., Wessells, H., Pace, J., et Schonlau, M. (2006). « Predictors and prevalence of erectile dysfunction in a racially diverse population », *Archives of Internal Medicine*, vol. 166, p. 207-212.

Salem, R. (2006). « New attention to the IUD », *Population Reports*, Série B, vol. 7. Baltimore John's Hopkins Bloomberg School of Public Health, The INFO Project, février, p. 47-56.

Salisbury, N. (1991). Communication privée.

Salonia, A., Zanni, G., Fantini, G., et Deho, F. (2006). « Psychometric parameters of sexual health in infertile couples due to a male factor. Preliminary results of a multivariate analysis », *The Journal of Sexual Medicine*, vol. 3 (suppl. 3), p. 193.

Salovey, P. et Rodin, J. (1985). « The heart of jealousy », *Psychology Today*, septembre, p. 22-29.

Salter, D., McMillan, D., Richards, M., Talbot, T., Hodges, J., Bentovim, A., Hastings, R, Stevenson, J., et Skuse, D. (2003). « Development of sexually abusive behavior in sexually victimized males: A longitudinal study », *The Lancet*, vol. 361, p. 471-476.

Samraj, G., Kuritzky, L., et Seftel, A. (2005). « Current and future strategies for premature ejaculation », *Contemporary Urology*, vol. 17, p. 12-18.

Sanchez, D., Kiefer, A., et Ybarra, O. (2006). « Sexual submissiveness in women: Costs for sexual autonomy and arousal », *Personality and Social Psychology Bulletin*, vol. 32, p. 512-524.

Sanday, P. (1981). « The socio-cultural context of rape: A cross-cultural study », *Journal of Social Issues*, vol. 37, p. 5-27.

Sandelowski, M. (1994). « Separate, but less unequal: Fetal ultrasonography and the transformation of expectant mother/fatherhood », *Gender and Society*, vol. 8, p. 230-245.

Sanders, G. (2000). « Men together: Working with gay couples in contemporary times », *Couples on the Fault Line* (sous la direction de P. Papp), New York, The Guilford Press.

Sanders, S., Graham, C., et Janssen, E. (2003). *Factors Affecting Sexual Arousal in Women*. http://www.kinseyinstitute.org/research/focus_group.html (consultation en ligne le 8 mars 2003).

Sandlow, J. (2000). « Shattering the myths about male infertility », *Postgraduate Medicine*, vol. 107, p. 235-242.

Sandlow, J., Westefeld, J. et Maples, M. (2001). *Psychological correlates of vasectomy*, vol. 75, p. 544-548.

Sandnabba, N., Santtila, P. et Nordling, N. (1999). « Sexual behavior and social adaptation among sadomasochistically oriented males », *Journal of Sex Research*, vol. 36, p. 273-282.

Sandnabba, N., Santtila, P., Wannas, M., et Krook, K. (2003). « Age and gender specific sexual behaviors in children », *Child Abuse and Neglect*, vol. 27, p. 579-605.

Sangrador, J., et Yela, C. (2000). « What is beautiful is loved: Physical attractiveness in love relationships in a representative sample », *Social Behavior and Personality*, vol. 28, p. 207-218.

Santelli, J., Morrow, B., Anderson, J., et Lindberg, L. (2006). « Contraceptive use and pregnancy risk among U.S. high school students, 1991-2003 », *Perspectives on Sexual and Reproductive Health*, vol. 38, p. 106-111.

Santilla, P., Sandnabba, K., Alison, L., et Nordling, N. (2002). « Investigating the underlying structure in sadomasochistically oriented behavior », *Archives of Sexual Behavior*, vol. 31, p. 185-196.

Sarrel, P. (1988). « Sex and Menopause », communication donnée à la 21st Annual Meeting of the American Association of Sex Educators, Counselors, and Therapists, San Francisco, avril.

Sarrell, P. et Masters, W. (1982). « Sexual molestation of men by women », *Archives of Sexual Behavior*, vol. 11, p. 117-131.

Satel, S. (1993). « The diagnostic limits of addiction », *Journal of Clinical Psychiatry*, vol. 54, p. 237.

Satterfield, A. et Muehlenhard, C. (1990). « Flirtation in the classroom: Negative consequences on women's perceptions of their ability », communication donnée lors de l'assemblée annuelle de la Society for the Scientific Study of Sex, Minneapolis, novembre.

Satterly, B., et Dyson, D. (2005). « Educating all children equitably: A strengths-based approach to advocacy for sexual minority youth in schools », *Contemporary Sexuality*, vol. 39, p. i-vii.

Saunders, E. (1989). « Life-threatening autoerotic behavior: A challenge for sex educators and therapists », *Journal of Sex Education and Therapy*, vol. 15, p. 77-81.

Savic, I., Berglund, H., et Lindstrom, P. (2005). « Brain responses to putative pheromones in homosexual men », *Proceedings of the National Academy of Sciences*, vol. 102, p. 7356-7361.

Savin-Williams, R. (2005). « Reciprocal Associations Between Adolescent Sexual Activity and Quality of Youth-Parent Interactions », *Journal of Family Psychology*, vol. 19, n° 2, p. 171-179, juin 2005.

Savin-Williams, R. et Diamond, L.M. (2000). Sexual Identity Trajectories Among Sexual Minority Youths: Gender Comparisons, *Archives of Sexual Behavior*, vol. 29, n° 6, p. 607-627.

Sawyer, R., Pinciaro, P. et Jessell, J. (1998). « Effects of coercion and verbal consent on university students' perception of date rape », *American Journal of Health Behavior*, vol. 22, p. 46-53.

Scarce, M. (1997). « Same-sex rape of male college students », *Journal of American College Health*, vol. 45, p. 171-173.

Schabas, W.-A. (1995). *Les infractions d'ordre sexuel*. Montréal, Les éditions Yvon Blais inc.

Schacter, D. (2003). *Science de la mémoire. Oublier et se souvenir*. Paris, Odile Jacob.

Schaffer, J. (2006). « Sexual intercourse at term and onset of labor », *Obstetrics and Gynecology*, vol. 107, p. 1310-1314.

Scharf, C. et Weinshel, M. (2000). « Infertility and late-life pregnancies », *Couples on the Fault Line* (sous la direction de P. Papp), New York, The Guilford Press.

Scharfe, E., et Bartholomew, K. (1995). « Accommodation and attachment representations in young couples », *Journal of Social and Personal Relationships*, vol. 12, p. 389-401.

Scheela, R., et Stern, P. (1994). « Falling apart: A process integral to the remodeling of male incest offenders », *Archives of Psychiatric Nursing*, vol. 8, p. 91-100.

Schmidt, L. (2006). « Psychosocial burden of infertility and assisted reproduction », *The Lancet*, vol. 367, p. 379-381.

Schmitt, D. (2003). « Universal sex differences in the desire for sexual variety: Tests from 52 nations, 6 continents, and 13 islands », *Journal of Personality and Social Psychology*, vol. 85, p. 85-104.

Schmitt, D., Shackelford, T., Duntley, J., Tooke, W., et Buss, D. (2001). « The desire for sexual variety as a key to understanding basic human mating strategies », *Personal Relationships*, vol. 8, p. 425-455.

Schnarch, D. (1991). *Constructing the Sexual Crucible*, New York, Norton.

Schnarch, D. (1993). « Inside the sexual crucible », *Networker*, mars-avril, p. 40-48.

Schoener, G. (1995). « Assessment of professionals who have engaged in boundary violations », *Psychiatric Annals*, vol. 25, n° 2, p. 95-99.

Schooler, D., et Ward, M. (2006). « Average Joes: Men's relationships with media, real bodies, and sexuality », *Psychology of Men and Masculinity*, vol. 7, p. 27-41.

Schooler, D., Ward, L., Merriweather, A., et Caruthers, A. (2005). « Cycles of shame: Menstrual shame, body shame, and sexual decision-making », *The Journal of Sex Research*, vol. 42, p. 324-335.

Schover, L. (2000). «Sexual problems in chronic illness» (sous la direction de S. Leiblum et R. Rosen), *Principles and Practice of Sex Therapy*, New York, Guilford Press.

Schover, L., et Jensen, S. (1988). *Sexuality and Chronic Illness*. New York, Guilford Press.

Schredl, M., Ciric, P., Gotz, S., et Wittmann, L. (2004). «Typical dreams: Stability and gender differences», *The Journal of Psychology*, vol. 138, p. 485-495.

Schubach, G. (1996). *Urethral Expulsions During Sensual Arousal and Bladder Catherization in Seven Human Females*, Ed.D. thesis, Institute for Advanced Study of Human Sexuality, San Francisco.

Schwartz, J., et Gabelnick, H. (2002). «Current contraceptive research», *Perspectives on Sexual and Reproductive Health*, vol. 34, p. 310-315.

Schwartz, P. (1990). «The Future Is the Past: Gay Custody Decisions», communication donnée à l'Annual Western Region Conference of the Society for the Scientific Study of Sex, San Diego, 25 avril.

Schwartz, P. (2006). «Revitalizing sexuality for mental and physical health», communication donnée à la Women's Health Conference, Portland, OR, avril.

Schwartz, R.. (2003). «Pathways to sexual intimacy», *Psychotherapy Networker*, mai-juin, p. 36-43.

Scott, L. (2006). «An alternative to surgery in treating ectopic pregnancy», *Nursing Times*, vol. 102, p. 24-26.

Seal, B., Brotto, L., et Gorzalka, B. (2005). «Oral contraceptive use and female genital arousal: Methodological Considerations», *Journal of Sex Research*, vol. 42, p. 249-258.

Seal, D. (1997). «Interpartner concordance of self-reported sexual behavior among college dating couples», *Journal of Sex Research*, vol. 34, p. 39-55.

Seal, D., Bloom, F., et Somlai, A. (2000). «Dilemmas in conducting qualitative sex research in applied field settings», *Health Education and Behavior*, vol. 27, p. 10-23.

Segraves, R., et Balon, R. (2003). *Sexual Pharmacology: Fast Facts*. New York, W. W. Norton.

Segraves, R. et Segraves, K. (1995). «Human sexuality and aging», *Journal of Sex Education and Therapy*, vol. 21, p. 88-102.

Seidman, S. et Rieder, R. (1994). «A review of sexual behavior in the United States», *American Journal of Psychiatry*, vol. 151, p. 330-341.

Seligman, L., et Hardenburg, S. (2000). «Assessment and treatment of paraphilias», *Journal of Counseling and Development*, vol. 78, p. 107-113.

Semaan, S., Klovdahl, A., et Aral, S. (2004). «Protecting the privacy, confidentiality, relationships, and medical safety of sex partners in partner notification and management studies», *Journal of Research Administration*, vol. 35, p. 39-53.

Semans, J. (1956). «Premature ejaculation, a new approach», *Southern Medical Journal*, vol. 49, p. 353-358.

Sem-Jacobsen, C. (1968). *Depth-Electrographic Stimulation of the Human Brain and Behavior*, Springfield (Illinois), Thomas.

Senn, C., Desmarais, S., Verberg, N., et Wood, E. (1999). «Predicting coercive sexual behavior across the lifespan in a random sample of Canadian men», *Journal of Social and Personal Relationships*, vol. 17, p. 95-113.

Seppa, N. (2004). «Foreskin may permit HIV entry, infection», *Science News*, vol. 165, p. 212-213.

Seppa, N. (2005). «Defense mechanism: Circumcision averts some HIV infections», *Science News*, vol. 168, p. 275.

Sev'er, A. (1999). «Sexual harassment: Where we are and prospects for the new millennium», *Canadian Review of Sociology and Anthropology*, vol. 36, p. 469-482.

Shabsigh, R. (2006). «Diagnosing premature ejaculation: A review», *The Journal of Sexual Medicine*, vol. 3, p. 318-323.

Shackelford, T., Buss, D., et Bennett, K. (2002). «Forgiveness or breakup: Sex differences in responses to a partner's infidelity», *Cognition and Emotion*, vol. 16.

Shah, J., et Fisch, H. (2006). «Managing the vasectomy patient: From preoperative counseling through postoperative follow-up», *Contemporary Urology*, vol. 18, p. 40-45.

Shah, P., Aliwalas, L., et Shah V. (2006). «Breastfeeding or breast milk for procedural pain in neonates», *Cockrane Database of Systematic Reviews 2006*, Issue 3. Art. No.: CD004950. DOI: 101002/14651858. CD004950. pub2.

Shanks, L., Ford, N., Schull, M., et de Jong, K. (2001). «Responding to rape», *The Lancet*, vol. 357, p. 304.

Shapiro, J. (1987). «The expectant father», *Psychology Today*, janvier, p. 36-42.

Shapiro, L. (1998). «A long road to freedom», *Newsweek*, 16 mars, p. 57.

Sharpsteen, D. et Kirkpatrick, L. (1997). «Romantic jealousy and adult romantic attachment», *Journal of Personality and Social Psychology*, vol. 72, p. 627-640.

Shaul, S., Bogle, J., Hale-Harbaugh, J., et Norman, A. (1978). *Toward Intimacy: Family Planning and Sexuality Concerns of Physically Disabled Women*. New York, Human Sciences Press.

Shaw, J. (1997). «Treatment rationale for Internet infidelity», *Journal of Sex Education and Therapy*, vol. 22, n° 1, p. 21-28.

Shearer, B., Mulvihill, B., Klerman, L., Wallander, J., Hovinga, M., et Redden, D. (2002). «Association of early childbearing and low cognitive ability», *Perspectives on Sexual and Reproductive Health*, vol. 34, p. 236-243.

Sheets, V., Fredendall, L. et Claypool, H. (1997). «Jealousy evocation, partner reassurance, and relationship stability: An exploration of the potential benefits of jealousy», *Evolution and Human Behavior*, vol. 18, p. 387-402.

Sherfer, T., Strebel, A., Wilson, T., Shabalala, N., Simbayi, L., Ratele, K., Potgieter, C., et Andipatin, M. (2002). «The social construction of sexually transmitted infections (STIs) in South African communities», *Qualitative Health Research*, vol. 12, p. 1373-1390.

Sherfey, M. (1972). *The Nature and Evolution of Female Sexuality*, New York, Random House.

Sherman, R. et Jones, J. (1994). «A response to the article on "The validity of the Myers-Briggs Type Indicator for predicting marital problems"», *Family Relations*, vol. 43, p. 94-95.

Sherman, S. (2002). «If our son is happy, what else matters?», *Newsweek*, 16 septembre, p. 12.

Shernoff, M. (2006). «The heart of a virtual hunter», *The Gay and Lesbian Review Worldwide*, vol. 13, p. 20-23.

Shifen, J., Braunstein, G., Simon, J., Casson, P., Buster, J., Redmond, G., Burki, R., Ginsburg, E., Rosen, R., Leiblum, S., Carmelli, K., et Mazer, N. (2000). «Transdermal testosterone treatment in women with impaired sexual function after oophorectomy», *New England Journal of Medicine*, vol. 34, p. 682-688.

Shlain, L. (2003). *Sex, Time, and Power: How Women's Sexuality Changed the Course of Human Evolution*. New York, Penguin.

Shook, N., Gerrity, D., Jurich, J., et Segrist, A. (2000). «Courtship violence among college students: A comparison of verbally and physically abusive couples», *Journal of Family Violence*, vol. 15, p. 1-22.

Shorto, R. (2006). «Contra-Contraception», *The New York Times Magazine*, 7 mai.

Shrier, L., Pierce, J., Emans, S. et DuRant, R. (1998). «Gender differences in risk behaviors associated with forced or pressured sex», *Archives of Pediatric and Adolescent Medicine*, vol. 152, p. 57-63.

Shtarkshall, R. (2005). «Conducting sex therapy in a cross-cultural environment: When the paradigm of the therapy and the worldview of the clients mismatch», communication donnée au World Congress of Sexology, Montréal, Canada, 10-15 juillet.

SIECUS Report (1999b). «Worldwide antidiscrimination laws and policies based on sexual orientation», vol. 27, p. 19-22.

Siegel, K., Krauss, B. et Karus, D. (1994). «Reporting recent sexual practices: Gay men's disclosure of HIV risk by questionnaire and interview», *Archives of Sexual Behavior*, vol. 23, p. 217-230.

Sighinolfi et coll. (2007). « Immediate improvement in penile homodynamic after cessation of smoking: previous results », *Urology*, vol. 69, n° 1, p. 163-165.

Signorile, M. (1995). *Outing Yourself*, New York, Fireside.

Silver, R., Landon, M., Rouse, D., et Leveno, K. (2006). « Maternal morbidity associated with multiple repeat cesarean deliveries », *Obstetrics and Gynecology*, vol. 107, p. 1226-1232.

Silverman, B. et Gross, T. (1997). « Use and effectiveness of condoms during anal intercourse », *Sexually Transmitted Diseases*, vol. 24, p. 11-17.

Simon, H. (2003). « Alternatives to Viagra », *Newsweek*, 16 juin, p. 63.

Simon, W., et Gagnon, J. (1998). « Psychosexual development », *Society*, vol. 35, p. 60-67.

Simonson, K., et Subich, L. (1999). « Rape perceptions as a function of gender-role traditionality and victim-perpetrator association », *Sex Roles*, vol. 40, p. 617-633.

Singer, L. (2002). « Cognitive and motor outcomes of cocaine-exposed infants », *Journal of the American Medical Association*, vol. 287, p. 1952-1960.

Singer, N. (2005). « The revised birthday suit », *The New York Times*, 1er septembre, p. E3.

Singh, A., Romanowski, B., Wong, T., et coll. (2005). « Herpes simplex virus seroprevalence and risk factors in 2 Canadian sexually transmitted disease clinics », *Sexually Transmitted Diseases*, vol. 32, p. 95-100.

Sipe, A. (1990). *A Secret World: Sexuality and the Search for Celibacy*. New York, Brunner/Mazel.

Skolnick, A. (1992). *The Intimate Environment: Exploring Marriage and the Family*, New York, HarperCollins.

Slijper, F., Drop, S., Molenaar, J., et Keizer-Schrama, S. (1998). « Long-term psychological evaluation of intersex children », *Archives of Sexual Behavior*, vol. 27, p. 125-143.

Small, C., Manatunga, A., Klein, M., et Feigelson, H. (2006). « Menstrual cycle characteristics: Associations with fertility and spontaneous abortion », *Epidemiology*, vol. 17, p. 52-60.

Small, M. (1999). « Nosing out a mate », *Scientific American Presents*, vol. 10, p. 52-55.

Small, S. et Kerns, D. (1993). « Unwanted sexual activity among peers during early and middle adolescence: Incidence and risk factors », *Journal of Marriage and the Family*, vol. 55, p. 941-952.

Smalley, S. (2003). http://www.newsweek.com/id/15294 (consultation en ligne le 25 mars 2009).

Smeltzer, S., et Kelley, C. (1997). « Multiple sclerosis » (sous la direction de M. Sipski et C. Alexander), *Sexual Function in People with Disability and Chronic Illness*, Gaithersburg, MD, Aspen Publishers.

Smith, D. (2003). « Women and sex: What is "dysfunctional"? », *Monitor on Psychology*, vol. 34, p. 54-56.

Smith, R., Aboitiz, F., Schroter, C., Barton, R., Denenberg, V., et coll. (2005). « Relative size versus controlling for size: Interpretation of ratios in research on sexual dimorphism in the human corpus callosum », *Current Anthropology*, vol. 46, p. 249-273.

Smithyman, S. (1979). « Characteristics of undetected rapists » (sous la direction de W. Parsonage), *Perspectives on Victimology*, Beverly Hills, CA, Sage.

Société canadienne de pédiatrie (1996). « La circoncision néonatale revisitée », http://www.cps.ca/francais/enonces/FN/fn96-01.htm (consultation en ligne le 24 mars 2008).

Solmonese, J. (15 décembre 2005). *Fairness at Ford and Beyond*. http://www.advocate.com/print_article_ektid23468.asp. (Consultation en ligne le 24 mai 2006).

Solomon, R. (1981). « The love lost in cliches », *Psychology Today*, octobre, p. 83-94.

Sontag, S. (1972). « The Double Standard of Aging », *Saturday Review of Literature*, vol. 39, p. 29-38.

Sorenson, R. (1973). *Adolescent Sexuality in Contemporary America*. New York, World.

Span, S., et Vidal, L. (2003). « Cross-cultural differences in female university students' attitudes toward homosexuals: A preliminary study », *Psychological Reports*, vol. 92, p. 565-572.

Speer, R. (2005). « The fuzz that was », *Willamette Week*, 14 décembre, p. 12-18.

Spence, J., et Helmreich, R. (1978). *Masculinity and Femininity*. Austin, University of Texas Press.

Spencer, T. et Tan, J. (1999). « Undergraduate students' reactions to analogue male disclosure of sexual abuse », *Journal of Child Sexual Abuse*, vol. 8, p. 73-90.

Speroff, L., Blas, R., et Kase, N. (1989). *Clinical Gynecologic Endocrinology and Infertility*. Baltimore, Williams & Wilkins.

Speroff, L., et Fritz, M.A. (2005). *Clinical Gynecologic Endocrinology and Infertility*, 7e éd., Philadelphie, Lippincott Williams and Wilkins.

Spitzberg, B. (1999). « An analysis of empirical estimates of sexual aggression, victimization, and perpetration », *Violence and Victims*, vol. 14, p. 241-260.

Sponaugle, G. (1989). « Attitudes toward extramarital relations », *Human Sexuality: The Societal and Interpersonal Context* (sous la direction de K. McKinney et S. Sprecher), Norwood (New Jersey), Ablex.

Sprauve, M., Lindsay, M., Herbert, S., et Graves, W. (1997). « Adverse perinatal outcome in parturients who use crack cocaine », *Obstetrics and Gynecology*, vol. 89, p. 674-678.

Sprecher, S. (2002). « Sexual satisfaction in premarital relationships: Associations with satisfaction, love, commitment, and stability », *Journal of Sex Research*, vol. 39, p. 190-196.

Sprecher, S. et McKinney, K. (1993). *Sexuality*, Newbury Park (Californie), Sage.

Sprecher, S., Metts, S., Burleson, B., Hatfield, E., et Thompson, A. (1995). « Domains of expressive interaction in intimate relationships: Associations with satisfaction and commitment », *Family Relations*, vol. 44, p. 203-210.

Sprecher, S. et Regan, P.C. (1998). « Passionate and Companionate Love in Courting and Young Married Couples », *Sociological Inquiry*, vol. 68, p. 163-185.

Sprecher, S., Sullivan, Q., et Hatfield, E. (1994). « Mate selection preferences: Gender differences examined in a national sample », *Journal of Personality and Social Psychology*, vol. 66, p. 1074-1080.

Springen, K. (2003). « New year, new breasts? », *Newsweek*, 13 janvier, p. 65-66.

Springen, K. (2005a). « A more posh vibe », *Newsweek*, 25 juillet, p. 16.

Springen, K. (2005b). « The miscarriage maze », *Newsweek*, 7 février, p. 63.

Spring-Mills, E. et Hafez, E. (1980). « Male accessory sexual organs », *Human Reproduction* (sous la direction de E. Hafez), New York, Harper & Row.

Sroufe, L. (1985). « Attachment classification from the perspective of infant-caregiver relationships and infant temperament », *Child Development*, vol. 56, p. 1-14.

Sroufe, L., Fox, N., et Pancake, V. (1983). « Attachment and dependency in a developmental perspective », *Child Development*, vol. 54, p. 1615-1627.

Stanley, D. (1993). « To what extent is the practice of autoerotic asphyxia related to other paraphilias? », *Understanding Sexuality* (sous la direction de K. Haas et A. Haas), St. Louis, Mosby.

Stark, C. (2005). « Behavioral effects of stimulation of the medial amygdala in the male rat are modified by prior experience », *Journal of General Psychology*, vol. 132, p. 207-224.

Starr, B., et Weiner, M. (1981). *The Starr Weiner Report on Sex and Sexuality in the Mature Years*, New York, Stein & Day.

Staten, C. (1997). « "Roofies," the new "date rape" drug of choice », *Emergency Net News*, 21 octobre.

Statistique Canada (2001). « Le veuvage », http://142.206.72.67/02/02d/02d_001e_f.htm (consultation en ligne le 23 juillet 2003).

Statistique Canada (2001). *La violence familiale au Canada : Un profil statistique*, Ottawa, Centre canadien de la statistique juridique.

Statistique Canada (2004a). « Enquête sur la santé dans les collectivités canadiennes, 2003 », *Le Quotidien*, 15 juin 2004, http://www.statcan.ca/Daily/Francais/040615/q040615b.htm (consultation en ligne le 13 septembre 2008).

Statistique Canada (2006). *Dictionnaire du Recensement de 2006*, http://www.statcan.gc.ca/bsolc/olc-cel/olc-cel?catno=92-566-X&lang=fra (consultation en ligne le 18 août 2008).

Statistique Canada (2007a). Renseignements du Recensement de 2006 sur les couples de même sexe mariés et en union libre, http://www12.statcan.ca/census-recensement/2006/ref/info/same_sex-meme_sexe-fra.cfm (consultation en ligne le 10 septembre 2008).

Statistique Canada (2007b). Tableau 1-6 *Issues de la grossesse, selon le groupe d'âge et le lieu de résidence de la femme* — Québec, http://www.statcan.ca/francais/freepub/82-224-XIF/2004000/t006_fr.htm (consultation en ligne le 10 septembre 2008).

Stearns, S. (2001). « PMS and PMDD in the domain of mental health nurs-ing », *Journal of Psychosocial Nursing*, vol. 39, p. 16-27.

Stebleton, M. et Rothenberger, J. (1993). « Truth or consequences: Dishonesty in dating and HIV/AIDS-related issues in a college-age population », *Journal of American College Health*, vol. 42, p. 51-54.

Steele, J. (1999). « Teenage sexuality and media practice: Factoring in the influences of family, friends, and school », *Journal of Sex Research*, vol. 36, p. 331-341.

Stein, A. (2001). *The Stranger Next Door*. Boston, Beacon Press.

Stein, E. (1999). *The Mismeasure of Desire*, Oxford, Oxford University Press.

Stein, J. et Reiser, L. (1994). « A study of white middle-class adolescent boys' responses to "semenarche" (the first ejaculation) », *Journal of Youth and Adolescence*, vol. 23, p. 373-384.

Stein, M., Freedberg, K., Sullivan, L., Savetsky, J., Levenson, S., Hingson, R. et Samet, J. (1998). « Discosure of HIV-positive status to partners », *Archives of Internal Medicine*, vol. 158, p. 253-257.

Steinem, G. (1998). « Erotic and pornography: A clear and present difference », *Pornography: Private Right or Public Menace?* (sous la direction de R. Baird et S. Rosenbaum), Amherst (New York), Prometheus Books.

Steiner, M., Pearlstein, T., Cohen, L., et Endicott, J. (2006). « Expert guidelines for the treatment of severe PMS, PMDD, and comorbidities: The role of SSRIs », *Journal of Women's Health*, vol. 15, p. 57-69.

Stenager, E., Stenager, E. N., Jensen, K., et Boldsen, J. (1990). « Multiple sclerosis: Sexual dysfunctions », *Journal of Sex Education and Therapy*, vol. 16, p. 262-269.

Stener-Victorin, E. Waldenstrom, U. et Tagnfors, U. (2000). « Effects of electro-acupuncture on anovulation in women with polycystic ovary syndrome », *Acta Obstetricia et Gynecologica Scandinavica*, vol. 79, p. 180-188.

Stephenson, M. (2006). « Management of recurrent early pregnancy loss », *The Journal of Reproductive Medicine*, vol. 51, p. 303-310.

Stermac, L., Sheridan, P., Davidson, A., et Dunn, S. (1996). « Sexual assault of adult males », *Journal of Interpersonal Violence*, vol. 11, p. 52-64.

Stern, E. (1987). « Sex during pregnancy », *American Baby*, mars, p. 71-79.

Sternberg, R. (1986). « A triangular theory of love », *Psychological Review*, vol. 93, p. 119-135.

Sternberg, R. (1988). « Triangulating love » (sous la direction de R. Sternberg et M. Barnes), *The Psychology of Love*, New Haven, CT, Yale University Press.

Stewart, F. (1998c). « Vaginal barriers » (sous la direction de R. Hatcher, J. Trussell, F. Stewart, W. Cates, G. Stewart, F. Guest, et D. Kowal), *Contraceptive Technology*, New York, Ardent Media.

Stewart, G. (1998). « Intrauterine devices (IUDs) », *Contraceptive Technology* (sous la direction de R. Hatcher, J. Trussell, F. Stewart, W. Cates, G. Stewart, F. Guest et D. Kowal), New York, Ardent Media, Inc.

Stewart, G. et Carignan, C. (1998). « Female and male sterilization », *Contraceptive Technology* (sous la direction de R. Hatcher, J. Trussell, F. Stewart, W. Cates, G. Stewart, F. Guest et D. Kowal), New York, Ardent Media.

Stier, D., Leventhal, J., Berg, A., Johnson, L. et Mezger, J. (1993). « Are children born to young mothers at increased risk of maltreatment? », *Pediatrics*, vol. 91, p. 642-648.

Stock, W. (1985). « The effect of pornography on women », communication donnée lors d'une audience de l'Attorney General's Commission on Pornography, Houston, 11-12 septembre.

Stolberg, S. (2001). « Couple offer embryos for adoption », *The Sunday Oregonian*, 25 février, p. A9.

Stoller, R. (1977). « Sexual deviations », *Human Sexuality in Four Perspectives* (sous la direction de F. Beach), Baltimore, Johns Hopkins University Press.

Stoller, R. (1982). « Transvestism in women », *Archives of Sexual Behavior*, vol. 11, p. 99-115.

Stoller, R. et Herdt, G. (1985). « Theories of origins of male homosexuality », *Archives of General Psychiatry*, vol. 42, p. 399-404.

Stone, N., et Ingham, R. (2002). « Factors affecting British teenager's contraceptive use at first intercourse: The importance of partner communication », *Perspectives on Sexual and Reproductive Health*, vol. 34, p. 191-197.

Stoparic, B. (2006). *Anti-poverty Efforts Face Child Marriage Hurdle*. http://www.womensenews.org/article.cfm/dyn/aid/2831/context/archive. (Consultation en ligne le 12 septembre 2006).

Strachan-Bennett, S. (2006). « Erectile dysfunction could predict CHD », *Archives of Internal Medicine*, vol. 166, p. 201-219.

Strassberg, D. et Mahoney, J. (1988). « Correlates of contraceptive behavior of adolescents/young adults », *Journal of Sex Research*, vol. 25, p. 531-536.

Straus, J. (2006). *Unhooked Generation: The Truth About Why We're Still Single*, New York, Hyperion.

Streisand, B. (2005). « Doing it in prime time », *U.S. News et World Report*, 17 octobre, p. 50-51.

Striar, S. et Bartlik, B. (2000). « Stimulation of the libido: The use of erotica in sex therapy », *Psychiatric Annals*, vol. 29, p. 60-62.

Strong, D., Bancroft, J., Carnes, L., Davis, L., et Kennedy, J. (2005). « The impact of sexual arousal on sexual risk-taking: A qualitative study », *Journal of Sex Research*, vol. 42, p. 185-191.

Struckman-Johnson, C., et Struckman-Johnson, D. (2000). « Sexual coercion rates in seven midwestern prison facilities for men », *Prison Journal*, vol. 80, p. 379-390.

Struckman-Johnson, C., Struckman-Johnson, D., et Anderson, P. (2003). « Tactics of sexual coercion: When men and women won't take vol. for an answer », *Journal of Sex Research*, vol. 40, p. 76-86.

Stuart, F., Hammond, C. et Pett, M. (1988). « Inhibited sexual desire in women », *Archives of Sexual Behavior*, vol. 16, p. 91-106.

Stuart, F., Hammond, C., et Pett, M. (1998). « Inhibited sexual desire in women », *Archives of Sexual Behavior*, vol. 16, p. 91-106.

Stubbs, K. (1992). *Sacred Orgasms*. Berkeley, CA, Secret Garden.

St-Vincent, G. (2002). « Analyse de besoins de formation des enseignants et enseignantes du primaire en prévention des abus sexuels à l'égard des enfants », Rapport d'activités présenté comme exigence partielle de la maîtrise en sexologie, Université du Québec à Montréal.

Suggs, R. (1962). *The Hidden Worlds of Polynesia*, New York, Harcourt, Brace & World.

Summers, N. (2005). « Podcasting: Talking dirty on your iPod », *Newsweek*, 1er août, p. 10.

Summers, T., Kates, J., et Murphy, G. (2002). « The global impact of HIV/AIDS on young people », *SIECUS Report*, vol. 31, p. 14-23.

Swaab, D., Gooren, L., et Hoffman, M. (1995). « Brain research, gender, and sexual orientation », *Journal of Homosexuality*, vol. 28, p. 283-301.

Swiss, S., et Giller, J. (1993). « Rape as a crime of war », *Journal of the American Medical Association*, vol. 270, p. 612-615.

Symes, L. (2000). « Arriving at readiness to recover emotionally after sexual assault », *Archives of Psychiatric Nursing*, vol. 14, p. 30-38.

Synovitz, L. et Byrne, J. (1998). « Antecedents of sexual victimization: Factors discriminating victims from nonvictims », *Journal of American College Health*, vol. 46, p. 151-158.

Taddio, A., Stevens, B., Craig, K., Rastogi, P., Ben-David, S., Shennan, A., Mulligan, P., et Koren, G. (1997b). «Efficacy and safety of lidocaine-prilocaine cream for pain during circumcision», *New England Journal of Medicine*, vol. 336, p. 1197-1201.

Tamimi, R., Hankinson, S., Chen, W., et Rosner, B. (2006). «Combined estrogen and testosterone use and risk of breast cancer in postmenopausal women», *Archives of Internal Medicine*, vol. 166, p. 1483-1489.

Tanenbaum, L. (1997). «Can sperm affect fetal health?», *Ms.*, mars-avril, p. 31.

Tannen, D. (1990). *You Just Don't Understand: Women and Men in Conversation*, New York, Ballantine Books (édition de poche : 1991).

Tannen, D. (1994). *Gender and Discourse*, New York, Oxford University Press.

Tardif, M. et Van Gijseghem, H. (2001). «Do Pedophiles Have a Weaker Identity Structure Compared with Nonsexual Offenders?», *Child Abuse and Neglect*, vol. 25, p. 1381-1394.

Task Force on Circumcision (1999). «Circumcision policy statement», *Pediatrics*, vol. 103, p. 686-693.

Tavris, C. (2005). «Brains, biology, science and skepticism: On thinking about sex differences (again)», *Skeptical Inquirer*, mai-juin.

Taylor, G., et Ussher, J. (2001). «Making sense of S and M: A discourse analytic account», *Sexualities*, vol. 4, p. 293-314.

Taylor, J. (1971). *Holy Living* (sous la direction de R. Haber et C. Eden), éd. révisée, New York, Adler.

Taylor, L. (2005). «All for him: Articles about sex in American lad magazines», *Sex Roles: A Journal of Research*, vol. 52, p. 153-164.

Taylor, R. (1970). *Sex in History*, New York, Harper & Row.

Teachman, J. (2003). «Premarital sex, premarital cohabitation, and the risk of subsequent marital dissolution among women», *Journal of Marriage and the Family*, vol. 65, p. 444-455.

Teich, M. (2006). «Love at the margins», *Psychology Today*, septembre-octobre, p. 88-95.

Templeman, T., et Sinnett, R. (1991). «Patterns of sexual arousal and history in a "normal" sample of young men», *Archives of Sexual Behavior*, vol. 20, p. 137-150.

Terzieff, J. (2006). *Fashion World Says Too Thin is Too Hazardous*. http://www.womensenews.org. (Consultation en ligne le 24 septembre 2006).

Thanasiu, P. (2004). «Childhood sexuality: Discerning healthy from abnormal sexual behaviors», *Journal of Mental Health Counseling*, vol. 26, p. 309-319.

Tharaux-Deneux, C., Bouyer, J., Job-Spira, N., Coste, J. et Spira, A. (1998). «Risk of ectopic pregnancy and previous induced abortion», *American Journal of Public Health*, vol. 88, n° 3, p. 401-405.

The Economist (1998). «The sex business», *The Economist*, 14 février, p. 17-18.

Thomas, G. (janvier 2006). *Death and Denial: Unsafe Abortion and Poverty*. http://www.ippf.org/ContentController.aspx?ID=13100. (Consultation en ligne le 19 février 2006).

Thomas, J. (2005). «Young women victimized in adolescence are at risk of further sexual violence», *Perspectives on Sexual and Reproductive Health*, vol. 37, p. 50-51.

Thompson, J. (2003a). «Preconceptual care, Part 2», *Community Practitioner*, vol. 76, p. 143-144.

Thornburg, H. et Aras, A. (1986). «Physical characteristics of developing adolescents», *Journal of Adolescent Research*, vol. 1, p. 47-78.

Tiefer, L. (1995). *Sex Is Not a Natural Act and Other Essays*, Boulder, Westview Press.

Tiefer, L. (1999). «In pursuit of the perfect penis: The medicalization of male sexuality», *Sexuality: A Reader* (sous la direction de K. Lebacqz et D. Sinacore-Guinn), Cleveland (Ohio), The Pilgrim Press.

Tierney, J. (2005). *The Doofus Dad*. http://www.nytimes.com/2005/06/opinion/18tierney.html. (Consultation en ligne le 4 mai 2006).

Timmerman, J. (2001). «When religion is its own worst enemy: How therapists can help people shed hurtful notions that masquerade as good theology», *Journal of Sex Education and Therapy*, vol. 26, p. 259-266.

Tjaden, P. et Thoennes, N. (1998). *Prevalence, Incidence and Consequences of Violence Against Women: Findings From the National Violence Against Women Survey*, Washington (D.C.), National Institute of Justice.

Todd, J., Grosskurth, H., Changaluncha, J., et coll. (2006). «Risk factors influencing HIV infection incidence in a rural African population: A nested case-control study», *Journal of Infectious Diseases*, vol. 193, p. 458-466.

Tollison, C. et Adams, H. (1979). *Sexual Disorders: Treatment, Theory, Research*, New York, Gardner.

Tomlinson, F., Raphael, H., et Mehta, R. (2006). «Is androgen replacement therapy for hypogonadal men in the form of a transdermal gel (Tesogel) acceptable to patients attending a men's sexual health clinic, compared with older applications?», *The Journal of Sexual Medicine*, vol. 3 (suppl. 3), p. 199-223.

Tone, A. (2002). «The contraceptive conundrum», *SIECUS Report*, vol. 31, p. 4-8.

Toner, J. (2002). «Progress we can be proud of: U.S. trends in assisted reproduction over the first 20 years», *Fertility and Sterility*, vol. 78, p. 943-950.

Torassa, U. (2000). *S.F. Study: HIV Spread Through Oral Sex*. http://www.examiner.com/oral.html (consultation en ligne le 1er février 2000).

Toufexis, A. (1993). «The right chemistry», *Time*, 15 février, p. 49-51.

Tourangeau, R., Rasinski, K., Jobe, J., Smith, T., et Pratt, W. (1997). «Sources of error in a survey on sexual behavior», *Journal of Official Statistics*, vol. 13, p. 341-365.

Townsend, J. (1995). «Sex without emotional involvement: An evolutionary interpretation of sex differences», *Archives of Sexual Behavior*, vol. 24, p. 173-182.

Townsend, J., et Wasserman, T. (1998). «Sexual attractiveness: Sex differences in assessment and criteria», *Evolution and Human Behavior*, vol. 19, p. 171-191.

Traish, A., Kim, K., Munarriz, R., et Goldstein, I. (2002a). «Role of androgens in female genital sexual arousal: Receptor expression, structure, and function», *Fertility and Sterility*, vol. 77 (suppl. 4), p. 511-518.

Treas, J. et Giesen, D. (2000). «Sexual infidelity among married and cohabiting Americans», *Journal of Marriage and the Family*, vol. 62, p. 48-60.

Tripp, C. (1975). *The Homosexual Matrix*, New York, McGraw-Hill.

Troiden, R. (1988). *Gay and Lesbian Identity: A Sociological Analysis*. New York, General Hall.

Trudel, G. (2002). «Sexuality and Marital Life: Result of a Survey», *Journal of Sex Marital Therapy*, vol. 28, n° 3, p. 229-250.

Truitt, W., et Coolen, L. (2002). «Identification of a potential ejaculation generator in the spinal cord», *Science*, vol. 297, p. 1566-1599.

Trussell, J., Vaughan, B., et Stanford, J. (1999). «Are all contraceptive failures unintended pregnancies? Evidence from the 1995 National Survey of Family Growth», *Family Planning Perspectives*, vol. 31, p. 246-247.

Tucker, M. (2004). «Sexual desire, activity up with testosterone patch», *Family Practice News*, vol. 34, p. 44.

Tudge, C. (1991). «Can we end rhivol. poaching?», *New Scientist*, vol. 132, p. 34-35.

Tuiten, A., Van Honk, J., Koppeschaar, H., Bernaards, C., Thijssen, J. et Verbaten, R. (2000). «Time course of effects of testosterone administration on sexual arousal in women», *Archives of General Psychiatry*, vol. 57, p. 149-153.

Turner, H. (1999). «Participation bias in AIDS-related telephone surveys: Results from the National AIDS Behavior Study (NABS) nonresponse study», *Journal of Sex Research*, p. 52-58.

Tyre, P. (2006). «Poker buddies for life», *Newsweek*, 20 février, p. 61.

Ubell, E. (1984). «Sex in America today», *Parade*, 28 octobre, p. 11-13.

Ueno, K. (2005). «Sexual orientation and psychological distress in adolescence: Examining interpersonal stressors and social support processes», *Social Psychology Quarterly*, vol. 68, p. 258-277.

Ullman, S., et Brecklin, L. (2003). « Sexual assault history and health-related outcomes in a national sample of women », *Psychology of Women Quarterly*, vol. 27, p. 46-57.

Ullman, S., Filipas, H., Townsend, S., et Starzynski, L. (2005). « Trauma exposure, posttraumatic stress disorder and problem drinking in sexual assault survivors », *Journal of Studies on Alcohol*, vol. 66, p. 610-619.

Umberson, D., Williams, K., Powers, D., et Liu, H. (2006). « You make me sick: Marital quality and health over the life course », *Journal of Health and Social Behavior*, vol. 47, p. 1-16.

Umstead, R. (2005). « Sexing up technology: Adult channels lead the charge into new media opportunities », *Multichannel News*, vol. 26, p. 28-30.

UN Office for the Coordination of Humanitarian Affairs (21 juillet 2006). *Swaziland: Facing the culture shock of monogamy*. http://www.irinnews.org/print.asp ?ReportID=54737. (consultation en ligne le 21 juillet 2006)

UNAIDS (2001a). *Children and Young People in a World of AIDS*. New York, United Nations.

Upadhyay, U. (2005). « New contraceptive choices », *Population Reports*, vol. 32, p. 1-2.

Urman, B., et Yakin, K. (2006). « Ovulatory disorders and infertility », *The Journal of Reproductive Medicine*, vol. 51, p. 267-282.

Vachss, A. (1999). « If we really want to keep our children safe », *Parade*, 2 mai, p. 6-7.

Valera, R., Sawyer, R. et Schiraldi, G. (2001). « Perceived health needs of inner-city street prostitutes: A preliminary study », *American Journal of Health and Behavior*, vol. 25, p. 50-59.

Valliant, P., Gauthier, T., Pottier, D., et Kosmyna, R. (2000). « Moral reasoning, interpersonal skills, and cognitions of rapists, child molesters, and incest offenders », *Psychological Reports*, vol. 86, p. 67-75.

van Damme, L. (2000). « Advances in Topical Microbicides », communication donnée à la 13th International AIDS Conference, Durban, Afrique du Sud, 9-14 juillet.

Van Hook, M., Gjermeni, E., et Haxhiymeri, E. (2006). « Sexual trafficking of women », *International Social Work*, vol. 49, p. 29-40.

Van Lankveld, J., ter Kuile, M., de Groot, H., et Melles, R. (2006). « Cognitive-behavioral therapy for women with lifelong vaginismus: A randomized waiting-list controlled trial of efficacy », *Journal of Consulting and Clinical Psychology*, vol. 74, p. 168-178.

Van Voorhis, R., et Wagner, M. (2002). « Among the missing: Content on lesbian and gay people in social work journals », *Social Work*, vol. 47, p. 345-354.

Van Wyk, P. (1984). « Psychosocial development of heterosexual, bisexual, and homosexual behavior », *Archives of Sexual Behavior*, vol. 13, p. 505-544.

Van Zeijl (2006). « The agony of Darfur », *Ms.*, hiver, p. 24-26.

Vandello, J., et Cohen, D. (2003). « Male honor and female fidelity: Implicit cultural scripts that perpetuate domestic violence », *Journal of Personality and Social Psychology*, vol. 84, p. 997-1010.

Vandenbergh, J. (2003). « Prenatal hormone exposure and sexual variation », *American Scientist*, vol. 91, p. 218-225.

Vandeusen, K., et Carr, J. (2003). « Recovery from sexual assault: An innovative two-stage group therapy model », *International Journal of Group Psychotherapy*, vol. 53, p. 201-223.

Vasconcellos, D., VionDury, K., et Kuntz, D. (2006). « Sexuality and well-being among older women: A cross-cultural approach », *The Journal of Sex Research*, vol. 43, p. 9-11.

Vermani, M., Milosevic, I., Smith, F., et Katzman, M. (2005). « Herbs for mental illness: Effectiveness and interaction with conventional medicines: Some herbs do work as claimed; all have the potential for downside activity as well », *Journal of Family Practice*, vol. 54, p. 789-800.

Vickerman, P., Watts, C., Delany, S., et coll. (2006). « The importance of context: Model projections on how microbicide impact could be affected by the underlying epidemiologic and behavioral situation in 2 African settings », *Sexually Transmitted Diseases*, vol. 33, p. 397-405.

Vilain, E. (2001). « Genetics of sexual development », *Annual Review of Sex Research*, vol. 11, p. 1-25.

Villanueva-Diaz, C., Flores-Reyes, G., et Beltran-Zuniga, M. (1999). « Bacteriospermia and male infertility: A method for increasing the sensitivity of semen culture », *International Journal of Fertility*, vol. 44, p. 198-203.

Vinardi, S., Magro, P., Manenti, M., Lala, R., Costantino, S., Cortese, M. et Canarese, F. (2001). « Testicular function in men treated in childhood for undescended testes », *Journal of Pediatric Surgery*, vol. 36, p. 385-388.

Volm, L. (1997). Communication privée.

Waldinger, M., et Schweitzer, D. (2006). « Changing paradigms from a historical DSM-III and DSM-IV view toward an evidence-based definition of premature ejaculation. Part II—Proposals for DSM-V and ICD-11 », *The Journal of Sexual Medicine*, vol. 3, p. 693-705.

Wales, S. et Todd, K. (2001). « Sexuality and intimacy across the lifespan », communication donnée à la XXXIII Annual Conference of the American Association of Sex Educators, Counselors, and Therapists, San Francisco, 2-6 mai.

Walker, J., Archer, J., et Davies, M. (2005). « Effects of rape on men: A descriptive analysis », *Archives of Sexual Behavior*, vol. 34, p. 69-80.

Walling, A. (2005). « Prevention and diagnosis of fetal alcohol syndrome », *American Family Physician*, vol. 73, p. 1837.

Wallis, M., Daneback, K., Mansson, S., Tikkahen, R., et Cooper, A. (2003). « Characteristics of men and women who complete or exit from an on-line Internet sexuality questionnaire: A study of instrument dropout bias », *Journal of Sex Research*, vol. 40, p. 396-402.

Walsh, A. (1991). *The Science of Love: Understanding Love and Its Effects on Mind and Body*, Buffalo (New York), Prometheus.

Wang, A. (2000). « Gays in the military », *The Sunday Oregonian*, 16 janvier, p. A2.

Ward, H., et Day, S. (2006). *What Happens to Women Who Sell Sex? Report of a Unique Occupational Cohort*. http://sti.bmjjournals.com/cgi/content/abstract/sti.2006.020982v1. (Consultation en ligne le 26 juin 2006).

Waskul, D. (sous la direction de) (2004). *Net. SeXXX: Readings on Sex, Pornography, and the Internet*. New York, Peter Lang.

Wawer, M., Gray, R., Sewankambo, N., et coll. (2005). « Rates of HIV-1 transmission per coital act, by stage of HIV-1 infection, Rakai, Uganda », *Journal of Infectious Diseases*, vol. 191, p. 1403-1409.

Waxman, J., et Mazhar, D. (2003). « How are we looking after prostate cancer? », *QJM: An International Journal of Medicine*, vol. 96, p. 75-79.

Weber, A. (1998). « Losing, leaving, and letting go: Coping with nonmarital breakups » (sous la direction de B. Spitzberg et W. Cupah), *The Dark Side of Close Relationships*, Mahwah, NJ, Erlbaum.

Wehrfritz, G. (1996). « Joining the party », *Newsweek*, 1er avril, p. 46, 48.

Weinberg, G. (1973). *Society and the Healthy Homosexual*, New York, Anchor.

Weinberg, M., Williams, C. et Moser, C. (1984). « The social constituents of sadomasochism », *Social Problems*, vol. 31, p. 379-389.

Weinberg, T. (1987). « Sadomasochism in the United States: A review of recent sociological literature », *Journal of Sex Research*, vol. 23, p. 50-69.

Weinberg, T. (1995). *S and M: Studies in Dominance and Submission*, New York, Prometheus Books.

Weiner, A. (1996). « Understanding the social needs of streetwalking prostitutes », *Journal of the National Association of Social Workers*, vol. 41, p. 97-105.

Weisner-Hanks, M. (2000). *Christianity and Sexuality in the Early Modern World*. Londres, Routledge.

Weiss, J. (2001). « Treating vaginismus: Patient without partner », *Journal of Sex Education and Therapy*, vol. 26, p. 28-33.

Wellings, K., Field, J., Johnson, A., et Wadsworth, J. (1994). *Sexual Behaviour in Britain: The National Survey of Sexual Attitudes and Lifestyles*. Londres, Penguin Books.

Wells, B. (1983). «Nocturnal orgasms: Females' perceptions of a "normal" sexual experience», *Journal of Sex Education and Therapy*, vol. 9, p. 32-38.

Wells, J. (1991). «The effects of homophobia and sexism on heterosexual sexual relationships», *Journal of Sex Education and Therapy*, vol. 17, p. 185-195.

Welner, S. (1997). «Gynecologic care and sexuality issues for women with disabilities», *Sexuality and Disability*, vol. 15, p. 33-39.

Westhoff, C., Picardo, L., et Morrow, E. (2003). «Quality of life following early medical or surgical abortion», *Contraception*, vol. 67, p. 41-47.

Wheeler, M. (1991). «Physical changes of puberty», *Endocrinology and Metabolism Clinics of North America*, vol. 20, p. 1-14.

Wheeler, M. (2003). *AIDS Education Through Imams (2003)*. http://www.unaids.org/publications/documents/sectors/religion/imamscse.pdf (consultation en ligne le 2 janvier 2003).

Whipple, B. (2000). «Beyond the G spot», *Scandinavian Journal of Sexology*, vol. 3, p. 35-42.

Whipple, B. et Komisaruk, B. (1999). «Beyond the G spot: Recent research on female sexuality», *Psychiatric Annals*, vol. 29, p. 34-37.

Whipple, B., et Komisaruk, B. (2006). «Where in the brain is a woman's sexual response? Laboratory studies including brain imaging during orgasm», *The Journal of Sex Research*, vol. 43, p. 29-30.

Whitaker, D., Miller, K., May, D. et Levin, M. (1999). «Teenage partners' communication about sexual risk and condom use: The importance of parent-teenagers discussions», *Family Planning Perspectives*, vol. 31, p. 117-121.

Whitbeck, L., Yoder, K., Hoyt, D. et Conger, R. (1999). «Early adolescent sexual activity: A developmental study», *Journal of Marriage and the Family*, vol. 61, p. 934-946.

White, G. et Helbick, R. (1988). «Understanding and treating jealousy», *Treatment of Sexual Problems in Individuals and Couples Therapy* (sous la direction de R. Brown et J. Fields), Boston, PMA Publishing.

White, J. (2003). «Who do you love?», *Utne Reader*, mai-juin, p. 24-26.

Wiederman, M. (1999). «Volunteer bias in sexuality research using college student participants», *Journal of Sex Research*, vol. 36, p. 59-66.

Wiederman, M. (2000). «Women's body image self-consciousness during physical intimacy with a partner», *The Journal of Sex Research*, vol. 37, p. 60-68.

Wiegratz, I., Kutschera, E., Lee, J., Moore, C., Mellinger, U., Winkler, U., et Kuhl, H. (2003). «Effect of four different oral contraceptives on various sex hormones and serum-binding globulins», *Contraception*, vol. 67, p. 25-32.

Wiesenfeld, H., Hillier, S., Krohn, M., Landers, D., et Sweet, R. (2003). «Bacterial vaginosis is a strong predictor of *Neisseria gonorrhoeae* and *Chlamydia trachomatis* infections», *Clinical Infectious Diseases*, vol. 36, p. 663-668.

Wiesner-Hanks, M. (2000). *Christianity and Sexuality in the Early Modern World*, Londres, Routledge.

Wiest, W. (1977). «Semantic differential profiles of orgasm and other experiences among men and women», *Sex Roles*, vol. 3, p. 399-403.

Wiest, W., Harrison, J., Johanson, C., Laubsch, B. et Whitley, A. (1995). Communication donnée devant l'Oregon Academy of Sciences, 25 février, Reed College, Portland.

Wilcox, A., Weinberg, C., et Baird, D. (1995). «Timing of sexual intercourse in relation to ovulation. Effects on the probability of conception, survival of the pregnancy, and sex of the baby», *New England Journal of Medicine*, vol. 333, p. 1517-1521.

Wilkes, D. (2006). «Clinical: GP involvement in fertility treatment», *GP*, 20 janvier, p. 30.

Willetts, M. (2006). «Union quality comparisons between long-term heterosexual cohabitation and legal marriage», *Journal of Family Issues*, vol. 27, p. 110-127.

Willford, J., Leech, S., et Day, N. (2006). «Moderate prenatal alcohol exposure and cognitive status of children at age 10», *Alcoholism: Clinical and Experimental Research*, vol. 30, p. 1051-1059.

Williams, C., et Weinberg, M. (2003). «Zoophilia in men: A study of sexual interest in animals», *Archives of Sexual Behavior*, vol. 32, p. 523-535.

Williams, L. (1994). «Recall of childhood trauma: A prospective study of women's memories of child sexual abuse», *Journal of Consulting and Clinical Psychology*, vol. 62, p. 1167-1176.

Williams, P. et Smith, M. (1979). *Interview in The First Question*, Londres, British Broadcasting System Science and Features Department film.

Williams, S. (2000). «A new smoking peril», *Newsweek*, 24 avril, p. 78.

Williams, T., Connolly, J., Pepler, D., et Craig, W. (2005). «Peer victimization, social support, and psychosocial adjustment of sexual minority adolescents», *Journal of Youth and Adolescence*, vol. 34, p. 471-482.

Williams, Z., Litscher, E., Darie, C., et Wassarman, P. (2006). «Rational design of pregnancy vaccine», *Obstetrics & Gynecology* (Suppl.), vol. 107, p. 14S–15S.

Willoughby, B., Malik, N., et Lindahl, K. (2006). «Parental reactions to their sons' sexual orientation disclosures: The roles of family cohesion, adaptability, and parenting style», *Psychology of Men and Masculinity*, vol. 7, p. 14-26.

Wilson, B. et Lawson, D. (1976). «Effects of alcohol on sexual arousal in women», *Journal of Abnormal Psychology*, vol. 85, p. 489-497.

Wilson, J. (2003). *Biological Foundations of Human Behavior*, Belmont, CA, Wadsworth/Thomson Learning.

Wilson, M., Kastrinakis, M., D'Angelo, L. et Getson, P. (1994). «Attitudes, knowledge, and behavior regarding condom use in urban black adolescents males», *Adolescence*, vol. 29, p. 13-26.

Wilson, S.K. et Delk, J.R. (1994). «A New Treatment for Peyronies Disease: Modeling the Penis over an Inflatable Penile Prosthesis», *The Journal of Urology*, vol. 152, p. 1121-1123.

Wind, R. (4 mai 2006). *A Tale of Two Americas for Women*. http://www.guttmacher.org/media/mr/2006/05/05/index.html. (Consultation en ligne le 10 mai 2006).

Wines, M. (2005). «S. Africa approves same-sex marriage», *The Oregonian*, 2 décembre, p. A1.

Wise, N. (2006). «Polyamory and other forms of negotiated non-monogamy: A crash course for the curious», communication donnée au Gumbo Sexualite Upriver: Spicing Up Education and Therapy (AASECT 38th Annual Conference), St. Louis, juin-juillet.

Wisniewski, A., Prendeville, M., et Dobs, A. (2005). «Handedness, functional cerebral hemispheric lateralization, and cognition in male-to-female transsexuals receiving cross-sex hormone treatment», *Archives of Sexual Behavior*, vol. 34, p. 167-172.

Witt, S. (1997). «Parental influence on children's socialization to gender roles», *Adolescence*, vol. 32, p. 253-258.

Wiviott, G. (2001). «An existential approach to maritial therapy in cases of marital infidelity», communication donnée à la XXXIII Annual Conference of the American Association of Sex Educators, Counselors, and Therapists, San Francisco, 2-6 mai.

Wohl, R. et Kane, W. (1997). «Teachers' beliefs concerning teaching about testicular cancer and testicular self-examination», *Journal of School Health*, vol. 67, p. 106-111.

Wold, A., et Adlerberth, I. (1998). «Does breastfeeding affect the infant's immune responsiveness?», *Acta Paediatrica*, vol. 87, p. 19-22.

Wolfe, A. (1998). «Shut up about sex», *The Advocate*, 14 avril, p. 43-45.

Wolfsdorf, B., et Zlotnick, C. (2001). «Affect management in group therapy for women with posttraumatic stress disorder and histories of childhood sexual abuse», *Journal of Clinical Psychology*, vol. 57, p. 169-181.

Women on Words and Images (1972). *Dick and Jane as Victims*. Princeton, NJ, Women on Words and Images.

Wong, C., et So-kum Tang, C. (2004). «Coming out experiences and psychological distress of Chinese homosexual men in Hong Kong», *Archives of Sexual Behavior*, vol. 33, p. 149-158.

Wong, W., Holroyd, E., Gray, A., et Ling, D. (2006). «Female street sex workers in Hong Kong: Moving beyond sexual health», *Journal of Women's Health*, vol. 15, p. 390-399.

Wood, G. et Ruddock, E. (1918). *Vitalogy*, Chicago, Vitalogy Association.

Wood, M. (2000). « How we got this way: The sciences of homosexuality and the Christian right », *Journal of Homosexuality*, vol. 38, p. 19-40.

Woodson, J. (2005). « Reinventing the male homosexual: The rhetoric and power of the gay gene », *Archives of Sexual Behavior*, vol. 34, p. 710-714.

Woodward, S. (2003). « Him, her—and the Internet », *The Oregonian*, 7 septembre, p. L1, L8.

Woodzicka, J., et LaFrance, M. (2005). « The effects of subtle sexual harassment on women's performance in job interview », *Sex Roles: A Journal of Research*, vol. 53, p. 67-77.

Woog, D. (1997). « Our parents », *The Advocate*, 28 octobre, p. 24-31.

Woolf, L. (2001). « Gay and lesbian aging », *SIECUS Report*, vol. 30, p. 16-21.

Worden, M., et Worden, B. (1998). *The Gender Dance in Couples Therapy*. Pacific Grove, CA, Brooks/Cole.

Workman, J. et Freeburg, E. (1999). « An examination of date rape, victim dress, and perceiver variables within the context of attribution theory », *Sex Roles*, vol. 41, p. 261-277.

Worthman, C. (1999). « Faster, farther, higher: Biology and the discourses on human sexuality » (sous la direction de D. Suggs et A. Miracle), *Culture, Biology, and Sexuality*, Athens, University of Georgia Press.

Wright, K. (2004). « On-line relational maintenance strategies and perceptions of partners within exclusively Internet-based and primarily Internet-based relationships », *Communication Skills*, vol. 55, p. 239-253.

Wyatt, T. (2003). *Pheromones and Animal Behavior: Communication by Smell and Taste*, New York, Cambridge University Press.

Yang, M., Fullwood, E., Goldstein, J., et Mink, J. (2005). « Masturbation in infancy and early childhood presenting as a movement disorder: 12 cases and a review of the literature », *Pediatrics*, vol. 116, p. 1427-1452.

Yarab, P. et Allgeier, E. (1998). « Don't even think about it: The role of sexual fantasies as perceived unfaithfulness in heterosexual dating relationships », *Journal of Sex Education and Therapy*, vol. 23, p. 246-254.

Yared, R. (2004). « AIDS rate surges in people 50+ », *AARP Bulletin*, mai, p. 2.

Yarian, D., et Anders, S. (2006). « Tantra and sex therapy: Convergence of ancient wisdom and modern sexology, a didactic and experiential workshop », communication donnée au Gumbo Sexualite Upriver: Spicing Up Education and Therapy (AASECT 38th Annual Conference), St. Louis, juin-juillet.

Yassin, A., Kliniken, S., et Saad, F. (2005). « Modulation of erectile function with long-acting testosterone injection i.m. in hypogonadal patients », communication donnée au 17th World Congress of Sexology, Montréal, Canada, 12 juillet.

Yates, A. et Wolman, W. (1991). « Aphrodisiacs: Myth and reality », *Medical Aspects of Human Sexuality*, décembre, p. 58-64.

Young, M., Denny, G. et Young, T. (2000). « Sexual satisfaction among married women age 50 and older », *Psychological Reports*, vol. 86, p. 1107-1122.

Yuan, W., Basso, O et Sorensen, H. (2001). « Maternal prenatal lifestyle factors and infectious disease in early childhood: A follow-up study of hospitalization within a Danish birth cohort », *Pediatrics*, vol. 107, p. 357-362.

Yuan, W., Steffensen, F., et Nielsen, G. (2000). « A population-based cohort study of birth and neonatal outcome in older primipara », *International Journal of Gynecology and Obstetrics*, vol. 68, p. 113-118.

Zak, A. et McDonald, C. (1997). « Satisfaction and trust in intimate relationships: Do lesbians and heterosexual women differ? », *Psychological Reports*, vol. 80, p. 904-906.

Zambrana, R., et Scrimshaw, S. (1997). « Maternal psychosocial factors associated with substance use in Mexican-origin and African American low-income pregnant women », *Pediatric Nursing*, vol. 23, n° 3, p. 253-254.

Zaviacic, M. et Whipple, B. (1993). « Update on the female prostate and the phenomenon of female ejaculation », *Journal of Sex Research*, vol. 30, p. 148-151.

Zhou, J., Hofman, M., Gooren, L. et Swaab, D. (1995). « A sex difference in the human brain and its relation to transsexuality », *Nature*, vol. 378, p. 68-70.

Zhu, T., Korber, B., Nahmias, A., Hooper, E., Sharp, P. et Ho, D. (1998). « An African HIV-1 sequence from 1959 and implications for the origin of the epidemic », *Nature*, vol. 391, p. 594-597.

Zielinski, L. (2006). « Jane Doe's choice », *Ms.*, hiver, p. 69-71.

Zilbergeld, B. (1978). *La sexualité masculine aujourd'hui*. Verviers, Marabout.

Zilbergeld, B. (1992). *The New Male Sexuality*, New York, Bantam Books.

Zilbergeld, B. (2001). « Sexuality at midlife and beyond », communication donnée à la XXXIII Annual Conference of the American Association of Sex Educators, Counselors, and Therapists, San Francisco, 2-6 mai.

Zillmann, D. (1989). « Effects of prolonged consumption of pornography », *Pornography: Research Advances and Policy Considerations* (sous la direction de D. Zillman et J. Bryant), Hillsdale (New Jersey), Erlbaum.

Zillmann, D. et Bryant, J. (1988b). « Pornography's impact on sexual satisfaction », *Journal of Applied Social Psychology*, vol. 18, p. 438-453.

Zimmerman, C., Yun, K., Shvab, I., et Watts, C. (2003). *The Health Risks and Consequences of Trafficking in Women and Adolescents: Findings From a European Study*, Londres, London School of Hygiene and Tropical Medicine (LSHTM).

Zoldbrod, A. (1993). *Men, Women and Infertility*, New York, Norton.

Zolnoun, D., Harmann, K., Lamvu, G., et As-Sanie, S. (2006). « A conceptual model for the pathophysiology of vulvar vestibulitis syndrome », *Obstetrical and Gynecological Survey*, vol. 61, p. 395.

Zoucha-Jensen, J. et Coyne, A. (1993). « The effects of resistance strategies on rape », *American Journal of Public Health*, vol. 83, p. 1633-1634.

Zucker, K., Blanchard, R., et Siegelman, M. (2003). « Birth order among homosexual men », *Psychological Reports*, vol. 92, p. 117-118.

CRÉDITS PHOTOGRAPHIQUES

CHAPITRE 1

p. 1, Jupiter Images; p. 2, Rob Kim/Landov; p. 5, Mike Nelson/epa/Corbis; p. 9, Ablestock.com/Jupiter Images; p. 11, 25, Bettmann/Corbis; p. 15 (3 photos), Julie Saindon; p. 16, Andrejs Pidjass/Shutterstock; p. 18, UQAM; p. 23, W. Dellenback/The Kinsey Institute for Research in Sex, Gender, and Reproduction; p. 27 (gauche), avec la permission de SRS Medical Systems, Inc., Redmond, Washington/Hess Designs; p. 27 (centre, droite), avec la permission de Farrall Instruments, Inc.; p. 28, Monkey Business Images/Shutterstock.

CHAPITRE 2

p. 33, Shutterstock; p. 34 (gauche), Assiette Georgia O'Keefe, tirée de THE DINNER PARTY, (c) Judy Chicago, 1979, porcelaine peinte, 14" de diamètre. Photo © Donald Woodman Through the Flowers Archives/SODRAC (2009); p. 34 (droite), JJJ/Shutterstock; p. 35, (c) Custom Medical Stock Photography; p. 36 (3 photos), Tee Corinne; p. 39, Ulrike Kotermann/epa/Corbis; p. 51 (3 photos), Joel Gordon; p. 58, (c) Biophoto Associate/Photo Researchers, Inc.; p. 59, Joel Gordon; p. 61, David Phillips/Photo Researchers, Inc.; p. 65, Joel Gordon et Susan Lerner 1999/Joel Gordon Photography.

CHAPITRE 3

p. 69, Shutterstock; p. 76 (5 photos, gauche), Corel; p. 76 (droite), Banana Stock/Jupiter Images; p. 79, Sean Nel/Shutterstock; p. 80, Catalin Plesa/Shutterstock; p. 83, PhotoDisk/Getty Images.

CHAPITRE 4

p. 101, Shutterstock; p. 104, Getty Images; p. 109, Corel; p. 113, Wellcome Trust Library/Custom Medical Stock Photography; p. 115 (gauche), Terrie L. Zeller/Shutterstock; p. 115 (droite), Creatas/Jupiter Images; p. 123 (2 photos), avec la permission du Dr Daniel Greenwald; p. 125 (haut), Terrie L. Zeller/Shutterstock; p. 125 (bas), Julie Saindon; p. 126, Monkey Business/Shutterstock.

CHAPITRE 5

p. 133, Shutterstock; p. 139, marinethemes.com/Stephen Wong; p. 146, avec la permission de The Advertising Archives; p. 147, USHMM, avec la permission de KZ Gedenkstaette Dachau; p. 148, Michel Tremblay ; p. 150, Gai écoute; p. 152, megapress. ca /philiptchenko; p. 154, Yannick Dion.

CHAPITRE 6

p. 157, Shutterstock; p. 159, Brand X/Jupiter Images; p. 163, Julie Saindon; p. 167, Banana Stock /Jupiter Images; p. 171, Photos.com /Jupiter Images; p. 176, Carol Beckwith/Robert Estall Photo Agency, UK; p. 178, Peter Ellegard/peterellegard. co.uk; p. 182, The New Yorker Collection 2004 Christopher Weyant from cartoonbank.com. Tous droits réservés; p. 187, Thinkstock /Jupiter Images.

CHAPITRE 7

p. 191, Jupiter Images; p. 197, Tiré de *American Sex Machines*, Copyright (c) 1996, Hoag Levins. Utilisé avec permission.

Tous droits réservés; p. 200 (4 photos), avec la permission de Vibratex, Inc.; p. 204, Yuri Arcurs/Shutterstock; p. 209, Werner Forman/Art Resource, NY.

CHAPITRE 8

p. 211, Shutterstock; p. 212, Corel; p. 220, Photos.com/Jupiter Images; p. 223, Photos.com/Jupiter Images; p. 230, hfng/Shutterstock; p. 235, Philip Date/Shutterstock; p. 236, Photos. com/Jupiter Images; p. 239, Pixland/Jupiter Images; p. 243, Banana Stock/Jupiter Images; p. 249 (haut), Kuznetsov Alexey Andreevich/Shutterstock; p. 249 (bas), Brand X Pictures/Jupiter Images; p. 250, Julie Saindon.

CHAPITRE 9

p. 253, Shutterstock; p. 256, Guillermo Garcia/Shutterstock; p. 261, close-upp/istockphoto; p. 268, Coka/Shutterstock; p. 269 (gauche), Cenap Refik Ongan/Shutterstock; p. 269 (droite), Terekhov Igor/Shutterstock; p. 270, Zen Icknow/CORBIS; p. 272, Dee Boldrick/Dreamstime.com; p. 276, Jerry Koch Photography/Istockphoto; p. 277, Jason Stitt/Shutterstock.

CHAPITRE 10

p. 285, Shutterstock; p. 289, Comstock/Jupiter Images; p. 295 (haut), Image Source/Alamy; p. 295 (bas), avec la permission de Wilderness Trail Bikes, Inc.; p. 296, utilisation autorisée par licence octroyée par Santé Canada; p. 297, Goodshoot/Jupiter Images; p. 299, Julie Saindon; p. 301, Corel; p. 303 (2 photos) avec la permission de Charles S. Lee Md, Enhance Plastic Surgery; p. 304, The New Yorker Collection 1998 P.C. Vey, cartoonbank. com. Tous droits reservés.

CHAPITRE 11

p. 319, Shutterstock; p. 327, Julie Saindon; p. 344, Comstock, Jupiter Images.

CHAPITRE 12

p. 349, Jupiter Images; p. 358, Corel; p. 366, Ryan McVay/Getty Images; p. 370, Julie Saindon.

CHAPITRE 13

p. 373, Shutterstock; p. 375, Baldev/Sygma/Corbis; p. 380 (gauche), J. Darin Derstine; p. 380 (droite), Tomasz Trojanowski/Shutterstock; p. 381, San Francisco AIDS Foundation, 2003; p. 383, Dawid Zagorski/Shutterstock (condom), Julie Saindon (condom féminin) et J. Darin Derstine; p. 384, J. Darin Derstine; p. 385 (haut), Julie Saindon; p. 385 (bas), J. Darin Derstine; p. 387, avec la permission de Conceptus Incorporated; p. 403, Vince Bucci/Getty Images; p. 409, photos.com /Jupiter Images; p. 411, Dr Y. Nikas/Phototake. Tous droits réservés; p. 412, Dr G. Moscoso/Photo Researchers, Inc.; p. 413, Thinkstock / Jupiter Images; p. 416 (gauche), H. Schmid/zefa/Corbis; p. 416 (droite), D. van Rossum/Photo Researchers, Inc.; p. 418, Comstock/Jupiter Images.

INDEX

Les numéros en caractères gras indiquent qu'une définition du terme se trouve sur la page correspondante.